A Guide to Statistical Techniques

Problem Objectives

Data Types		Describe a Population	Compare Two Populations	Compare Two or More Populations	Analyze Relationship between Two Variables	Analyze Relationship among Two or More Variables
DATA TYPES	Interval	Histogram **Section 3-1** Line chart **Section 3-2** Mean, median, and mode **Section 4-1** Range, variance, and standard deviation **Section 4-2** Percentiles and quartiles **Section 4-3** *t*-test and estimator of a mean **Section 12-1** Chi-squared test and estimator of a variance **Section 12-2**	Equal-variances *t*-test and estimator of the difference between two means: independent samples **Section 13-1** Unequal-variances *t*-test and estimator of the difference between two means: independent samples **Section 13-1** *t*-test and estimator of mean difference **Section 13-3** *F*-test and estimator of ratio of two variances **Section 13-4** Wilcoxon rank sum test **Section 19-1** Wilcoxon signed rank sum test **Section 19-2**	One-way analysis of variance **Section 14-1** LSD multiple comparison method **Section 14-2** Tukey's multiple comparison method **Section 14-2** Two-way analysis of variance **Section 14-4** Two-factor analysis of variance **Section 14-5** Kruskal-Wallis test **Section 19-3** Friedman test **Section 19-3**	Scatter diagram **Section 3-3** Covariance **Section 4-4** Coefficient of correlation **Section 4-4** Coefficient of determination **Section 4-4** Least squares line **Section 4-4** Simple linear regression and correlation **Chapter 16** Spearman rank correlation **Section 19-4**	Multiple regression **Chapters 17 and 18**
	Nominal	Frequency distribution **Section 2-2** Bar chart **Section 2-2** Pie chart **Section 2-2** *Z*-test and estimator of a proportion **Section 12-3** Chi-squared goodness-of-fit test **Section 15-1**	*Z*-test and estimator of the difference between two proportions **Section 13-5** Chi-squared test of a contingency table **Section 15-2**	Chi-squared test of a contingency table **Section 15-2**	Chi-squared test of a contingency table **Section 15-2**	Not covered
	Ordinal	Median **Section 4-1** Percentiles and quartiles **Section 4-3**	Wilcoxon rank sum test **Section 19-1** Sign test **Section 19-2**	Kruskal-Wallis test **Section 19-3** Friedman test **Section 19-3**	Spearman rank correlation **Section 19-4**	Not covered

켈러의 경영경제통계학

STATISTICS FOR MANAGEMENT AND ECONOMICS

엑셀의 실전적 활용

***Statistics for Management and Economics,* Twelfth Edition**

Gerald Keller

ISBN-13: 979-89-6218-546-1

Cengage Learning Korea Ltd.
14F YTN Newsquare 76 Sangamsan-ro
Mapo-gu Seoul 03926 Korea

Cengage is a leading provider of customized learning solutions with employees residing in nearly 40 different countries and sales in more than 125 countries around the world. Find your local representative at: **www.cengage.com**

To learn more about Cengage Solutions, visit **www.cengageasia.com**

Printed in Korea
Print Number: 02 Print Year: 2023

STATISTICS FOR MANAGEMENT AND ECONOMICS

제12판

켈러의 경영경제통계학

엑셀의 실전적 활용

Gerald Keller 지음 | 이상규 옮김

Cengage

Australia • Brazil • Canada • Mexico • Singapore • United Kingdom • United States

켈러의 경영경제통계학 엑셀의 실전적 활용 제12판

Statistics for Management and Economics, Twelfth Edition

제12판 1쇄 발행 | 2023년 2월 23일
제12판 2쇄 발행 | 2023년 3월 31일

지은이 | Gerald Keller
옮긴이 | 이상규
발행인 | 송성헌
발행처 | 센게이지러닝코리아㈜
등록번호 | 제313-2007-000074호(2007.3.19.)
이메일 | asia.infokorea@cengage.com
홈페이지 | www.cengage.co.kr

ISBN | 978-89-6218-546-1

공급처 | ㈜한티에듀
주　소 | 서울시 마포구 동교로 23길 67 3F.
도서안내 및 주문 | TEL 02) 332-7993 FAX 02) 332-7995
이메일 | hantee@hanteemedia.co.kr

값 48,000원

역자 머리말

오늘날 거의 모든 산업 영역에서 정보기술(IT)이 적용되면서 디지털화가 급속하게 진전되고 있다. 이러한 과정에서 컴퓨팅 능력의 향상과 데이터 센터의 구축을 통해 관련된 방대한 수치형 데이터뿐만 아니라 비수치형 데이터가 실시간으로 축적되고 있다. 이러한 데이터로부터 신속하게 유용한 정보를 추출하여 데이터 기반 의사결정에 활용하는 일이 점점 더 중요해지고 있다. 이러한 상황에서 데이터로부터 정보를 추출하기 위해 사용되는 통계분석기법에 대한 정확한 이해와 적용뿐만 아니라 통계분석결과를 정확하게 해석해 낼 수 있는 능력이 요구된다.

Gerald Keller가 저술한 *Statistics for Management and Economics*, 12th Edition, 2023은 수학적 배경과 컴퓨터 활용능력이 부족할 뿐만 아니라 경영경제분야에 대한 지식이 충분하지 않은 독자들에게 통계학에서 사용되는 중요한 개념과 통계분석기법을 이해시키고, 경영경제분야의 다양한 현상을 분석하기 위해 통계학적 방법론을 실전적으로 활용하는 능력을 함양시켜주는 탁월한 교재이다.

이 교재는 다음과 같은 특성을 가지고 있다. 첫째, 1988년에 첫판이 출간된 이후 제12판에 이르기까지 35년 이상 동안 지속적으로 경영경제통계학이 지향해야 하는 접근방법을 심화시키면서 경제경영분야와 관련된 다양한 예제와 연습문제뿐만 아니라 실제 대규모 데이터를 활용하는 현장성을 크게 강화시켰다. 둘째 단순한 통계량의 직접 계산과 통계기법의 수학적 도출을 시도하는 기존의 접근방법을 지양하고 통계개념의 직관적 이해를 위해 컴퓨터 시뮬레이션 기법과 표본크기와 같은 통계기법을 구성하는 요소들의 변화가 미치는 효과를 이해하기 위한 "what-if" 분석을 활용하고 있다. 셋째 통계문제를 풀기 위한 체계적인 방법으로 ICI 접근법, 즉 통계기법의 선택(identify), 통계량의 계산(compute), 통계분석결과의 해석(interpret)의 3단계 접근법을 일관되게 사용하고 있다. 넷째, 통계분석을 위해 경영경제분야에서 널리 사용되는 Excel을 실전적으로 활용하고 있다. 특히 Excel의 다양한 함수(f_x)와 데이터 분석 프로그램을 사용하고 있을 뿐만 아니라 Excel의 데이터 분석 프로그램에 포함되어 있지 않은 통계분석기법을 제공하는 Excel Workbooks와 Do It Yourself를 사용하고 있다. 다섯째, 통계분석 프로그램을 사용하여 구한 통계분석결과에 대한 적정한 해석과 통계기법의 필요조건들에 대한 이해를 강조하고 있다.

이에 더하여 역자는 번역본 12판에 통계기법의 이해를 심화시키고 응용능력을 강화시키기 위해 추가적으로 표본분산의 표본분포, 최소자승법의 도출, 회귀모형기울기에 대한 t-검정방법의 도출, 회귀식을 이용한 예측기법에 대한 참고사항을 포함시켰다. 역자는 번역본 12판을 통해 독자들이 데이터로부터 정보를 추출하는 기초적인 통계기법을 흥미롭게 배울 뿐만 아니라 이를 통해 머신러닝과 딥러닝이 사용되는 데이터 애널리틱스를 위한 통계학적 기초를 확고하게 다질 수 있기를 기대한다.

마지막으로『켈러의 경영경제통계학: 엑셀의 실전적 활용』제12판 번역서를 출간하기 위해 기획단계에서부터 완성단계에 이르기까지 전폭적으로 지원해주신 ㈜센게이지러닝코리아의 직원 여러분과 독자들이 읽기 쉽도록 세심하게 편집해주신 ㈜우일미디어 직원 여러분에게 진심으로 감사의 마음을 전한다.

2023년 1월

이상규(sklee@khu.ac.kr)

저자 머리말

기업들은 점점 더 데이터를 정보로 전환시키기 위한 통계기법들을 사용하고 있다. 경영/경제 분야에서 일하기 위해 준비하는 학생들이 다양한 통계기법과 계산에 숙달되는 것에 초점을 맞추는 것만으로는 충분하지 않다. 통계학을 가르치는 과목과 과목에서 사용되는 교재는 통계 개념과 현실 문제에 대한 통계 개념의 적용에 대하여 완전히 이해할 수 있도록 만들어져야 한다. 이 책은 통계기법이 오늘날의 경영자들과 이코노미스트들에게 중요한 도구라는 것을 보여주기 위해 디자인되었다.

이러한 목적을 달성하기 위해서 이 책은 다음과 같은 몇 가지 특성들을 가지고 있다. 첫째, 마케팅담당자, 금융애널리스트, 회계사, 이코노미스트, 생산운영관리자 및 여타 경영경제 분야 담당자에 의해 사용될 수 있는 통계적 응용을 보여주는 데이터에 의거하여 처리되는 예제들, 연습문제들, 사례분석들이 포함되었다. 많은 예제들, 연습문제들과 사례분석들은 대규모의 실제 데이터 세트를 가지고 있다. 둘째, 통계학의 응용측면을 강조하기 위해서 정확한 통계기법을 선택하는 방법에 대한 설명이 제공되어 있다. 셋째, 통계분석결과를 해석하는 데 필수적인 통계개념들이 제시되어 있다.

기업 활동은 복잡하기 때문에 비즈니스 분야에서 성공하기 위해서는 효율적인 경영이 요구된다. 기업 활동의 복잡한 측면들을 관리하기 위해서는 많은 기술적 능력이 요구된다. 경쟁자들이 많이 있고, 제품을 판매하는 장소들이 많으며 근로자들을 배치하여야 할 부서들이 많다. 따라서 효율적인 의사결정이 과거보다 훨씬 더 중요해지고 있다. 다른 한편, 경영자들은 잠재적인 정보출처가 되는 더 커지고 더 상세해진 데이터에 더 많이 직면하고 있다. 그러나 이러한 문제들을 다루기 위해서 경영자들은 데이터를 정보로 전환시키는 방법을 알아야 한다. 이와 관련된 지식은 단순히 통계량들을 산술적으로 계산하는 것을 넘어선다. 불행하게도 대부분의 교과서들은 직접 계산하는 방법을 사용하면서 서로 연결되지 않는 일련의 기법들을 제시하고 있다. 이것이 과거 오랜 기간 동안 계속적으로 유지되었던 패턴이다. 이제 필요한 것은 통계기법을 적용하기 위한 완전한 접근법이다.

저자가 1971년에 통계학을 가르치기 시작했을 때, 교과서들은 통계량들을 어떻게 계산하고 일부의 경우에서 다양한 공식들이 어떻게 도출되는지 보여주었다. 이러한 방식으로 교과서들이 저술되었던 한 가지 이유는 학생들이 직접 손으로 계산하면서 통계기법과 개념을 이해할 수 있을 것이라는 믿음 때문이었다. 이 책의 첫 판이 1988년에 출간되었을 때,

한 가지 중요한 목표는 학생들에게 정확한 통계기법을 가르치는 것이었다. 그 이후 출간된 11번의 개정판들을 통해서, 저자는 통계분석결과의 해석과 의사결정 부분도 동등하게 강조하면서 저자의 접근방법을 정교하게 발전시켰다. 통계문제의 해답을 구하는 과정을 세 단계로 나누고 모든 예제에서 이러한 세 단계, 즉 (1) 통계기법의 **선택**(indentify), (2) 통계량의 **계산**(compute), (3) 통계분석결과의 **해석**(interpret)의 접근방법을 적용하였다. 계산단계는 두 가지 방법, 즉 직접 계산과 Excel을 사용한 계산으로 완성된다. 컴퓨터를 전적으로 사용하기 원하는 경우에는 직접 계산 부분은 선택적으로 사용되거나 생략될 수 있다. 이와는 반대로 직접 계산을 강조하기 원하는 경우에는 컴퓨터에 의한 해법은 선택적으로 사용되거나 생략될 수 있다. 이러한 접근방법은 강의 교수에게 최대한의 융통성을 제공하기 위해 고안된 것이며 강의 교수에게 컴퓨터에 의한 해법을 필요한 경우에 언제 소개할 것인지에 관한 의사결정을 할 수 있게 해준다.

이 책의 접근방법은 다음과 같은 장점을 가지고 있다.

- 통계기법의 선택과 통계분석결과의 해석을 강조하는 것이 직접 계산을 하거나 컴퓨터를 사용한 계산을 하든지 간에 학생들이 직면하는 실제문제들에 적용할 수 있는 실용적 응용능력을 함양할 수 있게 해준다.
- 학생들은 통계학이 데이터를 정보로 전환시키는 방법론이라는 것을 배운다. 학생들은 많은 데이터 파일들과 관련된 문제들을 가지고 데이터 분석과 의사결정을 실전적으로 연습할 수 있는 많은 기회를 가진다.
- 컴퓨터를 사용함으로써 학생들은 데이터 세트가 더 크고 더 현실적인 연습문제들과 예제들을 다룰 수 있는 기회를 가진다.

더 큰 데이터 세트를 통한 계산을 함으로써 강의 교수는 의사결정의 더 중요한 측면들에 초점을 맞출 수 있다. 예를 들면, 통계분석결과를 해석하는 데 더 많은 관심을 기울여야 할 필요가 있다. 통계분석결과를 적절하게 해석하기 위해서는 통계기법의 기초가 되는 확률과 통계개념에 대한 이해와 문제의 맥락에 대한 이해가 이루어져야 한다. 저자가 채택하고 있는 접근방법의 한 가지 중요한 측면은 학생들에게 통계개념을 가르치는 것이다. 저자는 학생들이 "what-if"분석을 수행할 수 있는 Excel 워크시트를 만드는 방법에 대한 지시사항을 제공해주고 있다. 이에 따라 학생들은 표본크기 증가가 미치는 효과와 같이 통계기법을 구성하는 요소들의 변화가 미치는 효과를 쉽게 이해할 수 있다.

대부분의 교육과정에서 통계학 과목은 초기 단계에서 개설되기 때문에 경영경제 분야에서 매우 가치 있고 필요한 분석도구로서 통계학을 가르치는 데 더 어려움이 발생한다. 대부분의 학부 프로그램에서 통계학 과목은 1학년 또는 2학년에 수강하도록 되어 있다. 많은 대학원 프로그램에서 통계학 과목은 3학기 프로그램의 첫 번째 학기나 2년 프로그램의 첫 해에 개설된다. 일반적으로 회계학, 경제학, 재무금융, 인적자원관리, 마케팅, 생산운영관리는 일반적으로 통계학 과목을 수강한 후에 공부하게 된다. 따라서 대부분의 학생들은 경영경제 분야에서 통계학이 적용되는 맥락을 이해하지 못할 수 있다. 이러한 어려움을 해소하기 위해서 이 책에서는 "... 분야의 통계학 응용", 기타 관련된 부분과 박스 형태로 통계학이 응용되는 분야가 소개되어 있다. 학생들이 잘 알지 못하는 경영경제 분야의 통계학 응용을 제시하면서 경영경제 분야에 대한 간략한 설명이 제공되어 있다.

- 예를 들면, 그래프 기법을 예시하기 위해서 두 가지 서로 다른 투자의 수익률에 대한 히스토그램들을 비교하는 예제가 사용된다. 금융애널리스트들이 이러한 히스토그램들로부터 찾고자 하는 것을 설명하기 위해서 위험이 수익률의 변동성에 의해 측정된다는 것을 이해하여야 한다. 따라서 이 예제에 앞서 먼저 "금융분야의 통계학응용" 박스의 형태로 투자수익률이 어떻게 계산되고 사용되는지에 대한 논의가 이루어져 있다.
- 정규분포를 소개할 때, "금융분야의 통계학 응용" 박스에서는 왜 수익률의 표준편차가 투자의 위험을 측정하는지 설명되어 있다.
- 많은 통계학 응용 박스들이 책 전반에 제공되어 있다.

일부의 통계학 응용들은 그 내용이 매우 커서 이 주제를 다루는 한 절 또는 한 하부 절이 할애되어 있다. 예를 들면, 모비율에 대한 신뢰구간추정량을 소개하는 장에 시장분할에 대한 주제가 한 절로 제시되어 있다. 이 절에서 모비율에 대한 신뢰구간추정치가 어떻게 분할시장의 크기에 대한 추정치를 제공하는지가 설명되어 있다. 다른 장들에서는 마케팅 담당자가 분할시장들 간에 어떤 차이가 있는지 결정하기 위한 다양한 통계기법들이 예시되어 있다. "··· 분야 통계학응용" 박스는 "통계기법을 어떻게 사용할 것인지?"에 관심을 가지고 있는 학생들에게 관련 통계기법을 배우고자 하는 동기를 크게 부여한다.

책 내용의 개관

데이터에 기초하고 있다(Data Driven)

Izf/Shutterstock.com

통계문제를 푸는 일은 문제와 데이터로부터 시작된다. 문제의 목적과 데이터의 유형에 부합하는 정확한 통계기법을 선택하는 능력은 경영경제 분야에서 매우 중요하다. 경영경제 분야의 의사결정은 데이터에 기초하여 이루어지기 때문에 학생들은 이 과목을 수강하게 되면 경제경영분야에서 효율적이고 정보에 기초한 의사결정을 하기 위해 필요한 도구들을 보유하게 된다.

정확한 기법의 선택

예제에서 3단계 접근방법(선택-계산-해석)의 첫 번째 중요한 단계가 소개된다. 모든 예제의 해답은 데이터의 유형과 문제의 목적을 검토하고 문제를 풀기 위한 정확한 기법을 선택하는 일로부터 시작된다.

예제 13.1* 직접 구매한 뮤추얼 펀드와 브로커를 통해 구매한 뮤추얼 펀드

수백만의 투자자들은 수천 개 가능성 중에서 선택하면서 뮤추얼 펀드를 구매한다. 일부 펀드들은 은행 또는 기타 금융기관으로부터 직접 구매될 수 있는 반면, 다른 펀드들은 중개서비스를 제공하고 수수료를 부과하는 브로커를 통해서 구매되어야 한다. 이것은 다음과 같은 질문을 제기한다. 투자자들은 브로커를 통해 뮤추얼 펀드를 구매하는 것보다 직접 뮤추얼 펀드를 구매하는 것에 의해 더 좋은 투자성과를 얻을 수 있는가? 이와 같은 질문에 답변하기 위해 일단의 연구자들은 직접 구매될 수 있는 뮤추얼 펀드들과 브로커를 통해 구매될 수 있는 뮤추얼 펀드들로부터 임의로 뮤추얼 펀드의 연간수익률들을 표본으로 추출하고 모든 관련된 수수료를 공제한 후의 투자수익률을 의미하는 연간순수익률들을 기록하였다. 이와 같은 데이터는 다음과 같다.

직접 구매한 뮤추얼 펀드의 연간순수익률					브로커를 통해 구매한 뮤추얼 펀드의 연간순수익률				
9.33	4.68	4.23	14.69	10.29	3.24	3.71	16.4	4.36	9.43
6.94	3.09	10.28	−2.97	4.39	−6.76	13.15	6.39	−11.07	8.31
16.17	7.26	7.1	10.37	−2.06	12.8	11.05	−1.9	9.24	−3.99
16.97	2.05	−3.09	−0.63	7.66	11.1	−3.12	9.49	−2.67	−4.44
5.94	13.07	5.6	−0.15	10.83	2.73	8.94	6.7	8.97	8.63
12.61	0.59	5.27	0.27	14.48	−0.13	2.74	0.19	1.87	7.06
3.33	13.57	8.09	4.59	4.8	18.22	4.07	12.39	−1.53	1.57
16.13	0.35	15.05	6.38	13.12	−0.8	5.6	6.54	5.23	−8.44
11.2	2.69	13.21	−0.24	−6.54	−5.75	−0.85	10.92	6.87	−5.72
1.14	18.45	1.72	10.32	−1.06	2.59	−0.28	−2.15	−1.69	6.95

5%의 유의수준에서 직접 구매한 뮤추얼 펀드의 연간순수익률이 브로커를 통해 구매한 뮤추얼 펀드의 연간순수익률보다 더 높다고 결론내릴 수 있는가?

선택

질문에 답하기 위해 직접 구매한 뮤추얼 펀드의 연간순수익률 모집단과 브로커를 통해 구매한 뮤추얼 펀드의 연간순수익률 모집단을 비교할 필요가 있다. 주어진 데이터는 분명히 구간데이

* D. Bergstresser, J. Chalmers, and P. Tufano, "Assessing the Costs and Benefits of Brokers in the Mutual Fund Industry."

통계기법에 대한 가이드는 학생들이 문제의 목적과 데이터의 유형에 기초하여 어떤 통계기법을 선택해야 하는지 돕기 위한 유용한 표이다.

A Guide to Statistical Techniques

Problem Objectives

DATA TYPES	Describe a Population	Compare Two Populations	Compare Two or More Populations
Interval	Histogram **Section 3-1** Line chart **Section 3-2** Mean, median, and mode **Section 4-1** Range, variance, and standard deviation **Section 4-2** Percentiles and quartiles **Section 4-3** *t*-test and estimator of a mean **Section 12-1** Chi-squared test and estimator of a variance **Section 12-2**	Equal-variances *t*-test and estimator of the difference between two means: independent samples **Section 13-1** Unequal-variances *t*-test and estimator of the difference between two means: independent samples **Section 13-1** *t*-test and estimator of mean difference **Section 13-3** *F*-test and estimator of ratio of two variances **Section 13-4** Wilcoxon rank sum test **Section 19-1** Wilcoxon signed rank sum test **Section 19-2**	One-way analysis of variance **Section 14-1** LSD multiple comparison method **Section 14-2** Tukey's multiple comparison method **Section 14-2** Two-way analysis of variance **Section 14-4** Two-factor analysis of varianc **Section 14-5** Kruskal-Wallis test **Section 19-3** Friedman test **Section 19-3**
Nominal	Frequency distribution **Section 2-2** Bar chart **Section 2-2** Pie chart **Section 2-2** *Z*-test and estimator of a proportion **Section 12-3** Chi-squared goodness-of-fit test **Section 15-1**	*Z*-test and estimator of the difference between two proportions **Section 13-5** Chi-squared test of a contingency table **Section 15-2**	Chi-squared test of a contingency table **Section 15-2**
Ordinal	Median **Section 4-1** Percentiles and quartiles **Section 4-3**	Wilcoxon rank sum test **Section 19-1** Sign test **Section 19-2**	Kruskal-Wallis test **Section 19-3** Friedman test **Section 19-3**

풍부한 데이터 세트*

충분한 연습을 하기 위해 다운로드하여 사용할 수 있는 풍부한 데이터 세트가 제공되어 있다. 이러한 데이터 세트는 주식수익률, 온도변화와 이상현상, 대기권 이산화탄소, 야구, 농구, 풋볼, 하키팀 급여수준, 승수, 관객수를 포함하는 실제의 데이터를 포함하고 있다.

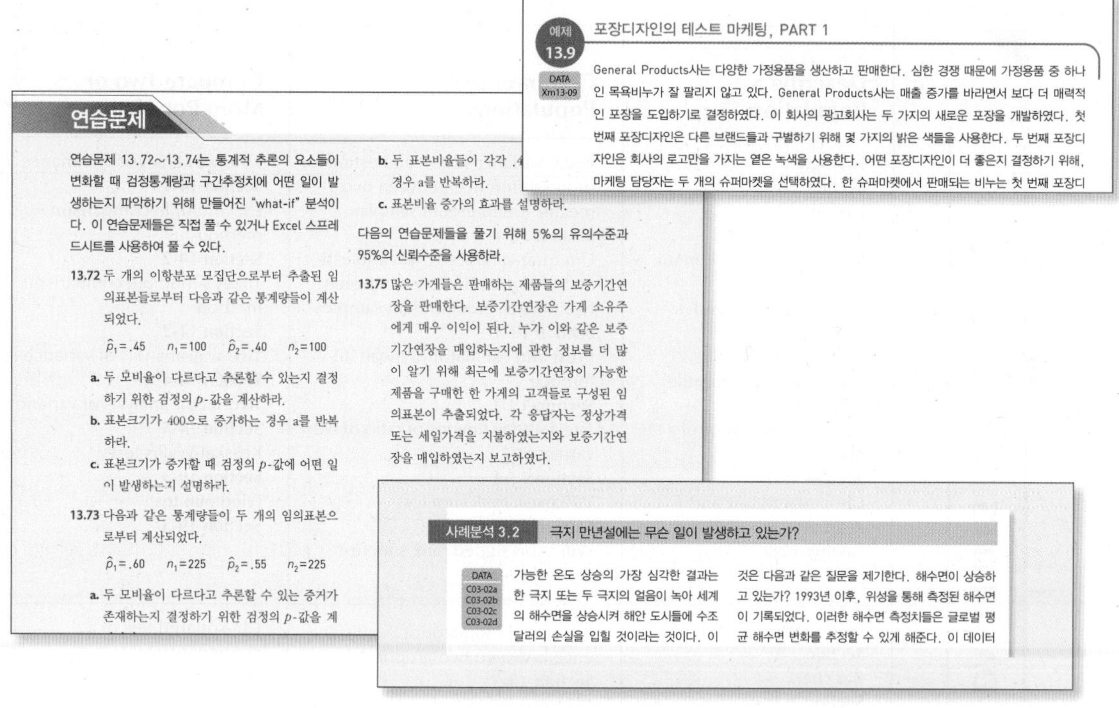

예제 13.9 포장디자인의 테스트 마케팅, PART 1

DATA Xm13-09

General Products사는 다양한 가정용품을 생산하고 판매한다. 심한 경쟁 때문에 가정용품 중 하나인 목욕비누가 잘 팔리지 않고 있다. General Products사는 매출 증가를 바라면서 보다 더 매력적인 포장을 도입하기로 결정하였다. 이 회사의 광고회사는 두 가지의 새로운 포장을 개발하였다. 첫 번째 포장디자인은 다른 브랜드들과 구별하기 위해 몇 가지의 밝은 색들을 사용한다. 두 번째 포장디자인은 회사의 로고만을 가지는 옅은 녹색을 사용한다. 어떤 포장디자인이 더 좋은지 결정하기 위해, 마케팅 담당자는 두 개의 슈퍼마켓을 선택하였다. 한 슈퍼마켓에서 판매되는 비누는 첫 번째 포장디

연습문제

연습문제 13.72~13.74는 통계적 추론의 요소들이 변화할 때 검정통계량과 구간추정치에 어떤 일이 발생하는지 파악하기 위해 만들어진 "what-if" 분석이다. 이 연습문제들은 직접 풀 수 있거나 Excel 스프레드시트를 사용하여 풀 수 있다.

13.72 두 개의 이항분포 모집단으로부터 추출된 임의표본들로부터 다음과 같은 통계량들이 계산되었다.

$\hat{p}_1 = .45 \quad n_1 = 100 \quad \hat{p}_2 = .40 \quad n_2 = 100$

a. 두 모비율이 다르다고 추론할 수 있는지 결정하기 위한 검정의 p-값을 계산하라.

b. 표본크기가 400으로 증가하는 경우 a를 반복하라.

c. 표본크기가 증가할 때 검정의 p-값에 어떤 일이 발생하는지 설명하라.

13.73 다음과 같은 통계량들이 두 개의 임의표본으로부터 계산되었다.

$\hat{p}_1 = .60 \quad n_1 = 225 \quad \hat{p}_2 = .55 \quad n_2 = 225$

a. 두 모비율이 다르다고 추론할 수 있는 증거가 존재하는지 결정하기 위한 검정의 p-값을 계

b. 두 표본비율들이 각각 ... 경우 a를 반복하라.

c. 표본비율 증가의 효과를 설명하라.

다음의 연습문제들을 풀기 위해 5%의 유의수준과 95%의 신뢰수준을 사용하라.

13.75 많은 가게들은 판매하는 제품들의 보증기간연장을 판매한다. 보증기간연장은 가게 소유주에게 매우 이익이 된다. 누가 이와 같은 보증기간연장을 매입하는지에 관한 정보를 더 많이 알기 위해 최근에 보증기간연장이 가능한 제품을 구매한 한 가게의 고객들로 구성된 임의표본이 추출되었다. 각 응답자는 정상가격 또는 세일가격을 지불하였는지와 보증기간연장을 매입하였는지 보고하였다.

사례분석 3.2 극지 만년설에는 무슨 일이 발생하고 있는가?

DATA C03-02a C03-02b C03-02c C03-02d

가능한 온도 상승의 가장 심각한 결과는 한 극지 또는 두 극지의 얼음이 녹아 세계의 해수면을 상승시켜 해안 도시들에 수조 달러의 손실을 입힐 것이라는 것이다. 이것은 다음과 같은 질문을 제기한다. 해수면이 상승하고 있는가? 1993년 이후, 위성을 통해 측정된 해수면이 기록되었다. 이러한 해수면 측정치들은 글로벌 평균 해수면 변화를 추정할 수 있게 해준다. 이 데이터

부록 A는 대규모 데이터를 사용하는 많은 연습문제들을 위한 요약 통계량을 제공한다. 이러한 정보는 학생들이 대부분의 연습문제들을 직접 풀거나 컴퓨터로 풀 수 있도록 해주는 더 없이 좋은 융통성을 제공한다.

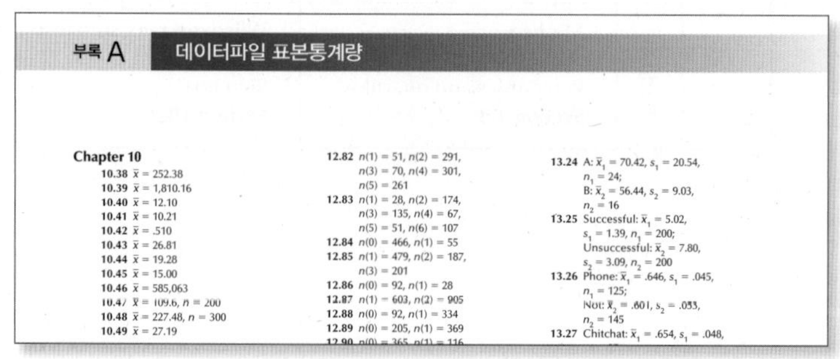

부록 A 데이터파일 표본통계량

Chapter 10

10.38 $\bar{x} = 252.38$
10.39 $\bar{x} = 1{,}810.16$
10.40 $\bar{x} = 12.10$
10.41 $\bar{x} = 10.21$
10.42 $\bar{x} = .510$
10.43 $\bar{x} = 26.81$
10.44 $\bar{x} = 19.28$
10.45 $\bar{x} = 15.00$
10.46 $\bar{x} = 585{,}063$
10.47 $\bar{x} = 109.6, n = 200$
10.48 $\bar{x} = 227.48, n = 300$
10.49 $\bar{x} = 27.19$

12.82 $n(1) = 51, n(2) = 291, n(3) = 70, n(4) = 301, n(5) = 261$
12.83 $n(1) = 28, n(2) = 174, n(3) = 135, n(4) = 67, n(5) = 51, n(6) = 107$
12.84 $n(0) = 466, n(1) = 55$
12.85 $n(1) = 479, n(2) = 187, n(3) = 201$
12.86 $n(0) = 92, n(1) = 28$
12.87 $n(1) = 603, n(2) = 905$
12.88 $n(0) = 92, n(1) = 334$
12.89 $n(0) = 205, n(1) = 369$
12.90 $n(0) = 365, n(1) = 116$

13.24 A: $\bar{x}_1 = 70.42, s_1 = 20.54, n_1 = 24$; B: $\bar{x}_2 = 56.44, s_2 = 9.03, n_2 = 16$
13.25 Successful: $\bar{x}_1 = 5.02, s_1 = 1.39, n_1 = 200$; Unsuccessful: $\bar{x}_2 = 7.80, s_2 = 3.09, n_2 = 200$
13.26 Phone: $\bar{x}_1 = .646, s_1 = .045, n_1 = 125$; Not: $\bar{x}_2 = .601, s_2 = .053, n_2 = 145$
13.27 Chitchat: $\bar{x}_1 = .654, s_1 = .048,$

---

* 엑셀 활용을 위한 관련 파일 다운로드와 통계분석 프로그램 설치 방법은 제1장의 부록을 참고하라.

통계량의 계산

일단 정확한 기법이 선택되면, 예제의 해답부분에서 다음 단계는 학생들에게 통계량을 계산하도록 요청한다.

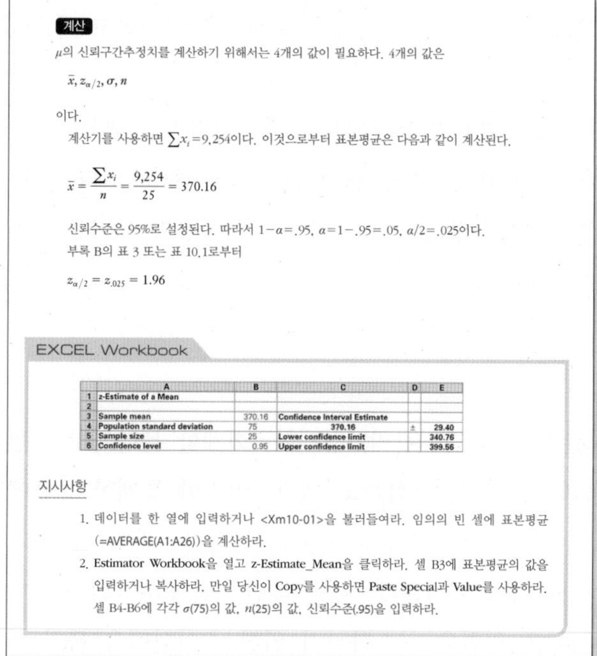

계산

μ의 신뢰구간추정치를 계산하기 위해서는 4개의 값이 필요하다. 4개의 값은

$$\bar{x}, z_{\alpha/2}, \sigma, n$$

이다.

계산기를 사용하면 $\sum x_i = 9,254$이다. 이것으로부터 표본평균은 다음과 같이 계산된다.

$$\bar{x} = \frac{\sum x_i}{n} = \frac{9,254}{25} = 370.16$$

신뢰수준은 95%로 설정된다. 따라서 $1-\alpha=.95$, $\alpha=1-.95=.05$, $\alpha/2=.025$이다. 부록 B의 표 3 또는 표 10.1로부터

$$z_{\alpha/2} = z_{.025} = 1.96$$

EXCEL Workbook

	A	B	C	D	E
1	z-Estimate of a Mean				
2					
3	Sample mean	370.16	Confidence Interval Estimate		
4	Population standard deviation	75	370.16	±	29.40
5	Sample size	25	Lower confidence limit		340.76
6	Confidence level	0.95	Upper confidence limit		399.56

지시사항

1. 데이터를 한 열에 입력하거나 <Xm10-01>을 불러들여라. 임의의 빈 셀에 표본평균(=AVERAGE(A1:A26))을 계산하라.
2. Estimator Workbook을 열고 z-Estimate_Mean을 클릭하라. 셀 B3에 표본평균의 값을 입력하거나 복사하라. 만일 당신이 Copy를 사용하면 Paste Special과 Value를 사용하라. 셀 B4-B6에 각각 σ(75)의 값, n(25)의 값, 신뢰수준(.95)을 입력하라.

문제의 **직접계산**이 예제의 "계산" 부분에 먼저 제시된다.

이어서 Excel과 Excel Workbooks를 사용하기 위한 **단계별 지시사항**과 결과물이 제시된다. 엑셀 메뉴에서 작동되는 XLSTAT 사용을 위한 지시사항과 결과물도 제시된다.

풍부한 그래프의 사용은 학생들에게 통계학을 시각적으로 이해할 수 있는 많은 기회를 제공한다. 이 책의 도처에 직접 그린 그래프에 더하여 학생들이 자신의 결과와 비교해볼 수 있도록 Excel로 그린 그래프들이 제공되어 있다.

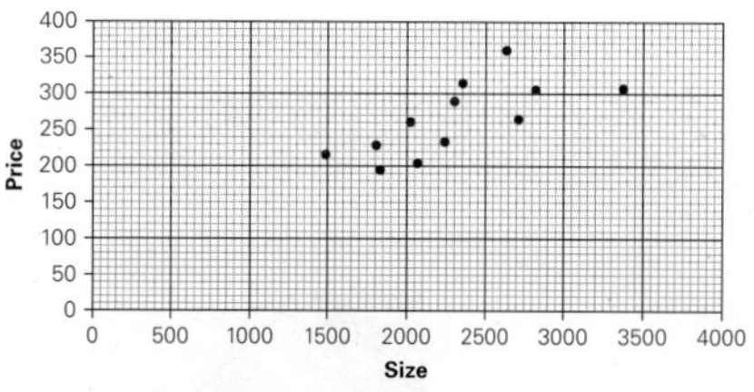

통계분석결과의 해석

실제 세계에서 통계량을 계산하는 방법을 아는 것만으로는 충분하지 않다. 또한 경영경제 분야에서 일하는 사람은 정말로 효과적으로 일하기 위해서 통계분석결과를 해석하고 명확하게 표현하는 방법도 알아야 한다. 이에 더하여, 학생들은 연습문제, 예제와 사례분석에 있는 실제 데이터를 사용함으로써 현실적인 상황에서 통계학을 이해하고 적용하는 분석틀이 필요하다.

예제에서는 학생들에게 경영경제관련 의사결정의 상황에서 통계분석결과를 해석하도록 요청함으로써 선택-계산-해석 접근방법의 마지막 단계를 완성하도록 요청하고 있다. 이러한 마지막 해석 단계는 매일 매일의 경영경제관련 상황에서 통계학을 사용할 동기를 부여하고 통계학이 어떻게 사용되는지 보여준다.

통계학의 응용

이 책은 재무금융, 마케팅, 생산운영관리, 인적자원관리, 경제학, 회계학 분야와 관련된 "… 분야의 통계학 응용"에 관한 절들과 박스들을 포함하고 있다. 이러한 **통계학 응용**에 관한 절들과 박스들은 통계학이 재무금융, 마케팅, 생산운영관리, 인적자원관리, 경제학, 회계학 분야에서 어떻게 사용되는지 강조하여 보여준다. 예를 들면, "금융분야의 통계학 응용: 포트폴리오 분산투자와 자산배분"은 위험을 최소화하기 위한 주식선택을 돕기 위해 확률이 어떻게 사용되는지 보여준다. 다른 예를 들면, "마케팅분야의 통계학 응용: 시장분할"은 분할시장규모를 어떻게 추정하는지 보여준다. 이러한 절들과 박스들에 더하여 "… 분야의 통계학 응용"은 관련된 연습문제들과 함께 연습문제 부분에 포함되어 있다.

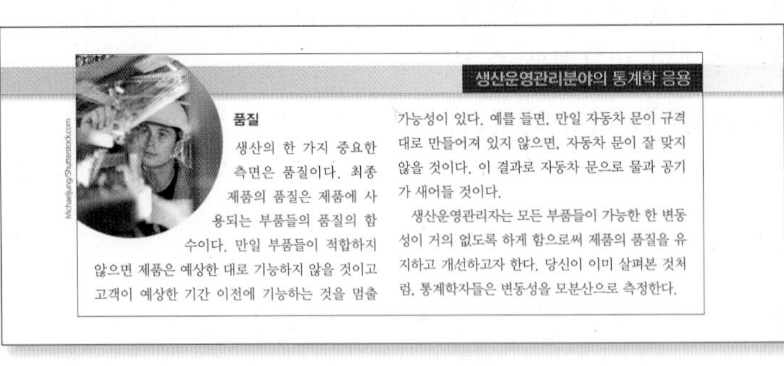

생산운영관리분야의 통계학 응용

품질

생산의 한 가지 중요한 측면은 품질이다. 최종 제품의 품질은 제품에 사용되는 부품들의 품질의 함수이다. 만일 부품들이 적합하지 않으면 제품은 예상한 대로 기능하지 않을 것이고 고객이 예상한 기간 이전에 기능하는 것을 멈출 가능성이 있다. 예를 들면, 만일 자동차 문이 규격대로 만들어져 있지 않으면, 자동차 문이 잘 맞지 않을 것이다. 이 결과로 자동차 문으로 물과 공기가 새어들 것이다.

생산운영관리자는 모든 부품들이 가능한 한 변동성이 거의 없도록 하게 함으로써 제품의 품질을 유지하고 개선하고자 한다. 당신이 이미 살펴본 것처럼, 통계학자들은 변동성을 모분산으로 측정한다.

각 장의 서두 **예제와 해답**은 주어진 장에서 소개되는 통계기법과 개념이 실제 세계의 문제에 어떻게 적용되는지에 관하여 매우 흥미로운 논의를 제공해준다. 이러한 예제들에 대한 해답이 각 장에서 소개되는 방법을 적용하면서 각 장의 본문에 제시된다.

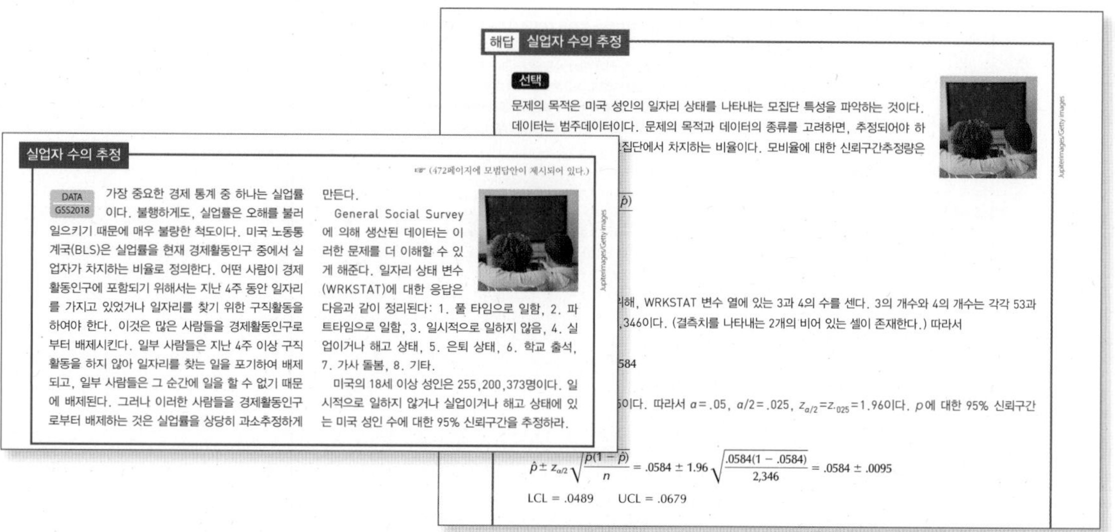

해답 실업자 수의 추정

선택

문제의 목적은 미국 성인의 일자리 상태를 나타내는 모집단 특성을 파악하는 것이다. 데이터는 범주데이터이다. 문제의 목적과 데이터의 종류를 고려하면, 추정되어야 하 … 집단에서 차지하는 비율이다. 모비율에 대한 신뢰구간추정량은

… 해, WRKSTAT 변수 열에 있는 3과 4의 수를 센다. 3의 개수와 4의 개수는 각각 53과 … .346이다. (결측치를 나타내는 2개의 비어 있는 셀이 존재한다.) 따라서

… 584

… 이다. 따라서 $\alpha=.05$, $\alpha/2=.025$, $z_{\alpha/2}=z_{.025}=1.96$이다. p에 대한 95% 신뢰구간

$$\hat{p} \pm z_{\alpha/2}\sqrt{\frac{\hat{p}(1-\hat{p})}{n}} = .0584 \pm 1.96\sqrt{\frac{.0584(1-.0584)}{2,346}} = .0584 \pm .0095$$

LCL = .0489 UCL = .0679

실업자 수의 추정

(472페이지에 모범답안이 제시되어 있다.)

DATA GSS2018

가장 중요한 경제 통계 중 하나는 실업률이다. 불행하게도, 실업률은 오해를 불러일으키기 때문에 매우 불량한 척도이다. 미국 노동통계국(BLS)은 실업률을 현재 경제활동인구 중에서 실업자가 차지하는 비율로 정의한다. 어떤 사람이 경제활동인구에 포함되기 위해서는 지난 4주 동안 일자리를 가지고 있었거나 일자리를 찾기 위한 구직활동을 하여야 한다. 이것은 많은 사람들을 경제활동인구로부터 배제시킨다. 일부 사람들은 지난 4주 이상 구직활동을 하지 않아 일자리를 찾는 일을 포기하여 배제되고, 일부 사람들은 그 순간에 일을 할 수 없기 때문에 배제된다. 그러나 이러한 사람들을 경제활동인구로부터 배제하는 것은 실업률을 상당히 과소추정하게 만든다.

General Social Survey에 의해 생산된 데이터는 이러한 문제를 더 이해할 수 있게 해준다. 일자리 상태 변수(WRKSTAT)에 대한 응답은 다음과 같이 정리된다: 1. 풀 타임으로 일함, 2. 파트타임으로 일함, 3. 일시적으로 일하지 않음, 4. 실업이거나 해고 상태, 5. 은퇴 상태, 6. 학교 출석, 7. 가사 돌봄, 8. 기타.

미국의 18세 이상 성인은 255,200,373명이다. 일시적으로 일하지 않거나 실업이거나 해고 상태에 있는 미국 성인 수에 대한 95% 신뢰구간을 추정하라.

많은 **예제**, **연습문제**, **사례분석**은 통계학자들이 수행한 실제연구와 학술논문, 신문, 잡지에 게재되거나 학회에서 발표된 내용에 기초하여 작성된 것이다. 많은 데이터 파일은 통계분석결과를 도출하기 위해 다시 만들어졌다.

사례분석 12.3 총 의료비용의 추정

DATA C12-03

실제로 모든 국가들은 일반적인 정부관리 건강보험시스템을 가지고 있다. 미국은 하나의 유명한 예외이다. 이것이 매 선거의 쟁점이다. 일부의 정치가들은 미국이 캐나다와 유사한 건강보험 프로그램을 채택하도록 밀어부치고 있다.

캐나다에서 병원은 지방정부에 의해 자금지원을 받고 관리된다. 의사들은 각 서비스에 대하여 정부로부터 지불받는다. 따라서 캐나다인들은 의료서비스에 대하여 아무것도 지불하지 않는다. 이와 같은 시스템을 지원하는 수입은 소득세, 법인세, 판매세를 통하여 만들어진다. 캐나다의 세금이 미국보다 더 많은데도 불구하고 이와 같은 시스템을 위해 만성적으로 충분한 자금이 공급되지 않는다. 이에 따라 종종 중요한 과정을 위해 오랜 시간 기다려야 하는 일이 발생한다. 예를 들면, 일부 지역에서 새로이 암환자로 진단받은 사람들이 처방을 받는 데 수 주일을 기다려야 한다. 실제로 모든 사람들은 더 많은 자금이 필요하다는 데 동의한다. 그러나 얼마만큼의 자금이 필요한가에 대하여는 합의가 이루어지지 못하고 있다. 불행하게 … 난 사람) 세대의 많은 사람들이 늙어가고 있고 의료비용은 일반적으로 노인들의 경우에 더 높기 때문이다.

이와 같은 문제를 다루는 첫 단계는 특히 첫 베이비 붐 세대에 해당되는 사람들이 60세가 되는 시점(2006년)을 시작으로 20년 동안에 필요한 의료비용을 예측하는 것이다. 한 통계전문가에게 이와 같은 예측을 하는 일이 부여되었다. 따라서 4그룹의 캐나다인들에 대한 임의표본들이 추출되었다.

그룹	연령
1	45세~64세
2	65세~74세
3	75세~84세

많은 **연습문제**들은 학생들이 현실적인 적용 상황에서 통계학을 사용할 수 있는 충분한 연습기회를 제공해준다.

각 장의 요약은 각 장의 내용을 간략히 요약하고 중요한 주요 용어, 주요 기호, 주요 공식을 정리해준다.

요약

이 장에서 소개된 통계적 추론 방법들은 한 모집단의 특성을 파악하는 문제를 다룬다. 데이터가 구간데이터일 때, 관심 있는 모수는 모평균 μ와 모분산 σ^2이다. Student t 분포가 모표준편차가 알려져 있지 않을 때 모평균을 검정하고 추정하기 위해 사용된다. 카이제곱분포는 모분산에 관한 추론을 하기 위해 사용된다. 데이터가 범주데이터일 때, 검정되고 추정되어야 하는 모수는 모비율 p이다. 표본비율은 근사적으로 정규분포를 따르고 이것으로부터 모비율에 관한 검정통계량과 구간추정량이 구해진다. 모비율을 추정하기 위해 요구되는 표본크기를 결정하는 방법이 논의되었다. 시장분할에 관한 내용이 소개되었고, 분할시장의 크기를 추정하기 위해 이 장에서 제시된 통계기법이 이떻게 시용될 수 있는지 설명되었다.

주요 용어

강건성(robustness)

카이제곱통계량(chi-squared statistic)

Student t 분포(Student t distribution)

t-통계량(t-statistic)

주요 기호

기호	발음	의미
v	nu	자유도
χ^2	chi-squared	카이제곱통계량
$\hat{p}$	p-hat	표본비율
$\tilde{p}$	p-tilde	윌슨추정량

주요공식

μ에 대한 검정통계량

$$t = \frac{\bar{x} - \mu}{s/\sqrt{n}}$$

μ에 대한 신뢰구간추정량

$$\bar{x} \pm t_{\alpha/2}\frac{s}{\sqrt{n}}$$

p에 대한 신뢰구간추정량

$$\hat{p} \pm z_{\alpha/2}\sqrt{\hat{p}(1 - \hat{p})/n}$$

p를 추정하기 위한 표본크기

$$n = \left(\frac{z_{\alpha/2}\sqrt{\hat{p}(1 - \hat{p})}}{B}\right)^2$$

감사의 글

책의 표지에는 저자 한 사람의 이름만이 있지만 이 책에 기여한 사람들은 매우 많다. 저자는 그들 모두가 해준 일에 대하여 감사하며 특히 다음에 언급하는 사람들에게 감사를 표한다.

California State University, Northridge의 Paul Baum과 California State University, Fullerton의 John Lawrence는 페이지 검독을 해주었고 설명, 수식과 문장의 오류들을 발견해주었다. Aaron Arnsparger(Senior Product Manager), Conor Allen(Senior Content Manager), Brandon Foltz(Senior Learning Designer), Nancy Marchant(Associate Subject-Matter Expert)가 이 책을 만드는 데 중요한 역할을 해주었다. (모든 남아 있는 오류는 저자의 책임이다.) 그들의 자문과 제안이 저자의 저술작업을 상당히 용이하게 만들어 주었다.

Virginia Commonwealth University의 Paolo Catasti는 PowerPoint 슬라이드와 Instructor's Manual을 만들어 주었다.

저자는 다음에 열거하는 이 책의 이전 판들에 대한 서베이 참여자들과 검토자들에게 감사를 표한다.

Roger Bailey, Vanderbilt University; Paul Baum, California State University – Northridge; Nagraj Balakrishnan, Clemson University; Chen-Huei Chou, College of Charleston; Howard Clayton, Auburn University; Philip Cross, Georgetown University; Barry Cuffe, Wingate University; Ernest Demba, Washington University – St. Louis; Michael Douglas, Millersville University; Neal Duffy, State University of New York – Plattsburgh; John Dutton, North Carolina State University; Ehsan Elahi, University of Massachusetts – Boston; Erick Elder, University of Arkansas; Mohammed El-Saidi, Ferris State University; Grace Esimai, University of Texas – Arlington; Leila Farivar, The Ohio State University; Homi Fatemi, Santa Clara University; Abe Feinberg, California State University – Northridge; Samuel Graves, Boston College; Robert Gould, UCLA; Darren Grant, Sam Houston State University; Shane Griffith, Lee University; Paul Hagstrom, Hamilton College; John Hebert, Virginia Tech; James Hightower, California State University, Fullerton; Bo Honore, Princeton University; Ira Horowitz, University of Florida; Onisforos Iordanou, Hunter College; Torsten Jochem, University of Pittsburgh; Gordon Johnson, California State University – Northridge; Hilke Kayser, Hamilton College; Kenneth Klassen, California State University – Northridge; Roger Kleckner, Bowling Green State University – Firelands; Eylem Koca, Fairleigh Dickinson University; Harry Kypraios, Rollins College; John Lawrence, California State University – Fullerton; Tae H. Lee, University of California – Riverside; Dennis Lin, Pennsylvania State University; Jialu Liu, Allegheny College; Chung-Ping Loh, University of North Florida; Neal Long, Stetson University; Jayashree Mahajan, University of Florida; George Marcoulides, California State University – Fullerton; Paul Mason, University of North Florida; Walter Mayer, University of Mississippi; John McDonald, Flinders University; Richard McGowan, Boston College; Richard McGrath, Bowling Green State University; Amy Miko, St. Francis College; Janis Miller, Clemson University; Glenn Milligan, Ohio State University; James Moran, Oregon State University; Robert G. Morris, University of Texas – Dallas; Patricia Mullins, University of Wisconsin; Adam Munson, University of Florida; David Murphy, Boston College; Kevin Murphy, Oakland University; Pin Ng, University of Illinois; Des Nicholls, Australian National University; Andrew Paizis, Queens College; David Pentico, Duquesne University; Ira Perelle, Mercy College; Nelson Perera, University of Wollongong; Bruce Pietrykowski, University of Michigan – Dearborn; Amy Puelz, Southern Methodist University; Lawrence Ries, University of Missouri;

Colleen Quinn, Seneca College; Tony Quon, University of Ottawa; Madhu Rao, Bowling Green State University; Yaron Raviv, Claremont McKenna College; Jason Reed, Wayne State University; Phil Roth, Clemson University; Deb Rumsey, The Ohio State University; Farhad Saboori, Albright College; Don St. Jean, George Brown College; Hedayeh Samavati, Indiana–Purdue University; Sandy Shroeder, Ohio Northern University; Chris Silvia, University of Kansas; Jineshwar Singh, George Brown College; Natalia Smirnova, Queens College; Eric Sowey, University of New South Wales; Cyrus Stanier, Virginia Tech; Stan Stephenson, Southwest Texas State University; Gordon M. Stringer, University of Colorado–Colorado Springs; Arnold Stromberg, University of Kentucky; Pandu Tadikamalla, University of Pittsburgh; Patrick Thompson, University of Florida; Steve Thorpe, University of Northern Iowa; Sheldon Vernon, Houston Baptist University; John J. Wiorkowski, University of Texas–Dallas; and W. F. Younkin, University of Miami.

주요 차례

1 통계학은 어떤 학문인가? 1

2 그래프와 표를 이용한 기술통계학 기법 I 15

3 그래프와 표를 이용한 기술통계학 기법 II 51

4 수치를 이용한 기술통계학 기법 85

5 데이터 수집과 표본추출 141

6 확률의 이해 159

7 확률변수와 이산확률분포 217

8 연속확률분포 279

9 표본분포 331

10 추정의 기본원리 361

11 가설검정의 기본원리 391

12 한 모집단에 관한 추론 437

13 두 모집단 비교에 관한 추론 495

14 분산분석 573

15 카이제곱검정 641

16 단순선형회귀분석과 상관관계분석 675

17 다중회귀분석 735

18 회귀모형의 정형화 773

19 비모수통계학 803

20 시계열 분석과 예측 869

21 의사결정분석 901

부록 A 데이터파일 표본통계량 927

부록 B 확률계산과 가설검정을 위한 표 931

차례

1 통계학은 어떤 학문인가? 1

1.1 주요 통계학 개념 6
1.2 경제/경영분야에서의 통계학 응용 8
1.3 대규모 실제 데이터 세트 8
1.4 통계학과 컴퓨터 9
부록 1 엑셀 활용을 위한 관련 파일 다운로드와 통계분석 프로그램 설치 13

2 그래프와 표를 이용한 기술통계학 기법 I 15

2.1 데이터의 형태와 정보 17
2.2 범주데이터를 그래프와 표로 나타내기 24
2.3 두 범주변수의 관계 나타내기와 두 개 이상의 범주데이터 비교하기 39

3 그래프와 표를 이용한 기술통계학 기법 II 51

3.1 구간데이터 나타내기 52
3.2 시계열 데이터 나타내기 66
3.3 두 구간변수의 관계 나타내기 71

4 수치를 이용한 기술통계학 기법 85

표본 통계량과 모집단 모수 86
4.1 중심위치의 척도 87
4.2 변동성의 척도 96
4.3 상대위치의 척도 106
4.4 선형관계의 척도 111
4.5 금융분야의 통계학 응용: 시장모형 129
4.6 그래프 기법과 수치 기법의 비교 133
4.7 데이터 검토를 위한 일반적 가이드라인 137

5 데이터 수집과 표본추출 141

- **5.1** 데이터 수집 방법 142
- **5.2** 표본추출 146
- **5.3** 표본추출방법 149
- **5.4** 표본추출오차와 비표본추출오차 156

6 확률의 이해 159

- **6.1** 사건에 확률을 부여하는 방법 160
- **6.2** 결합확률, 한계확률, 조건부 확률 167
- **6.3** 확률법칙과 확률나무 182
- **6.4** 베이즈의 법칙 193
- **6.5** 정확한 통계기법의 식별 207

7 확률변수와 이산확률분포 217

- **7.1** 확률변수와 확률분포 218
- **7.2** 이변량 확률분포 233
- **7.3** 금융분야의 통계학 응용: 포트폴리오 분산투자와 자산 배분 243
- **7.4** 이항분포 252
- **7.5** 포아송분포 263

8 연속확률분포 279

- **8.1** 확률밀도함수 280
- **8.2** 정규분포 288
- **8.3** 지수분포 308
- **8.4** 기타 연속확률분포 314

9 표본분포 331

- **9.1** 표본평균의 표본분포 332
- **9.2** 표본비율의 표본분포 348
- **9.3** 표본분산의 표본분포 356
- **9.4** 표본분포와 통계적 추론 356

10 추정의 기본원리 361

10.1 추정의 개념 362
10.2 모표준편차가 알려져 있을 때 모평균의 추정 367
10.3 표본크기의 선택 384

11 가설검정의 기본원리 391

11.1 가설검정의 개념 392
11.2 모표준편차가 알려져 있을 때 모평균에 대한 가설검정 397
11.3 제2종 오류의 확률 계산 421
11.4 통계적 추론의 로드 맵 432

12 한 모집단에 관한 추론 437

12.1 모표준편차가 알려져 있지 않을 때 모평균에 관한 추론 438
12.2 모분산에 관한 추론 456
12.3 모비율에 관한 추론 466
12.4 마케팅분야의 통계학 응용: 시장분할 481

13 두 모집단 비교에 관한 추론 495

13.1 두 모평균 차이에 관한 추론: 독립표본 496
13.2 관측데이터와 실험데이터 522
13.3 두 모평균 차이에 관한 추론: 짝진표본 526
13.4 두 모분산 비율에 관한 추론 540
13.5 두 모비율 차이에 관한 추론 547

14 분산분석 573

14.1 일원분산분석 574
14.2 다중비교검정 593
14.3 분산분석 실험계획법 603
14.4 랜덤화블럭(이원) 분산분석 605
14.5 이인자분산분석 615

15 카이제곱검정 641

15.1 카이제곱 적합도 검정 642
15.2 분할표 카이제곱검정 650
15.3 범주데이터에 대한 검정 요약 663
15.4 정규분포에 대한 카이제곱검정 665

16 단순선형회귀분석과 상관관계분석 675

16.1 모형 677
16.2 회귀계수의 추정 679
16.3 오차변수의 필요조건 691
16.4 선형회귀모형의 평가 694
16.5 선형회귀모형의 활용 712
16.6 회귀모형의 진단 1 720

17 다중회귀분석 735

17.1 다중선형회귀모형과 필요조건 736
17.2 회귀계수의 추정과 다중선형회귀모형의 평가 738
17.3 회귀모형의 진단 2 757
17.4 회귀모형의 진단 3(시계열) 761

18 회귀모형의 정형화 773

18.1 다항식 회귀모형 774
18.2 범주독립변수(지시변수)가 있는 회귀모형 785
18.3 인적자원관리분야의 통계학 응용: 임금형평성 795
18.4 회귀모형의 정형화 요약 800

19 비모수통계학 803

19.1 윌콕슨 순위합 검정 806
19.2 부호검정과 윌콕슨 부호 순위합 검정 822
19.3 크러스칼-월리스 검정과 프리드만 검정 838
19.4 스피어만 순위상관계수 852

20 시계열 분석과 예측 869

20.1 시계열의 성분 871
20.2 평활 기법 873
20.3 추세와 계절효과 883
20.4 시계열 예측방법 889
20.5 시계열 예측모형 892

21 의사결정분석 901

21.1 의사결정문제 902
21.2 추가적인 정보의 획득, 활용 및 평가 910

부록 A 데이터파일 표본통계량 927

부록 B 확률계산과 가설검정을 위한 표 931

찾아보기 957

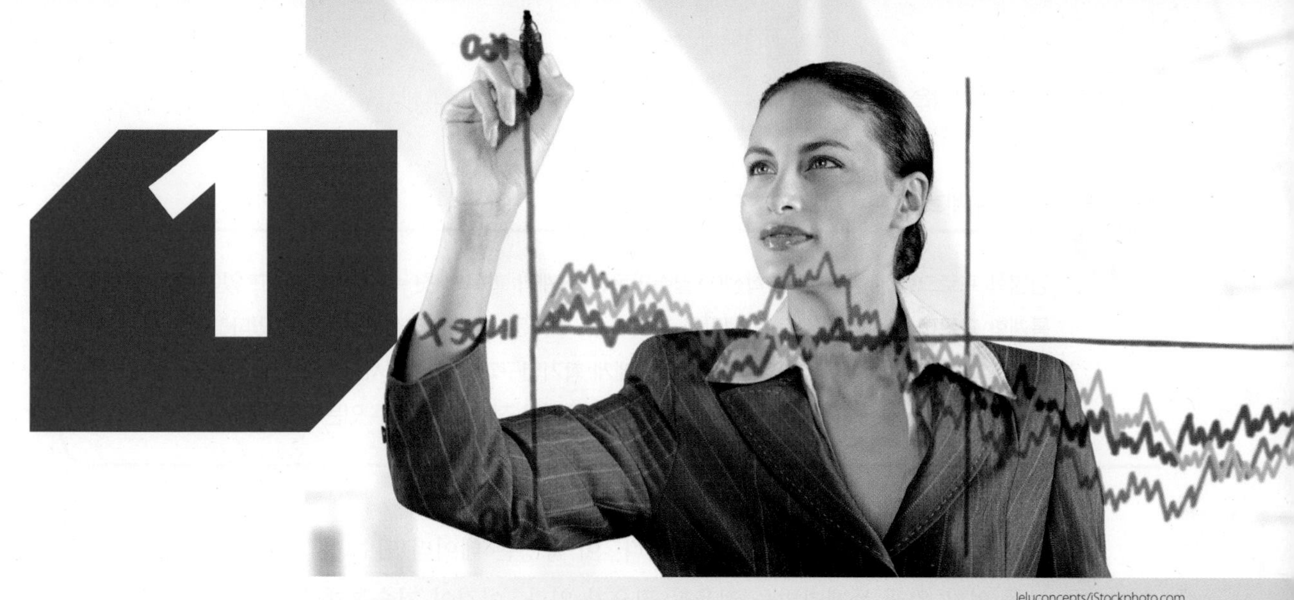

leluconcepts/iStockphoto.com

통계학은 어떤 학문인가?

What Is Statistics?

이 장의 구성

1.1 주요 통계학 개념
1.2 경제/경영분야에서의 통계학 응용
1.3 대규모 실제 데이터 세트
1.4 통계학과 컴퓨터
부록 1 엑셀 활용을 위한 관련 파일 다운로드와 통계분석 프로그램 설치

서론

통계학은 데이터로부터 정보를 얻는 하나의 방법론이다. 바로 그것이다! 이 책의 대부분은 경영자와 통계전문가가 통계학적 방법을 어떻게, 언제, 왜 사용하는지 설명하는 데 할애되어 있다.* 당신은 "만일 그것이 통계학의 모든 것이라면, 이 책과 대부분의 다른 통계학 책들이 매우 방대한 이유는 무엇인가?"라는 질문을 할 수 있다. 이 질문에 대한 대답은 통계학을 활용하기 위해 배우는 학생들이 직면하게 되는 서로 다른 종류의 정보와 데이터가 존재한다는 것이다. 이 장에서 앞으로 다루어지는 한 가지 사례분석과 두 가지 예제를 가지고 이 점을 살펴보도록 하자. 다음과 같은 예제가 특히 당신에게 흥미로울 수 있다.

---

* Statistician이라는 용어는 어떤 의미를 가진다고 규정하기 어려운 많은 다양한 직업을 나타내는 데 사용된다. 예를 들면, 이 용어는 야구통계를 계산하는 사람과 통계학 원리를 배운 사람 모두를 나타내는 데 사용된다. 전자를 통계전문가(statistical practitioner)라고 부르고, 후자를 통계학자(statistician)라고 부른다. 통계전문가는 통계학 기법을 적절하게 사용하는 사람이다. 다음과 같은 예가 통계전문가에 해당된다.

예제 3.3

경영통계학 점수(제3장 참조)

경영학 프로그램에 등록한 한 학생이 필수과목인 통계학 과목의 첫 수업에 출석하고 있다. 이 학생은 통계학 과목이 어렵다는 잘못된 생각을 가지고 있기 때문에 약간 걱정스러워하고 있다. 이 학생의 걱정을 덜어주기 위해, 통계학 교수는 이 학생에게 학기연구과제와 기말시험으로 구성된 최종 점수표를 제공한다. 이 학생은 이와 같은 최종 점수표로부터 어떤 정보를 얻을 수 있는가?

이 예제는 전형적인 통계학 문제이다. 이 학생은 데이터(점수)를 가지고 있고 필요한 정보를 얻기 위해 통계기법을 적용할 필요가 있다. 이것이 **기술통계학**(descriptive statistics)의 기능이다.

기술통계학

기술통계학은 데이터를 편리하고 정보를 나타내는 방식으로 정리, 요약, 설명하는 방법을 다룬다. 기술통계학의 한 가지 형태는 통계전문가가 독자들이 유용한 정보를 추출하기 쉽게 데이터를 설명하는 그래프 기법이다. 제2장과 제3장에서는 다양한 그래프 기법이 제시된다.

기술통계학의 다른 형태는 데이터를 요약하는 수치 기법이다. 당신이 이미 자주 사용하는 한 가지 방법은 평균(average 또는 mean)을 계산하는 것이다. 당신은 한 회사 종업원의 평균 연령을 계산하는 것과 동일한 방식으로 통계학 과목의 전년도 평균 점수를 계산할 수 있다. 제4장에서는 데이터의 다양한 특성을 보여주는 수치로 나타낸 통계척도들이 소개된다.

사용되는 실제 기법은 추출하고자 하는 특정한 정보에 따라 결정된다. 위의 예제에서 적어도 3가지의 중요한 정보를 살펴볼 수 있다. 첫 번째 정보는 "전형적인" 평균 점수이다. 이와 같은 정보는 **중심위치의 척도**(measure of central location)이다. 평균(average)은 이와 같

---

1. 과거의 수익률 자료에 기초하여 주식 포트폴리오를 개발하는 금융애널리스트
2. 인플레이션율, 실업률, 국내총생산 증가율과 같은 변수들을 설명하고 예측하기 위해 통계모형을 사용하는 경제학자
3. 소비자를 대상으로 조사를 하고 소비자의 응답을 유용한 정보로 전환시키는 시장연구자

이 책의 목적은 당신을 이와 같은 유능한 통계전문가로 만드는 것이다.

통계학자는 통계수학을 가지고 연구하는 사람이다. 통계학자는 미래에 통계전문가를 도울 수 있는 기법과 개념을 개발하는 연구를 수행한다. 통계학자는 동시에 실증연구와 컨설팅을 수행하는 통계전문가이다. 당신에게 통계학을 가르치는 교수도 통계학자일 수 있다.

은 척도 중 하나이다. 제4장에서 다른 하나의 유용한 중심위치척도인 중앙값(median)이 소개된다. 통계학 과목의 작년 평균 점수가 67점이라고 하자. 이와 같은 정보가 그의 걱정을 덜어줄 만큼 충분한 정보인가? 이 학생은 대부분의 점수들이 67점과 가까운지 평균 점수의 위와 아래로 상당히 흩어져 있는지 알기 원하기 때문에 이와 같은 정보는 충분하지 않다고 대답할 것이다. 그에게는 **변동성 척도**(measure of variability)가 필요하다. 가장 간단한 변동성 척도는 최댓값에서 최솟값을 빼서 계산되는 **범위**(range)이다. 최대 점수가 96점이고 최소 점수가 24점이라고 하자. 따라서 범위는 72점이다. 안타깝게도 이 수치는 두 개의 점수만으로 계산되기 때문에 거의 정보를 제공해주지 못한다. 즉, 다른 변동성 척도가 필요하다. 제4장에서는 다른 변동성 척도들이 소개된다. 더욱이 이 학생은 통계학 점수들에 대하여 더 많은 것을 결정해야 한다. 특히 이 학생은 24점과 96점 사이에서 점수들이 어떻게 분포되어 있는지 알아야 할 필요가 있다. 이와 같은 일을 하기 위한 최선의 방법은 제3장에서 소개되는 그래프 기법인 히스토그램을 사용하는 것이다.

사례분석 12.1 대학과 펩시콜라의 독점계약(제12장 참조) 과거 수년 동안에 전문대학들과 대학들은 다양한 민간 기업들과 독점계약을 체결하였다. 이와 같은 독점계약에 따라 해당 대학은 캠퍼스에서 특정기업의 상품만을 팔아야 한다. 이와 같은 독점계약 대상 기업에는 식음료기업이 포함되어 있다.

약 5만 명의 학생을 가진 한 대형 대학이 펩시콜라에게 내년에 모든 대학 시설에서 펩시콜라제품을 판매할 수 있는 독점적 권리를 부여한 독점계약을 제안하였다. 이와 같은 독점계약은 펩시콜라에게 내년 이후의 미래 연도들에 대한 옵션도 부여하고 있다. 이와 같은 대가로 이 대학은 캠퍼스 판매수입의 35%와 추가적으로 연간 20만 달러를 일시금으로 받는다. 펩시콜라에게 이와 같은 독점계약에 대하여 응답하는 데 2주일의 기간이 주어졌다.

펩시콜라의 경영진은 신속하게 알고자 하는 정보가 무엇인가를 검토한다. 소프트드링크 시장 규모는 12온스 캔 기준으로 측정된다. 펩시콜라는 현재 이 대학이 운영되는 연간 40주 동안에 주당 평균 22,000캔을 판매한다. 캔당 판매가격은 평균 1달러이다. 노동비용을 포함한 비용은 캔당 30센트이다. 펩시콜라는 자신의 시장점유율에 대하여 확신하지 못하나 50%보다는 훨씬 낮다고 생각한다. 신속하게 분석한 결과에 의하면, 현재의 시장점유율이 25%라면 독점계약 하에서 펩시콜라는 주당 88,000캔 또는 연간 3,520,000캔을 판매할 것이다. 이때 총수입은 다음과 같이 계산된다.

$$\text{총수입} = 3,520,000 \times \$1.00/\text{캔} = \$3,520,000$$

이 대학이 총수입의 35%를 가져가기 때문에 펩시콜라의 총수입은 총수입의 65%이다.

펩시콜라의 총수입=65%×$3,520,000=$2,288,000

펩시콜라의 순이윤(net profit)은 펩시콜라의 총수입으로부터 캔당 30센트의 총비용인 $1,056,000와 이 대학에 지불하는 연간 일시금인 $200,000를 공제하여 계산된다.

펩시콜라의 순이윤=$2,288,000−$1,056,000−$200,000=$1,032,000

이 대학과 독점계약을 가지고 있지 않는 현재의 펩시콜라의 연간 이윤은

40주×22,000캔/주×$0.70=$616,000

이다. 만일 현재의 시장점유율이 25%이면, 이 대학과의 독점계약으로부터 발생하는 잠재 이득은 $1,032,000−$616,000=$416,000이다.

이와 같은 분석에서 유일한 문제점은 펩시콜라가 이 대학에서 주당 얼마나 많은 소프트드링크가 팔리는지 모른다는 것이다. 코카콜라는 펩시콜라의 상품라인과 함께 실제적으로 시장 전체를 장악하고 있기 때문에 자기 자신의 매출에 관한 정보를 펩시콜라에게 제공하지 않을 것이다.

펩시콜라는 생략된 정보를 얻기 위해서 최근의 한 대학졸업생에게 이 대학의 학생들을 대상으로 서베이하는 일을 부과하였다. 이에 따라 이 대학졸업생은 500명의 학생에게 앞으로 7일 동안 구매하는 소프트드링크 수를 기록하도록 요청하는 서베이를 시행하였다. 서베이의 응답결과가 C12-01 파일로 저장되어 있다.

추론통계학

사례분석 12.1에서 우리가 얻고자 하는 정보는 독점계약으로부터 발생하는 연간 이윤의 추정치이다. 데이터는 표본을 구성하고 있는 500명의 학생 각각이 7일 동안에 구매한 소프트드링크 수이다. 주어진 데이터에 대하여 더 많은 것을 알기 위해서 기술통계학 기법이 사용될 수 있다. 그러나 이 경우 캠퍼스에 있는 전체 50,000명의 학생이 소비하는 평균 소프트드링크 수에 관심이 있기 때문에 표본에 있는 500명 학생이 구매하는 평균 소프트드링크 수에는 관심이 없다. 이와 같이 캠퍼스에 있는 전체 학생들이 소비하는 평균 소프트드링크 수를 알기 위해서 통계학의 다른 분야인 **추론통계학**(inferential statistics)이 필요하다.

추론통계학은 표본데이터에 기초하여 모집단의 특성에 관한 결론을 얻거나 추론을 하기 위해 사용되는 방법론이다. 사례분석 12.1의 모집단은 이 대학에 다니는 50,000명 학생의 소프트드링크 소비량이다. 각 학생을 인터뷰하는 비용은 아주 크고 이와 같은 인터뷰는 시간이 매우 많이 소요되는 일이다. 통계기법은 이와 같은 노력을 하지 않도록 해준다. 매우

적은 수의 학생들로 구성된 표본(표본크기가 500명인 표본)을 추출하고 이와 같은 표본데이터로부터 50,000명의 학생이 소비하는 소프트드링크 수를 추론할 수 있다. 이어서 펩시콜라의 연간 이윤을 추정할 수 있다.

예제 12.5 출구조사(제12장 참조)

선거직을 선출하기 위한 선거가 있을 때, 텔레비전방송국들은 정규방송 프로그램을 취소하고 선거방송을 한다. 개표가 이루어질 때 그 결과가 보도된다. 그러나 대형 주(state)들에서 실시된 대통령 또는 상원의원과 같은 중요한 선거직 선거가 있을 때, 텔레비전방송국들은 승자를 예측하기 위한 첫 번째 텔레비전방송국이 되기 위해 치열하게 경쟁한다. 이와 같은 일은 **출구조사**(exit polls)를 통하여 이루어진다. 출구조사는 투표소를 나오는 유권자들을 임의로 표본추출하여 이들이 어느 후보에 투표했는지 조사하는 방식으로 이루어진다. 이와 같은 표본데이터로부터 특정 후보를 지지하는 표본비율이 계산된다. 선두후보가 승리하기 위해 충분한 투표수를 확보할 것이라고 추론할 수 있는 충분한 증거가 존재하는지 결정하기 위해 통계기법이 적용된다. 2000년 대통령 선거가 이루어지는 동안 플로리다주의 출구조사결과가 기록되었다. 많은 수의 대통령 후보들이 있었지만, 출구조사는 승리의 가능성이 있었던 두 후보인 공화당의 George W. Bush와 민주당의 Albert Gore를 지지하는 투표를 한 투표자들만을 대상으로 이루어졌다. Bush 또는 Gore를 지지하는 투표를 한 765명의 유권자들의 투표결과가 〈Xm 12-05〉 파일로 저장되었다. 텔레비전방송국의 분석가들은 George W. Bush가 플로리다주에서 승리할 것이라고 결론지을 수 있는지 알고자 한다.

예제 12.5는 통계적 추론이 매우 일반적으로 응용되는 예이다. 텔레비전방송국들이 추론하기 원하는 모집단은 대통령으로 Bush 또는 Gore에게 지지하는 투표를 한 약 500만 명의 플로리다 유권자이다. 표본은 출구조사회사에 의해 임의로 선택된 두 명의 대통령후보자에게 투표한 765명의 유권자이다. 우리가 알고자 하는 모집단의 특성은 Bush를 지지한 총유권자의 비율이다. 특히 공화당 후보 또는 민주당 후보를 지지하는 투표를 한 유권자의 50% 이상이 Bush를 지지하는 투표를 했는지 알기 원한다. 500만 명의 총유권자 모두에게 물어보지 않았기 때문에 우리가 100%의 확신을 가지고 선거결과를 예측할 수 없다는 것은 명백하다. 이것이 통계전문가와 통계학을 배우는 학생들이 이해하여야 하는 사실이다. 모집단의 작은 부분만으로 이루어진 표본을 가지고 추론하는 경우에 이러한 일을 많이 하는 경우 일정한 비율만큼만 정확한 추론을 얻을 수 있다. 통계전문가들은 이와 같은 비율을 통제할 수 있고 일반적으로 이와 같은 비율은 90%와 99% 사이에서 설정된다.

불행하게도 2000년 11월 미국 대통령 선거가 행해진 날 저녁에 텔레비전방송국들은 최악의 실수를 하였다. 이전의 선거결과들과 출구조사를 사용하면서, 4개의 모든 텔레비전방송국은 오후 8시경에 Al Gore가 플로리다주에서 승리할 것이라고 결론지었다. 개표가 상당히 이루어진 오후 10시 직후에 텔레비전방송국들은 예측을 수정하여 George W. Bush가 플로리다주에서 승리할 것이라고 선언하였다. 그 다음날 오전 2시경에 이르러서는 투표 결과가 너무 근소한 차이여서 누가 승리할 것인지 예측할 수 없다는 또 다른 판단이 선언되었다. 그 이후에 이와 같은 경험은 통계학 교수들에 의해 통계학이 어떻게 사용되어서는 안 되는지 가르칠 때 사용되고 있다.

당신이 아마도 믿는 것과는 달리 데이터는 단순히 수치만을 나타내는 것은 아니라는 점에 주목하라. 예제 3.3의 점수들과 사례분석 12.1의 주당 소비되는 소프트드링크 수는 물론 수치들이다. 그러나 예제 12.5에서 한 유권자가 지지하는 후보는 수치가 아니다. 제2장에서는 당신이 통계학을 적용할 때 직면하게 되는 데이터의 다양한 형태들과 이들을 다루는 방법이 논의될 것이다.

1.1 주요 통계학 개념

통계적 추론 문제에는 3가지의 주요 개념, 즉 모집단, 표본, 통계적 추론이라는 개념이 사용된다. 이와 같은 주요 개념 각각을 상세히 살펴보자.

1.1a 모집단

모집단(population)은 통계전문가가 관심을 가지고 있는 모든 항목의 그룹이다. 모집단은 일반적으로 매우 크고 실제로 무한히 클 수 있다. 통계학의 용어인 **모집단**은 사람들의 그룹만을 의미하는 것은 아니다. 예를 들면, 모집단은 한 대형공장에서 생산되는 볼 베어링의 지름으로 구성될 수 있다. 사례분석 12.1에서 관심대상이 되는 모집단은 캠퍼스에 있는 50,000명의 학생으로 구성된다. 예제 12.5에서 모집단은 Bush 또는 Gore를 지지하는 투표를 한 모든 플로리다 유권자들로 구성된다.

모집단의 기술적 척도는 **모수**(parameter)라고 부른다. 사례분석 12.1에서 관심대상이 되는 모수는 해당 대학에 다니는 모든 학생들에 의해 소비되는 평균 소프트드링크 수이다. 예제 12.5에서 모수는 500만의 플로리다 유권자 중에서 Bush를 지지하는 투표를 한 유권자들의 비율이다. 추론통계학이 적용되는 대부분의 분야에서 모수는 우리가 필요로 하는 정보를 나타낸다.

1.1b 표본

표본(sample)은 모집단으로부터 추출된 하나의 데이터 집합이다. 표본의 기술적 척도는 **통계량**(statistic)이라고 부른다. 모수에 관한 추론을 하기 위해 통계량이 사용된다. 사례분석 12.1에서 우리가 계산하는 통계량은 표본에 포함되어 있는 500명의 학생이 지난주에 소비한 평균 소프트드링크 수이다. 표본평균(sample mean)은 이 문제에서 관심대상이 되는 모수인 모평균(population mean)의 값을 추론하기 위해 사용된다. 예제 12.5에서 2명의 주요 대통령 후보자 각각을 지지하는 투표를 한 765명의 플로리다주 유권자 중 Bush 후보를 지지하는 투표를 한 유권자들의 표본비율이 계산된다. 이어서 표본통계량은 500만의 유권자로 구성된 모집단에 관한 추론을 하기 위해 사용된다. 이러한 방법으로 실제의 개표가 완료되기 전에 선거결과가 예측된다.

1.1c 통계적 추론

통계적 추론(statistical inference)은 표본데이터에 기초하여 모집단에 관한 추정, 예측, 의사결정을 하는 과정이다. 모집단은 거의 항상 매우 크기 때문에 모집단의 구성원 각각을 조사하는 것은 실제로 가능하지도 않고 가능하더라도 비용이 매우 많이 드는 일일 수 있다. 관심대상이 되는 모집단으로부터 표본을 추출하고 표본이 제공하는 정보에 기초하여 모집단에 관한 결론을 얻거나 추정을 하는 것이 훨씬 더 쉽고 비용이 적게 드는 일이다. 그러나 이와 같은 방식으로 얻는 결론과 추정치가 항상 정확한 것은 아니다. 이와 같은 이유 때문에 통계적 추론에 신뢰의 척도가 도입된다. 두 가지 신뢰의 척도, 즉 **신뢰수준**(confidence level)과 **유의수준**(significance level)이 존재한다. **신뢰수준**은 표본추출이 매우 많은 수로 반복되는 경우 추정과정이 정확한 결과를 제공하는 표본의 비율이다. 예를 들면, 사례분석 12.1에서 50,000명의 학생이 소비하는 평균 소프트드링크 수에 대하여 95%의 신뢰수준을 가지는 추정치가 얻어진다. 달리 말하면, 반복하여 추출된 매우 많은 표본의 95%가 정확한 추정치를 제공한다. 통계적 추론의 목적은 모집단에 관한 결론을 얻는 것이다. 유의수준은 이와 같은 통계적 추론으로부터 얻어지는 결론이 장기적으로 어느 정도의 비율로 잘못된 것인지 측정한다. 예를 들면, 예제 12.5의 분석결과로 유권자의 50% 이상이 George W. Bush를 지지하는 투표를 하여 Bush가 플로리다주에서 승리할 것이라고 결론짓는다고 하자. 5%의 유의수준은 반복적으로 추출된 표본들 중 5%의 경우에 잘못된 결론이 얻어질 수 있다는 것을 의미한다.

1.2 경제/경영분야에서의 통계학 응용

경제/경영분야에서 통계학 과목의 중요한 기능은 통계분석이 경영학과 경제학의 모든 분야에서 실제적으로 중요한 역할을 한다는 것을 보여주는 것이다. 이 책에서 예제, 연습문제, 사례분석은 경제/경영분야에서 통계학이 응용되는 것을 보여준다. 그러나 통계학 과목을 처음 수강하는 대부분의 학생들은 경제/경영분야의 과목들 대부분을 수강하지 않았다고 가정한다. 그러나 경제/경영분야에서 통계학이 어떻게 사용되는지 충분히 이해하기 위해 경제/경영분야에 대하여 약간 아는 것이 필요하다. 이 책에서는 회계학, 경제학, 재무/금융, 인사관리, 마케팅, 생산운영관리 분야에 대한 응용이 소개된다.

1.2a 응용절과 하부절

이 책에는 경제/경영분야에서 통계학의 응용을 보여주는 6개의 절이 있다. 제4.5절에서 투자에서 중요한 개념을 소개하는 시장모형에 관한 금융분야의 응용이 제시되어 있다. 제7.3절에서는 금융애널리스트들이 위험을 감소시키는 포트폴리오를 구축하기 위해 확률이론과 통계학을 사용하는 금융분야에서의 통계학 응용이 제시되어 있다. 제12.4절은 마케팅 분야의 시장분할에 관한 통계학 응용이다. 제14.6절에서는 생산운영 분야에 관한 통계학 응용이 제시된다. 제18.3절에서는 인적자원관리 분야의 동일임금에 관한 통계학 응용이 제공된다. 제6.4절에서는 의료보험산업에서 유용한 의료검사 분야의 통계학 응용이 제시된다.

1.2b 응용박스

상세한 설명이 필요하지 않은 다른 분야들에 대하여 상대적으로 간단한 배경 설명이 이루어지는 응용박스가 제공되어 있으며, 이어서 이와 관련된 예제 또는 연습문제가 제시된다. 이와 같은 응용박스들은 이 책의 도처에 흩어져 있다. 예를 들면, 제4.1절에서는 기하평균과 왜 기하평균이 변화율 변수를 측정하기 위해 산술평균 대신 사용되는지 논의한다.

1.3 대규모 실제 데이터 세트

저자는 당신은 통계학을 실제로 활용하면서 통계학을 배운다고 믿는다. 저자는 학생들이 전문대학과 대학을 졸업한 후에 의사결정을 하기 위한 필요한 정보를 얻기 위해서 대규모 실제 데이터를 요약해야 하는 상황에 직면하게 될 것이라고 예상한다. 이 책에는 General Social Survey (GSS)로부터의 데이터가 포함되어 있다. 이 책의 도처에 이러한 데이터를 사용하는 예제, 연습문제, 사례분석이 배치되어 있다.

1.3a General Social Survey

1972년 이후부터 General Social Survey는 매우 다양한 주제들에 대한 미국인들의 태도를 조사하고 있다. United States Census를 예외로 하고, GSS는 가장 자주 사용되는 미국 사회에 관한 정보원이다. 현재 2년마다 시행되는 이 서베이는 수백 개의 변수들과 수천 개의 관측치들을 측정하고 있다. 이 책을 위해 10개의 가장 최근 서베이 데이터가 GSS2000, GSS2002, GSS2004, GSS2006, GSS2008, GSS2010, GSS2012, GSS2014, GSS2016, GSS2018 파일로 저장되어 있다. 표본크기는 각각 2,817, 2,765, 2,812, 4,510, 2,023, 2,044, 1,974, 2,538, 2,868, 2,348이다. 경영학과 경제학을 전공하는 학생들에게 흥미가 있을 것으로 여겨지는 변수들이 다운로드되어 있다. "무응답", "모른다" 등등으로 나타낸 생략된 데이터는 제거되었고 빈공간으로 처리되었다.

모든 변수의 정의 리스트는 온라인 부록에서 구할 수 있다.

1.4 통계학과 컴퓨터

실제로 이루어지는 모든 통계학의 응용에서 통계전문가는 대규모 데이터를 다루어야 한다. 예를 들면, 사례분석 12.1에서 데이터는 500개의 관측치로 구성되어 있다. 펩시콜라의 연간 이윤을 추정하기 위해서 통계전문가는 데이터를 사용하여 계산하여야 한다. 이와 같은 계산 과정은 상당한 수준의 수학적 능력을 요구하지는 않지만 시간소비적이고 지루하다. 다행스럽게도 상업적으로 준비된 많은 컴퓨터 프로그램들이 수학적 계산을 수행하는 데 이용될 수 있다. 이 책에서는 기본적으로 실제로 모든 대학졸업생들이 현재 사용하고 있고 미래에도 사용할 마이크로소프트 엑셀(Microsoft Excel)이 사용된다. 이에 더하여 Excel에서 작동되는 통계소프트웨어 패키지인 XLSTAT가 사용된다.

1.4a Excel

Excel은 여러 가지 방법으로 통계처리를 수행할 수 있다.

1. **Statistical(확률 포함)과 기타 함수 f_x:** 일부 함수들이 제2장에서 그래프 기법을 수행하고, 제4장과 제15장에서 통계량을 계산하며 제7장과 제8장에서 확률을 계산하기 위해 사용된다.

2. **Analysis ToolPak:** 일련의 데이터 분석방법이 모든 Excel 버전에서 제공된다. 이러한 데이터 분석방법은 Data에 들어가서 Data Analysis를 클릭하여 사용된다. Data Analysis의 한 가지 단점은 이 책에서 소개되는 모든 통계기법을 위한 완전한 프로그램을 제공하지 않는다는 점이다. Excel의 Data Analysis에 포함되어 있지 않은 통계기법은 Excel Workbook 또는 Excel에서 작동되는 XLSTAT를 사용하여 수행된다.

3. **Spreadsheets:** 통계함수가 제10장~제16장에서 통계적 추론 방법을 계산하는 스프레드시트를 만들기 위해 사용된다. 이러한 통계함수는 Cengage의 웹사이트로부터 다운로드할 수 있다. 이에 더하여 스프레드시트는 what-if(상황변화) 분석을 수행하기 위해 사용될 수 있다. 스프레드시트를 사용하는 이유가 1.4d에 설명되어 있다.

4. **Do It Yourself:** 나머지 통계적 추론을 수행하기 위해 Excel을 사용하는 방법에 대한 지시사항이 제공된다.

1.4b File 이름과 표시

많은 예제, 연습문제, 사례분석은 대규모 데이터 세트를 사용한다. 이러한 데이터 세트는 연습문제 번호에 파일 이름으로 표시되어 있다. 예제와 관련된 데이터 세트는 Xm으로 표시되어 있다. 예를 들면, 예제 2.2를 위한 데이터는 제2장 폴더 안에 Xm02-02 파일에 저장되어 있다. 연습문제와 사례분석을 위한 데이터는 각각 Xr과 C의 접두어를 가진 파일에 저장되어 있다. 접두어 GSS는 General Social Survey로부터 추출된 데이터를 나타낸다.

많은 실제의 통계학 응용에서 추가적인 데이터가 수집된다. 예를 들면, 예제 12.5에서 출구조사자들은 유권자의 성별을 기록하고 인종, 종교, 교육수준, 소득수준에 관한 정보에 대해 질문한다. 다음의 장들에서 이러한 데이터 파일들이 사용될 것이고 필요한 정보를 추출하기 위해 여러 가지 통계기법들이 사용될 것이다(추가적인 데이터를 포함하고 있는 파일은 파일 이름에 +(플러스 부호)가 표시되어 있다).

1.4c 통계분석 접근법

우리가 선호하는 통계분석 접근법은 직접 계산하는 데 드는 시간을 최소화하는 대신, 문제에 적용되는 적정한 방법을 선택하고 컴퓨터에 의해 필요한 계산을 한 후 그 결과를 해석하는 데 초점을 맞추는 것이다. 이러한 방식으로 우리는 통계학이 당신의 교육과정에 있는 다른 과목만큼 흥미롭고 실용적일 수 있다는 것을 보일 수 있기를 바란다.

1.4d Excel 스프레드시트

수학전공이나 통계학전공 학생들이 수강하는 통계학을 위해 쓰여진 책들은 이 책과 상당히 다르다. 이와 같은 과목들은 정리의 수학적 증명과 추론과정의 도출로 특징지어진다. 다루어지는 내용이 이와 같은 방식으로 설명될 때 통계적 추론의 토대가 되는 기초 개념들이 제시되고 상대적으로 이해하기 쉽다. 그러나 이 책은 경영경제통계학의 응용 과목을 위해 준비되었다. 따라서 이 책에서는 통계학의 수학적 원리에 대해서는 직접적으로 다루지 않는다. 그러나 이미 지적하였듯이 통계전문가의 가장 중요한 기능 중 하나는 그것이 직접 계산한 것이든지 컴퓨터로부터 얻어진 것이든지 통계분석결과를 적절하게 해석하는 것이다. 통계량을 정확하게 해석하기 위해서는 학생들도 통계학의 원리를 이해하여야 한다.

독자들이 이와 같은 통계학의 기초를 이해하는 것을 돕기 위해, what-if(상황변화) 분석을 수행할 수 있는 Excel 스프레드시트가 제공된다. 일부의 투입항목들을 변화시킴으로써 독자들 스스로 통계량이 어떻게 변화하는지 이해할 수 있다. what-if(상황변화) 분석이라는 이름은 만일(if) 특정한 변수의 값을 변화시키면 통계량에 어떤 일(what)이 발생하는지 분석한다는 의미에서 붙여진 것이다.

요약

주요 용어

기술통계학(descriptive statistics)
모수(parameter)
모집단(population)
신뢰수준(confidence level)
유의수준(significance level)
추론통계학(inferential statistics)
통계량(statistic)
통계적 추론(statistical inference)
표본(sample)

연습문제

1.1 다음과 같은 통계학 용어 각각에 대하여 당신 스스로 간략히 정의하고 예를 제시하라.

a. 모집단(population)
b. 표본(sample)
c. 모수(parameter)

d. 통계량(statistic)

e. 통계적 추론(statistical inference)

1.2 기술통계학과 추론통계학의 차이점을 간략히 설명하라.

1.3 25,000명의 등록유권자를 가지고 있는 도시의 시장직에 출마한 한 정치가가 서베이를 의뢰하였다. 이 서베이에서 인터뷰에 응한 200명의 등록유권자 중 48%가 이 정치가를 지지하는 투표를 할 것이라고 말하였다.

a. 관심의 대상이 되는 모집단은 무엇인가?

b. 표본은 무엇인가?

c. 48%라는 값은 모수인가 통계량인가? 설명하라.

1.4 컴퓨터 칩 제조업자는 자기 회사 제품의 10% 미만이 불량품이라고 주장한다. 많은 생산제품들로부터 1,000개의 칩이 추출되었고 이 중에서 7.5%가 불량품이었다.

a. 관심의 대상이 되는 모집단은 무엇인가?

b. 표본은 무엇인가?

c. 모수는 무엇인가?

d. 통계량은 무엇인가?

e. 10%라는 값은 모수인가 통계량인가?

f. 7.5%라는 값은 모수인가 통계량인가?

g. 통계량이 컴퓨터 칩 제조업자의 주장을 검정하기 위한 모수에 관한 추론을 하기 위해 어떻게 사용될 수 있는지 간략히 설명하라.

1.5 당신은 일반적으로 당신과 같은 분야를 전공한 졸업생이 다른 분야를 전공한 졸업생보다 졸업하자마자 더 높은 연봉을 받는다는 것을 믿는다고 하자. 당신의 믿음을 검정하는 데 도움을 줄 수 있는 통계실험에 대하여 설명하라.

1.6 동전의 소유자가 균형있게(fair) 만들어져 있는 동전 하나를 당신에게 보여주었다고 하자. 동전이 균형있게 만들어졌다는 것은 매우 많은 수만큼 동전을 던졌을 때 앞면과 뒷면이 나타나는 횟수가 같다는 의미를 가진다.

a. 이와 같은 주장을 검정하기 위한 실험을 설명하라.

b. 당신의 실험에서 모집단은 무엇인가?

c. 표본은 무엇인가?

d. 모수는 무엇인가?

e. 통계량은 무엇인가?

f. 이와 같은 주장을 검정하기 위해 통계적 추론이 어떻게 사용될 수 있는지 간략히 설명하라.

1.7 연습문제 1.6에서 당신은 동전 하나를 100번 던지기로 결정하였다고 하자.

a. 95번의 앞면이 나오는 것을 관찰했다면 당신은 어떠한 결론을 얻을 것인가?

b. 55번의 앞면이 나오는 것을 관찰했다면 당신은 어떠한 결론을 얻을 것인가?

c. 완벽히 균형있게 만들어진 동전을 100번 던졌을 때 당신은 항상 정확하게 50번의 앞면이 나오는 것을 관찰할 것이라고 믿는가? 만일 “아니오”라고 답한다면 당신은 어떤 수의 앞면이 나올 것이라고 생각하는가? 만일 “예”라고 답한다면 당신은 이 동전을 2번 던질 때 몇 번의 앞면이 나오는 것을 관찰할 것인가? 동전 2번 던지기를 10번 해보고 그 결과를 보고하라.

1.8 <Xm01-08> 택시회사를 운영하는 소유주는 내년의 택시회사 경영을 위한 비용을 추정하고자 한다. 한 가지 중요한 비용은 연료구매비용이다. 연료구매비용을 추정하기 위해, 이 소유주는 그의 택시들이 내년에 주행할 총거리, 갤런당 연료비용, 연료마일리지를 알아야 한다. 이 소유주는 이 중에서 총거리의 추정치와 갤런당 연료비용을 알고 있다. 그러나 가솔린의 비용이 높기 때문에 이 소유주는 최근에 프로판가스로 운행할 수 있도록 그의 택시들을 개조하였다.

그는 50개 택시를 대상으로 프로판마일리지(갤런당 마일)를 측정하고 기록하였다.

a. 관심의 대상이 되는 모집단은 무엇인가?

b. 이 소유주가 필요한 모수는 무엇인가?

c. 표본은 무엇인가?

d. 통계량은 무엇인가?

e. 통계량이 이 소유주가 원하는 종류의 정보를 어떻게 생산할 것인지 간략히 설명하라.

부록 1 엑셀 활용을 위한 관련 파일 다운로드와 통계분석 프로그램 설치

엑셀 활용을 위한 관련 파일과 보충자료

이 책에서 사용되는 엑셀 데이터 파일, Workbooks, 기타 보충자료는 센게이지러닝 코리아 홈페이지(www.cengage.co.kr) 자료실에서 다운로드할 수 있다.

Data sets: 엑셀에 저장되어 있는 데이터 세트

GSS: 엑셀에 저장되어 있는 GSS2000, GSS2002, GSS2004, GSS2006, GSS2008, GSS2010, GSS2012, GSS2014, GSS2016, GSS2018 데이터 세트

Excel Workbooks: 엑셀을 사용하여 통계분석을 수행하는 워크북

엑셀에서 사용 가능한 통계분석 프로그램

(1) Data Analysis: 엑셀이 제공하는 통계분석 프로그램으로 엑셀 자체에서 설치하여 사용할 수 있다.

(2) Excel Workbook: Data Analysis를 사용하여 수행할 수 없는 통계분석을 위하여 제공되는 통계분석 프로그램으로 센게이지러닝 코리아 홈페이지 자료실에서 다운로드하여 사용할 수 있다.

(3) XLSTAT: 이 책에서는 기본적으로 Data Analysis와 Excel Workbook을 사용하여 통계분석을 수행하나 독자의 선택에 따라 엑셀에서 작동되는 통계분석 프로그램인 XLSTAT를 구매하여 사용할 수 있다.

Steve Cole/Digital Vision/Getty Images

2 그래프와 표를 이용한 기술통계학 기법 I

Graphical and Tabular Descriptive Techniques I

이 장의 구성

2.1 데이터의 형태와 정보

2.2 범주데이터를 그래프와 표로 나타내기

2.3 두 범주변수의 관계 나타내기와 두 개 이상의 범주데이터 비교하기

미국의 남성 유권자와 여성 유권자의 소속 정당이 다른가?

☞ (44페이지에 모범답안이 제시되어 있다.)

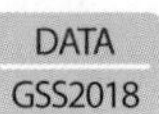

제1장에서 미국인의 경험, 행태, 태도를 추적하기 위한 목적으로 2년마다 시행되는 General Social Survey (GSS)가 소개되었다. 모든 GSS에서 묻는 한 가지 질문은 "일반적으로 말해서 당신은 스스로 공화당원, 민주당원, 무소속 또는 기타라고 생각하는가?"이다. 이에 대한 응답은 다음과 같다.

1. 강력한 민주당원
2. 강하지 않은 민주당원
3. 민주당에 가까운 무소속
4. 무소속
5. 공화당에 가까운 무소속
6. 강하지 않은 공화당원
7. 강력한 공화당원
0. 기타 정당원

iStockPhoto/hermosawave

응답자는 성별(1=남성, 2=여성)로도 구분된다. 이에 관한 응답 데이터는 GSS2018 파일에 저장되어 있다. 이 파일에는 이 예제에서 필요하지 않은 다른 변수들도 포함되어 있다. 변수 SEX는 열 B에 저장되어 있고 변수 PARTYID는 열 AG에 저장되어 있다. 이 데이터의 일부(〈Xm02-00〉)가 아래에 제시되어 있다.

ID	SEX	PARTYID
62467	1	5
62468	2	2
62469	1	4
.	.	.
.	.	.
.	.	.
64812	2	3
64813	1	4
64814	2	3

미국의 남성과 여성의 소속 정당이 다른지 결정하라.

서론

제1장에서 통계학은 기술통계학과 추론통계학으로 나누어진다는 점을 지적하였다. 이 장의 목적은 제3장과 함께 기술통계학의 기법들을 제시하는 데 있다. 이 장과 제3장에서는 경영자가 의사결정과정에서 종종 사용하는 유용한 정보를 얻기 위해 시각적으로 데이터를 요약해주는 그래프와 표를 이용한 통계기법들이 소개된다. 제4장에서는 또 다른 기술통계학 기법인 수치로 데이터를 요약하는 통계기법들이 소개된다.

경영자는 종종 잠재적으로 유용할 가능성이 있는 대량의 데이터에 접하게 된다. 그러나 데이터가 의사결정을 돕기 위해 사용되기 위해서는 정리되고 요약되어야 한다. 예를 들면, 데빗카드의 사용이 점차 증가하면서 만들어지는 데이터베이스를 접하는 경영자가 직면하는 문제를 생각해보자. 이 데이터베이스는 고객이 데빗카드를 신청할 때 제공되는 개인정보로 구성되어 있다. 이 정보에는 연령, 성별, 주소, 카드보유자의 소득이 포함되어 있다. 이에 더하여 데빗카드가 사용될 때마다 이 데이터베이스는 사용시점, 가격, 구매된 제품의 브랜드에 관한 기록을 포함하면서 커진다. 적정한 통계기법을 사용하면, 경영자는 시장의 어느 부분이 자기 회사의 제품을 사는지 파악할 수 있다. 텔레마케팅과 같은 전문 마케팅 방법들이 개발될 수 있다. 기술통계학과 추론통계학이 이와 같은 분석에 사용될 수 있다.

기술통계학(descriptive statistics)은 유용한 정보가 생산되는 방식으로 데이터 세트를 정리하고, 요약하고, 나타내는 일을 수행한다. 기술통계학은 경영자가 생성되는 정보에 기초하여 의사결정을 할 수 있도록 데이터를 요약하고 설명하기 위해 그래프와 표로 나타내는 기법과 (평균과 같이) 수치로 나타내는 기법을 사용한다. 기술통계학은 매우 간단하지만, 기술통계학의 중요성이 과소평가되어서는 안 된다. 대부분의 경영자들과 경영학과 경제학을 배우는 학생들은 실제로 일하는 현장에서 리포트와 프리젠테이션을 준비할 때 그래프와 수치를 이용한 기술통계기법들을 매우 유용하게 사용할 수 있는 많은 기회를 가지게 될 것이다. Wharton 경영대학원의 연구에 의하면, 고위경영자들은 그래프가 사용된 프리젠테이션이 이루어질 때 25% 더 빠르게 합의에 도달한다.

제1장에서 모집단과 표본이 구별되어 소개되었다. 모집단(population)은 연구대상인 관측치

들의 전체집합인 반면, 표본(sample)은 모집단의 부분집합이다. 이 장과 제3장 및 제4장에서 설명되는 기술통계기법은 모집단을 구성하는 데이터 세트와 표본을 구성하는 데이터 세트 모두에 적용된다.

서문과 제1장에서 지적한 것처럼 통계전문가는 손으로 직접 또는 컴퓨터를 이용하여 그래프를 그리고 통계량을 계산하는 **방법**뿐만 아니라 각각의 기술통계기법을 **언제** 사용하는지에 대하여 이해하여야 한다. 어떤 기술통계기법을 사용하여야 하는지 결정하는 데 있어서 가장 중요한 두 가지 요소는 (1) 데이터의 형태와 (2) 얻고자 하는 정보이다. 이 두 가지 요소에 대한 논의가 다음 절에서 이루어진다.

2.1 데이터의 형태와 정보

통계학의 목적은 데이터로부터 정보를 추출하는 것이다. 여러 가지 형태의 데이터와 정보가 있다. 이와 같은 중요한 원리를 설명하는 데 도움을 주기 위해 몇 개의 용어를 정의할 필요가 있다.

변수(variable)는 모집단 또는 표본의 어떤 특성을 나타낸다. 예를 들면, 통계학 시험점수는 분명히 이 책의 독자들에게 관심이 있는 통계학 시험의 어떤 특성이다. 모든 학생들의 점수는 같지 않다. 즉, 학생들의 점수는 학생마다 다르다. 이러한 의미에서 학생들의 점수는 **변수**(variable)라는 이름을 가진다. 주가는 또 하나의 변수이다. 대부분의 주가는 매일 변동한다. 변수의 이름은 일반적으로 X, Y, Z와 같은 대문자로 나타낸다.

점수와 같은 변수의 **값**(value)은 이 변수가 가질 수 있는 가능한 관측치이다. 통계학 시험점수의 값은 통계학 점수가 100점 만점으로 채점된다면 0과 100 사이의 실수이다. 주가의 값은 일반적으로 달러와 센트(때로는 센트의 비율)로 측정되는 실수이다. 이 값의 범위는 0부터 수백 달러에 이른다.

데이터(data)* 는 한 변수의 관측치들이다. 예를 들면, 우리가 10명 학생의 중간시험점수를 관찰한다고 하자. 이들 10명 학생의 점수가 다음과 같다고 하자.

67 74 71 83 93 55 48 82 68 62

---

* 불행하게도 **데이터**(data)라는 용어도 **통계학자**(statistician)라는 용어처럼 여러 가지의 다른 의미를 가진다. 예를 들면, 사전에서 데이터는 사실(facts), 정보(information), 통계량(statistics)으로 정의된다. 컴퓨터의 언어에서 데이터는 이 책과 같은 일단의 정보 또는 당신이 쓴 논문을 나타내기도 한다. 이와 같은 정의들은 데이터를 **정보**로 전환시키는 방법을 **통계학**이라고 정의하는 것을 어렵게 만든다. 이 책에서는 세심하게 3가지 용어를 구분한다.

이와 같은 점수들이 우리가 찾고자 하는 정보를 추출하게 되는 데이터이다. 다시 말하면 **데이터**(data)는 **데이텀**(datum)의 복수이다. 따라서 한 학생의 점수는 데이텀이다.

대부분의 사람들은 데이터를 수치들의 집합이라고 생각한다. 데이터는 3가지 형태, 즉 구간데이터, 범주데이터, 서열데이터를 가진다.†

구간데이터(interval data)는 높이, 무게, 소득, 거리와 같은 실수데이터이다. 이와 같은 형태의 데이터를 **정량데이터**(quantitative data) 또는 **수치데이터**(numerical data)라고도 부른다.

범주데이터(nominal data)는 범주(category)를 나타내는 값들이다. 예를 들면, 결혼상태를 묻는 질문에 대한 답변은 범주데이터이다. 이와 같은 변수의 값은 독신, 기혼, 이혼, 과부이다. 이와 같은 값들은 수치가 아니고 범주를 설명하는 단어이다. 우리는 종종 임의로 각 범주에 하나의 수치를 부여함으로써 범주데이터를 기록한다. 예를 들면, 결혼상태는 다음과 같은 코드를 사용하여 기록될 수 있다.

독신=1, 기혼=2, 이혼=3, 과부=4

그러나 각 범주가 서로 다른 수치를 가진다면 다른 방식의 수치부여도 가능하다. 다음의 다른 코드방식도 앞의 코드방식과 마찬가지로 타당하다.

독신=7, 기혼=4, 이혼=13, 과부=1

범주데이터는 **정성데이터**(qualitative data) 또는 **카테고리데이터**(categorical data)라고 부르기도 한다.

세 번째 형태의 데이터는 서열데이터이다. **서열데이터**(ordinal data)는 범주데이터인 것처럼 보이나 데이터 값의 순위는 의미를 가진다. 예를 들면, 대부분의 전문대학이나 대학에서 강의가 완료되면 학생들은 수강한 과목을 평가한다. 이 경우의 변수들은 교수와 수강과목의 다양한 측면들에 대한 등급들이다. 한 특정한 대학에서 변수들이 다음과 같다고 하자.

부실 보통 양호 매우 양호 우수

범주데이터와 서열데이터의 차이점은 서열데이터의 값들은 순위대로 정리된다는 것이다. 따라서 서열데이터의 값들에 코드를 부여할 때, 이들 값들의 순위가 유지되어야 한다. 예를 들면, 학생들의 강의평가를 다음과 같이 기록할 수 있다.

---

† 실제로는 4가지 형태의 데이터가 있다. 네 번째 데이터의 형태는 비율데이터이다. 그러나 통계목적으로 보면 비율데이터와 구간데이터 간의 차이는 없다. 따라서 이 두 가지 형태의 데이터를 합하여 구간데이터로 간주한다.

부실=1, 보통=2, 양호=3, 매우 양호=4, 우수=5

순위코드를 선택할 때 부과되는 유일한 제약은 순위가 유지되어야 한다는 것이기 때문에 순위가 유지되는 다른 형태의 코드를 사용할 수 있다. 예를 들면, 다음과 같은 코드가 부여될 수 있다.

부실=6, 보통=18, 양호=23, 매우 양호=45, 우수=88

서열데이터에 대한 통계적 추론 기법을 소개하는 제19장에서 논의하는 것처럼, 데이터의 순위를 유지하는 어떠한 코드를 사용하든지 정확히 동일한 결과가 얻어진다. 따라서 중요한 것은 수치들의 크기가 아니라 수치들의 순위이다.

학생들은 서열데이터와 구간데이터를 구분하는 데 어려움을 겪는다. 서열데이터와 구간데이터 간의 중요한 차이점은 구간데이터 값들의 차이는 일관성을 유지하고 의미가 있다는 것이다. 이것이 이와 같은 데이터 형태를 **구간**데이터라고 부르는 이유이다. 예를 들면, 85점과 80점 간의 차이는 75점과 70점 간의 차이와 같은 5점이다. 즉, 두 수치 간의 차이를 계산할 수 있고 그 결과를 해석할 수 있다.

서열데이터를 나타내는 코드는 순위를 유지하면서 임의로 부여되는 것이기 때문에 두 수치 간의 차이를 계산한 결과를 해석할 수 없다. 예를 들면, 부실, 보통, 양호, 매우 양호, 우수를 나타내기 위해 1−2−3−4−5의 코딩시스템을 사용하면 우수와 매우 양호 간의 차이와 양호와 보통 간의 차이가 같다. 그러나 6−18−23−45−88의 코딩시스템을 사용하면 우수와 매우 양호 간의 차이는 43이고 양호와 보통 간의 차이는 5이다. 이 두 코딩시스템은 타당하기 때문에 차이를 계산하고 해석하기 위해 어느 하나의 코딩시스템을 사용할 수 없다.

다른 예를 살펴보자. 거래규모를 기준으로 NASDAQ에서 가장 활발하게 거래되는 다음과 같은 5개 주식을 생각해보자.

순위	주식
1	Microsoft
2	Cisco Systems
3	Dell Computer
4	Tesla
5	Oracle

이와 같은 정보에서 당신은 Microsoft와 Cisco Systems의 거래주식 수 차이가 Dell Computer와 Tesla의 거래주식 수 차이와 같다고 결론을 내릴 수 있는가? 대답은 "아니오"이다. 왜냐하면 거래주식 수의 순위를 서수로 나타낸 정보만을 가지고 있지, 거래주식 수를 구간으로 나타낸 정보를 가지고 있지 않기 때문이다. 즉, 1과 2의 차이는 3과 4의 차이와 같은 의미를 가지지 않는다.

2.1a 데이터의 형태와 계산

구간데이터 모든 계산이 구간데이터에 대하여 가능하다. 구간데이터를 설명하기 위해 종종 구간데이터의 평균이 계산된다. 예를 들면, 앞에서 주어진 10명 학생의 통계학 점수 평균은 70.3이다. 앞으로 살펴보는 것처럼 계산되는 여러 가지의 중요한 통계량들이 존재한다.

범주데이터 범주데이터의 코드는 완전히 임의로 정해진 것이기 때문에 이와 같은 코드들에 대하여 어떠한 계산도 할 수 없다. 그 이유를 이해하기 위해서 사람들에게 결혼상태를 물어보는 서베이를 생각해보자. 서베이한 처음 10명이 다음과 같은 응답을 하였다고 하자.

독신, 기혼, 기혼, 기혼, 과부, 독신, 기혼, 기혼, 독신, 이혼

다음과 같은 코드, 즉

독신=1, 기혼=2, 이혼=3, 과부=4

를 이용하면, 이와 같은 응답을 다음과 같이 정리할 수 있다.

1 2 2 2 4 1 2 2 1 3

이와 같은 수치들의 평균은 2.0이다. 이것이 평균적인 사람이 기혼이라는 것을 의미하는가? 이제 4명을 추가적으로 인터뷰하였고 이 중에서 3명은 과부이고 1명은 이혼상태라고 하자. 범주데이터는 다음과 같이 정리된다.

1 2 2 2 4 1 2 2 1 3 4 4 4 3

이와 같은 14개 수치의 평균은 2.5이다. 이것이 평균적인 사람이 결혼하나 도중에 이혼한다는 것을 의미하는가? 위의 두 가지 질문에 대한 답은 확실히 "아니오"이다. 이 예는 범주데이터에 관한 기본적인 진리, 즉 범주데이터를 저장하기 위해 사용된 코드들에 대하여 이루어진 계산은 의미가 없다는 것을 예시해준다. 우리가 범주데이터에 대하여 할 수 있는 일은 각 범주의 발생횟수를 세거나 각 범주의 발생비율을 계산하는 것이다. 따라서 다음과 같은 표에 나타낸 것처럼 결혼상태를 나타내는 각 범주의 수를 세고 그 빈도를 기록하는

방식으로 14개 관측치들을 나타낸다.

범주	코드	빈도
독신	1	3
기혼	2	5
이혼	3	2
과부	4	4

이 장의 나머지 부분인 제2.2절과 제2.3절 부분에서는 범주데이터에 대한 논의가 이루어진다. 제3장에서는 구간데이터를 요약하기 위해 사용되는 그래프 기법들이 소개된다.

서열데이터 서열데이터의 가장 중요한 특성은 값들의 순위가 있다는 것이다. 따라서 유일하게 허용되는 계산은 순위를 나타내는 계산이다. 예를 들면, 모든 데이터를 순위대로 정리하고 중간에 있는 코드를 선택하는 것이다. 제4장에서 논의하는 것처럼 이와 같은 기술통계량은 **중앙값**(median)이라고 부른다.

2.1b 데이터의 순위구조

데이터의 형태들을 허용 가능한 계산 정도에 따라 순위를 부여하여 정리할 수 있다. 제일 먼저 실제의 **모든** 계산들이 가능하기 때문에 구간데이터가 위치한다. 범주데이터는 빈도 이외의 어떠한 계산도 허용되지 **않기** 때문에 가장 아래에 위치한다. 코드의 빈도를 사용하여 계산을 할 수 있다. 그러나 이것은 코드 자체에 대하여 계산을 하는 것과는 다르다. 구간데이터와 범주데이터 사이에 서열데이터가 위치한다. 서열데이터의 경우에 허용될 수 있는 계산은 데이터의 순위를 정하는 계산이다.

높은 순위에 있는 데이터 형태는 낮은 순위에 있는 데이터 형태로 취급될 수 있다. 예를 들면, 대학과 전문대학에서 어느 과목의 점수는 구간데이터이나 서열데이터인 문자로 나타낸 점수로 전환될 수 있다. 일부 졸업관련 과목들은 Pass 또는 Fail로만 평가된다. 이 경우에 구간데이터는 범주데이터로 전환된다. 높은 순위 데이터를 낮은 데이터로 전환할 때 정보가 상실된다는 점을 지적하는 것이 중요하다. 예를 들면, 회계학 과목 시험 점수 89점은 학생의 성취에 대하여 80점과 90점 사이에 대하여 부여되는 문자학점인 B가 제공하는 것보다 더 많은 정보를 제공한다. 따라서 그렇게 할 필요성이 없으면 데이터를 전환시키지 않는다. 그러나 낮은 순위의 데이터 형태는 높은 순위의 데이터 형태로 전환될 수 없다. 데이터 형태의 정의와 순위구조를 요약하면 다음과 같다.

데이터 형태

구간데이터

- 값들이 실수이다.
- 모든 계산이 가능하다.
- 구간데이터는 서열데이터 또는 범주데이터로 전환될 수 있다.

서열데이터

- 값들은 데이터의 순위를 나타내야 한다.
- 순위를 유지하는 계산만 가능하다.
- 서열데이터는 범주데이터로 전환될 수 있으나 구간데이터로 전환될 수 없다.

범주데이터

- 값들은 범주를 나타내기 위해 임의로 부여된 수치이다.
- 발생빈도나 비율에 기초한 계산만이 가능하다.
- 범주데이터는 서열데이터 또는 구간데이터로 전환될 수 없다.

2.1c 구간변수, 서열변수, 범주변수

데이터를 구성하는 변수의 이름은 데이터의 형태와 같은 이름이 부여된다. 따라서 예를 들면, 구간데이터는 구간변수의 관측치들이다.

2.1d 문제의 목적과 정보

어떤 통계기법을 사용해야 하는지 결정하는 데 있어서 중요한 한 가지 요소는 데이터의 형태이다. 두 번째 요소는 데이터로부터 추출하고자 하는 정보의 형태이다. **문제의 목적**(problem objective)이 소개되는 제11.4절에서 정보의 여러 가지 형태에 대한 논의가 매우 상세하게 이루어진다. 그러나 이 책의 처음 부분인 제2장~제4장에서는 데이터 세트를 설명하고 두 변수들의 관계를 나타내기 위한 통계기법들이 사용된다. 제2.2절에서는 범주데이터를 설명하기 위한 그래프와 표를 이용하는 기법들이 소개된다. 제2.3절은 두 범주데이터의 관계를 나타내는 방법과 두 개 이상의 범주변수 데이터를 비교하는 방법이 설명된다.

연습문제

2.1 범주데이터, 서열데이터, 구간데이터 각각의 두 가지 예를 제시하라.

2.2 다음과 같은 데이터의 예들 각각에 대하여 데이터 형태를 결정하라.

a. 조깅하는 사람들이 주당 달리는 거리(마일의 수)
b. MBA 프로그램 졸업생들의 첫 연봉
c. 기업의 종업원들이 휴가를 가기 위해 선택하는 월
d. 통계학 과목에서 학생들이 받는 최종 문자학점

2.3 다음과 같은 데이터의 예들 각각에 대하여 데이터의 형태를 결정하라.

a. Amazon.com 주식의 주간 종가
b. La Quinta 모텔이 최고 공실률을 기록한 월
c. 표본으로 추출된 McDonald's 고객들이 주문하는 소프트드링크의 크기(소형, 중형, 대형)
d. 과거 5년 동안 미국이 수입한 월간 Toyota 자동차의 수
e. 통계학 과목을 수강하는 학생들의 기말시험점수(100점 만점)

2.4 한 대학의 취업지원처는 졸업 후 1년이 지난 졸업생들을 대상으로 정기적으로 서베이를 실시하며 다음과 같은 정보에 대하여 질문한다. 각 질문으로부터 얻은 정보가 정리된 데이터의 형태를 결정하라.

a. 당신의 직업은 무엇인가?
b. 당신의 소득은 얼마인가?
c. 당신은 어떤 학위를 취득하였는가?
d. 당신이 받았던 학생대출금액은 얼마인가?
e. 당신은 대학에서 받은 교육의 질을 어떻게 평가하는가?(우수, 매우 양호, 양호, 보통, 부실)

2.5 최근 콘도미니엄의 입주자들을 대상으로 서베이가 실시되었고 다음과 같은 질문들이 주어졌다. 각 질문으로부터 얻은 정보가 정리된 데이터의 형태를 결정하라.

a. 당신의 연령은 얼마인가?
b. 당신의 콘도미니엄은 몇 층에 있는가?
c. 당신은 콘도미니엄을 소유하고 있는가 임대하고 있는가?
d. 당신의 콘도미니엄은 얼마나 큰가(ft^2 기준)?
e. 당신의 콘도미니엄은 수영장을 가지고 있는가?

2.6 한 쇼핑몰에서 표본으로 추출된 쇼핑객들은 다음과 같은 질문에 답하도록 요청받았다. 각 질문으로부터 얻은 정보가 정리된 데이터의 형태를 결정하라.

a. 당신의 연령은 얼마인가?
b. 당신은 얼마를 지출하였는가?
c. 당신의 결혼상태는?
d. 주차장의 이용에 대하여 평가하라(우수, 양호, 보통, 부실).
e. 당신은 몇 개의 상점에 들어가 보았는가?

2.7 한 잡지의 독자들에 관한 정보는 출판사와 이 잡지의 광고주 모두에게 관심의 대상이다. 독자들을 대상으로 실시한 서베이에서 다음과 같은 사항을 채우도록 요청하였다.

a. 연령
b. 성별
c. 결혼상태
d. 구독 잡지 수
e. 연간 소득
f. 잡지의 질에 대한 평가(우수, 양호, 보통, 부실)

이 서베이의 각 항목으로부터 얻는 데이터의 형태는 무엇인가?

2.8 야구 팬들은 정기적으로 야구의 다양한 측면들에 관한 의견을 제시할 것을 요청받는다. 한 서베이는 다음과 같은 질문들을 물었다. 각 질문

으로부터 얻은 데이터의 형태는 무엇인가?

a. 당신은 연간 몇 게임을 관전하는가?
b. 당신은 엔터테인먼트의 질에 대하여 어떻게 평가하는가?(우수, 매우 양호, 양호, 보통, 부실)
c. 당신은 시즌티켓을 가지고 있는가?
d. 당신은 음식의 질에 대하여 어떻게 평가하는가?(먹을 만함, 겨우 먹을 만함, 매우 부실함)

2.9 한 서베이에서 골퍼들은 다음과 같은 질문을 받았다. 각 질문이 생성하는 데이터의 형태는 무엇인가?

a. 당신은 연간 몇 라운드의 골프를 하는가?
b. 당신은 프라이빗 클럽의 회원인가?
c. 당신은 어떤 브랜드의 클럽을 가지고 있는가?

2.10 대학과 전문대학 학생들은 종종 학기 말에 수강한 과목에 대하여 평가한다. 한 대학에서 학생들이 다음과 같은 질문을 받았다.

a. 수강한 과목에 대하여 등급을 부여하라(매우 도움이 되었음, 도움이 되었음, 도움이 되지 않았음).
b. 강의한 교수에 대하여 등급을 부여하라(매우 유능함, 유능함, 그리 유능하지 못함, 전혀 유능하지 못함).
c. 당신의 중간시험 학점은 무엇인가?(A, B, C, D, F)

각 항목으로부터 얻어지는 데이터의 형태는 무엇인지 결정하라.

2.11 세금정산보고서를 작성한 납세자들을 대상으로 다음과 같은 질문을 묻는 서베이가 시행되었다. 각 질문이 생성하는 데이터의 형태를 결정하라.

a. 당신은 소프트웨어를 사용하였는가?
b. 금년도 세금정산보고서를 작성하는 데 시간이 얼마나 걸렸는가?
c. 금년도 세금정산보고서를 작성하는 데 얼마나 편리했는지 평가하라(매우 쉬움, 상당히 쉬움, 쉽지도 않고 어렵지도 않음, 상당히 어려움, 매우 어려움).

2.12 표본으로 추출된 자동차 소유자들에게 다음과 같은 질문에 답하도록 요청하였다. 각 질문이 생성하는 데이터의 형태는 무엇인가?

a. 자동차 제조회사
b. 자동차의 연령(월 기준)
c. 연간 보험료
d. 주행 거리

2.2 범주데이터를 그래프와 표로 나타내기

제2.1절에서 논의한 것처럼 범주데이터에 대하여 유일하게 허용될 수 있는 계산은 변수의 각 값이 나타나는 빈도를 세거나 각 변수의 빈도가 나타내는 비율을 계산하는 것이다. 범주와 빈도를 나타내는 표, 즉 **빈도분포**(frequency distribution)에 의해 범주데이터를 요약할 수 있다. **상대빈도분포**(relative frequency distribution)는 범주와 발생비율을 정리한 것이다. 데이터의 그림을 나타내기 위해 그래프 기법을 이용할 수 있다. 막대그래프(bar chart)와 파이차트(pie chart)의 두 가지 그래프 기법이 사용된다.

예제 2.1 일자리 상태에 관한 서베이 결과(GSS 2018 서베이)

DATA GSS2018

공식적인 실업률과 관련된 한 가지 중요한 문제점은 일자리를 찾기 원하더라도 일자리 찾기를 포기한 사람들을 제외시킨다는 것이다. 다양한 일자리 상태에 있는 미국인의 수를 조사하기 위해 GSS는 "지난주에 당신은 풀타임으로 일했는가, 파트타임으로 일했는가, 학교에 갔는가, 가사 일을 했는가, 기타 다른 일을 했는가?"를 물어보았다. 이에 대한 응답은 다음과 같았다.

1. 풀타임으로 일함
2. 파트타임으로 일함
3. 일시적으로 일을 하지 않음
4. 실업이나 해고 상태
5. 은퇴 상태
6. 학교에 다님
7. 가사 일을 함
8. 기타

응답들은 1, 2, 3, 4, 5, 6, 7, 8의 코드를 각각 사용하면서 정리되었다. 처음 150개의 데이터는 아래에 정리되어 있다. 변수의 이름은 WRKSTAT이고 데이터는 열 X에 저장되어 있다. 이 데이터의 빈도분포와 상대빈도분포를 구하고 막대그래프와 파이차트를 사용하여 이 데이터를 그래프로 요약하라.

3	1	1	5	1	1	2	1	1	2	1	7	2	1	7
5	2	6	5	5	1	1	7	1	7	5	5	2	1	6
1	5	1	7	3	6	5	1	2	1	3	1	2	1	1
1	1	1	1	7	1	5	1	1	2	1	1	1	1	1
5	7	2	2	2	1	5	1	1	5	1	5	1	6	4
5	2	5	1	2	7	1	1	3	3	3	8	2	1	1
1	4	1	2	7	4	5	7	1	7	2	2	1	1	6
1	7	7	1	5	1	1	7	1	7	7	1	1	1	1
1	1	7	1	5	2	7	5	3	1	1	7	7	1	1
1	1	2	2	1	7	7	1	2	5	2	1	7	2	5

해답 주어진 데이터를 대충 살펴보라. 당신은 150명의 미국인들의 응답에 관하여 무엇을 알게 되었는가? 아마도 당신은 특별한 능력이 없다면 이 수치들에 관하여 거의 아무것도 알아내지 못하였을 것이다. 만일 2,348개의 응답들이 모두 기록되었다면, 당신이 이 데이터에 관하여 유용한 정보를 발견하였을 가능성이 거의 없을 것이다. 이 데이터에 관한 유용한 정보를 추출하기 위해서는 통계기법이나 그래프 기법이 적용되어야 한다. 적정한 기법을 선택하기 위해서는 먼저 데이터의 형태를 식별해야만 한다. 이 예에서 수치들은 범주들을 나타내기 때문에 이 데이터는 범주

데이터이다. 범주데이터에 대하여 허용되는 유일한 계산은 각 범주가 발생하는 횟수를 세는 것이다. 따라서 1, 2, 3, 4, 5, 6, 7, 8의 개수를 세어본다. 범주들과 범주들의 개수를 사용하면 빈도분포가 구해진다. 상대빈도분포는 빈도 수를 비율로 전환시킴으로써 구해진다. 빈도분포와 상대빈도분포가 표 2.1에 정리되어 있다.

두 사람이 질문에 응답하는 것을 거부했기 때문에 관측치의 수는 표본크기인 2,348개에서 두 개를 뺀 2,346개이다.

표 2.1 예제 2.1의 빈도분포와 상대빈도분포

일자리 상태	코드	빈도	상대빈도(%)
풀타임으로 일함	1	1,134	48.34
파트타임으로 일함	2	259	11.04
일시적으로 일을 하지 않음	3	53	2.26
실업이나 해고 상태	4	84	3.58
은퇴 상태	5	445	18.97
학교에 다님	6	81	3.45
가사 일을 함	7	242	10.32
기타	8	48	2.05
합계		2,346	100

제1장에서 언급한 것처럼 Excel 출력물뿐만 아니라 빈도분포와 상대빈도분포를 구하기 위한 지시사항, 특히 표 2.1을 구하기 위한 지시사항이 제시된다.

EXCEL

지시사항

1. 데이터를 스프레드시트에 직접 입력하거나 <GSS2018>파일을 열어라.
2. 임의의 셀을 활성화하고 다음과 같이 입력하라.

=**COUNTIF**([Input Range], [Criteria])

Input Range는 데이터를 포함하고 있는 셀들이다. 이 예제에서, Input Range는 X1:X2349이다. Criteria는 당신이 발생횟수를 세기 원하는 코드들, 즉 (1) (2) (3) (4) (5) (6) (7) (8)이다. 코드 1("풀타임으로 일함")로 표시되어 있는 횟수를 세기 위해서 다음과 같이 입력하라.

=**COUNTIF**(X1:X2349, 1)

빈도가 사용하는 셀에 나타난다. 다른 7개 범주의 빈도를 구하기 위해서 Criteria를 바꾸어

라. 아래의 출력물을 얻기 위해 WRKSTAT 변수를 새로운 스프레드시트의 열 A에 복사하라. 열 B에 행 1부터 행 8까지에 코드 1부터 8을 입력하고 빈도를 구하기 위해 COUNTIF를 사용하라. 상대빈도는 열 C에 계산된다. (〈Xm02-01〉파일을 사용하여 동일한 작업을 수행할 수 있다.)

해석 응답자들의 48.34%만이 풀타임으로 일하고 있고, 18.97%는 은퇴한 상태이고, 11.04%는 가사일을 하고 있고, 10.32%는 파트타임으로 일하고 있고, 나머지 11.34%는 나머지 4개 범주 간에 거의 같게 나누어져 있다.

막대그래프와 파이차트

데이터에 포함되어 있는 정보는 표로 잘 요약된다. 그러나 그래프 기법은 일반적으로 독자의 눈을 수치로 구성된 표보다 빠르게 사로잡는다. 두 가지의 그래프 기법이 표 2.1의 결과를 나타내기 위해 사용될 수 있다. **막대그래프**(bar chart)는 종종 빈도를 나타내기 위해 사용된다. **파이차트**(pie chart)는 상대빈도를 그래프로 보여준다. 막대그래프는 각 범주를 나타내는 사각형막대를 이용한 그래프이다. 사각형의 높이는 빈도를 나타낸다. 막대의 밑변 크기는 임의로 정해진다. 그림 2.1은 직접 그린 예제 2.1의 막대그래프이다.

그림 2.1 예제 2.1의 막대그래프

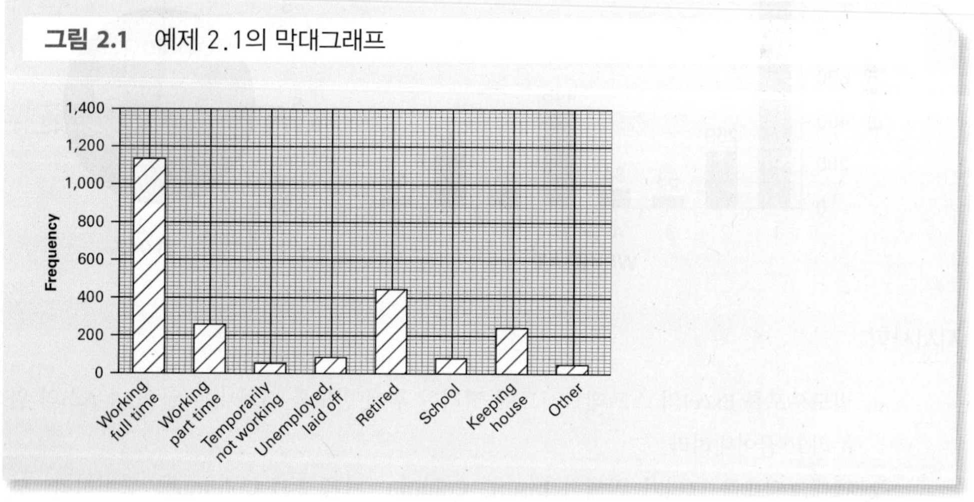

막대그래프를 그리는 대신 상대빈도를 강조하기 원하면, 파이차트를 그려라. 파이차트는 원을 범주들을 나타내는 조각들로 나누어지도록 그린 그래프이다. 각 조각의 크기는 해당되는 범주의 퍼센트에 비례한다. 예를 들면, 원 전체는 360도로 구성되어 있기 때문에, 관측치들의 25%를 포함하는 범주는 360도의 25%, 즉 90도를 포함하는 파이조각으로 나타낸다. 예제 2.1의 각 범주가 원에서 차지하는 각도가 표 2.2에 제시되어 있다.

표 2.2 예제 2.1의 범주별 비율

일자리 상태	상대빈도(%)	파이조각의 각도(°)
풀타임으로 일함	48.34	174.0
파트타임으로 일함	11.04	39.7
일시적으로 일을 하지 않음	2.26	8.1
실업이나 해고 상태	3.58	12.9
은퇴 상태	18.97	68.3
학교에 다님	3.45	12.4
가사 일을 함	10.32	37.1
기타	2.05	7.4
합계	100.0	360

EXCEL Chart

Excel을 사용하여 그린 예제 2.1의 막대그래프와 파이차트는 다음과 같다.

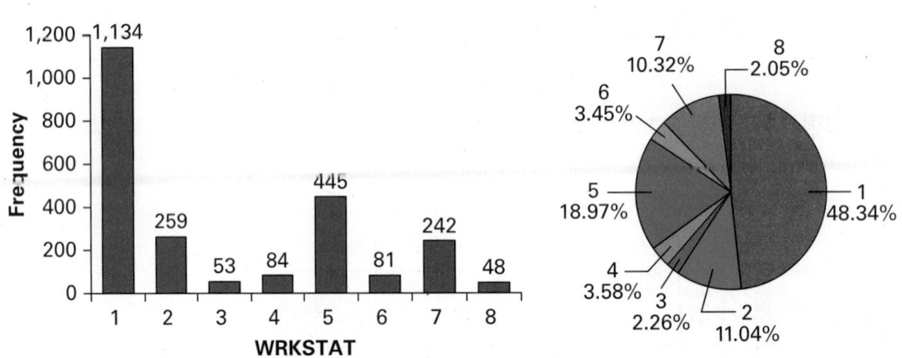

지시사항

1. 빈도분포를 Excel의 스프레드시트에 정리한 후에 빈도를 나타내는 열을 마우스의 왼쪽을 누리고 끌어내려라.
2. 막대그래프를 그리기 위해서 **Insert**, **Column**, 처음 **2-D Column**을 클릭하라. 당신은 차트를 변화시킬 수 있다. **Gridlines**와 **Legend**를 제거하고 차트 제목을 입력하기 위해 **Data Labels**를 클릭하라.
3. 파이차트를 그리고 편집하기 위해 **Pie**와 **Chart Tools**를 클릭하라.

2.2a 파이차트와 막대그래프의 활용

파이차트와 막대그래프는 신문, 잡지, 기업보고서, 정부보고서에서 널리 사용된다. 이와 같이 파이차트와 막대그래프가 널리 사용되는 이유 중 하나는 표와는 달리 눈에 잘 띄고 독자의 관심을 끌기 때문이다. 아무도 표지 면과 기타 면들에 컬러그래프를 싣는 *USA Today*보다 이 점을 더 잘 이해하지 못하고 있는 것 같다. 파이차트와 막대그래프는 일반적으로 범주와 관련된 수치들을 나타내기 위해 사용된다. 이와 같은 상황에서 막대그래프나 파이차트를 사용하는 이유는 데이터의 내용을 이해하는 독자의 능력을 향상시키기 때문일 것이다. 예를 들면, 막대그래프나 파이차트는 독자가 예산의 항목별 상대적 크기와 같이 범주별 상대적 크기를 매우 신속하게 이해할 수 있도록 해준다. 이와 유사하게 재무 담당자는 기업의 부서별 수입을 보여주기 위해 파이차트를 이용할 수 있고 대학생들은 일일 활동에 소비하는 시간(예를 들면, 식사=10%, 수면=30%, 공부=60%)을 나타내기 위해 파이차트를 이용할 수 있다.

경제학 분야의 통계학 응용

거시경제학

거시경제학은 경제 전체의 움직임을 대상으로 연구하는 경제학의 주요 분야이다. 거시경제학자들은 국내총생산(gross domestic product), 실업률, 인플레이션과 같은 변수들을 예측하기 위해 수학 모형들을 개발한다. 이와 같은 모형들은 정부와 기업이 전략을 개발하는 것을 돕기 위해 사용된다. 예를 들면, 중앙은행은 이자율을 인하시키거나 인상시킴으로써 인플레이션을 통제하고자 한다. 이와 같은 일을 수행하기 위해 경제학자들은 에너지의 수요와 공급을 포함하여 다양한 변수들의 효과를 결정해야 한다.

경제학 분야의 통계학 응용

Aaron Kohr/Shutterstock.com

에너지경제학

실제로 모든 국가의 경제에 큰 영향을 미치고 있는 한 변수는 에너지이다. 단기간 동안에 원유가격이 4배 상승했던 1973년 제1차 석유위기는 일반적으로 경제에 영향을 준 최대의 금융충격들 중 하나로 여겨진다. 실제로 경제학자들은 종종 1973년 제1차 석유위기 이전 경제와 이후 경제는 다르다고 언급한다. 불행하게도 세계 경제는 두 가지의 중요한 이유로 에너지 때문에 더 많은 충격에 직면할 것이다. 첫째 이유는 재생불가 에너지원의 소진과 이에 따른 에너지 가격의 상승이다. 둘째 이유는 화석연료의 연소와 이산화탄소의 발생이 글로벌 온난화의 원인일 수 있는 가능성이다. 한 경제학자는 글로벌 온난화의 비용은 수조 달러에 이를 것이라고 예측하였다. 통계학은 지구의 기온이 증가하였는가와 만일 그렇다면 이산화탄소가 원인인가를 결정하는 데 중요한 역할을 수행할 수 있다(사례분석 3.1 참조). 이 장에서 당신은 에너지와 관련된 예제들과 연습문제들을 만나게 될 것이다.

예제 2.2 미국의 에너지 소비량(2019년)

DATA Xm02-02

표 2.3은 2019년 현재 모든 에너지원별 미국의 에너지 소비량을 정리한 것이다. 상세한 내용을 살펴보는 것을 보다 더 용이하게 하기 위해서, 표 2.3에서 에너지는 1,000조 영국열량단위(British thermal unit (BTU)) 기준으로 측정된다. 주어진 수치들을 나타내기 위해 적정한 그래프 기법을 사용하라.

표 2.3 미국의 에너지원별 에너지 소비량(2019년)

에너지원	1,000조 BTU
재생불가 에너지원	
석탄	11.31
천연가스	32.10
원자력	8.862
석유	36.87
재생가능 에너지원	
바이오매스	4.985
지열	0.2093
수력	2.492
태양열	1.043
풍력	2.732
합계	100.6

자료 U.S. Energy Information Administration.

해답 총 에너지 소비량 중에서 각 에너지원 소비량의 비율을 알아보는 데 관심이 있다고 하자. 이 경우 적정한 그래프 기법은 파이차트이다. 다음 단계는 파이차트를 구성하는 파이조각들의 비율과 크기를 결정하고 파이차트를 그리는 것이다. 아래의 파이차트는 Excel을 사용하여 그린 것이다.

EXCEL Chart

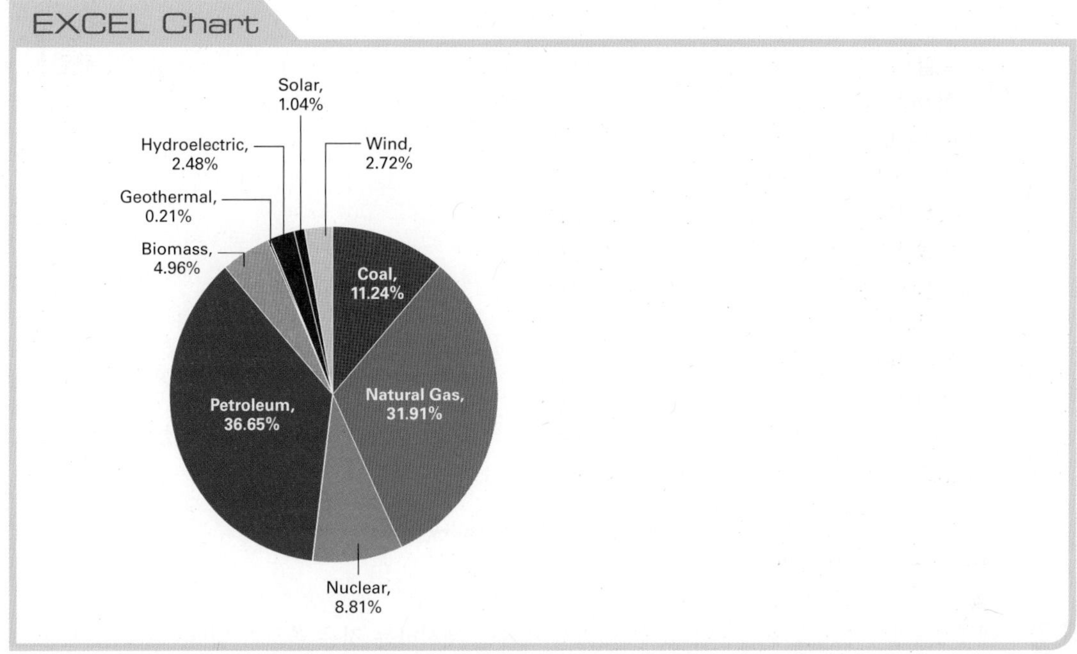

해석 미국은 에너지원으로 3개 화석연료에 크게 의존하고 있다. 석탄, 천연가스, 석유는 미국 에너지 소비량의 80%를 차지한다. 재생가능 에너지원은 약 11%가 사용되고 있다. 그중 약 1/2은 바이매스이고 약 1/4은 수력이다. 풍력과 태양열은 미국 에너지 소비량의 4% 미만을 생산한다.

예제 2.3 주요 20개국의 1인당 맥주 소비량

DATA Xm02-03

표 2.4는 전 세계 주요 20개국의 국가별 1인당 맥주 소비량을 정리한 것이다. 이 수치들을 그래프로 나타내라.

표 2.4 주요 20개국의 1인당 맥주 소비량

국가	맥주 소비량(L/YR)
호주	109.9
오스트리아	108.3
벨기에	93.0
크로아티아	81.2
체코공화국	156.9
덴마크	89.9
에스토니아	104.0
핀란드	85.0

(계속)

(계속)

독일	115.8
헝가리	75.3
아일랜드	131.3
리투아니아	89.0
룩셈부르크	84.5
네덜란드	79.0
뉴질랜드	77.0
루마니아	90.0
슬로바키아	84.1
스페인	83.8
영국	99.0
미국	81.6

자료: www.beerinfo.com.

해답 예제 2.3에서 수치들에 관심이 있다. 여기서 비율을 제시하는 것은 쓸모가 없다. Excel을 사용하여 그린 막대그래프는 다음과 같다.

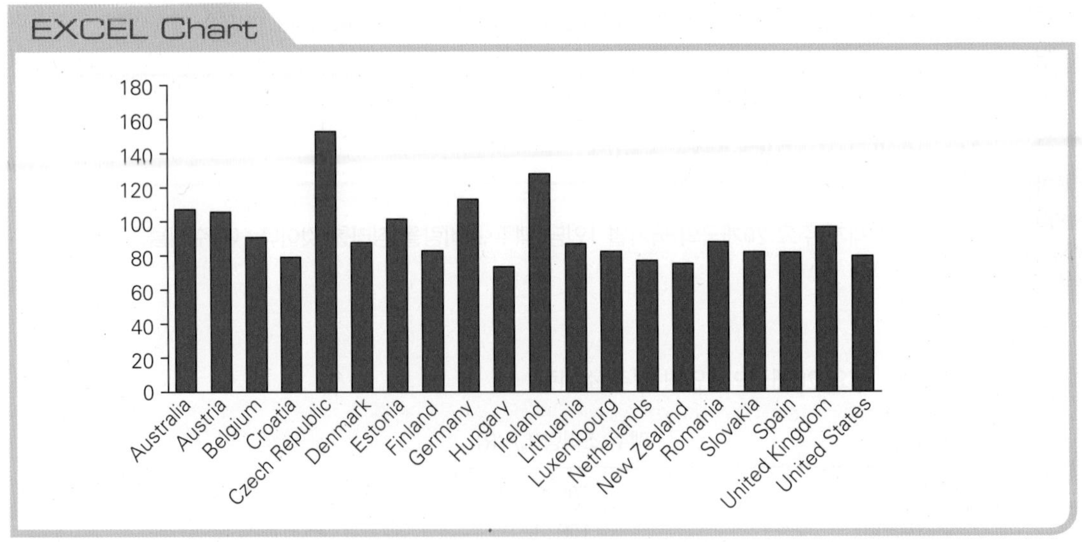

해석 체코공화국, 아일랜드, 독일이 1인당 맥주 소비량이 높은 국가들이다. 미국과 영국의 순위는 크게 낮고 캐나다는 상위 20개국에 포함되어 있지 않다.

2.2b 서열데이터 설명하기

서열데이터를 위한 특별한 그래프 기법은 존재하지 않는다. 따라서 서열데이터를 나타내기 원하면, 서열데이터는 마치 범주데이터인 것처럼 취급하여 이 절에서 설명된 기법들이 사용된다. 막대그래프의 막대는 올림차순이나 내림차순으로 정리되어야 하는 것이 유일한 기준이다. 파이차트에서 파이조각은 일반적으로 올림차순이나 내림차순으로 시계방향을 따라서 정리된다.

연습문제

2.13 <Xr02-13> 언제 전 세계의 석유자원이 소진될 것인가? 이와 같은 질문을 판단하기 위한 한 가지 방법은 전 세계의 석유 부존량을 국가별로 결정하는 것이다. 다음의 표는 상위 15개국의 알려진 석유 부존량을 보여준다.

a. 막대그래프를 사용하여 상위 15개국의 석유 부존량을 나타내라. 당신이 무엇을 발견했는지 설명하라.
b. 왜 막대그래프가 파이차트보다 더 적정한 그래프 기법인가?
c. 파이차트가 더 좋은 그래프 기법이 되기 위해 어떤 수치가 필요한가?

국가	석유부존량 (100만 배럴)
Brazil	12,999
Canada	167,896
China	25,620
Iran	155,600
Iraq	145,019
Kazakhstan	30,000
Kuwait	101,500
Libya	48,363
Nigeria	36,972
Qatar	25,244
Russia	80,000
Saudi Arabia	267,026
United Arab Emirates	97,800
United States	47,053
Venezuela	302,809

2.14 <Xr02-14> 다음의 표는 2016년 하계 올림픽에서 상위 15개국이 획득한 메달 수를 정리한 것이다.

a. 막대그래프를 사용하여 상위 15개국의 메달 수를 나타내라.
b. 파이차트가 더 좋은 그래프 기법인가?
c. 파이차트가 더 좋은 그래프 기법이 되기 위해 어떤 수치가 필요한가?

국가	메달 수
Australia	29
Azerbaijan	18
Brazil	19
Canada	22
China	70
France	42
Germany	42
Great Britain	67
Italy	28
Japan	41
Netherlands	19
New Zealand	18
Russia	56

South Korea	21
United States	121

2.15 <Xr02-15> 다음의 표는 세계에서 천연가스 부존량이 가장 많은 국가들을 정리한 것이다. 이러한 정보를 나타내기 위해 그래프 기법을 사용하라.

국가	천연가스 부존량(m^3)
Algeria	93,499,998,208
Australia	105,200,001,024
Canada	159,099,994,112
China	145,899,995,136
Iran	214,499,999,744
Norway	123,900,002,304
Qatar	166,400,000,000
Russia	665,600,000,000
Saudi Arabia	109,299,998,720
United States	772,799,987,712

2.16 <Xr02-16> 다음의 표는 상위 20개국의 일일 평균 석유 소비량을 정리한 것이다. 이러한 정보를 나타내기 위해 그래프 기법을 사용하라.

국가	석유 소비량 (일일 1,000배럴)
Australia	1,080
Brazil	3,003
Canada	2,374
China	10,480
France	1,713
Germany	2,435
India	3,660
Indonesia	1,718
Iran	1,885
Italy	1,260
Japan	4,557
Mexico	2,090
Russian Federation	3,493
Saudi Arabia	2,961
Singapore	1,240
South Korea	2,328
Spain	1,208
Thailand	1,171
United Kingdom	1,502
United States	18,961

2.17 <Xr02-17> 석유 1배럴은 42갤런이다. 석유를 정제하는 과정에서 생산되는 제품들과 생산 비율이 다음의 표에 정리되어 있다. 이러한 정보를 그래프로 나타내라.

제품	생산 비율
가솔린(gasoline)	51.4%
증류 연료유(distilled fuel oil)	15.3
항공유(jet fuel)	12.6
증류가스(still gas)	5.4
코크스(marketable coke)	5.0
잔여 연료유(residual fuel oil)	3.3
액화정제가스(liquefied refinery gas)	2.8
아스팔트/도로유(asphalt and road oil)	1.9
윤활유(lubricants)	0.9
기타	1.5

자료 California Energy Commission.

2.18 <Xr02-18> 다음의 표는 상위 20개국의 전기 소비량(10억 KWH)를 정리한 것이다. 이러한 정보를 그래프로 나타내라.

국가	전기 소비량(10억 KWH)
Australia	223
Brazil	480
Canada	533
China	4,882
France	453
Germany	534
India	903
Iran	207

Italy	294
Japan	935
South Korea	487
Mexico	232
Russian Federation	878
Saudi Arabia	247
South Africa	212
Spain	235
Taiwan	226
Turkey	195
United Kingdom	319
United States	3,868

2.19 <Xr02-19> 다음의 표는 세계에서 상위 15개국의 인구를 정리한 것이다. 이러한 정보를 나타내기 위해 막대 그래프를 사용하라.

국가	인구(명)
Bangladesh	166,368,149
Brazil	210,867,954
China	1,415,045,928
Egypt	99,375,741
Ethiopia	107,534,882
India	1,354,051,854
Indonesia	266,794,980
Japan	127,185,332
Mexico	130,759,074
Nigeria	195,875,237
Pakistan	200,813,818
Philippines	106,512,074
Russia	143,964,709
United States	326,766,748
Viet Nam	96,491,146

2.20 <Xr02-20> 다음의 표는 세계에서 상위 15개국의 원자력 소비량을 정리한 것이다. 이러한 정보를 그래프로 나타내라.

국가	원자력 소비량 (석유환산 100만 톤)
Belgium	9.5
Canada	21.9
China	56.2
Czech Republic	6.4
France	90.1
Germany	17.2
India	8.5
Japan	6.6
Russia	46.0
South Korea	33.6
Spain	13.1
Sweden	14.9
Ukraine	19.4
United Kingdom	15.9
United States	191.7

2.21 <Xr02-21> 한 국가의 경제규모를 나타내기 위해 일반적으로 사용되는 수치는 국내총생산(GDP)이다. GDP는 주어진 기간 동안 한 국가에서 생산된 최종 재화와 서비스의 화폐가치를 측정하는 척도이다. 다음의 표는 2020년 상위 10개국의 GDP를 정리한 것이다.

a. 이러한 정보를 나타내기 위해 막대그래프를 사용해야 하는가, 파이차트를 사용해야 하는가?

b. 이러한 정보를 나타내기 위해 적정한 그래프 기법을 사용하라.

국가	GDP(10억 달러)
Brazil	1,893.01
Canada	1,812.46
China	15,269.94
France	2,771.62
Germany	3,982.24
India	3,202.18
Italy	2,013.67
Japan	5,413.05

United Kingdom	2,716.53
United States	22,321.76

컴퓨터와 소프트웨어를 이용하여 다음의 연습문제에 답하라.

2.22 <Xr02-22> 전문대학과 대학의 가장 중요한 특성은 무엇인가? 임의표본에 포함되어 있는 전문대학 또는 대학을 지원하는 고등학교 3학년 학생들에게 이와 같은 질문을 하였다. 응답들은 다음과 같은 코드로 정리되었다.

1. 위치
2. 전공
3. 학문적 평판
4. 진로지도
5. 지역사회
6. 학생 수

응답들이 코드를 사용하면서 저장되었다. 주어진 데이터를 요약하고 나타내기 위해 그래프 기법을 사용하라.

2.23 <Xr02-23> 소비자들은 자동차에 관한 정보를 어디서 얻는가? 임의표본에 포함된 최근에 자동차를 구매한 소비자들에게 그들이 구매한 자동차에 관한 가장 유용한 정보원은 무엇인지 물었다. 응답들은 다음과 같은 코드로 정리되었다.

1. 소비자 가이드
2. 딜러
3. 구전
4. 인터넷

응답들이 코드를 사용하면서 저장되었다. 주어진 데이터를 그래프로 나타내라.(자료: *Automotive Retailing Today*, The Gallup Organization.)

2.24 <Xr02-24> 한 서베이에서 주택의 어느 부분을 가장 수리하기 원하는지 392명의 주택 소유자에게 물었다. 응답과 빈도가 다음과 같이 정리되어 있다. 주어진 서베이 결과를 나타내기 위해 그래프 기법을 사용하라. 당신이 발견한 것을 간략하게 요약하라.

주택 부분	코드
지하실	1
목욕실	2
침실	3
부엌	4
거실/식당	5

2.25 <Xr02-25> 지하철 승객들은 종종 신문을 읽으면서 시간을 보낸다. 뉴욕시는 한 개의 지하철과 4개의 신문을 가지고 있다. 한 개의 신문을 정기적으로 읽는 360명의 표본으로 추출된 지하철 승객에게 읽고 있는 신문이 무엇인지 묻는 질문을 하였다. 답변은 다음과 같은 코드로 정리되었다.

1. *New York Daily News*
2. *New York Post*
3. *New York Times*
4. *Wall Street Journal*

a. 빈도분포와 상대빈도분포를 표로 나타내라.
b. 데이터를 요약하기 위한 적정한 그래프를 그려라. 이 그래프는 당신에게 무엇을 말해 주는가?

2.26 <Xr02-26> 누가 MBA 프로그램에 지원하는가? 지원자의 배경을 알아보기 위해 한 대학의 경영대학원에 지원한 230명의 지원자에게 그들의 학부 학위를 보고하도록 요청하였다. 학부 학위가 다음과 같은 코드를 사용하여 기록되었다.

1. BA
2. BBA

3. B.Eng
4. BSc
5. Other

a. 빈도분포를 나타내라.
b. 막대그래프를 그려라.
c. 파이차트를 그려라.
d. 이 그래프들은 표본으로 추출된 MBA 지원자에 대하여 무엇을 말해 주는가?

2.27 <Xr02-27> 많은 경영학 과목과 경제학 과목은 필수적으로 컴퓨터를 사용한다. 따라서 많은 학생들은 자기 자신의 컴퓨터를 구매한다. 학생들이 어떤 컴퓨터 브랜드를 구매하였는지 묻는 서베이가 이루어졌다. 학생들의 답변이 다음과 같은 코드를 이용하여 기록되었다.

1. Acer
2. Apple
3. Asus
4. Dell
5. HP
6. Lenovo
7. Other

a. 빈도를 나타내는 그래프를 그려라.
b. 상대빈도를 나타내는 그래프를 그려라.
c. a와 b에서 그린 그래프들은 학생들이 사용하는 컴퓨터 브랜드에 대하여 무엇을 말해 주는가?

2.28 <Xr02-28> 직접 계산하기보다는 컴퓨터와 소프트웨어를 사용하는 통계학 과목의 수가 점차 증가하고 있다. 통계학 교수들을 대상으로 통계학 과목에서 사용하는 소프트웨어가 무엇인지 묻는 서베이가 이루어졌다. 통계학 교수의 답변은 다음과 같은 코드에 의해 정리되었다.

1. Excel
2. XLSTAT
3. Minitab
4. STATA
5. Other

a. 빈도분포를 그래프로 나타내라.
b. 상대빈도를 나타내는 그래프를 그려라.
c. 이 그래프들은 통계학 과목에서 교수들이 사용하는 소프트웨어에 대하여 무엇을 말해 주는가?

2.29 <Xr02-29+> 미국의 연간 총 라이트 비어 판매량은 거의 300만 갤런이다. 이러한 대규모 시장이 있기 때문에, 맥주회사들은 종종 누가 그들의 제품을 구매하는지에 관하여 더 많이 알아야 할 필요가 있다. 한 주요 맥주회사의 마케팅 경영자는 라이트 비어를 마시는 전문대학과 대학교 학생들에 대한 라이트 비어 판매량을 분석하기 원하였다. 임의표본을 구성하고 있는 285명의 졸업생들에게 가장 선호하는 라이트 비어가 다음 중 어느 것이었는지 물었다.

1. Bud Light
2. Busch Light
3. Coors Light
4. Michelob Light
5. Miller Lite
6. Natural Light
7. 기타 브랜드

응답들은 각각 1, 2, 3, 4, 5, 6, 7의 코드를 사용하면서 기록되었다. 이 데이터를 요약하기 위해 그래프 기법을 사용하라. 당신은 그래프로부터 어떤 결론을 내릴 수 있는가?

여론 조사: Pew Research Center와 Gallup Organization

정당, 정부기관, 민간기업을 위해 서베이를 수행하는 많은 조직이 있다. 가장 유명한 2개의 여론 조사 기관은 Pew Research Center와 Gallup Organization이다. 두 기관은 신문에 보도되고 텔레비전 방송국에서 논의되는 초당파적인 여론 조사를 수행한다. 이 책에서는 최초 연구와 동일한 결과를 제시하는 데이터 세트를 사용하는 연습문제를 만들기 위해 그들의 서베이 결과 일부가 사용된다.

다음의 11개 연습문제에서 서베이 일자, 모집단, 질문, 응답을 정리한 코드가 제시된다.

2.30 <Xr02-30+> Pew Research Center

일시: 2020년 3월

모집단: 미국 성인

질문: 정치와 선거 뉴스를 얻는 가장 일반적인 방법은 무엇인가?

응답:

1. Cable TV
2. Local TV
3. Network TV
4. News website/app
5. Print
6. Radio
7. Social media

2.31 <Xr02-31+> Pew Research Center

일시: 2018년 6월

모집단: 미국 성인

질문: 미국으로의 합법적 이민은 (1) 감소되어야 하는가, (2) 현재대로 유지되어야 하는가, (3) 증가되어야 하는가?

2.32 <Xr02-32+> Pew Research Center

일시: 2017년 8월

모집단: 미국 성인

질문: 대기업에 대한 세금은 (1) 인하되어야 하는가, (2) 현재대로 유지되어야 하는가, (3) 인상되어야 하는가?

2.33 <Xr02-33> Pew Research Center

일시: 2017년 6–7월

a. 모집단: 1981년과 1996년 사이에 태어난 미국 밀레니얼 세대

b. 모집단: 1965년과 1980년 사이에 태어난 미국 X 세대

질문: 당신의 정치적 성향은 무엇인가?

응답:

1. 매우 보수적
2. 대체로 보수적
3. 중간적 성향
4. 대체로 진보적
5. 매우 진보적

두 세대의 정치적 성향을 그래프로 나타내라.

2.34 <Xr02-34> Pew Research Center

일시: 2017년 6–7월

모집단: 1928년과 1945년에 태어난 미국 침묵 세대

질문: 당신의 정치적 성향은 무엇인가?

응답:

1. 매우 보수적
2. 대체로 보수적
3. 중도적 성향

4. 대체로 진보적
5. 매우 진보적

2.35 <Xr02-35+> Gallup Organization

일시: 2018년 8월
모집단: 직장으로 통근하는 미국인
질문: 당신은 통근하는 데 얼마나 스트레스를 받는가?
응답:

1. 매우 또는 상당한 정도 스트레스를 받는다.
2. 크게 스트레스를 받지 않는다
3. 전혀 스트레스를 받지 않는다.

2.36 <Xr02-36+> Gallup Organization

일시: 2018년 7월
모집단: 미국 성인
질문: 당신은 적정한 음주(일일 1잔 또는 2잔의 음주)가 건강에 (1) 좋다, (2) 영향을 주지 않는다, (3) 나쁘다고 생각하는가?

2.37 <Xr02-37> Gallup Organization

일시: 2018년 9월(중간 선거 이전)
모집단: 미국 성인
질문: 현재의 경제 상태를 평가하라.

1. 매우 좋다
2. 적정하다.
3. 나쁘다.

2.38 <Xr02-38> Gallup Organization

일시: 2018년 8월
모집단: 일자리를 가진 미국 성인
질문: 당신은 하는 일에 대해 (1) 과소하게 급여를 받고 있다, (2) 적정한 급여를 받고 있다, (3) 과대하게 급여를 받고 있다고 생각하는가?

2.39 <Xr02-39> Gallup Organization

일시: 2018년 7월
모집단: 미국 성인
질문: 당신은 미래에 노동조합이 (1) 현재보다 더 강해질 것이다, (2) 현재와 같을 것이다, (3) 현재보다 더 약해질 것이라고 생각하는가?

2.40 <Xr02-40> Gallup Organization

일시: 2018년 8월
모집단: 미국 성인
질문: 당신은 다른 선진국들과 비교하여 미국의 경제체제를 어떻게 평가하는가?

1. 가장 우수하거나 평균 이상이다.
2. 평균 수준이다.
3. 가장 나쁘거나 평균 아래이다.

2.3 두 범주변수의 관계 나타내기와 두 개 이상의 범주데이터 비교하기

제2.2절에서 범주데이터 세트를 요약하기 위해 사용되는 그래프와 표를 이용한 기법들이 소개되었다. 일변수 데이터 세트에 적용되는 기법은 **일변량**(univariate) 기법이라고 부른다. 변수들의 관계를 나타내기 원하는 많은 경우들이 존재한다. 이와 같은 경우에

이변량(bivariate) 기법이 필요하다. 두 범주변수의 관계를 나타내기 위해 **교차분류표**(cross-classification table)(또는 **교차제표**(cross-tabulation table)라고도 부른다)가 사용된다. 제2.2절에서 소개된 막대 그래프의 변형된 형태가 두 변수의 관계를 그래프로 나타내기 위해 사용된다. 동일한 기법이 두 개 이상의 범주데이터를 비교하기 위해 사용된다.

2.3a 두 범주변수의 관계를 표로 나타내는 기법

두 범주변수의 관계를 나타내기 위해, 범주변수 값의 빈도만을 계산할 수 있다는 것을 기억해야 한다. 첫 단계로 두 범주변수 값들의 각 조합에 해당되는 빈도를 정리한 교차분류표를 만들 필요가 있다.

예제 2.4 신문 독자 서베이

DATA Xm02-04

북미의 한 도시에는 경쟁상태에 있는 4개의 신문, 즉 *Globe and Mail, Post, Star, Sun*이 있다. 광고 유치활동을 계획하는 데 도움을 얻기 위해 신문사의 광고 담당자는 신문시장의 어느 부분이 자기 신문을 구독하고 있는지 알 필요가 있다. 구독신문과 직업의 관계를 분석하기 위한 서베이가 실시되었다. 표본으로 추출된 신문 독자에게 어떤 신문(*Globe and Mail* (1), *Post* (2), *Star* (3), *Sun* (4))을 구독하는지와 그들의 직업(블루칼라 근로자(1), 화이트칼라 근로자(2), 전문직 종사자(3))이 무엇인지 물었다. 이 데이터의 일부가 다음과 같이 정리되어 있다.

독자	직업	구독신문
1	2	2
2	1	4
3	2	1
.	.	.
.	.	.
.	.	.
352	3	2
353	1	3
354	2	3

두 범주변수 간의 관계가 있는지 결정하라.

해답 구독신문과 직업의 12가지 조합 각각이 발생하는 횟수를 사용하여 표 2.5를 만든다.

표 2.5 예제 2.4의 빈도를 나타내는 교차분류표

	신문				
직업	*G&M*	*Post*	*Star*	*Sun*	합계
블루칼라 근로자	27	18	38	37	120
화이트칼라 근로자	29	43	21	15	108
전문직	33	51	22	20	126
합계	89	112	81	72	354

구독신문과 직업 간의 관계가 있다면, 직업에 따라 구독하는 신문이 다를 것이다. 이것을 알아보는 한 가지 쉬운 방법은 각 행(각 열)의 빈도를 각 행(각 열)의 상대빈도로 전환하는 것이다. 즉, 표 2.6에서 보는 것처럼 각 행(각 열)의 합계를 계산하고 각 행(각 열)의 빈도를 각 행(각 열)의 합계로 나눈다.(반올림 때문에 합계가 1이 되지 않을 수 있다.)

표 2.6 예제 2.4의 직업별 상대빈도

	신문				
직업	*G&M*	*Post*	*Star*	*Sun*	합계
블루칼라 근로자	.23	.15	.32	.31	1.00
화이트칼라 근로자	.27	.40	.19	.14	1.00
전문직	.26	.40	.17	.16	1.00
합계	.25	.32	.23	.20	1.00

EXCEL

Excel로 교차분류표를 만들 수 있는 여러 가지 방법이 있다. 피벗테이블(PivotTable)이 두 가지 방법으로 사용된다. 첫째, 구독신문과 직업의 조합 각각이 발생하는 수를 나타내는 교차분류표를 만든다. 둘째, 상대빈도를 나타내는 표를 만든다.

	A	B	C	D	E	F
1	**Count of Reader**	**Column Labels**				
2	**Row Labels**	**1**	**2**	**3**	**4**	**Grand Total**
3	1	27	18	38	37	120
4	2	29	43	21	15	108
5	3	33	51	22	20	126
6	**Grand Total**	**89**	**112**	**81**	**72**	**354**

	A	B	C	D	E	F
	Count of Reader	Column Labels				
	Row Labels	1	2	3	4	Grand Total
	1	0.23	0.15	0.32	0.31	1.00
	2	0.27	0.40	0.19	0.14	1.00
	3	0.26	0.40	0.17	0.16	1.00
	Grand Total	**0.25**	**0.32**	**0.23**	**0.20**	**1.00**

지시사항

데이터는 <Xm02-04>에 있는 것처럼 3개의 열에 저장되어 있다. <Xm02-04>를 열고 커서를 데이터 속의 한 셀에 놓아라.

1. **Insert**와 **PivotTable**을 클릭하라.
2. Table/Range가 정확한지 확인하라. OK를 클릭하라.
3. **Pivot Table Fields**에서 **Reader**를 확인하고 오른쪽을 클릭하여 **Add to Values**를 선택하라.
4. **Occupation**을 확인하고 오른쪽을 클릭하여 **Add to Row Labels**를 선택하라.
5. **Newspaper**를 확인하고 오른쪽을 클릭하여 **Add to Column Labels**를 선택하라.
6. 커서를 표 안에 놓고 오른쪽을 클릭하여 **Summarize Values by**를 선택하고 **Count**를 클릭하라.
7. 행 비율로 전환하기 위해, 임의의 수치를 오른쪽으로 클릭하라. **Show Values As**를 클릭하고 % of Row Total을 클릭하라.

해석 제2행과 제3행의 상대빈도가 비슷하고, 제1행과 제2행 및 제1행과 제3행의 차이가 크다는 점에 주목하라. 이것은 블루칼라 근로자가 화이트칼라 근로자와 전문직과는 다른 신문을 구독하는 경향이 있고 화이트칼라 근로자와 전문직은 구독신문을 선택하는 데 있어서 매우 유사하다는 것을 의미한다.

2.3b 두 범주변수의 관계를 그래프로 나타내기

각 직업별로 4개 신문의 구독빈도를 나타내는 3개의 막대그래프를 그리기로 하자. Excel을 이용하여 이와 같은 그래프를 그릴 수 있다. 이 그래프는 직접 그린 차트와 동일하다.

EXCEL Chart

두 범주변수의 관계를 그래프로 나타낼 수 있는 여러 가지 방법이 있다. 3개의 직업 각각에 대하여 2차원의 막대그래프를 선택하였다. 이와 같은 차트는 PivotTable의 출력물 또는 행 방향의 비율로부터 만들어질 수 있다.

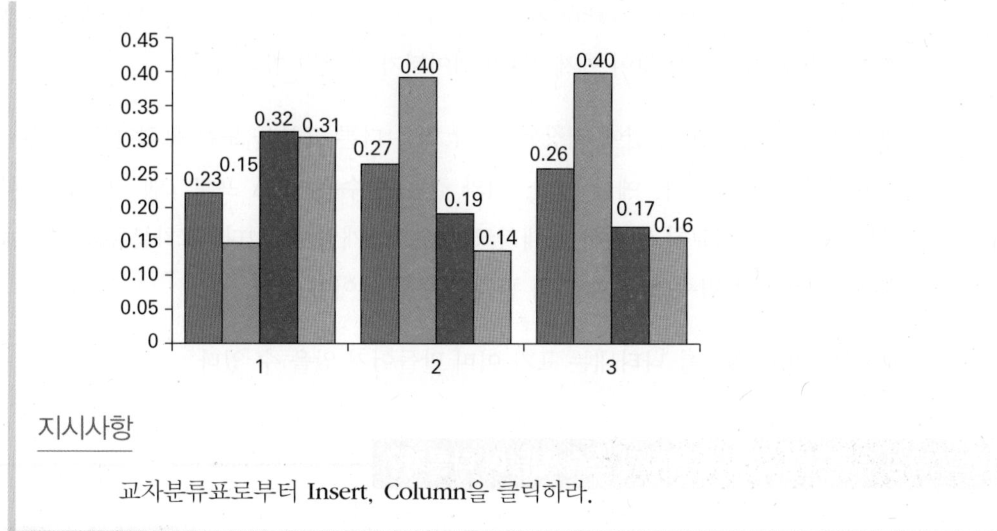

지시사항

교차분류표로부터 Insert, Column을 클릭하라.

해석 두 변수가 관련되어 있지 않다면, 막대그래프에 나타난 모습이 거의 같아야 한다. 만일 두 변수가 관련되어 있다면, 막대그래프의 모습이 서로 달라야 한다.

주어진 그래프는 표와 같은 정보를 제시한다. 화이트칼라 근로자와 전문직의 막대그래프는 매우 유사하다. 화이트칼라 근로자와 전문직의 막대그래프는 블루칼라 근로자의 막대그래프와는 상당히 다르다.

2.3c 두 개 이상의 범주 데이터 비교하기

막대그래프의 교차분류표 결과를 다른 방법으로 해석할 수 있다. 예제 2.4에서 3개의 다른 모집단을 정의하는 3개의 직업을 고려할 수 있다. 만일 빈도분포의 열들 간(또는 막대그래프들 간)에 차이가 존재하면 3개의 모집단 간에 차이가 존재한다고 결론내린다. 이와는 달리 4개의 신문 독자를 4개의 모집단으로 고려할 수 있다. 만일 빈도 또는 막대그래프 간에 차이가 존재하면 4개의 모집단 간에 차이가 존재한다고 결론내린다.

2.3d 데이터 포맷

표, 막대그래프, 파이차트를 만들기 위해 데이터를 저장하는 몇 가지의 방법이 존재한다.

1. 데이터는 두 열로 정리된다. 첫 번째 열은 첫 번째 범주변수를 저장하고 두 번째 열은 두 번째 범주변수를 저장한다. 각 행은 두 범주변수에 대한 하나의 관측치이다. 각 열의 관측치 수는 같다. Excel은 이와 같은 데이터로부터 교차분류표를 그릴 수 있

다.(이에 더하여 Excel의 PivotTable을 사용하기 위해서는 관측치의 번호를 나타내는 세 번째 변수가 있어야 한다.) 이것이 예제 2.4의 데이터가 저장된 방식이다.

2. 데이터가 두 개 이상의 열에 저장된다. 각 열은 다른 표본들 또는 모집단들에 대한 동일한 변수를 나타낸다. 예를 들면, 이와 같은 변수는 MBA 프로그램 지원자의 학부 학위 종류이고 비교하기 원하는 대학교의 수가 5개일 수 있다. 교차분류표를 만들기 위해 각 열의 각 범주(학부 학위)의 관측치 수를 세어야 한다.

3. 교차분류표의 횟수를 나타내는 표가 이미 만들어져 있을 수 있다.

해답 미국의 남성 유권자와 여성 유권자의 소속 정당이 다른가?

DATA GSS2018

앞의 본문에서 소개된 기법을 사용하면서, 다름과 같은 막대그래프가 작성되었다.

iStockPhoto/hermosawave

EXCEL Chart

200
180
160
140
120
100
80
60
40
20
0
Male
Female

해석

범주들이 기록된 방식 때문에 막대그래프는 왼쪽에서 오른쪽 순서대로 기타 정당원, 강력한 민주당원, 강하지 않은 민주당원, 민주당에 가까운 무소속, 무소속, 공화당에 가까운 무소속, 강하지 않은 공화당원, 강력한 공화당원, 무응답의 빈도를 나타낸다.

일부의 유사성과 일부 차별성이 나타난다. 남성과 여성 모두 가장 공통적인 정당소속은 무소속이고 이어서 강력한 민주당원과 강하지 않은 민주당원이다. 여성은 자신을 남성보다 더 민주당원으로 분류하는 경향이 있다. 남성은 여성보다 더 공화당 지지자인 경향이 있다.

연습문제

컴퓨터와 소프트웨어를 이용하여 다음의 연습문제에 답하라.

2.41 <Xr02-41> 성인의 교육수준은 과거 12년 동안 변화하였는가? 이 질문에 답하기 위해 한 통계 전문가는 임의로 25세 이상 미국 성인들을 표본으로 추출하고 2006년, 2010년, 2014년, 2018년에 그들의 교육수준을 기록하였다. 교육수준은 (1) 고등학교 중퇴 이하, (2) 고등학교 졸업, (3) 전문대학 졸업, (4) 대학 졸업으로 분류되었다. 이러한 데이터를 나타내기 위해 그래프 기법을 사용하라. 당신이 발견한 것을 간략히 설명하라.

2.42 <Xr02-42> 미국 연방수사국(FBI)은 요일별 은행 강도 사건 수를 추적한다. 임의로 추출된 2009년, 2012년, 2015년, 2018년에 발생한 요일별 은행 강도 사건 수가 기록되었다. 요일의 코드는 (1) 월요일, (2) 화요일, (3) 수요일, (4) 목요일, (5) 금요일, (6) 토요일, (7) 일요일이다. FBI가 은행 강도 사건 수의 패턴이 변화하였는지 결정하는 것을 돕기 위해 그래프 기법을 사용하라.

2.43 <Xr02-43> 미국에서 강도에 의한 평균 손실액은 약 1,450달러이다. 한 보험분석가는 강도의 유형이 2006년, 2009년, 2012년, 2015년, 2018년 간에 다른지 알기 원한다고 하자. 강도관련 보고서에 대한 임의표본이 각 연도별로 추출되었고 강도 유형이 (1) 도로 또는 고속도로, (2) 상점, (3) 주유소, (4) 편의점, (5) 주택, (6) 은행, (7) 기타와 같은 코드를 사용하면서 기록되었다. 12년 기간 동안 강도 유형의 차이가 존재하는지 결정하라.

2.44 <Xr02-44> WLU 경영대학원의 부학장은 MBA 프로그램 지원자의 자질을 개선하기 위한 방법을 찾고 있었다. 특히 그는 지원자의 학부 학위가 MBA 프로그램을 제공하고 있는 WLU 경영대학원과 인근 3개 대학교 경영대학원 간에 차이가 있는지 알기 원하였다. 그는 WLU 경영대학원과 인근 3개 대학교 경영대학원 각각에 지원한 100명의 임의표본을 추출하였다. 그들의 지원 대학은 1, 2, 3, 4의 코드를 사용하고 학부 학위는 (1) BA, (2) B.Eng, (3) BBA, (4) 기타의 코드를 사용하여 기록되었다. 지원자의 학부 학위와 지원 대학이 관련되어 있는지 결정하기 위해 그래프 기법을 사용하라.

2.45 <Xr02-45> 자동차 소유주 간에 가솔린을 구매하는 데 있어서 브랜드 충성도가 존재하는가? 이 질문에 답하기 위해 자동차 소유주들에게 그들이 가장 최근에 두 차례 구매한 가솔린 브랜드, (1) Exxon, (2) Amoco, (3) Texaco, (4) 기타를 기록하도록 요청하였다. 당신의 답을 얻기 위해 그래프 기법을 사용하라.

2.46 <Xr02-46> 개인, 직장, 사회에 미치는 흡연비용은 수십억 달러에 이른다. 흡연을 감소시키기 위한 노력으로 정부 및 비정부 기관들은 흡연의 위험에 관한 정보를 확산시키는 운동을 전개하고 있다. 이와 같은 금연운동의 대부분은 젊은 사람들을 대상으로 하고 있다. 이와 같은 점이 다음과 같은 질문을 제기한다. 당신의 부모가 흡연을 하면, 당신이 흡연할 가능성이 더 있는가? 이와 같은 질문에 답하기 위해 20세~40세인 사람들에게 그들이 흡연하는지와 그들의 부모가 흡연하는지 물었다. 이 질문에 대한 응답은 (1) 흡연하지 않음, (2) 흡연함과 (1) 부모 모두 흡연하지 않음, (2) 아버지만 흡연함, (3) 어머니만 흡연함, (4) 부모 모두 흡연함과 같이

기록되었다.

당신이 필요한 정보를 얻을 수 있는 그래프를 그려라.

2.47 <Xr02-47> 2018년에 미국의 실업률은 50년 이상 전의 낮은 수준으로 하락하였다. 그러나 여전히 수백만 명의 미국인들이 실업 상태였다. 한 통계전문가는 실업 상태의 이유와 이와 같은 이유가 성별 간에 다른지 조사하기 원하였다. 미국 노동통계국(BLS)은 16세 이상의 사람들로 구성된 임의표본을 추출하였다. 그들의 실업 상태는 (1) 일자리 잃음, (2) 일자리 떠남, (3) 재진입자, (4) 신규 진입자 였기 때문이었다. 실업의 이유가 남성과 여성 간에 차이가 있는지 결정하라.

2.48 <Xr02-48> 미국에서 판매되는 처방전의 총 수는 400만 건 이상이다(자료: National Association of Drug Store Chains). 한 약국 체인의 판매 담당자는 처방전이 처리된 곳이 변화하였는지 알기 원하였다. 처방전에 관한 서베이가 2006년, 2010년, 2014년, 2018년에 수행되었다. 서베이 연도와 처방전 처리된 유형이 (1) 전통적인 체인 점포, (2) 독립적인 약국, (3) 대량 판매상, (4) 슈퍼마켓, (5) 우편주문의 코드를 사용하여 기록되었다. 처방전이 처리된 유형이 연도 간에 차이가 있는지 결정하라.

요약

기술통계방법(descriptive statistical method)은 관련된 정보를 추출할 수 있도록 데이터를 요약하기 위해 사용된다. 이 장에서는 범주데이터를 위한 **그래프 기법**(graphical technique)이 제시되었다.

막대그래프(bar chart), **파이차트**(pie chart), **빈도분포**(frequency distribution)가 하나의 범주데이터 세트를 요약하기 위해 사용된다. 범주데이터에 적용되는 제한사항들 때문에 각 범주의 빈도와 비율만을 나타낼 수 있다. 두 범주변수의 관계를 나타내기 위해 교차분류표(cross-classification table)와 **막대그래프**(bar chart)가 작성된다.

주요 용어

교차분류표(cross-classification table)
구간데이터(interval data)
빈도분포(frequency distribution)
데이터(data)
데이텀(datum)
막대그래프(bar chart)
범주데이터(nominal data)
변수(variable)
상대빈도분포(relative frequency distribution)
서열데이터(ordinal data)
이변량(bivariate)
일변량(univariate)
카테고리데이터(categorical data)
파이차트(pie chart)

연습문제

컴퓨터와 소프트웨어를 이용하여 다음의 연습문제에 답하라.

2.49 <Xr02-49> 2017년 12월 현재 미국 정부는 20.5조 달러의 채무를 가지고 있다. 미국 정부는 누구에게 채무를 가지고 있는가? 정부내 채무가 28%이고 공공채무가 72%이다. 정부내 채무의 내용이 다음의 표에 정리되어 있다. 적정한 그래프 기법을 사용하여 이러한 수치들을 나타내라.

항목	금액 (10억 달러)
Social Security Trust Fund & Federal Disability Insurance	2,820
Medicare	202
Office of Personnel Management Retirement Fund	884
Military Retirement Fund	742
All other retirement funds	415
Cash	606

2.50 <Xr02-50> 연습문제 2.49를 참조하라. 다음의 표는 미국 채무를 보유하고 있는 상위 20개 외국 정부들을 열거한 것이다. 적정한 그래프 기법을 사용하여 이러한 수치들을 나타내라.

국가	금액 (10억 달러)
Belgium	154.5
Bermuda	64.0
Brazil	299.7
Canada	96.0
Cayman Islands	196.3
China	1,171.0
France	111.0
Germany	71.0
Hong Kong	194.4
India	142.6
Ireland	300.2
Japan	1,035.5
Luxembourg	221.5
Saudi Arabia	166.8
Singapore	127.6
South Korea	109.1
Switzerland	233.1
Taiwan	164.2
Thailand	63.0
United Kingdom	271.7

2.51 <Xr02-51> 캐나다에서 6월 7일은 세금 없는 날로 알려져 있다. 105,236달러를 버는 평균적인 가족이 납부하는 연간 세금은 45,167달러이다. 이러한 세금의 내역이 다음의 표에 정리되어 있다. 적정한 그래프 기법을 사용하여 이러한 수치들을 나타내라.

Income taxes	14,732
Payroll/health taxes	10,043
Sales taxes	7,013
Property taxes	4,214
Profit taxes	3,895
Liquor and tobacco taxes	2,397
Vehicle and fuel taxes	1,225
Other taxes	1,648

2.52 <Xr02-52> Wilfrid Laurier University 서점은 고객에 대한 연례 서베이를 실시한다. 이 중 한 가지 질문은 교과서의 가격에 대한 등급을 부여하도록 요구하는 것이다. 질문은 "서점의 교과서 가격은 적정하다"는 것에 동의하는가이다. 답변은 다음과 같다. (1) 강력히 동의하지 않는다. (2) 동의하지 않는다. (3) 동의하지도 않고 또는 동의하지 않는 것도 아니다. (4) 동의한다. (5) 강력히 동의한다. 표본으로 추출된 115명 학생의 답변이 기록되었다. 이 데이터를 요약하

는 그래프를 그리고 당신이 발견한 것을 설명하라.

2.53 <Xr02-53> Yankee Stadium의 매점에서 식품을 구매한 200명이 표본으로 추출되었고 식품의 질에 대한 등급을 부여하도록 요청받았다. 그들의 답변은 다음과 같은 등급으로 정리되었다. (1) 불량, (2) 보통, (3) 양호, (4) 매우 양호, (5) 우수. 이 데이터를 나타내는 그래프를 그려라. 이 그래프는 당신에게 무엇을 말해 주는가?

2.54 <Xr02-54> 응용통계학을 가르치는 여러 가지 방법이 있다. 가장 인기있는 방법들은 다음과 같다. (1) 직접 계산을 강조한다. (2) 직접 계산과 함께 컴퓨터를 사용한다. (3) 직접 계산을 하지 않고 전적으로 컴퓨터만을 사용한다. 100명의 통계학 교수 각각에게 그의 강의 방법을 선택하도록 요청하는 서베이가 실시되었다. 통계학 강의 방법에 관한 가장 유용한 정보를 추출하기 위한 그래프 기법을 사용하라.

2.55 <Xr02-55> Red Lobster Restaurant 체인은 개별 레스토랑의 경영상태를 감시하기 위해 고객에 대한 서베이를 정기적으로 실시한다. 질문 중의 하나는 고객들에게 최근의 레스토랑 방문에서 받은 전반적인 서비스의 질에 대하여 등급을 부여하도록 요청하는 것이다. 열거되어 있는 응답은 다음과 같다. (1) 불량, (2) 보통, (3) 양호, (4) 매우 양호, (5) 우수. 또한 이 서베이는 응답자에게 그들의 자녀들을 동반하였는지(1=예, 2=아니오)를 묻는다. 이 데이터를 그래프로 그리고 당신이 발견한 것을 설명하라.

2.56 <Xr02-56+> 경영대학원 졸업생들에 대한 서베이가 한 대학의 취업지원처에 의해 수행되었고 각 경영대학원 졸업생에게 여러 가지 질문 중에서 어느 분야에 고용되었는지 물었다. 고용된 분야는 다음과 같다. (1) 회계분야, (2) 재무금융분야, (3) 일반경영분야, (4) 마케팅/세일즈분야, (5) 기타. 추가적인 질문들에 대한 응답이 다음과 같은 방식으로 기록되었다.

열	변수
A	식별번호
B	고용분야
C	성별(1=여성, 2=남성)
D	직무 만족도(4=매우 만족, 3=어느 정도 만족, 2=약간 만족, 1=만족하지 않음)

이 대학의 취업지원처는 다음과 같은 질문에 대하여 알기 원한다.

a. 여성 졸업생과 남성 졸업생은 고용분야에서 차이가 있는가? 차이가 있다면, 어떠한 차이가 있는가?

b. 고용분야와 직무 만족도는 관련되어 있는가?

사례분석 2.1 이산화탄소 배출

DATA C02-01 지구는 이산화탄소(CO_2)를 배출하는 화석연료(석유, 천연가스, 석탄)를 태우면서 발생되는 것으로 여겨지는 글로벌 온난화/기후변화로 위협을 받고 있을 수 있다. 세계의 대부분 국가들은 CO_2 배출을 감소시키기 위한 협정에 서명하였다. 가장 최근 협정은 파리 협정이었고 버락 오바마가 대통령이었던 미국을 비롯하여 대부분 국가들에 의해 서명되었다. 그러나 도널드 트럼프 대통령은 미국이 파리 협정으로부터 탈퇴할 것을 약속한 공약을 이행하였다. 국가들이 CO_2 배출을 감소시키기로 한 약속을 어떻게 이행하고 있는지 살펴보기 위해, 66개국이 2007년과 2019년 사이에 배출한 연간 이산화탄소량을 정리하였다. 측정 단위는 100만 톤이다. (1톤은 1,000킬로그램이고 1킬로그램은 약 2.2파운드이다.) 이러한 이산화탄소 배출량은 석유, 가스, 석탄의 소비를 통해 배출되는 양만을 반영하고 기후변화에 관한 정부간 패널(IPCC)이 Guidelines for National Greenhouse Gas Inventories (2006)에 열거한 "Default CO_2 Emissions Factors for Combustion"에 기초한 것이다.

a. 데이터를 사용하여 엑셀에 2019년 이산화탄소 배출량 기준으로 내림차순으로 66개국을 정리하라.
b. 막대그래프를 사용하여 이산화탄소 배출량 기준으로 상위 15개국을 나타내라. 당신이 발견한 것을 설명하라.
c. 모든 국가를 대상으로 2007년부터 2019년까지 이산화탄소 배출량의 변화를 계산하라. 일부 국가들의 경우, 이산화탄소 배출량의 감소를 나타내는 마이너스 수치가 있을 것이다. 막대그래프를 사용하여 이산화탄소 배출량이 가장 크게 감소한 상위 15개국과 가장 크게 증가한 상위 15개국을 나타내라. 당신이 발견한 것을 설명하라.
d. 2018년과 2019년의 경우를 비교하기 위해 (c)를 반복하라.

사례분석 2.2 이산화탄소 배출 II

DATA C02-02 사례분석 2.1에 열거된 66개국별로 2019년 이산화탄소 배출량, 인구(100만 명), 국내총생산(GDP, 10억 달러)을 기록하였다.

a. 66개국별로 일인당 이산화탄소 배출량을 계산하라. 막대그래프를 사용하여 상위 15개국과 하위 15개국의 인구 100만 명당 이산화탄소 배출량을 나타내라.
b. 66개국별로 GDP당 이산화탄소 배출량을 계산하라. 막대그래프를 사용하여 상위 15개국과 하위 15개국의 GDP당 이산화탄소 배출량을 나타내라.
c. (a)와 (b)에서 당신이 발견한 것을 설명하라.

사례분석 2.3 미국의 정당과 정치적 성향

DATA
GSS 2014
GSS 2016
GSS 2018

미국에는 2개의 주요 정당, 즉 민주당과 공화당이 있다. 민주당원은 진보주의자이고 공화당원은 보수주의자라는 것이 일반적인 견해이다. General Social Survey (GSS)는 응답자에게 정치적 성향 범위의 어디 해당하는지 스스로 식별하도록 요청한다. 다음과 같은 질문에 대한 응답이 이루어진다.

PARTYID: 일반적으로 말해서, 당신은 스스로를 공화당원, 민주당원, 무소속, 또는 기타라고 생각하십니까?

응답은 0 = 강력한 민주당원으로부터 5 = 강력한 공화당원까지의 범위를 가진다. 응답은 새로운 변수 PARTYID3을 만들기 위해 그룹화된다. 여기서 1 = 민주당원, 2 = 무소속, 3 = 공화당원이다.

두 번째 질문은 정치적 성향을 질문한다.

POLVIEWS: 사람들이 가질 수 있는 정치적 성향이 극단적 진보부터 극단적 보수까지의 범위로 정리된 7점 척도를 제시해드립니다. 당신은 7점 척도상에 어디에 위치해 있다고 생각합니까?

응답은 1 = 극단적 진보부터 7 = 극단적 보수까지의 범위를 가진다. 응답은 새로운 변수 POLVIEWS3을 만들기 위해 그룹화된다. 여기서 1 = 진보적, 2 = 중도적, 3 = 보수적이다. 두 변수가 열 AH와 열 AK에 저장되어 있다.

2014년, 2016년, 2018년의 GSS를 사용하여 매년 민주당원, 무소속, 공화당원의 응답자 비율을 계산하라. 매년 정치적 성향이 진보적, 중도적, 보수적인 응답자 비율을 계산하라. 당신이 발견한 것을 설명하라. 이러한 결과는 당신에게 민주당원과 공화당원의 정치적 성향에 대해 무엇을 말해주는가?

Wrangler/Shutterstock.com

그래프와 표를 이용한 기술통계학 기법 II

Graphical and Tabular Descriptive Techniques II

이 장의 구성

3.1 구간데이터 나타내기

3.2 시계열 데이터 나타내기

3.3 두 구간변수의 관계 나타내기

가솔린 가격과 석유가격은 어떤 관계를 가지는가?

☞ (76페이지에 모범답안이 제시되어 있다.)

DATA Xm03-00

과거 30년 동안, 가솔린 가격은 크게 변동했다. 1991년에 미국에서 갤런당 보통 무연 가솔린의 평균 소매가격은 약 1.20달러였다. (1 U.S. 갤런은 3.79리터이다.) 그 후 17년 동안 갤런당 보통 무연 가솔린의 평균 소매가격은 4.00달러 이상으로 상승했다가 2016년 초에 1.60달러 미만으로 하락했다. 운전자들은 가솔린 가격의 하락을 좋아하지만, 매우 빠르게 변화하는 가격은 운전자들을 어리둥절하게 만든다. 가솔린 가격은 몇 가지 이유 때문에 상승한다. 첫째, 석유는 유한한 자원이다. 세계적으로 석유자원은 궁극적으로 고갈될 것이다. 2019년에 전 세계는 일일 1억 배럴 이상, 즉 연간 360억 배럴 이상 석유를 소비했다. 현재 판명된 총 석유 부존량은 1조 7,796억 8,500만 배럴이다. 현재의 소비수준이 지속되면 이러한 총 석유 부존량은 49년 지나면 소진될 것이다. 그러나 2016년에 판명된 총 석유 부존량은 1조 5,633억 5천만 배럴이었고 2012년에 판명된 총 석유 부존량은 1조 4,815억 배럴이었다. 이것은 신규 유전 발견이 석유사용 증가를 상쇄시키고 있다는 것

Comstock Images/Getty Images

을 의미한다. 둘째, 중국과 인도의 산업이 급속히 성장하고 있고 이에 따라 석유 소비량은 지속적으로 증가하고 있다. 셋째, 과거 20년 동안 허리케인들이 멕시코 만의 유전들을 위협했다. 1995년에 석유 가격(서부 텍사스 중질유 기준)은 배럴당 20달러 미만이었다. (1 U.S. 배럴은 42 U,S. 갤런이다.) 2008년에 이 가격은 130달러 이상으로 상승했고 2016년 초에 30달러와 40달러 사이에서 변동했다. 가솔린 가격과 석유 가격의 관계를 이해하기 위해서 1991년부터 2020년까지의 기간 동안 월간 평균 가솔린 가격과 서부 텍사스 중질유 배럴 가격에 관한 데이터가 수집되었다. 두 가격의 관계를 나타내기 위해서 그래프 기법을 사용하라.

서론

제2장에서는 범주데이터를 요약하고 나타내는 데 사용되는 그래프 기법이 소개되었다. 이 장에서는 구간데이터를 요약하고 나타내는 데 사용되는 그래프 기법이 소개된다. 제3.1절에서는 구간데이터 세트를 나타내는 기법이 제시된다. 제3.2절에서는 시계열 데이터가 소개되고 시계열 데이터를 나타내는 데 사용되는 기법이 제시된다. 제3.3절에서는 두 구간변수의 관계를 나타내기 위해서 사용되는 기법이 설명된다.

3.1 구간데이터 나타내기

이 절에서는 구간데이터를 요약하기 위해 사용되는 강력한 그래프 기법인 히스토그램(histogram)이 소개된다. 앞으로 당신이 이해하게 되겠지만 히스토그램은 확률의 중요한 특성을 설명하기 위해서도 사용된다(제8장 참조).

예제 3.1 Duplicate Bridge 경기자의 연령

DATA Xm03-01

브리지 게임은 전 세계에서 즐기고 있다. 2가지 버전의 브리지 게임이 있다. 첫 번째 버전은 러블러 브리지(rubbler bridge)이고 사적으로 종종 돈을 걸고 경기가 이루어진다. 두 번째 버전은 더 인기 있는 듀플리킷 브리지(duplicate bridge)이고 전 세계의 클럽과 토너먼트에서 경기가 이루어진다. American Contract Bridge League (ACBL)는 듀플리킷 브리지 경기를 주관하는 조직이다. 클럽 게임에서 경기해본 사람은 대부분의 게임 참가자가 시니어들이라는 것을 알게 된다. ACBL은 회원의 평균 연령이 증가하고 젊은 경기자가 상대적으로 적다는 점에 대해 우려하고 있다. 젊은 브리지 게임 경기자가 ACBL에 가입하는 것을 장려하기 위한 노력이 이루어져야 하는지 결정하는 데 도움을 얻기 위해, 200명의 ACBL 회원들로 구성된 임의 표본이 추출되었고 각 회원은 자신의 연령을 보고하도록 요청받았다. 그 결과가 아래에 정리되어 있다. 이러한 데이터로부터 어떤 정보가 추출될 수 있는가?

73	77	62	35	33	63	68	31	20	93
53	73	94	75	72	66	64	55	60	73
66	68	64	83	62	38	24	25	58	58
82	72	83	26	82	54	68	49	73	27
54	57	24	30	70	75	96	54	52	40
53	30	28	28	32	23	85	69	35	49
78	28	69	61	33	19	64	41	54	54
33	71	62	52	44	65	60	67	50	30
35	30	25	36	30	44	39	28	60	80
40	59	63	37	76	37	32	90	51	62
65	74	81	38	53	25	51	52	56	53
74	28	65	24	60	30	53	49	45	50
55	55	91	22	31	38	16	71	60	36
82	52	26	18	63	27	27	57	46	90
74	75	35	70	69	33	60	82	56	82
76	61	52	71	69	49	61	60	31	60
57	36	83	36	79	42	65	38	72	51
63	37	25	54	65	71	78	76	46	32
65	95	63	48	52	66	45	16	67	22
33	54	99	31	76	42	74	65	27	17

해답 200개의 관측치를 대충 읽어서 얻을 수 있는 정보는 없다. 만일 당신이 데이터를 더 세심하게 검토하면, 당신은 가장 젊은 브리지 경기자는 16세이고 가장 나이 든 브리지 경기자는 99세라는 것을 알 수 있다. 유용한 정보를 얻기 위해서 연령이 16세와 99세 사이에 어떻게 분포되어 있는지 알아야 할 필요가 있다. 젊은 경기자는 적고 나이 든 경기자는 많은가? 경기자의 연령은 어느 정도 유사한가, 상당히 다양한가? 이러한 질문들과 이와 유사한 질문들에 답하기 위해서 빈도분포가 작성된다. 이러한 빈도분포로부터 히스토그램이 그려진다. 제2장에서 빈도분포는 범주변수의 각 범주가 발생하는 횟수를 계산하여 만들어졌다. 모든 관측치를 완전히 포함하는 **계급**(class)이라고 부르는 일련의 일정한 구간들에 속하는 관측치 수를 세어서 구간데이터의 빈도분포가 만들어진다. 예제 3.1에 대한 논의를 한 후에 계급의 수와 구간의 상한값과 하한값을 결정하는 방법이 논의된다. 각 관측치가 하나의 계급에만 속하도록 정의된 9개의 계급이 선택되었다. 이러한 계급들은 다음과 같이 정의된다.

계급

10세 초과 ~ 20세 이하
20세 초과 ~ 30세 이하
30세 초과 ~ 40세 이하
40세 초과 ~ 50세 이하
50세 초과 ~ 60세 이하
60세 초과 ~ 70세 이하
70세 초과 ~ 80세 이하
80세 초과 ~ 90세 이하
90세 초과 ~ 100세 이하

구간들은 겹치지 않기 때문에 하나의 관측치에게 배분되는 구간에 대한 불확실성은 존재하지 않는다. 더욱이 가장 작은 수치는 16이고 가장 큰 수치는 99이기 때문에 모든 관측치는 하나의 계급에 배분된다. 마지막으로 구간의 넓이는 모두 같다. 구간의 넓이를 모두 같게 할 필요는 없지만 구간의 넓이가 모두 같으면 그래프를 읽어내고 해석하는 것이 더 쉬워진다. 직접 빈도분포를 만들기 위해서는 각 구간에 속하는 관측치의 수를 세어야 한다. 표 3.1은 빈도분포를 보여준다.

표 3.1 ACBL 회원 연령의 빈도분포(예제 3.1)

계급구간	빈도
10~20	6
20~30	27
30~40	30
40~50	16
50~60	40
60~70	36
70~80	27
80~90	12
90~100	6
합계	200

빈도분포가 연령이 어떻게 분포되어 있는지에 관한 정보를 제공하지만, 이것을 그래프를 그리면 정보가 더 쉽게 이해되고 추출된다. 이러한 역할을 하는 그래프가 **히스토그램**(histogram)이나. 히스토그램은 기저부분이 구간이고 높이는 빈도를 나타내는 사각형들을 그린 것이다. 그림 3.1은 직접 그린 히스토그램이다.

그림 3.1 예제 3.1의 히스토그램

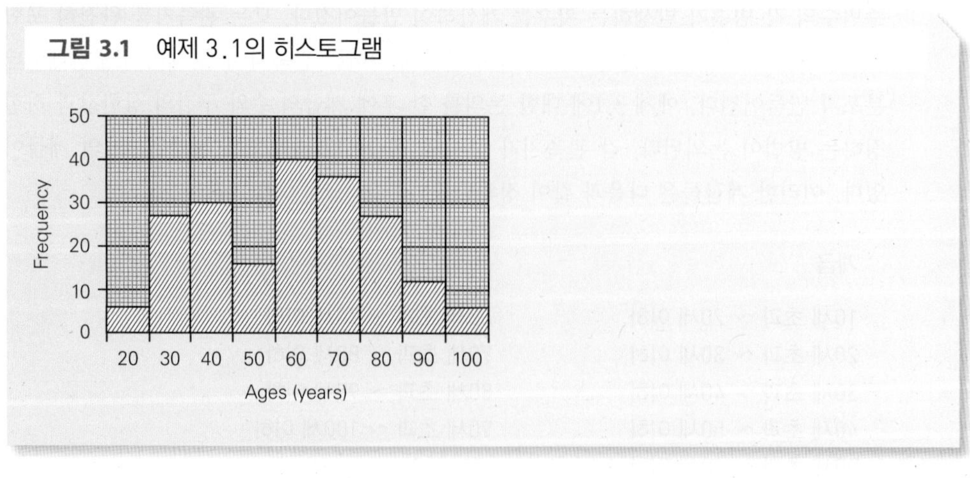

EXCEL Data Analysis

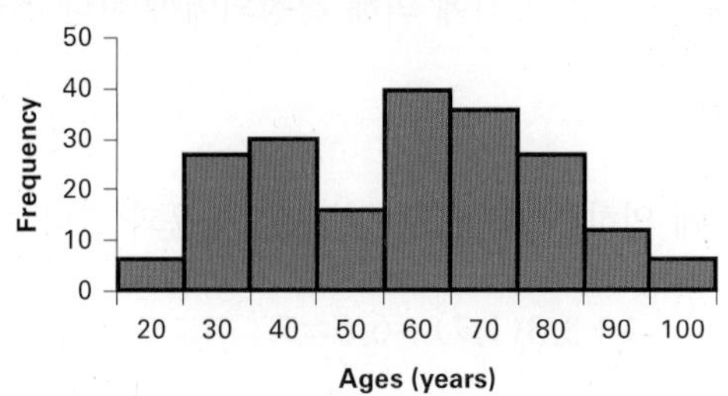

지시사항

1. 데이터를 한 열에 직접 입력하거나 <Xm03-01>을 불러들여라. 다른 열에 계급구간들의 상한값들을 입력하라. Excel은 계급구간들의 상한값들을 계급구간(bins)이라고 부른다.
2. **데이터**(Data), **데이터분석**(Data Analysis), **히스토그램**(Histogram)을 클릭하라.
3. **입력범위**(Input Range)를 A1:A201로 설정하고 **계급구간범위**(Bin Range)를 B1:B10으로 설정하라. **차트출력**(Chart Output)을 클릭하라. 첫 번째 항이 변수이름이면 **이름표**(Labels)를 마크하라.
4. 빈 공간들을 제거하기 위해서 커서를 사각형들 중 하나 위에 놓고 마우스의 오른쪽 버튼을 클릭하라. 마우스의 왼쪽 버튼과 함께 **데이터 계열서식**(Format Data Series)을 클릭하라. 커서 포인터를 **간격너비**(Gap Width)로 이동하고 숫자를 150부터 0까지 바꾸어라.

첫 번째 계급을 제외하고 Excel은 하한값을 초과하고 상한값 이하인 각 계급에 속하는 관측치 수를 센다. 수평축에 나타난 수치는 각 계급의 중간에 표시되지만 각 계급의 상한값을 나타낸다.

해석 히스토그램은 연령의 분포를 명백히 보여준다. 예상한 것처럼, 표본의 약 40%는 60세를 넘는다. 표본의 약 1/6이 10대와 20대이다. 젊은 경기자들의 공급이 잘 이루어지고 있는 것으로 보인다. 그러나 40세에서 60세 범위, 특히 40세에서 50세 범위에서 예상치 않은 경기자의 갭이 존재한다. 이 연령그룹은 일하고 있고 브리지 게임을 할 시간이 없는 개인들일 수 있다. 대부분의 클럽 게임은 오후 7시에 시작되고 오후 10시 이후에 끝난다. 아마도 더 짧은 시간의 게임을 계획하는 것이 일하는 사람들을 ACBL의 회원이 되도록 끌어들일 수 있을 것이다.

3.1a 계급구간의 수 결정하기

계급구간의 수는 전적으로 데이터 세트에 있는 관측치의 수에 의해 결정된다. 관측치의 수가 많으면 많을수록 유용한 히스토그램을 그리기 위해 사용되는 계급구간의 수가 더 많아진다. 표 3.2는 계급구간의 수를 선택하는 기준을 제시한다. 예제 3.1의 경우 관측치의 수는 200이다. 표 3.2에 의하면 예제 3.1의 계급구간 수는 7, 8, 9, 10이다.

표 3.2에 제시된 것과 다른 기준은 스터지스의 공식(Sturges' formula)을 사용하는 것이다. 스터지스의 공식은 계급구간의 수가 다음과 같은 공식에 의해 결정되어야 한다고 권고한다.

$$\text{계급구간의 수} = 1 + 3.3\ \log(n)$$

예를 들어 $n=50$이면, 스터지스의 공식에 의하면 계급구간의 수는 다음과 같다.

$$\text{계급구간의 수} = 1 + 3.3\ \log(50) = 1 + 3.3(1.7) = 6.6 \approx 7$$

표 3.2 빈도분포의 계급구간 수

관측치의 수	계급구간의 수
50 미만	5~7
50~200	7~9
200~500	9~10
500~1,000	10~11
1,000~5,000	11~13
5,000~50,000	13~17
50,000 초과	17~20

계급구간의 간격 대략적인 계급구간의 간격은 관측치의 최댓값에서 관측치의 최솟값을 빼고 이것을 계급구간의 수로 나누어 결정된다. 즉,

$$\text{계급구간의 간격} = \frac{\text{관측치의 최댓값} - \text{관측치의 최솟값}}{\text{계급구간의 수}}$$

이다. 따라서 예제 3.1에서 계급구간의 간격은 다음과 같다.

$$\text{계급구간의 간격} = \frac{99-16}{9} = 9.22$$

계급구간의 간격을 결정할 때 종종 계산된 수치를 편리한 값으로 첨삭하여 정리한다. 다른 계급들의 상한값과 하한값이 결정되도록 첫 번째 계급의 하한값을 선택함으로써 계급의 상한값과 하한값이 정의된다. 이런 경우 적용되는 유일한 조건은 첫 번째 계급구간은 반드시 최소 관측치를 포함하여야 한다는 것이다. 예제 3.1에서 계급구간은 10으로 선택되었고 첫 번째 계급의 하한값은 10으로 설정되었다. 따라서 첫 번째 계급은 "10보다 크고 20 이하"로 정의된다. 표 3.2와 스터지스의 공식은 단지 가이드라인일 뿐이다. 해석하기 쉽게 계급을 선택하는 것이 더 중요하다. 예를 들면, 통계학 과목을 수강하는 100명 학생의 점수가 기록

되어 있다고 하자. 최고 점수는 94점이고 최저 점수는 48점이다. 표 3.2는 7, 8, 9개의 계급을 사용할 것을 제시한다. 스터지스의 공식은 다음과 같이 적정한 계급의 수를 계산한다.

$$계급구간의\ 수=1+3.3\log(100)=1+3.3(2)=7.6$$

이 값을 반올림하면 적정한 계급구간의 수는 8이다. 따라서

$$계급구간의\ 간격=\frac{94-48}{8}=5.75$$

이다. 이 값을 반올림하면 계급구간의 간격은 6이다. 이어서 계급구간의 상한값이 각각 50, 56, 62, . . . , 98인 히스토그램을 그릴 수 있다. 반올림과 계급의 상/하한값을 정의하는 방법을 이용하면 계급구간의 수는 9이다. 그러나 해석하기 더 쉬운 히스토그램은 계급구간의 간격이 5인 히스토그램이다. 즉, 계급구간의 상한값은 각각 50, 55, 60, . . . , 95이다. 이 경우 계급구간의 수는 10이다.

일부의 경우에, 앞에서 제시한 기준이 유용한 결과를 제공하지 못할 수 있다. 이러한 한 가지 예는 일부 계급구간들에 매우 많은 관측치가 포함되어 있고 수치 값의 범위가 넓을 때 발생한다. 이러한 경우 히스토그램의 중간 부분에 일부의 비어있거나 거의 비어있는 계급구간이 나타날 수 있다. 이러한 문제를 해결하는 한 가지 방법은 계급구간을 동일하지 않게 만드는 것이다. 불행하게도 이것이 해석하기 더 어려운 히스토그램을 만들 수 있다.

3.1b 히스토그램의 모습

히스토그램을 그리는 목적은 모든 통계기법의 목적과 마찬가지로 정보를 얻기 위한 것이다. 정보를 가지면 자주 다른 사람들에게 우리가 배운 것을 설명할 필요가 있다. 다음과 같은 특성들에 기초하여 히스토그램의 모습을 설명하도록 하자.

대칭성 히스토그램의 중심에 수직선을 그렸을 때 수직선의 양측이 모습과 크기가 같으면 히스토그램이 **대칭**(symmetric)이라고 말한다. 그림 3.2는 3개의 대칭 히스토그램을 보여준다.

그림 3.2 3개의 대칭 히스토그램

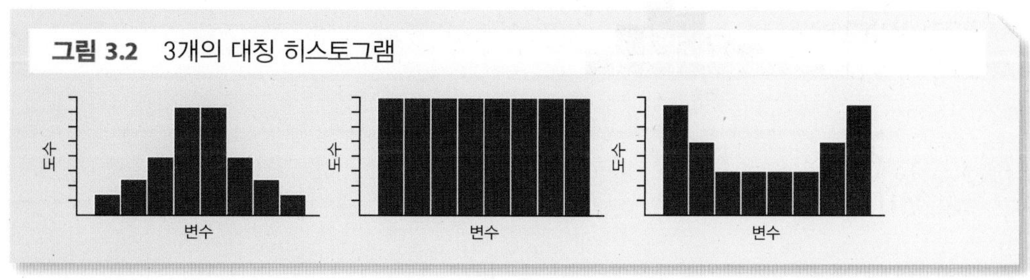

비대칭성(왜도) 비대칭 히스토그램은 오른쪽 또는 왼쪽으로 긴 꼬리부분을 가지고 있는 히스토그램이다. 오른쪽으로 긴 꼬리부분을 가지고 있는 히스토그램은 **양의 비대칭**(positively skewed)을 가지고 있다(또는 양의 왜도를 가지고 있다)고 말하고, 왼쪽으로 긴 꼬리부분을 가지고 있는 히스토그램은 **음의 비대칭**(negatively skewed)을 가지고 있다(또는 음의 왜도를 가지고 있다)고 말한다. 그림 3.3은 두 가지 모두의 히스토그램을 보여준다. 대기업 종업원의 소득은 양의 비대칭을 가지는 경향이 있다. 이것은 상대적으로 저임금을 받는 근로자들이 많고 고임금을 받는 임원들은 소수이기 때문이다. 학생들이 시험에 답하는 시간은 종종 음의 비대칭을 가진다. 이것은 일찍 답안지를 제출하는 학생들은 거의 없고 대부분의 학생들은 답안지를 다시 읽어보기 원하고 예정된 시험시간의 끝부분에 답안지를 제출한다.

그림 3.3 양의 비대칭을 가진 히스토그램과 음의 비대칭을 가진 히스토그램

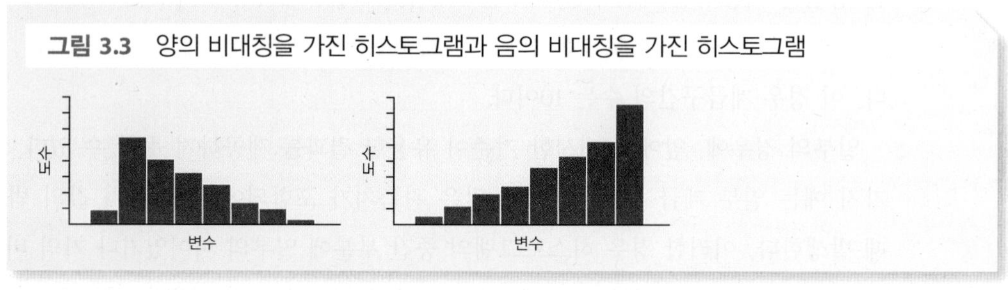

봉우리 계급구간의 수 제4장에서 논의하는 것처럼, **최빈값**(mode)은 최대 빈도를 가진 관측치이다. **최빈계급**(modal class)은 최대의 관측치 수를 가진 계급이다. **단봉 히스토그램**(unimodal histogram)은 하나의 봉우리를 가진 히스토그램이다. 그림 3.4의 히스토그램은 단봉 히스토그램이다. **양봉 히스토그램**(bimodal histogram)은 반드시 높이가 같지는 않지만 두 개의 봉우리를 가진 히스토그램이다. 양봉 히스토그램은 두 개의 다른 분포가 존재한다는 것을 의미한다(예제 3.4 참조). 그림 3.5는 양봉 히스토그램들을 보여준다.

그림 3.4 단봉 히스토그램

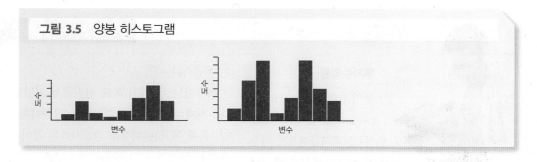

그림 3.5 양봉 히스토그램

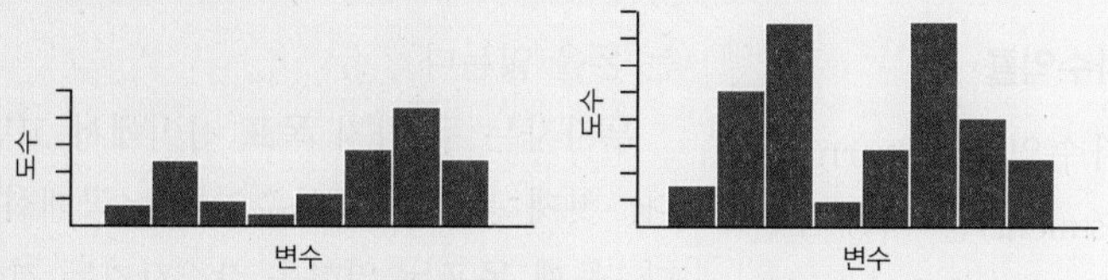

종 모양 대칭 단봉 히스토그램의 한 가지 특별한 형태가 종 모양의 히스토그램이다. 제8장에서 이와 같은 형태의 히스토그램이 왜 중요한가에 대한 설명이 이루어진다. 그림 3.6은 종 모양의 히스토그램을 보여준다.

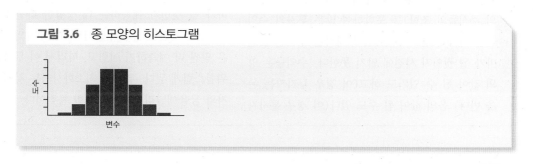

그림 3.6 종 모양의 히스토그램

이제 우리가 무엇을 보아야 하는지 알았으므로 히스토그램의 몇 가지 예제를 검토하고 무엇을 발견할 수 있는지 살펴보자.

금융분야의 통계학 응용

Jacobs Stock Photography/Photodisc/ Getty Images

주식과 채권의 가치결정

주식과 채권과 같은 금융자산의 가치가 어떻게 결정되는지 기본적으로 이해하는 것은 우수한 재무담당경영자에게 중요하다. 가치결정의 기본원리를 이해하는 것은 자본예산의 수립과 자본구조의 결정을 위해 필요하다. 이에 더하여 주식과 채권과 같은 투자수단의 가치를 결정하는 기본원리는 **투자론**으로 알려져 있는 크게 성장하고 있는 학문분야의 중심내용이다.

재무담당경영자는 주식과 채권과 같은 장기 금융자산이 거래되는 자본시장의 주요 특성들을 익숙하게 알아야 한다. 원활하게 기능하는 자본시장은 재무담당경영자에게 서로 다른 위험수준을 가지고 있는 다양한 금융증권의 적정한 가격과 수익률에 관한 유용한 정보를 제공한다. 통계방법이 자본시장을 분석하고 주식 또는 채권 수익률의 분포 모습과 같은 자본시장의 특성들을 요약하기 위해 사용될 수 있다.

금융분야의 통계학 응용

투자수익률

투자수익률(return on investment)은 이득(또는 손실)을 투자금액으로 나누어서 계산된다. 예를 들면, 1년 후에 106달러 가치가 있는 100달러의 투자는 6%의 수익률을 가진다. 1년 후에 20달러의 손실이 발생되는 100달러의 투자는 −20%의 수익률을 가진다. 개별 주식과 주식 포트폴리오(다수의 주식들의 조합)를 포함하여 많은 투자의 수익률은 하나의 변수이다. 즉, 투자자는 수익률이 얼마가 될 것인지 사전에 알지 못한다. 수익률은 양의 값이 될 수 있기도 하고(이 경우 투자자는 돈을 번다) 음의 값이 될 수도 있다(이 경우 투자자는 돈을 잃는다).

투자자는 두 가지 목표 사이에서 고민스러워한다. 첫째 목표는 투자수익률을 극대화하는 것이다. 둘째 목표는 위험을 감소시키는 것이다. 어느 주어진 투자의 수익률에 관한 히스토그램을 그리면, 이 히스토그램의 중심위치는 이 투자로부터 기대할 수 있는 수익률에 관한 정보를 제공한다. 이 히스토그램의 분산은 위험에 관한 정보를 제공한다. 분산이 거의 없다면, 이 투자의 수익률이 얼마가 될 것인가 예측하는 데 상당한 확신을 가질 수 있다. 분산이 상당히 크다면, 이 투자의 수익률은 훨씬 더 예측하기 어렵고, 따라서 이 투자는 더 위험스럽게 된다. 위험을 최소화시키는 것이 투자자와 금융애널리스트의 중요한 목적이다.

예제 3.2 투자수익률의 비교

DATA Xm03-02

당신이 여름 동안 일해서 벌어들인 수입 중에서 내년에 예상되는 지출을 빼고 남은 금액을 어디에 투자할 것인가에 대한 의사결정을 해야 한다고 하자. 한 친구가 두 가지 종류의 투자를 제안하고 당신은 의사결정을 하는 데 도움을 얻기 위해 각 투자의 수익률에 관한 정보를 수집한다. 당신은 기대되는 투자수익률이 얼마가 될 것인지와 투자수익률이 넓은 범위에 걸쳐 흩어져 있는지(투자가 위험스러운지) 좁은 범위에 집중적으로 모여 있는지(투자가 상대적으로 덜 위험한지)와 같은 정보를 알기 원한다. 투자수익률에 관한 데이터가 대규모 손실의 가능성 없이 매우 좋은 성과를 올리는 것이 가능한지 제시하는가? 손실을 입을 가능성(음의 수익률)이 있는가?

두 가지 종류의 투자에 대한 수익률이 다음과 같이 정리되어 있다. 각 수익률 데이터에 대한 히스토그램을 그리고, 당신이 발견한 것을 설명하라. 당신은 어떤 종류의 투자를 선택할 것인지와 그 이유를 설명하라.

투자 A의 수익률

30.00	6.93	13.77	−8.55
−2.13	−13.24	22.42	−5.29
4.30	−18.95	34.40	−7.04
25.00	9.43	49.87	−12.11
12.89	1.21	22.92	12.89

투자 B의 수익률

30.33	−34.75	30.31	24.30
−30.37	54.19	6.06	−10.01
−5.61	44.00	14.73	35.24
29.00	−20.23	36.13	40.70
−26.01	4.16	1.53	22.18

20.24	31.76	20.95	63.00	0.46	10.03	17.61	3.24
1.20	11.07	43.71	−19.27	2.07	10.51	1.20	25.10
−2.59	8.47	−12.83	−9.22	29.44	39.04	9.94	−24.24
33.00	36.08	0.52	−17.00	11.00	24.76	−33.39	−38.47
14.26	−21.95	61.00	17.30	−25.93	15.28	58.67	13.44
−15.83	10.33	−11.96	52.00	8.29	34.21	0.25	68.00
0.63	12.68	1.94		61.00	52.00	5.23	
38.00	13.09	28.45		−20.44	−32.17	66.00	

해답 두 종류의 투자에 대한 히스토그램을 그린다. Excel을 사용하여 그린 각 투자의 수익률에 대한 히스토그램은 다음과 같다.

EXCEL Data Analysis

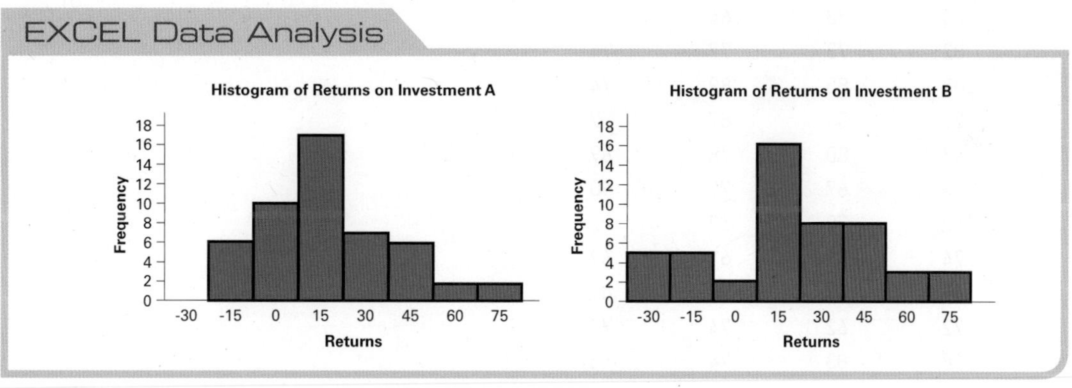

해석 두 개의 히스토그램을 비교하면서 다음과 같은 정보를 추출할 수 있다.

1. 투자 A의 수익률에 관한 히스토그램의 중심은 투자 B의 경우보다 약간 낮다.
2. 투자 A의 수익률 분산은 투자 B의 경우보다 상당히 적다.
3. 두 히스토그램 모두 약간 양의 비대칭을 가지고 있다.

이와 같이 발견된 정보들은 투자 A가 투자 B보다 더 우월하다는 것을 제시한다. 투자 A의 수익률들이 투자 B의 수익률들보다 약간 낮지만, 투자 B의 수익률 분산이 더 큰 것이 대부분의 투자자들에게 투자 B를 덜 매력적이게 만든다. 두 종류의 투자 모두 상대적으로 큰 수익률을 얻을 가능성을 가지고 있다.

히스토그램의 해석은 어느 정도 주관적이다. 다른 사람들은 우리가 내린 결론과 같은 결론을 내리지 않을 수 있다. 이러한 경우 수치지표 기법이 대부분의 그래프에서 부족한 상세하고 정확한 정보를 제공한다. 수치 기법이 그래프 기법과 어떻게 비교되는지 예시하기 위해 제4장에서 예제 3.2의 경우를 다시 한번 살펴볼 것이다.

예제 3.3

DATA Xm03-03+

경영통계학 점수

경영학 프로그램에 등록한 한 학생이 필수과목인 통계학의 첫 수업에 출석하고 있다. 이 학생은 통계학 과목이 어렵다는 잘못된 생각을 가지고 있기 때문에 약간 걱정스러워하고 있다. 이 학생은 그의 걱정을 덜어보기 위해 통계학 교수에게 작년의 점수에 대하여 질문한다. 통계학 교수는 호의를 베풀어 학기연구과제와 기말시험으로 구성된 최종 점수표를 제공한다. 다음과 같은 점수들을 이용하여 히스토그램을 그리고 그 결과를 설명하라.

65	81	72	59
71	53	85	66
66	70	72	71
79	76	77	68
65	73	64	72
82	73	77	75
80	85	89	74
86	83	87	77
67	80	78	69
64	67	79	60
62	78	59	92
74	68	63	69
67	67	84	69
72	62	74	73
68	83	74	65

해답

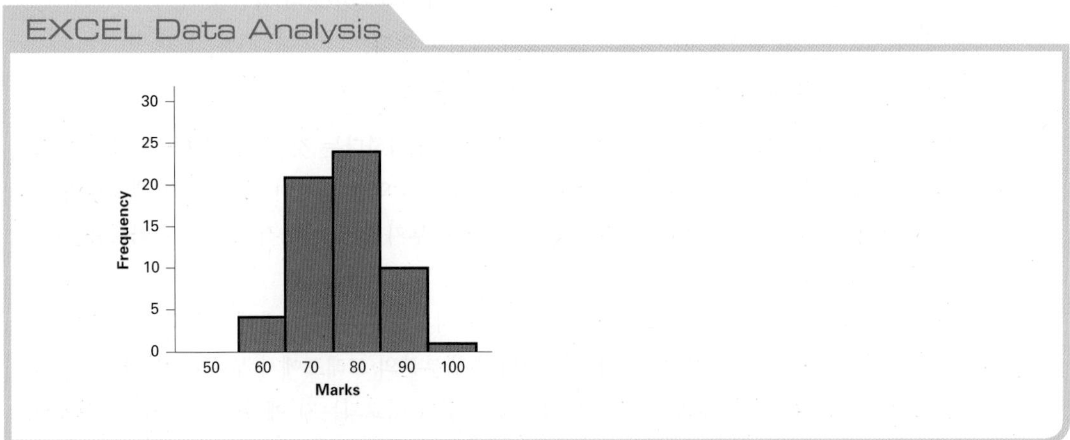

해석 히스토그램은 단봉을 가지고 있고 대략적으로 대칭이다. 50 이하의 점수는 없고 대부분의 점수는 60과 90 사이이다. 최빈계급은 70과 80 사이이고 점수분포의 중심은 약 75이다.

예제 3.4

수리통계학 점수

DATA Xm03-04+

예제 3.3의 학생이 수리통계학의 작년 점수를 입수하였다고 하자. 이 과목은 통계학에서 사용되는 정리(theorem)의 도출과 증명을 강조한다. 이 데이터를 이용하여 히스토그램을 그리고 예제 3.3의 히스토그램과 비교하라. 예제 3.4의 히스토그램은 당신에게 무엇을 말해 주는가?

77	67	53	54
74	82	75	44
75	55	76	54
75	73	59	60
67	92	82	50
72	75	82	52
81	75	70	47
76	52	71	46
79	72	75	50
73	78	74	51
59	83	53	44
83	81	49	52
77	73	56	53
74	72	61	56
78	71	61	53

해답

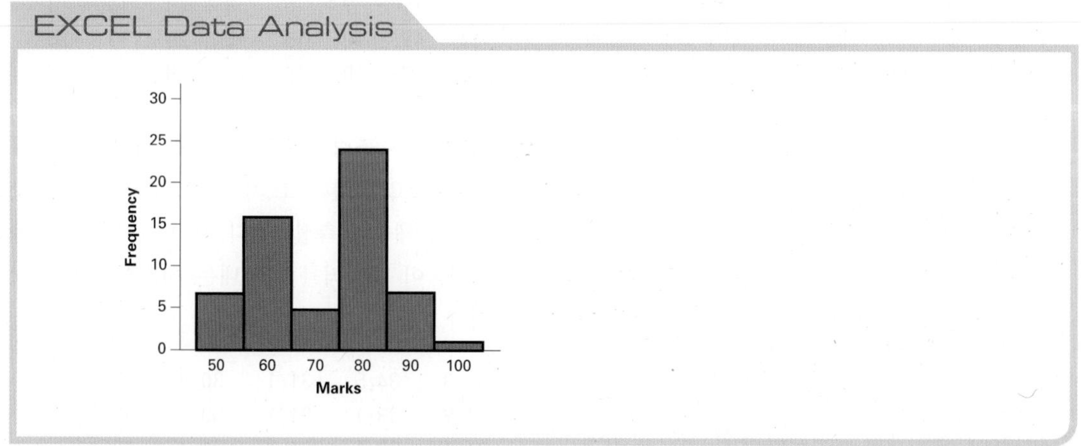

해석 예제 3.4의 히스토그램은 양봉을 가지고 있다. 더 큰 최빈계급은 70점대의 점수로 구성되어 있다. 더 작은 최빈계급은 50점대의 점수를 포함하고 있다. 60점대의 점수들은 적다. 이 히스토그램은 두 그룹의 학생들이 존재한다는 것을 제시한다. 이 과목에서 수학을 강조하는 것 때문에 점수가 낮은 학생들은 점수가 높은 학생들보다 수학이 약하다고 결론지을 수 있다. 예제 3.3과 예제 3.4의 히스토그램들은 통계학 과목과 수리통계학 과목은 서로 매우 다르고 완전히 다른 점수분포를 가진다는 점을 제시한다.

연습문제

3.1 관측치의 수가 125이면 히스토그램은 몇 개의 계급구간을 가져야 하는가?

3.2 1,500개의 관측치가 있는 경우 히스토그램의 계급구간의 수를 결정하라.

3.3 한 데이터 세트가 147과 241 사이의 값을 가지는 300개의 관측치로 구성되어 있다.

a. 히스토그램이 가져야 하는 적정한 계급구간의 수는 얼마인가?

b. 당신은 어떤 계급구간의 간격을 제안하겠는가?

3.4 한 통계전문가는 5.2와 6.1 사이의 값을 가지는 40개의 관측치의 히스토그램을 그리기 원한다.

a. 적정한 계급구간의 수는 얼마인가?

b. 당신이 사용하는 계급구간들의 상한값을 결정하라.

3.5 <Xr03-05> 한 우버 운전자는 28일 동안 받은 전화 수를 계속 기록하였다. 이 데이터가 다음과 같다. 이 데이터의 히스토그램을 그려라.

10	10	7	7	3	8	11
8	10	7	7	7	5	4
9	7	8	4	17	13	9
7	12	8	10	4	7	5

3.6 <Xr03-06> 메이저리그에 진출하지 못하는 마이너리그 야구선수들이 많다. 한 통계전문가는 32명의 마이너리그 야구선수들이 메이저리그에서 경기하는 꿈이 결코 실현되지 못할 것이고 이에 따라 은퇴하여야 할 것이라는 것을 인식하게 되는 연령을 기록하였다. 이 데이터의 히스토그램을 그려라.

23	31	31	30	29	28	32	33
29	27	35	32	41	28	30	35
26	25	32	26	30	32	32	28
30	29	24	25	32	35	27	22

3.7 <Xr03-07> TPC (Tournament Players Club)의 17번째 홀은 프로 선수들조차도 티샷 한 볼을 주위의 연못에 집어넣게 만드는 아일랜드 그린이다. 한 통계전문가는 30일 동안 각 일에 아마추어 선수들이 연못에 집어넣은 골프공의 수를 조사하고 그 결과를 다음과 같이 정리하였다. 이 데이터의 히스토그램을 그려라.

81	94	82	79	70	76	70	85	102	91
71	69	95	57	85	85	84	87	67	71
115	102	70	63	81	81	76	99	87	93

3.8 <Xr03-08> 표본으로 추출된 30명의 텔레마케터가 거는 주간 판매전화 수가 다음과 같이 정리되어 있다. 이 데이터의 히스토그램을 그리고 히스토그램을 설명하라.

14	8	6	12	21	4	9	3
25	17	9	5	8	18	16	3
17	19	10	15	5	20	17	14
19	7	10	15	10	8		

3.9 <Xr03-09> 조립라인에서 중요한 작업을 완수하는 데 필요한 시간(초 기준)이 50개의 조립라인 표본에 대하여 측정되었다. 이 데이터는 다음과 같다. 이 데이터를 나타내는 히스토그램을 그려라.

30.3	34.5	31.1	30.9	33.7
31.9	33.1	31.1	30.0	32.7
34.4	30.1	34.6	31.6	32.4
32.8	31.0	30.2	30.2	32.8
31.1	30.7	33.1	34.4	31.0
32.2	30.9	32.1	34.2	30.7
30.7	30.7	30.6	30.2	33.4
36.8	30.2	31.5	30.1	35.7
30.5	30.6	30.2	31.4	30.7
30.6	37.9	30.3	34.1	30.4

3.10 <Xr03-10> 한 쇼핑몰에 있는 개인을 대상으로 실시한 서베이에서 60명에게 쇼핑몰 방문 중에 몇 개의 점포에 들를 것인지 물었다. 그들의 답변이 다음과 같이 정리되어 있다.

3	2	4	3	3	9	2	4	3	6
2	2	8	7	6	4	5	1	5	2
3	1	1	7	3	4	1	1	4	8
0	2	5	4	4	4	6	2	2	5
3	8	4	3	1	6	9	1	4	4
1	0	4	6	5	5	5	1	4	3

a. 히스토그램을 그려라.

b. 히스토그램의 모습을 설명하라.

컴퓨터와 소프트웨어를 이용하여 다음의 연습문제에 답하라.

3.11 <Xr03-11> 50명의 야구 팬들을 대상으로 실시한 서베이에서 각 야구팬에게 작년에 관람한 게임의 수를 보고하도록 요청하였다. 히스토그램을 그리고 그 모습을 설명하라.

3.12 <Xr03-12> 더 많은 골프코스가 필요한지 결정하기 위해 한 서베이가 시행되었다. 표본으로 추출된 75명의 골퍼에게 작년에 몇 회의 골프 라운딩을 했는지 물었다. 히스토그램을 그리고 당신에게 무엇을 말해주는지 설명하라.

3.13 <Xr03-13> 표본으로 추출된 200명의 1년차 회계사의 연간 소득이 기록되었다. 히스토그램을 그리고 그 모습을 설명하라.

3.14 <Xr03-14> 현재 Ebay는 판매나 경매를 위해 550,000개 이상의 미국 수집용 동전을 게시한다. 한 열광적인 수집가는 500개의 동전이 그의 집으로 보내지는 일 수를 기록했다. 이러한 수치들의 히스토그램을 그려라. 당신은 히스토그램의 모습으로부터 어떤 정보를 얻을 수 있는가?

3.15 <Xr03-15> 지난 200일 동안 매일 영업개시 첫 1시간 동안에 은행에 들어오는 고객의 수가 기록되었다. 히스토그램을 그리고 그 모습을 설명하라.

3.16 <Xr03-16> 320명 학생의 경제학 중간시험점수가 기록되었다. 이 데이터를 요약하는 그래프를 그려라. 이 그래프는 당신에게 무엇을 말해 주는가?

3.17 <Xr03-17> 150명 신생아의 키(인치 기준)가 기록되었다. 당신이 이 데이터를 나타내기에 적당하다고 생각하는 그래프를 그려라. 당신은 이 그래프로부터 무엇을 알게 되었는가?

3.18 <Xr03-18> 한 사무실 복사기를 이용하여 지난 75일 동안 매일 복사한 페이지 수가 기록되었다. 이 데이터를 위한 적정한 그래프를 그려라. 이 그래프는 당신에게 무엇을 말해 주는지 설명하라.

3.19 <Xr03-19> 새로운 비료를 사용하여 재배된 240개 토마토 각각의 무게(온스 기준)가 측정되어 기록되었다. 히스토그램을 그리고 당신이 발견한 것을 설명하라.

3.20 <Xr03-20> 표본으로 추출된 350가구 각각이 사용한 물의 양(갤런 기준)이 측정되어 기록되었다. 이 데이터를 요약하기 위한 적정한 그래프를 그려라. 이 그래프는 당신에게 무엇을 말해 주는가?

3.21 <Xr03-21> Amazon.com이 100일 동안 매일 발송하는 책의 수가 기록되었다. 히스토그램을 그리고 당신이 발견한 것을 설명하라.

3.22 <Xr03-22> 임의로 추출된 1965년과 1980년 사이에 태어난 X세대가 가장인 가구 표본의 순자산이 기록되었다. 히스토그램을 그리고 그 모습을 설명하라.

3.2 시계열 데이터 나타내기

데이터를 유형별로 분류하는 것에 더하여 관측치들이 동시점에서 측정된 것인지 시간경로상의 연속적인 시점들에서 측정된 것인지에 의해 데이터를 분류할 수 있다. 전자는 **횡단면 데이터**(cross-sectional data)라고 부르고 후자는 **시계열 데이터**(time-series data)라고 부른다.

제3.1절에서 설명한 기법들은 횡단면 데이터에 적용된다. 예제 3.1의 모든 데이터는 아마도 같은 일자 기준으로 결정되었다. 예제 3.2~예제 3.4의 경우에도 데이터가 같은 일자 기준으로 결정되었다.

다른 예를 들어 보기 위해 주택의 판매가격은 주택크기, 주택연령, 주택면적의 함수라고 생각하는 한 부동산 컨설턴트를 생각해보자. 이와 같은 함수의 특정한 형태를 추정하기 위해 그녀는 최근에 판매된 100개 주택을 표본으로 추출하고 각 주택의 판매가격, 주택크기, 주택연령, 주택면적을 기록한다. 이 데이터는 모두 동시점에 관측되기 때문에 횡단면 데이터이다. 이 부동산 컨설턴트는 또한 다음 연도에 미국 동북부 지역에서 월간 주택 신축건수를 예측하기 위한 프로젝트를 수행하고 있다. 이 프로젝트를 수행하기 위해 그녀는 과거 5년 동안 미국 동북부 지역의 월간 주택 신축건수에 관한 데이터를 수집한다. 이와 같은 60개의 수치는 일정한 기간 동안에 발생된 관측치들이기 때문에 시계열 데이터이다.

원데이터는 구간데이터이거나 범주데이터일 수 있다. 앞의 모든 예시들은 구간데이터와 관련되어 있다. 시계열 데이터도 많은 시간기간 동안 범주데이터의 빈도와 상대빈도를 나타낼 수 있다. 예를 들면, 브랜드 선호도 서베이는 소비자들에게 그들이 가장 선호하는 브랜드를 묻는다. 이와 같은 데이터는 범주데이터이다. 만일 수년 동안 매달 한 번씩 동일한 서베이를 반복한다면 매월 특정한 회사의 제품을 선호하는 소비자의 비율은 시계열 데이터가 된다.

3.2a 선 그래프

시계열 데이터는 종종 **선 그래프**(line chart)를 사용하여 그려진다. 선 그래프는 시간의 흐름에 따라 변수의 값을 그린 것이다. 선 그래프는 수평축에 시간을 나타내고 수직축에 변수의 값을 나타내면서 그려진다.

제3장의 서두 예제는 가솔린 가격과 석유가격의 관계에 관한 이슈를 다룬다. 제3.3절에서 이와 같은 질문에 답하기 위해 필요한 기법이 소개된다. 가솔린 가격을 논의하면서 가솔린 가격이 지난 30년 동안 크게 변동했다는 것을 알았다. 이와 관련하여 제기되는 질문은 가솔린 가격이 가장 높았던 2008년에 얼마나 비쌌으며 2020년에 얼마나 싸게 되었는가이다.

예제 3.5

가솔린 가격

DATA Xm03-05

1991년 이후 월간 평균 가솔린 소매가격(갤런당 달러)이 기록되었다. 처음 4개월과 마지막 4개월의 데이터가 다음과 같이 제시되어 있다. 이 데이터를 나타내는 선 그래프를 그리고 그 결과를 설명하라.

연도	월	갤런당 가격(1달러)
1991	1	1.180
1991	2	1.094
1991	3	1.040
1991	4	1.076
⋮		⋮
2020	9	2.095
2020	10	2.091
2020	11	2.093
2020	12	2.225

해답 Excel을 사용하여 그린 월간 평균 가솔린 가격의 선 그래프는 다음과 같다.

EXCEL Chart

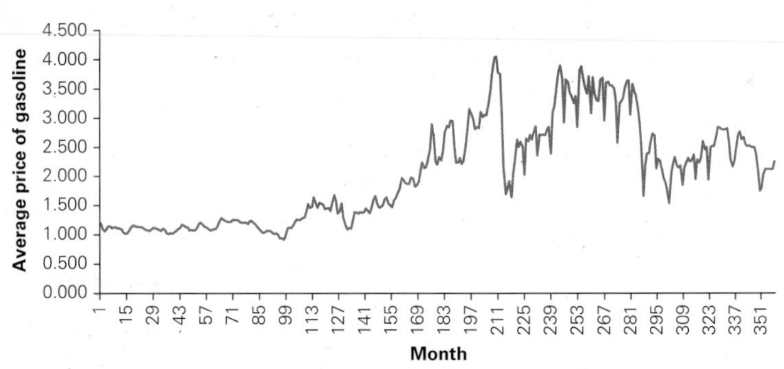

지시사항

1. 한 열에 데이터를 입력하거나 <Xm03-05>를 불러들여라.
2. 데이터의 열을 마우스의 왼쪽을 누르고 끌어내려라. **Insert**, **Line**, 처음 **2-D Line**을 클릭하라. 당신은 그래프로 그리기 원하는 모든 데이터 열들을 동시에 블록으로 만들어 두 개 이상의 변수들을 위한 두 개 이상의 선 그래프를 그릴 수 있다.

해석 가솔린 가격은 약 1달러 수준에서 2008년(월 200 주위)에 4달러 이상으로 상승했다가 주택시장 붕괴의 종료 시점인 2009년 3월에 매우 빠르게 하락하였다. 그 이후에 가솔린 가격은 다시 상승하다가 약 2달러 수준으로 하락하였다.

경제학 분야의 통계학 응용

인플레이션의 측정: 소비자 물가지수

인플레이션은 재화와 서비스 가격의 상승을 의미한다. 대부분의 국가에서 인플레이션은 소비자 물가지수(consumer price index (CPI))를 사용하면서 측정된다. 미국의 경우 소비자 물가지수는 식품, 주거비, 의류, 교통비, 의료비, 오락과 같은 다양한 항목들을 포함하는 약 300개의 재화와 서비스 바스켓에 대하여 계산된다.(다른 국가들에서도 유사한 수의 재화와 서비스 바스켓이 사용된다.) 이와 같은 바스켓은 "전형적인" 또는 "평균적인" 중간소득가계를 기준으로 정의되고, 항목과 가중치는 정기적으로 수정된다(미국의 경우 10년마다 수정되고 캐나다의 경우 7년마다 수정된다). 이와 같은 바스켓에 포함되어 있는 각 항목의 가격은 월간 기준으로 계산되고 CPI는 이와 같은 가격들로부터 계산된다. 소비자 물가지수가 어떻게 계산되는지 살펴보자. 한 기간을 기준기간으로 설정한다. 미국에서 기준기간은 1982년~1984년이다. 재화와 서비스 바스켓의 가격이 기준기간에 1,000달러라고 하자. 따라서 기준기간의 가격은 1,000달러이고 CPI는 100으로 설정된다. 1985년 1월에 바스켓 가격이 1,010달러로 상승하였다고 하자. 1985년 1월의 CPI는 다음과 같이 계산된다.

$$\text{CPI(1985년 1월)} = \frac{1,010}{1,000} \times 100 = 101$$

만일 1985년 2월에 바스켓 가격이 1,050달러로 상승하였다면, 1985년 2월의 CPI는 다음과 같이 계산된다.

$$\text{CPI(1985년 2월)} = \frac{1,050}{1,000} \times 100 = 105$$

실제로 인플레이션의 공식 척도로서 사용될 의도가 없었음에도 불구하고 CPI는 일반 대중들에 의해 인플레이션의 공식 척도로 해석되고 있다. 연금 지급, 노령사회보장금, 일부 임금계약은 자동적으로 CPI와 연계되어 있고 자동적으로 인플레이션 수준에 연동된다. 결점이 있음에도 불구하고 소비자 물가지수는 많은 경우들에서 사용된다. 한 가지 적용의 예를 들면 CPI는 인플레이션의 효과를 제거하여 가격 시계열의 "실질" 변화를 추적할 수 있도록 가격을 조정하는 데 사용된다.

예제 3.5에서 제시된 수치들은 소위 경상가격으로 측정된 실제 가격들이다. 인플레이션의 효과를 제거한 가격들은 월간 가격들을 해당되는 월의 CPI로 나누고 100을 곱하여 구해진다. 이와 같은 가격들은 1982년~1984년 불변가격으로 측정된 것이다. 불변가격들을 측정함으로써 관심있는 재화와 서비스의 가격들에 어떠한 일이 발생하였는지 쉽게 알 수 있다. 당신이 1982년~1984년 불변가격으로 가격들을 계산하는 것을 돕기 위해 두 개의 데이터 세트가 만들어져 있다. Ch03:\\CPI-Annual과 Ch03:\\CPI-Monthly는 연간 데이터와 월간 데이터 각각의 경우 1982년~1984년 기준기간을 100으로 설정한 CPI의 값들을 정리한 것이다.

예제 3.6

DATA Xm03-06

1982년~1984년 불변가격으로 나타낸 가솔린 가격

가솔린 가격이 2008년에 얼마나 높았고 그 이후 얼마나 낮아졌는지 결정하기 위해서 예제 3.5에서 인플레이션 효과를 제거하라.

해답 아래에 1991년의 처음 4개월에 해당되는 월간 평균 가솔린가격, CPI, 조정가격이 제시되어 있다.

연도	월	갤런당 가격	CPI	조정가격
1991	1	1.18	134.7	0.876
1991	2	1.094	134.8	0.812
1991	3	1.04	134.8	0.772
1991	4	1.076	135.1	0.796

EXCEL Chart

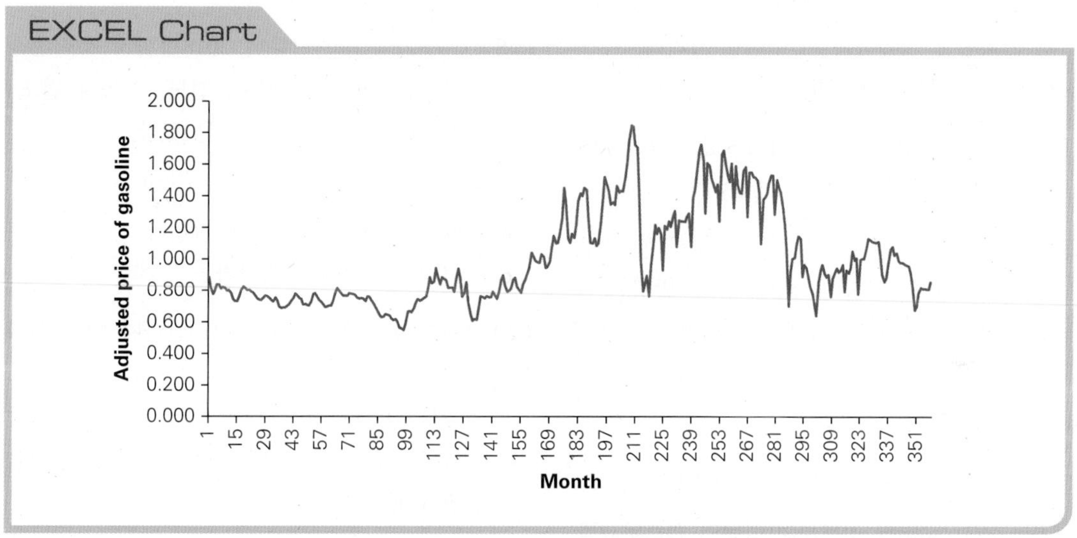

해석 1982년~1984년 불변가격을 사용하면 갤런당 가솔린 가격은 2008년 중반(월 200 주위)에 정점으로 상승하였고 그 이후 급속히 하락한 후 상승하다가 하락하였다. 2020년의 조정된 가솔린 가격은 1991년 1월의 조정된 가솔린 가격보다 낮았다.

연습문제

3.23 <Xr03-23> 한 도시는 최근에 적색 신호등인데도 운전하는 운전자들을 잡기 위한 카메라를 설치하였다. 다음의 수치는 지난 2년 동안 적색 신호등인데도 운전하는 월간 건수이다. 그래프 기법을 사용하여 이 수치를 그려라. 당신이 발견한 것을 설명하라.

적색 신호등 위반 건수: 14 8 12 9 11 12 10 12 8 13 11 8 6 7 5 5 4 4 2 6 4 3 5 4

3.24 <Xr03-24> 한 새로 채용된 중고차 판매원이 지난 2년 동안 판매한 월간 중고차 대수이다. 그래프 기법을 사용하여 이 수치를 그려라. 당신이 발견한 것을 설명하라.

판매한 중고차 대수: 2 0 3 1 3 5 2 7 5 6 12 15 10 18 21 25 24 25 23 28 21 25 23 27

3.25 <Xr03-25> 다음의 수치는 몬트리얼의 한 분주한 교차로에서 2020년과 2021년 동안 발생된 월간 사고 건수이다. 선 그래프를 그리고 당신이 발견한 것을 설명하라.

2020 14 11 9 5 3 2 6 8 5 6 5 13
2021 15 12 13 7 4 4 7 4 5 3 4 12

컴퓨터와 소프트웨어를 이용하여 다음의 연습문제를 풀어라.

3.26 <Xr03-26> 캐나다와 미국은 동계 올림픽에서 얼마나 좋은 성과를 올렸는가? 각 동계올림픽 연도에 두 나라가 획득한 총 메달 수가 기록되어 있다. 두 시계열을 나타내는 그래프를 그려라.

3.27 <Xr03-27> 각 시즌이 지나감에 따라 골의 수가 감소한다는 사실은 하키 팬들에게 놀라운 일이 아닐 것이다. 많은 전문가들은 골리 장비를 탓한다. 현재 골리를 위한 과도하게 큰 패드와 기타 보호 장비가 상대적으로 키가 작은 골리를 스모 선수로 만든다. 이와 관련된 문제에 대해 더 알기 위해 한 통계전문가는 1955~1956년과 2018~2019년 사이 각 시즌 동안 골 세이브율(골 리가 세이브하는 슛의 비율)과 경기시간 60분당 허용하는 평균 골 수(GAA)를 기록하였다.

a. 골 세이브율의 선 그래프를 그려라.
b. 경기시간 60분당 허용하는 평균 골 수의 선 그래프를 그려라.
c. 당신이 발견한 것을 간략히 설명하라.

3.28 <Xr03-28> 1993년부터 2018년까지 폭력범죄 수와 재산범죄(빈집털이, 절도, 자동차 절도) 수가 1,000건 기준으로 기록되었다.

a. 폭력범죄 수의 선 그래프를 그려라.
b. 재산범죄 수의 선 그래프를 그려라.
c. 그 결과를 간략히 설명하라.

3.29 <Xr03-29> 1973년부터 2019년까지 미국의 평균 일일 석유 소비량과 생신량(1,000배럴 기준)이 기록되었다. 평균 일일 석유 소비량과 생산량의 선 그래프를 그려라. 당신이 알게 된 것을 설명하라.

3.30 <Xr03-30> 국내총생산(GDP)는 한 국가의 경제적 산출량 총합이다. 국내총생산은 한 국가의 부에 대한 중요한 척도이다. 1935년부터 2019년까지 미국의 GDP가 파일에 저장되어 있다.

a. GDP의 선 그래프를 그려라.
b. GDP를 인플레이션에 대해 조정한 GDP의 선 그래프를 그려라.
c. 두 선 그래프가 당신에게 무엇을 말해주는지 간략히 설명하라.

3.31 <Xr03-31> 1985년 1월부터 2020년 8월까지 미

국이 캐나다에 수출한 월간 금액(100만 달러 기준)과 미국이 캐나다로부터 수입한 월간 금액(100만 달러 기준)이 기록되었다.

a. 미국이 캐나다에 수출한 월간 금액의 선 그래프를 그려라.

b. 미국이 캐나다로부터 수입한 월간 금액의 선 그래프를 그려라.

c. 모든 선 그래프들은 무엇을 말해주는가?

3.32 <Xr03-32> 1985년 1월부터 2020년 8월까지 미국이 일본에 수출한 월간 금액(100만 달러 기준)과 미국이 일본으로부터 수입한 월간 금액(100만 달러 기준)이 기록되었다.

a. 미국이 일본에 수출한 월간 금액의 선 그래프를 그려라.

b. 미국이 일본으로부터 수입한 월간 금액의 선 그래프를 그려라.

c. 모든 선 그래프들은 무엇을 말해주는가?

3.33 <Xr03-33> 1985년 1월부터 2019년 6월까지 미국이 중국에 수출한 월간 금액(100만 달러 기준)과 미국이 중국으로부터 수입한 월간 금액(100만 달러 기준)이 기록되었다.

a. 미국이 중국에 수출한 월간 금액의 선 그래프를 그려라.

b. 미국이 중국으로부터 수입한 월간 금액의 선 그래프를 그려라.

c. 모든 선 그래프들은 무엇을 말해주는가?

3.34 <Xr03-34> 1971년 1월부터 2020년 9월까지 월별 미국 달러에 대한 캐나다 달러의 환율이 기록되었다. 이러한 수치를 나타내는 그래프를 그리고 당신이 발견한 것을 해석하라.

3.35 <Xr03-35> 1971년 1월부터 2020년 9월까지 월별 미국 달러에 대한 일본 엔의 환율이 기록되었다. 이러한 수치를 나타내는 그래프를 그리고 당신이 발견한 것을 해석하라.

3.36 <Xr03-36> 1960년과 2018년 기간 동안 석유수출국기구(OPEC)에 의해 설정된 배럴당 평균 석유가격이 기록되었다. 이러한 수치들을 그래프로 그려라.

3.37 연습문제 3.36을 참조하라. U.S. CPI 연간 파일을 사용하여 1982~1984년 불변 달러 가격으로 배럴당 평균 석유가격을 측정하라. 당신은 무엇을 배웠는가?

3.38 〈Xr03-38〉 1950년 1월부터 2020년 5월까지 Standard & Poor's 500지수가 월별로 기록되었다. 이 수치들을 나타내기 위한 그래프를 그려라.

3.3 두 구간변수의 관계 나타내기

통계전문가는 종종 두 구간변수가 어떻게 관련되어 있는지 알 필요가 있다. 예를 들면, 금융애널리스트는 개별주식 수익률과 시장 전체 수익률이 어떻게 관련되어 있는지 이해할 필요가 있다. 마케팅 담당자는 매출액과 광고비의 관계를 이해할 필요가 있다. 경제학자들은 실업률과 인플레이션율과 같은 변수들의 관계를 나타내는 통계기법을 사용한다. 이 기법은 **산포도**(scatter diagram)라고 부른다.

산포도를 그리기 위해서는 두 변수에 관한 데이터가 필요하다. 한 변수가 다른 변수에 의해 어느 정도 결정되는 경우, 종속변수(dependent variable)를 Y로 표시하고 **독립변수**(independent variable)라고 부르는 다른 변수를 X로 표시한다. 예를 들면, 개인의 소득은 교육년수에 어느 정도 의존한다. 따라서 개인의 소득은 종속변수가 되고 Y로 표시되며 교육년수는 독립변수가 되고 X로 표시된다. 의존관계가 분명하지 않은 경우 변수들은 임의로 X 또는 Y로 표시된다.

예제 3.7 주택가격과 주택크기의 관계 분석

DATA Xm03-07

한 부동산 중개인은 주택판매가격이 주택크기와 어느 정도 관련되어 있는지 알고자 하였다. 이와 같은 정보를 얻기 위해 그는 최근에 팔린 12개의 주택 표본을 선택하였다. 주택판매가격을 1,000달러 기준으로 기록하고 주택크기를 제곱피트(ft^2) 기준으로 기록하였다. 이와 같은 데이터가 다음과 같이 정리되어 있다. 주택크기와 주택가격의 관계를 나타내기 위한 그래프를 그려라.

크기(ft^2)	가격($1,000)
2,354	315
1,807	229
2,637	355
2,024	261
2,241	234
1,489	216
3,377	308
2,825	306
2,302	289
2,068	204
2,715	265
1,833	195

해답 주택가격을 Y(종속변수)로 표시하고 주택크기를 X(독립변수)로 표시하자. 그림 3.7은 두 변수의 관계를 나타내는 산포도를 그린 것이다.

그림 3.7 예제 3.7의 산포도

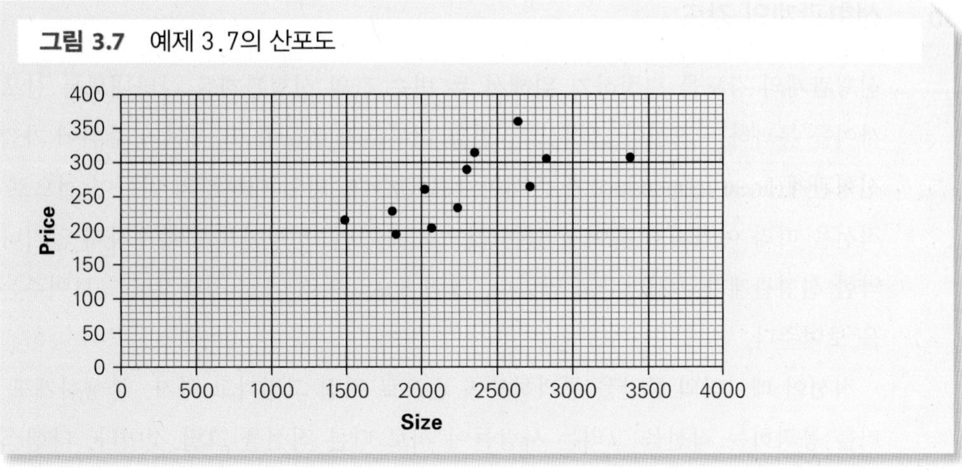

EXCEL Chart

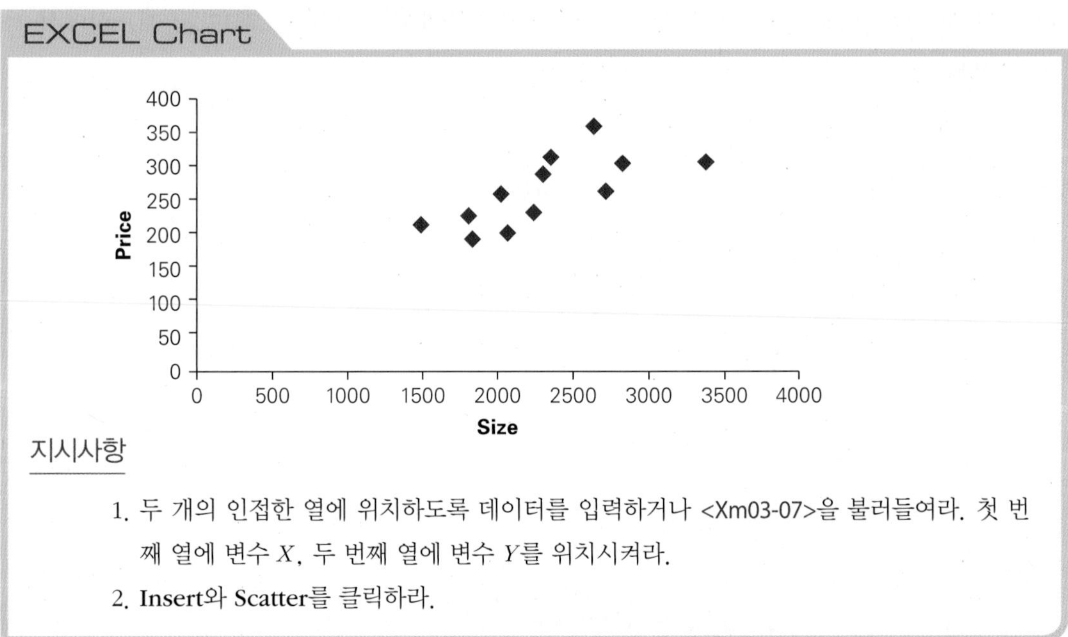

지시사항

1. 두 개의 인접한 열에 위치하도록 데이터를 입력하거나 <Xm03-07>을 불러들여라. 첫 번째 열에 변수 X, 두 번째 열에 변수 Y를 위치시켜라.
2. Insert와 Scatter를 클릭하라.

해석 산포도는 일반적으로 주택크기가 클수록 주택가격이 더 높다는 것을 보여준다. 그러나 가격을 결정하는 다른 변수들이 존재한다. 추가적인 분석을 통하여 이와 같은 다른 변수들이 무엇인지가 밝혀질 수 있다.

3.3a 산포도의 모습

히스토그램의 경우와 마찬가지로 종종 두 변수가 어떻게 관련되어 있는지 말로 설명할 필요가 있다. 가장 중요한 두 가지 특성은 선형관계의 강도와 방향이다.

3.3b 선형관계의 강도

선형관계의 강도를 결정하기 위해서 두 변수 간의 선형관계를 나타내도록 산포도의 점들 사이를 통과하는 직선이 그려진다. 만일 대부분의 점들이 이 직선의 주위에 가깝게 있으면 **선형관계**(linear relationship)가 존재한다고 말한다. 만일 대부분의 점들이 겉으로 보기에 이 직선을 따라 여기저기 흩어져 있는 것으로 보이면, 선형관계가 존재하지 않거나 기껏해야 약한 선형관계가 존재한다고 말한다. 그림 3.8은 여러 가지 선형강도를 보여주는 산포도들을 보여준다.

직선이 데이터의 중간을 통과하도록 손으로 직접 그린다고 하자. 불행하게도 같은 데이터를 통과하는 직선을 그리는 사람들이 서로 다른 직선을 그릴 것이다. 다행스럽게도 통계학자들은 직선을 그리는 한 가지 객관적인 방법을 만들어 냈다. 이 방법은 **최소자승법**(least squares method)이라고 부르며 제4장에서 소개되고 제16장, 제17장, 제18장에서 사용된다.

그림 3.8 선형관계의 강도를 보여주는 산포도

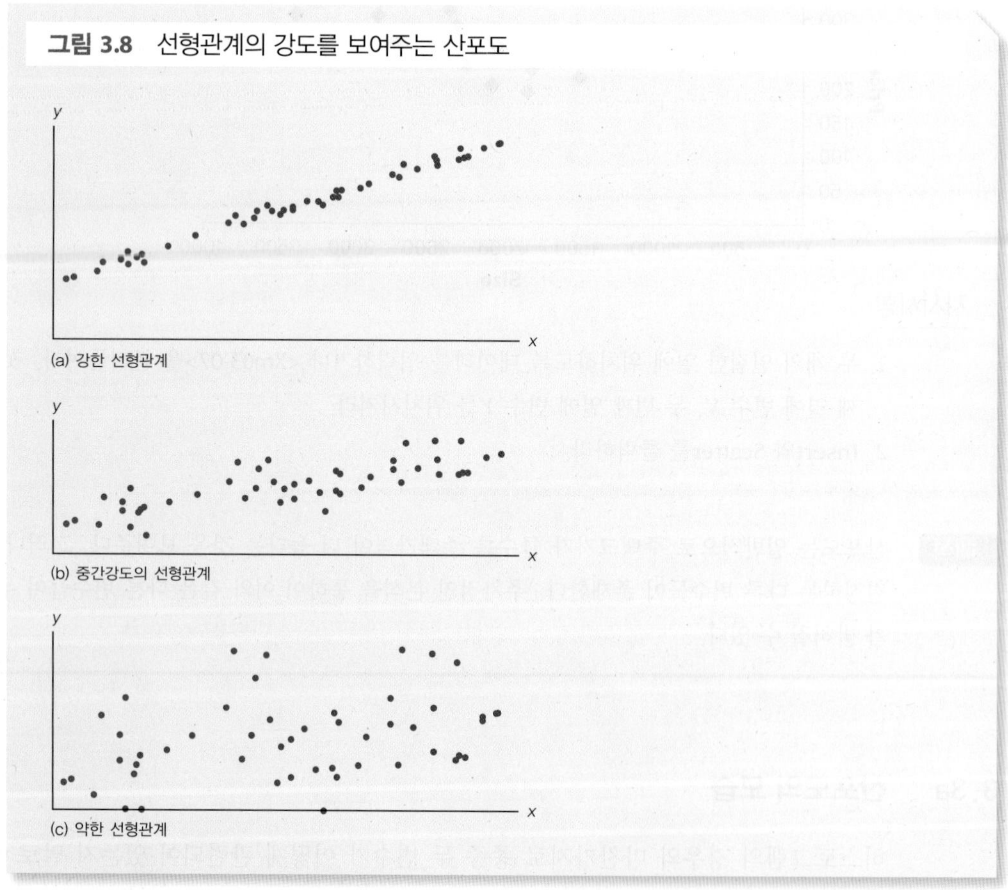

2차식(quadratic)의 관계 또는 지수적(exponential) 관계와 같은 다른 형태의 관계가 존재할 수 있다는 점에 유의하라.

3.3c 선형관계의 방향

만일 한 변수가 증가할 때 다른 변수도 증가하면, **양의 선형관계**(positive linear relationship)가 존재한다고 말한다. 두 변수가 반대방향으로 움직이면, **음의 선형관계**(negative linear relationship)가 존재한다고 말한다.(양(positive)과 음(negative)이라는 용어는 제4장에서 설명된다.) 그림 3.9는 양의 선형관계, 음의 선형관계, 무관계, 비선형관계를 나타내는 산포도의 예를 보여준다.

그림 3.9 선형관계의 방향을 보여주는 산포도

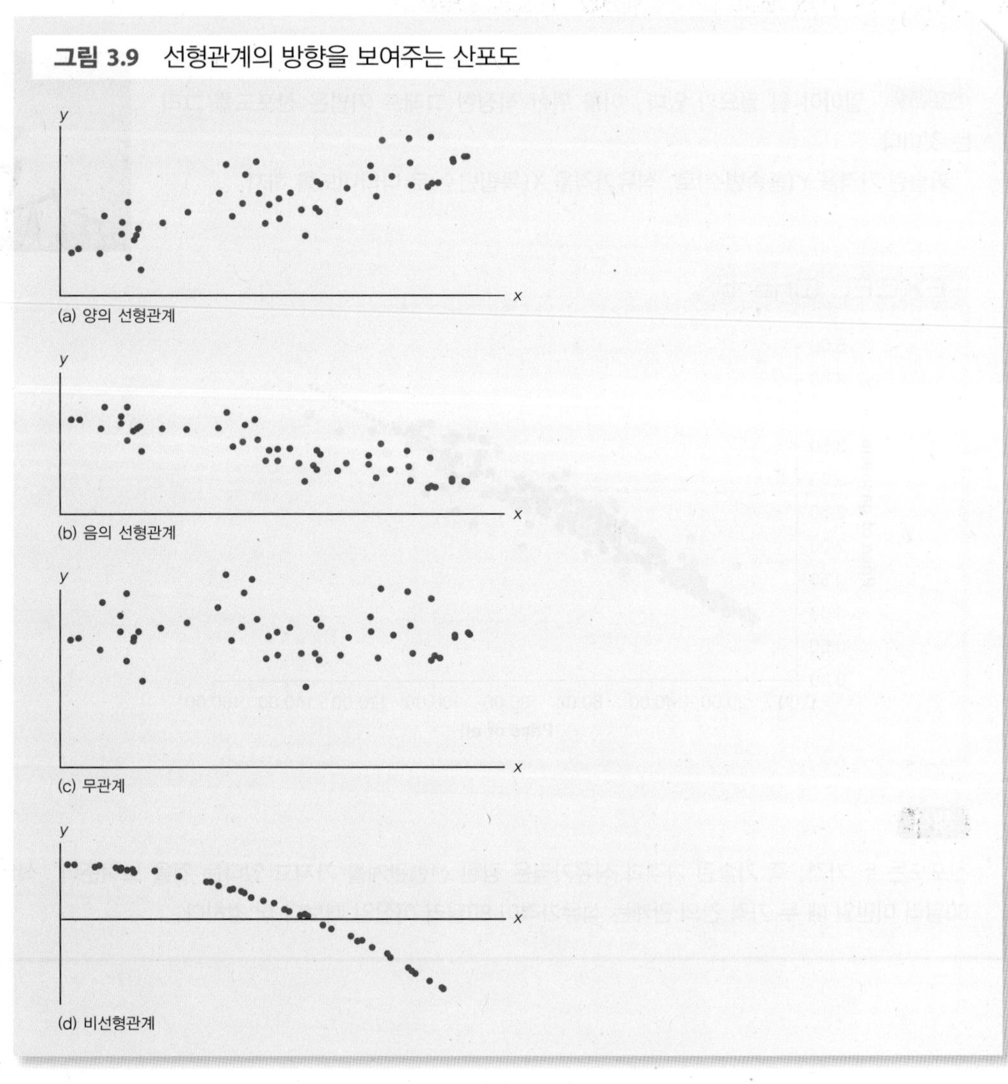

3.3d 강한 선형관계의 해석

산포도를 해석하는 데 있어서 두 변수가 선형관계를 가지는 경우 이것은 한 변수가 다른 변수를 발생시키는 원인이라는 것을 의미하지 않는다는 점을 이해하는 것이 중요하다.

실제로 한 변수가 다른 변수를 발생시킨다고 결론지을 수 없다. 다음과 같이 이와 같은 점을 더 멋있게 표현할 수 있다.

상관관계는 인과관계가 아니다.

이제 서두 예제에 대하여 답하기 위해 무엇을 찾아야 하는지 알게 되었다.

해답 가솔린 가격과 석유가격은 어떤 관계를 가지는가?

DATA Xm03-00

가솔린 가격의 변동을 이해하기 위해서 가솔린 가격과 석유가격의 관계를 알아야 할 필요가 있다. 이를 위한 적정한 그래프 기법은 산포도를 그리는 것이다.

가솔린 가격을 Y(종속변수)로, 석유가격을 X(독립변수)로 나타내도록 하자.

Comstock Images/Getty Images

EXCEL Chart

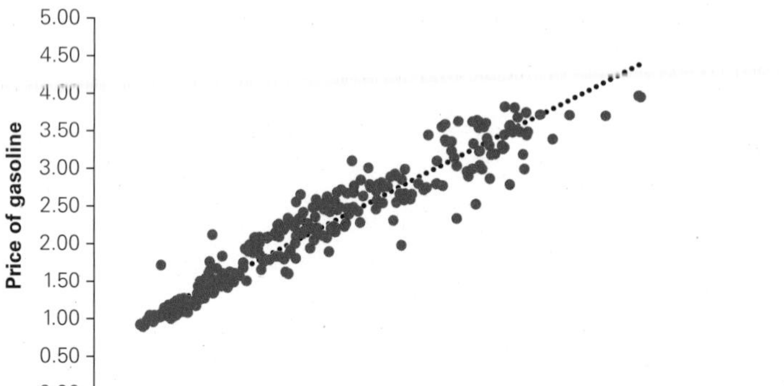
5.00
4.50
4.00
3.50
3.00
2.50
2.00
1.50
1.00
0.50
0.00
Price of gasoline
0.00
20.00
40.00
60.00
80.00
100.00
120.00
140.00
160.00
Price of oil

해석

산포도는 두 가격, 즉 가솔린 가격과 석유가격은 강한 선형관계를 가지고 있다는 것을 보여준다. 석유가격이 80달러 미만일 때 두 가격 간의 관계는 석유가격이 80달러 이상일 때보다 더 강하다.

연습문제

3.39 <Xr03-39> 세금보고서를 작성하기 위해 소프트웨어를 사용한 사람들로 구성된 표본을 추출하고 세금을 계산하기 위해 걸린 시간과 소프트웨어를 사용한 경험 연수를 물었다. 산포도를 그리고 산포도가 무엇을 말해주는지 간략히 설명하라.

작성 시간	6.5	6.9	4.1	8.0	11.5	2.5	5.1	6.8	13.2	7.1
경험 연수	1	3	2	1	5	2	4	1	1	3

3.40 <Xr03-40> 미국에서 블랙 프라이데이(Black Friday)는 추수감사절 다음 날이다. 많은 소매점들은 그들의 가게에서 쇼핑하도록 고객을 유인하기 위해 문전성시 특별할인행사를 실시한다. 이러한 문전성시 특별할인행사 품목의 수는 제한되어 있다. 그러나 이러한 품목의 가격은 매우 낮기 때문에 이러한 품목을 구매하기 원하는 사람들은 종종 가게가 문을 여는 것을 기다리기 위해 가게 밖에서 줄을 선다. 임의표본에 추출된 블랙 프라이데이 쇼핑객들에게 가게가 문을 열 때까지 가게 밖에서 얼마나 기다렸는지(시간단위기준)와 특별할인품목을 구매할 때 비용을 절감하는 금액(저축)이 얼마일 것으로 기대하는지 물었다. 산포도를 그리고 당신은 무엇을 알게 되었는지 설명하라.

시간	3.0	2.5	1.5	5.0	3.0	4.5	7.0	0.5	6.5	6.0
저축	325	250	275	150	225	350	375	100	400	350

3.41 <Xr03-41> 한 통계전문가이자 아마추어 골프 매니아는 라운드당 퍼트 수가 많은 것에 대해 우려하고 있다. 각 라운드 전에 퍼팅 연습을 하는 것이 도움이 될 것인지를 결정하기 위해, 그는 10라운드에 대해 연습 퍼트 수와 실제 퍼트 수를 기록하였다. 산포도를 그리고 당신은 어떤 정보를 얻었는지 설명하라.

연습 퍼트 수	3	17	5	25	10	15	8	10	12	20
라운드 퍼트 수	42	39	44	35	38	33	40	34	38	31

3.42 <Xr03-42> 미적분학이 통계학 과목의 선수과목인 한 대학에서 15명 학생의 표본이 추출되었다. 각 학생의 미적분학 점수와 통계학 점수가 기록되었다. 이 데이터는 다음과 같다.

미적분학	65	58	93	68	74	81	58	85	88	75
통계학	74	72	84	71	68	85	63	73	79	65
미적분학	63	79	82	54	72					
통계학	62	71	74	68	73					

a. 이 데이터의 산포도를 그려라.
b. 이 그래프는 당신에게 미적분학 점수와 통계학 점수의 관계에 대하여 무엇을 말해 주는가?

3.43 <Xr03-43> 사고가 난 자동차의 수리비용이 보험료가 매우 높은 한 가지 이유이다. 10대의 자동차가 벽을 향하여 돌진하는 실험이 이루어졌다. 자동차의 속도는 2 mph~20 mph로 달랐다. 수리비용이 추정되었고 수리비용이 다음과 같이 정리되어 있다. 자동차 속도와 수리비용의 관계를 분석하기 위한 적정한 그래프를 그려라. 이 그래프는 당신에게 무엇을 말해 주는가?

속도	2	4	6	8	10	12
수리비용(달러 기준)	88	124	358	519	699	816
속도	14	16	18	20		
수리비용(달러 기준)	905	1521	1888	2201		

3.44 <Xr03-44> 수학자들이 30세 이전에 최상의 성과를 만든다는 사실은 잘 알려져 있다. 그러나 수학자들이 나이가 들어가면서 그들에게 무슨 일이 발생하는가? 한 통계학자는 40세 이상

인 수학교수로 구성된 임의표본을 추출하고 그들의 연령과 직전 5년 동안 최상위급 저널에 출간한 논문 수를 기록했다. 이러한 데이터가 아래에 정리되어 있다. 산포도를 그리고 산포도가 당신에게 수학자들이 나이가 들어가면서 그들의 연구생산성에 대해 무엇을 말해주는지 설명하라.

연령	48	71	73	41	66	57	50	42	47	59
논문 수	12	4	8	22	7	14	16	8	10	13

3.45 <Xr03-45> 한 통계학 교수는 퀴즈와 시험답안지를 일찍 제출하는 학생들이 늦게 제출하는 학생들보다 성적이 좋다는 가설을 만들었다. 자신의 가설이 타당한지 결정하기 위한 데이터를 만들기 위해 그는 임의표본으로 추출된 12명의 학생이 중간시험 답안지를 제출하는 시간(시간제한 90분/분 기준)과 시험점수를 기록하였다. 산포도를 그리고 산포도가 당신에게 이 통계학 교수의 가설에 대해 무엇을 말해주는가?

시간	90	73	86	85	80	87	90	78	84	71	72	88
점수	68	65	58	94	76	91	62	81	75	83	85	74

컴퓨터와 소프트웨어를 이용하여 다음의 연습문제에 답하라.

3.46 <Xr03-46> 에너지 사용량에 영향을 주는 요인들을 파악하기 위해 200가구가 분석되었다. 각 가구에 대하여 거주자의 수와 전기 사용량이 측정되었다. 산포도를 그려라. 이 그래프는 당신에게 가구당 거주자의 수와 전기 사용량에 대해 무엇을 말해주는가?

3.47 <Xr03-47> 많은 활강스키어들은 겨울과 신선한 강설을 열정적으로 기대한다. 그러나 겨울은 또한 추운 날들을 동반한다. 기온은 스키어의 소망에 어떻게 영향을 미치는가? 이 질문에 답하기 위해 한 지역 스키 리조트는 임의로 선정된 50일의 기온과 판매한 리프트 티켓 수를 기록하였다. 이 데이터를 설명하기 위해 그래프 기법을 사용하고 당신이 얻은 결과를 해석하라.

3.48 <Xr03-48> 비즈니스 세계에 관한 전문가들은 일반적으로 키가 큰 사람들이 키가 작은 사람들보다 더 많은 돈을 번다고 주장한다. University of Pittsburg에서 수행된 한 연구에서, 약 30세인 250명의 MBA 졸업생들이 표본으로 추출되었고 그들의 키(인치 기준)와 연간 소득(1,000달러 기준)을 보고하도록 요청받았다. 산포도를 그리고 제시된 견해가 타당한지 설명하라.

3.49 <Xr03-49> 상장회사의 최고경영자(CEO)들은 그들의 보상을 받는가? 매년 *National Post's Business* 잡지는 이 질문에 답을 구하기 위해 상위 50대 캐나다 회사들을 대상으로 CEO의 연간 보상(1,000달러 기준), 이윤(또는 손실)(1,000달러 기준), 3년 주식수익률(%)을 보고한다.

a. CEO의 연간 보상과 기업의 이윤 간 관계를 나타내는 산포도를 그려라.

b. CEO의 연간 보상과 3년 주식수익률 간 관계를 나타내는 산포도를 그려라.

c. a와 b에서 그린 산포도에 기초하여 CEO들은 그들의 보상을 받는지에 대해 설명하라.

3.50 <Xr03-50> 젊은 근로자는 자신의 일자리를 유지할 가능성이 더 적은가? 이 질문에 답하기 위해 근로자들의 임의표본이 추출되었다. 각 근로자에게 연령과 현재 고용주에게 고용된 개월 수를 보고하도록 요청하였다.

a. 산포도를 그려라.

b. 당신이 그린 그래프는 젊은 근로자가 자신의 일자리를 유지할 가능성이 더 적다는 증거를 제시하는가?

3.51 <Xr03-51> 영화관의 이윤에 매우 크게 기여하는 것은 팝콘, 소프트 드링크, 캔디의 판매이다. 한 영화관 경영자는 영화상영 간의 시간간격이 길수록 매점 매출이 더 증가한다고 생각하였다. 이 경영자는 더 많은 정보를 얻기 위해 한 실험을 수행하였다. 한 달 동안 그는 영화상영 간 시간간격을 변화시키고 매점품목들의 판매액을 계산하였다.

a. 매점 매출액과 영화상영 간의 시간간격 간 관계를 나타내는 산포도를 그려라.

b. 두 변수 간에 양의 관계가 존재하는가?

3.52 <Xr03-52> 동전 수집은 전 세계에서 매우 큰 비즈니스이다. 한 예를 제시하면, Ebay에는 판매와 경매를 위해서 50만 개 이상의 미국 동전과 10만 개 이상의 캐나다 동전이 있다. 이에 더하여 매달 수십 차례의 기타 경매도 존재한다. 동전의 가치를 결정하는 3가지의 중요한 요인이 있다. 이러한 3가지 중요한 요인은 희소성, 동전 상태, 수요이다. 동전 상태는 0점이 가장 불량한 상태이고 70점이 완벽한 상태를 나타내는 70점 스케일로 측정된다. 동전 상태가 동전 가격에 어떻게 영향을 미치는지 알기 위해서 상대적으로 희귀한 동전인 1925년 캐나다 니켈의 경매 판매로 구성된 임의 표본이 추출되었다. 과거 3년 동안 매입자의 프리미엄을 포함하는 경매가격(캐나다 달러 기준)과 동전 상태가 기록되었다.

a. 산포도를 그려라.

b. 산포도는 동전 상태와 경매가격 간 관계에 대해서 당신에게 무엇을 말해주는가?

3.53 <Xr03-53> 기온은 골프공이 날아가는 거리에 영향을 미치는가? 플로리다에 사는 한 골퍼는 이 질문에 답을 얻기로 결정하였다. 일 년 동안 그는 한 특정한 파4의 평평한 400야드 홀에서 드라이버로 친 골프공이 날아간 거리를 측정하였다. 기온(화씨 기준)도 기록되었다. 산포도를 그리고 산포도가 당신에게 무엇을 말해주는지 설명하라.

요약

히스토그램(histogram)은 구간데이터를 나타내기 위해 사용된다. 통계전문가는 히스토그램의 모습이 가지는 여러 가지 측면, 즉 **대칭성**(symmetry), **최빈계급의 수**(number of modes), **종 모양**(bell shape)과의 닮은 정도를 검토한다. 시계열 데이터와 횡단면 데이터 간의 차이가 설명되었다. 시계열 데이터는 선 그래프(line chart)를 사용하여 그려진다. 두 구간변수의 관계를 분석하기 위해 **산포도**(scatter diagram)가 사용되고 선형관계의 방향과 강도가 검토된다.

주요 용어

계급(class)
단봉 히스토그램(unimodal histogram)
대칭(symmetric)
산포도(scatter diagram)
선 그래프(line chart)
선형관계(linear relationship)
시계열 데이터(time-series data)
양봉 히스토그램(bimodal histogram)
양의 비대칭(positively skewed)
양의 선형관계(positive linear relationship)

음의 비대칭(negatively skewed)
음의 선형관계(negative linear relationship)
최빈계급(modal class)
횡단면 데이터(cross-sectional data)
히스토그램(histogram)

연습문제

컴퓨터와 소프트웨어를 이용하여 다음의 연습문제에 답하라.

3.54 <Xr03-54> 쌍둥이에 관한 연구들은 "선천성과 후천성" 논쟁에 관하여 많은 정보를 제공해준다. 논란이 되고 있는 쟁점은 선천성 또는 환경 중 어느 것이 지적 능력과 같은 개인 특성에 더 많은 영향을 주느냐하는 것이다. 일란성 쌍둥이의 표본이 선정되었고 그들의 IQ가 측정되었다. 이 데이터를 나타내는 적정한 그래프 기법을 사용하고 이 그래프는 일란성 쌍둥이의 IQ에 관하여 무엇을 말해 주는가?

3.55 <Xr03-55> 한 경제학자는 이자율과 환율(미국 달러 기준) 간에 어떤 관계가 있는지 알기 원하였다. 그는 1982년~2008년 동안 월간 이자율과 환율지수를 기록하였다. 이 데이터를 그래프로 그리고, 그 결과를 설명하라(자료: Bridge Commodity Research Bureau).

3.56 <Xr03-56> SPAM은 불행한 삶의 현실이다. 임의표본으로 추출된 대학생들에게 하루에 받는 스팸 이메일 수를 보고하도록 요청하였다. 이러한 데이터를 나타내기 위한 적정한 그래프 기법을 사용하라.

3.57 <Xr03-57> 제16장, 제17장, 제18장에서 변수들의 관계를 규명하는 회귀분석(regression analysis)이 소개된다. 회귀분석이 적용된 첫 번째 사례는 아버지 키와 아들 키의 관계를 분석하는 것이었다. 표본으로 80명의 아버지와 아들이 추출되었고 아버지의 키와 아들의 키가 기록되었다.

a. 아버지 키와 아들 키의 관계를 나타내는 그래프를 그려라.

b. 이 직선은 어느 방향을 가지고 있는가?

c. 이 두 변수 간에 선형관계가 존재하는 것으로 보이는가? 설명하라

3.58 <Xr03-58> 다우존스 산업평균지수가 상승한다는 것은 일반적으로 경제가 성장하고 있다는 것을 의미한다. 이것은 또한 실업률이 낮아지고 있다는 것을 의미한다. 한 통계학 교수는 많은 기간 동안에 경제성과가 불량한데도 불구하고 주식시장은 강세를 나타내었다는 점을 지적하였다. 이러한 쟁점에 관하여 더 많이 알기 위해서, 1950년부터 2019년까지 월간 다우존스 산업평균지수 종가와 월간 실업률이 기록되었다. 이 데이터의 그래프를 그리고 당신이 발견한 것을 설명하라(자료: Federal Reserve Economic Data와 *Wall Street Journal*).

3.59 <Xr03-59> 경제의 상태를 측정하는 한 척도는 임대 주택시장의 공실률이다. 1956년부터 분기별 공실률을 기록하였다. 이 수치들을 나타내기 위해 그래프 기법을 사용하라.

3.60 <Xr03-60> 핸디캡이 낮은 골퍼들이 핸디캡이 높은 골퍼들보다 경기를 더 빠르게 진행하는가? 핸디캡이 낮은 골퍼들의 경기시간과 핸디캡이 높은 골퍼들의 경기시간이 어떤 관계를 가지고 있는지 알아보기 위해 4명으로 구성된 125개 팀의 표본이 선정되었다. 각 팀의 총점수와 18홀 경기를 완료하는 데 걸리는 시간이 기록되었다. 이 데이터를 그래프로 그리고, 이 그래프가 총

점수와 경기시간의 관계에 대하여 무엇을 말해 주는지 설명하라.

3.61 <Xr03-61> 현금 또는 신용카드 대신에 데빗카드(debit card) 사용을 선호하는 소비자들의 수가 증가하고 있다. 데빗카드에 의한 구매액과 신용카드에 의한 구매액의 관계를 분석하기 위해 240명을 인터뷰하였고 이들에게 지난달 동안 데빗카드에 의한 구매액과 신용카드에 의한 구매액을 보고하도록 요청하였다. 이 데이터를 그래프로 그리고 당신이 발견한 것을 요약하라.

3.62 <Xr03-62> 대부분의 상장회사들은 이사회를 가지고 있다. 이사들에 대한 지급금은 상당히 다르다. *Globe and Mail*은 100개의 상장회사 이사들의 지급금에 관한 서베이를 실시하고 이사들의 연간 지급금이 얼마인지 보고하도록 요청하였다. 이 데이터를 나타내는 그래프를 그려라.

3.63 <Xr03-63> 연습문제 3.62를 참조하라. 이사들의 연간 지급금을 보고하는 데 추가하여 이 서베이는 작년의 이사회 회의 수를 기록하였다. 이 데이터를 요약하여 나타내는 그래프를 그려라.

3.64 <Xr03-64> 항공여행은 더 안전해지고 있는가? 이 질문에 답하기 위해 한 통계학 교수는 1950년~2018년 동안 발생한 최소 19명 승객을 수송하는 항공기의 치명적 사건 수와 사망자 수를 기록하였다. 항공여행은 더 안전해지고 있는가라는 질문에 답하기 위해 그래프 기법을 사용하라.

3.65 <Xr03-65> 대부분의 자동차 렌탈회사들은 약 1년 동안 자신이 보유한 자동차를 사용하고 그 이후에 중고차딜러들에게 판매한다. 한 자동차 렌탈회사가 중고차들을 판매하기로 결정했다고 하자. 대부분의 중고차 구매자들은 중고차의 주행거리에 기초하여 무엇을 살 것이며 얼마를 지불할 것인가에 대한 의사결정을 하기 때문에 이것은 자동차 렌탈회사에게 중요한 이슈이다. 이 회사가 보유한 렌탈 자동차들의 주행거리에 관한 정보를 얻기 위해 이 회사의 관리경영자는 658명의 고객들로 구성된 임의표본을 추출하고 각 고객의 일일 평균 주행거리(1마일 기준)를 기록하였다. 이 데이터를 나타내기 위해 그래프 기법을 사용하라.

3.66 <Xr03-66> 꽃집 체인의 사장은 밸런타인데이에 꽃을 사는 데 지출한 금액에 대해 더 많이 알기 원하였다. 고객으로 구성된 임의표본이 추출되었고 연령과 지난번 밸런타인데이에 꽃을 사는 데 지출한 금액을 보고하도록 요청하였다. 그래프 기법을 사용하여 연령과 꽃을 사는 데 지출한 금액 간 관계를 그려라. 당신이 무엇을 발견하였는지 논의하라.

사례분석 3.1 글로벌 온난화에 관한 질문

DATA
C03-01a
C03-01b

20세기 후반부에 과학자들은 지구가 온난화되고 있고 그 주요한 이유는 석유, 천연가스, 석탄(화석연료)을 연소시키는 데서 발생되는 이산화탄소(CO_2)의 양이 증가한 데 있다는 이론을 정립하였다. 많은 기후학자들은 소위 온실효과(greenhouse effect)를 믿고 있지만, 이와 같은 이론을 수용하지 않는 많은 사람들이 있다. 이와 같은 이슈를 해결하기 위해 3개의 중요한 질문에 대한 답이 이루어질 필요가 있다.

1. 지구가 실제로 온난화되고 있는가? 이 질문에 답하기 위해 오랜 기간 동안의 정확한 온도측정치들이 필요하다. 그러나 정확한 온도계의 발명 이전에 온도를 어떻게 측정할 수 있는가? 더욱이 정확한 온도계를 가지고 있다고 하더라도 지구의 온도를 측정하기 위해 어떻게 해야 하는가?

2. 만일 지구가 온난화되고 있다면, 그것에 대하여 인간들이 만든 원인이 존재하는가 또는 그것은 자연스러운 변동인가? 장기간의 역사 동안 지구의 온도는 여러 차례 상승하고 하락하였다. 지구의 온도는 더 높았던 때도 있었고 여러 차례의 빙하시대를 포함하여 더 낮았던 때도 있었다. 실제로 "소빙하시대(little ice age)"로 부르는 기간이 19세기 중반부터 종반 경에 종료되었다. 그 이후 지구의 온도는 1940년경까지 상승하였고 그 이후 1975년까지 하락하였다. 실제로 1975년 4월 28일자 *Newsweek*의 한 기사는 과학자들 간에 의견일치를 보였던 글로벌 냉각화(global cooling)의 가능성을 논의하였다.
3. 만일 지구가 온난화되고 있다면, 이산화탄소가 원인인가? 대기권에 온실가스가 존재하고 온실가스가 없으면 지구는 상당히 차가워질 것이다. 온실가스는 메탄, 수증기, 이산화탄소를 포함하고 있다. 모두가 자연에서 자연스럽게 발생한다. 이산화탄소는 식물 성장을 위해 필요하기 때문에 지구상에 존재하는 우리의 생명에 중요하다. 화석연료에 의해 생산되는 이산화탄소의 양은 상대적으로 대기권에 존재하는 이산화탄소의 양 중에서 차지하는 비율이 낮다.

일반적으로 수용되고 있는 방법은 월간 온도이상현상을 기록하는 것이다. 이와 같은 일을 하기 위해 많은 연도 동안 각 월의 평균 온도가 계산된다. 이어서 가장 최근 월의 온도와 해당 월의 평균 온도 간의 편차가 계산된다. 양의 온도이상현상은 해당 월의 온도가 평균 온도보다 높은 경우이다. 음의 온도이상현상은 해당 월의 온도가 평균 온도보다 낮은 경우이다. 하나의 중요한 질문은 온도를 어떻게 측정하느냐이다.

많은 데이터 자료들이 존재하지만, National Oceanic and Atmospheric Administration (NOAA)의 관련 기관인 National Climatic Data Center (NCDC)에 의해 생산된 데이터를 선택하도록 하자.(다른 데이터 자료들도 NCDC 데이터와 유사한 데이터를 제공하는 경향이 있다.) C03-01a는 1880년~2020년 기간 동안의 월간 온도이상현상에 관한 데이터를 저장하고 있다.

대기권에 존재하는 이산화탄소의 수준에 대한 최량의 측정치들은 하와이에 있는 Mauna Loa Observatory가 측정한 것이다. 이 관측소는 1958년 3월 이후 이산화탄소 수준을 계속 측정하고 있다. 그러나 1958년 이전에 이산화탄소 수준을 추정한 시도들은 온도를 추정하기 위해 사용된 방법들 때문에 논란이 되고 있다. 이러한 기법들에는 북극의 얼음 표본을 채취하여 얼음 속에 들어 있는 이산화탄소의 양을 측정하는 방식으로 대기권의 이산화탄소 수준의 추정치를 구하는 방법이 포함되어 있다. 이러한 논란을 피하기 위해서 여기서는 Mauna Loa Observatory의 데이터만이 사용된다. 이 데이터는 C03-01b에 저장되어 있다.(일부 데이터가 존재하지 않기 때문에 이러한 경우에 내삽법에 의한 수치들로 대체되었다.)

a. 글로벌 온난화가 존재하는지 결정하기 위해 당신이 원하는 기법을 사용하라.
b. 온도이상현상과 이산화탄소 수준의 관계가 존재하는지 결정하기 위해 그래프 기법을 사용하라.

사례분석 3.2 극지 만년설에는 무슨 일이 발생하고 있는가?

DATA
C03-02a
C03-02b
C03-02c
C03-02d

가능한 온도 상승의 가장 심각한 결과는 한 극지 또는 두 극지의 얼음이 녹아 세계의 해수면을 상승시켜 해안 도시들에 수조 달러의 손실을 입힐 것이라는 것이다. 이것은 다음과 같은 질문을 제기한다. 해수면이 상승하고 있는가? 1993년 이후, 위성을 통해 측정된 해수면이 기록되었다. 이러한 해수면 측정치들은 글로벌 평균 해수면 변화를 추정할 수 있게 해준다. 이 데이터는 C03-02a에 저장되어 있다. 날짜를 나타내기 위해 사용된 방법은 연도와 그 연도에서 지나간 비율을 측정한다는 것에 주목하라. 해수면은 밀리미터 단위로 측정되고 1992년의 마지막 날의 값이 0이 되도록 재설정된다.

1979년 1월부터 월별로 백만 제곱킬로미터 단위로 측정된 북반구(C03-02b)와 남반구(C03-02c)의 해빙량을 기록하였다. 해빙량의 이상현상은 1981~2010년의 평균에 기초한다.

a. 그래프 기법을 사용하여 해수면의 변화를 나타내라.
b. 각 반구에 대해 적정한 그래프를 사용하여 해빙량의 추세를 나타내라.
c. 각 반구에 대해 그래프 기법을 사용하여 극지 해빙량이 온도이상현상과 관련되어 있는지 결정하라.
d. 앞에서 그린 그래프들은 해빙량과 온도이상현상에 대해 무엇을 말해주는가?

사례분석 3.3 글로벌 온난화가 토네이도 발생 건수를 증가시키는가?

DATA
C03-03a
C03-03b

지구가 온난화되고 있다면 그것은 우리가 토네이도와 같은 극단적 날씨 발생의 증가를 예상할 수 있다는 것을 의미하는가? 이러한 질문에 답하기 위해서 2000년부터 2020년까지 월간 미국의 토네이도 발생 건수와 월간 온도이상현상 데이터가 기록되었다. 그래프 기법을 사용해서 온도와 토네이도 발생 건수 간 관계를 검토하라.

사례분석 3.4 글로벌 온난화가 캐나다의 산불의 원인이었는가?

DATA
C03-04a
C03-04b
C03-04c

2016년 여름에 산불이 앨버타주의 Fort McMurray에 있는 주택과 기업체의 약 1/4을 불태웠다. 일부 신문들은 산불이 지구 온난화 때문에 발생했다는 과학자들의 주장을 기사로 실었다. 이러한 주장을 검토하기 위해서 1970년부터 2019년까지 연간 발생한 산불의 수와 불탄 면적(헥타르 기준)이 기록되었다. 1헥타르는 10,000 제곱미터이고 1 에이커의 약 2.5배이다. 산불의 수와 불탄 면적을 나타내기 위해 그래프 기법을 사용하라. 기온과 산불의 수 및 불탄 면적 간 관계가 있는지 살펴보기 위해서 1970년부터 2019년까지 연간 온도이상현상 데이터를 사용하라. 당신이 발견한 것을 간략히 설명하라.

사례분석 3.5 경제적 자유와 번영

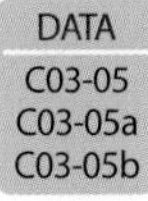

Adam Smith는 1776년에 국부론(*The Wealth of Nations*)을 발간하였다. 이 책에서 그는 국가기관들이 개인의 자유를 보호할 때 모든 사람들을 위한 더 큰 번영이 이루어진다고 주장하였다. 1995년 이후, *Wall Street Journal*과 워싱턴 DC의 싱크탱크인 Heritage Foundation은 전 세계 모든 국가들의 경제적 자유지수를 발표하였다. 이 지수는 정부 규모, 부패로부터의 자유, 재산권 등 다양한 자유에 대한 주관적인 점수를 기초하여 작성된다. 2017년의 경제적 자유지수 점수가 기록되었다. CIA Factbook을 사용하여, 모든 국가의 GDP를 비교할 수 있게 해주는 구매력평가(PPP)에 의해 측정된 일인당 GDP가 추정되었다. 그래프 기법을 사용하여 경제적 자유와 경제적 번영이 어떻게 관련되어 있는지 보여라. 그래프가 당신에게 어떤 정보를 제공하는지 간략히 설명하라.

사례분석 3.6 총기 소유, 총기 사망률 및 살인율

DATA
C03-06a
C03-06b
C03-06c

미국에서 총기에 대한 토론이 진행되고 있다. 세컨드 헌법 개정안은 미국 시민이 총을 소유할 수 있도록 허용하고 있다. 그러나 이것이 총기 규제 옹호론자들이 총기 소유 권리에 대한 제한을 요구하는 것을 막지 못한다. 이 문제를 검토하기 위해 50개 주별로 총기 소유율, 10만 명당 살인율, 10만 명당 총기 사망률이 기록되었다.

a. 그래픽 기법을 사용하여 살인율을 나타내라.
b. 총기 사망률을 그래프로 나타내라.
c. 총기 소유와 살인율이 관련되어 있는지 확인하기 위한 분석을 수행하라.
d. 총기 소유와 총기 사망률의 관계를 그래프로 나타내라.
e. 총기 소유, 총기 사망률, 살인율에 대해 배운 것을 요약하라.

4

lzf/Shutterstock.com

수치를 이용한 기술통계학 기법

Numerical Descriptive Techniques

이 장의 구성

4.1 중심위치의 척도

4.2 변동성의 척도

4.3 상대위치의 척도

4.4 선형관계의 척도

4.5 금융분야의 통계학 응용: 시장모형

4.6 그래프 기법과 수치 기법의 비교

4.7 데이터 검토를 위한 일반적 가이드라인

Major League Baseball에서 추가 1승의 비용

☞ (123페이지에 모범답안이 제시되어 있다.)

DATA Xm04-00

자유계약선수가 존재하는 시대에서 프로 스포츠 팀들은 최우수선수들을 확보하기 위해 경쟁하여야 한다. 일반적으로 연봉수준이 상위 1/4에 속하는 팀들만이 우승할 가능성을 가진다고 믿어지고 있다. 연봉상한선 또는 다른 형태의 동등성을 설정함으로써 균형을 달성하려는 노력이 이루어지고 있다. 이와 같은 문제를 검토하기 위해, 2019년 프로야구 시즌에 대한 데이터가 수집되었다. 메이저 리그 야구(major league baseball)에 속하는 각 팀의 승수와 팀 급여수준이 기록되었다.

Andrey Yurlov/Shutterstock.com

정보에 기초한 의사결정을 하기 위해서는 승수와 팀 급여수준이 어떻게 관련되어 있는지 알아야 할 필요가 있다. 통계기법에 대하여 설명한 후 다시 돌아와서 이 문제를 풀어볼 것이다.

서론

제2장과 제3장에서는 데이터를 설명하기 위한 여러 가지 그래프 기법이 소개되었다. 이 장에서는 통계전문가들이 표본 또는 모집단의 여러 가지 특성들을 더 정확하게 나타내기 위해 사용하는 수치를 이용한 기술통계기법이 소개된다. 이와 같은 수치를 이용한 기술통계기법은 통계적 추론을 논의하는 데 있어서 필수적이다.

제2장에서 지적한 것처럼 산술적 계산은 구간데이터에만 적용될 수 있다. 따라서 이 장에서 소개되는 수치를 이용한 기술통계기법의 대부분은 구간데이터를 수치적으로 나타내기 위해서만 사용될 수 있다. 그러나 수치를 이용한 일부의 기술통계기법은 서열데이터에 사용될 수 있고 한 가지 수치를 이용한 기술통계기법은 범주데이터에 사용될 수 있다.

히스토그램을 소개하면서 우리가 알고자 하는 몇 가지의 정보가 있다는 것을 지적하였다. 첫 번째 정보는 데이터 중심의 위치이다. 제4.1절에서 **중심위치의 척도**가 소개된다. 히스토그램으로부터 찾고자 하는 다른 중요한 특성은 데이터의 흩어진 정도이다. 이와 같은 데이터의 흩어진 정도는 제4.2절에서 소개되는 변동성의 척도에 의해 더 정확하게 측정된다. 제4.3절에서는 상대위치의 척도가 소개된다.

제3.3절에서는 두 구간변수의 관계를 분석하기 위해 사용되는 그래프 기법인 산포도가 소개되었다. 산포도에 상응하는 수치를 이용한 기술통계기법은 선형관계의 척도라고 부르며 제4.4절에서 논의된다.

제4.5절에서는 금융분야의 통계학 응용에 관한 내용이 제시되고 제4.6절에서는 그래프 기법과 수치 기법에 의해 제시되는 정보를 비교한다. 마지막으로 데이터를 검토하고 정보를 추출하는 방법에 대한 가이드라인을 제시함으로써 이 장을 마무리한다.

표본 통계량과 모집단 모수

제1장에서 소개된 용어들인 모집단, 표본, 모수, 통계량을 다시 정리해보자. 모수는 모집단에 관한 기술적 척도이고 통계량은 표본에 관한 기술적 척도이다. 이 장에서는 여러 가지 기술적 척도가 소개된다. 각 기술적 척도에 대하여 모집단 모수와 표본 통계량 모두를 계산하는 방법이 설명된다. 그러나 대부분의 현실적인 적용에서 모집단은 매우 크거나 실제로 무한히 크다. 모수의 계산공식들은 실용적이지 못하고 거의 사용되지 않는다. 모수의 계산공식들은 주로 개념과 기호를 가르치기 위해 제시된다. 제7장에서는 모집단을 나타내는 확률분포가 소개된다. 제7장에서 모수가 확률분포로부터 어떻게 계산되는지 살펴볼 것이다. 일반적으로 이 책에서 우리가 주로 다루는 소규모 데이터 세트는 표본이다.

4.1 중심위치의 척도

4.1a 산술평균

한 데이터 세트의 중심을 나타내기 위해 사용되는 척도에는 3가지가 있다. 첫 번째 척도는 가장 잘 알려진 **산술평균**(arithmetic mean)이며 단순히 **평균**(mean)이라고도 부른다. 학생들은 이와 같은 척도의 다른 이름인 *average*에 더 익숙할 것이다. 평균은 관측치들의 합을 관측치의 수로 나누어 계산된다. 표본의 관측치들을 x_1, x_2, . . . , x_n이라고 표시하자. 여기서 x_1은 첫 번째 관측치, x_2는 두 번째 관측치, . . . , x_n은 n번째 관측치이며 n은 표본크기를 나타낸다. 결과적으로 구해지는 표본평균(sample mean)은 $\bar{x}$로 표시된다. 모집단의 관측치 수는 N으로 표시되며 모평균(population mean)은 μ(그리스 문자 *mu*)로 표시된다.

평균

모평균(population mean): $\mu = \dfrac{\sum_{i=1}^{N} x_i}{N}$

표본평균(sample mean): $\bar{x} = \dfrac{\sum_{i=1}^{n} x_i}{n}$

예제 4.1 인터넷의 평균 사용시간

표본으로 추출된 10명의 성인에게 지난달의 인터넷 사용시간을 보고하도록 요청하였다. 그들의 답변이 다음과 같이 정리되어 있다. 표본평균을 직접 계산하라.

0 7 12 5 33 14 8 0 9 22

해답 기호를 사용하면, $x_1 = 0$, $x_2 = 7$, . . . , $x_{10} = 22$이고 $n = 10$이다. 표본평균은 다음과 같이 계산된다.

$$\bar{x} = \frac{\sum_{i=1}^{n} x_i}{n} = \frac{0 + 7 + 12 + 5 + 33 + 14 + 8 + 0 + 9 + 22}{10} = \frac{110}{10} = 11.0$$

예제 4.2

DATA Xm03-01

ACBL 회원 표본 연령의 평균

예제 3.1을 참조하라. ACBL 회원 표본 연령의 평균을 계산하라.

해답

평균을 계산하기 위해, 관측치들을 합하고 표본크기로 나눈다. 이렇게 하면 다음과 같은 결과가 얻어진다.

$$\bar{x} = \frac{\sum_{i=1}^{n} x_i}{n} = \frac{73 + 53 + 66 + \cdots + 17}{200} = \frac{10{,}753}{200} = 53.765$$

EXCEL Function

평균을 계산하기 위해 Excel을 사용하는 여러 가지 방법이 있다. 만일 평균만을 단순히 계산하기 원하면, AVERAGE 함수를 사용한다.

지시사항

데이터를 스프레드 시트에 직접 입력하거나 <Xm03-01>을 열어라. 임의의 비어 있는 셀에 다음과 같이 입력하라.

=**AVERAGE**([Input range])

예제 4.2를 위해 임의의 셀에 다음과 같이 입력하라.

=**AVERAGE**(A1:A201)

활성화되어 있는 셀에 평균값인 53.765가 저장된다.

4.1b 중앙값

가장 인기있는 두 번째 중심위치의 척도는 **중앙값**(median)이다.

중앙값

중앙값(median)은 모든 관측치들을 오름차순 또는 내림차순으로 정리하여 계산된다. 중앙에 해당되는 관측치가 중앙값이다. 표본중앙값(sample median)과 모중앙값(population median)은 같은 방법으로 계산된다. 관측치의 수가 짝수일 때, 중앙값은 중앙에 있는 두 관측치의 평균으로 계산된다.

예제 4.3

인터넷 사용시간의 중앙값

예제 4.1의 데이터를 이용하여 중앙값을 계산하라.

해답 데이터는 다음과 같이 오름차순으로 정리된다.

0 0 5 7 8 9 12 14 22 33

중앙값은 중앙에 있는 두 관측치인 다섯 번째 관측치인 8과 여섯 번째 관측치인 9의 평균이다. 따라서 중앙값은 8.5이다.

예제 4.4

DATA Xm03-01

ACBL 회원 표본 연령의 중앙값

예제 3.1에 있는 200개 관측치의 중앙값을 계산하라.

해답 관측치의 수가 짝수이므로 중앙값은 중앙에 있는 두 관측치의 평균이다. 관측치들을 순서대로 정리하면 100번째 관측치와 101번째 관측치는 각각 54와 55이다. 따라서 중앙값은 이 두 수치의 평균이다.

$$\text{중앙값} = \frac{54 + 55}{2} = 54.5$$

EXCEL Function

지시사항

중앙값을 계산하기 위해, **MEDIAN** 함수를 사용하라. 예제 4.4의 경우, 임의의 셀에 다음과 같이 입력하라.

=MEDIAN(A1:A201)

그 결과는 54.5이다.

해석 관측치의 반은 54.5보다 작고 관측치의 반은 54.5보다 크다.

4.1c 최빈값

세 번째 중앙위치의 척도는 **최빈값**(mode)이다.

최빈값

최빈값(mode)은 가장 큰 빈도수를 가진 관측치이다. 표본최빈값(sample mode)과 모최빈값(population mode)은 같은 방법으로 계산된다.

모집단과 대규모 표본의 경우, 제2장에서 정의한 **최빈계급**의 사용이 선호된다. 중앙위치의 척도로서 최빈값을 사용하는 데는 여러 가지 문제점들이 있다. 첫째, 소규모 표본에서 최빈값은 좋은 중앙위치의 척도가 아닐 수 있다. 둘째, 최빈값은 유일하지 않을 수 있다.

예제 4.5 인터넷 사용시간의 최빈값

예제 4.1의 데이터에서 최빈값을 계산하라.

해답 0을 제외한 모든 관측치들은 한 번씩 나타난다. 0을 가지는 두 개의 관측치가 존재한다. 당신이 알 수 있는 것처럼, 이와 같은 최빈값은 중앙위치의 척도로서는 부적합하다. 이와 같은 최빈값은 이 데이터의 중앙에 위치하지 않는다. 최빈값 0, 평균 11.0, 중앙값 8.5를 비교해보라. 당신은 이 예제에서 평균과 중앙값이 더 좋은 중앙위치의 척도라는 것을 일 수 있다.

예제 4.6 ACBL 회원 표본 연령의 최빈값

DATA Xm03-01

예제 3.1에서 제시된 ACBL 회원 표본 연령의 최빈값을 계산하라.

해답 빈도수가 가장 많은 관측치는 8번 발생하는 60이다.

EXCEL Function

지시사항

최빈값을 계산하기 위해, **MODE** 함수를 사용하라. 한 개 이상의 최빈값이 존재하면 Excel은 다른 최빈값이 존재한다는 것을 제시하지 않고 최솟값을 가지는 최빈값을 제시한다.

Excel을 이용한 중심위치와 기타 통계량의 측정치 프린트하기 Excel은 중심위치와 여러 가지 다른 통계량의 측정치들을 동시에 계산한다. 다른 통계량에 대해서는 앞으로 논의한다.

EXCEL Data Analysis

예제 4.2, 4.4, 4.6을 위한 Excel 출력물

	A	B
1	Ages	
2		
3	Mean	53.765
4	Standard Error	1.40
5	Median	54.5
6	Mode	60
7	Standard Deviation	19.76
8	Sample Variance	390.52
9	Kurtosis	–0.8851
10	Skewness	0.0025
11	Range	83
12	Minimum	16
13	Maximum	99
14	Sum	10753
15	Count	200

지시사항

1. 데이터를 스프레드시트에 직접 입력하거나 <Xm03-01>를 불러들여라.
2. **데이터**(Data), **데이터분석**(Data Analysis), **기술통계법**(Descriptive Statistics)을 클릭하라.
3. **입력범위**(Input Range)에 (A1:A201)을 입력하고 **요약통계량**(Summary Statistics)을 클릭하라.

4.1d 평균, 중앙값, 최빈값: 어느 것이 가장 좋은 중심위치의 척도인가?

중심위치의 3가지 척도 중에서 어느 것이 사용되어야 하는가? 중심위치의 척도를 선택하는 데 있어서 고려하여야 할 여러 가지 요소들이 있다. 평균은 일반적으로 첫 번째로 선택되는 척도이다. 그러나 중앙값이 더 좋은 중심위치의 척도가 되는 상황이 존재한다. 최빈값은 가장 좋은 중심위치의 척도는 아니다. 중앙값이 가지고 있는 한 가지 장점은 평균만큼 극단치들에 민감하지 않다는 것이다. 이러한 점을 예시하기 위해 예제 4.1의 데이터를 생각해보자. 평균은 11.0이고 중앙값은 8.5이다. 이제 33시간을 보고한 응답자가 실제로 133시간(분명한 인터넷 중독자임)을 보고하였다고 하자. 이 경우 평균은 다음과 같다.

$$\bar{x} = \frac{\sum_{i=1}^{n} x_i}{n} = \frac{0 + 7 + 12 + 5 + 133 + 14 + 8 + 0 + 22}{10} = \frac{210}{10} = 21.0$$

표본에 있는 두 개의 관측치만이 이 값을 초과하며, 이것은 평균이 부실한 중심위치의 척도라는 것을 보여준다. 중앙값은 변화 없이 같다. 극단치가 상대적으로 적을 때(매우 작은 값을 가지든지 또는 매우 큰 값을 가지든지), 중앙값은 일반적으로 데이터의 중심에 대한 좋은

척도이다. 평균과 비교하여 중앙값이 가지는 다른 하나의 장점을 살펴보기 위해, 당신과 함께 수강하는 학생들이 통계학 시험을 치르고 통계학 교수가 채점한 시험점수를 돌려준다고 하자. 어떤 정보가 당신에게 가장 중요한가? 물론 당신의 점수이다. 그 다음으로 중요한 정보는 무엇인가? 당신의 점수가 수강생들 중에서 상대적으로 얼마나 잘 했느냐이다. 대부분의 학생들은 통계학 교수에게 시험점수의 평균을 묻는다. 평균은 잘못 요청한 통계량이다. 중앙값은 수강생의 점수를 반으로 나누기 때문에 당신은 중앙값을 원한다. 이와 같은 정보는 당신의 점수가 어느 쪽 반에 속하는지 알려줄 수 있다. 중앙값은 이와 같은 정보를 제공해주나 평균은 그렇지 못하다. 그럼에도 불구하고, 평균은 이 경우에도 유용할 수 있다. 통계학 과목이 다수의 반으로 편성되어 있다면, 반 평균은 어느 반이 가장 잘 하고 있는지 결정하기 위해 비교될 수 있다.

4.1e 서열데이터와 범주데이터의 중심위치 측정치

데이터가 구간데이터일 때, 3가지 중심위치의 척도가 모두 사용될 수 있다. 그러나 서열데이터와 범주데이터의 경우 평균의 계산은 의미가 없다. 중앙값의 계산은 데이터를 순위대로 배열함으로써 이루어지기 때문에 중앙값은 서열데이터의 경우에 적정한 통계량이다. 각 관측치의 빈도를 계산함으로써 결정되는 최빈값은 범주데이터의 경우에 적정하다. 그러나 범주데이터는 "중심"을 가지고 있지 않기 때문에 범주데이터의 최빈값을 계산하는 것은 의미가 없다.

금융분야의 통계학 응용

ProStockStudio/Shutterstock.com

기하평균

산술평균은 가장 인기 있고 유용한 중심위치의 척도이다. 중앙값이 더 좋은 중앙위치의 척도인 상황들이 있다는 것을 지적하였다. 그러나 산술평균 또는 중앙값이 가장 좋은 중심위치의 척도가 아닌 상황이 존재한다. 변수가 일정한 기간 동안 발생한 투자가치의 성장률 또는 변화율일 때 산술평균 또는 중앙값이 아닌 다른 중심위치의 척도가 필요하다. 이 점은 다음과 같은 예에서 분명해진다.

당신이 1,000달러를 2년 동안 투자하고 첫 번째 연도 동안 투자가치가 100% 증가하여 2,000달러가 된다고 하자. 그러나 두 번째 연도 동안 50%의 손실이 발생하여 투자가치가 다시 2,000달러에서 1,000달러가 된다고 하자. 연도 1과 연도 2의 수익률은 각각 $R_1 = 100\%$와 $R_2 = -50\%$이다. 산술평균(과 중앙값)은 다음과 같이 계산된다.

$$\bar{R} = \frac{R_1 + R_2}{2} = \frac{100 + (-50)}{2} = 25\%$$

그러나 이 수치는 오도적이다. 2년 기간의 시작시점과 종료시점에 투자가치는 변화가 없기 때문에, "평균" 복리수익률은 0%이다. 당신이 보게 되는 것처럼, 이 수치는 **기하평균**(geometric mean)의 값이다.

R_i는 소수점으로 나타낸 i기간의 수익률이라고 하자($i=1, 2, \ldots, n$). 수익률 $R_1, R_2, \ldots, R_n$의 **기하평균** R_g는 다음과 같이 정의된다.

$$(1+R_g)^n = (1+R_1)(1+R_2)\cdots(1+R_n)$$

R_g에 대하여 풀면, 다음과 같은 공식이 얻어진다.

$$R_g = \sqrt[n]{(1+R_1)(1+R_2)\cdots(1+R_n)} - 1$$

투자의 예에 대한 기하평균은 다음과 같이 계산된다.

$$R_g = \sqrt[2]{(1+R_1)(1+R_2)} - 1$$
$$= \sqrt[2]{(1+1)(1+[-.50]} - 1 = 1 - 1 = 0$$

따라서 기하평균은 0%이다. 이것이 시작시점의 투자가치로부터 종료시점의 투자가치를 계산할 수 있게 해주는 "평균"수익률이다. 즉, 기하평균 수익률=0%를 복리로 하여 공식을 사용하면 다음과 같다.

종료시점의 투자가치

$$= 1{,}000(1+R_g)^2 = 1{,}000(1+0)^2 = 1{,}000$$

이것이 어떻게 작동되는지 살펴보기 위해, 당신이 3년 전에 1,000달러를 투자했고 연간 수익률은 다음과 같다고 하자.

연도	1	2	3
수익률	60%	40%	−20%

연도 1의 이득은 1,000(0.60)=600달러이다. 따라서 연도 1의 말 투자가치는 1,000+600=1,600달러이다. 연도 2의 수익률은 40%였다. 연도 2의 이득은 1,600(0.40)=640달러이다. 연도 2의 말 투자가치는 1,600+640=2,240달러이다. 연도 3에 20%의 손실이 발생했다. 연도 3의 손실은 2,240(0.20)=448달러이다. 연도 3의 말 투자가치는 2,240−448=1,792달러이다. 이 값은 각 연도의 투자가치를 곱하여 다음과 같이 구할 수 있다.

$$1{,}000(1+0.60)(1+0.40)[1+(-0.20)]$$
$$=1{,}792$$

이제 기하평균을 계산할 수 있다. 기하평균은 0.2146이다. 3개 값을 사용하는 대신에 각 연도의 수익률이 21.46%라고 가정한다. 각 연도 말의 투자가치는 다음과 같다.

연도 1: 1,000(1.2146)=1,214.6
연도 2: 1,214.6(1.2146)=1,475.3
연도 3: 1,475.3(1.2146)=1,792

또는 더 간단하게 연도 3의 말 투자가치는 다음과 같이 구할 수 있다.

연도 3의 말 투자가치
$=1{,}000(1.2146^3)=1{,}792$

일정한 기간 동안 한 변수의 "평균" 성장률 또는 변화율을 구하기 원할 때 기하평균이 사용된다. 그러나 미래의 어느 단일 기간 동안 평균수익률(또는 평균성장률)을 추정하기 원하면 n개 수익률(또는 성장률)의 산술평균이 적정한 평균이다. 즉, 위의 예에서 연도 3의 수익률을 추정하기 원하면, 두 개 연간 수익률의 산술평균이 연도 3의 수익률 추정치로 사용된다.

EXCEL Function

지시사항

1. 스프레드시트의 한 열에 $1+R_i$값들을 입력하라.
2. 산술평균을 구하는 지시사항 중에서 **AVERAGE**를 **GEOMEAN**으로 대체하라.
3. 기하평균을 구하기 위해 Excel의 계산결과에서 1을 빼라.

연습문제

4.1 표본으로 추출된 12명에게 호주머니와 지갑에 얼마만큼의 동전을 가지고 있는지 물었다. 답변이 센트 기준으로 다음과 같이 정리되어 있다.

52 25 15 0 104 44 60 30 33 81 40 5

이 데이터의 평균, 중앙값, 최빈값을 계산하라.

4.2 작년에 감기와 인플루엔저로 아픈 일수가 표본으로 추출된 15명의 성인을 대상으로 기록되었다. 구해진 데이터는 다음과 같다.

5 7 0 3 15 6 5 9 3 8 10 5 2 0 12

평균, 중앙값, 최빈값을 계산하라.

4.3 표본으로 추출된 12명의 조깅하는 사람들에게 지난주에 달린 마일 수를 보고하도록 요청하였다. 답변이 다음과 같이 정리되어 있다.

5.5	7.2	1.6	22.0	8.7	2.8
5.3	3.4	12.5	18.6	8.3	6.6

a. 중심위치를 측정하는 3개의 통계량인 평균, 중앙값, 최빈값을 계산하라.

b. 각 통계량이 당신에게 무엇을 말해 주고 있는지 간략히 설명하라.

4.4 통계학 과목의 중간시험은 1시간의 시간제한을 가지고 있다. 그러나 대부분의 통계학 시험처럼, 이번의 통계학 시험은 매우 쉬웠다. 통계학 시험이 얼마나 쉬웠는지 평가하기 위해 통계학 교수는 표본으로 추출한 9명의 학생이 답안지를 제출하기까지 걸린 시간을 기록하였다. 기록된 시간이 다음과 같이 정리되어 있다.

33 29 45 60 42 19 52 38 36

a. 평균, 중앙값, 최빈값을 계산하라.

b. 당신은 a에서 계산된 3개의 통계량으로부터 무엇을 알게 되었는가?

4.5 Wilfrid Laurier University의 교수들은 학기 종료 10일 전까지 학사관리처에 기말시험지를 제출하도록 요청받는다. 시험관리 담당자는 20명의 교수를 표본으로 추출하고 각 교수가 기말시험지를 기말시험 얼마 전에 제출하는지 기록하였다. 그 결과가 다음과 같이 정리되어 있다.

14	8	3	2	6	4	9	13	10	12
7	4	9	13	15	8	11	12	4	0

a. 평균, 중앙값, 최빈값을 계산하라.

b. 각 통계량은 당신에게 무엇을 말해 주는지 간략히 설명하라.

4.6 다음 수익률들의 기하평균을 계산하라.

a. .25, −.10, .50, .40

b. .50, .30, −.50, −.25

c. .30, .50, .10, .20

4.7 다음 수익률들의 기하평균을 계산하라.

a. .80, −.50, −.25, .90

b. −.50, −.20, −.10, 0

c. .05, .05, .10, .10

4.8 다음 수익률들의 산술평균과 기하평균을 계산하라.

a. .10, .30, .40

b. −.50, .70, .90

4.9 다음 수익률들의 산술평균과 기하평균을 계산하라.

a. .20, .60, 0

b. .50, −.40, −.20

4.10 당신이 4년 전에 시행한 1,000달러의 투자는 첫 번째 연도 후에 1,200달러, 두 번째 연도 후에 1,200달러, 세 번째 연도 후에 1,500달러, 네 번째 연도 후인 현재 2,000달러의 가치를 가지게 되었다.

a. 연간수익률들을 계산하라.

b. 연간수익률들의 평균과 중앙값을 계산하라.

c. 연간수익률들의 기하평균을 계산하라.

d. 평균, 중앙값, 또는 기하평균 중 어느 것이 투자 성과를 나타내는 가장 좋은 척도인지 논의하라.

4.11 당신이 6년 전에 12달러로 주식을 샀다고 하자. 각 연도의 말에 이 주식의 가격은 다음과 같았다.

연도	1	2	3	4	5	6
가격	10	14	15	22	30	25

a. 각 연도의 수익률을 계산하라.

b. 수익률들의 평균과 중앙값을 계산하라.

c. 수익률들의 기하평균을 계산하라.

d. 왜 기하평균이 6년의 기간 동안 이 주식의 가격에 어떠한 일이 발생했는지 설명하기 위한 가장 좋은 통계량인지 설명하라.

컴퓨터와 소프트웨어를 이용하여 다음의 연습문제에 답하라.

4.12 <Xr04-12> 한 경매회사는 보석, 가구, 미술품, 동전, 기타 품목들을 대상으로 매주 1회 경매를 시행한다. 과거 3년 동안 매주 경매에 참여하는 응찰자 수가 기록되었다. 주간 경매에 참여한 응찰자 수의 평균과 중앙값을 계산하라. 이러한 통계량은 주간 경매에 참여한 응찰자 수에 관해 당신에게 무엇을 말해주는가?

4.13 <Xr04-13> 표본을 구성하는 최근 경영학 학사를 받은 300명 졸업생의 초봉이 기록되었다. 평균과 중앙값을 계산하라. 각 통계량의 의미를 해석하라.

4.14 <Xr04-14> Washington D.C.에 사는 235명 통근자의 통근 시간이 기록되었다.

a. 평균과 중앙값을 계산하라.

b. 평균과 중앙값이 이 데이터 세트에 대해 당신에게 무엇을 말해주는가?

4.15 <Xr04-15> 최근 National Household Survey (NHS)에 의하면, 약 1,540만 명의 캐나다인이 일하기 위해 교통수단을 이용한다. 캐나다인 통근자의 약 4/5는 자가용을 사용했다. 구체적으로 말하면, 통근자의 74.0%, 즉 1,140만 명의 근로자들은 자동차를 운전하여 일하러 갔다. 표본을 구성하는 이러한 통근자들에게 통근시간이 얼마나 걸리는지 물었다. 평균과 중앙값을 계산하고 각 통계량이 이러한 데이터 세트에 대해 당신에게 무엇을 말해주는지 설명하라.

4.16 <Xr04-16> 미국에서 은행들과 금융기관들은 종종 주택매입자에게 모기지 대출을 받기 위해서 수수료를 지불하도록 요구한다. 미국연방주택금융위원회(U.S. Federal Housing Finance Board)가 시행한 한 서베이에서, 은행으로부터 모기지 대출을 받은 400명의 신규주택매입자들에게 그들이 지불한 수수료 금액를 모기지 대출 총액에서 차지하는 비율로 보고하도록 요청하였다.

a. 평균과 중앙값을 계산하라.

b. 당신이 계산한 통계량들(평균과 중앙값)을 해석하라.

4.17 <Xr04-17> 운전속도를 줄이기 위해 교통공학자들은 한 도로의 전체에 대하여 보도로부터 3피트 떨어진 위치에 실선을 긋고 이 공간을 대각선들로 채웠다. 이 선들은 도로가 더 좁게 보이도록 만들었다. 이 선들이 그려진 후에 표본으로 추출된 자동차들의 속도가 측정되었다.

a. 이 데이터의 평균, 중앙값, 최빈값을 계산하라.

b. a에서 계산된 각 통계량으로부터 당신이 얻은 정보를 간략히 설명하라.

4.18 <Xr04-18> 한 투자자가 10만 달러어치의 주식을 매입하였다. 월간 수익률이 기록되었다.

a. 각 월의 투자가치를 계산하라.

b. 월간 수익률들의 기하평균을 계산하라.

c. 각 월의 수익률이 기하평균과 같다고 가정하면서 각 월의 투자가치를 계산하라.

4.2 변동성의 척도

제4.1절에서 소개된 통계량들은 데이터의 중심위치에 관한 정보를 제공한다. 그러나 제2장에서 이미 논의한 것처럼 통계전문가들이 관심을 가지고 있는 데이터의 다른 특성들이 있다. 이와 같은 특성들 중 하나가 데이터의 흩어진 정도, 즉 변동성이다. 이 절에서는 4가지의 **변동성 척도**(measures of variability)가 소개된다. 가장 간단한 변동성의 척도부터 시작해보자.

4.2a 범위

> **범위**
>
> **범위(range)**=최대 관측치 − 최소 관측치

범위(range)의 장점은 간단하다는 것이다. 또한 범위의 단점도 간단하다는 것이다. 범위는 두 개의 관측치만으로 계산되기 때문에, 다른 관측치들에 대하여 아무런 언급이 없다. 다음과 같은 두 개의 데이터 세트를 생각해보자.

데이터 세트 1:	4	4	4	4	4	50
데이터 세트 2:	4	8	15	24	39	50

두 개 데이터 세트 모두의 범위는 46이다. 이 두 개의 데이터 세트는 완전히 다르나 범위는 같다. 변동성을 측정하기 위해 두 개의 관측치만이 아닌 모든 관측치를 포함시키는 다른 통계량이 필요하다.

4.2b 분산

분산(variance)과 이와 관련된 척도인 **표준편차**(standard deviation)는 가장 중요한 통계량이다. 분산과 표준편차는 변동성을 측정하기 위해 사용되지만, 당신이 알게 되는 것처럼, 거의 모든 통계적 추론과정에서 중요한 역할을 한다.

분산

$$\text{모분산(population variance)}: \sigma^2 = \frac{\sum_{i=1}^{N}(x_i - \mu)^2}{N}$$

$$\text{표본분산(sample variance)}: s^2 = \frac{\sum_{i=1}^{n}(x_i - \bar{x})^2}{n - 1}$$

모분산은 그리스 문자 **시그마**(sigma) 제곱인 σ^2으로 나타낸다.

표본분산 s^2의 공식을 검토해보라. s^2을 계산하는 데 있어서 관측치에서 표본평균을 뺀 값을 제곱하여 합한 것을 n이 아니라 $n-1$로 나눈다.* 그 이유는 다음과 같다. 실제로 모수는 알려져 있지 않다. 통계적 추론을 하는 목적 중 하나는 통계량을 이용하여 모수를 추정하는 것이다. 예를 들면, 표본평균 $\bar{x}$를 이용하여 모평균 μ를 추정한다. 논리적인 것 같지는 않지만, $\Sigma(x_i-\bar{x})^2$을 $n-1$로 나누어서 계산된 통계량이 $\Sigma(x_i-\bar{x})^2$을 n으로 나누어서 계산된 통계량보다 더 좋은 모분산(σ^2)의 추정량이다. 이것은 제10.1절에서 상세하게 논의된다.

표본분산 s^2을 계산하기 위해 먼저 표본평균 $\bar{x}$를 계산한다. 다음으로 각 관측치와 표본평균의 차이(**편차**(deviation)라고도 부름)를 계산한다. 이와 같이 계산된 편차들을 제곱한 값을 합한다. 마지막으로 이와 같이 구한 편차제곱의 합을 $n-1$로 나눈다.

간단한 예를 살펴보자. 5명의 학생이 지난주에 통계학을 공부하기 위해 소비한 시간에 관한 관측치가 다음과 같다고 하자.

8　　4　　9　　11　　3

이 데이터의 평균은 다음과 같이 계산된다.

$$\bar{x} = \frac{8 + 4 + 9 + 11 + 3}{5} = \frac{35}{5} = 7$$

각 관측치에 대하여 평균으로부터의 편차를 계산한다. 표 4.1에서 보는 것처럼 편차를 제곱하고 편차제곱합이 계산된다.

---

* 기술적으로 말하면, 표본분산은 관측치에서 표본평균을 뺀 값을 제곱하여 합한 것을 n으로 나누어 계산된다. 관측치에서 표본평균을 뺀 값을 제곱하여 합한 것을 $n-1$로 나누어 계산되는 통계량은 평균에 대하여 조정된 표본분산(sample variance corrected for the mean)이라고 부른다. 이 통계량이 널리 사용되기 때문에 이 통계량의 이름을 간략하게 표본분산(sample variance)이라고 부른다.

표 4.1 표본분산의 계산

x_i	$(x_i - \bar{x})$	$(x_i - \bar{x})^2$
8	$(8 - 7) = 1$	$(1)^2 = 1$
4	$(4 - 7) = -3$	$(-3)^2 = 9$
9	$(9 - 7) = 2$	$(2)^2 = 4$
11	$(11 - 7) = 4$	$(4)^2 = 16$
3	$(3 - 7) = -4$	$(-4)^2 = 16$
	$\sum_{i=1}^{5}(x_i - \bar{x}) = 0$	$\sum_{i=1}^{5}(x_i - \bar{x})^2 = 46$

표본분산은 다음과 같이 계산한다.

$$s^2 = \frac{\sum_{i=1}^{n}(x_i - \bar{x})^2}{n-1} = \frac{46}{5-1} = 11.5$$

표본분산의 계산과정에서 몇 가지의 질문이 제기된다. 왜 평균을 구하기 전에 편차를 제곱하는가? 편차를 검토해보면 일부의 편차는 양의 값을 가지고 있고 일부의 편차는 음의 값을 가지고 있다는 것을 알 수 있다. 이와 같은 편차들을 단순히 합하면 0의 값이 구해질 수 있다. 양의 값을 가지는 편차의 합과 음의 값을 가지는 편차의 합이 같은 경우 단순한 편차의 합은 0이 된다. 따라서 이와 같은 "상쇄효과"를 피하기 위해 편차를 제곱한다.

편차를 제곱하지 않고 상쇄효과를 피하는 다른 방법은 없는가? 편차의 **절댓값**(absolute value)을 평균할 수도 있다. 실제로 이와 같은 통계량은 이미 개발되었다. 이와 같은 통계량은 **평균절대편차**(mean absolute deviation) 또는 MAD라고 부른다. 그러나 이 통계량은 제한적으로 유용하다.

분산의 측정 단위는 무엇인가? 편차를 제곱하기 때문에, 단위도 제곱하게 된다. 앞의 예에서 단위는 시간(hour)이다. 따라서 표본분산은 11.5(hour)^{2}이다.

대규모 데이터의 표본분산을 계산하는 데는 시간이 많이 걸린다. 다음과 같은 표본분산의 간편계산공식이 표본분산의 계산부담을 완화시키는 데 도움을 줄 수 있다.

표본분산의 간편계산공식

$$s^2 = \frac{1}{n-1}\left[\sum_{i=1}^{n}x_i^2 - \frac{\left(\sum_{i=1}^{n}x_i\right)^2}{n}\right]$$

예제 4.7 여름방학 아르바이트

표본으로 추출된 6명의 학생이 지원했던 여름방학 아르바이트의 수가 다음과 같이 정리되어 있다. 이 데이터의 평균과 분산을 구하라.

17 15 23 7 9 13

해답 6개 관측치의 평균은 다음과 같이 계산된다.

$$\bar{x} = \frac{17 + 15 + 23 + 7 + 9 + 13}{6} = \frac{84}{6} = 14 \text{ jobs}$$

표본분산은 다음과 같이 계산된다.

$$\begin{aligned} s^2 &= \frac{\sum_{i=1}^{n}(x_i - \bar{x})^2}{n-1} \\ &= \frac{(17-14)^2 + (15-14)^2 + (23-14)^2 + (7-14)^2 + (9-14)^2 + (13-14)^2}{6-1} \\ &= \frac{9 + 1 + 81 + 49 + 25 + 1}{5} = \frac{166}{5} = 33.2 \text{ jobs}^2 \end{aligned}$$

■ 간편계산공식의 적용

$$\sum_{i=1}^{n} x_i^2 = 17^2 + 15^2 + 23^2 + 7^2 + 9^2 + 13^2 = 1,342$$

$$\sum_{i=1}^{n} x_i = 17 + 15 + 23 + 7 + 9 + 13 = 84$$

$$\left(\sum_{i=1}^{n} x_i\right)^2 = 84^2 = 7,056$$

$$s^2 = \frac{1}{n-1}\left[\sum_{i=1}^{n} x_i^2 - \frac{\left(\sum_{i=1}^{n} x_i\right)^2}{n}\right] = \frac{1}{6-1}\left[1,342 - \frac{7,056}{6}\right] = 33.2 \text{ jobs}^2$$

EXCEL Function

지시사항

평균을 계산하기 위한 지시사항 중에서 AVERAGE 대신에 VAR.S로 대체하라.

4.2c 분산의 해석

예제 4.7의 표본분산이 33.2 $jobs^2$으로 계산되었다. 이 통계량은 당신에게 무엇을 말해 주는가? 불행하게도 표본분산은 데이터의 변동성에 대하여 단지 대략적인 감만을 제공한다. 그러나 이 통계량은 두 개 이상의 데이터 세트들을 비교할 때 유용하다. 첫 번째 데이터 세트의 분산이 두 번째 데이터 세트의 분산보다 클 때, 첫 번째 데이터 세트의 관측치들이 두 번째 데이터 세트의 관측치들보다 더 많이 흩어져 있다(또는 더 변동성이 크다)고 해석한다.

해석의 문제는 분산이 계산되는 방식 때문에 발생한다. 평균으로부터의 편차를 제곱하기 때문에 분산의 단위는 데이터 단위를 제곱한 것이다. 즉, 예제 4.7에서 데이터의 단위는 jobs이고 분산의 단위는 $jobs^2$이다. 분산의 단위는 해석의 문제를 발생시킨다. 분산을 해석하는 데 발생되는 문제를 해결하기 위해 분산과 관련된 변동성의 척도인 표준편차를 살펴보자.

4.2d 표준편차

표준편차

모표준편차(population standard deviation): $\sigma = \sqrt{\sigma^2}$

표본표준편차(sample standard deviation): $s = \sqrt{s^2}$

표준편차(standard deviation)는 분산의 플러스 제곱근이다. 따라서 예제 4.7에서 표본표준편차는 다음과 같이 계산된다.

$$s = \sqrt{s^2} = \sqrt{33.2} = 5.76 \text{ jobs}$$

표준편차의 단위는 관측치 단위와 동일하다는 점에 주목하라.

예제 4.8 두 종류 골프클럽의 일관성 비교

DATA Xm04-08

좋은 골퍼의 증표는 일관성이다. 골프채 제조업자는 제품을 개선시키기 위한 방법을 지속적으로 모색한다. 최근의 기술혁신은 골프채 사용자의 일관성을 개선시키는 데 있다. 골프채의 일관성을 시험하기 위해 한 골퍼에게 7번 아이언을 사용하여 150회 치도록 요청하였다. 이 중에서 75회는 그가 현재 사용하는 7번 아이언으로 치고 나머지 75회는 새로운 기술혁신이 이루어진 7번 아이언으로 치도록 하였다. 비거리가 측정되어 기록되었다. 어느 7번 아이언이 더 일관성을 가지고 있는가?

해답 7번 아이언의 일관성을 평가하기 위해서는 표준편차를 계산하여야 한다.(분산을 계산할 수도 있으나 이미 지적한 것처럼 표준편차가 해석하기 더 쉽다.) 표준편차를 계산하기 위해 Excel을 사용할 수 있다. 필요한 기술통계량 모두를 동시에 계산할 수 있다. 엑셀을 사용하면, 두 개의 7번 아이언에 대한 모든 기술통계량이 다음과 같이 구해진다.

EXCEL Data Analysis

	A	B	C	D	E
1	*Current*			*Innovation*	
2					
3	Mean	150.55		Mean	150.15
4	Standard Error	0.67		Standard Error	0.36
5	Median	151		Median	150
6	Mode	150		Mode	149
7	Standard Deviation	5.79		Standard Deviation	3.09
8	Sample Variance	33.55		Sample Variance	9.56
9	Kurtosis	0.13		Kurtosis	−0.89
10	Skewness	−0.43		Skewness	0.18
11	Range	28		Range	12
12	Minimum	134		Minimum	144
13	Maximum	162		Maximum	156
14	Sum	11291		Sum	11261
15	Count	75		Count	75

해석 현재 사용하고 있는 7번 아이언의 비거리에 대한 표준편차는 5.79야드이고 새로운 기술혁신이 이루어진 7번 아이언의 비거리에 대한 표준편차는 3.09야드이다. 이와 같은 표본에 기초하여 살펴보면, 새로운 기술혁신이 이루어진 7번 아이언이 더 일관성을 가지고 있다. 평균 비거리는 유사하기 때문에, 새로운 기술혁신이 이루어진 골프클럽이 더 우수한 것으로 보인다.

표준편차의 해석 평균과 표준편차는 통계전문가가 유용한 정보를 추출할 수 있게 해준다. 유용한 정보는 히스토그램의 모습에 의해 결정된다. 히스토그램이 종 모양이면, 다음과 같은 **경험법칙**(empirical rule)이 사용될 수 있다.

경험법칙

1. 모든 관측치의 약 68%는 평균으로부터 1 표준편차 이내에 속한다.
2. 모든 관측치의 약 95%는 평균으로부터 2 표준편차 이내에 속한다.
3. 모든 관측치의 약 99.7%는 평균으로부터 3 표준편차 이내에 속한다.

예제 4.9 표준편차를 해석하기 위한 경험법칙의 활용

한 통계전문가는 한 투자의 수익률을 분석한 후 이 수익률의 히스토그램이 종 모양이고 평균과 표준편차가 각각 10%와 8%라는 것을 발견하였다. 당신은 수익률의 분포에 대하여 무엇을 말할 수 있는가?

해답 수익률의 히스토그램이 종 모양이기 때문에 경험법칙이 적용될 수 있다.

1. 수익률들의 약 68%는 2%(평균에서 1 표준편차를 뺀 값=10−8)와 18%(평균에서 1 표준편차를 더한 값=10+8) 사이에 속한다.
2. 수익률들의 약 95%는 −6%(평균에서 2 표준편차를 뺀 값=10−16)와 26%(평균에서 2 표준편차를 더한 값=10+16) 사이에 속한다.
3. 수익률들의 약 99.7%는 −14%(평균에서 3 표준편차를 뺀 값=10−24)와 34%(평균에서 3 표준편차를 더한 값=10+24) 사이에 속한다.

표준편차에 대한 보다 일반적인 해석은 모든 히스토그램의 모습에 적용되는 **체비세프의 정리**(Chebysheff's Theorem)를 이용하여 이루어질 수 있다.

체비세프의 정리

평균으로부터 k표준편차($k>1$) 이내에 속하는 표본 또는 모집단 관측치들의 비율은 적어도 다음과 같다.

$$k>1\text{일 때 } 1-\frac{1}{k^2}$$

$k=2$일 때 체비세프의 정리는 모든 관측치들의 적어도 75%는 평균으로부터 2 표준편차 이내에 속한다고 제시한다. $k=3$일 때 체비세프의 정리는 모든 관측치들의 적어도 88.9%는 평균으로부터 3 표준편차 이내에 속한다고 제시한다.

경험법칙은 대략적인 비율을 제시해주는 반면, 체비세프의 정리는 주어진 구간에 속하는 최소 비율을 제시해준다.

예제 4.10 표준편차를 해석하기 위한 체비세프의 정리 활용

컴퓨터 스토어 체인의 종업원 연봉은 양의 비대칭을 가진 히스토그램을 가진다. 평균과 표준편차는 각각 28,000달러와 3,000달러이다. 당신은 컴퓨터 스토어 체인의 종업원 연봉에 대하여 무엇을 말할 수 있는가?

해답 히스토그램이 종 모양이 아니기 때문에, 경험법칙을 사용할 수 없다. 그 대신 체비세프의 정리를 사용하여야 한다.

평균으로부터 2 표준편차와 3 표준편차를 더하고 뺀 구간이 다음과 같이 구해진다.

1. 종업원 연봉의 적어도 75%는 22,000달러[(평균에서 2 표준편차를 뺀 값=28,000−2(3,000)]와 34,000달러(평균에서 2 표준편차를 더한 값=28,000+6,000) 사이에 속한다.
2. 종업원 연봉의 적어도 88.9%는 19,000달러[(평균에서 3 표준편차를 뺀 값=28,000−3(3,000)]와 37,000달러(평균에서 3 표준편차를 더한 값=228,000+9,000) 사이에 속한다.

4.2e 변동계수

표준편차의 값이 크다는 것은 변동성이 크다는 것을 의미하고 표준편차의 값이 작다는 것은 변동성이 작다는 것을 의미하는가? 대답은 데이터 세트에 있는 관측치들의 크기에 의해 어느 정도 결정된다. 관측치가 수백만의 값을 가진다면, 10의 표준편차는 작은 수치로 여겨진다. 다른 한편 관측치가 50 이하이면, 10의 표준편차는 큰 수치로 여겨진다. 이것이 다른 하나의 변동성 척도, 즉 **변동계수**(coefficient of variation)의 논리적 기초이다.

변동계수

변동계수(coefficient of variation)는 관측치들의 표준편차를 평균으로 나눈 값으로 정의된다.

모변동계수(population coefficient of variation): $CV=\dfrac{\sigma}{\mu}$

표본변동계수(sample coefficient of variation): $cv=\dfrac{s}{\bar{x}}$

4.2f 서열데이터와 범주데이터의 변동성 척도

이 절에서 소개된 변동성의 척도들은 구간데이터에만 사용될 수 있다. 다음 절에서는 서열데이터의 변동성을 나타내기 위해 사용될 수 있는 척도를 살펴볼 것이다. 범주데이터의 변동성을 나타내는 척도는 존재하지 않는다.

4.2g 그룹데이터의 평균과 분산 근사치 구하기

이 장에서 제시된 통계기법들은 데이터로부터 기술통계량을 계산하는 데 사용된다. 그러나 어떤 경우에는 통계전문가가 원 데이터 대신에 빈도분포만을 사용할 수 있다. 데이터가 정부기관들에 의해 공급되는 경우가 이러한 경우이다. 온라인 부록 Approximating Means and Variances for Grouped Data에서 표본평균과 분산을 근사시키기 위한 공식이 제공된다.

연습문제

4.19 다음 표본의 분산과 표준편차를 계산하라.

6 7 4 3 6 8 8

4.20 다음 표본의 분산과 표준편차를 계산하라.

9 3 7 4 1 7 5 4

4.21 **a.** 아래 표본의 평균을 계산하라.
b. 각 값과 평균 간 편차를 계산하라. 편차의 합을 계산하라.
c. 각 편차를 제곱하고 합하라.
d. 분산과 표준편차를 계산하라.

9 0 6 7 8

4.22 **a.** 아래 표본의 평균을 계산하라.
b. 각 값과 평균 간 편차를 계산하라. 편차의 합을 계산하라.
c. 각 편차를 제곱하고 합하라.
d. 분산과 표준편차를 계산하라.

14 20 15 10 11

4.23 한 친구가 분산이 −25.0이라고 보고하고 있다. 당신은 그가 심각한 계산오류를 저질렀다는 것을 어떻게 알 수 있는가?

4.24 평균이 6이고 표준편차가 0인 5개의 수치로 구성된 표본을 만들어라.

4.25 종 모양의 히스토그램을 가지고 있는 한 데이터 세트는 평균과 표준편차로 각각 50과 4를 가지고 있다. 다음과 같은 관측치들의 비율이 대략적으로 얼마인지 추정하라.

a. 46과 54 사이에 속하는 관측치의 비율
b. 42와 58 사이에 속하는 관측치의 비율
c. 38과 62 사이에 속하는 관측치의 비율

4.26 연습문제 4.25를 참조하라. 다음과 같은 관측치들의 비율이 대략적으로 얼마인지 추정하라.

a. 46 이하에 속하는 관측치의 비율
b. 58 이하에 속하는 관측치의 비율
c. 54 이상에 속하는 관측치의 비율

4.27 히스토그램이 매우 비대칭인 한 데이터 세트는 평균과 표준편차로 각각 70과 12를 가지고 있다. 다음과 같은 관측치들의 최소 비율은 얼마인지 추정하라.

a. 46과 94 사이에 속하는 관측치의 비율
b. 34와 106 사이에 속하는 관측치의 비율

4.28 한 통계전문가는 한 데이터의 평균과 표준편차가 각각 120과 30이라고 계산하였다. 다음과 같은 각 구간에 속하는 관측치들의 비율에 대하여 당신은 무엇을 말할 수 있는가?

a. 90과 150 사이에 속하는 관측치의 비율
b. 60과 180 사이에 속하는 관측치의 비율
c. 30과 210 사이에 속하는 관측치의 비율

컴퓨터와 소프트웨어를 이용하여 다음의 연습문제에 답하라.

4.29 <Xr04-29> 미국에서는 의약품의 비용이 너무 비싸다는 언론의 보도가 많았다. 한 가지 우려는 약국마다 의약품의 가격이 매우 큰 차이를 가진다는 것이다. 이와 같은 문제를 검토하기 위해, 한 소비자지원 그룹은 국가 전체에서 임의로 100개의 약국을 표본으로 선정하고 Prozac의 가격(100정의 달러 가격)을 기록하였다. 가격들의 범위, 분산, 표준편차를 계산하라. 이와 같은 통계량들은 당신에게 무엇을 말해 주고 있는지 설명하라.

4.30 <Xr04-30> 많은 교통전문가들은 교통사고의 가장 중요한 요인은 자동차의 평균 속도가 아니라 자동차 속도의 분산이라고 주장한다. 사고가 많이 발생하는 고속도로의 한 구간에서 표본으로

추출된 200대 자동차의 속도와 사고가 매우 적게 발생하는 고속도로 한 구간에서 표본으로 추출된 300대 자동차 속도가 측정되었다. 두 표본의 평균과 표준편차를 계산하고 당신이 발견한 것을 간략히 설명하라.

4.31 <Xr04-31> 3명이 한 풋볼 팀의 펀터로 지원하고 있다. 이 풋볼 팀의 코치는 각각에게 50회씩 볼을 펀트하도록 하고 그 거리를 기록하였다.

a. 각 펀터의 분산과 표준편차를 계산하라.
b. 이와 같은 통계량들은 펀터들에 대하여 당신에게 무엇을 말해 주는가?

4.32 <Xr04-32> 분산은 종종 제품라인에서 생산되는 제품들의 품질을 측정하는 데 사용된다. 정확히 100 cm의 길이를 가지게 되어 있는 철봉들의 표본이 추출되었다고 하자. 각 철봉의 길이가 측정되고 그 결과가 기록되었다. 표본으로 추출된 철봉의 길이에 대한 분산과 표준편차를 계산하라. 이와 같은 통계량들이 당신에게 무엇을 말해 주고 있는지 간략히 설명하라.

4.33 <Xr04-33> 한 은행인출기에서 이루어지는 인출금액의 크기에 관하여 더 알아보기 위해, 이 은행인출기의 소유주는 75개의 인출을 표본으로 추출하고 인출금액의 크기를 기록하였다. 이 데이터의 평균과 표준편차를 계산하고 이와 같은 통계량이 당신에게 인출금액의 크기에 대하여 무엇을 말해 주고 있는지 설명하라.

4.34 <Xr04-34> 모든 사람들은 줄을 서는 것에 대하여 익숙하다. 예를 들면, 사람들은 슈퍼마켓에서 계산대를 통과하기 위해 줄을 서서 기다린다. 줄의 길이가 얼마나 될 것인지 결정하는 두 가지 요인이 존재한다. 한 가지 요인은 서비스의 속도이고 다른 한 가지 요인은 계산대에 도착하는 사람의 수이다. 계산대에 도착하는 사람 수의 평균과 표준편차 모두는 중요한 수치이다. 슈퍼마켓의 한 컨설턴트가 150시간의 표본시간 동안 시간당 계산대에 도착하는 사람의 수를 세었다고 하자.

a. 시간당 계산대에 도착하는 사람 수의 평균과 표준편차를 계산하라.
b. 이 데이터의 히스토그램이 종 모양이라고 가정하면서 표준편차를 해석하라.

4.35 <Xr04-35> 항공기 운항 지연은 여행자들에게 늘 직면하는 일이다. 도착시간기준으로 표본을 구성하는 125대 항공기의 각 지연시간이 기록되었다. 예정시간보다 일찍 도착한 시간은 음의 수치이고 정시에 도착한 시간은 0으로 표시되어 있다. 지연시간의 평균과 표준편차를 계산하라. 지연시간의 분포가 종 모양이라고 가정하면서 평균과 표준편차가 당신에게 무엇을 말해주는지 설명하라.

4.36 <Xr04-36> 한 아마추어 골퍼가 자신의 지난 100라운드 점수를 기록했다. 평균과 표준편차를 계산하라. 점수의 분포가 극단적으로 비대칭이라고 가정하면서 평균과 표준편차를 해석하라.

4.37 <Xr04-37> 임의표본을 구성하는 주택소유주들에게 작년에 재산세로 납부한 금액을 보고하도록 요청했다. 평균과 표준편차를 계산하라. 재산세로 납부한 금액의 분포가 심한 양의 비대칭을 가진다고 가정하면서 두 통계량이 당신에게 무엇을 말해주는지 설명하라.

4.38 <Xr04-38> 표본을 구성하는 가구들에게 과일과 야채를 구매하기 위해 지출한 금액을 보고하도록 요청했다. 이러한 데이터의 평균과 표준편차를 계산하라. 이러한 통계량들이 과일과 야채를 구매하기 위해 지출한 금액의 분포에 대해 당신에게 무엇을 말해주는가?

4.3 상대위치의 척도

상대위치의 척도는 전체 데이터 세트와 비교한 특정한 수치들의 상대위치에 대한 정보를 제공한다. 중앙위치의 척도이자 상대위치의 척도인 중앙값은 이미 논의되었다. 중앙값은 데이터 세트를 반으로 나누고 통계전문가가 각 관측치가 어느 쪽의 반에 속하는지 결정할 수 있게 해준다. 우리가 소개하고자 하는 통계량들은 당신에게 이와 관련된 더 상세한 정보를 제공해준다.

> **백분위수**
>
> P번째 **백분위수**(percentile)는 이 값보다 작은 값들이 관측치들의 P%이고 이 값보다 큰 값들이 관측치들의 $(100-P)$%인 값이다.

여러 가지 입학허가시험뿐만 아니라 SAT (Scholastic Achievement Test)와 GMAT (Graduate Management Admission Test)의 점수와 백분위수가 시험을 치른 학생에게 보고된다. 예를 들면, 당신의 SAT 점수는 60번째 백분위수에 있다고 보고되었다고 하자. 이것은 모든 시험점수의 60%는 당신의 점수보다 낮고 모든 시험점수의 40%는 당신의 점수보다 높다는 것을 의미한다. 이와 같은 백분위수는 당신의 SAT 점수가 모집단과 비교하여 상대적으로 어디에 위치하는지 정확하게 알 수 있게 해준다.

25번째 백분위수, 50번째 백분위수, 75번째 백분위수에 대한 특별한 명칭이 있다. 이와 같은 3가지 통계량은 데이터 세트를 1/4씩 나누기 때문에 이와 같은 상대위치의 척도는 **사분위수**(quartile)라고 부른다. **첫 번째 사분위수**(first quartile) 또는 **하위 사분위수**(lower quartile)는 Q_1이라고 표시된다. Q_1은 25번째 백분위수이다. **두 번째 사분위수**(second quartile) Q_2는 50번째 백분위수이고 중앙값이다. **세 번째 사분위수**(third quartile) 또는 **상위 사분위수**(upper quartile) Q_3는 75번째 백분위수이다. 다시 말하면, 많은 사람들이 **사분위수**(quartile)와 1/4 (quarter)이라는 용어를 혼돈하고 있다. 일반적인 오류는 어떤 사람이 한 그룹의 하위 1/4에 속하는 것을 하위 **사분위수**에 속한다고 말하는 것이다.

사분위수에 더하여 백분위수는 오분위수와 십분위수로 전환될 수 있다. **오분위수**(quintile)는 데이터를 5부분으로 나누고 **십분위수**(decile)는 데이터를 10부분으로 나눈다.

4.3a 백분위수의 위치

다음의 공식은 임의의 백분위수 위치를 근사시킬 수 있게 해준다.

백분위수의 위치

$$L_P = (n+1)\frac{P}{100}$$

L_P는 P번째 백분위수의 위치이다.

예제 4.11

인터넷 사용시간의 백분위수

예제 4.1에서 이용한 데이터의 25번째 백분위수, 50번째 백분위수, 75번째 백분위수를 계산하라.

해답 10개의 관측치를 오름차순으로 정리하면 다음과 같다.

0 0 5 7 8 9 12 14 22 33

25번째 백분위수의 위치는 다음과 같다.

$$L_{25} = (10+1)\frac{25}{100} = (11)(.25) = 2.75$$

25번째 백분위수의 위치는 두 번째 관측치(0)와 세 번째 관측치(5) 사이 거리의 3/4이다. 이 거리의 3/4은 (.75)(5−0)=3.75이다. 두 번째 관측치가 0이기 때문에 25번째 백분위수는 0+3.75=3.75이다. 50번째 백분위수의 위치는 다음과 같다.

$$L_{50} = (10+1)\frac{50}{100} = (11)(.50) = 5.5$$

50번째 백분위수는 5번째 관측치와 6번째 관측치의 중간이다. 5번째 관측치와 6번째 관측치는 각각 8과 9이다. 따라서 50번째 백분위수는 8.5이다. 이것이 예제 4.3에서 계산된 중앙값이다. 75번째 백분위수의 위치는 다음과 같이 계산된다.

$$L_{75} = (10+1)\frac{75}{100} = (11)(.75) = 8.25$$

따라서 75번째 백분위수의 위치는 각각 14와 22인 8번째 관측치와 9번째 관측치 사이 거리의 1/4이다. 이 거리의 1/4은 (.25)(22−14)=2이다. 따라서 75번째 백분위수는 14+2=16이다.

예제 4.12 ACBL 회원 표본 연령의 사분위수

DATA Xm03-01

예제 3.1의 사분위수들을 계산하라.

해답

EXCEL Function

사분위수를 구하기 위한 가장 간단한 방법은 Excel의 QUARTILE 함수를 사용하는 것이다.

지시사항

데이터를 스프레드시트에 직접 입력하거나 <Xm03-01>을 열어라. 임의의 비어있는 셀에 다음과 같이 입력하라.

=QUARTILE([Input Range], [Q])

여기서 Q는 다음과 같이 정의된다.
0=최솟값, 1=첫 번째 사분위수, 2=두 번째 사분위수 (중앙값), 3=세 번째 사분위수, 4=최댓값
Q=1, 2, 3의 출력값은 36, 54.5, 69이다. 즉, 첫 번째 사분위수는 36, 두 번째 사분위 수는 54.5, 세 번째 사분위 수는 69이다.

예제 4.13 ACBL 회원 표본 연령의 백분위수

DATA Xm03-01

예제 3.1의 5번째 백분위수, 10번째 백분위수, 90번째 백분위수, 95번째 백분위수를 계산하라.

해답

EXCEL Function

Excel의 **PERCENTILE** 함수를 사용한다.

지시사항

데이터를 스프레드시트에 직접 입력하거나 <Xm03-01>을 열어라. 임의의 비어있는 셀에 다음과 같이 입력하라.

=PERCENTILE([Input Range], [P])

여기서 P는 백분위수이고 0과 1 사이의 값을 가진다. P에 0과 1을 입력하면 각각 최솟값과 최댓값이 구해진다. P=.05, .10, .90, .95의 출력값은 24, 27, 78.1, 83이다. 즉, 5번째 백분위수, 10번째 백분위수, 90번째 백분위수, 95번째 백분위수는 각각 24, 27, 78.1, 83이다.

EXCEL Data Analysis

사분위수를 계산하는 다른 방법은 **기술통계량**(Descriptive Statistics)을 사용하는 것이다. **Kth Smallest**와 **Kth Largest**에 각각 $n/4$(여기서 n은 관측치 수이다)에 가장 가까운 정수값을 입력하면 첫 번째 사분위수와 세 번째 사분위수가 출력된다.

4.3b 사분위수간 범위

사분위수는 다른 하나의 변동성 척도인 **사분위수간 범위**(interquartile range)를 나타내는 데 사용될 수 있다. 사분위수간 범위는 다음과 같이 정의된다.

사분위수간 범위

사분위수간 범위$=Q_3-Q_1$

사분위수간 범위는 중간에 위치한 50%의 관측치들이 흩어져 있는 정도를 측정한다. 사분위수간 범위가 크다는 것은 첫 번째 사분위수와 세 번째 사분위수가 멀리 떨어져 있다는 것, 즉 변동성이 크다는 것을 의미한다. 예제 3.1의 사분위수간 범위는 $Q_3-Q_1=69-36=33$이다.

4.3c 서열데이터의 상대위치와 변동성 척도

상대위치의 척도는 데이터를 순서대로 나열함으로써 계산되기 때문에 구간데이터뿐만 아니라 서열데이터에도 적정한 척도이다. 이에 더하여, 사분위수간 범위는 상위 사분위수와 하위 사분위수간의 차이로 계산되기 때문에 서열데이터의 변동성을 측정하기 위해 사용될 수 있다.

연습문제

4.39 다음 데이터의 첫 번째 사분위수, 두 번째 사분위수, 세 번째 사분위수를 계산하라.

2 4 6 8 10 12 14 16 18 20

4.40 다음 표본의 첫 번째 사분위수, 두 번째 사분위수, 세 번째 사분위수를 계산하라.

5 8 2 9 5 3 7 4 2 7 4 10 4 3 5

4.41 다음 데이터의 세 번째 십분위수(30번째 백분위수)와 여덟 번째 십분위수(80번째 백분위수)를 계산하라.

26 23 29 31 24 22 15 31 30 20

4.42 다음 데이터의 첫 번째 오분위수(20번째 백분위수)와 두 번째 오분위수(40번째 백분위수)를 계산하라.

52 61 88 43 64 71 39 73 51 60

4.43 다음 데이터의 첫 번째 사분위수, 두 번째 사분위수, 세 번째 사분위수를 결정하라.

10.5 14.7 15.3 17.7 15.9 12.2 10.0
14.1 13.9 18.5 13.9 15.1 14.7

4.44 다음 데이터의 세 번째 십분위수와 여섯 번째 십분위수를 계산하라.

7 18 12 17 29 18 4 27
30 2 4 10 21 5 8

4.45 연습문제 4.43의 사분위수간 범위를 결정하라.

4.46 연습문제 4.44의 사분위수간 범위를 결정하라.

4.47 다음 데이터의 사분위수간 범위를 계산하라.

5 8 14 6 21 11 9 10 18 2

4.48 다음 데이터의 사분위수간 범위를 계산하라.

9 28 15 21 12 22 29 20
23 31 11 19 24 16 13

컴퓨터와 소프트웨어를 이용하여 다음의 연습문제에 답하라.

4.49 <Xr04-49> 많은 자동차 전문가들은 고속도로의 제한속도가 너무 낮다고 생각한다. 한 전문가는 대부분의 운전자들은 스스로 안전하다고 여겨지는 속도로 운전한다고 말했다. 그는 "정확한" 제한속도는 85번째 백분위수에서 설정되어야 한다고 제안하였다. 속도제한이 60 mph인 고속도로 상에서 임의표본을 구성하는 400개의 속도가 기록되었다. "정확한" 제한속도는 얼마인지 구하라.

4.50 <Xr04-50> 한 임시근로자를 공급하는 회사는 100명의 임원을 대상으로 서베이를 실시하였다. 각 임원에게 한 장의 이력서를 검토하기 위해 걸리는 시간(분 기준)을 보고하도록 요청하였다.

a. 사분위수들을 계산하라.
b. 당신은 사분위수들로부터 어떤 정보를 도출하였는가? 이 정보는 당신이 이력서를 쓰는 데 어떤 점을 시사하는가?

4.51 <Xr04-51> 애완동물을 관리하는 데 얼마의 비용이 드는가? 표본으로 추출된 애완견과 애완고양이를 가지고 있는 사람들에게 애완동물 식품을 제외하고 애완동물에게 지출하는 금액을 계산해보도록 요청하였다. 사분위수들을 계산하고 당신이 발견한 것을 설명하라.

4.52 <Xr04-52> 미국관광산업협회(Travel Insdustry Association of America)는 표본으로 추출된 사람들에게 관광여행을 준비하기 위해 얼마의 비용을 지출하는가 묻는 조사를 실시하였다. 이 데이터의 사분위수들을 계산하고 이와 같은 사분위수들이 당신에게 무엇을 말해 주는지 설명하라.

4.53 <Xr04-53> 한 대학의 진로상담센터는 졸업생의 초봉에 대하여 더 많이 알기를 원하였다. 이 센

터는 각 졸업생에게 제안 받은 최고 연봉을 보고하도록 요청하였다. 또한 이 서베이는 각 졸업생에게 학위와 초봉을 보고하도록 요청하였다. 각 학위에 해당되는 사분위수들을 계산하고 4개 그룹 졸업생의 초봉에 대해 당신에게 무엇을 말해주는지 설명하라.

4.54 <Xr04-54> 보스턴 마라톤 주자들의 표본이 추출되었고 그들이 완주하는 데 걸린 시간(분 기준)이 기록되었다. 사분위수들을 계산하고 사분위수들이 당신에게 무엇을 말해주는지 간략히 설명하라.

4.55 <Xr04-55> 프라이빗 코스의 회원 골퍼들은 퍼블릭 코스의 골퍼들보다 더 빠르게 경기하는가? 표본으로 추출된 프라이빗 코스의 골퍼들과 퍼블릭 코스의 골퍼들의 경기시간이 기록되었다. 각 그룹의 사분위수들을 계산하고 당신은 무엇을 알게 되었는지 설명하라.

4.56 <Xr04-56> 고객들이 커피와 디저트를 먹으면서 보내는 시간은 식당의 이윤에 불리한 영향을 미친다. 고객들이 커피와 디저트를 먹으면서 보내는 시간에 대하여 더 많이 알기 위해 200그룹의 고객들이 표본으로 추출되었고 고객들이 식당에서 보내는 시간이 기록되었다.

a. 이 데이터의 사분위수들을 계산하라.

b. 사분위수들은 고객들이 식당에서 보내는 시간에 대하여 당신에게 무엇을 말해 주는가?

4.57 <Xr04-59> 미국에서 납세자들은 지불해야 하는 소득세를 계산하기 전에 그들의 소득으로부터 모기지 이자를 공제할 수 있다. 국세청(IRS)은 모기지 이자 공제를 가지고 있는 600개의 세금보고서를 표본으로 추출하였다. 사분위수들을 계산하고 사분위수들이 당신에게 무엇을 말해주는지 설명하라.

4.58 <Xr04-58> 가구 표본이 추출되었다. 각 가구에게 작년에 집 밖에서(레스토랑, 패스트푸드, 등) 음식을 먹기 위해 얼마를 지출했는지 물었다. 사분위수들을 계산하고 당신은 어떠한 정보를 얻었는지 설명하라.

4.4 선형관계의 척도

제3장에서 두 구간변수의 관계를 나타내는 그래프 기법인 산포도가 소개되었다. 제3장에서 선형관계의 방향과 강도에 특히 관심이 있다는 것을 지적하였다. 이제 이와 같은 정보를 제공해주는 수치로 나타낸 3가지 선형관계의 척도를 살펴보자. 이와 같은 선형관계의 3가지 척도는 **공분산**(covariance), **상관계수**(coefficient of correlation), **결정계수**(coefficient of determination)이다. 이 절의 후반부에서는 다른 하나의 관련된 수치 기법인 **최소자승선**(least squares line)이 논의된다.

4.4a 공분산

제3장에서 했던 것처럼, 한 변수는 X로 표시하고 다른 변수는 Y로 표시하자. X와 Y의 공분산은 다음과 같이 정의된다.

공분산

모공분산(population covariance): $\sigma_{xy} = \dfrac{\sum_{i=1}^{N}(x_i - \mu_x)(y_i - \mu_y)}{N}$

표본공분산(sample covariance): $s_{xy} = \dfrac{\sum_{i=1}^{n}(x_i - \bar{x})(y_i - \bar{y})}{n-1}$

표본**공분산**을 계산하는 데 사용되는 분모는 표본분산을 계산하기 위해 $n-1$로 나누는 것과 같은 이유로 더 논리적으로 보이는 n이 아니라 $n-1$이다. 당신이 직접 표본공분산을 계산하고자 하는 경우 이용할 수 있는 표본공분산의 간편계산공식은 다음과 같다.

표본공분산의 간편계산공식

$$s_{xy} = \frac{1}{n-1}\left[\sum_{i=1}^{n} x_i y_i - \frac{\sum_{i=1}^{n} x_i \sum_{i=1}^{n} y_i}{n}\right]$$

공분산이 선형관계를 어떻게 측정하는지 예시하기 위해 다음과 같은 3개의 데이터 세트를 검토해보자.

데이터 세트 1

x_i	y_i	$(x_i - \bar{x})$	$(y_i - \bar{y})$	$(x_i - \bar{x})(y_i - \bar{y})$
2	13	−3	−7	21
6	20	1	0	0
7	27	2	7	14
$\bar{x} = 5$	$\bar{y} = 20$			$s_{xy} = 35/2 = 17.5$

데이터 세트 2

x_i	y_i	$(x_i - \bar{x})$	$(y_i - \bar{y})$	$(x_i - \bar{x})(y_i - \bar{y})$
2	27	−3	7	−21
6	20	1	0	0
7	13	2	−7	−14
$\bar{x} = 5$	$\bar{y} = 20$			$s_{xy} = -35/2 = -17.5$

데이터 세트 3

x_i	y_i	$(x_i - \bar{x})$	$(y_i - \bar{y})$	$(x_i - \bar{x})(y_i - \bar{y})$
2	20	−3	0	0
6	27	1	7	7
7	13	2	−7	−14
$\bar{x} = 5$	$\bar{y} = 20$			$s_{xy} = -7/2 = -3.5$

x의 값들은 3개 데이터 세트 모두에서 같고 y의 값들도 모두 같다. 다만 y값들의 순서만 다르다.

데이터 세트 1에서 x가 증가함에 따라 y도 증가한다. x가 x의 평균보다 클 때, y도 적어도 y의 평균보다 크거나 같다. 따라서 $(x_i - \bar{x})$와 $(y_i - \bar{y})$는 같은 부호 또는 0의 값을 가진다. $(x_i - \bar{x})(y_i - \bar{y})$도 양의 값 또는 0의 값을 가진다. 따라서 공분산은 양의 값을 가진다. 일반적으로 두 변수가 같은 방향으로 움직일 때, 공분산은 큰 양의 값을 가진다.

데이터 세트 2를 검토하면, x가 증가함에 따라 y는 감소한다는 것을 알 수 있다. x가 x의 평균보다 클 때, y는 y의 평균보다 작거나 같다. 따라서 $(x_i - \bar{x})$가 양일 때, $(y_i - \bar{y})$는 음이거나 0이다. $(x_i - \bar{x})(y_i - \bar{y})$는 음이거나 0이다. 따라서 공분산은 음의 값을 가진다. 일반적으로 두 변수가 반대방향으로 움직일 때 공분산은 큰 음의 값을 가진다.

데이터 세트 3에서, x가 증가함에 따라 y는 어느 특정한 방향의 움직임을 보이지 않는다. $(x_i - \bar{x})$와 $(y_i - \bar{y})$값들 중 하나는 0, 음, 양이다. 따라서 공분산은 작은 값을 가진다. 일반적으로 두 변수의 움직임에 특별한 패턴이 없을 때 공분산은 작은 값을 가진다.

지금까지의 논의로부터 두 가지 정보를 추출할 수 있다. 첫째 정보는 공분산의 부호이다. 공분산의 부호는 두 변수의 관계가 가지는 특성을 말해준다. 둘째 정보는 두 변수의 관계가 가지는 강도의 크기이다. 불행하게도 두 변수의 관계가 가지는 강도는 판단하기 어려울 수 있다. 예를 들면, 두 변수의 공분산이 500이라는 것이 강한 선형관계가 존재한다는 것을 의미하는가? 대답은 추가적인 정보 없이 그렇게 판단할 수 없다는 것이다. 다행스럽게도, 다른 통계량을 정의함으로써 공분산이 제공하는 정보를 개선시킬 수 있다.

4.4b 상관계수

상관계수(coefficient of correlation)는 공분산을 두 변수의 표준편차들의 곱으로 나눈 값으로 정의된다.

상관계수

모상관계수(population coefficient of correlation): $\rho = \dfrac{\sigma_{xy}}{\sigma_x \sigma_y}$

표본상관계수(sample coefficient of correlation): $r = \dfrac{s_{xy}}{s_x s_y}$

모상관계수는 그리스 문자 $rho(\rho)$로 나타낸다. 표본상관계수는 r로 나타낸다.

상관계수가 공분산에 비하여 가지는 장점은 하한값과 상한값을 가진다는 것이다. 하한값과 상한값은 각각 -1과 $+1$이다. 즉,

$$-1 \le r \le +1, \quad -1 \le \rho \le +1$$

가 된다. 상관계수가 -1일 때, 두 변수의 관계는 완전한 음의 선형관계이고 산포도는 음의 기울기를 가진 직선으로 나타난다. 상관계수가 $+1$일 때, 두 변수의 관계는 완전한 양의 선형관계이다. 상관계수가 0이면 두 변수 간에 선형관계가 존재하지 않는다. 상관계수의 값은 이와 같은 3개의 값들과 관련하여 판단된다. 상관계수의 약점은 -1, 0, $+1$의 3개 값을 제외하고 상관계수를 정확하게 해석할 수 없다는 점이다. 예를 들면, 상관계수가 $-.4$라고 계산하였다고 하자. 이 수치는 무엇을 말해 주는가? 이 수치는 두 가지를 말해준다. 마이너스 부호는 두 변수의 관계가 음이고 .4는 1보다는 0에 더 가깝기 때문에 선형관계가 약하다고 판단한다. 많은 적용에서 "선형관계가 약하다"보다 더 좋은 해석이 필요하다. 다행스럽게도 더 많은 정보를 제공해주는 선형관계의 강도에 대한 다른 척도가 존재한다. 이 척도가 이 절의 후반부에서 소개되는 **결정계수**(coefficient of determination)이다.

예제 4.14 상관계수의 계산

제4.4절의 앞부분에서 제시된 3개의 데이터 세트에 대한 상관계수를 계산하라.

해답 이미 공분산들이 계산되어 있기 때문에 X와 Y의 표준편차을 계산할 필요가 있다. X와 Y의 표본평균과 표본분산은 각각 다음과 같이 계산된다.

$$\bar{x} = \frac{2+6+7}{3} = 5.0$$

$$\bar{y} = \frac{13+20+27}{3} = 20.0$$

$$s_x^2 = \frac{(2-5)^2 + (6-5)^2 + (7-5)^2}{3-1} = \frac{9+1+4}{2} = 7.0$$

$$s_y^2 = \frac{(13-20)^2 + (20-20)^2 + (27-20)^2}{3-1} = \frac{49+0+49}{2} = 49.0$$

X와 Y의 표본표준편차는 각각 다음과 같이 구해진다.

$$s_x = \sqrt{7.0} = 2.65$$

$$s_y = \sqrt{49.0} = 7.00$$

따라서 3개 데이터 세트에 해당되는 표본상관계수는 각각 다음과 같이 계산된다.

데이터 세트 1: $r = \dfrac{s_{xy}}{s_x s_y} = \dfrac{17.5}{(2.65)(7.0)} = .943$

데이터 세트 2: $r = \dfrac{s_{xy}}{s_x s_y} = \dfrac{-17.5}{(2.65)(7.0)} = -.943$

데이터 세트 3: $r = \dfrac{s_{xy}}{s_x s_y} = \dfrac{-3.5}{(2.65)(7.0)} = -.189$

이제 구해진 표본상관계수들을 통하여 X와 Y 간 선형관계의 강도를 이해하는 것이 용이하다.

4.4c 산포도, 공분산, 상관계수의 비교

산포도는 두 변수의 관계를 그래프로 보여준다. 공분산과 상관계수는 두 변수의 선형관계를 수치로 나타내준다. 그림 4.1, 그림 4.2, 그림 4.3은 3개의 산포도를 그린 것이다. 그래프 기법과 수치 기법을 비교하기 위해 각 산포도에 해당되는 공분산과 상관계수가 계산되었다. 각 산포도로 표시된 데이터는 〈Fig04-01〉, 〈Fig04-02〉, 〈Fig04-03〉에 저장되어 있다. 당신이 보는 것처럼, 그림 4.1은 두 변수의 강한 양의 선형관계를 보여준다. 이 경우 공분산은 36.87이고 상관계수는 .9641이다. 그림 4.2에서 두 변수는 상대적으로 강한 음의 선형관계를 가진다. 이 경우 공분산은 −34.18이고 상관계수는 −.8791이다. 그림 4.3에서 공분산과 상관계수는 각각 2.07과 .1206이다. 이 그림에서는 두 변수 간에 분명한 선형관계가 존재하지 않는다.

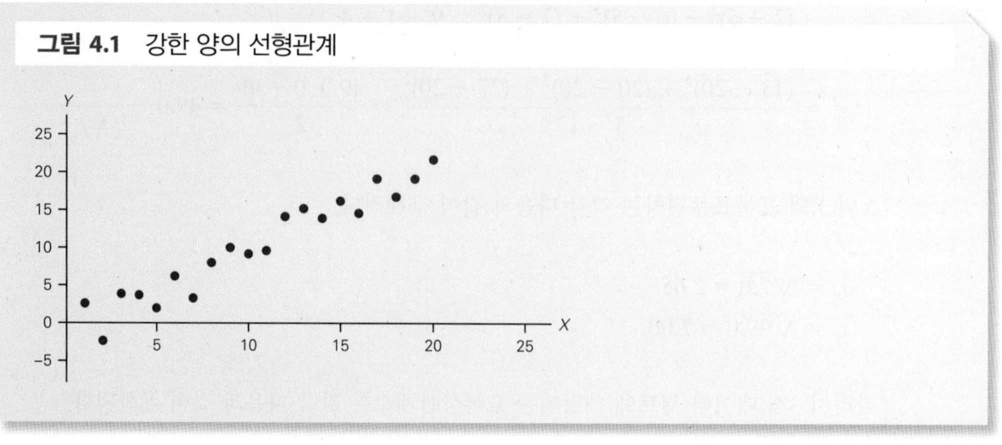

그림 4.1 강한 양의 선형관계

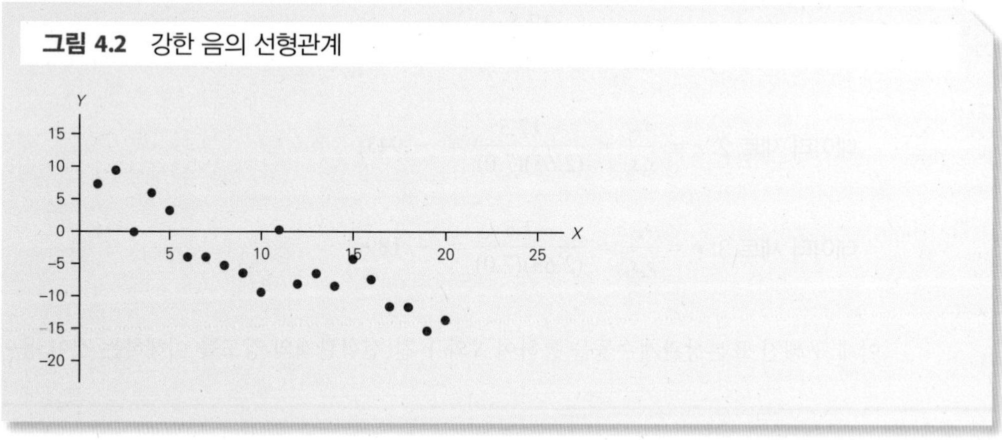

그림 4.2 강한 음의 선형관계

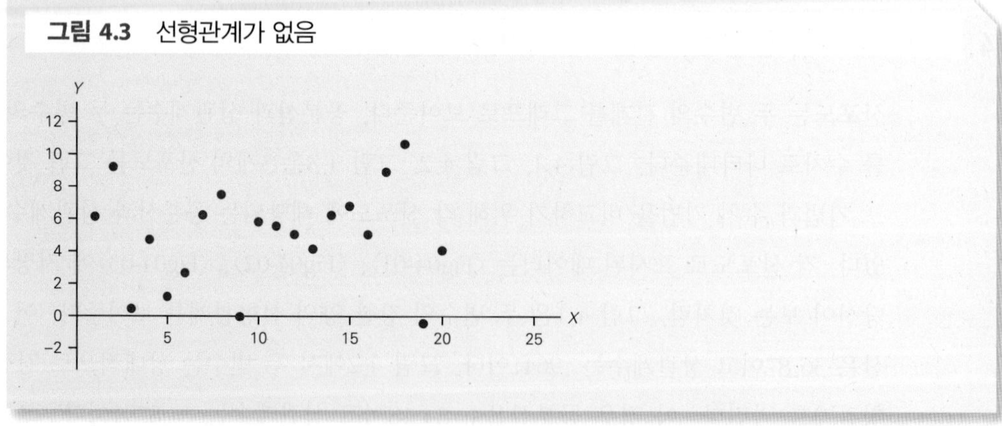

그림 4.3 선형관계가 없음

4.4d 최소자승법

제3.3절에서 산포도를 설명할 때 선형관계의 강도와 방향을 측정할 필요가 있다는 것을 지적하였다. 이와 같은 선형관계의 강도와 방향은 데이터를 통과하는 직선을 그려줌으로써 쉽게 결정될 수 있다. 그러나 사람들이 같은 데이터를 통과하는 하나의 직선을 그리면, 각 사람들의 선은 서로 다를 것이다. 그러므로 데이터를 통과하는 직선의 식을 알 필요가 있다. 따라서 이와 같은 직선을 제시해주는 객관적인 방법이 필요하다. 이와 같은 방법이 개발되었고, 이를 **최소자승법**(least squares method)이라고 부른다.

최소자승법은 데이터의 점과 직선 간 직선거리 제곱의 합이 최소화되는 데이터를 통과하는 직선을 제공해준다. 이 직선은 다음과 같은 식으로 나타낼 수 있다.

$$\hat{y}=b_0+b_1x$$

b_0는 y의 절편이고 b_1은 기울기이며 $\hat{y}$은 이 직선에 의해 결정되는 y의 값이다. 계수 b_0와 b_1은 데이터의 점과 직선 간 직선거리 제곱의 합 $\sum_{i=1}^{n}(y_i-\hat{y}_i)^2$이 최소화되도록 미분을 사용하면서 도출된다.

최소자승선의 계수

$$b_1 = \frac{s_{xy}}{s_x^2}$$

$$b_0 = \bar{y} - b_1\bar{x}$$

회계학 분야의 통계학 응용

손익분기분석

손익분기분석(breakeven analysis)은 당신이 공부하는 과정에서 반복적으로 접하게 되는 매우 중요한 기업경영 수단이다. 손익분기분석은 당신의 기업이 이윤을 발생시키기 위해 필요한 판매량을 결정하기 위해 사용될 수 있다.

경영자가 제품과 서비스의 적정가격을 결정하려 할 때 손익분기분석은 특히 유용하다.

한 기업의 이윤은 다음과 같이 간단하게 계산될 수 있다.

이윤=(단위 가격−단위 변동비용)
×(판매단위 수)−고정비용

손익분기점은 이윤이 0이 되는 판매단위 수이다. 따라서 손익분기점은 다음과 같이 계산된다.

판매단위 수=고정비용/(단위 가격
−단위 변동비용)

경영자는 이윤을 발생시키는 가격을 결정하기 위해 이 공식을 사용할 수 있다. 그러나 이와 같은 일을 수행하기 위해서는 고정비용과 변동비용에 대한 지식이 필요하다. 예를 들면, 한 제과점이 한 덩어리의 식빵만을 판매한다고 하자. 이 식빵의 단위 가격은 1.20달러이고 단위 변동비용은 0.40달러이며 연간 고정비용은 10,000달러이다. 손익

분기점은 다음과 같이 계산된다.

판매단위 수 = 10,000/(1.20 − 0.40) = 12,500

이 제과점은 이윤을 발생시키기 위해 연간 12,500개 이상의 식빵을 판매해야 한다.

아래의 통계학 응용 박스에서 고정비용과 변동비용이 논의된다.

회계학 분야의 통계학 응용

Steve Allen/Stockbyte/Getty Images

고정비용과 변동비용

고정비용(fixed costs)은 제품 또는 서비스의 생산 여부와 관계없이 지불되어야 하는 비용이다. 이와 같은 비용은 일정한 시간 동안이나 생산 활동이 이루어지는 동안 "고정"되어 있다. 변동비용(variable costs)은 생산되는 제품 또는 서비스의 수에 따라 직접 변동하는 비용이다. 앞에서 논의한 제과점의 예에서 고정비용은 임대료, 가게의 관리비, 종업원에게 지불되는 임금, 광고비, 전화료, 구워내는 식빵의 수와 관련되어 있지 않은 기타 비용을 포함한다. 변동비용은 주로 원재료비이고 구워내는 식빵의 수가 증가하면 증가한다.

일부의 혼합비용도 존재한다. 제과점의 예에서 이와 같은 혼합비용은 전기비용이다. 전기는 고정비용으로 여겨지는 전등을 켜기 위해 필요하나 변동비용으로 여겨지는 오븐과 기타 장비를 사용하기 위해 필요하다.

혼합비용을 고정비용과 변동비용으로 분해하는 몇 가지의 방법이 존재한다. 한 가지 방법은 최소자승선을 이용하는 것이다. 즉, 총혼합비용은 다음과 같이 나타낼 수 있다.

$$y = b_0 + b_1 x$$

여기서 y = 총혼합비용, b_0 = 고정비용, b_1 = 변동비용, x = 생산단위 수이다.

예제 4.15 고정비용과 변동비용의 추정

DATA Xm04-15

한 공구 제조업자는 특수 공구를 만드는 작은 공장을 운영한다. 그는 그의 사업규모를 증가시키는 것을 고려하고 있고 비용에 관한 정보를 더 많이 알 필요가 있다. 이와 같은 비용 중 하나가 전기비용이다. 전기는 기계와 전등을 작동하기 위해 필요하다. 어떤 작업의 경우에 그는 그의 작업을 밝게 비추기 위해 추가적으로 밝은 전등을 켜야만 한다. 그는 일일 전기비용과 제작한 공구 수를 기록하였다. 이 데이터가 다음과 같이 정리되어 있다. 전기비용을 고정비용과 변동비용으로 분해하라.

일	1	2	3	4	5	6	7	8	9	10
공구 수	7	3	2	5	8	11	5	15	3	6
전기비용	23.80	11.89	15.98	26.11	31.79	39.93	12.27	40.06	21.38	18.65

해답 종속변수는 일일 전기비용(Y)이고 독립변수는 제작한 공구 수(X)이다. 최소자승선의 계수들과 기타 통계량들을 계산하기 위해 X, Y, XY, X^2, Y^2의 합계가 필요하다.

일	X	Y	XY	X^2	Y^2
1	7	23.80	166.60	49	566.44
2	3	11.89	35.67	9	141.37
3	2	15.98	31.96	4	255.36
4	5	26.11	130.55	25	681.73
5	8	31.79	254.32	64	1010.60
6	11	39.93	439.23	121	1594.40
7	5	12.27	61.35	25	150.55
8	15	40.06	600.90	225	1604.80
9	3	21.38	64.14	9	457.10
10	6	18.65	111.90	36	347.82
합계	65	241.86	1,896.62	567	6,810.20

이와 같은 합계들을 이용하여 공분산(s_{xy}), X의 분산(s_x^2), 표본평균($\bar{x}$와 $\bar{y}$)이 각각 다음과 같이 계산된다.

$$s_{xy} = \frac{1}{n-1}\left[\sum_{i=1}^{n} x_i y_i - \frac{\sum_{i=1}^{n} x_i \sum_{i=1}^{n} y_i}{n}\right] = \frac{1}{10-1}\left[1{,}896.62 - \frac{(65)(241.86)}{10}\right] = 36.06$$

$$s_x^2 = \frac{1}{n-1}\left[\sum_{i=1}^{n} x_i^2 - \frac{\left(\sum_{i=1}^{n} x_i\right)^2}{n}\right] = \frac{1}{10-1}\left[567 - \frac{(65)^2}{10}\right] = 16.06$$

$$\bar{x} = \frac{\sum x_i}{n} = \frac{65}{10} = 6.5$$

$$\bar{y} = \frac{\sum y_i}{n} = \frac{241.86}{10} = 24.19$$

최소자승선의 기울기 계수(b_1)와 y-절편(b_0)은 다음과 같이 계산된다.

$$b_1 = \frac{s_{xy}}{s_x^2} = \frac{36.06}{16.06} = 2.25$$

$$b_0 = \bar{y} - b_1\bar{x} = 24.19 - (2.25)(6.5) = 9.57$$

따라서 최소자승선의 식은 $\hat{y} = 9.57 + 2.25x$이다.

EXCEL Chart

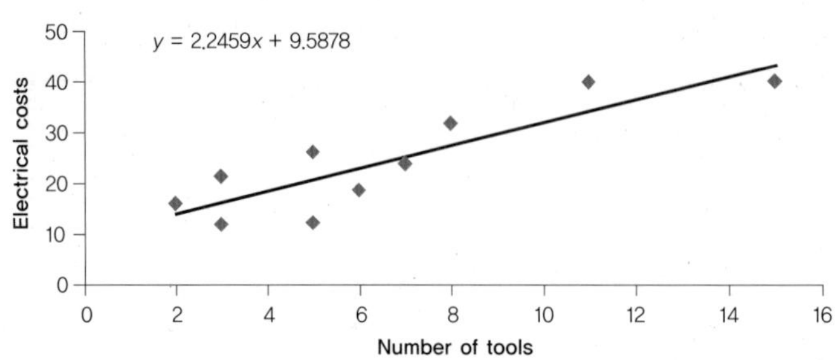

지시사항

1. 두 개의 열에 데이터를 입력하거나(첫 번째 열에 X를 입력하고 두 번째 열에 Y를 입력한다.) <Xm04-15>를 열어라. 두 변수를 포함하는 열들을 마우스로 끌어내리고 산포도를 그리기 위한 지시사항을 따르라.
2. + 부호를 클릭하라. **Trendline**과 화살표를 클릭하라. **More Options**와 **Display Equation on Chart**를 클릭하라.

해석 최소자승선의 기울기는 x값이 1단위 변화할 때 발생되는 y값의 변화 크기로 정의된다. 최소자승선의 기울기는 종속변수의 **한계변화율**(marginal rate of change)을 측정한다. 한계변화율은 독립변수가 1단위가 추가적으로 증가하는 효과를 나타낸다. 이 예제에서 기울기는 2.25이다. 이것은 주어진 표본에서 공구 수가 1단위 증가할 때 전기비용의 한계증가는 2.25달러라는 것을 의미한다. 따라서 추정된 전기의 변동비용은 공구당 2.25달러이다.

y-절편은 9.57이다. 즉, 최소자승선은 9.57에서 y-축과 만난다. 이것은 단순히 $x=0$일 때의 $\hat{y}$값이다. 그러나 $x=0$일 때 공구는 생산되지 않고, 따라서 추정된 전기의 고정비용은 일일 9.57달러이다.

변동비용과 고정비용이 직선식에 의해 추정되기 때문에 이 직선이 데이터를 얼마나 잘 나타내는지 알아야 할 필요가 있다.

예제 4.16 선형관계의 강도 측정

DATA Xm04-15

예제 4.15를 위한 표본상관계수를 계산하라.

해답 표본상관계수를 계산하기 위해 두 변수의 표본공분산과 표본표준편차들이 필요하다. 표본공분산과 X의 표본분산은 예제 4.15에서 계산되었다. 표본공분산은 $s_{xy}=36.06$이고 X의 표본분산은 $s_x^2=16.06$이며 X의 표본표준편차는 $s_x=\sqrt{s_x^2}=\sqrt{16.06}=4.01$이다. 표본상관계수를 계산하기 위한 Y의 표본표준편차는 다음과 같이 계산된다.

$$s_y^2 = \frac{1}{n-1}\left[\sum_{i=1}^{n} y_i^2 - \frac{\left(\sum_{i=1}^{n} y_i\right)^2}{n}\right] = \frac{1}{10-1}\left[6,810.20 - \frac{(241.86)^2}{10}\right] = 106.73$$

$$s_y = \sqrt{s_y^2} = \sqrt{106.73} = 10.33$$

따라서 표본상관계수는 다음과 같이 계산된다.

$$r = \frac{s_{xy}}{s_x s_y} = \frac{36.06}{(4.01)(10.33)} = .8705$$

EXCEL Function and Data Analysis

제4장에서 소개된 통계량들의 경우와 마찬가지로 상관계수와 공분산을 계산하는 데 한 개 이상의 방법이 존재한다. 여기서는 상관계수와 공분산을 계산하기 위한 지시사항이 제시된다.

지시사항

1. 데이터를 두 개 열에 입력하거나 <Xm04-15>를 열어라. 임의의 비어 있는 셀에 다음과 같이 입력하라.

= **CORREL**([첫 번째 변수를 위한 Input range], [두 번째 변수를 위한 Input range])

주어진 예제의 경우 다음과 같이 입력한다.

= **CORREL**(B1:B11, C1:C11)

공분산을 계산하기 위해서는 **CORREL**을 **COVAR**로 대체시켜라.

두 개 이상의 변수들이 있고 상관계수와 각 변수 쌍의 공분산을 계산하기 원하는 경우에 유용한 다른 방법은 상관계수 행렬(correlation matrix)과 분산–공분산 행렬(variance-covariance matrix)을 구하는 것이다. 먼저 상관계수 행렬을 구해보자.

	A	B	C
1		*Number of tools*	*Electrical costs*
2	Number of tools	1	
3	Electrical costs	0.8711	1

지시사항

1. 데이터를 인접한 열들에 입력하거나 <Xm04-15>를 열어라.
2. **데이터**(Data), **데이터분석**(Data Analysis), **Correlation**을 클릭하라.
3. **Input Range**(B1:C11)을 입력하라.

공구 수와 전기비용 간의 상관계수는 .8711이다. (이 값은 소수점 처리가 다르기 때문에 직접 계산한 값과 약간 다르다.) (상관계수 행렬의 대각선에 있는 두 개의 1은 각각 공구 수와 공구 수 간의 상관계수와 전기비용과 전기비용 간의 상관계수이다.)

말하자면, 모상관계수 ρ의 공식과 표본상관계수 r의 공식은 정확하게 동일한 값을 계산한다.

분산-공분산 행렬은 다음과 같이 구해진다.

	A	B	C
1		*Number of tools*	*Electrical costs*
2	Number of tools	14.45	
3	Electrical costs	32.45	96.06

지시사항

1. 데이터를 인접한 열들에 입력하거나 <Xm04-15>를 열어라.
2. **데이터**(Data), **데이터분석**(Data Analysis), **Covariance**을 클릭하라.
3. **Input Range**(B1:C11)을 입력하라.

불행하게도 Excel은 모분산과 모공분산을 계산한다. 즉, 공구 수의 모분산은 $\sigma_x^2=14.15$이고 전기비용의 모분산은 $\sigma_y^2=96.06$이며 모공분산은 $\sigma_{xy}=32.45$이다. 따라서 이와 같은 모수들 각각에 $n/(n-1)$을 곱하면 공구 수의 표본분산(s_x^2), 전기비용의 표본분산(s_y^2), 표본공분산(s_{xy})이 다음과 같이 계산된다.

	D	E	F
1		*Number of tools*	*Electrical costs*
2	Number of tools	16.06	
3	Electrical costs	36.06	106.73

해석 상관계수는 .8711이다. 이것은 공구 수와 전기비용 간에 양의 선형관계가 존재한다는 것을 말해준다. 상관계수는 선형관계가 매우 강하고, 따라서 고정비용과 변동비용의 추정치들은 양호하다는 것을 말해준다.

4.4e 결정계수

상관계수를 소개할 때 −1, 0, +1의 값을 제외하고는 상관계수의 의미를 정확하게 해석할 수 없다는 점을 지적하였다. 상관계수는 −1, 0, +1에 가까운 정도와 관련하여 판단될 수 있다. 다행스럽게도 정확하게 해석할 수 있는 다른 척도가 존재한다. 이 척도가 **결정계수**(coefficient of determination)이다. 결정계수는 상관계수를 제곱하여 계산된다. 이와 같은 이유로 결정계수를 R^2으로 표시한다.

결정계수는 독립변수의 변동에 의해 설명되는 종속변수의 변동 정도를 측정한다. 예를 들면, 만일 상관계수가 −1 또는 +1이면, 산포도는 모든 점들이 직선 상에 위치한다. 이 경우 결정계수는 1이고 이것은 종속변수 Y 변동의 100%는 독립변수 X의 변동에 의해 설명된다고 해석된다. 만일 상관계수가 0이면, 두 변수 간의 선형관계가 존재하지 않고 $R^2=0$이 되며, 이것은 Y의 변동이 X의 변동에 의해 전혀 설명되지 않는다. 예제 4.16에서 상관계수는 $r=.8711$로 계산되었다. 따라서 결정계수는

$$R^2=r^2=(.8711)^2=.7588$$

이다. 이것은 전기비용 변동의 75.88%는 공구 수의 변동에 의해 설명된다는 것을 말해준다. 나머지 전기비용 변동의 24.12%는 설명되지 않는다.

EXCEL

당신은 Excel을 사용하여 상관계수를 계산하고 그 결과를 제곱하여 결정계수를 구할 수 있다. 이와는 달리 최소자승선을 그리기 위해 Excel이 사용될 수 있다. 최소자승선을 그린 후에 **Trendline, More Options, Display R-squared value on chart**를 클릭하라.

설명되는 변동이라는 개념은 통계학에서 매우 중요하다. 이 개념이 제13장, 제14장, 제16장, 제17장, 제18장에서 반복적으로 논의될 것이다. 제16장에서는 결정계수가 왜 제4장의 방식과 같이 해석되는지가 설명될 것이다.

해답 Major League Baseball에서 추가 1승의 비용

추가 1승의 비용을 결정하기 위해서는 두 변수 간의 관계를 규명하여야 한다. 두 변수 간의 관계를 규명하기 위해 데이터를 통과하는 직선을 구하는 최소자승법이 사용된다. 한 야구팀이 승리하는 게임의 수는 어느 정도 이 야구팀의 급여수준에 의해 결정된다고 생각하기 때문에 승리하는 게임의 수를 종속변수로, 급여수준을 독립변수로 표시한다. 급여수준은 100만 달러 기준으로 나타내도록 하자. 당신이 보는 것처럼, Excel은 최소자승선과 결정계수의 값을 결과물로 제공한다.

Andrey Yurlov/Shutterstock.com

해석

최소자승선은 $\hat{y}=62.679+.1385x$이다. 이 최소자승선의 기울기는 .1385이고 급여수준이 1단위 증가할 때 승수의 한계변화율이다. 급여수준은 100만 달러 기준으로 측정되기 때문에, 급여수준이 100만 달러만큼 증가하면 승수는 평균적으로 .1385만큼 증가한다. 따라서 추가 1승을 얻기 위해 평균적으로 7,220,217달러(100만 달러/.1385)의 추가적인 지출이 요구된다. 최소자승선을 분석하는 것에 더하여 선형관계의 강도를 결정해

야 한다. 결정계수는 .1634이고, 이것은 팀 급여수준 변동은 팀 승수 변동의 16.34%를 설명한다는 것을 의미한다. 이것은 2019년 시즌에 팀 급여수준과 승수 간에 약한 양의 선형관계가 존재한다는 것을 말해준다. 이것은 팀 급여수준은 높지만 승수는 적은 일부 팀들이 존재하는(예를 들면, San Francisco Giants는 팀 급여수준은 1억 9,900만 달러로 높았으나 승수는 77승에 불과했다) 반면, 팀 급여수준은 낮지만 승수는 많은 일부 팀들이 존재한다(예를 들면, Tampa Bay Rays는 팀 급여수준은 5,300만 달러로 낮았으나 승수는 96승이었다)는 점을 제시한다.

2006년 시즌에 최소자승선은 $\hat{y}=68.31+.163x$였고 추가 1승의 비용=\$6,134,969이고 결정계수=28.27%였다. 2009년 시즌에 최소자승선은 $\hat{y}=65.76+.1725x$였고 추가 1승의 비용=\$5,797,101이고 결정계수=25.12%였다. 2012년 시즌에 최소자승선은 $\hat{y}=74.77+.0636x$였고 추가 1승의 비용=\$15,723,270이고 결정계수=3.85%였다. 2015년 시즌에 최소자승선은 $\hat{y}=75.04+.0474x$였고 추가 1승의 비용=\$21,097,705이고 결정계수=4.18%였다. 2018년 시즌에 최소자승선은 $\hat{y}=70.38+.0803x$였고 추가 1승의 비용=\$12,453,300이고 결정계수=5.52%였다.

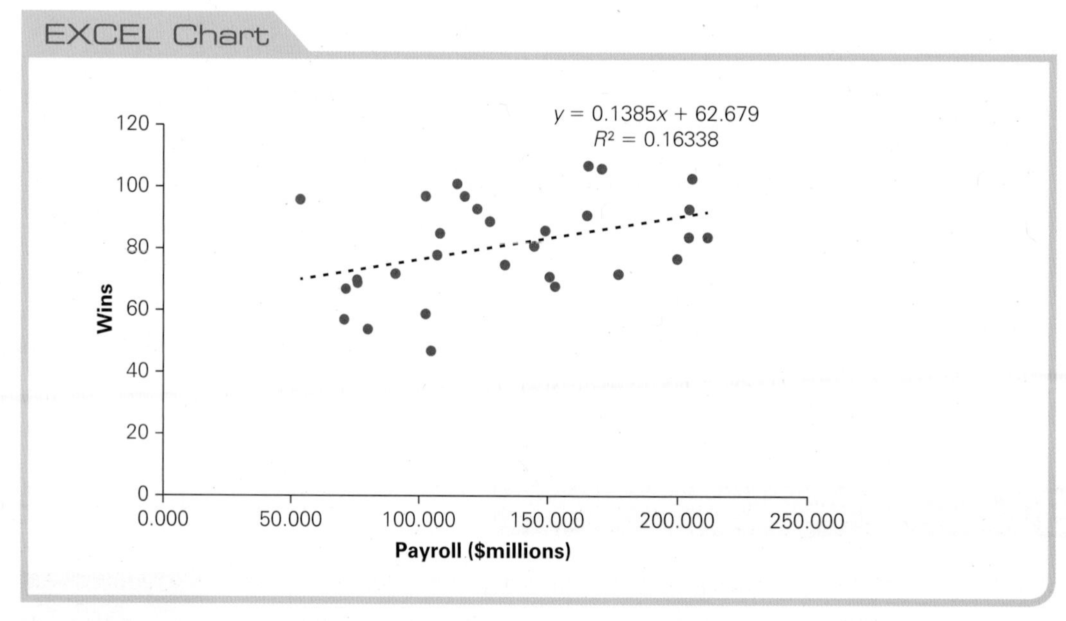

4.4f 상관계수의 해석

그 중요성 때문에 제3장에서 논의한 두 구간변수 간의 관계에 대한 정확한 해석에 주의해야 한다. 달리 말하면, 두 변수가 선형의 관계를 가지고 있다는 것이 X가 Y의 원인이라는 것을 의미하지 않으며 다른 변수가 X와 Y 모두의 원인이거나 Y가 X의 원인일 수 있다는 것을 의미한다. 상관계수는 인과관계가 아니라는 점을 기억하도록 하라.

상당히 큰 상관계수를 가지지만 실제로 선형관계가 존재해야 하는 이유가 없는 예들이 존재한다. 이러한 경우에 **허위상관**(spurious correlation)이 존재한다고 말한다. 4.4g에서 허위상관을 보여주는 3가지 예가 제시된다.

4.4g 허위상관

다음과 같은 3가지 예를 살펴보자.

예 1

변수 *X*: 미국의 연간 우라늄 저장량(100만 파운드, 1996~2008)

변수 *Y*: 미국의 수학박사 학위 취득자 수(1996~2008)

X	66.1	65.9	65.8	58.3	54.8	55.6	53.5	45.6	57.7	64.7	77.5	81.2	81.9
Y	1,122	1,123	1,177	1,083	1,050	1,010	919	993	1,076	1,205	1,325	1,393	1,399

상관계수: .9523

예 2

변수 *X*: 미국의 연간 일인당 마아가린 소비(2000~2008)

변수 *Y*: 메인 주의 이혼율(1,000명당)

X	7.0	6.5	5.3	5.2	4.0	4.6	4.5	4.2	4.7
Y	4.7	4.6	4.4	4.3	4.1	4.2	4.2	4.2	4.1

상관계수: .9926

예 3

변수 *X*: 미국의 연간 석유 수입량(10억 배럴, 2000~2009)

변수 *Y*: 미국의 일 인당 치킨 소비량(파운드, 2000~2009)

X	3.311	3.405	3.336	3.521	3.674	3.670	3.685	3.656	3.571	3.307
Y	54.2	54.0	56.8	57.5	59.3	60.5	60.9	59.9	58.7	56.0

상관계수: .8999

당신이 알 수 있는 것처럼, 3가지 예 모두에서 상관계수는 두 변수 간에 선형관계가 존재한다고 추론할 수 있을 만큼 충분히 크다. 그러나 상식적으로 그러한 관계는 실제로 존재하지 않는다. 여기서 허위상관이 존재할 때 두 변수 간 관계가 존재한다고 결론내리지 않기 위한 첫 번째 단계는 두 변수 간 관계에 대한 이론으로부터 출발하는 것이다. 예를 들면, 가솔린 가격과 석유 가격 간에 선형관계가 존재한다고 믿는 것은 논리적이다. 두 변수 간 높은 상관계수가 이러한 믿음을 확인시켜 줄 것이다.

연습문제

4.59 두 변수의 공분산이 1.35로 계산되었다. 두 변수 간에 약한 양의 선형관계가 존재한다고 결론 내릴 수 있는가? 설명하라.

4.60 연습문제 4.59를 참조하라. 두 표본표준편차가 1.05와 1.31로 계산되었다. 연습문제 4.59에서 계산된 공분산과 두 표준편차는 두 변수 간 관계에 대해 무엇을 말해주는가? 설명하라.

4.61 <Xr04-61> 한 소매업자는 월간 고정판매비용과 변동판매비용을 추정하기 원하였다. 총판매비용(1,000달러 기준)과 총판매액(1,000달러 기준)이 기록되었고 다음과 같이 정리되었다.

총판매액	총판매비용
20	14
40	16
60	18
50	17
50	18
55	18
60	18
70	20

a. 공분산과 결정계수를 계산하고 이와 같은 통계량들은 당신에게 무엇을 말해 주는지 설명하라.
b. 최소자승선을 구하고 소매업자가 원하는 추정치들을 구하기 위해 사용하라.

4.62 <Xr04-62> 한 과목에서 학생의 점수는 공부한 시간과 관련되어 있는가? 이와 같은 가능성을 분석하기 위해, 한 학생은 지난 학기에 회계학 과목을 수강한 10명 학생을 임의표본으로 추출하였다. 이 학생은 표본으로 추출된 각 학생에게 회계학 과목의 점수와 회계학 공부시간을 보고하도록 요청하였다. 이 데이터가 다음과 같이 정리되어 있다.

공부시간	40	42	37	47	25	44	41	48	35	28
점수	77	63	79	86	51	78	83	90	65	47

a. 공분산을 계산하라.
b. 상관계수를 계산하라.
c. 결정계수를 계산하라.
d. 최소자승선을 결정하라.
e. 당신이 계산한 이와 같은 통계량들은 점수와 공부시간의 관계에 대하여 당신에게 무엇을 말해주는가?

4.63 <Xr04-63> MBA에 지원하는 학생들은 Graduate Management Admission Test (GMAT)를 보아야 한다. 대학 입학허가 위원회는 GMAT 점수를 대상 학생이 MBA 프로그램에서 얼마나 잘 할 수 있는지 나타내는 중요한 지표들 중의 하나로 사용한다. 그러나 GMAT는 모든 MBA 프로그램를 위한 매우 강력한 지표가 아닐 수 있다. 자신의 능력을 높이기를 원하는 중간관리자를 위한 MBA 프로그램이 3년 전에 출범하였다고 하자. GMAT 점수가 MBA 프로그램의 성취도를 얼마나 잘 예측하는지 판단하기 위해 12명의 MBA 학생이 임의표본으로 추출되었다. 그들의 MBA 프로그램 GPA(0~12)와 GMAT 점수(200~800)가 다음과 같이 정리되어 있다. 공분산과 결정계수를 계산하고 당신이 발견한 것을 해석하라.

12명 MBA 학생의 GMAT 점수와 GPA

GMAT	599	689	584	631	594	643
MBA GPA	9.6	8.8	7.4	10.0	7.8	9.2
GMAT	656	594	710	611	593	683
MBA GPA	9.6	8.4	11.2	7.6	8.8	8.0

컴퓨터와 소프트웨어를 이용하여 다음의 연습문제에 답하라.

4.64 <Xr04-64> 실업률은 한 국가의 경제적 건강도에 대한 하나의 중요한 척도이다. 실업률은 일자리를 찾고 있으나 일자리를 얻지 못하고 있는 사람들의 비율이다. 불행하게도, 실업률은 실업상태에 있어서 일자리를 찾기 원하나 일자리를 찾으려 하지만 일자리를 얻는 데 실패하여 더 이상 일자리 찾는 것을 단념한 사람들을 포함하지 않기 때문에 잘못된 정보를 제공하는 통계량이다. 실업률과 관련된 경제 변수를 측정하는 다른 방법은 고용되어 있는 성인의 비율을 의미하는 고용률을 계산하는 것이다. 대규모 경제국들의 고용률과 실업률이 기록되었다. 두 변수 간 결정계수를 계산하고 당신이 알게 된 것을 설명하라.

4.65 <Xr04-65> 모든 캐나다인들은 필요한 의료비용을 지불하는 정부지원 건강보험을 가지고 있다. 그러나 국외로 여행할 때, 캐나다인들은 일반적으로 응급처치로 발생되는 비용과 정부지원 건강보험이 지불하는 비용의 차이를 채우기 위한 보완건강보험을 구입한다. 미국에서는 이와 같은 비용 차이가 매우 클 수 있다. 최근까지 Blue Cross/Blue Shield와 같은 민간 보험회사들은 연령에 관계없이 모든 사람에게 동일한 주당 보험료를 부과하였다. 그러나 비용이 상승하고 나이 든 사람들이 자주 더 높은 응급의료지출을 발생시키기 때문에 보험회사들은 그들의 보험료를 변경하여야만 했다. 보험회사들은 고객의 연령에 따라 보험료를 차등 부과하기로 결정하였다. 새로운 보험료를 결정하는 데 도움을 얻기 위해, 한 보험회사는 표본으로 추출된 1,348명의 캐나다인의 연령과 지난 12개월 동안 평균 일일 의료비용에 관한 데이터를 수집하였다.

a. 결정계수를 계산하라.

b. a에서 계산된 통계량들은 당신에게 무엇을 말해 주는가?

c. 최소자승선을 결정하라.

d. 최소자승선의 계수 값들을 해석하라.

e. 당신은 어떤 보험료율을 제안하겠는가?

4.66 <Xr04-66> 전국적으로 일가족주택을 개발하는 한 부동산 개발회사는 향후 수년 동안의 개발계획을 작성하고 있는 중이다. 이 회사의 한 분석가는 이자율이 상승할 가능성은 있으나 낮은 수준에서 유지될 것이라고 생각한다. 건설할 주택의 수에 대한 의사결정을 하기 위해 이 부동산 개발회사는 1963년~2020년 동안 월간 은행우대이자율과 월간 판매된 신규 일가족주택 수(1,000주택 기준)에 관한 데이터를 수집하였다. 결정계수를 계산하라. 이와 같은 통계량은 월간 은행우대이자율과 월간 판매되는 일가족주택 수의 관계에 대하여 당신에게 무엇을 말해 주는가?

4.67 <Xr04-67> 석유가격이 상승할 때, 석유회사는 더 많은 유정을 시추하는가? 석유가격과 유정시추 수의 관계가 가지는 강도와 특성을 결정하기 위해, 한 경제학자는 1973년~2010년의 기간 동안 미국산 석유(West Texas crude) 배럴당 가격과 월간 시추된 유정의 수에 관한 데이터를 기록하였다. 데이터를 분석하고 당신이 발견한 것을 설명하라.

4.68 <Xr04-68> 실업의 정도를 측정하는 한 가지 방법은 전국의 신문에 게재되는 구인광고의 수를 측정하는 구인지수를 살펴보는 것이다. 이와 같은 구인지수가 높을수록, 인력수요는 더 크다. 다른 하나의 척도는 보험가입 근로자의 실업률이다. 한 경제학자는 이와 같은 두 변수가 관련되어 있는지와 관련되어 있다면 어떻게 관련되어 있는지 알고자 하였다. 그는 1951년~2006년의 기간 동안 월별 구인지수와 실업률에 관한

데이터를 수집하였다. 두 변수관계의 강도와 방향을 결정하라.

4.69 <Xr04-69> 한 제조회사는 정밀기계와 장비를 사용하여 묶음 단위로 생산물을 생산한다. 관리 담당이사는 직접노동비용과 묶음단위로 생산되는 생산물 수의 관계를 조사하기 원한다. 그는 생산된 30묶음으로부터 데이터를 수집하였다. 고정비용과 변동노동비용을 결정하라.

4.70 <Xr04-70> 한 제조회사는 52주 동안 매주의 전력비용과 기계사용시간에 관한 데이터를 기록하였다. 고정전력비용과 변동전력비용을 추정하라.

4.71 <Xr04-71> U.S. Census Bureau는 Bureau of Labor Statistics와 함께 다양한 주제에 관한 서베이를 시행한다. 한 Consumer Expenditure Survey에서 응답자들에게 연령과 직전 연도에 술에 지출한 금액을 물었다. 연령과 술에 지출한 금액이 관련되어 있는지 결정하기 위해 당신이 필요한 통계량들을 계산하라.

4.72 <Xr04-72> 연습문제 4.71을 참조하라. Bureau of Labor Statistics가 시행한 다른 서베이에서 주택을 임대한 응답자들에게 연령과 연간 임대료를 물었다. 이 데이터가 임대인의 나이가 증가하면서 임대료로 더 적게 지불한다는 것을 제시하는지 결정하기 위한 통계분석을 수행하라.

4.73 <Xr04-73> 자동차 연령과 연간 수리비용 간 관계를 결정하기 위해서 자동차 소유주들로 구성된 임의표본이 추출되었고 두 변수가 기록되었다. 자동차의 연령이 증가함에 따라 수리비용이 증가하는지 결정하기 위한 통계량들을 계산하라. 평균적으로 수리비용은 얼마인가?

4.74 <Xr04-74> 전문 소득세 준비대리인은 80명 고객 표본의 세금 환급액과 과세소득을 기록했다. 과세소득이 증가함에 따라 세금 환급액이 증가하는지 결정하기 위해서 당신이 필요한 통계량들을 계산하라.

4.75 <Xr04-75> 가정에서 일산화탄소(CO)는 천연가스나 난방석유를 연소시키는 불량 보일러에 의해서 발생된다. 35 ppm 이상의 오염도는 위험한 것으로 여겨진다. 한 도시 주택 검사원은 도시 주위에 있는 180개 주택을 임의로 추출하고 보일러의 연령과 겨울 난방 시즌의 하루 동안 일산화탄소 오염도를 기록하였다. 보일러의 연령과 일산화탄소 오염도가 관련되어 있는지 결정하기 위한 통계분석을 수행하라.

4.76 <Xr04-76> 미국-캐나다 환율은 과거 30년 동안 변동했다. 하나의 1차 상품이 이러한 환율의 변동을 설명할 수 있는가? 예를 들면 이러한 하나의 1차 상품이 석유인가? 캐나다는 미국에 많은 석유를 판매한다. 이러한 하나의 1차 상품이 목재나 금일 수 있다. 한 통계학자는 미국-캐나다 환율과 이러한 환율을 결정하는 요인들을 조사하기 시작했다. 1991년 1월부터 2018년 8월까지 월간 환율(캐나다 달러에 대한 미국 달러의 비율)이 기록되었다. 아래에 열거된 다른 가격들이 기록되었다. 각 가격과 미국-캐나다 환율 간 상관계수를 계산하고 이 통계량이 당신에게 무엇을 말해주는지 간략히 설명하라.

금 가격(트로이 온스당 미국 달러)
구리 가격(중량 톤당 미국 달러)
은 가격(트로이 온스당 미국 센트)
소고기 가격(파운드당 미국 센트)
West Texas 석유가격(배럴당 미국 달러)

4.77 <Xr04-77> 제4장의 서두 예제는 야구팀의 급여수준과 승수 간에 매우 약한 선형관계가 존재한다는 것을 보여주었다. 이것은 다음과 같은 질문을 제기한다. 경기에서의 승리와 관객 수는

관련되어 있는가? 만일 대답이 "아니오"이면 이윤을 추구하는 구단주는 자신의 팀을 개선시키기 위해 돈을 지출하려 하지 않을 수 있다. 한 통계전문가는 2019년 야구시즌 동안 승수와 홈구장 평균 관객 수를 기록하였다.

a. 최소자승선을 구하고 결정계수를 계산하라.

b. 각 추가 1승을 위해 판매되는 한계 티켓 수를 추정하라.

c. 결정계수는 승수와 관객 수 간 관계에 대해 무엇을 말해주는가?

4.5 금융분야의 통계학 응용: 시장모형

제3장의 금융분야의 통계학 응용에서 **투자수익률**과 **위험**이라는 용어가 소개되었다. 투자의 두 가지 목적은 기대수익률 또는 평균수익률을 극대화하고 위험을 극소화하는 것이다. 금융애널리스트들은 이와 같은 투자목적을 달성하기 위해 다양한 통계기법들을 사용한다. 대부분의 투자자들은 위험을 극소화하는 것이 매우 중요하다고 여기는 위험회피자들이다. 수익률의 분산과 표준편차가 투자와 관련된 위험을 측정하기 위해 사용된다.

금융분야의 통계학 응용

주가지수

New York Stock Exchange (NYSE), NASDAQ, Toronto Stock Exchange (TSE), 전 세계의 많은 주식거래소는 자신의 주식거래소에서 거래되는 주가들에 관한 정보를 제공하는 지수들을 계산한다. 주가지수는 어느 정도 주식시장 전체를 대표하는 많은 주식들의 가격들로 구성된다. 예를 들면, 다우존스산업평균(Dow Jones Industrial Average: DJIA)지수는 NYSE에 상장되어 있는 30개 대형 회사 주식들의 평균 가격이다. 스탠더드 앤드 푸어스 500 (Standard & Poor's 500) 지수는 500개 NYSE 주식들의 평균 가격이다. 이와 같은 주가지수들은 해당 주식거래소들을 대표하고 독자들에게 한 국가 전체 경제뿐만 아니라 주식거래소가 얼마나 잘 하고 있는지에 대한 정보를 신속하게 제공한다. NASDAQ 100은 NASDAQ에 상장되어 있는 100대 비금융회사 주식들의 평균 가격이다. S&P/TSX 지수는 TSE에 상장되어 있는 60개 대형 회사 주식들의 주가로 구성되어 있는 일종의 평균 가격이다.

이 절에서는 최소자승선이 사용되는 가장 중요한 예들 중 하나를 설명한다. 이 예는 잘 알려져 있고 종종 사용되는 **시장모형**(market model)이다. 시장모형은 한 주식의 수익률은 전체 주식시장의 주가지수 수익률과 선형관계를 가지고 있다고 가정한다. 주가지수 수익률은 한 주식의 수익률을 계산하는 방법과 같은 방법으로 계산된다. 예를 들면, 주가지수가 지난해 말에 10,000이었고 금년 말에 11,000이라면, 주가지수의 연간 수익률은 10%이다. 한 주식의 수익률은 종속변수 Y이고 주가지수의 수익률은 독립변수 X이다.

X와 Y 간의 선형관계를 나타내기 위해 최소자승선이 사용된다. 계수 b_1은 주식의 베타계수(beta coefficient)라고 부른다. 베타계수는 주식의 수익률이 주식시장 전체 수익률의 변화에 얼마나 민감한지 측정한다. 예를 들면, 주식의 b_1이 1보다 크면, 이 주식의 수익률은 평균 주식보다 주식시장 전체의 수익률 수준 변화에 대하여 더 민감하다. $b_1=2$라고 하자. 이 경우 주가지수가 1% 상승하면 이 주식의 수익률은 평균적으로 2% 상승한다. 또한 주가지수가 1% 하락하면 이 주식의 수익률은 평균적으로 2% 하락한다. 따라서 1보다 큰 베타계수를 가지는 주식은 주식시장 전체의 수익률보다 더 변동하는 경향을 가진다.

예제 4.17 Home Depot 주식의 시장모형

DATA Xm04-17

홈디포(Home Depot (HD))와 Standard and Poor's 500 지수(S&P 500지수)의 월간 수익률이 2016년 1월부터 2019년 12월까지의 기간 동안 기록되었다. 이 데이터의 일부가 다음과 같이 정리되어 있다. 시장모형을 추정하고 그 결과를 분석하라.

연도	월	S&P 500	HD
2016	January	−0.00413	−0.01304
	February	0.06599	0.07501
	March	0.00270	0.00897
	April	0.01532	0.01322
2019	September	0.02043	0.01721
	October	0.03405	−0.05998
	November	0.02859	−0.00966
	December	−0.00163	0.05119

해답 Excel을 사용하여 구한 산포도와 최소자승선은 다음과 같이 제시되어 있다. 산포도 위에 최소자승선의 식과 결정계수가 추가되어 있다.

EXCEL Chart

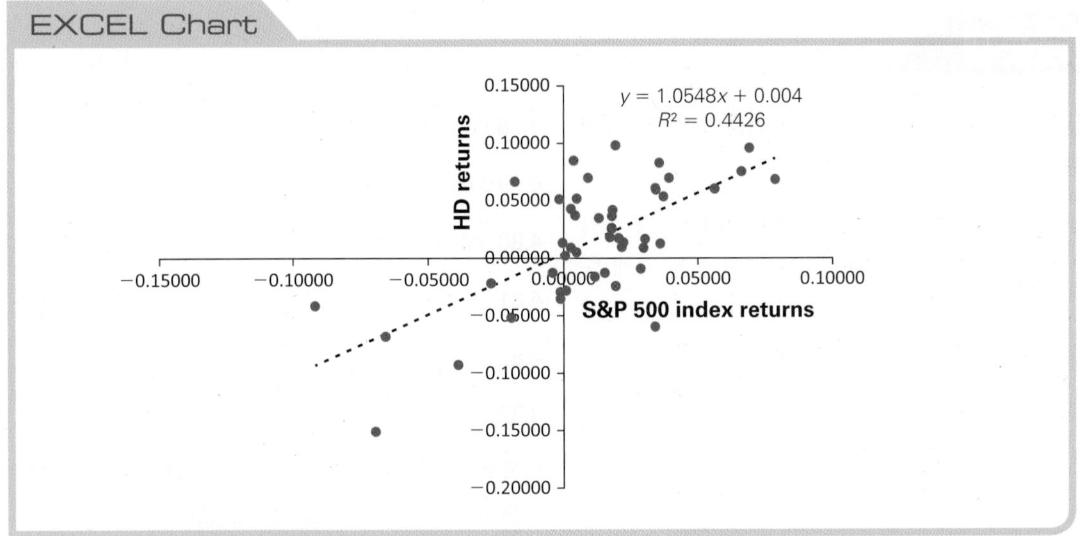

HD 주식수익률의 기울기 계수는 1.0548이다. 이것은 주어진 표본에서 S&P 500지수 수익률이 1% 상승하면 HD 주식수익률은 평균적으로 1.0548% 상승한다는 것을 의미한다. b_1이 1보다 크기 때문에, HD 주식수익률은 S&P 500지수 수익률보다 약간 더 크게 변동하고 약간 더 위험하다고 결론내릴 수 있다.

4.5a 체계적 위험과 기업고유위험

결정계수는 시장관련위험이 총위험에서 차지하는 비율을 측정한다. HD 주식수익률 변동의 44.26%는 S&P 500지수 수익률 변동에 의해 설명된다. 나머지 HD 주식수익률 변동의 55.74%는 시장 전체보다는 HD의 고유한 사건들과 관련되어 있는 위험이 차지하는 비율이다. 금융애널리스트들과 대부분의 사람들은 이와 같은 위험을 **기업고유위험**(firm-specific risk) 또는 **비체계적 위험**(non-systematic risk)이라고 부른다. 기업고유위험은 HD의 광고효과와 HD 제품의 필요성과 같은 시장위험에 포함되어 있지 않은 변수들과 사건들 때문에 발생한다. 예를 들면, 허리케인이 주택을 손상시킨 후에 많은 HD 제품에 대한 수요는 증가한다. 이것이 제7.3절에서 논의한 주식포트폴리오를 구축하여 제거될 수 없는 위험이다. 그러나 시장과 관련된 위험은 주식포트폴리오를 구축하여 제거될 수 있다.

한 포트폴리오가 구성되는 경우 이 포트폴리오를 구성하는 주식들의 평균 베타가 추정될 수 있다. 만일 한 투자자가 시장수익률이 상승할 가능성이 있다고 믿으면, 1보다 큰 베타를 가지는 포트폴리오를 구축하는 것이 바람직하다. 시장수익률이 하락할 가능성이 있다고 믿는 위험회피 투자자들은 1보다 작은 베타를 가지는 포트폴리오를 찾는다.

연습문제

컴퓨터와 소프트웨어를 이용하여 다음의 연습문제에 답하라.

<Xr04-NYSE> 2016년 1월부터 2019년 12월까지 S&P 500지수와 NYSE에 상장되어 있는 30개 다우존스산업평균지수를 구성하는 주식 중 23개 주식의 48개 월간 주식수익률이 기록되어 있다.

3M (MMM)
American Express (AXP)
Boeing (BA)
Caterpillar (CAT)
Chevron (CVX)
Coca-Cola (KO)
Goldman Sachs (GS)
Home Depot (HD)
Honeywell (HON)
International Business Machines (IBM)
Johnson & Johnson (JNJ)
JP Morgan Chase (JPM)
McDonald's (MCD)
Merck (MRK)
Nike (NKE)
Procter & Gamble (PG)
Salesforce (CRM)
Travelers (TRV)
United Health (UNH)
Verizon Communications (VZ)
Visa (V)
Wal-Mart Stores (WMT)
Walt Disney (DIS)

다음의 각 연습문제에서 상장 주식의 베타계수와 결정계수를 계산하고 그 수치들을 해석하라. (Excel을 이용하는 경우, 베타계수를 계산하기 위한 산포도를 사용하기 위해서 데이터는 두 개의 인접한 열들에 정리되어야 한다. 첫 번째 열에는 주가지수 수익률의 데이터가 있어야 하고 두 번째 열에는 베타계수와 결정계수를 계산하기 원하는 주식 수익률의 데이터가 있어야 한다.)

4.78 Procter and Gamble (PG)

4.79 American Express (AXP)

4.80 3M (MMM)

4.81 McDonald's (MCD)

4.82 Nike (NKE)

4.83 Visa (V)

다음의 각 연습문제에서 주어진 주식들로 구성된 포트폴리오의 평균 베타계수를 결정하라.

4.84 Boeing (BA), Caterpillar (CAT), and JP Morgan Chase (JPM)

4.85 Travelers (TRV), Chevron (CVX), and McDonald's (MCD)

4.86 Merck (MRK), Visa (V), and United Health (UNH)

<Xr04-TSE>에 Toronto Stock Exchange 지수와 Toronto Stock Exchange에 상장되어 있는 다음과 같은 주식들의 월간 수익률이 2016년 1월부터 2019년 12월까지 기록되어 있다.

Agnico Eagle (AEM)
Barrick Gold (ABX)
Bell Canada Enterprises (BCE)
Bank of Montreal (BMO)
Bank of Nova Scotia (BNS)
Canadian Imperial Bank of Commerce (CM)
Canadian National Railways (CNR)
Canadian Tire (CTC)
Enbridge (ENB)
Fortis (FTS)
Great West Life (GWO)
Manulife Financial (MFC)
Magna International (MG)
Open Text (OTEX)
Power Corporation of Canada (POW)

Rogers Communication (RCI.B)
Royal Bank of Canada (RY)
Suncor Energy (SU)
Telus (T)
George Weston (WN)

다음의 각 연습문제에서 상장 주식의 베타계수와 결정계수를 계산하고 그 수치들을 해석하라.

4.87 Barrick Gold (ABX)

4.88 Enbridge (ENB)

4.89 Telus (T)

다음의 각 연습문제에서 주어진 주식들로 구성된 포트폴리오의 평균 베타계수를 결정하라.

4.90 Bank of Montreal (BMO), Bank of Nova Scotia(BNS), and Royal Bank of Canada (RY)

4.91 Fortis (FTS), Enbridge (ENB), and SuncorEnergy (SU)

4.92 Rogers Communication (RCI.B) and Telus (T)

<Xr04-NASDAQ>에 NASDAQ 지수와 NASDAQ Exchange에 상장되어 있는 다음과 같은 주식들의 월간 수익률이 2016년 1월부터 2019년 12월까지 기록되어 있다.

Adobe Systems (ADBE)
Amazon (AMZN)
Amgen (AMGN)
Apple (AAPL)
Bed Bath & Beyond (BBBY)
Cisco Systems (CSCO)
Comcast (CMCSA)
Costco Wholesale (COST)
Dollar Tree (DLTR)
Expedia (EXPE)
Garmin (GRMN)
Intel (INTC)
Mattel (MAT)
Microsoft (MSFT)
Netflix (NFLX)
Oracle (ORCL)
Sirius XM Radio (SIRI)
Starbucks (SBUX)
Tesla (TSLA)
Vertex Pharmaceuticals (VRTX)

다음의 각 연습문제에서 상장 주식의 베타계수와 결정계수를 계산하고 그 수치들을 해석하라.

4.93 Amazon (AMZN)

4.94 Expedia (EXPE)

4.95 Netflix (NFLX)

다음의 각 연습문제에서 주어진 주식들로 구성된 포트폴리오의 평균 베타계수를 결정하라.

4.96 Apple (AAPL), Cisco Systems (CSCO), and Oracle (ORCL)

4.97 Costco Wholesale (COST), Dollar Tree (DLTR), and Starbucks (SBUX)

4.98 Adobe Systems (ADBE), and Microsoft (MSFT)

4.6 그래프 기법과 수치 기법의 비교

이미 언급한 것처럼 그래프 기법은 데이터를 나타내는 그림을 신속하게 제공한다는 점에서 유용하다. 예를 들면, 히스토그램은 구간데이터의 중심위치, 분산, 분포 모습에 대한 정보를 제공해준다. 수치 기법도 같은 정보를 제공해준다. 중심위치의 척도, 변동성의 척도, 상대위치의 척도가 존재한다. 산포도는 그림으로 두 구간변수의 관계를 보여준다. 수치로 나타낸 척도인 공분산, 상관계수, 최소자승선도 두 구간변수의 관계를 보여준다. 왜 우리는 두 가지 기법 모두를 배울 필요가 있는가? 대답은 각 기법이 제공하는 정보에 차이가 있기 때문이다. 제3장에서 그래프 기법을 예시하기 위해 사용되었던 4가지 예제를 가지고 그래프 기법과 수치 기법의 차이점을 살펴보기로 하자.

예제 3.2 투자수익률의 비교

예제 3.2에서 우리는 두 가지의 투자 중에서 어느 것이 더 좋은가를 판단하고자 하였다. 〈금융 분야의 통계학 응용: 투자수익률〉에서 논의한 것처럼, 투자는 기대수익률과 수익률의 위험에 의해 판단된다. 히스토그램을 그리고 해석하였다. 이 히스토그램은 기대수익률과 위험을 측정하는 분산에 관한 정보를 제공해준다. 그러나 히스토그램에는 명백하지 않은 점이 있다. 다행히도 수치 기법이 사용될 수 있다. 평균과 중앙값은 기대수익률에 관한 정보를 제공하고 분산 또는 표준편차는 투자와 관련된 위험에 관한 정보를 제공한다.

Excel을 이용하여 구한 기술통계량은 다음과 같다.

예제 3.2의 Excel 출력물

	A	B	C	D	E
1	Return A			Return B	
2					
3	Mean	10.95		Mean	12.76
4	Standard Error	3.10		Standard Error	3.97
5	Median	9.88		Median	10.76
6	Mode	12.89		Mode	#N/A
7	Standard Deviation	21.89		Standard Deviation	28.05
8	Sample Variance	479.35		Sample Variance	786.62
9	Kurtosis	-0.32		Kurtosis	-0.62
10	Skewness	0.54		Skewness	0.01
11	Range	84.95		Range	106.47
12	Minimum	-21.95		Minimum	-38.47
13	Maximum	63		Maximum	68
14	Sum	547.27		Sum	638.01
15	Count	50		Count	50

이제 투자 B의 수익률은 더 큰 평균과 중앙값을 가지고 있으나 투자 A의 수익률은 더 작은 분산과 표준편차를 가지고 있다는 것을 알 수 있다. 투자자가 위험이 낮은 투자에 관심을 가지고 있다면 투자 A를 선택할 것이다. 예제 3.2의 히스토그램을 재검토해보면 수치 기법에 의해 제공되는 정확한 정보(평균, 중앙값, 표준편차)가 히스토그램에 의해 제공되는 정보보다 더 유용하다는 것을 알 수 있다.

예제 3.3, 3.4

경영통계학 점수와 수리통계학 점수

예제 3.3과 예제 3.4에서 두 개의 통계학 과목 점수 간에 어떤 차이가 존재하는지 알기 원하였다. Excel을 이용하여 구한 기술통계량은 다음과 같다.

예제 3.3과 3.4의 Excel 출력물

	A	B	C	D	E
1	*Marks (Example 3.3)*			*Marks (Example 3.4)*	
2					
3	Mean	72.67		Mean	66.40
4	Standard Error	1.07		Standard Error	1.610
5	Median	72		Median	71.5
6	Mode	67		Mode	75
7	Standard Deviation	8.29		Standard Deviation	12.470
8	Sample Variance	68.77		Sample Variance	155.498
9	Kurtosis	-0.36		Kurtosis	-1.241
10	Skewness	0.16		Skewness	-0.217
11	Range	39		Range	48
12	Minimum	53		Minimum	44
13	Maximum	92		Maximum	92
14	Sum	4360		Sum	3984
15	Count	60		Count	60
16	Largest(15)	79		Largest(15)	76
17	Smallest(15)	67		Smallest(15)	53

통계량들은 경영통계학 점수의 평균과 중앙값(예제 3.3)이 수리통계학 점수의 평균과 중앙값(예제 3.4)보다 높다는 것을 말해준다. 더욱이, 경영통계학 점수의 표준편차가 수리통계학 점수의 표준편차보다 적다. 그러나 히스토그램들도 중요한 정보를 제공해준다. 수리통계학 점수의 히스토그램은 양봉을 가지고 있으며 이는 수리통계학이 학생들 간의 차이를 발생시켰다는 것을 의미한다. 경영통계학 점수의 히스토그램은 단봉을 가지고 있으며 이는 경영통계학이 학생들 간의 차이를 발생시키지 않았다는 것을 의미한다.

제3장 서두 예제

이 예제에서 가솔린 가격과 석유가격은 관련되어 있는지 알기 원하였다. 산포도는 강한 양의 선형관계를 보여주었다. 상관계수를 계산하고 최소자승선을 그려봄으로써 이와 같은 정보의 질을 개선시킬 수 있다.

제3장 서두 예제를 위한 Excel Output: 상관계수

	A	B	C
1		*Price of Oil*	*Price of Gasoline*
2	Price of Oil	1	
3	Price of Gasoline	0.9758	1

상관계수는 산포도로부터 알게 된 것을 확인해 준다. 즉, 두 변수 간에 상당히 강한 양의 선형관계가 존재한다.

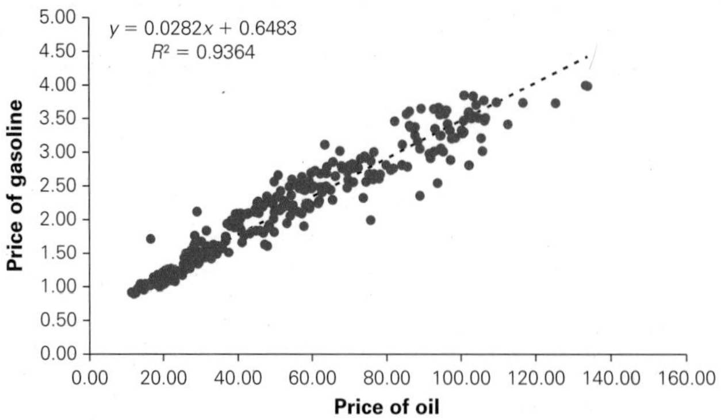

기울기 계수는 배럴당 석유가격의 1달러 상승에 대하여 갤런당 가솔린 가격은 평균적으로 2.82센트 상승한다는 것을 말해준다. 그러나 배럴당 42갤런이기 때문에 석유 배럴가격의 1달러 상승은 가솔린 가격을 갤런당 2.4센트(= 1.00달러/42) 상승시킬 것으로 예상된다.* 석유회사는 갤런당 0.5센트를 추가함으로써 약간의 이익을 얻는 것으로 보인다. 결정계수는 .9364이다. 이것은 가솔린 가격 변동의 93.64%는 석유가격의 변동에 의해서 설명된다는 것을 의미한다.

* 이것은 하나의 단순화이다. 실제로 1배럴의 석유는 다양한 기타 수익성이 있는 제품들을 생산한다.

연습문제

4.99 <Xr03-42> 연습문제 3.42를 위한 결정계수를 계산하라. 이러한 결정계수는 산포도가 제공하지 못하는 미적분학 점수와 통계학 점수 간 관계에 대해 어떤 정보를 제공해주는가?

4.100 <Xr03-46> 연습문제 3.46을 참조하라.

a. 최소자승선의 계수들을 추정하라.

b. 이러한 계수들은 거주자의 수와 전기 사용자 간에 대해 어떤 정보를 제공해주는가?

4.101 <Xr03-45> 연습문제 3.45를 참조하라.

a. 결정계수를 계산하고 최소자승선을 추정하라.

b. 최소자승선의 계수들과 결정계수는 산포도가 제공하지 못하는 중간시험 답안지를 제출하는 시간과 시험점수 간 관계에 대해 어떤 정보를 제공하는지 간략하게 설명하라.

4.102 <Xr03-48> 연습문제 3.48을 참조하라. 결정계수를 계산하고 최소자승선을 추정하라. 이러한 통계량들은 키와 연간 소득 간 관계에 대해 무엇을 말해주는가? 이러한 정보가 산포도보다 더 유용한가? 설명하라.

4.103 <Xm03-07> 예제 3.7을 참조하라.

a. 주택크기와 주택가격을 관련시키는 최소자승선의 계수들을 추정하라.

b. 이러한 계수들을 해석하라.

c. 이러한 통계량들이 산포도보다 더 유용한가? 설명하라.

4.7 데이터 검토를 위한 일반적 가이드라인

그래프 기법과 수치 기법을 사용하는 목적은 데이터를 설명하고 요약하는 데 있다. 일반적으로 통계전문가는 데이터 분포의 모습을 알아야 할 필요가 있기 때문에 첫 단계로 그래프 기법을 적용한다. 데이터 분포의 모습은 다음과 같은 질문에 답하는 데 도움을 준다.

1. 분포의 대략적 중심은 어디인가?
2. 관측치들이 서로 가깝게 모여 있는가, 넓게 흩어져 있는가?
3. 분포가 단봉을 가지고 있는가, 양봉을 가지고 있는가, 다수의 봉우리를 가지고 있는가? 다수의 최빈값이 존재한다면 가장 높은 값을 가진 관측치는 어디에 있는가? 가장 낮은 값을 가진 관측치는 어디에 있는가?
4. 분포는 대칭인가? 만일 분포가 대칭이 아니라면 비대칭인가? 만일 분포가 대칭이라면 종 모양의 모습을 가지고 있는가?

히스토그램은 이와 같은 질문들에 대한 답을 제공해준다. 데이터 분포의 모습으로부터 데이터의 특성에 관한 여러 가지 추론을 할 수 있다. 예를 들면, 수익률의 흩어져 있는 정도를 살펴봄으로써 투자 대상들의 상대적 위험을 평가할 수 있다. 통계학 과목의 최종점수 분포가 양봉을 가지고 있는가 비대칭인가를 검토함으로써 통계학 과목의 강의 방법을 개선할 수 있다.

또한 분포의 모습은 어떤 수치 기법을 사용할 것인가에 대한 약간의 가이드라인을 제시할 수 있다. 이 장에서 지적한 것처럼, 비대칭인 데이터의 중심위치는 중앙값에 의해 더 적정하게 측정될 수 있다. 비대칭인 데이터의 분산을 측정하기 위해서는 표준편차 대신에 사분위수 간 범위가 사용될 수 있다.

데이터의 구조를 이해하게 되면 추가적인 분석을 수행할 수 있다. 예를 들면, 한 변수 또는 다수의 변수들이 서로 어떻게 영향을 주는가를 결정하기 원할 수 있다. 산포도, 공분산, 상관계수는 변수들 간의 관계를 찾아내기 위한 유용한 척도들이다. 이 책에서 앞으로 소개되는 많은 기법들은 변수들 간의 관계가 가지는 특성들을 규명하는 데 도움을 줄 것이다.

요약

이 장에서는 데이터 세트에 포함되어 있는 핵심적인 정보를 요약하고 제시하는 방법들을 다루는 기술통계학에 관한 논의가 확장되었다. 한 데이터 세트의 분포에 관한 일반적인 아이디어를 얻기 위해 빈도분포를 구축한 후에 구간데이터의 **중심위치**(central location)와 **변동성**(variability)을 나타내기 위한 수치 척도가 사용될 수 있다. 가장 널리 사용되는 중심위치의 세 가지 척도는 **평균**(mean), **중앙값**(median), **최빈값**(mode)이다. 이와 같은 중심위치의 척도들은 데이터가 변동하는 정도에 대하여 아무런 정보를 제공하지 못하기 때문에 데이터의 특성을 충분하게 나타내지 못한다. 구간데이터의 변동성에 관한 정보는 **범위**(range), **분산**(variance), **표준편차**(standard deviation)와 같은 수치 척도들에 의해 제시된다.

관측치 표본이 종 모양의 분포를 가지고 있는 경우에, **경험법칙**(empirical rule)은 평균으로부터 1 표준편차, 2 표준편차, 3 표준편차의 범위에 속하는 관측치의 대략적인 비율을 제공해준다. **체비세프의 정리**(Chebysheff's Theorem)는 히스토그램의 모습에 관계없이 모든 데이터 세트에 적용된다.

이 장에서 제시된 **상대위치의 척도**(measures of relative standing)는 **백분위수**(percentile)와 **사분위수**(quartile)이다. 두 구간변수의 선형관계는 **공분산**(covariance), **상관계수**(coefficient of correlation), **결정계수**(coefficient of determination), **최소자승선**(least squares line)에 의해 측정된다.

주요 용어

결정계수(coefficient of determination)
경험법칙(empirical rule)
공분산(covariance)
기하평균(geometric mean)
백분위수(percentile)
범위(range)
변동계수(coefficient of variation)
변동성 척도(measures of variability)
분산(variance)
사분위수(quartile)
사분위수간 범위(interquartile range)
상관계수(coefficient of correlation)
중심위치 척도(measures of central location)
중앙값(median)
체비세프의 정리(Chebysheff's Theorem)
최빈값(mode)
최소자승법(least squares method)
평균(mean)
평균절대편차(mean absolute deviation)
표준편차(standard deviation)

주요 기호

기호	발음	의미
μ	mu	모평균
σ^2	sigma squared	모분산
σ	sigma	모표준편차
ρ	rho	모상관계수
$\sum$	Sum of	합계

$\sum_{n=1}^{n} x_i$	Sum of x_i from 1 to n	n개 수치의 합
$\hat{y}$	y hat	y의 추정치
b_0	b-zero	y-절편
b_1	b-one	기울기계수

주요공식

모평균

$$\mu = \frac{\sum_{i=1}^{N} x_i}{N}$$

표본평균

$$\bar{x} = \frac{\sum_{i=1}^{n} x_i}{n}$$

범위

최대 관측치 − 최소 관측치

모분산

$$\sigma^2 = \frac{\sum_{i=1}^{N} (x_i - \mu)^2}{N}$$

표본분산

$$s^2 = \frac{\sum_{i=1}^{n} (x_i - \bar{x})^2}{n - 1}$$

모표준편차

$$\sigma = \sqrt{\sigma^2}$$

표본표준편차

$$s = \sqrt{s^2}$$

모공분산

$$\sigma_{xy} = \frac{\sum_{i=1}^{N} (x_i - \mu_x)(y_i - \mu_y)}{N}$$

표본공분산

$$s_{xy} = \frac{\sum_{i=1}^{n} (x_i - \bar{x})(y_i - \bar{y})}{n - 1}$$

모상관계수

$$\rho = \frac{\sigma_{xy}}{\sigma_x \sigma_y}$$

표본상관계수

$$r = \frac{s_{xy}}{s_x s_y}$$

결정계수

$$R^2 = r^2$$

기울기계수

$$b_1 = \frac{s_{xy}}{s_x^2}$$

y-절편

$$b_0 = \bar{y} - b_1 \bar{x}$$

Rich Lindie/Shutterstock.com

5 데이터 수집과 표본추출

Date Collection and Sampling

이 장의 구성

5.1 데이터 수집 방법

5.2 표본추출

5.3 표본추출방법

5.4 표본추출오차와 비표본추출오차

표본추출과 센서스

☞ (155페이지에 모범답안이 제시되어 있다.)

미국에서 10년마다 실시되는 센서스는 중요한 기능을 수행한다. 센서스는 각 주는 얼마나 많은 하원의원을 가져야 하고, 각 주의 선거인단은 얼마나 많은 투표권을 가져야 하는지 결정하기 위한 기초자료이다. 기업들은 종종 제품, 광고, 공장입지에 관한 의사결정을 하는 데 도움을 얻기 위해 센서스로부터 도출되는 정보를 사용한다.

센서스가 가지고 있는 문제점 중 하나는 일부 사람들이 포함되지 않을 때 발생하는 과소집계의 문제이다. 예를 들면, 1990년 센서스는 성인의 12.05%가 아프리칸-아메리칸이라고 보고하였다. 실제의 아프리칸-아메리칸은 성인의 12.41%였다. 과소집계의 문제를 해결하기 위해 미국 통계국(Census Bureau)은 센서스로부터 얻은 수치들을 조정한다. 이와 같은 조정은 또 다른 서베이에 기초하여 이루어진다. 이러한 방식을 정확성과 포괄범위 평가(Accuracy and Coverage Evaluation)라고 부른다. 이 장에서 설명되는 표본추출방법을 사용하여 미국 통계국은 미국인 그룹별 수치를 조정할 수 있다. 예를 들면, 미국 통계국은 히스패닉(Hispanic)의 수가 과소계산되었다거나 California에 살고 있는 사람들의 수가 정확하게 계산되지 않았다는 것을 발견할 수 있다.

Spencer Grant/Age Fotostock

이 장의 후반부에서 표본추출이 어떻게 이루어지는지와 이와 같은 조정이 어떻게 이루어지는지에 대하여 논의할 것이다.

서론

제1장에서 통계적 추론의 개념, 즉 표본으로부터 모집단에 관한 정보를 추론하는 과정이 간략하게 소개되었다. 모집단에 관한 정보는 모수에 의해 설명될 수 있기 때문에 일반적으로 사용되는 통계기법은 표본통계량으로부터 모집단 모수에 관하여 추론하는 방법이다. (모수는 모집단에 관한 척도이고 통계량은 표본에 관한 척도이다.)

통계학 교과서 안에서는 모수가 알려져 있다고 가정할 수 있다. 그러나 실제의 현실에서 모집단은 매우 큰 경향이 있기 때문에 모수를 계산하는 것은 불가능하다. 따라서 대부분의 모수는 알려져 있지 않을 뿐만 아니라 알 수도 없다. 통계적 추론에 대하여 연구하는 이유는 종종 의사결정을 하기 위해 모수의 값에 대한 정보가 필요하기 때문이다. 예를 들면, 의류생산라인을 확장할 것인가에 대한 의사결정을 하기 위해 의류에 대한 북미 성인들의 연간 지출액을 알 필요가 있다. 북미 성인의 모집단 크기는 대략 2억 명이기 때문에 평균을 계산하는 것은 불가능하다. 그러나 100% 미만의 정확도를 기꺼이 수용한다면, 모수의 추정치를 얻기 위해 통계적 추론이 사용될 수 있다. 전체 모집단을 조사하는 대신에 북미 성인의 표본을 선정하고 의류에 대한 이 그룹의 연간 지출액으로부터 표본평균을 계산할 수 있다. 표본평균이 모평균과 일치할 확률은 매우 낮지만, 표본평균과 모평균은 매우 가까운 값을 가질 것이라고 예상한다. 많은 의사결정을 위해 표본평균과 모평균이 얼마나 가까운지 알 필요가 있다. 이와 관련된 논의는 제10장과 제11장에서 이루어진다. 이 장에서는 표본추출의 기본개념과 기법이 논의된다. 그러나 먼저 데이터를 수집하기 위한 여러 가지 자료출처를 간략히 살펴보자.

5.1 데이터 수집 방법

이 책의 대부분은 데이터를 정보로 전환시키는 문제를 다룬다. 다음과 같은 질문이 제기된다. 데이터는 어디서 구하는가? 대답은 데이터를 생산하는 많은 방법들이 있다는 것이다. 그러나 논의를 진행하기 전에 제2.1절에서 소개된 데이터의 정의를 상기해보자. 데이터는 한 변수의 관측치들이다. 관심있는 한 변수 또는 변수들이 정의되고 이와 같은 한 변수 또는 변수들의 관측치들이 수집된다.

5.1a 직접 관측

데이터를 수집하는 가장 간단한 방법은 직접 관측하는 것이다. 이와 같은 방법으로 수집되는 데이터는 **관측데이터**(observational data)라고 부른다. 예를 들면, 한 제약회사의 연구원이 아스피린이 심장마비의 발생률을 감소시키는지 결정하기 원한다고 하자. 관측데이터는 남성과 여성으로 구성된 표본을 추출하고 각자에게 과거 2년 동안 정기적으로 아스피린을 복용하였는지 질문하면서 수집될 수 있다. 각자에게 과거 2년 동안 심장마비로 고통을 당한 적이 있는지 질문한다. 심장마비가 발생한 적이 있다고 보고한 비율이 비교되고 제13장에서 소개되는 통계기법이 아스피린이 심장마비의 발생률을 감소시키는 데 효과적인지 결정하기 위해 사용된다. 이와 같은 방법에는 많은 단점이 존재한다. 가장 중요한 단점 중 하나는 이와 같은 방법으로 유용한 정보를 생산하기가 어렵다는 것이다. 예를 들면, 통계전문가가 아스피린을 복용하는 사람들이 더 적게 심장마비로 고통받는다고 결론을 내린다고 해서 아스피린이 효과적이라고 결론내릴 수 있는가? 아스피린을 복용하는 사람들은 더 건강의식을 가지고 있고 이와 같이 더 건강의식을 가지고 있는 사람들이 더 적게 심장마비로 고통받는 경향이 있을 수 있다. 직접 관측의 한 가지 장점은 비용이 상대적으로 적게 든다는 것이다.

5.1b 실험

좀 더 비싸지만 데이터를 생산하는 보다 좋은 방법은 실험을 통하여 데이터를 얻는 것이다. 이와 같은 방법으로 생산되는 데이터는 **실험데이터**(experimental data)라고 부른다. 아스피린의 예에서, 통계전문가는 임의로 남성과 여성을 표본으로 추출할 수 있다. 이와 같이 추출된 표본은 두 그룹으로 분류된다. 한 그룹은 정기적으로 아스피린을 복용하고, 다른 그룹은 아스피린을 복용하지 않는다. 2년 후에 통계전문가는 각 그룹에서 심장마비로 고통 받은 적이 있는 사람들의 비율을 계산하고 아스피린이 효과적인지 결정하기 위해 통계기법이 사용된다. 만일 아스피린을 정기적으로 복용한 그룹이 더 적게 심장마비로 고통을 받았다는 증거가 발견되면, 우리는 더 확신을 가지고 아스피린을 정기적으로 복용하는 것이 건강을 위해 바람직하다고 결론지을 수 있다.

5.1c 서베이

데이터를 수집하는 가장 잘 알려진 방법 중 하나는 소득, 가족 크기, 다양한 쟁점들에 대한 의견과 같은 사항들에 관하여 사람들로부터 정보를 수집하는 **서베이**(survey)를 실시하는 것이다. 예를 들면, 우리는 각 정치선거마다 이루어지는 여론조사에 모두 익숙하다. 갤럽여론조사(Gallup Poll)와 해리스 서베이(Harris Survey)는 여론조사결과가 종종 언론매체에 의해 보도되는 두 개의 가장 잘 알려진 여론 서베이이다. 그러나 대부분의 서베이는 사적 용도를 위해 수행된다. 사적 서베이(private survey)도 고객과 유권자의 선호와 태도를 파악하기 위해 시장연구자들에 의해 활발하게 사용된다. 이와 같은 서베이 결과는 광고활동을 위한 목표시장을 결정하는 것을 돕기 위한 것에서부터 선거유세에서 후보자의 정강정책을 수정하기 위한 것에 이르기까지 다양한 목적을 위해 사용될 수 있다. 한 가지 예로서 한 텔레비전방송국이 고급승용차 소유자들이 어느 텔레비전 프로그램을 어느 시간대에 시청하는지 포함하여 고급승용차 소유자들의 특성에 관한 정보를 얻기 위해 한 시장리서치 회사와 계약을 하였다고 하자. 이 텔레비전방송국은 이와 같은 정보를 Cadillac 광고시간대와 General Motors에 제시할 광고비용을 제안하기 위해 사용할 것이다. 이 책을 공부하는 많은 학생들은 미래에 이와 같은 시장리서치 데이터 때문에 "죽고 사는" 마케팅 담당임원이 될 가능성이 매우 크다.

서베이의 한 가지 중요한 측면은 **응답률**(response rate)이다. 응답률은 서베이가 이루어진 모든 사람들 중에서 응답한 비율이다. 다음 절에서 논의하는 것처럼, 낮은 응답률은 통계분석으로부터 얻는 결론의 타당성을 무효화시킬 수 있다. 통계전문가는 데이터가 신뢰할 만한지 확인할 필요가 있다.

개인 인터뷰 많은 연구원들은 사람들을 대상으로 서베이하는 가장 좋은 방법은 개인 인터뷰(personal interview)라고 생각한다. 개인 인터뷰에서는 인터뷰하는 사람이 준비된 질문들을 물으면서 응답자로부터 정보를 얻는다. 개인 인터뷰는 다른 데이터 수집 방법들보다 더 높은 응답률을 확보할 수 있는 장점을 가진다. 이에 더하여 인터뷰하는 사람이 질문할 때 오해소지가 없도록 명료하게 질문할 수 있기 때문에 일부의 질문들을 오해하면서 이루어지는 응답자의 부정확한 답변이 더 적을 수 있다. 그러나 인터뷰하는 사람은 응답이 한 쪽으로 치우치지 않도록 지나치게 많은 말을 하지 않도록 조심하여야 한다. 이와 같은 응답의 편의 발생을 제거하고 개인 인터뷰의 잠재적 이익을 확보하기 위해 인터뷰하는 사람은 적정한 인터뷰 기법에 대하여 훈련받아야 하고 연구의 목적에 대하여 잘 알아야 한다. 개인 인터뷰의 중요한 단점은 특히 인터뷰를 위해 여행을 하여야 할 경우 비용이 많이 든다는 점이다.

전화 인터뷰 **전화 인터뷰**(telephone interview)는 일반적으로 비용이 적게 들지만 개인적이지 못하고 낮은 응답률을 가진다. 쟁점에 대하여 흥미가 없으면 많은 사람들은 전화 서베이에 응답하는 것을 거부한다. 이와 같은 문제는 어떤 물건을 팔려고 하는 텔레마케터들 때문에 더욱 악화되고 있다.

질문지 서베이 데이터를 수집하는 세 번째로 가장 널리 사용되는 방법은 일반적으로 표본으로 추출된 사람들에게 우편으로 발송되어 응답자 자신에 의해 완성되는 **질문지 서베이**(self-administered questionnaire)이다. 이 방법은 비용이 적게 드는 서베이를 수행하는 방법이기 때문에 서베이하여야 하는 사람들의 수가 많을 때 매력적이다. 그러나 질문지 서베이는 일반적으로 낮은 응답률을 가지며 일부 질문들에 대하여 오해하는 응답자들 때문에 부정확한 응답 수가 상대적으로 높을 수 있다.

질문지 설계 질문지는 응답자 자신에 의해 완성되든지 인터뷰하는 사람에 의해 완성되든지 잘 설계되어야 한다. 질문지를 적정하게 설계하기 위해서는 지식, 경험, 시간, 돈이 필요하다. 질문지 설계 시에 고려되어야 하는 기본사항들은 다음과 같다.

1. 첫 번째로 가장 중요한 기본사항은 질문지는 응답자가 모든 질문에 대하여 응답할 수 있도록 가능한 한 짧아야 한다. 대부분의 사람들은 질문지를 채우는 데 많은 시간을 사용하기 원치 않는다.

2. 응답자가 신속하게, 정확하게, 모호하지 않게 응답할 수 있도록 질문 자체는 짧을 뿐만 아니라 간단하고 명료하게 서술되어야 한다. **"실업상태"**와 **"가족"**과 같은 익숙한 용어들조차도 여러 가지의 해석이 가능하기 때문에 조심스럽게 정의되어야 한다.

3. 질문지는 종종 응답자가 질문에 답하는 과정에서 신속하게 편안해질 수 있도록 돕기 위해 간단한 인구통계학적 질문들로 시작한다.

4. 양자 택일형 질문("예"와 "아니오"와 같은 두 가지 답변만이 가능한 질문)과 선다식 질문은 간단하기 때문에 유용하고 널리 사용된다. 그러나 이와 같은 질문들도 단점들을 가지고 있다. 예를 들면, 한 질문에 대하여 "예" 또는 "아니오"를 응답자가 선택하는 데 있어서 질문에서 언급되지 않은 가정들이 영향을 줄 수 있다. 선다식 질문의 경우에 응답자는 제시된 선택문항들 중 어느 것도 적정하지 않다고 생각할 수 있다.

5. 개방형 질문은 응답자가 자신의 의견을 더 충분히 표현할 수 있는 기회를 제공한다. 그러나 개방형 질문은 시간이 많이 걸리고 표로 만들고 분석하기가 더 어렵다.

6. "당신은 통계학 시험이 너무 어렵다는 데 동의하지 않는가?"와 같이 답변을 유도하는 질문의 사용을 피하라. 이와 같은 형태의 질문은 응답자가 특정한 답변을 하도록 유도하는 경향을 가진다.

7. 시간이 허용된다면 질문을 준비할 때 모호한 서술과 같은 잠재적인 문제점들을 발견하기 위해 소수의 사람들을 대상으로 질문지를 사전에 테스트해보는 것이 유용하다.

8. 마지막으로 질문을 준비할 때 당신이 어떻게 응답결과를 표로 만들고 분석할지 생각하라. 첫째, 당신은 구간변수 또는 범주변수의 값을 수집하고 있는지 결정하라. 이어서 당신은 어떤 종류의 통계기법(기술통계기법 또는 추론통계기법)을 수집된 데이터에

적용하고자 하는지 생각하고 특정한 통계기법을 사용하는 데 충족되어야 하는 조건들에 주목하라. 이와 같은 질문들을 생각하는 것이 질문지가 당신이 필요한 데이터를 수집하기 위해 설계되었는지 확인하는 데 도움을 줄 것이다.

1차적 데이터를 수집하기 위해 어떤 방법이 사용되든지 간에 다음 절의 주제인 표본추출을 알아야 할 필요가 있다.

연습문제

5.1 관측데이터와 실험데이터의 차이를 간략하게 설명하라.

5.2 한 소프트 드링크 제조회사가 대형슈퍼에는 병에 담은 콜라를 공급하고 소형편의점에는 캔에 담은 콜라를 공급하고 있다. 이 회사는 어느 형태의 콜라 포장을 소비자가 선호하는지 결정하기 위해 콜라 판매상황을 분석하고 있다.

a. 이와 같은 연구에 사용되는 데이터는 관측데이터인가 실험데이터인가? 당신의 답을 설명하라.

b. 어느 점포에 병에 담은 콜라를 공급해야 하는지 캔에 담은 콜라를 공급해야 하는지 결정하기 위한 방법에 대하여 간략히 설명하라.

5.3 **a.** 흡연과 폐암의 관계를 연구하기 위한 연구를 어떻게 설계할 것인지 간략히 설명하라.

b. a와 같은 연구를 수행하는 데 사용되는 데이터는 관측데이터인가 실험데이터인가? 그 이유를 설명하라.

5.4 **a.** 서베이를 수행하는 세 가지 방법을 열거하라.

b. a에서 열거한 각 방법의 중요한 장점과 단점을 제시하라.

5.5 질문지를 설계할 때 고려하여야 하는 5가지의 중요한 기본사항을 열거하라.

5.2 표본추출

모집단보다 표본을 검토하는 가장 중요한 동기는 비용이다. 통계적 추론은 모집단의 크기와 비교하여 매우 적은 표본에 기초하여 모집단 모수에 관한 결론을 도출할 수 있게 해준다. 예를 들면, 텔레비전방송국의 경영진은 자기 방송국의 프로그램을 시청하는 시청자의 비율을 알기 원한다. 미국에서 1억 명이 어느 주어진 날 저녁에 텔레비전을 시청하기 때문에 특정한 프로그램을 시청하는 모집단의 실제 비율을 구하는 일은 실제로 가능하지도 않을 뿐만 아니라 엄청난 비용이 든다. 닐슨시청률조사(Nielson ratings)는 표본으로 추출된 5,000명의 시청자들이 무엇을 시청하는지 관찰하여 필요한 정보에 대한 근사치를 제공한다. 닐슨 표본에 있는 가구 중에서 특정한 프로그램을 시청하는 가구의 비율이 계산될 수 있다. 이와 같은 표본비율은 모든 가구 중에서 특정한 프로그램을 시청하는 가구의 비율(모비율)에 대한 **추정치**(estimate)로 사용된다.

표본추출에 관한 다른 하나의 예는 품질관리분야에서 구할 수 있다. 생산과정이 적정하게 작동하고 있는지 확인하기 위해, 생산관리 담당자는 생산되는 제품 중에서 발생되는 불량률을 알아야 할 필요가 있다. 만일 품질관리요원이 생산된 제품이 불량품인지 결정하기 위해 생산된 제품을 파괴시켜야 한다면, 표본추출을 하는 방법 이외에 다른 방법이 없다. 생산된 제품의 모집단을 완전히 검사하기 위해서는 생산된 제품 모두를 파괴하여야 한다.

텔레비전 시청자의 표본비율 또는 불량제품의 표본비율은 아마도 추정하기 원하는 모비율과 정확하게 같지 않을 것이다. 그럼에도 불구하고 **목표 모집단**(target population)(추론하기를 원하는 모집단)과 **표본추출 모집단**(sampled population)(표본이 추출된 모집단)이 동일하다면 표본통계량은 추정하고자 하는 모수와 매우 가까울 수 있다. 실제로 목표 모집단과 표본추출 모집단은 동일하지 않을 수 있다. 통계학의 가장 유명한 실패 중 하나가 이와 같은 현상을 예시해준다.

*Literary Digest*는 여러 번의 대통령 선거결과를 정확히 예측하였던 1920년대와 1930년대의 인기있는 잡지였다. 1936년에 *Literary Digest*는 공화당 후보인 Alfred Landon이 민주당의 대통령인 Franklin D. Roosevelt를 3:2로 패배시킬 것이라고 예측하였다. 그러나 이 선거에서 Roosevelt는 선거인단 투표의 62% 지지를 얻으면서 압도적으로 Landon을 패배시켰다. 이와 같은 예측 실패의 원인은 표본추출과정에서 발생하였으며 두 가지의 분명한 실수가 있었다.* 첫째, *Literary Digest*는 잠재적 유권자들에게 1,000만 장의 표본 투표지를 보냈다. 그러나 표본 투표지를 받은 사람들의 대부분은 *Literary Digest*의 구독자 명단과 전화번호부에서 추출되었다. 이 잡지의 구독자들과 전화를 소유한 사람들은 평균보다 더 부유하였고 이런 사람들은 오늘날과 마찬가지로 공화당 후보에게 찬성투표를 하는 경향을 가지고 있었다. 이에 더하여 단지 230만 장의 표본 투표지만이 회수되었고 이것이 결과적으로 대통령 선거결과를 예측하기 위해 사용된 표본을 자기선택표본이 되게 만들었다.

자기선택표본(self-selected sample)은 거의 항상 편의를 가진다. 왜냐하면 자기선택표본에 참여한 개인들은 모집단의 다른 사람들보다 주어진 이슈에 더 관심을 가지고 있기 때문이다. 오늘날에도 종종 라디오와 텔레비전방송국에서 사람들에게 전화하여 관심대상이 되고 있는 이슈에 대한 의견을 제시하도록 요청할 때 유사한 서베이가 실시된다. 이 경우에

---

* 많은 통계학자들은 *Literary Digest*의 통계학적 대실패를 잘못된 원인 탓으로 돌리고 있다. 실제로 발생한 일을 이해하기 위해서 Maurice C. Bryson, "The Literary Digest Poll: Making of a Statistical Myth," *American Statistician* 30(4)(November 1976): 184-185를 참조하라.

도 주어진 주제에 관심을 가지고 있어서 방송국에 의견을 전달하기에 충분한 인내를 가지고 있는 청취자들만이 결과적으로 표본에 포함될 것이다. 따라서 표본추출 모집단은 주어진 이슈에 관심이 있는 사람들만으로 구성되는 반면, 목표 모집단은 라디오방송국의 청취 반경 내에 있는 모든 사람들로 구성된다. 결과적으로 이와 같은 서베이로부터 도출된 결론은 종종 틀릴 수 있다.

이와 같은 현상을 보여주는 한 가지 예가 1984년에 ABC 텔레비전방송국의 프로그램인 *Nightline*에서 발생하였다. 시청자들에게 900국의 전화번호를 주고 유엔이 미국에 계속해서 위치해야 하는가에 대한 질문에 답변하는 전화를 걸도록 요청하였다. 186,000명 이상이 전화하였고 이 중에서 67%가 "아니오"라고 응답하였다. 동시에 500명을 대상으로 이루어진 (더 과학적인) 시장리서치 여론조사에서는 72%가 유엔이 미국에 있기 원한다고 답변하였다. 일반적으로 추정되어야 하는 모수의 값은 결코 알 수 없기 때문에 이와 같은 서베이들은 유용한 정보를 제공하는 인상을 준다. 실제로 이와 같은 서베이들의 결과는 1936년의 *Literary Digest* 여론조사결과 또는 *Nightline*의 전화여론조사결과보다 더 정확하지 않을 수도 있다. 통계학자들은 이와 같은 여론조사결과들을 기술하기 위해 두 가지 용어, 즉 SLOP (self-selected opinion poll)와 *Oy vey* (Yiddish의 애가)를 사용하였다. 이와 같은 두 용어는 데이터 수집과정에 내포되어 있는 문제점을 전달해준다.

연습문제

5.6 다음과 같은 표본추출방법 각각에 대하여 왜 목표 모집단과 표본추출 모집단이 동일하지 않은지 설명하라.

a. 한 특정한 쇼핑몰에서 정기적으로 쇼핑하는 고객들의 의견과 태도를 알아보기 위해, 서베이를 수행하는 사람이 쇼핑몰에 있는 한 대형 백화점 밖에 서서 서베이에 참여하는 사람들을 임의로 선정한다.

b. 한 도서관은 손상되는 책의 비율을 추정하기 원한다. 도서관의 사서들은 각 서가의 왼쪽 끝에서 12인치 떨어져 있는 곳에 있는 한 권의 책을 선택하여 표본으로 결정한다.

c. 정치분야 서베이를 하는 사람들이 방문시점에 집에 있는 유권자에게 누구에게 지지투표를 할 것인지 물어보기 위해 어느 하루의 오후 동안 200개의 주택을 방문한다.

5.7 **a.** 왜 1936년의 *Literary Digest*의 여론조사결과가 불명예스럽게 되었는지 설명하라.

b. 이 여론조사결과가 잘못된 원인은 무엇인가?

5.8 **a.** 자기선택표본은 어떤 표본인가?

b. 자기선택표본을 포함하는 최근 여론조사의 예를 하나 제시하라.

c. 왜 자기선택표본은 바람직하지 않은가?

5.9 한 신문의 정기적인 특집은 독자들에게 "예" 또는 "아니오"를 요구하는 서베이에 대하여 이메일을 통해 응답하도록 요청한다. 다음 날의 신문에서 "예"와 "아니오" 응답비율이 보도된다. 왜 우리는 이와 같은 통계량들을 무시해야 하는지 논의하라.

5.10 당신의 통계학 교수가 통계학 과목에 관한 질문지를 나누어 준다고 하자. 질문 중 하나는 "당신은 이 과목을 친구에게 추천하겠는가?"를 묻는 것이다. 이 교수는 모든 통계학 과목에 관한 사항을 추론하기 위해 서베이 결과를 사용할 수 있는가? 설명하라.

5.3 표본추출방법

이 절의 목적은 세 가지의 표본추출방법, 즉 단순임의표본추출법(simple random sampling), 층화임의표본추출법(stratified random sampling), 군집표본추출법(cluster sampling)을 소개하는 것이다.

5.3a 단순임의표본추출법

단순임의표본

단순임의표본(simple random sample)은 같은 관측치 수를 가진 모든 가능한 표본이 선택될 가능성이 동일하게 되는 방식으로 선정된 표본이다.

단순임의표본을 추출하는 한 가지 방법은 모집단의 각 요소에 숫자 하나씩을 부여하여 개별적인 종이쪽지에 하나의 숫자를 쓰고, 모자 안에 이 쪽지들을 넣은 다음 모자로부터 필요한 종이쪽지의 수만큼(표본크기 n)을 뽑는 것이다. 이것은 모든 티켓을 대형 회전드럼 속에 집어넣고 승자를 추첨하는 추첨식 복권판매에서 이루어지는 방식과 같다.

모집단의 원소들이 이미 숫자 자체일 수 있다. 예를 들면, 실제로 모든 성인들은 미국의 경우 사회보장번호(Social Security Number)를 가지고 있고 캐나다의 경우 사회보험번호(Social Insurance Number)를 가지고 있다. 대기업의 모든 종업원들은 종업원 번호를 가지고 있다. 많은 사람들은 운전면허번호, 건강보험번호, 학생증번호 등등을 가지고 있다. 이러한 경우 단순히 이와 같은 번호들로부터 표본을 선택하는 방법이 사용될 수 있다.

일부의 경우들에서는 숫자가 부여된 형태가 표본을 추출하기 위한 자료로서 부적절한 본질적인 결점을 가지고 있다. 예를 들면, 모든 사람이 전화번호를 가지고 있는 것은 아니다. 따라서 전화번호부는 한 지역에 있는 모든 사람들을 포함하고 있지는 않다. 많은 가구에는 2명 이상의 성인들이 있으나 단지 한 개의 전화번호만 있다. 전 세계의 모든 사람들은 셀룰러 폰을 가지고 있는 것 같다. 이들 중 많은 사람들은 유선전화를 가지고 있지 않고 어떤 명부에도 나타나지 않는다. 일부 사람들은 전화를 가지고 있지 않고 일부 사람들은 전화번호부에 전화번호를 올리지 않으며 일부 사람들은 한 개 이상의 전화를 가지고 있다. 이와 같은 차이점들 때문에 모집단의 각 원소가 선택될 가능성은 동일하지 않다.

모집단의 각 원소에 하나의 숫자를 부여한 후, 표본에 포함되는 숫자가 임의로 선택될 수 있다. 이와 같은 기능을 수행하기 위해 Excel이 사용될 수 있다.

예제 5.1 소득세 환불 건의 임의표본

한 정부의 소득세 회계감사원에게 1,000개의 소득세 환불 건에 대하여 검토하는 책임이 부여되었다. 컴퓨터가 각 소득세 환불 건의 수치들을 점검하도록 사용된다. 그러나 소득세 환불이 정직하게 작성되었는지 검토하기 위해 이 회계감사원은 각 항목의 타당성을 확인하여야 한다. 소득세 환불 건 하나를 완전히 감사하는 데 평균적으로 1시간이 걸린다. 이 회계감사원은 이 일을 완료하기 위해 일주일의 시간만을 가지고 있기 때문에 임의로 40개의 소득세 환불 건을 선택하여 감사하기로 결정하였다. 소득세 환불 건에 대하여 1에서 1,000까지의 숫자가 부여되었다. 이 회계감사원이 표본을 선택하는 것을 돕기 위해 컴퓨터 난수생성 프로그램을 사용하라.

해답 40개의 소득세 환불 건을 선택하기 위해 1과 1,000 사이에서 40개의 숫자만이 필요하지만 50개의 숫자를 생성하였다. 이렇게 한 것은 일부의 동일한 숫자들이 생성될 가능성이 있기 때문이다. 표본을 선택하기 위해 처음의 유일한 40개 숫자가 사용될 것이다. 다음과 같은 숫자들이 Excel에 의해 생성되었다. Excel에 의한 난수생성에 관한 지시사항이 아래에 제시되어 있다. (생성된 24번째 숫자와 36번째 숫자(열을 따라 세어 내려 가라)는 동일한 467이라는 것에 주목하라.)

컴퓨터 생성 난수번호

383	246	372	952	75
101	46	356	54	199
597	33	911	706	65
900	165	467	817	359
885	220	427	973	488
959	18	304	467	512
15	286	976	301	374

408	344	807	751	986
864	554	992	352	41
139	358	257	776	231

EXCEL Data Analysis

지시사항

1. **데이터**(Data), **데이터분석**(Data Analysis), **난수생성**(Random Number Generation)을 클릭하라.
2. **변수의 개수**(Number of Variables)란에 (1)로 표시하고 **난수의 개수**(Number of Random Numbers)란에 (50)으로 표시하라.
3. **분포**(Distribution)란에서 **일양분포**(Uniform Distribution)를 선택하라.
4. 일양분포의 범위를 나타내는 **모수**(Parameters)란에 시작을 0으로 표시하고 종료를 1로 표시한 후
5. **확인**(OK)을 클릭하라. A열에 0과 1 사이의 값을 가지는 50개의 숫자가 생성될 것이다.
6. A열에 1,000을 곱한 값을 B열에 저장하라.
7. C1란에서 f_x, **수학/삼각**(Math & Trig), **ROUNDUP**과 **확인**(OK)을 클릭하라.
8. 반올림하여야 하는 첫 번째 숫자를 표시하라(B1).
9. Number of digits(소수점)란에 0으로 표시하고 확인(OK)을 클릭하라.
10. 반올림으로 생성되는 숫자가 C열에 나타난다.

처음 5단계는 Excel에게 0과 1 사이의 값을 가지는 50개의 일양분포 난수를 생성하고 A열에 저장하도록 명령한다. 6~10단계는 이와 같은 난수를 1과 1,000 사이의 정수로 전환시킨다. 각 소득세 환불 건이 선택될 확률은 1/1,000=.001로 같다. 따라서 모집단의 각 원소는 표본에 포함될 확률이 모두 같다.

해석 회계감사원은 컴퓨터에 의해 선택된 소득세 환불 건들을 검토할 것이다. 그는 383, 101, 597, . . . , 352, 776, 75(처음 40개의 유일한 번호들)의 번호를 부여받은 소득세 환불 건들을 선택할 것이다. 회계감사원은 이와 같은 소득세 환불 건들 각각에 대하여 사기성이 있는지 결정하기 위해 감사할 것이다. 만일 감사의 목적이 표본으로 추출된 40개의 소득세 환불 건들을 감사하는 것이라면 통계기법이 사용되지 않을 것이다. 그러나 감사의 목적이 1,000개의 소득세 환불 건들 중에서 정직하지 않은 소득세 환불 건들의 비율을 추정하기 위한 것이라면, 그는 이 책의 뒷부분에서 소개되는 추론 기법들 중 하나를 사용할 것이다.

5.3b 층화임의표본추출법

모집단에 관한 추론을 하는 데 있어서 표본으로부터 가능한 한 많은 정보를 추출하는 시도가 이루어진다. 가장 기본적인 표본추출방법인 단순임의표본추출법은 종종 적은 비용으로 이와 같은 목적을 달성한다. 그러나 다른 표본추출방법들은 모집단에 관한 정보의 양을 증가시키기 위해 사용될 수 있다. 이와 같은 표본추출방법 중 하나가 **층화임의표본추출법**(stratified random sampling)이다.

층화임의표본

층화임의표본(stratified random sample)은 모집단을 상호배타적인 집합(층)들로 분리하고 각 집합(층)으로부터 단순임의표본을 추출함으로써 구해진다.

모집단을 상호배타적인 집합(층)으로 분리하는 기준을 보여주는 예들은 다음과 같다.

1. 성별
   - 남성
   - 여성
2. 연령
   - 20세 이하
   - 21세~30세
   - 31세~40세
   - 41세~50세
   - 51세~60세
   - 61세 이상
3. 직업
   - 전문직
   - 사무직
   - 블루칼라
   - 기타
4. 가구 소득
   - 25,000달러 미만
   - 25,000달러~39,999달러
   - 40,000달러~60,000달러
   - 60,000달러 초과

층화임의표본추출법을 예시하기 위해 얼마나 많은 사람들이 세금인상을 선호하는지 결정하기 위한 여론조사가 이루어진다고 하자. 층화임의표본은 방금 설명한 4개의 소득 그룹 각각으로부터 단순임의표본을 선택함으로써 만들어질 수 있다. 일반적으로 특정한 종류의 정보를 얻을 수 있는 방식으로 층이 구별된다. 이 예에서 세금인상은 소득 그룹별로 다르게 영향을 미치기 때문에 다른 소득 그룹에 속한 사람들이 제안된 세금인상에 대하여 다른 의견을 가지고 있는지 알기 원한다. 서베이의 내용과 층 간에 연관관계가 존재하지 않을 때는 모집단을 층으로 분리하는 것을 피한다. 예를 들면, 종교가 다른 그룹에 속하는 사람들이 세금인상에 대하여 다른 의견을 가지고 있는지 결정하는 것은 의미가 없다.

모집단을 층으로 구분하는 한 가지 장점은 전체 모집단에 관한 정보를 얻는 것에 더하여 각 층에 대하여 추론하고 추론결과를 층들 간에 비교할 수 있다는 것이다. 예를 들면, 최저 소득 그룹에서 세금인상을 선호하는 비율을 추정할 수 있을 뿐만 아니라 세금인상을 지지하는 데 서로 다른가를 결정하기 위해 최고 소득 그룹과 최저 소득 그룹을 비교할 수 있다.

모집단을 층으로 분리하는 일은 층들이 상호배타적이 되도록 하여야 한다. 모집단의 각 원소는 정확히 하나의 층에 배분되어야 한다. 모집단이 이와 같은 방법으로 층으로 분리된 후, 완전한 표본을 생성하기 위해 단순임의표본추출법이 사용될 수 있다. 이와 같은 일을 하는 여러 가지 방법들이 있다. 예를 들면, 모집단에서 차지하는 비율로 4개 소득 그룹의 각각으로부터 단순임의표본을 추출할 수 있다. 따라서 모집단에서 차지하는 4개 소득 그룹의 상대빈도가 다음과 같다면, 표본은 같은 비율로 각 그룹에서 추출된다. 만일 총표본의 크기가 1,000명이면 그룹 1에서 250명, 그룹 2에서 400명, 그룹 3에서 300명, 그룹 4에서 50명이 임의로 선택된다.

그룹(층)	소득범위	모집단에서 차지하는 비율
1	25,000달러 미만	25%
2	25,000달러~39,999달러	40
3	40,000달러~60,000달러	30
4	60,000달러 초과	5

그러나 이와 같은 층화임의표본추출법의 문제점은 마지막 그룹(층)에 관한 추론을 하고자 할 때 표본크기가 50명으로 너무 작아서 유용한 정보를 추출할 수 없다는 점이다. 이와 같은 경우, 일반적으로 표본 데이터가 충분한 정보를 제공할 수 있도록 하기 위해 가장 작은 그룹의 표본크기를 증가시킬 수 있다. 이와 같은 조정은 전체 모집단에 관한 추론을 하기 전에 이루어져야 한다. 이에 관한 자세한 사항은 이 책의 수준을 넘어선다. 이와 같은

서베이를 계획하고 있는 사람은 이와 같은 주제에 관하여 통계전문가와 상의하거나 참고서적을 참조하기 권한다. 더 좋은 방법은 당신 자신이 통계학 과목들을 추가적으로 수강함으로써 통계전문가가 되는 것이다.

5.3c 군집표본추출법

> **군집표본**
>
> **군집표본**(cluster sample)은 그룹들 또는 군집들의 단순임의표본이다.

군집표본추출법은 모집단의 원소들을 완전히 정리하는 것이 어렵거나 비용이 많이 드는 경우(이에 따라 단순임의표본을 생성하는 것이 어렵거나 비용이 많이 드는 경우)에 특히 유용하다. 또한 군집표본추출법은 모집단 원소들이 광범위하게 지리적으로 퍼져 있을 때 유용하다. 예를 들면, 한 대도시의 연간 평균 가구소득을 추정하기 원한다고 하자. 단순임의표본추출법을 사용하기 위해서는 표본이 추출되는 이 도시에 있는 모든 가구들을 정리할 필요가 있다. 층화임의표본추출법을 사용하기 위해서도 이 도시에 있는 모든 가구들을 정리하여야 하고 층을 분리하기 위해 가장의 연령과 같은 어떤 변수에 의해 각 가구를 그룹으로 분리할 필요가 있다. 비용이 더 적게 드는 표본추출방법은 이 도시의 각 블럭이 하나의 군집을 나타내도록 하는 것이다. 이어서 군집들로 구성된 표본이 임의로 추출되고 이와 같은 군집들에 속한 가구들에게 소득이 어느 정도인지 질문한다. 군집표본추출법은 조사자가 데이터를 수집하기 위해 다녀야 하는 거리를 감소시킴으로써 표본추출에 필요한 비용을 감소시킨다.

그러나 군집표본추출법은 표본추출오차를 증가시킨다(5.4절 참조). 왜냐하면 동일한 군집에 속하는 가구들은 가구소득을 포함하여 많은 측면에서 유사할 가능성이 있기 때문이다. 이와 같은 표본추출오차는 단순임의표본보다 더 큰 표본을 추출하기 위해 절약된 비용의 일부를 사용함으로써 부분적으로 상쇄될 수 있다.

5.3d 표본크기

당신이 어떤 표본추출방법을 선택하든지 간에 표본크기를 결정하여야 한다. 적정한 표본크기를 결정하는 방법이 제10장과 제12장에서 상세하게 논의될 것이다. 그때까지 표본크기가 크면 클수록 표본추정치가 더 정확할 것이라고 예상할 수 있다는 직관에 의존할 것이다.

해답 표본추출과 센서스

Spencer Grant/Age Fotostock

과소집계를 조정하기 위해 미국 통계국은 군집표본추출법을 사용한다. 군집들은 지리적 블럭들이다. 2000년의 센서스를 위해 미국 통계국은 임의로 314,000가구를 포함하고 있는 11,800블럭을 표본으로 추출하였다. 각 가구에 대하여 모든 주거인들이 계산되었는지 확인하기 위해 집중적으로 재방문이 이루어졌다. 이와 같은 서베이의 결과로부터 미국 통계국은 성별, 인종, 연령을 포함한 여러 가지 변수들에 의해 정의되는 다양한 그룹별로 첫 번째 센서스에서 계산되지 않았던 사람들의 수를 추정하였다. 각 주의 인구를 결정하는 것이 중요하기 때문에 조정이 각 주의 총계에 대하여 이루어졌다. 예를 들면, 미국 통계국은 센서스결과와 표본결과를 비교하면서 텍사스주의 과소집계가 1.7087%였다고 결정하였다. 공식적 센서스는 텍사스주의 인구가 20,851,820명이라고 집계하였다. 이와 같은 총계의 1.7087%는 356,295명이다. 이와 같은 방법을 사용하면서 텍사스주의 인구는 21,208,115명으로 조정되었다.

이와 같은 조정과정은 논란의 여지가 있다는 점이 지적되어야 한다. 논란의 중심은 하부 그룹이 정의되는 방식에 관한 것이다. 정의를 바꾸면 과소집계를 변화시키고 이와 같은 통계기법은 정치적 고려에 영향을 받을 수 있다.

연습문제

5.11 한 통계전문가가 새로운 쇼핑몰을 건설하기 위한 제안에 대하여 지역주민의 견해를 묻는 서베이를 실시하기 원한다. 가장 최근 센서스에 의하면, 이 지역에는 500가구가 있다. 이 통계전문가는 각 가구에 1부터 500 사이의 숫자를 부여하고 이 중에서 연구에 참여할 25가구를 임의로 선택하기 원한다. Excel을 사용하여 표본을 생성하라.

5.12 한 안전전문가는 그가 살고 있는 주에서 타이어 트레드가 닳은 자동차의 비율을 결정하기 원한다. 이 주의 자동차 번호판은 6자리로 되어 있다. Excel을 사용하여 검토할 20개의 자동차로 구성된 표본을 생성하라.

5.13 한 대형 대학교는 60,000명의 학생을 가지고 있다. 이 대학 학생회장은 학생활동비의 인상에 대한 견해를 파악하기 위해 학생들을 대상으로 한 서베이를 실시하기 원한다. 학생회장은 모든 학생들에 관한 정보를 얻기 원하지만 경영대학, 인문대학, 대학원 학생들의 견해도 비교하기 원한다. 이와 같은 목표를 달성하기 위한 표본추출방법을 설명하라.

5.14 한 텔레마케팅 회사는 자기 회사 제품을 한 개 또는 두 개 이상 구매한 가구들을 기록하였다. 이와 같은 가구 수는 수백만 개이다. 전화방문 시간대별 구매자의 태도에 관한 정보를 얻기 위해 구매자들을 대상으로 한 서베이를 실시하기 원한다. 이 회사의 사장은 모든 구매자들의 견해를 알기 원하나 동, 서, 남, 북에 사는 사람들의 태도도 비교하기 원한다. 적정한 표본추출방법을 설명하라.

5.15 4개의 부서를 가지고 있는 한 대형공장의 생산운영담당 경영자는 사고로 인한 월간 인-시간

손실(person-hours lost)을 추정하기 원한다. 공장 전체의 인-시간 손실을 추정하는 동시에 부서들 간의 인-시간 손실을 비교하기 위해 적정한 표본추출방법을 설명하라.

5.16 한 통계전문가는 그가 살고 있는 도시의 평균 아동연령을 추정하기 원한다. 그의 목적을 달성하기 위해 적정한 표본추출방법을 설명하라.

5.4 표본추출오차와 비표본추출오차

관측치들의 표본이 모집단으로부터 추출될 때 두 가지 종류의 오차, 즉 **표본추출오차**(sampling error)와 **비표본추출오차**(nonsampling error)가 발생할 수 있다. 서베이를 시행하고 통계기법을 적용하는 통계전문가뿐만 아니라 표본 서베이와 연구결과를 검토하는 사람은 이와 같은 두 가지 오차를 발생시키는 원인을 이해하여야 한다.

5.4a 표본추출오차

표본추출오차(sampling error)는 표본으로 선택된 관측치들 때문에 존재하는 표본과 모집단의 차이를 의미한다. 표본추출오차는 모집단으로부터 추출된 하나의 표본에 포함되어 있는 관측치들만 기초하여 모집단에 관하여 추론할 때 발생될 것으로 예상되는 오차이나. 이러한 섬을 예시하기 위해, 북미 블루칼라 근로자들의 연평균소득을 결정하기 원한다고 하자.

이러한 모수를 결정하기 위해 북미 블루칼라 근로자 모두에게 소득이 얼마인지 물어보고 모든 응답들의 평균을 계산하여야 한다. 대상 모집단 크기가 수백만 명이기 때문에, 이와 같은 일은 비용이 많이 들고 실제로 가능하지도 않다. 100%보다 낮은 정확도를 기꺼이 수용할 수 있으면 모집단의 평균소득 μ을 추정하기 위해 통계적 추론이 사용될 수 있다. 표본으로 추출된 근로자들의 소득을 기록하고 소득의 표본평균 $\bar{x}$를 계산한다. 이와 같은 표본평균이 모평균의 추정치이다. 그러나 표본평균의 값은 어떤 소득이 표본으로 선택되었는가에 따라 결정되기 때문에 모평균으로부터 떨어져 있을 것이다. 모평균의 진정한(알려져 있지 않은) 값과 모평균의 추정치(표본평균)의 차이가 표본추출오차이다. 이와 같은 오차의 크기는 특히 모집단을 대표하지 못하는 특정표본이 선택되는 나쁜 운 때문에 클 수 있다. 이와 같은 표본추출오차의 크기를 감소시킬 수 있는 유일한 방법은 큰 표본을 추출하는 것이다.

표본크기가 일정하게 주어져 있는 경우 우리가 할 수 있는 최선의 방법은 표본추출오차가 일정한 크기보다 적을 확률을 나타내는 것이다(제10장 참조). 오늘날 여론조사결과를 발표할 때 표본추출오차가 일정한 크기보다 적을 확률이 포함되는 것이 일반적이다. 예를 들면, 표본결과에 기초하여 현 시장 후보가 차기선거에서 유권자의 54%의 지지를 받을 것이라고 여론조사결과가 발표된다면, 이와 같은 발표에는 다음과 같은 언급이 포함된다. "이와 같은 54%는 95%의 신뢰수준에서 3% 포인트 이내에서 정확하다." 이와 같은 언급은 현 시장 후보의 실제 지지율은 51%와 57% 사이에 포함된다는 것을 의미한다. 동시에 이와 같은 언급은 이와 같은 방법을 사용하여 반복적으로 구해지는 현 시장 후보의 지지율 구간 중 95%만이 실제 지지율을 정확하게 포함한다는 것을 의미한다.

5.4b 비표본추출오차

비표본추출오차는 표본크기가 크다고 할지라도 비표본추출오차의 크기와 발생 가능성을 감소시키지 못하기 때문에 표본추출오차보다 더 심각하다. 센서스도 비표본추출오차를 포함할 수 있다. **비표본추출오차**(nonsampling error)는 데이터를 수집하는 데서 만들어지는 실수 또는 부적절하게 표본관측치들이 선택되기 때문에 발생된다.

1. **데이터 수집상의 오차.** 이와 같은 형태의 오차는 부정확한 응답을 기록하는 데서 발생한다. 부정확한 데이터는 불완전한 장비, 원자료를 옮기는 과정에서 이루어진 실수, 용어의 잘못된 해석에 기인한 데이터의 부정확한 기록, 성적 활동 또는 세금회피 가능성과 같은 민감한 쟁점들에 관한 질문에 대한 부정확한 답변 때문에 수집될 수 있다.

2. **무응답오차.** **무응답오차**(nonresponse error)는 표본의 일부로부터 응답을 받지 못할 때 발생되는 오차(또는 **편의**)이다. 이와 같은 일이 발생할 때, 수집되는 표본관측치는 목표 모집단을 대표하지 못할 수 있고 이에 따라 제5.2절에서 논의한 편의가 있는 결과가 발생할 수 있다. 무응답은 여러 가지 이유로 발생할 수 있다. 인터뷰를 하는 사람이 표본에 있는 사람을 접촉하지 못할 수 있거나 표본에 있는 사람이 어떤 이유로 답변을 거부할 수 있다. 어느 경우이든, 표본에 있는 사람으로부터 응답을 얻지 못할 수 있고 이에 따라 편의가 나타나게 된다. 면담으로 무응답률을 감소시킬 수 있는 인터뷰 대신 응답자가 완성하여야 하는 질문지가 사용될 때 무응답의 문제는 더 심할 수 있다. 앞에서 지적한 것처럼, *Literary Digest*의 실패는 크게는 높은 무응답률로 인해 편의가 발생되었고 자기선택표본이 만들어졌기 때문이다.

3. **선택편의.** **선택편의**(selection bias)는 표본추출방법이 목표 모집단의 일부를 표본에 선택될 수 없게 만드는 경우에 발생할 수 있다. 전화가 없는 유권자들 또는 *Literary Digest*를 구독하지 않는 유권자들이 표본에 포함될 가능성으로부터 배제되었기 때문에 *Literary Digest* 여론조사가 잘못되는 데 선택편의가 중요한 역할을 하였다.

연습문제

5.17 a. 표본추출오차와 비표본추출오차의 차이를 설명하라.

b. 표본추출오차와 비표본추출오차 중에서 어떤 오차가 더 심각한가? 왜 그런가?

5.18 세 가지 형태의 비표본추출오차를 간략히 설명하라.

5.19 표본이 센서스보다 더 좋은 결과를 제공하는 것이 가능한가? 설명하라.

요약

대부분의 모집단은 매우 크기 때문에, 모수의 값을 결정하기 위해 모집단의 각 원소를 조사하는 것은 비용이 매우 많이 들고 실제적으로 가능하지도 않다. 하나의 실용적 방법으로 모집단으로부터 표본이 추출되고 모수에 관한 추론을 하기 위해 표본통계량들이 사용된다. **표본추출 모집단**(sampled population)과 **목표 모집단**(target population)이 동일한지 확인하기 위해 주의를 기울여야 한다.

여러 가지의 표본추출방법, 즉 **단순임의표본추출법**(simple random sampling), **층화임의표본추출법**(stratified random sampling), **군집표본추출법**(cluster sampling) 중에서 표본추출방법이 선택될 수 있다. 어떤 표본추출방법이 사용되든지 간에, **표본추출오차**(sampling error)와 **비표본추출오차**(nonsampling error)가 발생한다는 것을 인식하는 것과 이와 같은 오차들이 발생하는 원인들을 이해하는 것이 중요하다.

주요 용어

관측데이터(observational data)
군집표본(cluster sample)
단순임의표본(simple random sample)
목표 모집단(target population)
무응답오차(무응답편의)(nonresponse error (nonresponse bias))
비표본추출오차(nonsampling error)
서베이(survey)
선택편의(selection bias)
실험데이터(experimental data)
응답률(response rate)
자기선택표본(self-selected sample)
추정치(estimate)
층화임의표본(stratified random sample)
표본추출오차(sampling error)
표본추출 모집단(sampled population)

Dmitry Naumov/Shutterstock.com

6 확률의 이해

Probability

이 장의 구성

6.1 사건에 확률을 부여하는 방법

6.2 결합확률, 한계확률, 조건부 확률

6.3 확률법칙과 확률나무

6.4 베이즈의 법칙

6.5 정확한 통계기법의 식별

세금환불 건 감사하기

☞ (198페이지에 모범답안이 제시되어 있다.)

정부의 회계감사원들은 통상적으로 계산오류가 있는지 검토하기 위해 세금환불 건들을 확인한다. 또한 그들은 사기성이 있는 세금환불 건을 발견하고자 한다. 부정직한 납세자들이 소득세를 회피하기 위해 사용하는 방법에는 여러 가지가 있다. 하나의 방법은 여러 가지 소득원을 밝히지 않는 것이다. 회계감사원들은 지출패턴을 포함하여 다양한 검색 방법을 가지고 있다. 다른 하나의 세금사기 형태는 가공적인 세금공제를 만들어 내는 것이다. 한 회계감사원은 수천 건의 자영업 납세자 세금환불 건을 분석한 후 사기성이 있는 세금환불 건의 45%는 두 개의 의심스러운 공제를 포함하고 있고, 28%는 한 개의 의심스러운 공제를 포함하고 있으며 나머지는 의심스러운 공제를 포함하지 않고 있다는 것을 발견하였다. 정직한 세금환불 건의 11%는 두 개의 공제를 포함하고 있고, 18%는 한 개의 공제를 포함하고 있으며 나머지 71%는 공제를 포함하고 있지 않다. 회계감사원은 자영업 납세자 세금환불 건 중 5%는 심각한 사기를 포함하고 있다고 믿는다. 이 회계감사원이 방금 한 개의 의심스러운 지출공제를 포함하고 있는 자영업 납세자의 세금환불 건을 받았다. 이 세금환불 건이 심각한 사기를 포함하고 있을 확률은 얼마인가?

Vinnstock/Shutterstock.com

서론

제2장, 제3장, 제4장에서 그래프 기술통계기법과 수치 기술통계기법이 소개되었다. 이와 같은 기법들은 그 자체로 유용하지만 우리는 특히 통계적 추론 방법을 배우는 데 관심을 가지고 있다. 제1장에서 지적한 것처럼, 통계적 추론은 표본으로부터 모집단에 관한 정보를 얻는 과정이다. 통계적 추론의 핵심 요소는 **확률**(probability)이다. 확률은 모집단과 표본을 연계시킨다.

이 장과 다음 두 장의 주요 목적은 통계적 추론의 기반이 되는 확률에 기초한 도구들을 소개하는 것이다. 또한 확률은 제21장에서 논의하는 주제인 의사결정분석에서 중요한 역할을 한다.

6.1 사건에 확률을 부여하는 방법

확률을 소개하기 위해 먼저 **확률실험**(random experiment)을 정의하도록 하자.

> **확률실험**
>
> **확률실험**(random experiment)은 여러 가지 가능한 결과들 중 하나의 결과를 발생시키는 활동 또는 과정이다.

확률실험을 나타내는 6가지의 예와 결과들을 예시하면 다음과 같다.

예시 1. **실험**: 동전 한 개를 던지기
결과: 앞면과 뒷면

예시 2. **실험**: 통계학 시험의 점수(100점 만점)
결과: 0과 100 사이의 실수들

예시 3. **실험**: 통계학 과목의 학점
결과: A, B, C, D, F

예시 4. **실험**: 한 과목에 대한 학생 강의 평가
결과: 불량, 보통, 양호, 매우 양호, 탁월

예시 5. **실험**: 컴퓨터 한 대를 조립하는 시간
결과: 최소의 값이 0이고 사전에 정해진 상한값이 없는 0보다 큰 실수

예시 6. **실험**: 한 유권자가 차기 선거에서 찬성투표할 정당
결과: 정당 A, 정당 B, . . .

확률을 부여하는 첫 단계는 결과들을 나열하는 것이다. 나열된 결과들은 모든 가능한 결과들이 포함되어야 한다는 것을 의미한다는 점에서 **완전**(exhaustive)하여야 한다. 이에 더하여 나열된 결과들은 어느 두 가지 결과가 동시에 발생할 수 없다는 것을 의미한다는 점에서 **상호배타적**(mutually exclusive)이어야 한다.

완전한 결과의 개념을 예시하기 위해 한 개의 주사위를 던지는 경우에 나타날 수 있는 결과들을 다음과 같이 나열한다고 하자.

1 2 3 4 5

이와 같이 나열한 것은 6을 빠뜨렸기 때문에 완전하지 않다.

상호배타성의 개념은 예시 2의 결과들을 다음과 같이 나열함으로써 이해될 수 있다.

0~50 50~60 60~70 70~80 80~100

이와 같은 구간들이 하한값과 상한값을 포함하면, 두 가지 결과가 한 학생에 대하여 발생할 수 있기 때문에 결과들은 상호배타적이 아니다. 예를 들면, 한 학생이 70점을 받으면, 세 번째 결과와 네 번째 결과가 동시에 발생한다.

완전하고 상호배타적인 결과들을 나열하는 방법은 하나 이상일 수 있다는 점에 주목하여야 한다. 예를 들면, 예시 3의 결과들을 다르게 나열하면 다음과 같다.

통과(pass)와 실패(fail)

완전하고도 상호배타적인 결과들을 나열한 것은 **표본공간**(sample space)이라고 부르고 S로 표시된다. 표본공간에 있는 결과들은 $O_1, O_2, . . . , O_k$로 표시된다.

표본공간

한 확률실험의 **표본공간**(sample space)은 확률실험으로부터 발생할 수 있는 모든 가능한 결과들을 나열한 것이다. 표본공간에 포함되는 결과들은 완전하고 상호배타적이어야 한다.

집합기호를 사용하여 표본공간과 표본공간에 포함된 결과들은 다음과 같이 나타낸다.

$$S=\{O_1, O_2, . . . , O_k\}$$

표본공간이 준비되면, 결과들에 대하여 확률을 부여하는 일을 시작할 수 있다. 결과들에 확률을 부여하는 세 가지 방법이 있다. 그러나 다음의 박스에 정리한 것과 같이 확률에 관한 두 가지 법칙이 성립되어야 한다.

확률법칙

표본공간 $S=\{O_1, O_2, \ldots, O_k\}$가 주어져 있을 때, 결과들에 부여되는 확률은 다음과 같은 두 가지 조건을 충족시켜야 한다.

1. 어느 한 결과의 확률은 0과 1 사이의 값을 가진다. 즉, 각 i에 대하여

$$0 \le P(O_i) \le 1$$

[주: $P(O_i)$는 결과 i의 확률을 나타낸다.]

2. 표본공간에 있는 모든 결과에 대한 확률들의 합은 1이어야 한다. 즉,

$$\sum_{i=1}^{k} P(O_i) = 1$$

6.1a 확률을 부여하는 세 가지 방법

고전적 방법(classical approach)은 운수에 맡긴 게임과 관련된 확률을 결정하는 것을 돕기 위해 수학자들에 의해 사용된다. 예를 들면, 고전적 방법은 한 개의 균형 잡힌 동전 던지기에서 앞면이 나올 확률과 뒷면이 나올 확률이 같다고 규정한다. 확률들의 합은 1이어야 하기 때문에, 앞면이 나올 확률과 뒷면이 나올 확률은 각각 50%이다. 이와 유사하게, 한 개의 균형 잡힌 주사위 던지기에서 나타나는 6가지의 가능한 결과는 같은 확률을 가진다. 각각의 결과에 대하여 1/6의 확률이 부여된다. 일부의 실험들에서는 나타날 결과의 수를 계산하기 위해 수학적 방법을 개발할 필요가 있다. 예를 들면, 복권에 당첨될 확률을 결정하기 위해서는 가능한 조합의 수를 결정할 필요가 있다.

상대빈도 방법(relative frequency approach)은 한 결과가 발생하는 장기적 상대빈도를 확률로 정의한다. 예를 들면, 당신이 현재 수강하고 있는 통계학 과목을 이미 수강하였던 1,000명의 학생 중에서 200명이 A학점을 받았다는 것을 알고 있다고 하자. 따라서 A학점의 상대빈도는 200/1000 또는 20%이다. 이 수치는 통계학 과목에서 A학점을 받을 확률의 추정치이다. 상대빈도 방법은 확률을 "장기적" 상대빈도로 정의하기 때문에 이와 같이 정의되는 확률은 단지 추정치일 뿐이다. 1,000명의 학생은 "장기적" 상대빈도를 구하기에는 적은 수치이다. 우리가 관찰하는 학점을 취득한 학생의 수가 많을수록, 상대빈도로 구해지는 추정치는 더 좋아진다. 이론적으로 말하면, 정확한 확률을 결정하기 위해서는 무한대의 학점들을 관찰하여야 한다.

고전적 방법을 사용하는 것이 적정하지 않을 때와 결과들에 대한 기록이 존재하지 않을

때, **주관적 방법**(subjective approach)을 채택하는 것 이외에 다른 방법이 없다. 주관적 방법에서는 한 사건의 발생에 대하여 가지고 있는 확신의 정도가 확률로 정의된다. 한 훌륭한 예는 투자분야에서 찾을 수 있다. 한 투자자가 어떤 특정한 주식의 가치가 증가할 확률을 알기 원한다. 이 투자자는 주관적 방법을 사용하면서 이 주식과 관련된 수많은 요소들과 일반적인 주식시장에 대하여 분석할 것이고 자기 자신의 판단을 사용하면서 관심 있는 결과들에 확률을 부여한다.

6.1b 사건의 정의

표본공간에 있는 개별 결과는 **단순사건**(simple event)이라고 부른다. 모든 다른 사건들은 표본공간에 있는 단순사건들로 구성된다.

> **사건**
>
> **사건**(event)은 표본공간에 있는 하나의 단순사건 또는 두 개 이상의 단순사건들의 집합이다.(역자 주: event는 사상이라고도 하나 이 책에서는 사건으로 통일하여 사용함)

예시 2에서 A학점을 받을 사건을 80과 100 사이에 속하는 숫자들의 집합으로 정의할 수 있다. 집합기호를 사용하면

$$A=\{80,\ 81,\ 82,\ .\ .\ .\ .\ ,\ 99,\ 100\}$$

이며, 이와 유사하게, F학점을 받을 사건은 집합기호를 사용하여 다음과 같이 나타낼 수 있다.

$$F=\{0,\ 1,\ 2,\ .\ .\ .\ .\ ,\ 48,\ 49\}$$

6.1c 사건의 확률

이제 사건의 확률을 정의할 수 있다.

> **사건의 확률**
>
> **사건의 확률**(probability of an event)은 사건을 구성하는 단순사건 확률들의 합이다.

예를 들면, 예시 3에서 다음과 같이 단순사건들의 확률을 부여하기 위해 상대빈도 방법을 채택한다고 하자.

$$P(A) = .20$$
$$P(B) = .30$$
$$P(C) = .25$$
$$P(D) = .15$$
$$P(F) = .10$$

통계학 과목을 통과하는 사건의 확률은 다음과 같다.

$$P(\text{pass}) = P(A) + P(B) + P(C) + P(D) = .20 + .30 + .25 + .15 = .90$$

6.1d 확률의 해석

확률을 부여하기 위해 어떤 방법이 사용되든지 간에 우리는 확률실험이 무한히 이루어지는 경우를 상정한 상대빈도 방법을 사용하면서 해석한다. 예를 들면, 한 투자자는 주관적 방법을 사용하여 특정한 주식의 가격이 다음 달에 상승할 확률이 65%라고 결정할 수 있다. 그러나 이와 같은 65%의 수치는 투자자가 구매할 주식과 정확히 같은 경제적 및 시장특성을 가진 무한개의 주식을 가지고 있다면 이들 중 65%의 주식가격이 다음 달에 상승할 것이라는 것을 의미한다고 해석한다. 이와 유사하게, 한 개의 균형 잡힌 주사위를 던져서 5가 나올 확률은 1/6이다. 이와 같은 확률을 결정하기 위해 고전적 방법이 사용될 수 있다. 그러나 우리는 이 수치를 한 개의 균형 잡힌 주사위를 무한히 계속 던졌을 때 5가 관찰되는 비율로 해석한다.

이와 같은 상대빈도 방법은 기상예보관들이나 과학자들이 진술하는 확률을 해석하는 데 유용하다. 또한 당신은 이것이 통계적 추론에서 모집단과 표본을 연결시키는 방법이라는 것을 배우게 될 것이다.

연습문제

6.1 기상예보관은 내일 비올 확률이 10%라고 보도한다.

a. 이와 같은 확률을 얻기 위해 어떤 방법이 사용되었는가?

b. 당신은 이와 같은 확률을 어떻게 해석하는가?

6.2 한 스포츠방송 아나운서는 New York Yankees가 올해 월드시리즈에서 우승할 확률은 25%라고 믿는다고 말한다.

a. 이와 같은 확률을 부여하기 위해 어떤 방법이 사용되었는가?

b. 당신은 이와 같은 확률을 어떻게 해석하는가?

6.3 한 퀴즈시험은 다섯 가지의 가능한 답 중에서 하나만이 정답인 선다형 질문들로 구성되어 있다. 한 학생은 주어진 주제에 대하여 아무것도 모르기 때문에 정답을 추측하여 고를 계획이다.

a. 각 질문의 표본공간을 나타내라.

b. 당신이 구한 표본공간에 있는 단순사건들에 대하여 확률을 부여하라.

c. 당신은 b에 답하기 위해 어떤 방법을 사용하였는가?

d. 당신이 b에서 부여한 확률을 해석하라.

6.4 한 투자자는 다우존스산업평균지수가 내일 상승할 확률이 60%라고 추정한다.

a. 이와 같은 확률을 얻기 위해 어떤 방법이 사용되었는가?

b. 이와 같은 60%의 확률을 해석하라.

6.5 한 개의 균형 잡힌 주사위를 던지는 실험의 표본공간은 다음과 같다.

$S = \{1, 2, 3, 4, 5, 6\}$

주사위가 균형 잡혀 있다면, 각 단순사건은 같은 확률을 가진다. 다음과 같은 사건의 확률을 구하라.

a. 짝수가 나올 사건

b. 나타나는 숫자가 4 이하일 사건

c. 나타나는 숫자가 5 이상일 사건

6.6 4명의 후보가 시장선거를 위해 뛰고 있다. 4명의 후보는 Adams, Brown, Collins, Dalton이다. 이 선거의 결과들로 구성된 표본공간을 결정하라.

6.7 연습문제 6.6을 참조하라. 한 정치학자는 주관적 방법을 사용하면서 다음과 같이 확률을 부여하였다.

$P(\text{Adams wins}) = .42$
$P(\text{Brown wins}) = .09$
$P(\text{Collins wins}) = .27$
$P(\text{Dalton wins}) = .22$

다음 사건의 확률을 결정하라.

a. Adams가 패배할 사건

b. Brown 또는 Dalton이 승리할 사건

c. Adams, Brown 또는 Collins가 승리할 사건

6.8 한 컴퓨터 가게의 경영자는 일일당 컴퓨터 판매대수를 기록해오고 있다. 이와 같은 정보에 기초하여, 이 경영자는 일일당 컴퓨터 판매대수와 확률을 나타내는 다음과 같은 표를 만들었다.

컴퓨터 판매대수	확률
0	.08
1	.17
2	.26
3	.21
4	.18
5	.10

a. 확률실험을 내일 판매되는 컴퓨터 판매대수를 관찰하는 일로 정의하라. 이와 같은 확률실험의 표본공간을 구하라.

b. 4대 이상의 컴퓨터를 판매하는 사건을 정의하기 위해 집합기호를 사용하라.

c. 5대의 컴퓨터를 판매할 확률은 얼마인가?

d. 2대, 3대 또는 4대의 컴퓨터를 판매할 확률은 얼마인가?

e. 6대의 컴퓨터를 판매할 확률은 얼마인가?

6.9 세 계약자(계약자들은 계약자 1, 계약자 2, 계약자 3이라고 부르자)가 새로운 다리를 건설하기 위한 프로젝트에 입찰하고 있다. 표본공간을 구하라.

6.10 연습문제 6.9를 참조하라. 당신은 계약자 1이 계약자 3보다 낙찰받을 확률이 2배이고 계약자 2는 계약자 3보다 낙찰받을 확률이 3배라고 믿는다고 하자. 각 계약자가 낙찰받을 확률은 얼마인가?

6.11 쇼핑객들은 구매한 물건에 대하여 현금, 신용카드 또는 데빗카드로 지불할 수 있다. 한 가게의 주인이 자기 고객의 60%는 신용카드를 사용하고, 30%는 현금으로 지불하며 나머지는 데빗카드를 사용한다는 것을 알고 있다고 하자.

a. 이와 같은 확률실험의 표본공간을 구하라.
b. 단순사건들에 대하여 확률을 부여하라.
c. 당신은 b에서 어떤 방법을 사용하였는가?

6.12 연습문제 6.11을 참조하라.

a. 한 고객이 신용카드를 사용하지 않을 확률은 얼마인가?
b. 한 고객이 현금으로 지불하거나 신용카드로 지불할 확률은 얼마인가?
c. 당신은 b에서 어떤 방법을 사용하였는가?

6.13 한 서베이에서 성인들에게 결혼상태를 물어보았다. 표본공간은 S={독신, 기혼, 이혼, 과부(또는 홀아비)}이다. 성인이 기혼상태가 아닌 사건을 집합기호를 사용하여 나타내라.

6.14 연습문제 6.13을 참조하라. 이 서베이가 시행된 도시에는 성인의 50%가 기혼, 15%는 독신, 25%는 이혼상태, 10%는 과부(또는 홀아비)라고 하자.

a. 표본공간에 있는 각 단순사건에 확률을 부여하라.
b. 당신은 a에서 어떤 방법을 사용하였는가?

6.15 연습문제 6.13과 연습문제 6.14를 참조하라. 다음 사건들 각각의 확률을 구하라.

a. 성인이 독신일 사건
b. 성인이 이혼상태가 아닐 사건
c. 성인이 과부(또는 홀아비) 또는 이혼상태일 사건

6.16 6,200만 미국인들이 가정에서 영어 이외의 언어를 사용한다. 그들이 사용하는 언어는 스페인어, 중국어, 타갈로그어(필리핀 언어), 베트남어, 프랑스어, 한국어, 기타이다. 그들 중 임의로 1명이 선택된다고 하자. 집합기호를 사용해서 표본공간을 나타내라.

6.17 연습문제 6.16을 참조하라. 가정에서 영어 이외의 언어를 사용하는 미국인 수가 다음과 같이 정리되어 있다.

언어	미국인 수(백만 명 기준)
Spanish	38.4
Chinese	3.0
Tagalog	1.6
Vietnamese	1.4
French	1.3
Korean	1.1
Other	15.2

자료 Center for Immigration Studies

만일 그들 중 임의로 1명이 선택되는 경우, 다음과 같은 사건이 발생할 확률을 구하라.

a. 그가 스페인어를 말한다.
b. 그가 스페인어 이외의 언어를 말한다.
c. 그가 베트남어 또는 프랑스어를 말한다.
d. 그가 기타 언어 중 하나를 말한다.

6.18 탑승공유서비스인 Uber는 주로 택시 운전수들의 항의를 받고 있다. 택시업계는 정부감독이 없기 때문에 Uber는 택시보다 더 위험하다고 주장한다. "당신은 Uber가 얼마나 안전하다고 생각하는가?"를 묻는 한 서베이가 시행되었다. 응답은 다음과 같다.

매우 안전하다; 어느 정도 안전하다; 어느 정도 불안전하다; 매우 불안전하다; 모른다.

이 서베이를 위한 표본공간을 나타내라.

6.19 연습문제 6.18을 참조하라. 서베이의 결과가 다음과 같이 정리되어 있다.

Uber는 얼마나 안전한가?	응답(%)
Very safe	17
Somewhat safe	28
Somewhat unsafe	21
Very unsafe	12
Not sure	22

서베이에 참여한 1명이 임의로 선택되는 경우, 다음 사건의 확률을 구하라.

a. 그가 매우 안전하다고 말했다.

b. 그가 매우 안전하다 또는 어느 정도 안전하다고 말했다.

c. 그가 매우 불안전하다고 말했다.

6.2 결합확률, 한계확률, 조건부 확률

제6.1절에서 표본공간을 구하고 표본공간에 있는 단순사건에 확률을 부여하는 방법을 살펴보았다. 이와 같이 확률을 결정하는 방법이 유용하지만, 더 정교한 방법을 소개해야 할 필요가 있다. 이 절에서는 관련된 사건들의 확률로부터 더 복잡한 사건의 확률을 계산하는 방법에 대하여 논의한다. 이와 같은 과정을 나타내는 한 예를 살펴보자.

한 개의 주사위를 던지는 실험의 표본공간은 다음과 같다.

$$S=\{1, 2, 3, 4, 5, 6\}$$

이 주사위가 균형 잡혀 있으면, 각 단순사건의 확률은 1/6이다. 대부분의 팔러 게임 또는 카지노에서는 두 개의 주사위가 던져진다. 게임과 도박 전략을 결정하기 위해, 경기자들은 두 개의 주사위를 던질 때 나오는 숫자들의 합에 대한 확률을 계산할 필요가 있다. 예를 들면, 두 개의 주사위를 던질 때 숫자들의 합이 3이 될 확률은 2/36이다. 이와 같은 확률은 단순사건들을 결합시킴으로써 도출된다. 여러 가지 형태의 조합들이 존재한다. 가장 중요한 형태의 하나는 두 사건의 **교사건**(intersection)이다.

사건 A와 사건 B의 교사건

사건 A와 사건 B의 **교사건**(intersection)은 사건 A와 사건 B가 동시에 발생하는 사건이다. 교사건은 A와 B (A and B)로 표시된다. 교사건의 확률은 **결합확률**(joint probability)이라고 부른다.

6.2a 교사건

예를 들면, 두 개의 주사위를 던져서 나온 숫자의 합이 3이 되는 한 가지 방법은 첫 번째 주사위가 1이 나오고 두 번째 주사위가 2가 나오는 것, 즉 두 개 단순사건의 교사건이다. 따라서 두 개의 주사위를 던져서 나온 숫자의 합이 3이 되는 사건의 확률을 계산하기 위해, 첫 번째 주사위는 1이 나오고 두 번째 주사위는 2가 나오는 교사건과 첫 번째 주사위는 2가 나오고 두 번째 주사위는 1이 나오는 교사건을 결합할 필요가 있다. 이와 같은 두 사건의 결합은 두 사건의 **합사건**(union)이라고 부르며 이에 대해서는 이 절의 뒷부분에서 논의될 것이다. 다른 하나의 예를 살펴보자.

금융분야의 통계학 응용

Javen/Shutterstock.com

뮤추얼 펀드

뮤추얼 펀드는 유사한 목적을 가지고 있는 사람들을 대신하여 만들어진 투자의 풀이다. 대부분의 경우, 금융과 통계학을 배운 전문 매니저가 뮤추얼 펀드를 관리한다. 펀드 매니저는 정해진 투자 철학에 따라서 주식과 채권을 시고파는 의사결정을 한다. 예를 들면, 상장되어 거래되는 다른 뮤추얼 펀드 회사들에 집중하여 투자하는 펀드들이 존재한다. 다른 뮤추얼 펀드들은 인터넷 주식에 전문화되어 있는 반면, 또 다른 뮤추얼 펀드들은 바이오텍 기업들의 주식을 산다. 놀랍게도 대부분의 뮤추얼 펀드 수익률은 시장수익률을 초과하지 못한다. 즉, 뮤추얼 펀드의 순자산가치(Net Asset Value: NAV) 증가율은 종종 주식시장을 나타내는 주가지수의 증가율보다 낮다. 이와 같은 결과를 발생시키는 한 가지 이유는 펀드 매니저의 급여와 보너스를 포함하는 지출을 감당하기 위해 펀드 매니저가 뮤추얼 펀드에 부과하는 비용을 나타내는 관리비비율(Management Expense Ratio: MER) 때문이다. 대부분 뮤추얼 펀드의 MER은 ,5%부터 4% 이상에 이른다. 뮤추얼 펀드의 궁극적 성공은 펀드 매니저의 능력과 지식에 의해 결정된다. 이와 같은 사실은 다음과 같은 질문을 제기한다. 어느 펀드 매니저가 가장 좋은 성과를 내는가?

예제 6.1 뮤추얼 펀드 매니저의 성공요인 — PART 1*

왜 일부의 펀드 매니저들은 다른 펀드 매니저들보다 성공적인가? 한 가지 가능한 요인은 펀드 매니저가 어디서 MBA 학위를 받았느냐 하는 것이다. 한 잠재적 투자자가 뮤추얼 펀드가 얼마나 좋은 성과를 내는가와 펀드 매니저가 어디서 MBA 학위를 받았는가의 관계를 검토한다고 하자. 이에 관한 분석을 한 후에 다음과 같은 결합확률표가 만들어졌다. 결합확률들을 분석하고 그 결과들을 해석하라.

* Judith Chevalier and Glenn Ellison, "Are Some Mutual Fund Managers Better than Others? Cross-Sectional Patterns in Behavior and Performance," Working Paper 5852, National Bureau of Economic Research 참조.

표 6.1 뮤추얼 펀드 매니저와 수익률에 관한 확률(결합확률표)

	뮤추얼 펀드의 수익률이 시장수익률보다 높음	뮤추얼 펀드의 수익률이 시장수익률보다 높지 않음
상위 20위 대학의 MBA 학위 취득	.11	.29
상위 20위 이외 대학의 MBA 학위 취득	.06	.54

표 6.1은 뮤추얼 펀드의 수익률이 시장수익률보다 높고 펀드 매니저가 상위 20위 MBA 프로그램을 졸업하였을 결합확률이 .11이라는 것을 말해준다. 즉, 모든 뮤추얼 펀드 중에서 11%의 경우에 뮤추얼 펀드의 수익률이 시장수익률보다 높고 펀드 매니저가 상위 20위 MBA 프로그램을 졸업하였다. 다른 3개의 결합확률은 이와 유사하게 다음과 같이 정의된다.

- 뮤추얼 펀드의 수익률이 시장수익률보다 높고 펀드 매니저가 상위 20위 이외 MBA 프로그램을 졸업하였을 확률은 .06이다.
- 뮤추얼 펀드의 수익률이 시장수익률보다 높지 않고 펀드 매니저가 상위 20위 MBA 프로그램을 졸업하였을 확률은 .29이다.
- 뮤추얼 펀드의 수익률이 시장수익률보다 높지 않고 펀드 매니저가 상위 20위 이외 프로그램을 졸업하였을 확률은 .54이다.

우리의 작업을 더 용이하게 하기 위해 사건을 나타내는 기호를 다음과 같이 사용하도록 하자.

A_1 = 펀드 매니저가 상위 20위 MBA 프로그램을 졸업하였다.
A_2 = 펀드 매니저가 상위 20위 이외 MBA 프로그램을 졸업하였다.
B_1 = 뮤추얼 펀드의 수익률이 시장수익률보다 높다.
B_2 = 뮤추얼 펀드의 수익률이 시장수익률보다 높지 않다.

따라서

$P(A_1 \text{ and } B_1) = .11$
$P(A_2 \text{ and } B_1) = .06$
$P(A_1 \text{ and } B_2) = .29$
$P(A_2 \text{ and } B_2) = .54$

6.2b 한계확률

표 6.1의 결합확률을 이용하면서 여러 가지 확률들을 계산할 수 있다. 행을 따라 옆으로 가면서 확률들을 합하든지 열을 따라 내려가면서 확률들을 합하여 계산되는 **한계확률**(marginal probability)은 결합확률표의 옆과 아래의 여백에서 계산되기 때문에 붙여진 이름이다.

첫 번째 행을 따라 옆으로 가면서 확률들을 합하면 다음과 같은 결과가 얻어진다.

$$P(A_1 \text{ and } B_1)+P(A_1 \text{ and } B_2)=.11+.29=.40$$

두 개의 교사건은 펀드 매니저가 상위 20위 MBA 프로그램을 졸업하였다는 것(A_1으로 표시됨)을 나타낸다는 것에 주목하라. 한 뮤추얼 펀드를 임의로 선택하였을 때, 이 펀드의 매니저가 상위 20위 MBA 프로그램을 졸업하였을 확률은 .40이다. 상대빈도로 표현하면, 모든 뮤추얼 펀드 매니저의 40%는 상위 20위 MBA 프로그램을 졸업하였다.

두 번째 행을 따라 옆으로 가면서 확률들을 합하면 다음과 같다.

$$P(A_2 \text{ and } B_1)+P(A_2 \text{ and } B_2)=.06+.54=.60$$

이 확률은 모든 뮤추얼 펀드 매니저의 60%는 상위 20위 이외 MBA 프로그램을 졸업하였다는 것(A_2로 표시됨)을 말해준다. 한 뮤추얼 펀드의 매니저가 상위 20위 MBA 프로그램을 졸업하였을 확률과 한 뮤추얼 펀드의 매니저가 상위 20위 이외 MBA 프로그램을 졸업하였을 확률의 합은 1이라는 점에 주목하라.

열을 따라 내려가면서 확률들을 합하면 다음과 같은 한계확률이 구해진다.

열 1: $P(A_1 \text{ and } B_1)+P(A_2 \text{ and } B_1)=.11+.06=.17$

열 2: $P(A_1 \text{ and } B_2)+P(A_2 \text{ and } B_2)=.29+.54=.83$

이와 같은 한계확률들은 모든 뮤추얼 펀드 중 17%에 해당되는 뮤추얼 펀드의 수익률은 시장수익률보다 높고, 모든 뮤추얼 펀드 중 83%에 해당되는 뮤추얼 펀드의 수익률은 시장수익률보다 높지 않다는 것을 말해준다.

표 6.2는 모든 결합확률과 한계확률을 정리한 것이다.

표 6.2 결합확률과 한계확률

	뮤추얼 펀드의 수익률이 시장수익률보다 높음	뮤추얼 펀드의 수익률이 시장수익률보다 높지 않음	합계
상위 20위 대학의 MBA 학위 취득	$P(A_1 \text{ and } B_1)=.11$	$P(A_1 \text{ and } B_2)=.29$	$P(A_1)=.40$
상위 20위 이외 대학의 MBA 학위 취득	$P(A_2 \text{ and } B_1)=.06$	$P(A_2 \text{ and } B_2)=.54$	$P(A_2)=.60$
합계	$P(B_1)=.17$	$P(B_2)=.83$	1.00

6.2c 조건부 확률

종종 두 개의 사건이 어떻게 관련되어 있는지 알 필요가 있다. 특히, 다른 관련된 사건이 발생한 후에 한 사건이 발생할 확률을 알기 원할 수 있다. 예를 들면, 상위 20위 MBA 프로그램을 졸업한 펀드 매니저가 관리하는 뮤추얼 펀드의 수익률이 시장수익률보다 높을 확률을 알기 원한다고 하자. 이와 같은 확률은 구체적인 정보에 근거하여 어디에 투자할 것인지에 관한 의사결정을 할 수 있게 해준다. 이와 같은 확률은 **조건부 확률**(conditional probability)이라고 부른다. 왜냐하면 한 뮤추얼 펀드의 매니저가 상위 20위 MBA 프로그램을 졸업하였다는 조건 하에서 이 뮤추얼 펀드의 수익률이 시장수익률보다 높을 확률을 알기 원하기 때문이다. 이와 같은 조건부 확률은 다음과 같이 나타낸다.

$$P(B_1 \mid A_1)$$

"|"는 "~의 **조건하에서**(given)"를 의미한다. 이제 이와 같은 조건부 확률을 어떻게 계산하는지 살펴보자.

펀드 매니저가 상위 20위 MBA 프로그램을 졸업하였을 확률은 두 개의 결합확률로 구성되며 .40이다. 이 두 개의 결합확률은 뮤추얼 펀드의 수익률이 시장수익률보다 높고 펀드 매니저가 상위 20위 MBA 프로그램을 졸업하였을 확률 [$P(A_1$ and $B_1)$]과 뮤추얼 펀드의 수익률이 시장수익률보다 높지 않고 펀드 매니저가 상위 20위 MBA 프로그램을 졸업하였을 확률 [$P(A_1$ and $B_2)$]이다. 이와 같은 두 개의 결합확률은 각각 .11과 .29이다. 이와 같은 수치들은 다음과 같이 해석될 수 있다. 평균적으로 매 100개의 뮤추얼 펀드 중에서 40개의 뮤추얼 펀드는 상위 20위 MBA 프로그램을 졸업한 펀드 매니저에 의해 관리된다. 이와 같은 40명의 펀드 매니저 중에서 11명은 평균적으로 뮤추얼 펀드의 수익률이 시장수익률보다 높게 뮤추얼 펀드를 관리한다. 따라서 조건부 확률은 11/40=.275이다. 이 비율은 결합확률/한계확률인 .11/.40과 같다. 모든 조건부 확률은 이와 같은 방식으로 계산된다.

조건부 확률

사건 B가 발생한 후 사건 A가 발생할 확률은 다음과 같다.

$$P(A|B) = \frac{P(A \text{ and } B)}{P(B)}$$

사건 A가 발생한 후 사건 B가 발생할 확률은 다음과 같다.

$$P(B|A) = \frac{P(A \text{ and } B)}{P(A)}$$

예제 6.2 뮤추얼 펀드 매니저의 성공요인 — PART 2

예제 6.1에서 임의로 선택된 뮤추얼 펀드의 수익률이 시장수익률보다 높지 않다는 것을 발견하였다. 이 뮤추얼 펀드의 펀드 매니저가 상위 20위 MBA 프로그램을 졸업하였을 확률은 얼마인가?

해답 조건부 확률을 구하여야 한다. 이때 조건은 이 뮤추얼 펀드의 수익률이 시장수익률보다 높지 않다(사건 B_2)는 것이고, 구하고자 하는 확률의 사건은 이 뮤추얼 펀드가 상위 20위 MBA 프로그램을 졸업한 펀드 매니저에 의해 관리된다(사건 A_1)는 것이다. 따라서 $P(A_1 | B_2)$를 계산하여야 한다. 조건부 확률 공식을 사용하면,

$$P(A_1 | B_2) = P(A_1 \text{ and } B_2)/P(B_2) = .29/.83 = .349$$

따라서 뮤추얼 펀드 수익률이 시장수익률보다 높지 않은 모든 뮤추얼 펀드 중 34.9%는 상위 20위 MBA 프로그램을 졸업한 펀드 매니저에 의해 관리된다.

조건부 확률을 계산하는 과정에서 두 사건, 즉 뮤추얼 펀드의 수익률이 시장수익률보다 높다는 사건과 펀드 매니저가 상위 20위 MBA 프로그램을 졸업하였다는 사건이 관련되어 있느냐에 관한 질문이 제기된다. 이것이 다음 절에서 다룰 주제이다.

6.2d 독립사건

조건부 확률을 계산하는 목적 중 하나는 두 사건이 관련되어 있느냐를 결정하는 것이다. 특히, 두 사건이 **독립사건**(independent events)인지 알기 원한다.

> **독립사건**
>
> $P(A|B) = P(A)$ 또는 $P(B|A) = P(B)$이면 A와 B는 독립이다.

달리 말하면, 한 사건의 확률이 다른 사건의 발생으로 인해 영향을 받지 않으면 두 사건은 독립이다.

예제 6.3 뮤추얼 펀드 매니저의 성공요인 — PART 3

펀드 매니저가 상위 20위 MBA 프로그램을 졸업하였다는 사건과 뮤추얼 펀드의 수익률이 시장수익률보다 높다는 사건은 독립사건인지 결정하라.

해답 A_1과 B_1이 독립인지 결정하기 원한다고 한다. 이와 같은 일을 하기 위해 B_1이 발생한 후에 A_1이 발생할 확률을 계산하여야 한다.

$$P(A_1|B_1) = \frac{P(A_1 \text{ and } B_1)}{P(B_1)} = \frac{.11}{.17} = .647$$

펀드 매니저가 상위 20위 MBA 프로그램을 졸업하였을 한계확률은 $P(A_1) = .40$이다. $P(A_1 | B_1)$과 $P(A_1)$은 같지 않기 때문에 두 사건은 종속이라는 결론이 얻어진다.

이와는 달리 $P(B_1 | A_1) = .275$와 $P(B_1) = .17$은 같지 않다는 것을 보임으로써도 이와 같은 동일한 결론이 도출될 수 있다.

이 문제에는 다른 3가지 사건의 조합이 존재한다는 점에 주목하라. 이와 같은 3가지 사건의 조합은 (A_1과 B_2), (A_2와 B_1), (A_2와 B_2)이다. [상호배타적인 조합인 (A_1과 A_2)와 (B_1과 B_2)의 경우 두 사건은 종속이다.] 각 조합에서 두 사건은 종속이다. 4개의 조합만이 존재하는 이와 같은 문제 형태에서 한 조합의 두 사건이 종속이면, 모든 4개 조합에서 두 사건은 종속이다. 이와 유사하게, 한 조합의 두 사건이 독립이면, 모든 4개 조합에서 두 사건은 독립이다. 이와 같은 법칙은 다른 상황에 적용되지 않는다.

6.2e 합사건

두 사건 가운데 적어도 하나의 사건이 발생하는 사건이 **합사건**(union)이다.

사건 *A*와 사건 *B*의 합사건

사건 A와 사건 B의 **합사건**(union)은 사건 A 또는 사건 B가 발생하거나 사건 A와 사건 B 모두가 발생하는 사건이다. 합사건은 (A or B)로 표시된다.

예제 6.4 뮤추얼 펀드 매니저의 성공요인 — PART 4

임의로 선택된 뮤추얼 펀드의 수익률이 시장수익률보다 높거나 펀드 매니저가 상위 20위 MBA 프로그램을 졸업하였을 확률을 구하라.

해답 두 사건의 합사건이 발생하는 확률, 즉 $P(A_1 \text{ or } B_1)$을 계산하기 원한다고 한다. A_1과 B_1의 합사건은 3개의 사건으로 구성된다. 즉, 합사건은 다음 결합사건들 중 어느 하나가 발생할 때 발생한다.

1. 뮤추얼 펀드의 수익률이 시장수익률보다 높고 펀드 매니저가 상위 20위 MBA 프로그램을 졸업하였다.

2. 뮤추얼 펀드의 수익률이 시장수익률보다 높고 펀드 매니저가 상위 20위 이외 MBA 프로그램을 졸업하였다.
3. 뮤추얼 펀드의 수익률이 시장수익률보다 높지 않고 펀드 매니저가 상위 20위 MBA 프로그램을 졸업하였다.

이와 같은 3개의 결합확률은 다음과 같다.

$$P(A_1 \text{ and } B_1) = .11$$
$$P(A_2 \text{ and } B_1) = .06$$
$$P(A_1 \text{ and } B_2) = .29$$

따라서 합사건의 확률, 즉 뮤추얼 펀드의 수익률이 시장수익률보다 높거나 펀드 매니저가 상위 20위 MBA 프로그램을 졸업하였을 확률은 3개 결합확률의 합이다. 즉,

$$P(A_1 \text{ or } B_1) = P(A_1 \text{ and } B_1) + P(A_2 \text{ and } B_1) + P(A_1 \text{ and } B_2)$$
$$= .11 + .06 + .29 = .46$$

이와 같은 확률을 계산하기 위한 다른 방법도 존재한다는 점에 주목하라. 표 6.1에 있는 4개의 확률 중에서 합사건의 부분이 되지 않는 사건을 나타내는 유일한 확률은 뮤추얼 펀드의 수익률이 시장수익률보다 높지 않고 펀드 매니저가 상위 20위 이외 MBA 프로그램을 졸업하였을 확률이다. 이 확률은 합사건이 발생하지 않는 확률로 $P(A_2 \text{ and } B_2) = .54$이다. 따라서 합사건의 확률은 다음과 같이 계산될 수 있다.

$$P(A_1 \text{ or } B_1) = 1 - P(A_2 \text{ and } B_2) = 1 - .54 = .46.$$

따라서 모든 뮤추얼 펀드의 46%는 뮤추얼 펀드의 수익률이 시장수익률보다 높거나 펀드 매니저가 상위 20위 MBA 프로그램을 졸업하였거나 뮤추얼 펀드의 수익률이 시장수익률보다 높고 펀드 매니저가 상위 20위 MBA 프로그램을 졸업한 뮤추얼 펀드이다.

연습문제

6.20 다음과 같은 결합확률표가 주어져 있을 때 한계확률을 계산하라.

	A_1	A_2	A_3
B_1	.1	.3	.2
B_2	.2	.1	.1

6.21 다음과 같은 결합확률표로부터 한계확률을 계산하라.

	A_1	A_2
B_1	.4	.3
B_2	.2	.1

6.22 연습문제 6.21을 참조하라.

a. $P(A_1 | B_1)$을 계산하라.
b. $P(A_2 | B_1)$을 계산하라.
c. a와 b에서 구한 당신의 답을 합하면 1인가? 이것이 우연의 일치인가? 설명하라.

6.23 연습문제 6.21을 참조하라. 다음의 확률을 계산하라.

a. $P(A_1 | B_2)$
b. $P(B_2 | A_1)$
c. 당신은 a와 b의 답이 역수라는 것을 예상하였는가? 즉, 당신은 $P(A_1 | B_2) = 1/P(B_2 | A_1)$이라는 것을 예상하였는가? (두 확률이 1이 아니라면) 왜 이와 같은 관계가 불가능한가?

6.24 연습문제 6.21에 있는 사건들은 독립인가? 설명하라.

6.25 연습문제 6.21을 참조하라. 다음의 확률을 계산하라.

a. $P(A_1 \text{ or } B_1)$
b. $P(A_1 \text{ or } B_2)$
c. $P(A_1 \text{ or } A_2)$

6.26 다음과 같은 결합확률표가 주어져 있다고 하자. 주어진 사건들이 독립인가? 설명하라.

	A_1	A_2
B_1	.20	.60
B_2	.05	.15

6.27 다음과 같은 결합확률표를 사용하여 주어진 사건들이 독립인지 결정하라.

	A_1	A_2
B_1	.20	.15
B_2	.60	.05

6.28 다음과 같은 결합확률표가 주어져 있다고 하자. 한계확률을 계산하라.

	A_1	A_2	A_3
B_1	.15	.20	.10
B_2	.25	.25	.05

6.29 연습문제 6.28을 참조하라.

a. $P(A_2 | B_2)$를 계산하라.
b. $P(B_2 | A_2)$를 계산하라.
c. $P(B_1 | A_2)$를 계산하라.

6.30 연습문제 6.28을 참조하라.

a. $P(A_1 \text{ or } A_2)$를 계산하라.
b. $P(A_2 \text{ or } B_2)$를 계산하라.
c. $P(A_3 \text{ or } B_1)$을 계산하라.

6.31 직장에서 차별은 불법이고 차별행위를 하는 회사들은 종종 소송을 당한다. 최근 한 대형 대학의 여성 교수들이 가장 최근에 이루어진 조교수에서 부교수로의 승진에 대한 불만을 접수시켰다. 성별과 승진의 관계를 분석한 후 다음과 같은 결합확률표가 얻어졌다.

	승진됨	승진되지 않음
여성	.03	.12
남성	.17	.68

a. 여성 조교수들의 승진율은 얼마인가?
b. 남성 조교수들의 승진율은 얼마인가?
c. 성차별이라는 이유로 이 대학을 비난하는 것이 합리적인가?

6.32 한 백화점은 가장 최근의 매출을 분석하고 고객의 구매상품에 대한 대금지불 방법과 구매상품의 가격대 간의 관계를 구하였다. 다음 표에 정리되어 있는 결합확률들이 계산되었다.

	현금	신용카드	데빗카드
20달러 미만	.09	.03	.04
20달러~100달러	.05	.21	.18
100달러 초과	.03	.23	.14

a. 데빗카드(debit card)로 지불되는 구매대금의 비율은 얼마인가?

b. 신용카드 구매대금이 100달러를 초과할 확률을 구하라.

c. 신용카드 또는 데빗카드로 지불되는 구매대금의 비율은 얼마인가?

6.33 다음의 표는 실업상태에 있는 여성 및 남성과 그들의 교육수준에 대한 결합확률을 정리한 것이다.

	여성	남성
고등학교 중퇴 이하	.057	.104
고등학교 졸업	.136	.224
전문대학/대학 중퇴	.132	.150
전문대학/대학 졸업	.095	.103

자료 *Statistical Abstract of the United States.*

a. 실업상태에 있는 한 사람이 임의로 선택되는 경우, 이 사람이 고등학교를 졸업하지 못하였을 확률은 얼마인가?

b. 실업상태에 있는 한 여성이 임의로 선택되는 경우, 그녀가 전문대학 또는 대학을 졸업하였을 확률은 얼마인가?

c. 실업상태에 있는 한 명의 고등학교 졸업자가 임의로 선택되는 경우, 이 사람이 남성일 확률은 얼마인가?

6.34 북미에서 의료비용이 인플레이션율보다 더 빠른 속도로 증가하고 있고 베이비 붐 세대가 조만간에 건강관리를 받아야 할 필요가 있기 때문에 국가들은 의료비용과 의료수요를 감소시키는 방법들을 찾아야만 한다. 다음의 표는 60세~65세 남성을 대상으로 흡연과 폐질환과 관련된 결합확률을 정리한 것이다.

	흡연자	비흡연자
폐질환이 있음	.12	.03
폐질환이 없음	.19	.66

60세~65세 남성 중에서 한 명이 임의로 선택되었다. 다음 사건의 확률은 얼마인가?

a. 그는 흡연자이다.

b. 그는 폐질환을 가지고 있지 않다.

c. 그가 흡연자인 경우 그는 폐질환을 가지고 있다.

d. 그가 비흡연자인 경우 그는 폐질환을 가지고 있다.

6.35 연습문제 6.34를 참조하라. 60세~65세 남성의 경우 흡연과 폐질환은 관련되어 있는가? 설명하라.

6.36 전문대학과 대학의 응용통계학 과목을 가르치는 방법이 변화하고 있다. 과거에는 대부분의 응용통계학 과목이 직접 계산하는 것을 강조하면서 가르쳤다. 다른 방법은 계산을 위해 컴퓨터와 소프트웨어 패키지를 사용하는 것이다. 응용통계학 과목을 대상으로 교수의 교육배경이 수학(또는 통계학)인지 다른 학문인지에 대한 조사가 이루어졌다. 이와 같은 분석결과로 다음과 같은 결합확률표가 얻어졌다.

	직접 계산 강조	컴퓨터와 소프트웨어 사용
수학 또는 통계학	.23	.36
기타 학문	.11	.30

a. 임의로 선택된 한 응용통계학 교수가 통계학 교육배경을 가지고 있고 직접 계산을 강조할 확률은 얼마인가?

b. 컴퓨터와 소프트웨어를 사용하는 응용통계학 과목의 비율은 얼마인가?

c. 교수의 교육배경과 응용통계학 과목의 교수 방법은 독립인가?

6.37 한 레스토랑 체인은 정기적으로 고객을 대상으로 서베이를 실시한다. 각 고객에게 다시 재방문할 것인지 묻고 음식의 질에 대한 등급을 부여하도록 요청한다. 수십만 건의 서베이 결과로부터 다음과 같은 결합확률표가 정리되었다.

평가등급	재방문할 고객	재방문하지 않을 고객
불량	.02	.10
보통	.08	.09
양호	.35	.14
우수	.20	.02

a. 재방문할 것이라고 말하고 이 레스토랑의 음식이 양호하다고 평가한 고객의 비율은 얼마인가?

b. 재방문할 것이라고 말한 고객 중에서 이 레스토랑의 음식이 양호하다고 평가한 비율은 얼마인가?

c. 이 레스토랑의 음식이 양호하다고 평가한 고객 중에서 재방문할 것이라고 말한 비율은 얼마인가?

d. a, b, c에 대한 당신 답의 차이점을 논의하라.

6.38 알코올 음료를 마시는 것이 궤양(ulcer)을 발생시키는 박테리아에 영향을 주는지 결정하기 위해 연구원들은 다음과 같은 결합확률표를 만들었다.

1일 알코올 음료의 수	궤양 있음	궤양 없음
0	.01	.22
1	.03	.19
2	.03	.32
3 이상	.04	.16

a. 궤양을 가지고 있는 사람의 비율은 얼마인가?

b. 금주주의자(알코올 음료를 마시지 않는 사람)가 궤양에 걸릴 확률은 얼마인가?

c. 궤양을 가지고 있는 사람이 알코올을 마시지 않을 확률은 얼마인가?

d. 궤양을 가지고 있는 사람이 알코올 음료를 마실 확률은 얼마인가?

6.39 해고되거나 일시 해고된 근로자들의 연령과 이유에 대한 분석을 통하여 다음과 같은 결합확률표가 정리되었다.

	연령			
해고 이유	20~24	25~54	55~64	65 이상
공장 또는 기업의 폐쇄 또는 이전	.015	.320	.089	.029
작업량의 부족	.014	.180	.034	.011
직책 또는 작업조의 폐지	.006	.214	.071	.016

자료 *Statistical Abstract of the United States.*

a. 작업량의 부족 때문에 25세~54세 사이에 속하는 한 근로자가 일시 해고되거나 해고될 확률은 얼마인가?

b. 일시 해고되거나 해고된 근로자들 중에서 65세 이상인 비율은 얼마인가?

c. 공장 또는 기업의 폐쇄 또는 이전 때문에 일시 해고되거나 해고된 한 근로자가 65세 이상일 확률은 얼마인가?

6.40 많은 텔레비전 비판자들은 폭력물이 너무 많고 사회에 부정적인 영향을 미친다고 주장한다. 또한 폭력물은 광고주에게 부정적인 영향을 줄 수 있다. 이와 같은 이슈를 검토하기 위해 연구원들은 텔레비전 영화용으로 경찰과 강도라는 제목을 가진 영화의 두 가지 버전을 만들었다. 한 버전은 다수의 폭력범죄 장면을 포함하였고 다른 버전은 이와 같은 장면들을 제거하였다. 영화의 중간에 신제품과 브랜드 이름을 광고하는 1회의 60초짜리 상업광고물이 삽입되었다. 영화가 종료된 시점에 관람자들에게 브랜드 이름

을 말하도록 요청하였다. 이와 같은 서베이 결과를 살펴본 후에 연구원들은 다음과 같은 결합확률표를 만들었다.

	폭력 영화 관람	비폭력 영화 관람
브랜드 이름을 기억함	.15	.18
브랜드 이름을 기억하지 못함	.35	.32

a. 브랜드 이름을 기억하는 관람자의 비율은 얼마인가?

b. 폭력영화를 관람한 사람들 중에서 브랜드 이름을 기억하는 비율은 얼마인가?

c. 폭력영화를 관람하는 것이 관람자가 브랜드 이름을 기억하느냐에 영향을 미치는가? 설명하라.

6.41 남성호르몬 테스토스테론과 범죄행위 간에 관계가 있는가? 이 질문에 답하기 위해, 의학연구원들은 교도소 수감자의 테스토스테론 수준을 측정하고 그가 살인으로 유죄판결을 받았는지 기록하였다. 이와 같은 결과들을 분석한 후에 의학연구원들은 다음과 같은 결합확률표를 만들었다.

테스토스테론 수준	살인자	기타 중범죄자
평균 이상	.27	.24
평균 미만	.21	.28

a. 평균 이상의 테스토스테론 수준을 가지고 있는 살인자의 비율은 얼마인가?

b. 테스토스테론의 수준과 범죄형태는 독립인가? 설명하라.

6.42 미국에서 건강보험제도의 대상에 관한 문제가 미국 정치의 중요한 쟁점이 되고 있다. 한 대규모 연구가 누가 대상이고 누가 대상이 아닌지 결정하기 위해 수행되었다. 이 연구로부터 다음과 같은 결합확률표가 만들어졌다.

연령범위	건강보험 보유	건강보험 미보유
25~34	.167	.085
35~44	.209	.061
45~54	.225	.049
55~64	.177	.026

임의로 선택되는 한 사람에 대한 다음의 확률을 계산하라.

a. P(건강보험을 보유하고 있다)

b. P(55~64세 연령에 속하고 건강보험을 보유하고 있지 않다)

c. P(25~34세 연령에 속하고 건강보험을 보유하고 있지 않다)

6.43 많은 미국 학교에서 폭력범죄가 발생하고 있는 것은 불행한 현실이다. 학교와 폭력범죄에 관한 한 분석을 통하여 다음과 같은 결합확률표가 만들어졌다.

학교수준	연간 폭력범죄 발생	연간 폭력범죄 미발생
초등학교	.393	.191
중 학 교	.176	.010
고등학교	.134	.007
통합학교	.074	.015

임의로 선택되는 한 학교에 관한 다음의 확률을 계산하라.

a. 초등학교에서 연간 적어도 한 건의 폭력범죄가 발생할 확률

b. 연간 폭력범죄가 발생하지 않을 확률

6.44 연습문제 6.43을 참조하라. 유사한 분석을 통하여 다음과 같은 결합확률표가 만들어졌다.

등록학생 수 (명)	연간 폭력범죄 발생	연간 폭력범죄 미발생
300 미만	.159	.091
300~499	.221	.065
500~999	.289	.063
1000 이상	.108	.004

a. 등록학생 수가 300명 미만인 한 학교에서 연간 적어도 1건의 폭력범죄가 발생할 확률은 얼마인가?

b. 연간 적어도 1건의 폭력범죄가 발생하는 학교가 300명 미만의 등록학생을 가지고 있을 확률은 얼마인가?

6.45 한 회사가 두 가지 방법으로 고객을 분류하였다. 이 회사는 (1) 청구서가 연체되는가에 따른 기준과 (2) 청구서가 신규(12개월 미만)인가 또는 기존인가의 기준에 따라 고객을 분류한다. 이 회사의 기록을 분석한 후에 다음과 같은 결합확률표가 도출되었다.

	연체함	연체하지 않음
신규	.06	.13
기존	.52	.29

한 청구서가 임의로 선택되었다.

a. 이 청구서가 연체상태이면, 이 청구서가 신규일 확률은 얼마인가?

b. 이 청구서가 신규이면, 이 청구서가 연체상태일 확률은 얼마인가?

c. 이 청구서가 신규인가 또는 기존인가와 연체상태인가는 관련되어 있는가? 설명하라.

6.46 기업의 규모(종업원 수 기준)와 기업의 종류는 어떻게 관련되어 있는가? 이 질문에 답하는 것을 돕기 위해 한 분석가는 미국 센서스를 참조하여 다음과 같은 결합확률표를 만들었다.

	산업		
종업원 수	건설업	제조업	소매업
20 미만	.464	.147	.237
20~99	.039	.049	.035
100 이상	.005	.019	.005

자료 *Statistical Abstract of the United States*.

한 기업이 임의로 선택되었다. 다음 사건의 확률을 구하라.

a. 이 기업은 20명 미만의 종업원을 고용하고 있다.

b. 이 기업은 소매업에 속한다.

c. 건설업에 속하는 이 기업은 20명~99명 사이의 종업원을 고용하고 있다.

6.47 신용평점카드는 누구에게 대출이 시행되어야 하는지 결정하는 것을 돕기 위해 금융기관에 의해 사용된다. 한 은행의 기록을 분석한 후에 다음과 같은 결합확률표가 만들어졌다.

	평점	
대출 성과	400 미만	400 이상
완전 상환	.19	.64
채무 불이행	.13	.04

a. 완전 상환되는 대출의 비율은 얼마인가?

b. 400 미만의 평점자에게 시행된 대출 중에서 완전 상환되는 비율은 얼마인가?

c. 400 이상의 평점자에게 시행된 대출 중에서 완전 상환되는 비율은 얼마인가?

d. 평점과 대출의 상환여부는 독립인가? 설명하라.

6.48 한 소매할인점은 일간신문에 게재하는 주간 광고가 유효한가를 알기 원했다. 이와 같은 중요한 정보를 얻기 위해, 이 소매할인점 경영자는 고객들을 대상으로 서베이를 실시하였고 각 고객이 주간 광고를 보았는지와 구매하였는지 조

사하였다. 이와 같은 정보로부터 이 소매할인점 경영자는 다음과 같은 결합확률표를 만들었다. 주간 광고는 유효한가? 설명하라.

	구매함	구매하지 않음
광고를 봄	.18	.42
광고를 보지 않음	.12	.28

6.49 교육과 실업의 관계를 평가하기 위해 한 경제학자는 미국 센서스를 참고하였다. 이 자료를 이용하여 이 경제학자는 다음과 같은 결합확률표를 만들었다.

교육	고용	실업
고등학교 중퇴	.075	.015
고등학교 졸업	.257	.035
전문대학 졸업	.155	.016
단기대학 학위	.096	.008
학사학위	.211	.012
석사 이상 학위	.118	.004

자료 *Statistical Abstract of the United States*.

a. 한 고등학교 졸업생이 실업일 확률은 얼마인가?
b. 임의로 선택된 한 개인이 고용되어 있을 확률을 구하라.
c. 한 실업자가 석사 이상 학위를 보유하고 있을 확률을 구하라.
d. 임의로 선택된 한 개인이 고등학교를 졸업하지 않았을 확률은 얼마인가?

6.50 새로운 공장을 건설할 것인가에 관한 의사결정은 대부분 회사들의 중요한 의사결정이다. 이 경우에 종종 고려되는 요인들 중 하나는 공장입지 지역주민의 교육수준이다. 미국 센서스 정보는 이와 같은 측면에서 유용할 수 있다. 최근 센서스를 분석한 후에 한 회사는 다음과 같은 결합확률표를 만들었다.

	지역			
교육	북동부	중서부	남부	서부
고등학교 중퇴	.021	.022	.053	.032
고등학교 졸업	.062	.075	.118	.058
전문대학 졸업	.024	.038	.062	.044
단기대학 학위	.015	.022	.032	.022
학사학위	.038	.040	.067	.050
석사 이상 학위	.024	.021	.036	.025

자료 *Statistical Abstract of the United States*.

a. 서부지역에 사는 한 사람이 학사학위를 가지고 있을 확률을 구하라.
b. 한 고등학교 졸업생이 북동부지역에 살고 있을 확률을 구하라.
c. 임의로 선택된 한 사람이 남부지역에 살고 있을 확률을 구하라.
d. 임의로 선택된 한 사람이 남부지역에 살고 있지 않을 확률을 구하라.

6.51 한 Gallup 서베이에서 표본을 구성하고 있는 미국인들에게 형사사법제도를 얼마나 신뢰하는지 물었다. 응답과 응답자의 인종을 기록한 후 다음과 같은 결합확률표가 작성되었다.

형사사법제도에 대한 신뢰도	백인	흑인
상당히 신뢰함	.240	.041
약간 신뢰함	.356	.048
매우 신뢰하지 않거나 전혀 신뢰하지 않음	.255	.060

a. 한 백인이 형사사법제도를 약간 신뢰할 확률을 계산하라.
b. 한 흑인이 형사사법제도를 매우 신뢰하지 않거나 전혀 신뢰하지 않을 확률을 계산하라.
c. 형사사법제도를 약간 신뢰하는 한 사람이 백인일 확률은 얼마인가?

6.52 관절염은 한 개 이상의 관절에서 발생되는 염증이다. 그 증상은 아프고 결리는 것이고 일반적으로 나이가 증가하면서 악화된다. 연령과 관절염 발생에 관한 분석을 수행한 후에 다음과 같은 결합확률표가 작성되었다고 하자.

연령 범주	관절염 있음	관절염 없음
50~60	.040	.360
60~70	.075	.225
70~80	.072	.088
80 초과	.105	.035

a. 80세를 초과한 한 사람이 관절염을 가지고 있을 확률은 얼마인가?

b. 55세인 한 사람이 관절염을 가지고 있지 않을 확률은 얼마인가?

c. 관절염을 가지고 있는 사람이 60세~70세일 확률은 얼마인가?

6.53 캐나다에는 3개의 정당이 있다. 3개의 정당은 보수당, 진보당, 신민주당이다. 한 도시에서 정당 선호도와 성별 간에 다음과 같은 결합확률표가 작성되었다고 하자.

정당	남성	여성
보수당	.255	.215
진보당	.191	.224
신민주당	.044	.071

a. 한 남성이 신민주당을 지지할 확률을 계산하라.

b. 한 진보당 지지자가 여성일 확률을 계산하라.

c. 임의로 선택된 한 사람이 보수당 지지자일 확률은 얼마인가?

6.54 밀레니엄 세대와 X세대의 연령대에 대해 일반적으로 수용되는 정의는 없다. 일반적으로는 밀레니엄 세대는 1984년부터 2000년 사이에 태어난 미국인들이고 X세대는 1965년부터 1984년 사이에 태어난 미국인들로 정의된다. 베이비붐 세대는 1946년부터 1964년 사이에 태어난 미국인들이다. Pew Research Center는 한 연구를 수행한 후 위에서 정의된 3세대 그룹의 결혼상태와 관련된 결합확률표를 다음과 같이 작성하였다.

결혼상태	밀레니엄 세대	X세대	베이비붐 세대
독신	.195	.058	.030
기혼	.089	.223	.201
동료와 동거	.030	.025	.009
이혼, 별거, 과부 또는 홀아비	.017	.054	.070

a. 한 밀레니엄 세대에 속하는 사람이 기혼일 확률을 구하라.

b. 한 베이비붐 세대에 속하는 사람이 독신일 확률을 구하라.

c. 한 사람이 임의로 선택된다고 하자. 그가 기혼일 확률은 얼마인가?

d. 동료와 동거하는 한 사람이 X세대일 확률은 얼마인가?

제2장에서 Pew Research Center가 소개되었다. 다음 2개의 연습문제는 Pew Research Center가 수행한 서베이에 기초하여 작성된 것이다. Pew Research Center는 정치적 양극화와 언론 행태를 조사했다. 미국인들로 구성된 표본이 추출되었고 각 사람은 다음과 같은 정치적 범주 중 하나에 속하도록 하였다.

일관되게 진보적이다(CL), 대체로 진보적이다(ML), 보수적이기도 하고 진보적이기도 하다(Mixed), 대체로 보수적이다(MC), 일관되게 보수적이다(CC).

각 사람에게 정부와 정치에 관한 뉴스 보도에 대한 다양한 텔레비전 방송국의 신뢰도를 물었다.

6.55 NBC 뉴스에 대한 결과를 정리한 후에 다음과 같은 결합확률표가 작성되었다.

NBC 뉴스	CL	ML	Mixed	MC	CC
신뢰	0.090	0.139	0.194	0.063	0.014
불신	0.010	0.015	0.054	0.060	0.056
신뢰하지도 불신하지도 않음	0.057	0.051	0.086	0.039	0.015
모른다	0.003	0.015	0.025	0.009	0.005

a. 임의로 선택된 한 응답자가 NBC 뉴스를 신뢰할 확률을 구하라.

b. 일관되게 보수적인 한 응답자가 NBC 뉴스를 불신할 확률은 얼마인가?

c. 일관되게 진보적인 한 응답자가 NBC 뉴스를 신뢰하지도 불신하지도 않을 확률은 얼마인가?

d. 한 사람이 임의로 선택되는 경우, 그가 일관되게 진보적일 확률은 얼마인가?

6.56 CNN 뉴스에 대한 결과를 정리한 후에 다음과 같은 결합확률표가 작성되었다.

CNN 뉴스	CL	ML	Mixed	MC	CC
신뢰	0.090	0.145	0.220	0.066	0.013
불신	0.019	0.024	0.050	0.056	0.055
신뢰하지도 불신하지도 않음	0.048	0.040	0.061	0.041	0.017
모른다	0.003	0.011	0.029	0.007	0.005

a. 한 사람이 임의로 선택되는 경우, 그가 CNN 뉴스를 불신할 확률은 얼마인가?

b. 일관되게 보수적인 한 응답자가 CNN 뉴스를 신뢰할 확률을 구하라.

c. 대체로 진보적인 한 응답자가 NBC 뉴스를 신뢰하지도 불신하지도 않을 확률을 계산하라.

d. 한 사람이 임의로 선택되는 경우, 그가 보수적이기도 하고 진보적이기도 할 확률을 계산하라.

6.3 확률법칙과 확률나무

제6.2절에서는 교사건과 합사건이 소개되었고 두 사건의 교사건과 합사건의 확률을 결정하는 방법이 설명되었다. 이 절에서는 이와 같은 확률들이 결정되는 다른 방법들이 제시된다. 단순한 사건의 확률로부터 더 복잡한 사건의 확률을 계산할 수 있는 3가지의 확률법칙이 소개된다.

6.3a 여사건법칙

사건 A의 **여사건**(complement)은 사건 A가 발생하지 않는 사건이다. 사건 A의 여사건은 A^C로 표시된다. **여사건법칙**(complement rule)은 한 사건의 확률과 여사건의 확률의 합은 1이어야 한다는 사실로부터 도출된다.

여사건법칙

여사건 A^C의 확률은 다음과 같이 계산된다.

$$P(A^C) = 1 - P(A)$$

6.3b 곱셈법칙

곱셈법칙(multiplication rule)은 두 사건의 결합확률을 계산하기 위해 사용된다. 이 법칙은 제6.2절에서 제시된 조건부 확률의 공식에 기초하여 도출된다. 곱셈법칙은 조건부 확률의 공식

$$P(A|B) = \frac{P(A \text{ and } B)}{P(B)}$$

의 양변에 $P(B)$를 곱하여 도출된다.

곱셈법칙

사건 A와 사건 B의 결합확률은 $P(A \text{ and } B) = P(A|B)P(B)$ 또는 $P(A \text{ and } B) = P(B|A)P(A)$이다.

사건 A와 사건 B가 독립사건이면, $P(A|B) = P(A)$이고 $P(B|A) = P(B)$이다. 두 독립사건의 결합확률은 단순히 두 사건의 확률들을 곱한 것과 같다. 이것을 곱셈법칙의 특수한 경우로 나타낼 수 있다.

독립사건의 곱셈법칙

독립사건인 사건 A와 사건 B의 결합확률은 $P(A \text{ and } B) = P(A)P(B)$이다.

예제 6.5* 복원이 없는 경우 두 학생의 선택

한 대학원 통계학 과목을 수강하는 학생은 남학생 7명과 여학생 3명이다. 이 과목의 교수는 연구프로젝트를 수행하는 것을 돕기 위한 2명의 학생을 각 단계에서 1명씩 2단계에 걸쳐 임의로 선택하기 원한다. 선택된 2명의 학생이 여학생일 확률은 얼마인가?

---

* 초기하분포(hypergeometric distribution)를 사용하면서 예제 6.5의 해답을 구할 수 있다.

해답 A는 선택되는 첫 번째 학생이 여학생일 사건을 나타내고 B는 선택되는 두 번째 학생이 여학생일 사건을 나타낸다고 하자. 우리는 결합확률 $P(A \text{ and } B)$를 구하기 원한다. 따라서 곱셈 법칙

$$P(A \text{ and } B) = P(A)P(B|A)$$

를 적용한다. 10명의 학생 중에서 3명의 여학생이 있기 때문에 첫 번째 선택되는 학생이 여학생일 확률은

$$P(A) = 3/10$$

이다. 첫 번째 학생이 선택된 후, 9명의 학생이 남게 된다. 첫 번째 선택된 학생이 여학생이라는 조건이 주어지면, 2명의 여학생만이 남게 된다. 따라서

$$P(B|A) = 2/9$$

이다. 따라서 결합확률은 다음과 같이 구해진다.

$$P(A \text{ and } B) = P(A)P(B|A) = \left(\frac{2}{9}\right)\left(\frac{3}{10}\right) = \frac{6}{90} = .067$$

예제 6.6 복원이 있는 경우 두 학생의 선택

예제 6.5를 참조하라. 통계학 과목을 가르치는 교수가 유행성 감기에 걸려서 다음 두 강좌를 강의할 수 없게 되었다. 이 교수를 대신하여 대체교수가 다음 두 강좌를 가르칠 것이다. 대체교수는 임의로 한 학생을 선택하여 강의시간 동안에 질문에 답하도록 한다. 대체교수가 가르치는 다음 두 강좌에서 선택되는 두 학생이 여학생일 확률은 얼마인가?

해답 질문의 형태는 예제 6.5와 같다. 대체교수가 2명의 여학생을 선택할 확률을 계산하기 원한다. 그러나 이 확률실험은 약간 다르다. 이제 대체교수가 가르치는 두 강좌의 각각에서 **동일한** 학생이 선택되는 것이 가능하다. 따라서 A와 B는 독립사건이고 독립사건의 곱셈법칙

$$P(A \text{ and } B) = P(A)P(B)$$

가 적용된다. 두 강좌의 각각에서 여학생이 선택될 확률은 같다. 즉,

$P(A) = 3/10$과 $P(B) = 3/10$

이다. 따라서

$$P(A \text{ and } B) = P(A)P(B) = \left(\frac{3}{10}\right)\left(\frac{3}{10}\right) = \frac{9}{100} = .09$$

6.3c 덧셈법칙

덧셈법칙(addition rule)은 두 사건의 합사건 확률을 계산할 수 있게 해준다.

> **덧셈법칙**
>
> 사건 A 또는 사건 B 또는 동시에 사건 A와 사건 B가 발생할 확률은 다음과 같이 계산된다.
>
> $$P(A \text{ or } B) = P(A) + P(B) - P(A \text{ and } B)$$

대부분의 학생들처럼, 당신은 왜 사건 A의 확률과 사건 B의 확률의 합에서 결합확률을 빼는가에 대하여 궁금해 할 것이다. 왜 이것이 필요한지 이해하기 위해, 표 6.2를 다시 복제해 놓은 표 6.3을 검토해보도록 하자.

표 6.3 결합확률과 한계확률

	B_1	B_2	합계
A_1	$P(A_1 \text{ and } B_1) = .11$	$P(A_1 \text{ and } B_2) = .29$	$P(A_1) = .40$
A_2	$P(A_2 \text{ and } B_1) = .06$	$P(A_2 \text{ and } B_2) = .54$	$P(A_2) = .60$
합계	$P(B_1) = .17$	$P(B_2) = .83$	1.00

이 표는 한계확률이 어떻게 계산되는지 보여준다. 예를 들면, A_1의 한계확률과 B_1의 한계확률은 다음과 같이 계산된다.

$$P(A_1) = P(A_1 \text{ and } B_1) + P(A_1 \text{ and } B_2) = .11 + .29 = .40$$
$$P(B_1) = P(A_1 \text{ and } B_1) + P(A_2 \text{ and } B_1) = .11 + .06 = .17$$

만일 A_1과 B_1의 합사건 확률을 A_1의 확률과 B_1의 확률의 합으로 계산한다면, 다음과 같이 확률이 계산된다.

$$P(A_1) + P(B_1) = .11 + .29 + .11 + .06$$

A_1과 B_1의 결합확률이 두 번 합해졌다는 점에 주목하라. 이와 같은 이중계산을 교정하기 위해 A_1의 확률과 B_1의 확률의 합으로부터 A_1과 B_1의 결합확률을 한 번 빼어준다. 따라서

$$\begin{aligned} P(A_1 \text{ or } B_1) &= P(A_1) + P(B_1) - P(A_1 \text{ and } B_1) \\ &= [.11 + .29] + [.11 + .06] - .11 \\ &= .40 + .17 - .11 = .46 \end{aligned}$$

이것이 예제 6.4에서 계산하였던 A_1과 B_1의 합사건 확률이다.

곱셈법칙의 경우와 마찬가지로, 덧셈법칙의 특별한 형태가 존재한다. 두 사건이 상호배타적이면(두 사건이 동시에 발생하지 않으면), 두 사건의 결합확률은 0이다.

상호배타적 사건들에 적용되는 덧셈법칙

상호배타적인 두 사건 A와 B의 합사건 확률은 다음과 같이 계산된다.

$$P(A \text{ or } B) = P(A) + P(B)$$

예제 6.7 덧셈법칙의 적용

한 대도시에서 두 개의 신문, 즉 *Sun*과 *Post*가 발간된다. 신문판매부서는 이 도시 가구의 22%는 *Sun*을 구독하고 35%는 *Post*를 구독한다고 보고한다. 한 서베이는 모든 가구의 6%는 두 개 신문 모두를 구독한다는 것을 보여준다. 이 도시에서 어느 신문이든 신문을 구독하는 가구의 비율은 얼마인가?

해답 주어진 질문은 다음과 같이 표현될 수 있다. 임의로 선택된 한 가구가 *Sun* 또는 *Post* 또는 두 신문 모두를 구독할 확률은 얼마인가? 임의로 선택된 한 가구가 **적어도 하나의** 신문을 구독할 확률은 얼마인가? 이제 합사건의 확률을 구한다는 것이 명백하기 때문에 덧셈법칙이 적용되어야 한다. A=한 가구가 *Sun*을 구독하는 사건이고 B=한 가구가 *Post*를 구독하는 사건이라고 하자. A와 B의 합사건 확률은 다음과 같이 계산된다.

$$P(A \text{ or } B) = P(A) + P(B) - P(A \text{ and } B) = .22 + .35 - .06 = .51$$

임의로 선택된 한 가구가 적어도 한 개의 신문을 구독할 확률은 .51이다. 상대빈도로 표현하면 이 도시 가구의 51%는 적어도 한 개의 신문을 구독한다.

6.3d 확률나무

확률법칙을 적용하는 효과적이고 간단한 방법은 확률나무(probability tree)를 사용하는 것이다. 확률나무에서 확률실험의 사건들은 선으로 표시된다. 결과적으로 얻어지는 그림은 나

그림 6.1 예제 6.5의 확률나무

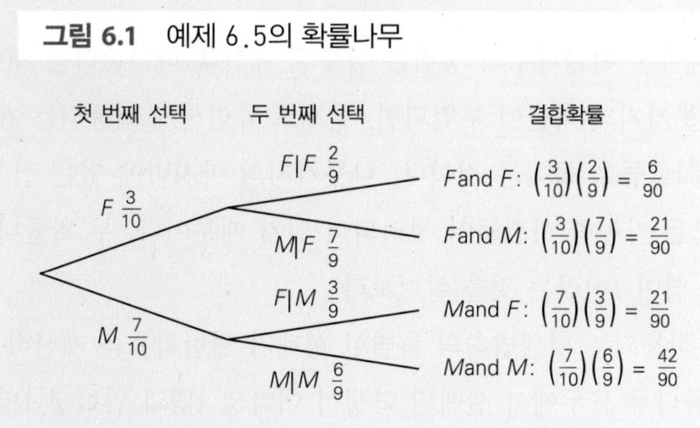

무를 닮았고 이에 따라 확률나무라고 부른다. 확률법칙만을 사용하면서 다루었던 두 가지 확률문제를 포함하여 몇 가지 예제를 통하여 확률나무를 예시하도록 하자.

예제 6.5에서 두 번의 선택이 이루어지는 상황이 다른 경우에 두 명의 여학생을 선택할 확률을 구하였다. 그림 6.1의 나무그림은 이와 같은 확률실험을 그린 것이다. 처음 두 개의 나뭇가지는 각각 첫 번째 선택에서 남학생이 선택될 확률과 여학생이 선택될 확률을 나타낸다. 두 번째 나뭇가지들은 두 번째 선택과 관련된 두 가지 확률을 나타낸다. 첫 번째 선택에서 여학생이 선택될 확률과 남학생이 선택될 확률은 각각 3/10과 7/10이다. 두 번째 선택에 있는 확률은 첫 번째 학생이 선택된 것에 기초한 조건부 확률이다.

연결된 나뭇가지 상에 있는 확률들을 곱하여 결합확률이 계산된다. 따라서 두 명의 여학생을 선택할 확률은 $P(F \text{ and } F) = (3/10)(2/9) = 6/90$이다. 나머지 결합확률들도 이와 유사하게 계산된다.

예제 6.6의 확률실험은 예제 6.5의 확률실험과 유사하다. 그러나 첫 번째 선택에서 선택된 학생은 학생들의 풀에 복원되고 다시 선택될 자격을 가진다. 따라서 두 번째 나뭇가지에서의 확률은 첫 번째 나뭇가지에서의 확률과 같다. 그림 6.2는 이와 같은 변화를 반영하

그림 6.2 예제 6.6의 확률나무

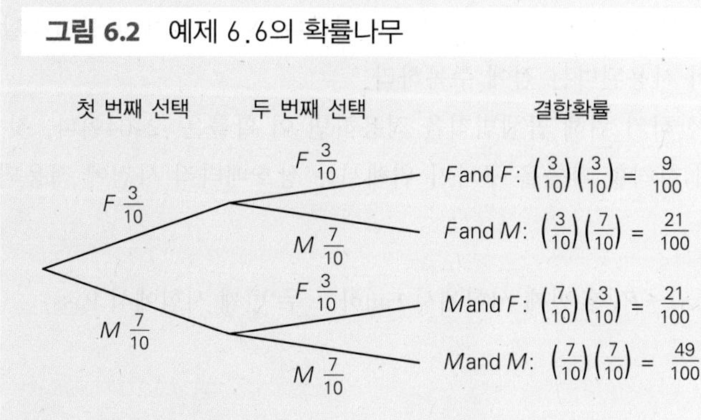

여 그린 확률나무이다.

이와 같은 유형의 문제에서 확률나무의 장점은 잘못된 계산을 막아준다는 것이다. 일단 확률나무가 그려지고 나뭇가지의 확률이 투입되면, 실제로 유일하게 허용되는 계산은 연결된 나뭇가지 상에 있는 확률들을 곱하는 것이다. 나뭇가지의 마지막에 있는 결합확률들의 합은 1이다. 왜냐하면 모든 가능한 사건들이 정리되어 있기 때문이다. 두 확률나무 그림에서 실제로 결합확률들의 합이 1이라는 것을 살펴보라.

상호배타적인 사건에 적용되는 덧셈법칙의 특별한 형태가 결합확률을 계산하는 데 적용될 수 있다. 두 개의 확률나무 모두에서 선택된 학생이 여학생 1명과 남학생 1명일 확률은 결합확률을 합하여 간단하게 계산될 수 있다. 예제 6.5의 확률나무의 경우에 이와 같은 확률은 다음과 같이 계산된다.

$$P(F \text{ and } M) + P(M \text{ and } F) = \frac{21}{90} + \frac{21}{90} = \frac{42}{90}$$

예제 6.6의 확률나무에서 이와 같은 확률은 다음과 같이 계산된다.

$$P(F \text{ and } M) + P(M \text{ and } F) = \frac{21}{100} + \frac{21}{100} = \frac{42}{100}$$

예제 6.8 변호사 시험의 합격 확률

법학전문대학원을 졸업하는 학생들은 변호사가 되기 전에 변호사 시험에 합격하여야 한다. 한 특정한 사법관할지역에서 첫 번째 변호사 시험을 치르는 사람들의 합격률이 72%라고 하자. 첫 번째 시험에서 불합격한 사람들은 수개월 후에 다시 변호사 시험을 치를 수 있다. 첫 번째 시험에서 불합격한 사람들 중에서 88%는 두 번째 시험에서 합격한다. 임의로 선택된 한 법학전문대학원 졸업생이 변호사가 될 확률을 구하라. 변호사 후보자들은 변호사 시험을 두 번까지 치를 수 있다고 가정하라.

해답 그림 6.3에 나타낸 확률나무는 주어진 확률실험을 보여준다. 각 시험에서 불합격할 확률을 구하기 위해 여사건법칙이 사용된다는 점에 주목하라.

P(Fail and Pass)를 계산하기 위해 곱셈법칙을 적용하면 이 확률은 .2464이다. 첫 번째 시험 또는 두 번째 시험에서 합격할 확률을 구하기 위해서는 상호배타적 사건에 적용되는 덧셈법칙이 적용된다.

P(첫 번째 시험에서 Pass) + P(첫 번째 시험에서 Fail하고 두 번째 시험에서 Pass)

= .72 + .2464 = .9664

그림 6.3 예제 6.8의 확률나무

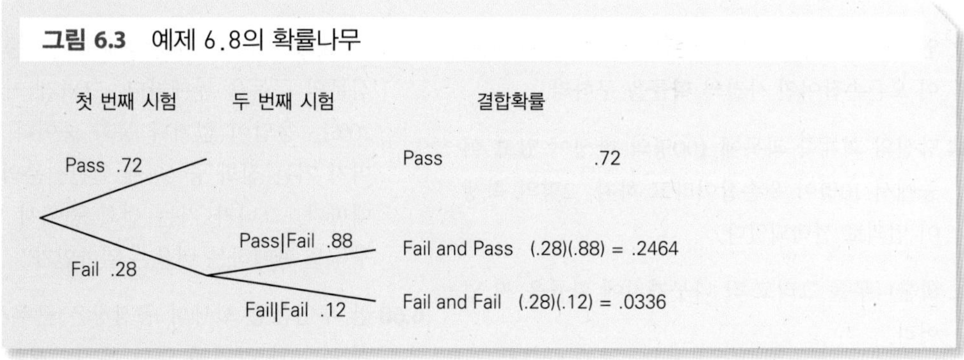

따라서 변호사 시험 응시자의 96.64%가 첫 번째 시험 또는 두 번째 시험에서 합격하여 변호사가 된다.

연습문제

6.57 다음과 같은 확률이 주어져 있을 때 모든 결합확률을 계산하라.

$P(A)=.9$ $P(A^C)=.1$
$P(B|A)=.4$ $P(B|A^C)=.7$

6.58 다음과 같은 확률이 주어져 있을 때 모든 결합확률을 계산하라.

$P(A)=.8$ $P(A^C)=.2$
$P(B|A)=.4$ $P(B|A^C)=.7$

6.59 다음과 같은 확률을 이용하여 결합확률을 계산하기 위한 확률나무를 그려라.

$P(A)=.5$ $P(A^C)=.5$
$P(B|A)=.4$ $P(B|A^C)=.7$

6.60 다음과 같은 확률이 주어져 있을 때 결합확률을 계산하기 위한 확률나무를 그려라.

$P(A)=.8$ $P(A^C)=.2$
$P(B|A)=.3$ $P(B|A^C)=.3$

6.61 다음과 같은 확률이 주어져 있을 때 결합확률 $P(A \text{ and } B)$를 구하라.

$P(A)=.7$ $P(B|A)=.3$

6.62 사람들의 약 10%는 왼손잡이이다. 만일 두 사람이 임의로 선택될 때 다음 사건의 확률은 얼마인가?

a. 두 사람 모두가 오른손잡이이다.
b. 두 사람 모두가 왼손잡이이다.
c. 한 사람은 오른손잡이이고 나머지 한 사람은 왼손잡이이다.
d. 적어도 한 사람은 오른손잡이이다.

6.63 연습문제 6.62를 참조하라. 세 사람이 임의로 선택되었다고 하자.

a. 확률실험을 나타내기 위한 확률나무를 그려라.
b. 3명의 오른손잡이가 선택된 경우를 나타내기 위해 *RRR* 기호를 사용하는 것과 유사하게 나머지 7개의 사건들을 나타내라. (왼손잡이를 나타내기 위해 *L*을 사용하라.)
c. 오른손잡이가 없는 사건, 한 사람이 오른손잡이인 사건, 두 사람이 오른손잡이인 사건, 세 사람이 오른손잡이인 사건의 수는 몇 개인가?
d. 오른손잡이가 없는 사건, 한 사람이 오른손잡이

인 사건, 두 사람이 오른손잡이인 사건, 세 사람이 오른손잡이인 사건의 확률을 구하라.

6.64 당신의 회계학 과목에 100명의 학생이 있고 이 중에서 10명이 왼손잡이라고 하자. 2명의 학생이 임의로 선택되었다.

a. 확률나무를 그리고 각 나뭇가지에 확률을 써 넣어라.

다음 사건의 확률은 얼마인가?

b. 두 학생 모두가 오른손잡이이다.

c. 두 학생 모두가 왼손잡이이다.

d. 한 학생은 오른손잡이이고 다른 학생은 왼손잡이이다.

e. 적어도 한 학생이 오른손잡이이다.

6.65 연습문제 6.64를 참조하라. 세 사람이 임의로 선택되었다고 하자.

a. 확률나무를 그리고 각 나뭇가지에 확률을 써 넣어라.

b. 모두 왼손잡이, 1명이 오른손잡이, 2명이 오른손잡이, 3명이 오른손잡이일 확률은 얼마인가?

6.66 한 우주항공 회사는 두 개의 연방정부 국방계약을 위한 입찰서를 제출하였다. 이 회사의 사장은 첫 번째 계약을 획득할 확률이 40%라고 믿고 있다. 만일 이 회사가 첫 번째 계약을 획득하면, 두 번째 계약을 획득할 확률은 70%이다. 그러나 만일 이 회사가 첫 번째 계약을 획득하지 못하면, 이 회사의 사장은 두 번째 계약을 획득할 확률은 50%로 감소한다고 생각한다.

a. 이 회사가 두 계약 모두를 획득할 확률은 얼마인가?

b. 이 회사가 두 계약 모두를 획득하지 못할 확률은 얼마인가?

c. 이 회사가 한 개의 계약만을 획득할 확률은 얼마인가?

6.67 한 텔레마케터는 사람들에게 전화를 걸어 일간신문의 구독을 판매한다. 그녀가 거는 전화 중 20%는 응답이 없거나 통화 중이다. 그녀는 나머지 거는 전화 중 5%에 일간신문의 구독을 판매한다. 그녀가 거는 전화 중에서 일간신문의 구독을 판매하는 비율은 얼마인가?

6.68 한 투입금형 회사의 공장장은 근무시간의 10% 정도 그의 라인에 있는 투입기계를 끄는 것을 잊는다. 이것이 투입기계를 과열시키고 이른 아침 작업에서 불량금형이 생산될 확률을 2%로부터 20%로 증가시킨다. 이른 아침 작업에서 불량금형이 생산되는 비율은 얼마인가?

6.69 Miami-Dade 선거 감독관에 의해 수행된 한 연구는 유권자의 44%는 민주당원, 유권자의 37%는 공화당원, 유권자의 19%는 기타 정당원이라는 것을 보여주었다. 만일 두 유권자가 임의로 선택되는 경우, 두 유권자 모두가 같은 당원일 확률은 얼마인가?

6.70 United States Census Bureau는 많은 정보 중에서 모든 주의 모든 카운티 주민의 인종을 기록하였다. 이 기관은 이와 같은 결과를 이용하여 임의로 선택된 두 사람이 다른 인종일 확률을 측정하는 "다양성 지수(diversity index)"를 계산하였다. 센서스에 의하면 Wisconsin주에 있는 한 카운티 주민의 80%는 백인, 15%는 흑인, 5%는 아시아인이었다. 이 카운티의 다양성 지수를 계산하라.

6.71 중년 남성을 대상으로 실시된 서베이는 이들 중 28%는 머리의 중심부분에서 대머리가 진행되고 있다는 것을 보여준다. 더욱이 이들 남성이 앞으로 10년 동안에 심장마비를 겪을 확률이 18%라고 알려져 있다. 대머리가 진행되고 있지 않은 남성이 앞으로 10년 동안에 심장마비를 겪을 확률은 11%이다. 한 중년 남성이 앞으로 10년 동안에 심장마비를 겪을 확률을 구하라.

6.72 재무분석사(Certified Financial Analyst: CFA)는 세 번의 연간 시험(CFA I, II, III)을 치른 후에 취득되는 자격증이다. 이와 같은 시험들은 6월 초에 시행된다. 한 시험에 합격한 후보자는 다음 연도에 다음 수준의 시험을 치를 자격을 가진다. 수준 I, II, III의 합격률은 각각 .57, .73, .85이다. 3,000명의 후보자가 수준 I 시험을 치르고, 2,500명이 수준 II 시험을 치르며 2,000명이 수준 III 시험을 치른다. 한 학생이 임의로 선택된다고 하자. 이 학생이 시험에 합격할 확률은 얼마인가? (자료: Institute of Financial Analysts)

6.73 Nickels 레스토랑 체인은 정기적으로 고객을 대상으로 서베이를 실시한다. 고객들은 음식의 질, 서비스, 가격을 평가하도록 요청받는다. 응답은 다음과 같이 이루어진다.

우수 양호 보통

또한 고객들에게 재방문할 것인지 묻는다. 응답결과를 분석한 후에 한 확률전문가는 고객의 87%는 재방문할 것이라고 말한다고 결정하였다. 재방문할 것이라고 말한 고객 중에서 57%는 이 레스토랑이 우수하다고 평가하였고, 36%는 양호하다고 평가하였으며 나머지는 보통이라고 평가하였다. 재방문하지 않을 것이라고 말한 고객 중에서 14%는 이 레스토랑이 우수하다고 평가하였고, 32%는 양호하다고 평가하였으며 54%는 보통이라고 평가하였다. 이 레스토랑이 양호하다고 평가하는 고객의 비율은 얼마인가?

6.74 펜실베니아 대학의 약학부에서 일하는 연구원들은 전등을 켜놓은 상태로 잠을 자는 2세 미만의 아동들은 16세가 되기 전에 근시가 될 확률이 36%라고 결정하였다. 전등을 켜지 않고 어둠 속에서 잠을 자는 아동들은 근시가 될 확률이 21%이다. 한 서베이는 2세 미만 아동의 28%가 전등을 켜놓고 잠을 잔다는 점을 제시하였다. 16세 미만의 한 아동이 근시일 확률을 구하라.

6.75 한 공장에서 만들어지는 모든 인쇄회로기판(PCB)에 대한 검사가 이루어진다. 이 회사의 기록을 분석한 결과는 모든 PCB의 22%가 어떤 형태로든 결함이 있다는 것을 제시해준다. 결함이 있는 PCB 중에서 84%는 수리가 가능하고 나머지는 폐기되어야 한다. 새로이 생산된 한 개의 PCB가 임의로 선택될 때 이 PCB가 폐기되지 않을 확률은 얼마인가?

6.76 한 금융애널리스트는 전년도에 한 뮤추얼 펀드의 수익률이 시장수익률보다 높았다면 금년도에 이 뮤추얼 펀드의 수익률이 시장수익률보다 높을 확률은 22%라고 결정하였다. 만일 어느 연도에 뮤추얼 펀드의 15%만이 시장수익률보다 높은 수익률을 달성한다면, 한 뮤추얼 펀드가 2년 연속해서 시장수익률보다 높은 수익률을 달성할 확률은 얼마인가?

6.77 한 투자자는 다우존스산업평균지수(Dow Jones Industrial Average: DJIA)가 상승한 날에 NASDAQ 지수도 상승할 확률은 77%라고 믿는다. 만일 이 투자자가 DJIA가 내일 상승할 확률이 60%라고 믿는다면, 내일 NASDAQ 지수가 상승할 확률은 얼마인가?

6.78 하나의 통제장치가 작동하지 않아도 비행기가 계속 운항할 수 있도록 비행기의 통제장치는 다수의 백업시스템 또는 여분시스템을 가지고 있다. 날개판을 통제하는 메커니즘이 두 개의 백업장치를 가지고 있다고 하자. 만일 주 통제장치가 작동하지 않을 확률이 .0001이고 각 백업장치가 작동하지 않을 확률이 .01이면, 모든 세 개의 통제장치가 작동하지 않을 확률은 얼마인가?

6.79 U.S. Census에 의하면 미국에서 85세 이상인 사람들의 65%는 여성이다. 또한 85세 이상인 여

성의 53%는 혼자 살고 85세 이상인 남성의 30%는 혼자 산다. 85세 이상인 한 미국인이 혼자 사는 확률을 계산하라.

6.80 한 금융애널리스트는 앞으로 12개월 안에 경기침체를 겪을 확률은 25%라고 추정한다. 또한 만일 경제가 경기침체에 직면하면, 그녀는 직접 관리하는 뮤추얼 펀드의 가치가 증가할 확률은 20%라고 믿는다. 만일 경기침체가 없다면, 뮤추얼 펀드의 가치가 증가할 확률은 75%이다. 그녀가 직접 관리하는 뮤추얼 펀드의 가치가 증가할 확률을 구하라.

6.81 2016년 6월에 영국인들은 영국이 유럽연합을 탈퇴하는 것을 결정하기 위한 국민투표를 하기 위해 투표소를 향해 가고 있었다. Pew Research Center는 브렉시트(Brexit)의 가능성에 관한 여론을 알아보기 위해 유럽 국가들에서 서베이를 수행했다. 응답자들에게 영국의 탈퇴는 유럽연합에게 어떤 의미가 있는지 물었다. 응답은 "나쁜 일"이거나 "좋은 일" 중에서 선택하도록 하였다. 각국의 응답자 수와 "나쁜 일"이라고 응답한 비율이 다음 표와 같이 정리되어 있다.

국가	응답자 수	"나쁜 일"이라고 응답한 비율(확률)
프랑스	630	62%
독일	590	74%
이탈리아	480	57%

임의로 한 응답자를 선택한 경우 그가 영국의 탈퇴는 유럽연합에게 나쁜 일이라고 말할 확률은 얼마인가?

6.82 연습문제 6.81을 참조하라. 그리스, 헝가리, 폴란드의 응답자들에게 유럽연합이 난민 문제를 다루는 방식에 동의하는지 동의하지 않는지 물었다. 응답자의 수와 동의하지 않는다고 응답한 비율이 다음 표와 같이 정리되어 있다.

국가	응답자 수	동의하지 않는다고 응답한 비율(확률)
그리스	385	94%
헝가리	420	70%
폴란드	475	66%

임의로 한 응답자를 선택한 경우 그가 유럽연합이 난민 문제를 다루는 방식에 동의하지 않을 확률은 얼마인가?

6.83 40세 미만 미국인들 중 얼마나 많은 사람이 학생 부채를 가지고 있는가? Pew Research Center는 이 질문에 답하기 위해서 응답자들에게 학생 부채를 가지고 있는지와 그들이 어떤 직업에 종사하고 있는지 물었다. 다음과 같은 확률이 결정되었다.

직업	직업 비율(%)	학생 부채를 가지고 있는 비율(%)
경영/전문	32	45
기술/판매/서비스	15	39
기타	53	27

임의로 선택된 한 응답자가 학생 부채를 가지고 있을 확률을 계산하라.

6.84 한 통계학 교수는 B.A, B.B.A, B.Sc, B.Eng를 대상으로 졸업률(5년 이내에 졸업하는 입학 학생의 비율)을 비교하는 중에 있다. 기록을 검토하면서 그는 다음과 같은 확률을 계산하였다.

학위	입학 비율(%)	졸업률(%)
B.A	38	79
B.B.A	41	74
B.Sc	13	68
B.Eng	8	57

한 학생이 5년 이내에 졸업할 확률은 얼마인가?

6.4 베이즈의 법칙

조건부 확률은 종종 두 사건의 관계를 측정하기 위해 사용된다. 당신이 지금까지 접하였던 많은 예제와 연습문제에서 조건부 확률은 한 사건의 가능한 원인 하나가 발생하였다는 조건하에서 이 사건이 발생할 확률을 측정한다. 예제 6.2에서 펀드 매니저가 상위 20위 MBA 프로그램을 졸업하였을 때(가능한 원인) 뮤추얼 펀드의 수익률이 시장수익률보다 높을(결과) 확률을 계산하였다. 그러나 한 특정한 사건을 목격하고 이 사건의 가능한 원인 중 하나가 발생하였을 확률을 계산할 필요가 있는 상황이 존재한다. **베이즈의 법칙**(Bayes's Law)은 이 경우에 사용되는 기법이다.

예제 6.9 MBA 지원자는 GMAT 준비과목을 수강하여야 하는가?

GMAT는 MBA 프로그램의 모든 지원자들이 치루어야 하는 필수시험이다. 200점부터 800점까지의 점수를 가지고 있는 GMAT 점수를 높이는 데 도움을 주기 위한 다양한 준비과목들이 있다. MBA 학생들을 대상으로 실시한 서베이에 의하면 650점 이상의 GMAT 점수를 취득한 사람들 중에서 52%는 준비과목들을 수강한 반면, 650점 미만의 GMAT 점수를 취득한 사람들 중에서 23%만이 준비과목들을 수강하였다. MBA 프로그램에 지원하는 한 지원자가 MBA 프로그램에 들어가기 위해서는 650점 이상의 GMAT 점수가 필요하다. 그러나 그는 자신이 그렇게 높은 점수를 취득할 확률은 10%라고 생각한다. 따라서 그는 500달러의 비용이 드는 준비과목들의 수강을 고려하고 있다. 만일 650점 이상의 점수를 취득할 확률이 두 배 증가한다면 그는 기꺼이 준비과목들을 수강할 것이다. 그는 어떻게 해야 하는가?

해답 이 문제를 다루는 가장 쉬운 방법은 확률나무를 그리는 것이다. 다음의 기호를 사용하도록 하자.

A =GMAT 점수가 650점 이상이다.
A^C =GMAT 점수가 650점 미만이다.
B =준비과목들을 수강한다.
B^C =준비과목들을 수강하지 않는다.

650점 이상의 점수를 취득할 확률은

$$P(A) = .10$$

이다. 여사건법칙을 사용하면

$$P(A^C) = 1 - .10 = .90$$

이다. 조건부 확률은

$$P(B|A) = .52$$

이고

$$P(B|A^C) = .23$$

이다. 다시 한번 여사건법칙을 사용하면 다음과 같은 조건부 확률이 구해진다.

$$P(B^C|A) = 1 - .52 = .48$$

이고

$$P(B^C|A^C) = 1 - .23 = .77$$

이다. 우리는 그가 준비과목들을 수강한 후에 650점 이상의 GMAT 점수를 취득할 확률을 구하기 원한다. 즉, $P(A|B)$를 계산하기 원한다.

조건부 확률의 정의를 사용하면 다음과 같은 결과가 구해진다.

$$P(A|B) = \frac{P(A \text{ and } B)}{P(B)}$$

분자와 분모 모두 알려져 있지 않다. 그림 6.4의 확률나무는 다음과 같은 확률에 대한 정보를 제공해준다.

당신이 보는 것처럼,

$$P(A \text{ and } B) = (.10)(.52) = .052$$
$$P(A^C \text{ and } B) = (.90)(.23) = .207$$

이에 따라

$$P(B) = P(A \text{ and } B) + P(A^C \text{ and } B) = .052 + .207 = .259$$

그림 6.4 예제 6.9의 확률나무

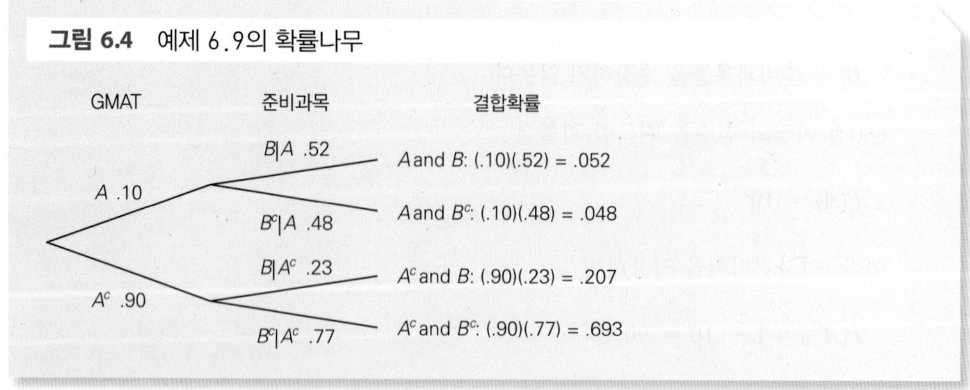

따라서

$$P(A|B) = \frac{P(A \text{ and } B)}{P(B)} = \frac{.052}{.259} = .201$$

준비과목들을 수강한 후에 650점 이상의 GMAT 점수를 취득할 확률은 두 배 증가한다.

Thomas Bayes는 18세기에 처음으로 예제 6.9에서 보는 것과 같은 조건부 확률을 계산하였다. 이에 따라 이와 같은 조건부 확률은 베이즈의 법칙(Bayes' Law)이라고 부른다.

$P(A)$와 $P(A^C)$는 준비과목들의 수강에 관한 의사결정이 이루어지기 **전에** 결정되기 때문에 **사전확률**(prior probability)이라고 부른다. 지금까지 사용한 조건부 확률[예를 들면, $P(B|A_i)$]은 **우도확률**(likelihood probability)이라고 부른다. 마지막으로 조건부 확률 $P(A|B)$와 이와 유사한 조건부 확률 $P(A^C|B)$, $P(A|B^C)$, $P(A^C|B^C)$는 **사후확률**(posterior probability) 또는 **수정확률**(revised probability)이라고 부른다. 왜냐하면 준비과목들의 수강에 관한 의사결정이 이루어진 **후에** 사전확률이 수정되기 때문이다.

당신은 $P(A|B)$를 직접 구하지 않는 이유를 궁금해 할 수 있다. 즉, 왜 준비과목들을 수강한 사람들을 대상으로 서베이를 실시하고 그들이 650점 이상을 취득하였는지 묻지 않는가? 우도확률과 베이즈의 법칙을 사용하면서 사전확률이 수정될 수 있다는 것이 대답이다. 예를 들면, 다른 MBA 지원자는 자기 자신이 650점 이상의 점수를 취득할 확률을 .40으로 설정할 수 있다. 새롭게 설정된 사전확률을 투입하면 다음과 같은 확률이 구해진다.

$$\begin{aligned}
P(A \text{ and } B) &= (.40)(.52) = .208 \\
P(A^C \text{ and } B) &= (.60)(.23) = .138 \\
P(B) &= P(A \text{ and } B) + P(A^C \text{ and } B) = .208 + .138 = .346 \\
P(A|B) &= \frac{P(A \text{ and } B)}{P(B)} = \frac{.208}{.346} = .601
\end{aligned}$$

준비과목들을 수강하는 경우 650점 이상의 GMAT 점수를 취득할 확률은 약 50% 정도(.40에서 .601로) 증가한다.

6.4a 베이즈 법칙의 공식

베이즈의 법칙은 확률나무보다 수식을 선호하는 사람들을 위해 하나의 공식으로 표현될 수 있다. 다음과 같은 기호를 사용하자.

사건 B는 주어진 사건이고

$$A_1, A_2, \ldots, A_k$$

는 사전확률이 알려져 있는 사건들이다. 즉,

$$P(A_1),\ P(A_2), \ldots, P(A_k)$$

는 사전확률이다.

우도확률은

$$P(B|A_1), P(B|A_2), \ldots, P(B|A_k)$$

이고, 우리가 구하고자 하는 사후확률은

$$P(A_1|B), P(A_2|B), \ldots, P(A_k|B)$$

이다.

베이즈 법칙의 공식은 다음과 같다.

베이즈 법칙의 공식

$$P(A_i|B) = \frac{P(A_i)P(B|A_i)}{P(A_1)P(B|A_1) + P(A_2)P(B|A_2) + \cdots + P(A_k)P(B|A_k)}$$

베이즈 법칙의 공식을 어떻게 사용하는지 예시하기 위해, 예제 6.9를 다시 풀어보도록 하자. 다음과 같이 사건을 정의하면서 시작하자.

A_1 = GMAT 점수가 650점 이상이다.
A_2 = GMAT 점수가 650점 미만이다.
B = 준비과목들을 수강한다.

확률은

$$P(A_1) = .10$$

이다. 여사건법칙을 사용하면

$$P(A_2) = 1 - .10 = .90$$

이다. 조건부 확률은

$$P(B|A_1) = .52$$

이고

$$P(B|A_2) = .23$$

이다.

사전확률과 우도확률을 베이즈 법칙의 공식에 대입하면 다음과 같은 결과가 얻어진다.

$$P(A_1|B) = \frac{P(A_1)P(B|A_1)}{P(A_1)P(B|A_1) + P(A_2)P(B|A_2)} = \frac{(.10)(.52)}{(.10)(.52) + (.90)(.23)}$$

$$= \frac{.052}{.052 + .207} = \frac{.052}{.259} = .201$$

당신이 보는 것처럼, 베이즈 법칙의 공식을 계산하면 확률나무를 사용한 경우와 같은 결과가 얻어진다.

6.4b 의료검사와 건강보험 분야의 통계학 응용

의사들은 일상적으로 환자들을 대상으로 **스크리닝**(screening)이라고 부르는 의료검사를 시행한다. 의료검사는 증상에 관계없이 특정한 연령과 성별 그룹에 속하는 모든 환자들에 대하여 실시된다. 예를 들면, 50대의 남성은 전립선 암의 증거가 있는지 결정하기 위해 PSA 검사를 받는다. 여성은 자궁경부암을 검색하는 Pap 검사를 받는다. 불행하게도 100% 정확한 검사는 없다. 대부분의 검사는 **거짓 양성**(false-positive) 결과와 **거짓 음성**(false-negative) 결과를 발생시킨다. **거짓 양성**(false-positive) 결과는 환자가 질병을 가지고 있지 않으나 검사에서 질병을 가지고 있다는 양성반응을 보여주는 결과이다. **거짓 음성**(false-negative) 결과는 환자가 질병을 가지고 있으나 검사에서 질병을 가지고 있지 않다는 음성반응을 보여주는 결과이다. 각 검사의 결과는 중요하고 이러한 검사를 하는 데 많은 비용이 든다. 거짓 음성 결과는 발견되지 않는 질병을 가지고 있는 환자를 발생시키고, 이에 따라 진료를 막연히 연기시키는 결과를 초래한다. 거짓 양성 결과는 환자에게 불안과 두려움을 발생시킨다. 대부분의 경우에 환자는 생체조직검사(biopsy)와 같은 추가검사를 받아야 한다. 불필요한 추가검사는 의학적 위험을 발생시킬 수 있다.

거짓 양성 검사결과는 금전적 파급효과를 가진다. 즉, 추가검사의 비용은 일반적으로 스크리닝 검사보다 훨씬 더 비싸다. 정부의료기금뿐만 아니라 건강보험회사도 거짓 양성 검사결과에 의해 부정적인 영향을 받는다. 문제를 복잡하게 하는 것은 의사와 환자가 검사결과를 적정하게 해석할 수 없다는 것이다. 정확한 분석만이 생명을 구하고 돈을 절약할 수 있다.

베이즈의 법칙은 스크리닝 검사와 관련된 확률을 구하기 위해 사용되는 수단이다. 거짓

해답 세금환불 건 감사하기

Vinnstock/Shutterstock.com

주어진 세금환불 건이 심각한 사기를 포함하고 있을 사전확률을 수정할 필요가 있다. 그림 6.5의 확률나무는 이와 같은 계산을 상세하게 보여준다.

F = 세금환불 건이 사기이다.

F^C = 세금환불 건이 정직하다.

E_0 = 세금환불 건이 지출공제를 포함하고 있지 않다.

E_1 = 세금환불 건이 한 개의 지출공제를 포함하고 있다.

E_2 = 세금환불 건이 두 개의 지출공제를 포함하고 있다.

$$P(E_1) = P(F \text{ and } E_1) + P(F^C \text{ and } E_1) = .0140 + .1710 = .1850$$

$$P(F|E_1) = P(F \text{ and } E_1)/P(E_1) = .0140/.1850 = .0757$$

주어진 세금환불 건이 사기일 확률은 .0757이다.

그림 6.5 세금환불 건 감사하기 예제의 확률나무

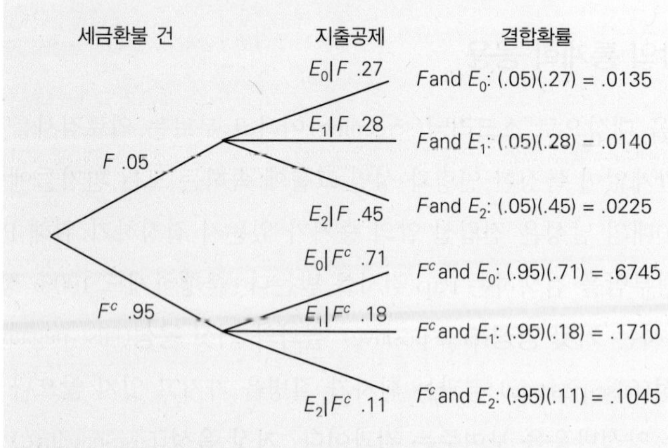

양성률과 거짓 음성률에 여사건법칙을 적용하면 옳은 결론이 도출되는 조건부 확률이 구해진다. 사전확률은 일반적으로 질병을 가진 사람들을 관찰함으로써 구해진다. 일부의 경우에 사전확률은 유전, 연령, 인종과 같은 인구통계학적 변수 때문에 그 자체가 수정될 수 있다. 베이즈의 법칙을 사용하면 검사결과가 양성 또는 음성으로 결정된 후에 사전확률이 수정될 수 있다.

예제 6.10은 실제의 거짓 양성률과 거짓 음성률에 기초하고 있다. 그러나 다른 자료는 다른 확률을 제공한다는 점에 주목하라. 이와 같은 차이는 양성과 음성의 결과가 정의되는 방법 또는 검사자가 검사를 수행하는 방법 때문에 나타날 수 있다. 예제와 연습문제에 기술된 질병으로 고통을 받고 있는 독자들은 의사를 만나 진단을 받아야 한다.

예제 6.10 전립선암의 발생 확률

전립선암은 남성에게서 가장 일반적으로 발견되는 암이다. 일생 동안 전립선암이 발생될 확률은 16%이다. (이 확률은 많은 전립선암이 검색되지 못하기 때문에 실제로 더 높을 수 있다.) 많은 의사들은 일상적으로 특히 50세 이상의 남성들을 대상으로 PSA 검사를 한다. 전립선 특수항원(Prostate Specific Antigen, PSA)은 전립선에 의해 생성되는 단백질이다. 정상적으로 남성은 0과 4 mg/ml의 PSA 수준을 가지고 있다. 4 mg/ml 이상의 PSA 수준은 전립선암의 잠재적인 신호일 수 있다. 그러나 PSA 수준은 암이 없는 남성조차도 연령이 증가하면서 상승하는 경향을 가진다. 연구결과는 PSA 검사가 매우 정확한 것은 아니라는 것을 보여준다. 실제로 남성이 암을 가지고 있지 않은 경우에도 높은 PSA 수준을 가질(거짓 양성) 확률은 .135이다. 남성이 암을 가지고 있는 경우 PSA 수준이 정상수준에 속할(거짓 음성) 확률은 거의 .300이다. (이 수치는 연령과 PSA의 높은 수준에 대한 정의에 따라서 변동될 수 있다.) 만일 한 의사가 PSA가 높다고 결론지으면, 생체조직검사가 이루어진다. PSA 검사과정에는 많은 금전적 비용이 발생한다. 혈액검사의 비용은 낮다(약 50달러). 그러나 생체조직검사의 비용은 상당히 높다(약 1,000달러). 거짓 양성 PSA 검사는 불필요한 생체조직검사가 이루어지도록 만든다. PSA 검사는 매우 부정확하기 때문에, 일부의 사적 및 공적 건강보험은 PSA 검사비용을 지불하지 않는다. 당신이 한 건강보험회사의 경영자이고 누가 전립선암에 대한 검사를 받아야 하는지에 관한 가이드라인을 결정해야 한다고 하자. 전립선암 발생과 연령에 관한 분석결과로부터 다음과 같은 확률표가 만들어졌다. (40세 미만의 남성이 전립선암에 걸릴 확률은 0으로 처리될 수 있을 만큼 충분히 적은 .0001이다.)

연령	전립선암의 발생 확률
40~49	.010
50~59	.022
60~69	.046
70 이상	.079

각 연령 범주에 속하는 한 남성이 PSA 검사를 받고 양성반응결과를 받았다고 가정하라. 각 남성이 실제로 전립선암을 가지고 있을 확률과 전립선암을 가지고 있지 않을 확률을 계산하라. 암의 검사비용을 결정하기 위해 비용/편익 분석(cost-benefit analysis)을 수행하라.

해답 예제 6.9와 이 장의 서두에 있는 예제에 대하여 했던 것처럼 확률나무를 그려보자(그림 6.6). 다음과 같은 기호를 사용하도록 하자.

C =전립선암을 가지고 있다.

C^C =전립선암을 가지고 있지 않다.

PT=양성검사결과

NT=음성검사결과

40세~49세 사이의 남성은 다음과 같은 확률을 가지고 있다.

사전확률

$P(C) = .010$

$P(C^C) = 1 - .010 = .990$

우도확률

거짓 음성: $P(NT|C) = .300$

참 양성: $P(PT|C) = 1 - .300 = .700$

거짓 양성: $P(PT|C^C) = .135$

참 음성: $P(NT|C^C) = 1 - .135 = .865$

그림 6.6 예제 6.10의 확률나무

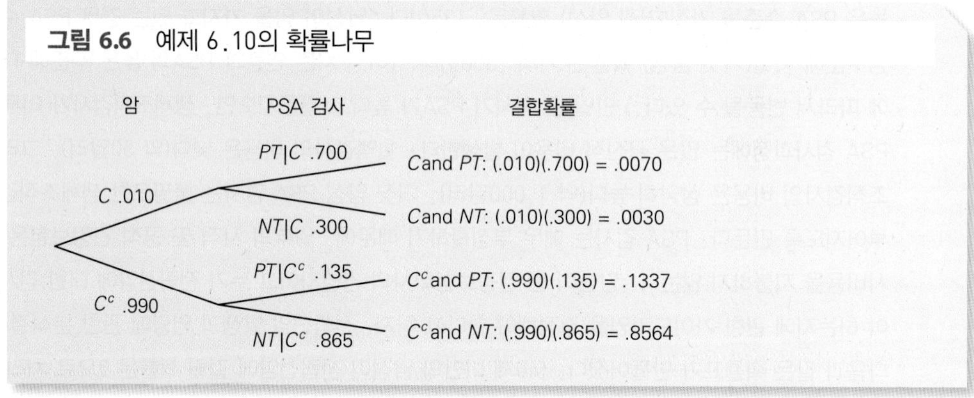

확률나무로부터 양성검사결과가 발생할 확률은 다음과 같이 구해진다.

$$P(PT) = P(C \text{ and } PT) + P(C^C \text{ and } PT) = .0070 + .1337 = .1407$$

이제 양성반응결과가 주어진 경우 40세~49세 사이의 남성이 전립선암을 가지고 있을 확률을 계산할 수 있다.

$$P(C|PT) = \frac{P(C \text{ and } PT)}{P(PT)} = \frac{.0070}{.1407} = .0498$$

이 남성이 전립선암을 가지고 있지 않을 확률은 다음과 같다.

$$P(C^C|PT) = 1 - P(C|PT) = 1 - .0498 = .9502$$

다른 연령대에 대하여도 같은 과정을 반복할 수 있다. 그 결과는 다음과 같다.

	양성 PSA 검사결과가 주어진 경우	
연령	**전립선암을 가지고 있을 확률**	**전립선암을 가지고 있지 않을 확률**
40~49	.0498	.9502
50~59	.1045	.8955
60~69	.2000	.8000
70 이상	.3078	.6922

다음 표는 각 연령대별 PSA 검사가 양성일 비율을 정리한 것이다.

연령	양성결과를 보여주는 검사의 비율	100만 명당 수행된 생체조직검사의 수	발견된 암의 수	발견된 암당 생체조직검사의 수
40~49	.1407	140,700	.0498(140,700)=7,007	20.10
50~59	.1474	147,400	.1045(147,400)=15,403	9.57
60~69	.1610	161,000	.2000(161,600)=32,200	5.00
70 이상	.1796	179,600	.3078(179,600)=55,281	3.25

생체조직검사당 1,000달러의 비용이 든다면, 1건의 암을 발견하기 위한 비용은 40세~49세의 경우 20,100달러, 50세~59세의 경우 9,570달러, 60세~69세의 경우 5,000달러, 70세 이상의 경우 3,250달러이다.

당신이 예제 6.10에서 필요한 계산을 쉽게 할 수 있는 Excel 스프레드시트가 만들어져 있다. **Excel Workbooks** 폴더를 열고 **Medical screening**을 선택하라. 당신이 변화시킬 수 있는 3개의 셀이 있다. 셀 B5에 새로운 전립선암의 사전확률을 입력하라. 이것의 여사건 확률은 셀 B15에서 계산된다. 셀 D6와 셀 D15에 각각 새로운 거짓 음성률과 거짓 양성률의 값을 입력하라. Excel이 나머지 계산을 해준다. 이 스프레드시트를 사용하기 위해 의료검사에서 사용되는 용어들을 이해할 필요가 있다.

용어 40세~49세의 연령대를 위해 계산된 확률을 사용하면서 의료검사에서 사용되는 용어들을 살펴보도록 하자.

거짓 음성률 $P(NT|C)$은 .300이다. 이것의 여사건 확률은 **민감도**(sensitivity)라고 부르는 우도확률 $P(PT|C)$이고 $1-.300=.700$이다. 이것이 전립선암을 가지고 있는 남성 중에서 양성검사결과가 나타나는 비율이다.

거짓 양성률($P(PT|C^C)=.135$)의 여사건 확률은 **특이도**(specificity)라고 부르는 우도확률 $P(NT|C^C)$이다. 이와 같은 우도확률은 $1-.135=.865$이다.

양성검사결과가 발생한 경우 남성이 전립선암을 가지는 사후확률 $[P(C|PT)=.0498]$은 **양성예측치**(positive predictive value)라고 부른다. 베이즈의 법칙을 사용하면서 다른 3개의 사후확률이 계산될 수 있다.

양성검사결과가 발생한 경우 환자가 전립선암을 가지고 있지 않을 확률은

$$P(C^C|PT) = .9502$$

이다.

음성검사결과가 발생한 경우 환자가 전립선암을 가지고 있을 확률은

$$P(C|NT) = .0035$$

이다.

음성검사결과가 발생한 경우 환자가 전립선암을 가지고 있지 않을 확률은

$$P(C^C|NT) = .9965$$

이다.

이와 같은 수정확률은 **음성예측치**(negative predictive value)라고 부른다.

6.4c 확률개념의 이해를 심화시키기

만일 앞에서 이루어진 계산을 재검토해보면, 당신은 사전확률은 사후확률을 결정하는 데 있어서 검사결과와 관련된 확률(우도확률)만큼 중요하다는 것을 알 수 있다. 다음의 표는 사전확률과 수정확률을 보여준다.

연령	전립선암의 사전확률	양성 PSA 검사결과가 발생한 경우 사후확률
40~49	.010	.0498
50~59	.022	.1045
60~69	.046	.2000
70 이상	.079	.3078

당신이 보는 것처럼, 사전확률이 낮고 스크리닝 검사가 정확하지 않다면, 수정확률은 여전히 매우 낮을 것이다.

우도확률이 다른 경우의 효과를 살펴보기 위해, PSA 검사는 완벽한 예측을 한다고 하자. 즉, 거짓 양성률과 거짓 음성률 모두는 0이라고 하자. 그림 6.7은 이와 같은 경우의 확률나무를 보여준다.

그림 6.7 완전한 예측을 하는 검사에 해당되는 예제 6.10의 확률나무

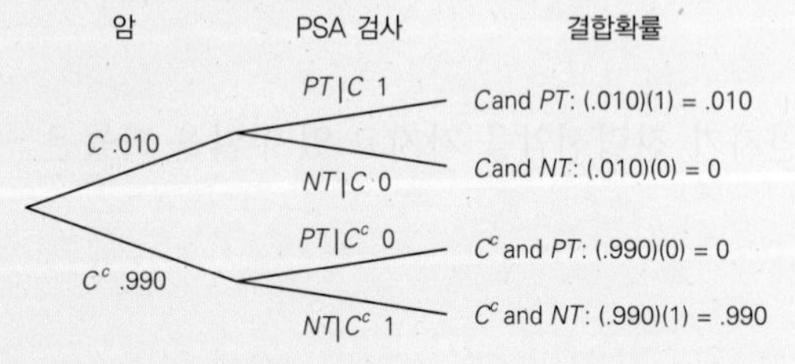

암 | PSA 검사 | 결합확률

C .010
$PT|C$ 1 — C and PT: (.010)(1) = .010
$NT|C$ 0 — C and NT: (.010)(0) = 0

C^c .990
$PT|C^c$ 0 — C^c and PT: (.990)(0) = 0
$NT|C^c$ 1 — C^c and NT: (.990)(1) = .990

이 경우에

$$P(PT) = P(C\text{ and }PT) + P(C^C\text{ and }PT) = .010 + 0 = .010$$
$$P(C|PT) = \frac{P(C\text{ and }PT)}{P(PT)} = \frac{.010}{.010} = 1.00$$

이제 PSA 검사가 음성일 때 전립선암을 가지고 있을 확률은 다음과 같이 계산된다.

$$P(NT) = P(C\text{ and }NT) + P(C^C\text{ and }NT) = 0 + .990 = .990$$
$$P(C|NT) = \frac{P(C\text{ and }NT)}{P(NT)} = \frac{0}{.990} = 0$$

따라서 PSA 검사가 완벽한 예측을 하고 한 남성이 양성반응을 보이면, 예측한 대로 그가 전립선암을 가지고 있을 확률은 1.0이다. PSA 검사가 음성반응을 나타낼 때 그가 전립선암을 가지고 있을 확률은 0이다.

이제 PSA 검사가 항상 틀린 예측을 한다고 하자. 즉, 거짓 양성률과 거짓 음성률 모두가 100%라고 하자. 그림 6.8은 이와 같은 경우의 확률나무를 보여준다.

그림 6.8 항상 틀린 예측을 하는 검사에 해당되는 예제 6.10의 확률나무

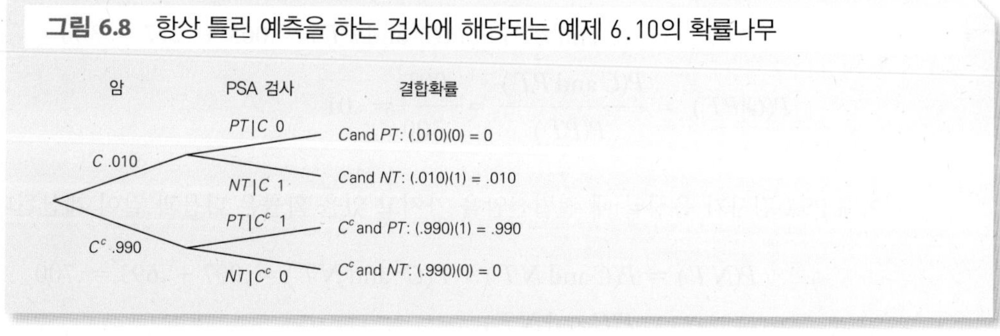

이 경우에

$$P(PT) = P(C\text{ and }PT) + P(C^C\text{ and }PT) = 0 + .990 = .990$$
$$P(C|PT) = \frac{P(C\text{ and }PT)\ 0}{P(PT)\quad .99} = 0$$

이제 PSA 검사가 음성일 때 전립선암을 가지고 있을 확률은 다음과 같이 계산된다.

$$P(NT) = P(C\text{ and }NT) + P(C^C\text{ and }NT) = .010 + 0 = .010$$
$$P(C|NT) = \frac{P(C\text{ and }NT)}{P(NT)} = \frac{.01}{.01} = 1.00$$

PSA 검사가 완벽하게 틀린 예측을 한다는 점을 주목하라. 양성반응결과가 나타난 경우 전립선암을 가지고 있을 확률은 0이고 음성반응결과가 나타난 경우 전립선암을 가지고 있을 확률은 1.00이다.

마지막으로 우도확률들이 동일한 경우를 살펴보자. 그림 6.9는 양성반응결과가 나타날 확률은 .3이고 음성반응결과가 나타날 확률은 .7인 경우 40세~49세 사이에 속한 한 남성에 적용되는 확률나무를 그린 것이다.

그림 6.9 동일한 우도확률을 가지고 있는 경우 예제 6.10의 확률나무

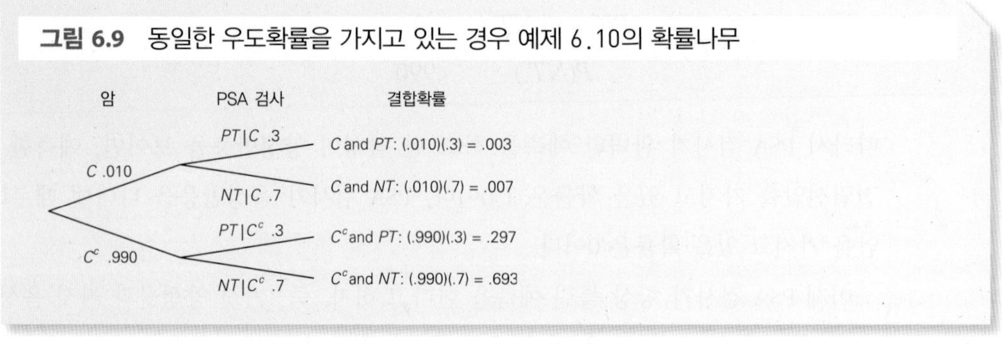

이 경우에

$$P(PT) = P(C \text{ and } PT) + P(C^C \text{ and } PT) = .003 + .297 = .300$$

$$P(C|PT) = \frac{P(C \text{ and } PT)}{P(PT)} = \frac{.003}{.300} = .01$$

이제 PSA 검사가 음성일 때 전립선암을 가지고 있을 확률은 다음과 같이 계산된다.

$$P(NT) = P(C \text{ and } NT) + P(C^C \text{ and } NT) = .007 + .693 = .700$$

$$P(C|NT) = \frac{P(C \text{ and } NT)}{P(NT)} = .007/.700 = .01$$

당신이 보는 것처럼, 사후확률과 사전확률은 같다. 즉, PSA 검사는 사전확률을 변화시키지 않는다. 명백하게 이와 같은 PSA 검사는 유용하지 않다.

거짓 양성률과 거짓 음성률에 대하여 어느 확률도 사용할 수 있다. 만일 .5가 사용된다면, PSA검사를 수행하는 한 가지 방법은 한 균형 잡힌 동전을 던지는 것이다. 한쪽 면을 양성으로, 다른 면을 음성으로 해석할 수 있을 것이다. 분명히 이와 같은 검사는 예측력을 가지고 있지 않다.

일부 연습문제들과 사례분석 6.4는 여러 가지 스크리닝 검사와 관련된 확률에 대하여 논의한다.

연습문제

6.85 연습문제 6.57을 참조하라. $P(A|B)$를 구하라.

6.86 연습문제 6.58을 참조하라. 다음의 확률을 구하라.

a. $P(A|B)$
b. $P(A^C|B)$
c. $P(A|B^C)$
d. $P(A^C|B^C)$

6.87 예제 6.9를 참조하라. 한 MBA 지원자는 준비과목을 수강하지 않고 GMAT에서 650점 이상 취득할 확률은 .95라고 믿는다. 준비과목을 수강한 후에 GMAT에서 650점 이상을 취득할 확률은 얼마인가?

6.88 연습문제 6.68을 참조하라. 공장장은 이른 아침 작업에서 생산된 금형을 임의로 하나 선택하고 그것이 불량품이라는 것을 발견한다. 이 공장장이 전날 저녁에 기계를 끄는 것을 잊었을 확률은 얼마인가?

6.89 당신이 좋아하는 야구팀이 마지막 챔피언 결정전에 출전하고 있다. 당신은 당신이 좋아하는 팀이 챔피언이 될 확률을 60%로 부여하였다. 과거의 기록에 의하면, 챔피언이 된 팀이 챔피언 결정전 첫 경기의 70%를 이겼다. 챔피언이 되지 못한 팀은 챔피언 결정전 첫 경기의 25%를 이겼다. 첫 경기가 끝났고 당신이 좋아하는 팀이 졌다. 당신이 좋아하는 팀이 챔피언이 될 확률은 얼마인가?

6.90 연습문제 6.72를 참조하라. 임의로 선택된 CFA 시험을 치른 1명의 응시자가 당신에게 시험에 합격하였다고 말하였다. 그가 CFA I 시험을 보았을 확률은 얼마인가?

6.91 나쁜 잇몸은 나쁜 심장을 의미할 수 있다. 연구원들은 심장마비를 겪은 사람들의 85%는 잇몸에 염증이 발생하는 치주질환을 가지고 있다는 것을 발견하였다. 건강한 사람들의 29%만이 치주질환을 가지고 있다. 한 지역에서 심장마비는 단지 10%의 확률을 가지고 매우 드물게 발생한다. 치주질환을 가지고 있는 사람이 심장마비를 겪게 될 확률은 얼마인가?

6.92 연습문제 6.91을 참조하라. 한 지역에 있는 사람들의 40%가 심장마비를 겪는다면, 치주질환을 가지고 있는 사람이 심장마비를 겪게 될 확률은 얼마인가?

6.93 질병관리 및 예방 센터의 흡연과 건강 담당부서가 보유하고 있는 데이터에 의하면 고등학교를 졸업하지 않은 성인의 40%, 고등학교 졸업자의 34%, 전문대학을 졸업한 성인의 24%, 대학 졸업자의 14%가 흡연한다. 한 특정한 커뮤니티에서 성인 중 15%는 고등학교를 졸업하지 못했고, 20%는 고등학교를 졸업했으며, 30%는 전문대학을 졸업하였고, 35%는 대학을 졸업하였다. 한 사람이 임의로 선택되었고 그가 흡연한다고 하자. 이 사람이 대학을 졸업했을 확률은 얼마인가?

6.94 3개의 항공사가 오하이오주의 한 작은 마을을 위한 운항서비스를 제공한다. 항공사 A는 모든 정기 항공편의 50%를 가지고 있고, 항공사 B는 30%를 가지고 있으며 항공사 C는 나머지 20%를 가지고 있다. 항공사 A, 항공사 B, 항공사 C의 정시운항률(on-time rate)은 각각 80%, 65%, 40%이다. 한 비행기가 방금 정시에 출발하였다. 이 비행기가 항공사 A의 비행기일 확률은 얼마인가?

6.95 사람들은 어디서 뉴스를 얻는가? 연령대와 함께 이러한 질문에 대한 답을 통해 다음과 같은 확률이 생성되었다. 이러한 모집단에서, 18%는 18세와 29세 사이이고, 27%는 30세와 44세 사

이이며, 44.26%는 45세와 59세 사이이고, 29%는 60세 이상이다.

	텔레비전	페이스북	그 외
18-29	.12	.43	.45
30-44	.20	.30	.50
45-59	.33	.13	.54
60+	.50	.05	.45

당신은 텔레비전으로부터 뉴스를 얻는 한 사람을 만난다. 이 사람의 연령이 30세와 44세 사이일 확률은 얼마인가?

6.96 한 자동차 공장에 3개 근무조가 있다. 이 공장에서 생산되는 밴 중 50%는 근무조 1이 만들고, 40%는 근무조 2가 만들며, 10%는 근무조 3이 만든다. 근무조 1의 불량률은 1%이고, 근무조 2의 불량률은 2%이며, 근무조 3의 불량률은 6%로 알려져 있다. 최근에 한 고객이 이 공장에서 생산된 밴을 구매했으나 그 밴이 불량이라고 불만을 제기한다. 그 밴이 근무조 2에서 만들어졌을 확률을 계산하라.

6.97 한 공항에서 승객의 짐 스캐너는 2%의 거짓 양성률과 3%의 거짓 음성률을 가지고 가방 속에 있는 무기를 검색할 수 있다. 한 특정한 공항에서 10,000 중 약 4명의 승객이 (우연이거나 의도적으로) 그들의 짐에 무기를 운반한다. 승객의 짐 스캐너가 (무기를 탐지했다는) 알람을 울리면, 짐 속에 실제로 무기가 있을 확률은 얼마인가?

6.98 은행 경영자들은 때때로 단순히 대출 신청건의 상태만 보고 대출 여부를 결정한다. 그러나 은행들은 또한 대출 여부의 결정을 내리는 것을 돕기 위해 신용점수라고 부르는 기법을 사용한다. 신용점수카드는 신청자의 신용 이력에 따라 점수를 부여한다. 이러한 신용점수가 높을수록 신청자가 대출금을 상환할 확률이 높아진다. 신용점수를 분석한 결과, 대출 상환자 중 85%가 700점 이상을 받는 것으로 나타났다. 대출 연체자의 60%만이 700점 이상을 받는다. 한 은행 경영자가 주관적으로 대출 신청자가 대출금을 상환할 수 있는 확률이 80%라고 부여했다고 하자. 이제 그는 한 대출 신청자의 신용점수가 700점 이상이라고 결정한다. 이 대출 신청자가 대출금을 상환할 확률은 얼마인가?

6.99 이식수술은 일상적인 일이 되었다. 한 가지 일반적인 이식수술은 신장이식수술이다. 이식과정에서 가장 위험한 점은 몸이 새 장기를 거부할 가능성이다. 이와 같은 상황에서 사용할 수 있는 다수의 신약이 있다. 이와 같은 약이 일찍 투여될수록 몸이 새 장기를 거부하지 않을 확률은 더 커진다. 최근에 *New England Journal of Medicine*은 몸이 이식된 신장을 거부하고 있다는 조기 경고사인을 탐지하기 위한 새로운 소변검사법이 개발되었다고 보고하였다. 그러나 대부분의 다른 검사와 마찬가지로 이와 같은 새로운 검사 방법도 완전하지 않다. 이 검사가 이식 신장을 거부하는 환사에 대하여 시행될 때 약 5번의 검사 중에서 한 번의 검사는 음성으로 나타난다(말하자면 5번의 검사 중에서 한 번의 잘못된 검사결과가 발생한다). 이 검사가 이식 신장을 거부하지 않는 환자에 대하여 시행될 때 8%의 양성검사결과가 발생한다(말하자면 검사결과의 8%는 부정확하다). 의사들은 신장이식의 약 35%에서 몸이 이식 신장을 거부한다는 것을 알고 있다. 이 검사가 시행되었고 검사결과가 양성이라고 하자. 몸이 이식 신장을 거부할 확률은 얼마인가?

6.100 Rapid Test는 어떤 사람이 AIDS를 발생시키는 바이러스인 HIV를 가지고 있는지 결정하는 데 사용된다. 거짓 양성률과 거짓 음성률은 각각 .027과 .080이다. 한 의사는 그의 환자가 양

성으로 검사되었다는 Rapid Test 보고서를 방금 받았다. 이 결과를 받기 전에, 이 의사는 그를 HIV를 가질 확률이 단지 0.5%인 저위험 그룹에 속하는 환자로 분류하였었다. 이 환자가 실제로 HIV를 가지고 있을 확률은 얼마인가?

6.101 연습문제 6.100에서 민감도(sensitivity), 특이도(specificity), 양성예측치(positive predictive value), 음성예측치(negative predictive value)는 얼마인가?

6.102 Pap 도포표본은 자궁경부암을 발견하기 위한 표준검사이다. 거짓 양성률은 .636이고 거짓 음성률은 .180이다. 가족의 병력과 연령이 자궁경부암의 확률을 부여할 때 고려되는 요인들이다. 환자의 연령과 가족의 병력을 살펴본 후 한 의사가 자궁경부암을 가지고 있는 여성의 비율은 2%라고 결정하였다고 하자. Pap 도포표본검사 결과가 이 환자가 자궁경부암을 가지고 있을 확률에 미치는 효과에 대하여 논의하라.

6.5 정확한 통계기법의 식별

이미 지적한 것처럼 이 책에서 강조하는 것은 사용해야 하는 정확한 통계기법의 식별에 관한 것이다. 제2장, 제3장, 제4장에서는 먼저 사용해야 하는 적정한 방법을 식별하고 데이터를 요약하는 방법이 제시되었다. 어떤 확률방법이 사용되어야 하는가에 관한 엄격한 규칙을 제시하는 것은 어려운 일임에도 불구하고 몇 가지의 일반적인 가이드라인이 제시될 수 있다.

이 책의 예제들과 연습문제들에서 주요 쟁점은 결합확률이 제시되어 있는가 또는 요구되는가이다.

6.5a 결합확률이 제시되는 경우

제6.2절에서 결합확률이 제시되어 있는 문제들을 살펴보았다. 이와 같은 문제들에서 행에 속한 확률들 또는 열에 속한 확률들을 합하여 한계확률을 계산할 수 있다. 결합확률과 한계확률을 사용하여 조건부 확률을 계산할 수 있다. 조건부 확률을 사용하여 결합확률표에 제시되어 있는 사건들이 독립인지 종속인지 결정할 수 있다.

두 사건 중 어느 한 사건이 발생할 확률을 계산하기 위해 덧셈법칙을 적용할 수 있다.

6.5b 결합확률이 요구되는 경우

제6.3절에서 3가지의 확률법칙과 확률나무가 소개되었다. 한 개 이상의 결합확률이 요구되는 상황들에서 확률법칙을 적용할 필요가 있다. 교사건의 확률을 계산하기 위해 공식을 사용하거나 확률나무를 통하여 곱셈법칙이 적용된다. 일부 문제들에서는 결합확률들을 합해야 할 필요가 있다. 실제로 상호배타적 사건들의 경우에 덧셈법칙이 적용된다. 종종 여사건법칙이 사용된다. 이에 더하여 베이즈의 법칙을 사용하면서 새로운 조건부확률도 계산할 수 있다.

요약

확률을 부여하는 첫 단계는 확률실험의 결과들을 **완전하고**(exhaustive) **상호배타적인**(mutually exclusive) 형태로 나열하는 것이다. 두 번째 단계는 **고전적 방법**(classical approach), **상대빈도 방법**(relative frequency approach) 또는 **주관적 방법**(subjective approach)을 사용하여 결과들에 대하여 확률을 부여하는 것이다. 사건의 확률을 계산하기 위해 사용할 수 있는 다양한 방법들이 존재한다. 이와 같은 방법들에는 **확률법칙**(probability rules)과 **확률나무**(probability tree)가 있다.

이와 같은 확률법칙들을 적용한 응용 중 중요한 것이 **베이즈의 법칙**(Bayes' Law)이다. 베이즈의 법칙은 하나의 결과가 발생하였다는 전제하에서 하나의 원인이 발생할 확률을 나타내는 조건부 확률(conditional probability)을 계산할 수 있게 해준다.

주요 용어

거짓 양성(false-positive)
거짓 음성(false-negative)
결합확률(joint probability)
고전적 방법(classical approach)
곱셈법칙(multiplication rule)
교사건(intersection)
덧셈법칙(addition rule)
독립사건(independent events)
베이즈의 법칙(Bayes' Law)
사건(event)
사전확률(prior probability)
사후확률(posterior probability)
상대빈도 방법(relative frequency approach)
수정확률(revised probability)
여사건(complement)
여사건법칙(complement rule)
우도확률(likelihood probability)
조건부 확률(conditional probability)
주관적 방법(subjective approach)
표본공간(sample space)
한계확률(marginal probability)
합사건(union)
확률실험(random experiment)

주요공식

조건부 확률

$$P(A|B)=P(A \text{ and } B)/P(B)$$

여사건법칙

$$P(A^C)=1-P(A)$$

곱셈법칙

$$P(A \text{ and } B) = P(A|B)P(B)$$

덧셈법칙

$$P(A \text{ or } B) = P(A) + P(B) - P(A \text{ and } B)$$

연습문제

6.103 한 도시에서, 교육수준과 주택상태에 대한 분석을 통해 다음과 같은 조건부 확률들이 계산되었다.

	모기지 없이 주택소유	모기지 보유 주택소유	주택 임대
고등학교 졸업 못함	.30	.15	.55
고등학교 졸업	.40	.25	.35
대학 졸업	.48	.30	.22

이 도시에서 인구의 5%는 고등학교를 졸업하지 못했고, 30%는 고등학교를 졸업했으며, 63%는 대학을 졸업하였다.

a. 임의로 선택된 주택을 소유하고 있는 개인이 고등학교를 졸업하지 못했을 확률은 얼마인가?

b. 임의로 선택된 주택을 임대한 개인이 대학을 졸업했을 확률은 얼마인가?

6.104 다음의 표는 두 개의 MBA 과목에서 A학점을 취득하는 것과 A학점을 취득하지 못하는 것의 결합확률을 정리한 것이다.

	마케팅 과목에서 A학점을 취득함	마케팅 과목에서 A학점을 취득하지 못함
통계학 과목에서 A학점을 취득함	.053	.130
통계학 과목에서 A학점을 취득하지 못함	.237	.580

a. 한 학생이 마케팅 과목에서 A학점을 취득할 확률은 얼마인가?

b. 한 학생이 통계학 과목에서 A학점을 취득하지 못한 경우에 마케팅 과목에서 A학점을 취득할 확률은 얼마인가?

c. 마케팅 과목에서 A학점을 취득하는 것과 통계학 과목에서 A학점을 취득하는 것은 독립사건인가? 설명하라.

6.105 한 건설회사는 두 개의 계약에 입찰하였다. 계약 A를 획득할 확률은 .3이다. 만일 이 회사가 계약 A를 획득하면, 계약 B를 획득할 확률은 .4이다. 만일 이 회사가 계약 A를 획득하지 못하면, 계약 B를 획득할 확률은 .2로 감소한다. 다음 사건의 확률을 구하라.

a. 두 계약 모두를 획득한다.

b. 한 계약만을 획득한다.

c. 적어도 한 계약을 획득한다.

6.106 근시를 교정하기 위한 레이저 수술이 더 인기를 끌고 있다. 그러나 일부 사람들에게는 두 번째 수술과정이 필요하다. 다음의 표는 두 번째 수술과정이 필요한가와 환자가 −8 이하 디옵터를 가진 상태에서 교정렌즈를 가지고 있는가의 결합확률을 정리한 것이다.

	−8보다 큰 교정시력	−8 이하의 교정시력
첫 번째 과정이 성공적이다	.66	.15
두 번째 과정이 필요하다	.05	.14

a. 두 번째 과정이 필요한 확률을 구하라.

b. 교정렌즈가 −8 이하 디옵터인 사람이 두 번째

과정을 필요로 하지 않을 확률을 구하라.

c. 사건들은 독립인가? 당신의 답을 설명하라.

6.107 항우울증 약의 효과는 사람마다 다르다. 이 약은 여성의 80%와 남성의 65%에 효과가 있다고 하자. 이 약을 먹는 사람의 66%는 여성이라는 것이 알려져 있다. 이 약이 효과가 있을 확률은 얼마인가?

6.108 연습문제 6.107을 참조하라. 당신은 이 약이 효과가 있다는 말을 들었다. 이 약을 복용하는 사람이 남성일 확률은 얼마인가?

6.109 4실린더 엔진에는 4개의 스파크 플러그(spark plug)가 있다. 만일 이와 같은 4개의 스파크 플러그 중 어느 하나가 제대로 작동하지 않으면, 거칠게 바퀴가 헛돌고 동력이 소실된다. 한 특정한 브랜드 스파크 플러그의 경우 한 개의 스파크 플러그가 5,000마일 주행 후에 적정하게 기능할 확률은 .90이라고 하자. 스파크 플러그들은 독립적으로 작동한다고 가정하면서, 자동차가 5,000마일 주행 후에 거칠게 바퀴가 헛돌 확률은 얼마인가?

6.110 한 텔레마케터는 전화로 잡지구독을 판매한다. 통화 중 신호 또는 무응답의 확률은 65%이다. 전화접촉이 이루어졌을 때 이 텔레마케터가 0, 1, 2, 3의 잡지구독을 판매할 확률은 각각 .5, .25, .20, .05이다. 한 번의 전화에서 이 텔레마케터가 잡지구독을 판매하지 못할 확률을 구하라.

6.111 한 통계학 교수는 결석횟수와 중간시험점수 간에는 관계가 있다고 믿는다. 그의 기록을 검토한 후에 그는 다음과 같은 결합확률표를 얻었다.

	시험 불합격	시험 합격
5회 미만의 결석	.02	.86
5회 이상의 결석	.09	.03

a. 중간시험의 합격률은 얼마인가?

b. 5회 이상 결석한 학생들 중에서 중간시험에 합격하는 비율은 얼마인가?

c. 5회 미만 결석한 학생들 중에서 중간시험에 합격하는 비율은 얼마인가?

d. 사건들은 독립인가?

6.112 캐나다에서 범죄자들은 형량의 1/3을 복역한 후에 가석방될 수 있는 자격을 가진다. 실제로 살인자를 포함한 몇 가지의 예외가 있지만 모든 죄수들은 형량의 2/3를 복역한 후에 석방된다. 캐나다 정부는 죄수가 폭력 또는 마약과 관련된 범죄를 저질렀느냐에 기초하여 하나의 특별한 죄수 범주를 만드는 새로운 법을 제안하였다. 교정서비스 당국이 이와 같은 범죄자들이 다시 범죄를 저지를 가능성이 높다고 판단하면 추가적인 구금이 이루어진다. 현재 석방된 죄수들 중 27%는 석방된 후 2년 안에 또 다른 범죄를 저지른다. 새로운 법이 적용되면 범죄를 다시 저지른 사람들 중 41%가 구금되었을 것이고 범죄를 다시 저지르지 않은 사람들 중 31%가 구금되었을 것이다.

a. 새로운 법하에서 구금될 한 죄수가 2년 안에 다른 범죄를 저지를 확률은 얼마인가?

b. 새로운 법하에서 구금되지 않을 한 죄수가 2년 안에 다른 범죄를 저지를 확률은 얼마인가?

6.113 Casino Windsor는 고객의 의견을 구하기 위해 서베이를 실시한다. 여러 가지 질문 중에서 응답자는 "Casino Windsor에 대한 전반적인 인상"에 대한 의견을 제시하도록 요청받는다. 응답은 우수, 보통, 평균, 불량으로 이루어진다. 추가적으로 응답자의 성별이 기록된다. 서베이 결과를 분석한 후에 다음과 같은 결합확률표가 얻어졌다.

	여성	남성
우수	.27	.22
양호	.14	.10
보통	.06	.12
불량	.03	.06

a. Casino Windsor를 우수하다고 평가한 고객의 비율은 얼마인가?

b. 한 남성 고객이 Casino Windsor를 우수하다고 평가할 확률을 구하라.

c. Casino Windsor를 우수하다고 평가한 한 고객이 남성일 확률을 구하라.

d. 성별과 우수평가는 독립인가? 당신의 답을 설명하라.

6.114 한 고객서비스 슈퍼바이저는 정기적으로 고객만족에 대한 서베이를 실시한다. 최근의 서베이 결과는 고객의 8%는 마지막 점포방문에서 받은 서비스에 만족하지 않았다는 점을 제시한다. 받은 서비스에 만족하지 않은 사람들 중에서 22%만이 1년 이내에 점포를 다시 방문한다. 받은 서비스에 만족한 사람들 중에서 64%가 1년 이내에 점포를 다시 방문한다. 한 고객이 이 점포에 방금 들어섰다. 당신의 질문에 응답하면서 그는 당신에게 마지막 점포방문 이후 1년이 넘지 않았다고 말하였다. 그가 마지막 점포방문에서 받았던 서비스에 만족하였을 확률은 얼마인가?

6.115 소득수준이 건강관리에 어떻게 영향을 미치는가? 이 문제의 한 측면을 다루기 위해, 한 그룹의 심장마비 희생자들이 선택되었다. 각자는 저소득자, 중간소득자, 고소득자 중의 하나로 분류되었다. 또한 각자는 생존 또는 사망 중의 하나로 분류되었다. 한 인구통계학자는 우리 사회에서 21%는 저소득그룹, 49%는 중간소득그룹, 30%는 고소득그룹에 속한다고 언급하였다. 이에 더하여 심장마비 희생자에 관한 분석은 저소득군의 12%, 중간소득군의 9%, 고소득군의 7%가 심장마비로 사망했다는 것을 보여준다. 한 심장마비 생존자가 저소득군에 속할 확률을 구하라.

6.116 한 부부가 하와이에서 2주의 휴가를 가질 계획을 하고 있으나 Maui섬과 Oahu섬 각각에서 1주일을 보낼 것인지, Maui섬에서 2주일을 보낼 것인지 또는 Oahu섬에서 2주일을 보낼 것인지 결정할 수 없었다. 그들의 의사결정을 운에 맡기기로 하고, 그들은 두 개의 Maui 브로셔를 첫 번째 봉투, 두 개의 Oahu 브로셔를 두 번째 봉투, 한 개의 Maui 브로셔와 한 개의 Oahu 브로셔를 세 번째 봉투에 넣었다. 그의 아내가 임의로 봉투 한 개를 선택할 것이고 그들의 휴가는 선택된 섬의 브로셔에 의해 이루어질 것이다. 그의 아내가 한 개의 봉투를 임의로 선택한 후, 그들은 임의로 선택된 봉투에서 한 개의 브로셔를 꺼내보고(다른 브로셔는 보지 않고) 그것이 Maui 브로셔라는 것을 알았다. 이 봉투에 들어있는 다른 브로셔가 Maui 브로셔일 확률은 얼마인가?

6.117 한 가정설비점의 소유주는 제품의 판매가격(정상가격 또는 세일가격)과 고객의 연장보증 구매여부 간의 관계에 관심을 가지고 있다. 그녀는 기록을 분석한 후에 다음과 같은 결합확률표를 만들었다.

	연장보증을 구매함	연장보증을 구매하지 않음
정상가격	.21	.57
세일가격	.14	.08

a. 제품을 정상가격으로 구매한 고객이 연장보증을 구매할 확률은 얼마인가?

b. 고객 중에서 연장보증을 구매한 비율은 얼마인가?

c. 사건들은 독립인가? 설명하라.

6.118 연구원들은 재무비율에 기초하여 한 기업이 앞으로 12개월 동안에 파산할 것인지 예측하는 통계모형을 개발하였다. 이 모형은 실제로 파산했던 기업 중 85%를 정확히 예측하였고 파산하지 않았던 기업 중 74%를 정확히 예측하였다. 다음 해에 한 특정한 도시에 있는 기업 중 8%가 파산할 것으로 예상된다고 하자. 이 모형은 당

신이 소유하고 있는 기업이 파산할 것이라고 예측한다고 하자. 당신의 기업이 앞으로 12개월 안에 파산할 확률은 얼마인가?

6.119 한 노동조합의 간부는 노조원들이 경영진과의 다음 협상에서 해결되어야 할 중요한 쟁점들이 무엇이라고 생각하는지 결정하기 위해 노조원을 대상으로 서베이를 실시하였다. 서베이 결과에 의하면 노조원의 74%는 직업안정성이 중요한 이슈라고 생각한 반면, 노조원의 65%는 연금혜택이 중요한 이슈라고 생각하였다. 연금혜택이 중요하다고 생각한 노조원 중에서 60%는 또한 직업안정성도 중요한 이슈라고 생각하였다. 1명의 노조원이 임의로 선택되었다.

a. 그가 직업안정성과 연금혜택이 중요하다고 생각하였을 확률은 얼마인가?

b. 그가 적어도 이와 같은 두 가지 이슈 중 하나가 중요하다고 생각하였을 확률은 얼마인가?

6.120 한 통계학 교수가 확률에 관한 강의를 하면서 두 개의 균형 잡힌 동전을 던졌다. 두 개의 동전이 마루에 떨어지고 그의 책상 밑으로 굴렀다. 첫 번째 줄에 있는 한 학생이 두 개의 동전을 모두 볼 수 있다고 교수에게 말하였다. 그는 적어도 한 개의 동전은 뒷면이라고 말하였다. 다른 동전도 뒷면일 확률은 얼마인가?

6.121 연습문제 6.120을 참조하라. 한 학생이 한 개의 동전만을 볼 수 있고 이 동전은 뒷면이라고 통계학 교수에게 말하였다고 하자. 다른 동전도 뒷면일 확률은 얼마인가?

사례분석 6.1 LET'S MAKE A DEAL

수년 전에 *Let's Make a Deal*이라는 인기 있는 텔레비전 쇼가 있었다. 이 쇼의 사회자인 Monty Hall은 관중 중에서 경기자들을 임의로 선택하고 이 쇼의 제목이 제시하는 것처럼 경기자들은 상금을 놓고 거래를 한다. 경기자들에게 상대적으로 많지 않은 상금이 주어지고 더 큰 상금을 얻기 위해 주어진 상금을 거는 기회가 제공된다.

당신이 이 쇼의 경기자라고 하자. Monty는 당신에게 전국의 독성 폐기물 처리장을 돌아보는 자유여행권을 준다. Monty는 이제 당신에게 독성 폐기물 처리장 여행을 포기하고 도박을 하는 거래기회를 준다. 무대에는 3개의 커튼, 즉 A, B, C가 있다. 한 커튼의 뒤에 50,000달러짜리 새 자동차가 있다. 다른 두 개의 커튼 뒤에는 아무것도 없다. 당신은 도박하기로 결정하고 커튼 A를 선택한다. 쇼를 더 재미있게 하기 위해 Monty는 커튼 C를 열고 빈 무대를 보여준다(Monty는 커튼 C 뒤에 아무것도 없다는 것을 안다). 이어서 Monty는 당신이 거래를 중지하면 다시 자유여행권을 주거나 당신이 원하면 다른 거래를 제안한다(예를 들면, 당신은 커튼 A의 선택을 유지하거나 커튼 B로 선택을 바꿀 수 있다). 당신은 어떻게 할 것인가?

Everett Collection Inc / Alamy Stock Photo

이와 같은 질문에 당신이 답하는 것을 돕기 위해 먼저 다음과 같은 질문에 답하도록 하라.

1. Monty가 당신에게 커튼 C 뒤에 무엇이 있는지 보여주기 전에, 커튼 A 뒤에 자동차가 있을 확률은 얼마인가? 커튼 B 뒤에 자동차가 있을 확률은 얼마인가?
2. Monty가 당신에게 커튼 C 뒤에 무엇이 있는지 보여준 후에, 커튼 A 뒤에 자동차가 있을 확률은 얼마인가? 커튼 B 뒤에 자동차가 있을 확률은 얼마인가?

사례분석 6.2 번트할 것이냐 번트하지 않을 것이냐, 그것이 문제이다 — PART I

야구만큼 많은 통계를 생산하는 스포츠는 없다. 스포츠기자, 감독, 팬은 이와 같은 통계에 기초하여 전략을 주장하고 논의한다. *Chance*에 게재된 한 기사("A Statistician Reads the Sports Page," Hal S. Stern, Vol. 1, Winter 1997)는 야구애호가에게 야구 게임과 관련된 수치를 분석할 기회를 제공한다. 아래에 있는 표 1은 아웃카운트의 수와 진출한 베이스에 의해 정의되는 상황에서 적어도 1점을 올릴 확률을 정리한 것이다. 예를 들면, 노 아웃과 1루 진출의 경우에 적어도 1점을 올릴 확률은 .39이다. 원 아웃과 풀 베이스 진출의 경우에 적어도 1점을 올릴 확률은 .67이다. (표 1에 정리되어 있는 확률은 1989년 시즌 동안 아메리칸 리그의 결과에 기초하여 계산된 것이다. 1989년 시즌 동안 내셔널 리그의 결과도 이 기사에 게재되어 있고 아메리칸 리그의 결과와 유사하다.)

표 1 적어도 1점을 올릴 확률

베이스 진출상태	노 아웃	원 아웃	투 아웃
베이스 진출이 없음	.26	.16	.07
1루 진출	.39	.26	.13
2루 진출	.57	.42	.24
3루 진출	.72	.55	.28
1루와 2루 진출	.59	.45	.24
1루와 3루 진출	.76	.61	.37
2루와 3루 진출	.83	.74	.37
풀 베이스 진출	.81	.67	.43

표 1은 다양한 상황에서 최선의 전략을 결정할 수 있게 해준다. 사례분석 6.2는 희생번트에 관한 내용이다. 희생번트의 목적은 타자를 희생시켜 베이스 주자가 다음 베이스로 이동하도록 하는 것이다. 아웃카운트가 원 아웃 이하이고 베이스 진출이 이루어진 경우에 희생번트가 선택될 수 있다. 자살 스퀴즈(suicide squeeze)를 무시하면, 다음 4가지 결과 중 하나가 나타날 수 있다.

Kyodo News/Getty Images

1. 희생번트가 성공한다. 주자는 한 베이스 앞으로 이동하고 타자는 아웃된다.
2. 타자는 아웃되고 주자는 한 베이스 앞으로 이동하지 못한다.
3. 타자는 더블플레이의 결과를 가져오는 번트를 한다.
4. 타자는 안타 또는 에러로 살아남고 주자는 한 베이스 앞으로 이동한다.

당신이 아메리칸 리그에 속한 팀의 감독이라고 하자. 게임은 중간 이닝에서 타이이고 노 아웃 상태에서 1루에 주자가 진출해 있다. 타자가 번트를 하는 경우 발생하는 4가지 결과의 확률이 다음과 같이 주어져 있다면, 당신은 타자에게 희생번트를 하도록 신호를 보내야 하는가?

P(결과 1) = .75
P(결과 2) = .10
P(결과 3) = .10
P(결과 4) = .05

문제를 간단하게 하기 위해 결과 4에 의해 안타 또는 에러가 발생한 후에 1루와 2루에 주자가 있게 되고 노 아웃이 된다고 가정하라.

사례분석 6.3 그는 도루를 시도하여야 하는가?

Otto Greule Jr/Getty Images

사례분석 6.2를 참조하라. 다른 하나의 야구 전략은 2루에 도루하는 것이다. 역사적으로 보면 2루 도루에 성공하는 확률은 약 68%이다. 2루에 던져서 도루 주자가 아웃되는 확률은 32%이다. (포수가 공을 중견수에게 던져서 베이스 주자가 3루까지 가는 상대적으로 드물게 발생하는 사건을 무시하라.) 1루에 주자가 있다고 하자. 가능한 아웃카운트 상태(0, 1, 2) 각각에 대하여 주자가 2루로 도루하여야 하는지 결정하라.

사례분석 6.4 다운 증후군을 검사하기 위한 산모혈청검사

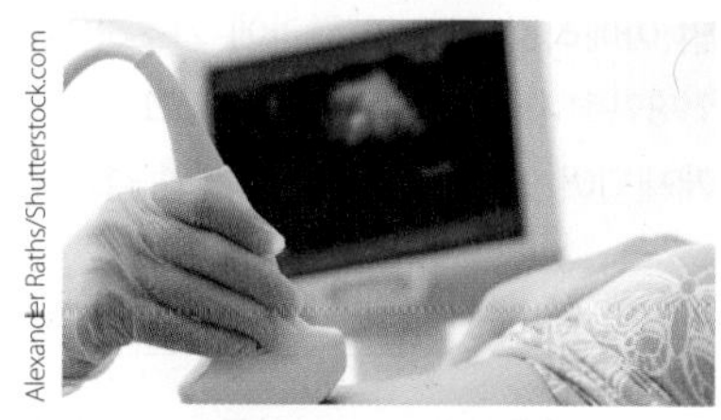
Alexander Raths/Shutterstock.com

산모를 대상으로 다운 증후군(Down syndrome)이라고 부르는 기형아 출산 가능성에 대한 검사가 이루어진다. 다운 증후군 갓난아이는 정신적으로나 신체적으로 문제가 된다. 일부 산모는 다운 증후군을 가진 갓난아이가 출산될 것이라는 것을 확신하게 될 때 낙태를 선택한다. 가장 일반적인 검사 방법은 기형출산이 발생할 수 있는지 제시하는 표지를 혈액에서 찾는 산모혈청검사이다. 거짓 양성률과 거짓 음성률은 아래의 표에서 보는 것처럼 산모의 연령에 따라 다르다.

산모의 나이	거짓 양성률	거짓 음성률
30세 미만	.040	.376
30세~34세	.082	.290
35세~37세	.178	.269
38세 이상	.343	.029

갓난아이가 다운 증후군을 가질 확률은 주로 산모 연령의 함수이다. 이에 관한 확률은 다음과 같다.

연령	다운 증후군의 확률
25	1/1300
30	1/900
35	1/350
40	1/100
45	1/25
49	1/12

a. 25세, 30세, 35세, 40세, 45세, 49세 각각에 대하여 산모혈청검사가 양성결과를 나타낼 때 다운 증후군이 발생할 확률을 구하라.

b. 25세, 30세, 35세, 40세, 45세, 49세 각각에 대하여 산모혈청검사가 음성결과를 나타낼 때 다운 증후군이 발생할 확률을 구하라.

사례분석 6.5 같은 방에 있는 적어도 두 사람의 생일이 같을 확률

한 방에 두 사람이 있다고 하자. 두 사람이 생일(생일의 일자가 같으나 반드시 태어난 연도가 같을 필요는 없다)이 같을 확률은 1/365이고 생일이 다를 확률은 364/365이다. 이제 당신이 다른 한 사람과 같은 방에 있고 당신의 생일이 7월 1일이라고 하자. 다른 한 사람의 생일이 7월 1일이 아닐 확률은 7월 1일이 아닌 일의 수가 364일이기 때문에 364/365이다. 이제 세 번째 사람이 방으로 들어온다고 하자. 이 사람의 생일이 방 안에 있는 두 사람과 다를 확률은 363/365이다. 따라서 이 방에 있는 세 사람의 생일이 서로 다를 확률은 (364/365)(363/365)이다. 당신은 방 안에 있는 어떤 수의 사람들에 대하여도 이러한 과정을 계속할 수 있다.

Anna Jurkovska/Shutterstock.com

한 방 안에 있는 사람들 중에서 적어도 두 사람의 생일이 같을 확률이 50%가 되려면 이 방 안에 몇 명의 사람이 있어야 하는지 계산해보라.

힌트 1: 그들의 생일이 모두 다를 확률을 계산하라.

힌트 2: Excel을 이용하여 결합확률을 계산하기 위한 **곱셈**함수를 사용할 수 있다.

Baloncici/Shutterstock.com

7 확률변수와 이산확률분포

Random Variables and Discrete Probability Distributions

이 장의 구성

7.1 확률변수와 확률분포

7.2 이변량 확률분포

7.3 금융분야의 통계학 응용: 포트폴리오 분산투자와 자산 배분

7.4 이항분포

7.5 포아송분포

수익률 극대화와 위험 극소화 투자

☞ (246페이지에 모범답안이 제시되어 있다.)

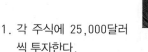

DATA Xm07-00

한 금융전공 교수가 주식시장에 투자할 10만 달러를 가지고 있다. 이 교수는 New York Stock Exchange (NYSE), Toronto Stock Exchange (TSE), NASDAQ에 상장되어 있는 주식들로 구성되는 주식 포트폴리오를 만드는 데 관심을 가지고 있다. 선택된 4개의 주식은 NYSE에 상장되어 있는 Home Depot (HD)와 Nike (NKE), TSE에 상장되어 있는 Canadian National Railway (CNR), NASDAQ에 상장되어 있는 Expedia (EXPE)이다. 이 교수는 투자수익률을 극대화하기 원하지만 위험을 극소화하는 것도 원한다. 48개월(2016년 1월~2019년 12월) 동안 4가지 주식의 월간 수익률이 기록되었다. 약간의 분석을 해본 후에 이 교수는 다음과 같은 3가지 대안 중에서 하나를 선택하기로 결정하였다. 당신은 어떤 투자안을 추천하겠는가?

Terry Vine/Blend/Getty Images

1. 각 주식에 25,000달러씩 투자한다.
2. Home Depot에 10,000달러, Nike에 20,000달러, Canadian National Railway에 30,000달러, Expedia에 40,000달러를 투자한다.
3. Home Depot에 10,000달러, Nike에 10,000달러, Canadian National Railway에 50,000달러, Expedia에 30,000달러를 투자한다.

서론

이 장에서는 제6장에서 소개된 확률의 개념과 기법이 확장된다. 통계적 추론 방법을 논의하는 데 있어서 핵심이 되는 확률변수와 확률분포가 소개된다.

통계적 추론의 놀라운 세계를 간략히 살펴볼 수 있는 예를 들어보자. 당신이 동전 한 개를 100회 던지고 나타나는 앞면의 수를 세어본다고 하자. 이러한 확률실험의 목적은 이렇게 세어본 앞면의 수로부터 던지는 데 사용된 동전이 균형 잡혀 있지 않다고 추론할 수 있는지 결정하는 것이다. 나타나는 앞면의 수가 매우 많거나(예를 들면, 90번) 매우 적다는 것(예를 들면, 15번)이 동전이 균형 잡혀 있지 않다는 것을 보여주는 통계적 근거라고 믿는 것은 합리적인 일이다. 그러나 이와 같은 통계적 추론을 하기 위한 경계선을 어디에 그어야 하는가? 나타나는 앞면의 수가 75번인가, 65번인가, 55번인가? 균형 잡혀 있는 동전 한 개를 던져서 나타나는 앞면의 수에 대한 확률분포를 알지 못하고는 동전을 100회 던져서 얻은 표본으로부터 어떠한 결론도 도출할 수 없다.

이 장에서 소개되는 확률의 개념과 기법은 우리가 구하고자 하는 확률을 계산할 수 있게 해준다. 첫 단계로 확률변수와 확률분포가 소개된다.

7.1 확률변수와 확률분포

두 개의 균형 잡혀 있는 동전을 던지는 확률실험을 한다고 생각하고 이러한 확률실험의 결과들을 관찰해보자. 확률실험의 사건들은 다음과 같이 나타낼 수 있다.

첫 번째 동전이 앞면이고 두 번째 동전도 앞면이다.
첫 번째 동전은 앞면이고 두 번째 동전은 뒷면이다.
첫 번째 동전은 뒷면이고 두 번째 동전은 앞면이다.
첫 번째 동전이 뒷면이고 두 번째 동전도 뒷면이다.

그러나 다른 방법으로 이와 같은 사건들을 나열할 수 있다. 사건들을 각 동전의 결과로 정의하는 대신 앞면의 수(또는 뒷면의 수)로 정의할 수 있다. 따라서 사건들은 다음과 같이 나타낼 수 있다.

2개의 앞면
1개의 앞면
1개의 앞면
0개의 앞면

앞면의 수는 **확률변수**(random variable)라고 부른다. 우리는 이와 같은 확률변수를 X로 표시하고 X의 각 값이 발생하는 확률에 관심을 가진다. 따라서 이 예에서 X의 값은 0, 1, 2이다.

다른 예를 살펴보자. 카지노에서 하는 크랩 게임뿐만 아니라 많은 팔러 게임에서, 경기자는 두 개의 주사위를 던진다. 이와 같은 확률실험에서 나타나는 사건들을 나열하는 한 가지 방법은 첫 번째 주사위의 숫자와 두 번째 주사위의 숫자를 다음과 같이 나열하는 것이다.

1, 1	1, 2	1, 3	1, 4	1, 5	1, 6
2, 1	2, 2	2, 3	2, 4	2, 5	2, 6
3, 1	3, 2	3, 3	3, 4	3, 5	3, 6
4, 1	4, 2	4, 3	4, 4	4, 5	4, 6
5, 1	5, 2	5, 3	5, 4	5, 5	5, 6
6, 1	6, 2	6, 3	6, 4	6, 5	6, 6

그러나 거의 모든 게임에서 경기자는 1차적으로 첫 번째 주사위의 숫자와 두 번째 주사위의 숫자의 합에 관심을 가진다. 따라서 각 주사위의 숫자들 대신에 두 주사위의 숫자 합을 다음과 같이 나열할 수 있다.

2	3	4	5	6	7
3	4	5	6	7	8
4	5	6	7	8	9
5	6	7	8	9	10
6	7	8	9	10	11
7	8	9	10	11	12

확률변수 X를 두 주사위의 숫자 합으로 정의하면, X는 2, 3, 4, 5, 6, 7, 8, 9, 10, 11, 12의 값을 가진다.

확률변수

확률변수(random variable)는 확률실험의 각 결과들에 하나의 실수를 부여하는 함수이다.

일부의 확률실험에서 결과들은 그 자체가 실수이다. 예를 들면, 투자의 수익률을 관찰하거나 컴퓨터 한 대를 조립하는 데 걸리는 시간을 측정할 때, 이와 같은 확률실험은 그 자체가 실수인 사건들을 생성한다. 간략히 말하면 확률변수의 값이 하나의 수치를 가진 사건이다.

두 가지 형태의 확률변수, 즉 이산확률변수와 연속확률변수가 존재한다. **이산확률변수**(discrete random variable)는 셀 수 있는 개수의 실수를 가지는 확률변수이다. 예를 들면, 확률변수 X를 동전 한 개를 10회 던지는 확률실험에서 관측되는 앞면의 수로 정의하면, X의 값은 0, 1, 2, . . . , 10이다. 확률변수 X는 총 11개의 값을 가질 수 있다. X가 가질 수 있는 실수들의 개수를 셀 수 있다. 따라서 X는 이산확률변수이다.

연속확률변수(continuous random variable)는 셀 수 없는 개수의 실수를 가지는 확률변수이다. 연속확률변수의 좋은 예는 한 가지 일을 완수하는 데 걸리는 시간이다. 예를 들면, X를 학생이 시험시간이 3시간이고 시험 시작 후 30분 이전에 시험지를 제출할 수 없는 통계학 시험을 치르는 시간이라고 하자. X의 최솟값은 30분이다. X가 가질 수 있는 값을 세고자 한다면, X가 가질 수 있는 그 다음 값을 알 필요가 있다. 이 값은 30.1분인가? 30.01분인가? 30.001분인가? 이들 값 중 어느 것도 X가 가질 수 있는 두 번째 가능한 값이 아니다. 왜냐하면 30보다 크고 30.001보다 작은 값들이 존재하기 때문이다. X가 가질 수 있는 두 번째 값, 세 번째 값, 또는 (최댓값인 180분을 제외하고) 다른 어떤 값도 판별할 수 없다. 따라서 X가 가질 수 있는 실수들의 개수를 셀 수 없다. 따라서 X는 연속확률변수이다.

확률분포(probability distribution)는 확률변수의 값과 이 값의 확률을 나타낸 표, 공식, 그래프이다. 이 장의 나머지 부분에서는 이산확률분포가 논의되고 제8장에서는 연속확률분포가 논의된다.

앞에서 논의한 것처럼 영문 대문자는 확률변수의 이름(name)을 나타내고 영문 소문자는 확률변수의 값(value)을 나타낸다. 따라서 확률변수 X가 x의 값을 가질 확률은

$$P(X=x)$$

또는 더 간단하게

$$P(x)$$

로 표시된다.

7.1a 이산확률분포

이산확률변수가 가질 수 있는 값이 발생할 확률은 확률나무와 같은 확률도구를 이용하거나 확률의 정의를 적용함으로써 도출될 수 있다. 그러나 다음의 박스에 기술되어 있는 두 가지의 기본적인 필수조건이 성립되어야 한다.

이와 같은 필수조건은 제6장에서 제시된 확률법칙과 동등한 것이다. 이산확률변수의 확률분포를 예시하기 위해 다음과 같은 예를 생각해보자.

이산확률분포의 필수조건

1. 모든 x에 대하여 $0 \le P(x) \le 1$
2. $\sum_{\text{all } x} P(x) = 1$

이산확률변수는 x값을 가질 수 있으며 $P(x)$는 이산확률변수가 x값을 가질 확률이다.

예제 7.1 가구당 인원수의 확률분포

*U.S. Census*는 매우 다양한 정보를 포함하고 있다. 이 센서스의 목적은 미국인의 삶에 관한 다양한 정보를 제공하는 것이다. 많은 질문 중 하나는 가구당 인원수에 관한 것이다. 다음 표가 이에 관한 데이터를 요약하여 보여준다. 가구당 인원수로 정의되는 확률변수의 확률분포를 구해보라.

가구당 인원수	가구의 수(100만 가구)
1	35.2
2	43.5
3	19.5
4	16.2
5	7.3
6	2.8
7 이상	1.6
합계	126.1

해답 가구당 인원수로 정의되는 X의 각 값이 가지는 확률은 상대빈도에 의해 계산된다. X의 각 값에 해당되는 빈도를 총 가구 수로 나누면 다음과 같은 확률분포가 구해진다.

x	$P(x)$
1	35.2/126.1 = .279
2	43.5/126.1 = .345
3	19.5/126.1 = .155
4	16.2/126.1 = .128
5	7.3/126.1 = .058
6	2.8/126.1 = .022
7 이상	1.6/126.1 = .013
합계	1.000

당신이 보는 것처럼, 이산확률분포가 가져야 하는 필요조건들이 충족된다. 각 확률은 0과 1 사이의 값을 가지며 확률의 합은 1이다.

제6장에서와 같은 방식으로 확률을 해석하도록 하자. 예를 들면, 임의로 한 가구가 선택되면, 이 가구가 3인으로 구성되어 있을 확률은 다음과 같다.

$P(3) = .155$

또한 상호배타적인 사건들에 대하여 덧셈법칙을 적용할 수 있다. (X의 값들은 상호배타적이다. 한 가구는 1인, 2인, 3인, 4인, 5인, 6인, 7인 이상으로 구성될 수 있다.) 임의로 선택된 한 가구가 4인 이상으로 구성되어 있을 확률은 다음과 같이 계산된다.

$P(X \geq 4) = P(4) + P(5) + P(6) + P(7\text{인 이상}) = .128 + .058 + .022 + .013 = .221$

예제 7.1에서는 전체 모집단에 관한 센서스 정보를 사용하면서 확률을 계산하였다. 다음의 예는 확률분포를 나타내기 위해 제6장에서 소개된 기법이 어떻게 사용되는지 보여준다.

예제 7.2 뮤추얼 펀드 판매 수의 확률분포

한 뮤추얼 펀드 판매원이 내일 3명의 사람에게 전화를 걸도록 준비하였다. 과거의 경험에 비추어 보면, 이 판매원은 각 전화에서 판매를 성사시킬 확률은 20%라는 것을 알고 있다. 이 판매원이 판매를 성사시키는 수의 확률분포를 결정하라.

해답 판매 수의 확률분포를 구하기 위해 제6.3절에서 소개된 확률법칙과 확률나무가 사용될 수 있다. 그림 7.1은 이 예제에 해당되는 확률나무를 보여준다. X=판매 수라고 하자.

그림 7.1 예제 7.2의 확률나무

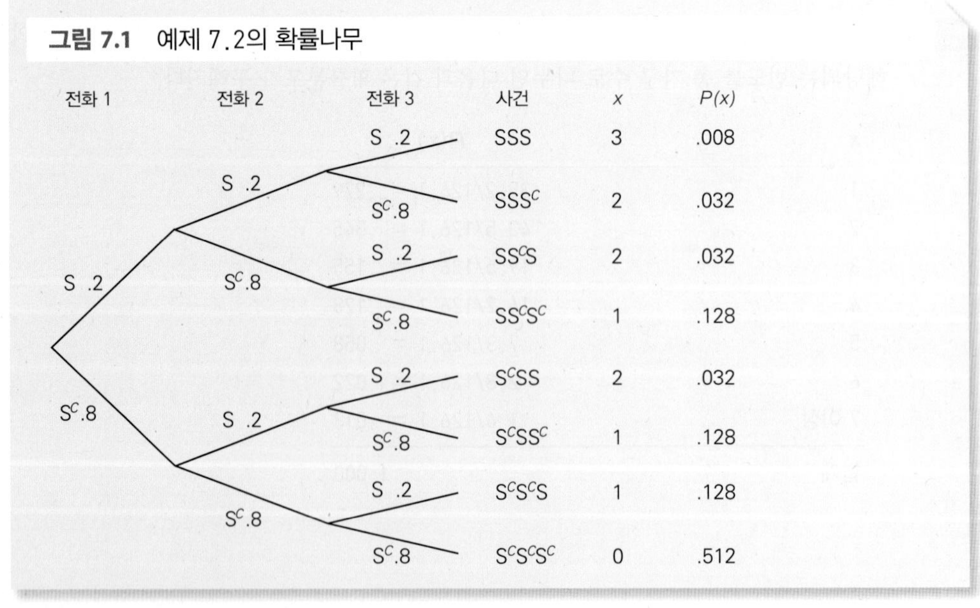

확률나무는 8가지의 가능한 결과와 각 결과의 확률을 보여준다. 판매가 이루어지지 않는 한 개의 결과가 존재하고 그 확률은 $P(0)=.512$이다. 한 개의 판매가 이루어지는 3가지의 결과가 존재하고 각 결과의 확률은 모두 .128이다. 따라서 한 개의 판매가 이루어지는 확률은 이들 확률들을 합하여 구하여진다.

$$P(1) = .128 + .128 + .128 = 3(.128) = .384$$

이와 유사하게 두 개의 판매가 이루어지는 확률은 다음과 같이 계산된다.

$$P(X) = .032 + .032 + .032 = 3(.032) = .096$$

3개의 판매가 이루어지는 한 개의 결과가 존재하고 그 확률은 다음과 같다.

$$P(3) = .008$$

X의 확률분포는 표 7.1과 같이 정리된다.

표 7.1 예제 7.2의 확률분포

x	$P(x)$
0	.512
1	.384
2	.096
3	.008

7.1b 확률분포와 모집단

확률분포의 중요성은 모집단의 특성을 나타내는 도구로 사용되는 데 있다. 예제 7.1의 확률분포는 가구당 인원수의 모집단에 관한 정보를 제공해준다. 예제 7.2의 모집단은 한 뮤추얼 펀드 판매원이 3번의 전화상담에서 판매를 성사시키는 수이다. 이미 언급한 것처럼 통계적 추론은 모집단에 관한 추론이다.

7.1c 모집단과 확률분포

제4장에서 모집단의 평균, 분산, 표준편차를 계산하는 방법이 소개되었다. 이러한 통계량들을 계산하기 위한 공식은 모집단의 각 원소에 해당되는 확률변수의 값을 안다는 것에 기초하고 있다. 예를 들면, 모든 북미 블루칼라 근로자들의 연간 소득의 평균과 분산을 알기 원하면, 각 북미 블루칼라 근로자의 연간 소득을 기록하고 제4장에서 소개된 다음과 같은

공식을 사용한다.

$$\mu = \frac{\sum_{i=1}^{N} X_i}{N}$$

$$\sigma^2 = \frac{\sum_{i=1}^{N} (X_i - \mu)^2}{N}$$

X_1은 첫 번째 블루칼라 근로자의 연간 소득이고, X_2는 두 번째 블루칼라 근로자의 연간 소득이며 나머지도 같은 방식으로 해당되는 블루칼라 근로자의 연간 소득이다. N은 수백만을 나타내는 수일 수 있다. 당신이 이해하고 있는 것처럼, 모집단은 매우 크기 때문에 이와 같은 공식들은 실제의 적용에서 결코 사용되지 않는다. 북미 블루칼라 근로자 모집단의 모든 연간 소득을 기록할 수 없을 것이다. 그러나 확률분포는 모집단을 나타낸다. 우리는 모집단에 있는 많은 관측치 각각을 기록하는 대신 예제 7.1과 7.2에서 가구당 인원수에 관한 확률분포와 뮤추얼 펀드 판매원이 3번의 전화상담에서 판매에 성공하는 수에 관한 확률분포를 도출하면서 했던 것처럼 확률변수의 값과 이 값이 실현될 확률을 나열한다. 확률분포는 모집단의 평균과 분산을 계산하기 위해 사용될 수 있다.

모평균(population mean)은 확률변수가 가질 수 있는 값들의 가중평균이다. 이때 가중치는 확률변수가 가질 수 있는 값이 실현되는 확률이다. 모평균은 X의 **기대치**(expected value)라고도 부르며 $E(X)$로 나타낸다.

모평균

$$E(X) = \mu = \sum_{\text{all } x} xP(x)$$

모분산도 이와 유사하게 계산된다. 모분산은 모평균으로부터의 편차 제곱의 가중평균이다.

모분산

$$V(X) = \sigma^2 = \sum_{\text{all } x} (x - \mu)^2 P(x)$$

모분산을 간단하게 계산하는 방법이 존재한다. 이 공식은 근사치를 계산하기 위한 것이 아니다. 이 공식은 원래의 공식과 같은 값을 제공한다.

모분산의 간편계산공식

$$V(X) = \sigma^2 = \sum_{\text{all } x} x^2 P(x) - \mu^2$$

모표준편차는 제4장에서와 같이 정의된다.

모표준편차

$$\sigma = \sqrt{\sigma^2}$$

예제 7.3 가구당 인원수의 모집단 특성

예제 7.1의 가구당 인원수의 모평균, 모분산, 모표준편차를 구하라.

해답 가구당 인원수의 마지막 범주가 정확히 7인이라고 가정하자. X의 모평균은 다음과 같이 계산된다.

$$E(X) = \mu = \sum_{\text{all } x} xP(x) = 1P(1) + 2P(2) + 3P(3) + 4P(4) + 5P(5) + 6P(6) + 7P(7)$$

$$= 1(.279) + 2(.345) + 3(.155) + 4(.128) + 5(.058) + 6(.022) + 7(.013)$$

$$= 2.46$$

확률변수 X는 정수만을 가질 수 있지만 모평균은 2.46이라는 점에 주목하라.

X의 모분산은 다음과 같이 계산된다.

$$V(x) = \sigma^2 = \sum_{\text{all } x} (x - \mu)^2 P(x)$$

$$= (1 - 2.46)^2(.279) + (2 - 2.46)^2(.345) + (3 - 2.46)^2(.155)$$

$$+ (4 - 2.46)^2(.128) + (5 - 2.46)^2(.058) + (6 - 2.46)^2(.022)$$

$$+ (7 - 2.46)^2(.013)$$

$$= 1.93$$

모표준편차는

$$\sigma = \sqrt{\sigma^2} = \sqrt{1.93} = 1.39$$

이다.

이와 같은 모수들은 가구당 인원수의 모평균과 모표준편차가 각각 2.46과 1.39라는 것을 말해준다.

7.1d 기대치와 분산의 법칙

우리는 종종 다른 확률변수들의 함수인 새로운 확률변수들을 만든다. 다음의 두 박스에 있는 공식은 이와 같이 새롭게 정의되는 확률변수의 기대치와 분산을 쉽게 계산할 수 있게 해준다. 여기서 사용되는 기호에서 X는 확률변수이고 c는 상수이다.

기대치의 법칙

1. $E(c) = c$
2. $E(X + c) = E(X) + c$
3. $E(cX) = cE(X)$

분산의 법칙

1. $V(c) = 0$
2. $V(X + c) = V(X)$
3. $V(cX) = c^2V(X)$

예제 7.4 월간 이윤의 모집단 특성

한 컴퓨터 가게의 월간 매출액의 평균은 25,000달러이고 표준편차는 4,000달러이다. 이 컴퓨터 가게의 월간 이윤은 매출액의 30%에서 6,000달러의 고정비용을 빼서 계산된다. 이와 같이 계산되는 월간 이윤의 평균과 표준편차를 구하라.

해답 이윤과 매출액의 관계는 다음과 같은 식으로 나타낼 수 있다.

$$\text{이윤} = .30(\text{매출액}) - 6{,}000$$

월간 이윤의 기대치 또는 모평균은 다음과 같다.

$$E(\text{이윤}) = E[.30(\text{매출액}) - 6{,}000]$$

기대치의 두 번째 법칙을 적용하면

$$E(\text{이윤}) = E[.30(\text{매출액})] - 6{,}000$$

이며, 기대치의 세 번째 법칙을 적용하면

$$E(\text{이윤}) = .30E(\text{매출액}) - 6{,}000 = .30(25{,}000) - 6{,}000 = 1{,}500$$

이다. 따라서 평균 월간 이윤은 1,500달러이다.

월간 이윤의 분산은 다음과 같이 계산된다.

$V(\text{이윤}) = V[.30(\text{매출액}) - 6{,}000]$

분산의 두 번째 법칙을 적용하면

$V(\text{이윤}) = V[.30(\text{매출액})]$

이며, 분산의 세 번째 법칙을 적용하면

$V(\text{이윤}) = (.30)^2 V(\text{매출액}) = .09(4{,}000)^2 = 1{,}440{,}000$

이다. 따라서 월간 이윤의 표준편차는 다음과 같다.

$\sigma_{\text{Profit}} = \sqrt{1{,}440{,}000} = \$1{,}200$

연습문제

7.1 한 고속도로의 교통량이 많은 구간에서 발생하는 사고의 수는 확률변수이다.

a. 이 확률변수가 가질 수 있는 값들은 무엇인가?
b. 이와 같은 값들은 셀 수 있는가? 설명하라.
c. 이와 같은 값들은 유한개인가? 설명하라.
d. 이 확률변수는 이산확률변수인가 연속확률변수인가? 설명하라.

7.2 자동차가 한 탱크의 가솔린으로 달리는 거리는 확률변수이다.

a. 이 확률변수가 가질 수 있는 값들은 무엇인가?
b. 이와 같은 값들은 셀 수 있는가? 설명하라.
c. 이와 같은 값들은 유한개인가? 설명하라.
d. 이 확률변수는 이산확률변수인가 연속확률변수인가? 설명하라.

7.3 학생들이 여름 아르바이트로 버는 금액은 확률변수이다.

a. 이 확률변수가 가질 수 있는 값들은 무엇인가?
b. 이와 같은 값들은 셀 수 있는가? 설명하라.
c. 이와 같은 값들은 유한개인가? 설명하라.
d. 이 확률변수는 이산확률변수인가 연속확률변수인가? 설명하라.

7.4 100개의 선다형 질문으로 구성되어 있는 통계학 시험의 점수는 확률변수이다.

a. 이 확률변수가 가질 수 있는 값들은 무엇인가?
b. 이와 같은 값들은 셀 수 있는가? 설명하라.
c. 이와 같은 값들은 유한개인가? 설명하라.
d. 이 확률변수는 이산확률변수인가 연속확률변수인가? 설명하라.

7.5 다음의 각 확률분포가 타당한 확률분포인지 결정하라.

a.

x	0	1	2	3
$P(x)$	.1	.3	.4	.1

b.

x	5	−6	10	0
$P(x)$	.01	.01	.01	.97

c.

x	14	12	−7	13
$P(x)$	.25	.46	.04	.24

7.6 X를 한 개의 균형 잡힌 주사위를 굴렸을 때 나타나는 점의 수를 나타내는 확률변수라고 하자. X의 확률분포를 구하라.

7.7 최근의 센서스에서 가구당 컬러 텔레비전 대수가 다음과 같이 기록되었다.

컬러 텔레비전 수	0	1	2	3	4	5
가구 수 (1000 가구)	1,218	32,379	37,961	19,387	7,714	2,842

a. 가구당 컬러 텔레비전 대수로 정의되는 확률변수 X의 확률분포를 구하라.

b. 다음의 확률을 구하라.

$P(X \leq 2)$

$P(X > 2)$

$P(X \geq 4)$

7.8 과거의 기록을 사용하면서 한 공장의 인사 담당자는 하루에 결근하는 종업원 수 X의 확률분포가 다음과 같다고 결정하였다.

x	0	1	2	3	4	5	6	7
$P(x)$	.005	.025	.310	.340	.220	.080	.019	.001

a. 다음의 확률을 구하라.

$P(2 \leq X \leq 5)$

$P(X > 5)$

$P(X < 4)$

b. 모평균을 계산하라.

c. 모표준편차를 계산하라.

7.9 많은 대학의 2년차 경영대학 학생들은 한 학기에 10과목을 수강하도록 되어 있다. A학점을 받는 과목의 수는 이산확률변수이다. 이 확률변수의 각 값은 같은 확률을 가진다고 하자. 이 확률변수의 확률분포를 구하라.

7.10 확률변수 X는 다음과 같은 확률분포를 가진다.

x	−3	2	6	8
$P(x)$	.2	.3	.4	.1

다음의 확률을 구하라.

a. $P(X > 0)$

b. $P(X \geq 1)$

c. $P(X \geq 2)$

d. $P(2 \leq X \leq 5)$

7.11 한 인터넷 약국은 고객이 구매하는 제품을 3일~6일 이내에 배달할 것이라고 광고하고 있다. 이 약국의 경영자는 더 정확하게 광고를 하기 원한다. 따라서 그녀는 고객에게 배달되는 일수를 기록하였다. 이 데이터로부터 다음과 같은 확률분포가 구해졌다.

일수	0	1	2	3	4	5	6	7	8
확률	0	0	.01	.04	.28	.42	.21	.02	.02

a. 임의의 배달이 광고한 대로 3일~6일 이내에 이루어질 확률은 얼마인가?

b. 임의의 배달이 광고한 것보다 늦게 이루어질 확률은 얼마인가?

c. 임의의 배달이 광고한 것보다 일찍 이루어질 확률은 얼마인가?

7.12 많은 도박가는 "두 배로 올리기(doubling up)"라고 부르는 전략이 유효한 도박 방법이라고 믿는다. 이 방법은 도박가가 잃을 때마다 거는 돈을 두 배로 올리는 것이다. 처음에 거는 돈이 1

달러라고 하자. 이 도박가는 게임에서 잃은 후에 이길 때까지 거는 돈을 두 배로 올릴 것이다. 이 도박가는 게임에서 이긴 후에 다시 거는 돈을 1달러까지 환원시킨다. 그러나 문제는 이 도박가가 결국에는 돈을 모두 날려 버리거나 내기에서 걸 수 있는 최대액과 부딪힐 수 있다는 것이다. 이 도박가가 한 번의 게임에서 이길 확률이 .5이고 연속해서 6번의 내기에서 지면 파산한다고 하자. 이 도박가가 연속해서 6번의 내기에서 질 확률을 구하라.

7.13 한 대학졸업생이 졸업 후 1개월 이내에 취업통보를 받지 못할 확률은 5%로 추정된다. 이 대학졸업생이 졸업 후 1개월 이내에 1개의 취업통보, 2개의 취업통보, 3개의 취업통보를 받을 확률은 각각 43%, 31%, 21%로 추정된다. 다음의 확률을 구하라.

a. 한 대학졸업생이 2개 미만의 취업통보를 받는다.
b. 한 대학졸업생이 2개 이상의 취업통보를 받는다.

7.14 두 개의 균형 잡힌 동전을 던지는 경우에 나타나는 다음 사건의 확률을 계산하기 위해 확률나무를 사용하라.

a. 첫 번째 동전이 앞면이고 두 번째 동전도 앞면이다.
b. 첫 번째 동전은 앞면이고 두 번째 동전은 뒷면이다.
c. 첫 번째 동전은 뒷면이고 두 번째 동전은 앞면이다.
d. 첫 번째 동전이 뒷면이고 두 번째 동전도 뒷면이다.

7.15 연습문제 7.14를 참조하라. 다음의 확률을 구하라.

a. 앞면이 나오지 않는다.
b. 한 개의 앞면이 나온다.
c. 두 개의 앞면이 나온다.
d. 적어도 한 개의 앞면이 나온다.

7.16 3개의 균형 잡힌 동전을 던지는 실험을 나타내기 위한 확률나무를 그려라.

7.17 연습문제 7.16을 참조하라. 다음의 확률을 구하라.

a. 두 개의 앞면이 나온다.
b. 한 개의 앞면이 나온다.
c. 적어도 한 개의 앞면이 나온다.
d. 적어도 두 개의 앞면이 나온다.

7.18 확률변수 X는 다음과 같은 확률분포를 가진다.

x	−2	5	7	8
$P(x)$	.59	.15	.25	.01

a. 확률변수의 평균과 분산을 구하라.
b. $Y=5X$라고 정의하고 Y의 확률분포를 구하라.
c. Y의 평균과 분산을 계산하기 위해 b에서 구한 확률분포를 사용하라.
d. Y의 기대치와 분산을 구하기 위해 기대치의 법칙과 분산의 법칙을 사용하라.

7.19 다음과 같은 확률분포가 주어져 있다.

x	0	1	2	3
$P(x)$	.4	.3	.2	.1

a. 평균, 분산, 표준편차를 계산하라.
b. $Y=3X+2$라고 하자. X의 각 값에 대하여 Y의 값을 결정하라. Y의 확률분포를 구하라.
c. Y의 확률분포로부터 평균, 분산, 표준편차를 계산하라.
d. Y의 평균, 분산, 표준편차를 계산하기 위해 기대치의 법칙과 분산의 법칙을 사용하라. c와 d에서 구한 답을 비교하라. 반올림한 점을 제외하고 구한 답은 같은가?

7.20 매달 대학생에게 배달되는 피자의 수는 다음과 같은 확률분포를 가지고 있는 확률변수이다.

x	0	1	2	3
$P(x)$	.1	.3	.4	.2

a. 한 학생이 이 달에 두 개 이상의 피자 배달을 받을 확률을 구하라.

b. 매달 대학생에게 배달되는 피자 수의 평균과 분산을 구하라.

7.21 연습문제 7.20을 참조하라. 피자가게는 피자당 3달러의 이윤을 얻는다면, 매달 피자가게가 얻는 학생당 이윤의 평균과 분산을 구하라.

7.22 한 통계전문가가 비디오 아케이드에서 게임을 하는 아동의 수를 관찰한 후 비디오 아케이드에서 한 아동이 1회 방문 시 하는 게임의 수로 정의되는 X의 확률분포를 다음과 같이 추정하였다.

x	1	2	3	4	5	6	7
$P(x)$	.05	.15	.15	.25	.20	.10	.10

a. 한 아동이 5게임 이상 할 확률은 얼마인가?

b. 한 아동이 적어도 2게임을 할 확률은 얼마인가?

7.23 연습문제 7.22를 참조하라. 확률변수 X의 평균과 분산을 구하라.

7.24 연습문제 7.22를 참조하라. 경기자는 게임당 25센트를 지불한다고 하자. 이 비디오 아케이드가 버는 금액의 기대치와 분산을 구하기 위해 기대치의 법칙과 분산의 법칙을 사용하라.

7.25 연습문제 7.22를 참조하라.

a. 이 비디오 아케이드가 아동당 버는 금액의 확률분포를 결정하라.

b. 이 비디오 아케이드가 버는 금액의 평균과 분산을 계산하기 위해 확률분포를 사용하라.

c. b의 답과 연습문제 7.24의 답을 비교하라. 반올림 오차를 제외하고 구한 답은 같은가?

7.26 Amazon.com 고객에 관한 서베이는 방문당 구매하는 책 수의 확률분포가 다음과 같다는 것을 보여준다.

x	0	1	2	3	4	5	6	7
$P(x)$	.35	.25	.20	.08	.06	.03	.02	.01

a. 한 Amazon.com 방문자가 4권의 책을 구매할 확률은 얼마인가?

b. 한 Amazon.com 방문자가 8권의 책을 구매할 확률은 얼마인가?

c. 한 Amazon.com 방문자가 어떤 책도 구매하지 않을 확률은 얼마인가?

d. 한 Amazon.com 방문자가 적어도 1권의 책을 구매할 확률은 얼마인가?

7.27 한 대학 도서관 사서는 한 학생이 한 학기 동안 도서관에 들어오는 횟수의 확률분포를 다음과 같이 구하였다.

x	0	5	10	15	20	25	30	40	50	75	100
$P(x)$	.22	.29	.12	.09	.08	.05	.04	.04	.03	.03	.01

다음의 확률을 구하라.

a. $P(X \geq 20)$

b. $P(X=60)$

c. $P(X>50)$

d. $P(X>100)$

7.28 한 스포츠 기자는 크로스컨트리 스키선수들이 크로스컨트리 경기에 출전하는 빈도를 분석한 후에 X=크로스컨트리 스키선수가 크로스컨트리 경기에 참여하는 연간 횟수의 확률분포를 다음과 같이 구하였다.

x	0	1	2	3	4	5	6	7	8
$P(x)$	.04	.09	.19	.21	.16	.12	.08	.06	.05

다음의 확률을 구하라.

a. $P(X=3)$
b. $P(X \geq 5)$
c. $P(5 \leq X \leq 7)$

7.29 자연치유식물인 에키나시아(echinacea)는 유행성 독감과 감기를 감소시키는 면역체계를 강화시키는 것으로 잘 알려져 있다. 6개월간의 연구가 이와 같은 치유가 작동하는지 결정하기 위해 이루어졌다. 이 연구로부터 에키나시아 사용자를 대상으로 연간 호흡기 감염 수 X의 확률분포가 구해졌다.

x	0	1	2	3	4
$P(x)$	.45	.31	.17	.06	.01

다음의 확률을 구하라.

a. 한 에키나시아 사용자가 연간 두 번 이상의 호흡기 감염에 걸린다.
b. 한 에키나시아 사용자가 연간 한 번도 호흡기 감염에 걸리지 않는다.
c. 한 에키나시아 사용자는 연간 한 번과 세 번 사이의 호흡기 감염에 걸린다.

7.30 한 쇼핑몰은 고객이 실제로 들어가는 가게 수의 확률분포를 다음과 같이 추정하고 있다.

x	0	1	2	3	4	5	6
$P(x)$	.04	.19	.22	.28	.12	.09	.06

고객이 실제로 들어가는 가게 수의 평균과 표준편차를 구하라.

7.31 연습문제 7.30을 참조하라. 고객은 들어가는 한 가게에서 평균적으로 10분 동안 머문다고 하자. 고객이 가게에서 소비하는 총 시간의 평균과 표준편차를 구하라.

7.32 다운타운 주차장에서 자동차를 주차할 때, 운전자는 주차시간에 따라서 지불한다. 자동차 주차시간의 확률분포가 다음과 같이 추정되었다.

x	1	2	3	4	5	6	7	8
$P(x)$	.24	.18	.13	.10	.07	.04	.04	.20

자동차 주차시간의 평균과 표준편차를 구하라.

7.33 연습문제 7.32를 참조하라. 주차비용은 시간당 2달러 50센트이다. 자동차 1대가 발생시키는 수입의 평균과 표준편차를 계산하라.

7.34 당신은 현금으로 500달러를 받거나 액면가가 100달러인 금전을 받는 것 중에서 선택하여야 한다. 그러나 금전의 실제 가치는 금의 함량에 달려 있다. 당신은 이 금전이 400달러일 40%의 확률, 900달러일 30%의 확률, 100달러일 30%의 확률을 가지고 있다고 듣고 있다. 기대치에 기초하여 의사결정을 한다면, 당신은 금전을 선택하여야 하는가?

7.35 한 서점의 경영자는 매 5분마다 계산대에 도착하는 고객의 수를 기록하였고 다음과 같은 확률분포를 구하였다. 이 확률변수의 평균과 표준편차를 계산하라.

x	0	1	2	3	4
$P(x)$	.10	.20	.25	.25	.20

7.36 한 학생이 개인용 컴퓨터 1대를 방금 구매하였다. 이 학생은 컴퓨터를 손상시킬 수 있는 전압의 급증이나 변동으로부터 새로운 하드웨어를 보호하기 위해 변압기 1대를 사야 한다는 말을 들었다. 컴퓨터에 미치는 손상 금액은 전압의 강도에 달려 있다. 400달러의 손상을 발생시킬 확률은 1%이고, 200달러의 손상을 발생시킬 확률은 2%이며 100달러의 손상을 발생시킬 확률은 10%라고 추정되었다. 이 학생은 단 한 번의 전압 급등으로부터 컴퓨터를 보호해주는 비싸

지 않은 변압기를 구매할 수 있다. 이 학생이 기대치에 기초하여 의사결정을 한다면, 이 변압기를 구매하기 위해 얼마를 기꺼이 지불할 수 있는가?

7.37 5개의 상이 있는 한 장의 복권을 사는 데 1달러가 든다. 한 경기자가 상을 탈 수 있는 확률과 상금이 다음의 표에 정리되어 있다. 복권 1장을 구매할 때 받게 되는 보수(payoff)의 기대치를 계산하라.

상금	\$1,000,000	\$200,000	\$50,000
확률	1/10,000,000	1/1,000,000	1/500,000

상금	\$10,000	\$1,000
확률	1/50,000	1/10,000

7.38 한 회계법인의 경영자는 수신되는 팩스에 대하여 분석한 후 팩시밀리당 페이지 수의 확률분포를 다음과 같이 추정하였다.

x	1	2	3	4	5	6	7
$P(x)$	.05	.12	.20	.30	.15	.10	.08

팩시밀리당 페이지 수의 평균과 분산을 계산하라.

7.39 연습문제 7.38을 참조하라. 이 경영자는 추가적인 분석을 통하여 팩시밀리당 한 페이지를 처리하는 비용이 .25달러라는 것을 알았다. 팩시밀리당 발생되는 비용의 평균과 분산을 계산하라.

7.40 한 메일주문회사는 연간 4회 이루어지는 광고활동의 유효성을 검토하기 위해 각 고객에게 질문지를 보내고 전년도의 광고활동이 광고활동이 없었을 때와 비교하여 주문을 얼마나 증가시켰는지 물어보았다. 다음의 표는 질문지로부터 도출된 확률분포를 정리한 것이다. X는 주문을 증가시킨 광고의 수를 나타내는 확률변수이다. 전반적인 고객 행동이 전년도와 같다고 가정하면, 각 고객이 내년에 광고활동을 하지 않을 경우 구매하지 않을 재화를 주문하는 데 이용하는 광고 수의 기대치는 얼마인가?

x	0	1	2	3	4
$P(x)$	.10	.25	.40	.20	.05

7.41 연습문제 7.40을 참조하라. 과거 기록을 분석한 결과로부터 광고활동에 의해 재화 주문이 이루어지는 평균 금액은 20달러이고, 이때 이 회사는 각 주문금액의 20%를 이윤으로 번다는 것이 발견되었다. 내년에 이 회사가 광고활동으로부터 버는 이윤의 기대치를 계산하라.

7.42 한 고급 레스토랑은 테이블당 사람 수에 대한 분석을 수행하고 다음과 같은 확률분포가 정리되었다.

x	1	2	3	4	5	6	7	8
$P(x)$	.03	.32	.05	.28	.04	.15	.03	.10

만일 한 테이블이 임의로 선택되는 경우 다음과 같은 사건의 확률을 계산하라.

a. 이 테이블의 사람 수가 5명 이상이다.
b. 이 테이블의 사람 수가 4명 이하이다.
c. 이 테이블의 사람 수가 4명과 6명 사이이다.

7.43 연습문제 7.42를 참조하라. 모집단의 평균, 분산, 표준편차를 계산하라.

7.44 뛰어난 골퍼들을 가지고 있는 것으로 알려져 있는 한 프라이빗 골프코스에서 한 통계전문가는 회원들에게 평생 동안 얼마나 많은 홀인원을 했는지 물었다. 그의 작업으로부터 각 회원이 평생 동안 했던 홀인원 수에 대한 확률분포가 다음과 같이 정리되었다.

x	0	1	2	3	4	5	6	7 or more
$P(x)$	.78	.10	.05	.03	.02	.01	.01	0

한 명의 회원이 임의로 선택되었다. 다음 사건의 확률을 계산하라.

a. 그가 4번 이상 홈인원을 한다.
b. 그가 한 번도 홈인원을 하지 못한다.
c. 그가 3번과 5번 사이의 홈인원을 한다.

7.2 이변량 확률분포

지금까지 우리는 한 변수의 확률분포를 다루었다. 그러나 두 변수의 관계에 대하여 알 필요가 있는 상황이 존재한다. 이 문제를 제3장에서는 산포도를 그리면서 살펴보았고 제4장에서는 공분산과 상관계수를 계산하면서 통계적으로 살펴보았다. 이 절에서는 두 변수의 결합확률을 제공하는 **이변량 확률분포**(bivariate distribution)가 논의된다. 이에 따라 이변량 확률분포와 한 변수 확률분포를 구별할 필요가 있을 때, 후자는 **일변량** 확률분포(univariate distribution)라고 부른다.

확률변수 X와 확률변수 Y가 각각 x와 y의 값을 가질 결합확률은 $P(x, y)$로 표시된다. X와 Y의 이변량 확률분포(또는 결합확률분포)는 X와 Y가 가질 수 있는 값들로 이루어지는 모든 쌍의 결합확률을 정리한 표 또는 공식이다. 일변량 확률분포와 마찬가지로 결합확률분포는 다음과 같은 필수조건을 만족시켜야 한다.

이산 이변량 확률분포의 필수조건

1. (x, y)의 모든 쌍에 대하여 $0 \le P(x, y) \le 1$
2. $\sum_{\text{all } x} \sum_{\text{all } y} P(x, y) = 1$

예제 7.5

주택 판매 수의 이변량 확률분포

사비에르와 이베트는 부동산 중개업자이다. X는 사비에르가 한 달에 파는 주택의 수를 나타내고 Y는 이베트가 한 달에 파는 주택의 수를 나타낸다고 하자. 사비에르와 이베트가 과거 한 달 동안에 판 주택의 수를 분석한 후 다음과 같은 결합확률분포가 구해졌다.

이변량 확률분포

		x		
		0	1	2
	0	.12	.42	.06
y	1	.21	.06	.03
	2	.07	.02	.01

이와 같은 결합확률분포는 제6장에서와 같은 방식으로 해석된다. 예를 들면, 주어진 달에 사비에르가 0개의 주택을 판매하고 이베트가 1개의 주택을 판매할 확률은 $P(0, 1) = .21$이다.

7.2a 한계확률

제6장에서와 같이 열을 아래로 내려가면서 합하거나 행을 옆으로 가면서 합하여 한계확률을 계산한다.

■ **예제 7.5에서 X의 한계확률분포**

$$P(X=0) = P(0,0) + P(0,1) + P(0,2) = .12 + .21 + .07 = .4$$
$$P(X=1) = P(1,0) + P(1,1) + P(1,2) = .42 + .06 + .02 = .5$$
$$P(X=2) = P(2,0) + P(2,1) + P(2,2) = .06 + .03 + .01 = .1$$

X의 한계확률분포는 다음과 같다.

x	P(x)
0	.4
1	.5
2	.1

■ **예제 7.5에서 Y의 한계확률분포**

$$P(Y=0) = P(0,0) + P(1,0) + P(2,0) = .12 + .42 + .06 = .6$$
$$P(Y=1) = P(0,1) + P(1,1) + P(2,1) = .21 + .06 + .03 = .3$$
$$P(Y=2) = P(0,2) + P(1,2) + P(2,2) = .07 + .02 + .01 = .1$$

Y의 한계확률분포는 다음과 같다.

y	P(y)
0	.6
1	.3
2	.1

X의 한계확률분포와 Y의 한계확률분포는 확률은 0과 1 사이의 값을 가지고 확률의 합은 1이라는 확률의 필수조건들을 충족시킨다.

7.2b 이변량 확률분포의 특성

일변량 확률분포에서와 마찬가지로 각 변수의 평균, 분산, 표준편차를 계산함으로써 이변량 확률분포의 특성을 나타낸다. 이와 같은 일은 한계확률분포를 이용하여 수행된다.

■ **예제 7.5에서 X의 기대치, 분산, 표준편차**

$$E(X) = \mu_X = \sum xP(x) = 0(.4) + 1(.5) + 2(.1) = .7$$

$$V(X) = \sigma_X^2 = \sum (x - \mu_X)^2 P(x) = (0 - .7)^2(.4) + (1 - .7)^2(.5) + (2 - .7)^2(.1) = .41$$

$$\sigma_X = \sqrt{\sigma_X^2} = \sqrt{.41} = .64$$

■ **예제 7.5에서 Y의 기대치, 분산, 표준편차**

$$E(Y) = \mu_Y = \sum yP(y) = 0(.6) + 1(.3) + 2(.1) = .5$$

$$V(Y) = \sigma_Y^2 = \sum (y - \mu_Y)^2 P(y) = (0 - .5)^2(.6) + (1 - .5)^2(.3) + (2 - .5)^2(.1) = .45$$

$$\sigma_Y = \sqrt{\sigma_Y^2} = \sqrt{.45} = .67$$

계산할 필요가 있는 두 개의 모수가 더 있다. 이들 모수는 두 변수 간의 관계를 나타낸다. 이와 같은 두 개의 모수는 공분산과 상관계수이다. 이들 모수는 제4장에서 소개되었고 두 모수를 구하는 공식은 모집단의 N개 관측치 모두가 알려져 있다는 가정에 기초하고 있다. 이 장에서는 이변량 확률분포로부터 공분산과 상관계수와 같은 모수가 계산된다.

공분산

두 이산확률변수의 공분산은 다음과 같이 정의된다.

$$\mathrm{COV}(X, Y) = \sigma_{xy} = \sum_{\text{all } x} \sum_{\text{all } y} (x - \mu_X)(y - \mu_Y)P(x, y)$$

공분산을 계산하기 위해 X의 평균으로부터 이탈된 크기와 Y의 평균으로부터 이탈된 크기를 곱하고 이 값에 결합확률을 곱한다는 점에 주목하라.

공분산의 계산은 다음과 같은 간편한 방법으로 단순화된다.

> **공분산의 간편계산**
>
> $$\text{COV}(X, Y) = \sigma_{xy} = \sum_{\text{all } x} \sum_{\text{all } y} xyP(x, y) - \mu_X \mu_Y$$

상관계수는 제4장에서와 같은 방법으로 계산된다.

> **상관계수**
>
> $$\rho = \frac{\sigma_{xy}}{\sigma_x \sigma_y}$$

예제 7.6 이변량 확률분포의 특성

예제 7.5에서 두 부동산 중개인에 의해 판매되는 주택 수 간의 공분산과 상관계수를 계산하라.

해답 먼저 공분산을 계산하도록 하자.

$$\begin{aligned}\sigma_{xy} &= \sum_{\text{all } x} \sum_{\text{all } y} (x - \mu_X)(y - \mu_Y)P(x, y) \\ &= (0 - .7)(0 - .5)(.12) + (1 - .7)(0 - .5)(.42) + (2 - .7)(0 - .5)(.06) \\ &\quad + (0 - .7)(1 - .5)(.21) + (1 - .7)(1 - .5)(.06) + (2 - .7)(1 - .5)(.03) \\ &\quad + (0 - .7)(2 - .5)(.07) + (1 - .7)(2 - .5)(.02) + (2 - .7)(2 - .5)(.01) \\ &= -.15\end{aligned}$$

공분산의 간편계산 방법을 사용하면서 공분산을 다시 계산하면 다음과 같다.

$$\begin{aligned}\sum_{\text{all } x} \sum_{\text{all } y} xyP(x, y) &= (0)(0)(.12) + (1)(0)(.42) + (2)(0)(.06) \\ &\quad + (0)(1)(.21) + (1)(1)(.06) + (2)(1)(.03) \\ &\quad + (0)(2)(.07) + (1)(2)(.02) + (2)(2)(.01) \\ &= .2\end{aligned}$$

앞에서 계산된 기대치를 사용하면

$$\sigma_{xy} = \sum_{\text{all } x} \sum_{\text{all } y} xyP(x, y) - \mu_X \mu_Y = .2 - (.7)(.5) = -.15$$

이다.

앞에서 계산된 표준편차들을 이용하면, 상관계수는 다음과 같이 계산된다.

$$\rho = \frac{\sigma_{xy}}{\sigma_x \sigma_y} = \frac{-.15}{(.64)(.67)} = -.35$$

두 변수 간에 약한 음의 선형관계가 존재한다.

7.2c 두 변수의 합

이변량 확률분포로부터 두 변수의 결합으로 만들어지는 식의 확률분포를 구할 수 있다. 특히 두 변수의 합이 관심대상이다. 이와 같은 두 변수 합 형태의 확률분포는 다음 절에서 소개되는 금융분야의 통계학 응용에서 중요한 역할을 한다.

이변량 확률분포로부터 두 변수 합의 확률분포를 구하는 방법을 알아보기 위해 예제 7.5를 활용하자. 두 변수인 X와 Y의 합은 월간 판매되는 주택의 총 수이다. $X+Y$가 가질 수 있는 값은 0, 1, 2, 3, 4이다. 예를 들면, $X+Y=2$일 확률은 합이 2가 되는 X값과 Y값으로 구성되는 모든 쌍의 결합확률을 합하여 구해진다.

$$P(X+Y=2) = P(0, 2) + P(1, 1) + P(2, 0) = .07 + .06 + .06 = .19$$

이와 유사하게 $X+Y$의 다른 값들이 발생할 확률들을 계산하면 다음과 같은 $X+Y$의 확률분포가 구해진다.

예제 7.5에서 $X+Y$의 확률분포

$x+y$	0	1	2	3	4
$P(x+y)$	.12	.63	.19	.05	.01

이제 통상적인 방법으로 $X+Y$의 기대치, 분산, 표준편차를 계산할 수 있다.

$$E(X+Y) = 0(.12) + 1(.63) + 2(.19) + 3(.05) + 4(.01) = 1.2$$

$$\begin{aligned} V(X+Y) = \sigma^2_{X+Y} &= (0-1.2)^2(.12) + (1-1.2)^2(.63) + (2-1.2)^2(.19) \\ &\quad + (3-1.2)^2(.05) + (4-1.2)^2(.01) \\ &= .56 \end{aligned}$$

$$\sigma_{X+Y} = \sqrt{.56} = .75$$

두 변수 합의 기대치와 분산을 계산하는 데 사용되는 기대치의 법칙과 분산의 법칙은 다음과 같다.

두 변수 합의 기대치 법칙과 분산법칙

1. $E(X+Y)=E(X)+E(Y)$
2. $V(X+Y)=V(X)+V(Y)+2COV(X, Y)$
3. 만일 X와 Y가 독립이면 $COV(X, Y)=0$이고, 따라서 $V(X+Y)=V(X)+V(Y)$이다.

예제 7.7 월간 판매되는 주택의 총 수를 나타내는 모집단의 특성

예제 7.5에서 월간 판매되는 주택 총 수의 평균과 분산을 계산하기 위해 두 변수 합의 기대치 법칙과 분산법칙을 사용하라.

해답 기대치의 법칙을 사용하면서 $X+Y$의 기대치를 계산하자.

$$E(X+Y)=E(X)+E(Y)=.7+.5=1.2$$

이 값은 $X+Y$의 확률분포로부터 직접 계산된 값과 같다.

두 변수 합의 분산을 계산하기 위해 분산의 법칙을 적용하자.

$$V(X+Y)=V(X)+V(Y)+2COV(X, Y)=.41+.45+2(-.15)=.56$$

이 값은 $X+Y$의 확률분포로부터 직접 계산된 분산의 값과 같다.

두 변수 합의 기대치 법칙과 분산법칙을 적용하게 되는 경우들을 만나게 될 것이다. 추가적으로 두 변수 이상의 합으로 구성된 식의 기대치와 분산을 계산하기 위한 공식이 사용되는 생산운영관리분야의 통계학 응용을 살펴볼 것이다(연습문제 7.67~연습문제 7.70 참조).

연습문제

7.45 다음의 표는 X와 Y의 이변량 확률분포이다.

	x	
y	1	2
1	.5	.1
2	.1	.3

a. X의 한계확률분포를 구하라.
b. Y의 한계확률분포를 구하라.
c. X의 평균과 분산을 계산하라.
d. Y의 평균과 분산을 계산하라.

7.46 연습문제 7.45를 참조하라. 공분산과 상관계수를 계산하라.

7.47 연습문제 7.45를 참조하라. $X+Y$의 평균과 분산을 계산하기 위해 두 변수 합의 기대치 법칙과 분산법칙을 사용하라.

7.48 연습문제 7.45를 참조하라.

a. $X+Y$의 확률분포를 구하라.
b. $X+Y$의 평균과 분산을 구하라.
c. b 문제에 대한 당신의 답은 연습문제 7.45에 대한 당신의 답과 같은가?

7.49 X와 Y의 이변량 확률분포는 다음과 같다.

	x	
y	1	2
1	.28	.42
2	.12	.18

a. X의 한계확률분포를 구하라.
b. Y의 한계확률분포를 구하라.
c. X의 평균과 분산을 계산하라.
d. Y의 평균과 분산을 계산하라.

7.50 연습문제 7.49를 참조하라. 공분산과 상관계수를 계산하라.

7.51 연습문제 7.49를 참조하라. $X+Y$의 평균과 분산을 계산하기 위해 두 변수 합의 기대치 법칙과 분산법칙을 사용하라.

7.52 연습문제 7.49를 참조하라.

a. $X+Y$의 확률분포를 구하라.
b. $X+Y$의 평균과 분산을 구하라.
c. b 문제에 대한 당신의 답은 연습문제 7.51에 대한 당신의 답과 같은가?

7.53 X와 Y의 결합확률분포가 다음의 표와 같다.

	x		
y	1	2	3
1	.42	.12	.06
2	.28	.08	.04

a. X와 Y의 한계확률분포를 구하라.
b. X와 Y 간의 공분산과 상관계수를 계산하라.
c. $X+Y$의 확률분포를 구하라.

7.54 X와 Y의 확률분포는 각각 다음과 같다. X와 Y가 독립일 때, X와 Y의 결합확률분포를 구하라.

x	0	1	2
P(x)	.6	.3	.1

y	1	2
P(y)	.7	.3

7.55 X와 Y의 확률분포는 각각 다음과 같다. X와 Y가 독립일 때, X와 Y의 결합확률분포를 구하라.

x	0	1
P(x)	.2	.8

y	1	2	3
P(y)	.2	.4	.4

7.56 월간 매출 데이터를 분석한 후에 한 가정설비점의 소유주는 하루에 판매되는 냉장고 수와 난로 수의 결합확률분포를 구하였다.

	냉장고		
난로	0	1	2
0	.08	.14	.12
1	.09	.17	.13
2	.05	.18	.04

a. 하루에 판매되는 냉장고 수의 한계확률분포를 구하라.
b. 하루에 판매되는 난로 수의 한계확률분포를 구하라.
c. 하루에 판매되는 냉장고 수의 평균과 분산을 계산하라.

d. 하루에 판매되는 난로 수의 평균과 분산을 계산하라.

e. 하루에 판매되는 냉장고 수와 난로 수 간의 공분산과 상관계수를 계산하라.

7.57 미국을 방문하는 캐나다인은 종종 미국에서 훨씬 싼 술과 담배를 산다. 그러나 캐나다인이 살 수 있는 술과 담배의 양에 제한이 있다. 3일 이상 미국을 방문하는 캐나다인은 1병의 술과 1카톤의 담배를 반입할 수 있다. 한 캐나다 세관원은 3일 이상 미국을 방문한 캐나다인이 반입한 술병 수와 담배 카톤 수의 결합확률분포를 다음과 같이 구했다.

	술병	
담배 카톤	**0**	**1**
0	.63	.18
1	.09	.10

a. 반입되는 술병 수의 한계확률분포를 구하라.

b. 반입되는 담배 카톤 수의 한계확률분포를 구하라.

c. 반입되는 술병 수의 평균과 분산을 계산하라.

d. 반입되는 담배 카톤 수의 평균과 분산을 계산하라.

e. 반입되는 술병 수와 담배 카톤 수 간의 공분산과 상관계수를 계산하라.

7.58 연습문제 7.56을 참조하라. 다음과 같은 조건부 확률을 계산하라.

a. P(냉장고 1대 | 난로 0대)

b. P(난로 0대 | 냉장고 1대)

c. P(냉장고 2대 | 난로 2대)

7.59 한 화재검사관은 한 대도시의 주택에 있는 연기 탐지기 수와 일산화탄소 탐지기 수에 대한 대규모 분석을 수행했다. 이러한 분석의 결과로 다음과 같은 이변량 확률분포가 만들어졌다.

	일산화탄소 탐지기 수		
연기 탐지기 수	**0**	**1**	**2**
0	.42	.03	.00
1	.15	.07	.01
2	.06	.10	.05
3	.05	.04	.02

a. 일산화탄소 탐지기는 없고 2개의 연기 탐지기를 가지고 있는 주택의 비율은 얼마인가?

b. 연기 탐지기는 없고 2개의 일산화탄소 탐지기를 가지고 있는 주택의 비율은 얼마인가?

c. 적어도 1개의 일산화탄소 탐지기와 적어도 1개의 연기 탐지기를 가지고 있는 주택의 비율은 얼마인가?

7.60 연습문제 7.59를 참조하라.

a. 1개의 일산화탄소 탐지기와 2개의 연기 탐지기를 가지고 있는 주택의 비율은 얼마인가?

b. 1개의 일산화탄소 탐지기를 가지고 있는 주택 중에서 2개의 연기 탐지기를 가지고 있는 비율은 얼마인가?

c. 2개의 연기 탐지기를 가지고 있는 주택 중에서 1개의 일산화탄소 탐지기를 가지고 있는 비율은 얼마인가?

7.61 연습문제 7.59를 참조하라.

a. 일산화탄소 탐지기 수의 확률분포를 구하라.

b. 일산화탄소 탐지기 수의 평균, 분산, 표준편차는 얼마인가?

7.62 연습문제 7.59를 참조하라.

a. 연기 탐지기 수의 확률분포를 구하라.

b. 연기 탐지기 수의 평균, 분산, 표준편차는 얼마인가?

7.63 많은 축구시즌을 관람한 후에 한 통계학자는 다음과 같은 득점의 이변량 확률분포를 도출했다.

방문팀	홈팀 0	1	2	3
0	.14	.11	.09	.10
1	.12	.10	.05	.02
2	.09	.07	.04	.01
3	.03	.02	.01	.00

a. 홈팀이 승리할 확률은 얼마인가?
b. 홈팀과 방문팀이 비길 확률은 얼마인가?
c. 방문팀이 승리할 확률은 얼마인가?

7.64 연습문제 7.63을 참조하라.

a. 홈팀 득점의 확률분포를 구하라.
b. 홈팀 득점의 평균, 분산, 표준편차를 구하라.

7.65 연습문제 7.63을 참조하라.

a. 방문팀 득점의 확률분포를 구하라.
b. 방문팀 득점의 평균, 분산, 표준편차를 구하라.

7.66 연습문제 7.63을 참조하라.

a. 두 팀의 총 득점의 확률분포를 구하라.
b. 두 팀의 총 득점의 평균, 분산, 표준편차를 구하라.
c. 두 변수의 공분산과 상관계수를 계산하라.

생산운영관리분야의 통계학 응용

iStockphoto.com/kadmy

PERT/CPM

PERT (Project Evaluation and Review Technique)와 **CPM** (Critical Path Method)은 생산운영관리자가 프로젝트를 완성하기 위해 수행해야 하는 활동과 시간을 관리하는 것을 돕는 경영과학기법이다. 두 기법 모두 활동들이 수행되어야 하는 순서에 기초하고 있다. 예를 들면, 주택을 건설하는 데 있어서 기초 파기는 기초 붓기보다 먼저 이루어져야 하고, 기초 붓기는 건물뼈대 만들기보다 먼저 이루어져야 한다. **패스**(path)는 프로젝트의 출발점부터 완성까지 진행되는 관련된 활동들의 순서로 정의된다. 대부분의 프로젝트에서 프로젝트를 완성하기 위해 필요한 시간이 서로 다른 다수의 패스가 존재한다. 이와 같은 패스를 따라서 이루어지는 활동들에서의 지연은 프로젝트 완성의 지연을 초래하기 때문에 최장의 패스는 **크리티컬 패스**(critical path)라고 부른다. 일부의 PERT/CPM에서 활동별 완성시간은 고정되어 있고 생산운영관리자의 주 임무는 크리티컬 패스를 결정하는 것이다. 다른 일부의 PERT/CPM에서 활동별 완성시간은 확률변수로 간주되고 활동별 완성시간의 평균과 분산이 추정될 수 있다. 두 변수 이상의 합으로 구성되는 식의 기대치와 분산은 두 변수 합의 기대치 법칙과 분산법칙을 확장함으로써 구해진다. $X_1, X_2, \ldots, X_k$는 각각 활동 1, 2, . . . , k의 완성시간이라고 하자. 이와 같은 확률변수들은 독립이다.

k개 독립변수 합의 기대치 법칙과 분산법칙 ($k \geq 2$)

1. $E(X_1 + X_2 + \cdots + X_k)$
   $= E(X_1) + E(X_2) + \cdots + E(X_K)$

2. $V(X_1 + X_2 + \cdots + X_k)$
   $= V(X_1) + V(X_2) + g + V(X_K)$

이와 같은 기대치 법칙과 분산법칙을 사용하면서 프로젝트 완성시간의 기대치와 분산을 계산할 수 있다. 연습문제 7.67~7.70이 이와 같은 문제와 관련되어 있다.

7.67 한 프로젝트의 크리티컬 패스 상에 4개의 활동이 존재한다. 활동별 완성시간의 기대치와 분산은 다음 표와 같다. 이 프로젝트 완성시간의 기대치와 분산을 구하라.

활동	기대 완성시간(일)	분산
1	18	8
2	12	5
3	27	6
4	8	2

7.68 한 대형 공장의 생산운영관리자는 한 기계를 정밀검사하기를 원한다. PERT/CPM 분석을 수행한 후, 그는 크리티컬 패스는 다음과 같다고 결정하였다.

1. 기계의 분해
2. 교체가 필요한 부품의 결정
3. 재고로 가지고 있는 필요부품의 찾기
4. 기계의 재조립
5. 기계의 테스트

그는 활동별 완성시간의 평균과 분산을 다음과 같이 추정하였다.

활동	평균(분)	분산
1	35	8
2	20	5
3	20	4
4	50	12
5	20	2

프로젝트 완성시간의 평균과 표준편차를 구하라.

7.69 신제품을 출시하는 준비를 하면서 한 마케팅 담당자는 마케팅부서의 크리티컬 패스를 결정하였다. 크리티컬 패스 상에 있는 활동들과 각 활동별 완성시간의 평균과 분산은 다음 표와 같다. 프로젝트 완성시간의 평균과 분산을 구하라.

활동	기대 완성시간(일)	분산
서베이 질문지의 개발	8	2
질문지의 예비조사	14	5
질문지의 수정	5	1
서베이 회사의 결정	3	1
서베이의 수행	30	8
데이터의 분석	30	10
보고서의 준비	10	3

7.70 한 경영통계학 교수는 신규 연구 프로젝트를 시작하려고 한다. 그녀의 시간이 매우 제한되어 있기 때문에, 그녀는 다음과 같은 활동으로 구성되어 있는 PERT/CPM 크리티컬 패스를 개발하였다.

1. 관련 연구논문의 조사 수행
2. 연구자금을 받기 위한 제안서 작성
3. 분석의 수행
4. 논문 작성과 학술지 게재 신청
5. 논문 리뷰
6. 논문 리뷰를 반영한 논문 수정과 학술지 게재 재신청

활동별 완성시간의 평균과 분산은 다음과 같다.

활동	평균(분)	분산
1	10	9
2	3	0
3	30	100
4	5	1
5	100	400
6	20	64

전체 프로젝트 완성시간의 평균과 표준편차를 계산하라.

7.3 금융분야의 통계학 응용: 포트폴리오 분산투자와 자산 배분

이 절에서는 앞 절에서 논의한 내용에 기초하여 중요한 금융분야의 통계학 응용이 소개된다.

제3장에서는 분산 또는 표준편차가 투자와 관련된 위험을 측정하기 위해 투자수익률의 히스토그램이 어떻게 사용될 수 있는지 살펴보았다. 대부분의 투자자는 위험을 회피하는 경향을 가진다. 즉, 투자자는 투자와 관련된 위험이 낮은 것을 선호한다. 금융애널리스트가 주식시장과 관련된 위험을 낮추는 한 가지 방법은 **분산투자**(diversification)를 통해서이다. 이와 같은 전략은 1952년에 Harry Markowitz에 의해 처음 수학적으로 개발되었다. 그의 모형은 뮤추얼 펀드의 기반이 되는 현대 포트폴리오 이론(Modern Portfolio Theory, MPT) 개발의 길을 열었다.

포트폴리오 분산의 기본사항을 예시하기 위해, 두 개의 주식으로 구성된 포트폴리오를 만든 한 투자자를 생각해보자. 그는 첫 번째 주식에 4,000달러를 투자하고 두 번째 주식에 6,000달러를 투자하였다. 1년 후의 투자결과가 다음과 같다고 하자. (앞에서 투자수익률을 정의하였다. 제3장에 있는 〈금융분야의 통계학 응용: 투자수익률〉 참조)

투자 1년 후의 결과

주식	최초 투자	1년 후의 투자가치	투자수익률
1	\$ 4,000	\$ 5,000	$R_1 = .25(25\%)$
2	\$ 6,000	\$ 5,400	$R_2 = -.10(-10\%)$
합계	\$ 10,000	\$ 10,400	$R_p = .04(4\%)$

포트폴리오 수익률 R_p는 개별 주식수익률인 R_1과 R_2의 가중평균이다. 이때 가중치 w_1과 w_2는 각각 주식 1과 주식 2에 투자한 투자금액의 비율이다. 이 예시에서 $w_1 = .4$와 $w_2 = .6$이다. (두 주식이 전체 포트폴리오를 구성하기 때문에 w_1과 w_2의 합은 1이다.) 두 수익률의 가중평균은 다음과 같다.

$$\begin{aligned} R_p &= w_1 R_1 + w_2 R_2 \\ &= (.4)(.25) + (.6)(-.10) = .04 \end{aligned}$$

이것이 포트폴리오 수익률을 계산하는 방법이다. 그러나 투자가 이루어질 때, 투자자는 수익률이 어떻게 될 것인지 알지 못한다. 수익률은 확률변수이다. 따라서 우리의 관심은 포트폴리오 수익률의 기대치와 분산을 계산하는 데 있다. 다음의 박스에 있는 공식은 앞의 두 절에서 소개된 기대치의 법칙과 분산의 법칙으로부터 도출되었다.

두 주식으로 구성된 포트폴리오 수익률의 평균과 분산

$$E(R_p) = w_1E(R_1) + w_2E(R_2)$$
$$V(R_p) = w_1^2V(R_1) + w_2^2V(R_2) + 2w_1w_2\mathrm{COV}(R_1, R_2)$$
$$= w_1^2\sigma_1^2 + w_2^2\sigma_2^2 + 2w_1w_2\rho\sigma_1\sigma_2$$

w_1과 w_2는 각각 투자 1과 투자 2의 투자비율 또는 가중치이다. $E(R_1)$과 $E(R_2)$는 각각 투자 1과 투자 2의 기대수익률이다. σ_1과 σ_2는 각각 투자 1과 투자 2의 수익률 표준편차이다. $\mathrm{COV}(R_1, R_2)$는 공분산이고 ρ는 상관계수이다.

$\left(\rho = \dfrac{\mathrm{COV}(R_1, R_2)}{\sigma_1\sigma_2}\right.$ **이므로** $\mathrm{COV}(R_1, R_2) = \rho\sigma_1\sigma_2$**이다.**$\left.\right)$

예제 7.8 포트폴리오 수익률의 모집단 특성

한 투자자는 McDonald's 주식에 투자액의 25%와 Cisco Systems 주식에 투자액의 75%를 투입하여 포트폴리오를 구성하기로 결정하였다. 이 투자자는 McDonald's 주식과 Cisco Systems 주식의 기대수익률은 각각 8%와 15%이고 수익률 표준편차는 각각 12%와 22%라고 가정한다.

a. 포트폴리오의 기대수익률을 구하라.
b. 다음과 같은 가정하에서 포트폴리오 수익률의 표준편차를 계산하라.
 (i) 두 주식의 수익률이 완전한 양의 선형관계를 가지고 있다.
 (ii) 두 주식의 수익률 간 상관계수는 .5이다.
 (iii) 두 주식의 수익률 간 상관계수는 0이다.

해답 a. 두 주식의 기대수익률은 각각 $E(R_1) = .08$과 $E(R_2) = .15$이다. 가중치는 각각 $w_1 = .25$와 $w_2 = .75$이다. 따라서

$$E(R_p) = w_1E(R_1) + w_2E(R_2) = .25(.08) + .75(.15) = .1325$$

b. 두 주식 수익률의 표준편차는 각각 $\sigma_1 = .12$와 $\sigma_2 = .22$이다. 따라서

$$V(R_p) = w_1^2\sigma_1^2 + w_2^2\sigma_2^2 + 2w_1w_2\rho\sigma_1\sigma_2$$
$$= (.25^2)(.12^2) + (.75^2)(.22^2) + 2(.25)(.75)\rho(.12)(.22)$$
$$= .0281 + .0099\rho$$

$\rho=1$일 때

$$V(R_p) = .0281 + .0099(1) = .0380$$

$$\text{표준편차}=\sqrt{V(R_p)}=\sqrt{.0380}=.1949$$

$\rho=.5$일 때

$$V(R_p) = .0281 + .0099(.5) = .0331$$

$$\text{표준편차}=\sqrt{V(R_p)}=\sqrt{.0331}=.1819$$

$\rho=0$일 때

$$V(R_p) = .0281 + .0099(0) = .0281$$

$$\text{표준편차}=\sqrt{V(R_p)}=\sqrt{.0281}=.1676$$

상관계수가 감소함에 따라 포트폴리오 수익률의 분산과 표준편차는 감소한다는 점에 주목하라.

7.3a 현실에서의 포트폴리오 분산투자

이 절에서 소개된 공식은 관심대상인 투자수익률들의 기대치, 분산, 공분산(또는 상관계수)을 알고 있다는 것을 전제로 한다. 따라서 다음과 같은 질문이 제기된다. 이와 같은 모수들은 어떻게 결정되는가? (실제로 이와 같은 질문은 금융관련 교과서에서 거의 제기되지 않는다.) 가장 일반적인 방법은 과거의 데이터로부터 표본통계량을 사용하면서 이와 같은 모수들을 추정하는 것이다.

7.3b 두 개 이상의 주식으로 구성된 포트폴리오

두 개의 주식으로 구성된 포트폴리오 수익률의 평균과 분산을 나타내는 공식은 두 개 이상의 주식으로 구성된 포트폴리오의 경우로 확장될 수 있다.

k가 2보다 클 때, 계산이 지루하고 시간이 많이 걸릴 수 있다. 예를 들면, $k=3$일 때는 3개의 가중치, 3개의 기대수익률, 3개의 분산, 3개의 공분산의 값을 알아야 할 필요가 있다. $k=4$일 때는 4개의 기대수익률, 4개의 분산, 6개의 공분산의 값을 알아야 할 필요가 있다. [일반적으로 필요한 공분산의 수는 $k(k-1)/2$이다.] 당신을 돕기 위해, $k=2$, 3, 4일 때 포트폴리오 수익률의 평균과 분산을 계산하는 Excel 워크시트가 만들어져 있다. 이와 같은 Excel 워크시트의 사용방법을 예시하기 위해 이 장의 서두에서 소개된 문제의 해답을 구해 보도록 하자.

k개 주식으로 구성된 포트폴리오 수익률의 평균과 분산

$$E(R_p) = \sum_{i=1}^{k} w_i E(R_i)$$

$$V(R_p) = \sum_{i=1}^{k} w_i^2 \sigma_i^2 + 2\sum_{i=1}^{k} \sum_{j=i+1}^{k} w_i w_j \text{COV}(R_i, R_j)$$

R_i는 i번째 주식의 수익률이다. w_i는 주식 i에 투자한 포트폴리오의 비율이다. k는 포트폴리오를 구성하는 주식의 수이다.

해답 수익률 극대화와 위험 극소화 투자

Terry Vine/Blend/Getty Images

계산의 양이 많기 때문에 Excel만을 사용하면서 이 문제를 풀도록 하자. 데이터 파일로부터 각 주식의 평균 수익률을 계산하라.

Excel Means

	A	B	C	D
1	0.01575	0.01203	0.01257	0.00530

이어서 분산-공분산 행렬(variance-covariance matrix)을 계산하라. (분산-공분산 행렬을 계산하기 위한 지시사항은 제4장에서 제시된 것과 같다. 당신이 포트폴리오에 포함시키기를 원하는 주식들의 수익률을 나타내는 모든 열들을 포함시켜라.)

Excel Variance-Covariance Matrix

	G	H	I	J	K
1		*HD*	*NKE*	*CNR*	*EXPE*
2	*HD*	0.00257			
3	*NKE*	0.00144	0.00356		
4	*CNR*	0.00074	0.00004	0.00178	
5	*EXPE*	0.00149	0.00059	0.00057	0.00566

수익률 분산은 대각선 상에 정리되어 있다는 점에 주목하라. 따라서 예를 들면, Nike 주식의 48개월간 수익률 분산은 .00356이다. 공분산은 대각선의 아래에 나타난다. Home Depot 주식수익률과 Nike 주식수익률 간의 공분산은 .00144이다.

평균과 분산-공분산 행렬을 복사하여 다음의 지시사항에 따라 스프레드시트에 붙여넣는다. 가중치를 입력하면 아래에 있는 출력물이 얻어진다. 포트폴리오의 기대수익률은 .0114이고 포트폴리오 수익률의 분산은 .0015이다.

지시사항

1. 수익률을 포함하고 있는 파일을 열어라. 이 예제에서 파일 <Xm 07-00>을 열어라.
2. 포트폴리오에 포함된 주식수익률들을 포함하는 열의 평균을 계산하라.
3. 제4장에서 제시된 지시사항을 사용하면서 분산-공분산 행렬을 계산하라.

4. **Portfolio Diversification** workbook을 열어라. Tab키를 사용하여 **4 Stocks** worksheet를 선택하라. Bold체로 나타난 셀을 변화시키지 마라. 워크시크를 저장하지 마라.

Excel Worksheet: Portfolio Diversification Plan 1

	A	B	C	D	E	F	G
1	Portfolio of 4 Stocks						
2			HD	NKE	CNR	EXPE	
3	Variance-Covariance Matrix	HD	0.002569				
4		NKE	0.001444	0.003556			
5		CNR	0.000738	0.000037	0.001785		
6		EXPE	0.001490	0.000591	0.000571	0.005661	
7							
8	Expected Returns		0.015751	0.012032	0.012569	0.005297	
9							
10	Weights		0.250000	0.250000	0.250000	0.250000	1.000000
11							
12	Portfolio Return						
13	Expected Value	0.0114					
14	Variance	0.0015					
15	Standard Deviation	0.0382					

5. 평균 수익률을 복사하여 셀 C8부터 F8까지에 붙여넣어라. (**복사**(Copy), **선택하여 붙여넣기**(Paste Special), **값**(Value)을 **선택**한다.)
6. 변수이름을 포함하여 분산-공분산 행렬을 복사하여 열 B, C, D, E, F에 붙여넣는다. 같은 방법으로 평균 수익률도 복사하여 열 C, D, E, F에 붙여넣는다.
7. 셀 C10, D10, E10, F10에 가중치를 입력한다.

지시사항을 수행하면 포트폴리오의 평균, 분산, 표준편차가 엑셀 워크시트에 자동적으로 나타난다. 2개 주식과 3개 주식으로 구성되는 포트폴리오의 경우도 같은 방식으로 지시사항을 사용하라.

4개 주식으로 구성된 포트폴리오의 경우에 해당되는 Plan 2의 출력물은 다음과 같다.

	A	B
12	Portfolio Return	
13	Expected Value	0.0099
14	Variance	0.0017
15	Standard Deviation	0.0411

4개 주식으로 구성된 포트폴리오의 경우에 해당되는 Plan 3의 출력물은 다음과 같다.

	A	B
12	Portfolio Return	
13	Expected Value	0.0107
14	Variance	0.0014
15	Standard Deviation	0.0377

Plan 1은 가장 큰 기대치와 두 번째로 작은 분산을 가진다. Plan 2는 가장 작은 기대치와 가장 큰 분산을 가진다. Plan 3은 두 번째로 큰 기대치와 가장 작은 분산을 가진다. 대부분의 투자자들은 위험회피의 성향을 가지기 때문에 위험이 가장 작은 Plan 3을 선택할 수 있다. 보다 더 위험을 선택하고자 하는 다른 투자자들은 가장 큰 기대치를 가지고 있는 Plan 1을 선택할 수 있다.

이 예에서 임의의 가중치 조합에 대하여 포트폴리오 수익률의 기대치, 분산, 표준편차가 어떻게 계산되는지 살펴보았다. 따라서 주어진 기대수익률에 대하여 위험을 최소화하거나 주어진 표준편차에 대하여 기대수익률을 최대화하는 "최적" 가중치를 결정하는 것이 가능하다. 이것이 금융애널리스트와 투자자문가가 하는 매우 중요한 역할이다. 이에 대한 해답은 대부분의 경영대학원과 경영대학에서 가르치는 과목인 **선형계획법**(linear programming)이라고 부르는 경영과학기법을 사용하면서 구해질 수 있다.

연습문제

7.71 상관계수가 감소할 때 포트폴리오 수익률의 기대치와 표준편차에 어떤 일이 발생하는지 설명하라.

7.72 한 포트폴리오가 두 개의 주식으로 구성되어 있다. 각 주식의 투자비중과 각 주식수익률의 기대치와 표준편차가 다음과 같다고 하자.

주식	1	2
포트폴리오의 비율	.30	.70
평균	.12	.25
표준편차	.02	.15

다음의 상관계수(ρ) 각각에 대하여 포트폴리오 수익률의 평균과 표준편차를 구하라.

a. $\rho = .5$

b. $\rho = .2$

c. $\rho = 0$

7.73 한 투자자가 다음과 같은 두 개 주식의 수익률에 관한 정보를 가지고 있다.

주식	1	2
평균	.09	.13
표준편차	.15	.21

a. 수익률을 극대화하는 데 관심을 가지고 있다면, 투자자는 어떤 주식을 선택하여야 하는가?

b. 위험을 극소화하는 데 관심을 가지고 있다면, 투자자는 어떤 주식을 선택하여야 하는가?

7.74 연습문제 7.73을 참조하라. 투자금액의 60%를 주식 1에 투자하고 투자금액의 40%를 주식 2에 투자한 포트폴리오 수익률의 기대치와 분산을 계산하라. 상관계수는 .4이다.

7.75 연습문제 7.73을 참조하라. 투자금액의 30%를 주식 1에 투자하고 투자금액의 70%를 주식 2에 투자한 포트폴리오 수익률의 기대치와 분산을 계산하라. 상관계수는 .4이다.

다음의 연습문제들을 풀기 위해서는 컴퓨터를 사용해야 한다.

<Xr07-NYSE> New York Stock Exchange에 상장되어 있는 다우존스 산업평균지수를 구성하는 30개 주식 중 23개 주식들의 월간 수익률이 2016년 1월부터 2019년 12월까지 기록되어 있다.

3M (MMM), American Express (AXP), Boeing (BA), Caterpillar (CAT), Chevron (CVX), Coca-Cola (KO), Goldman Sachs (GS), Home Depot (HD), Honeywell (HON), International Business Machines (IBM), Johnson & Johnson (JNJ), JP Morgan Chase (JPM), McDonald's (MCD), Merck (MRK), Nike (NKE), Procter & Gamble (PG), Salesforce (CRM), Travelers (TRV), United Health (UNH), Verizon Communica-

tions (VZ), Visa (V), Wal-Mart Stores (WMT), Walt Disney (DIS)

연습문제 7.76~7.82에서 포트폴리오 수익률의 기대치와 표준편차를 계산하라. 괄호 안의 수치는 각 주식의 투자비중이다.

7.76 a. American Express (AXP): 30%, Boeing (BA): 50%, Caterpillar (CAT): 20%

b. AXP: 60%, BA: 20%, CAT: 20%

c. AXP: 10%, BA: 80%, CAT: 10%

d. 도박을 좋아하는 투자자는 어떤 포트폴리오를 선택할 것인가? 설명하라.

e. 위험회피 투자자는 어떤 포트폴리오를 선택할 것인가? 설명하라.

7.77 a. Coca-Cola (KO): 30%, Honeywell (HON): 40%, Johnson & Johnson (JNJ): 30%

b. KO: 50%, HON: 25%, JNJ: 25%

c. KO: 20%, HON: 70%, JNJ: 10%

d. 도박을 좋아하는 투자자는 어떤 포트폴리오를 선택할 것인가? 설명하라.

e. 위험회피 투자자는 어떤 포트폴리오를 선택할 것인가? 설명하라.

7.78 a. Goldman Sachs (GS): 25%, Home Depot (HD): 25%, Nike (NKE): 25%, Salesforce (CRM): 25%

b. GS: 40%, HD: 30%, NKE: 20%, CRM: 10%

c. GS: 10%, HD: 20%, NKE: 50%, CRM: 20%

d. 어떤 포트폴리오를 선택해야 하는지 설명하라.

7.79 a. Coca-Cola (KO): 40%, McDonald's (MCD): 10%, Procter and Gamble (PG): 40%, Visa (V): 10%

b. KO: 25%, MCD: 25%, PG: 25%, V: 25%

c. KO: 20%, MCD: 20%, PG: 20%, V: 40%

d. 도박을 좋아하는 투자자는 어떤 포트폴리오를 선택할 것인가? 설명하라.

e. 위험회피 투자자는 어떤 포트폴리오를 선택할 것인가? 설명하라.

7.80 a. Boeing (BA): 25%, Caterpillar (CAT): 25%, International Business Machines (IBM): 25%, Wal-Mart Stores (WMT): 25%

b. BA: 10%, CAT: 20%, IBM: 30%, WMT: 40%

c. BA: 50%, CAT: 30%, IBM: 10%, WMT: 10%

d. 도박을 좋아하는 투자자는 어떤 포트폴리오를 선택할 것인가? 설명하라.

e. 위험회피 투자자는 어떤 포트폴리오를 선택할 것인가? 설명하라.

7.81 a. 3M (MMM): 25%, Travelers (TRV): 25%, Verizon Communications (VZ): 25%, Walt Disney (DIS): 25%

b. MMM: 50%, TRV: 30%, VZ: 10%, DIS: 10%

c. MMM: 20%, TRV: 60%, VZ: 10%, DIS: 10%

d. 어떤 포트폴리오를 선택해야 하는지 설명하라.

7.82 a. Goldman Sachs (GS): 50%, JP Morgan Chase (JPM): 30%, Merck (MRK): 10%, United Health (UNH): 10%

b. GS: 10%, JPM: 20%, MRK: 20%, UNH: 50%

c. GS: 10%, JPM: 40%, MRK: 40%, UNH: 10%

d. 도박을 좋아하는 투자자는 어떤 포트폴리오를 선택할 것인가? 설명하라.

e. 위험회피 투자자는 어떤 포트폴리오를 선택할 것인가? 설명하라.

7.83 연습문제 7.82를 참조하라.

a. 포트폴리오 수익률의 기대치가 적어도 .0150이 되는 다양한 투자비중을 구해보라.

b. 시행착오를 하면서 포트폴리오 수익률이 기대치가 적어도 .0150이고 분산이 가장 작은 투자비중을 구해보라.

7.84 연습문제 7.82와 연습문제 7.83을 참조하라.

a. 다음과 같은 포트폴리오 수익률의 기대치와 분산을 계산하라. GS: 10.4%, JPM: 16.0%, MRK: 52.0%, UNH: 21.6%

b. 당신은 더 좋은 포트폴리오를 찾을 수 있는가? 즉 당신은 포트폴리오 수익률의 기대치가 적어도 .0150 이상이고 분산이 a에서 계산된 것보다 적은 포트폴리오를 발견할 수 있는가? (**힌트**: 이 문제에 너무 많은 시간을 사용하지 마라. 당신은 더 좋은 포트폴리오를 찾을 수 없을 것이다. 만일 당신이 더 좋은 포트폴리오를 찾는 방법을 배우기 원하면, linear and nonlinear programming을 가르쳐 주는 과목을 수강하라.)

<Xr07-TSE> Tronto Stock Exchange에 상장되어 있는 다음과 같이 선택된 주식들의 월간 수익률이 2016년 1월부터 2019년 12월까지 기록되어 있다.

Agnico Eagle (AEM), Barrick Gold (ABX), Bell Canada Enterprises (BCE), Bank of Montreal (BMO), Bank of Nova Scotia (BNS), Canadian Imperial Bank of Commerce (CM), Canadian National Railways (CNR), Canadian Tiro (CTC), Enbridge (ENB), Fortis (FTS), Great West Life (GWO), Manulife Financial (MFC), Magna International (MG), Open Text (OTEX), Power Corporation of Canada (POW), Rogers Communication (RCI), Royal Bank of Canada (RY), Suncor Energy (SU), Telus (T), George Weston (WN)

7.85 한 애널리스트가 당신에게 Bank of Montreal (BMO), Bank of Nova Scotia (BNS), Canadian Imperial Bank of Commerce (CM), Royal Bank (RY)로 구성된 포트폴리오에 투자할 것을 권한다. 왜 이러한 포트폴리오는 분산투자를 하는 데 유용하지 않은가?

7.86 연습문제 7.85를 참조하라. 4개 은행 수익률들의 상관계수 행렬을 계산하라. 이러한 상관계수 행렬이 당신에게 무엇을 말해주는지 간략히 설명하라.

연습문제 7.87~7.91에서 포트폴리오 수익률의 기대치와 표준편차를 계산하라. 괄호 안의 수치는 각 주식의 투자비중이다.

7.87 **a.** Agnico Eagle (AEM): 20%, Bank of Montreal (BMO): 50%, Canadian Tire (CTC): 30%

b. AEM: 20%, BMO: 20%, CTC: 60%

c. AEM: 40%, BMO: 40%, CTC: 20%

d. 어떤 포트폴리오를 선택해야 하는지 설명하라.

7.88 **a.** Barrick Gold (ABX): 50%, Bell Canada Enterprises (BCE): 30%, Suncor Energy (SU): 20%

b. ABX: 20%, BCE: 60%, SU: 20%

c. ABX: 30%, BCE: 30%, SU: 40%

d. 도박을 좋아하는 투자자는 어떤 포트폴리오를 선택할 것인가? 설명하라.

e. 위험회피 투자자는 어떤 포트폴리오를 선택할 것인가? 설명하라.

7.89 **a.** Bank of Nova Scotia (BNS): 25%, Canadian National Railways (CNR): 25%, Fortis (FTS): 25%, George Weston (WN): 25%

b. BNS: 10%, CNR: 40%, FTS: 30%, WN: 20%

c. BNS: 30%, CNR: 30%, FTS: 20%, WN: 20%

d. 도박을 좋아하는 투자자는 어떤 포트폴리오를 선택할 것인가? 설명하라.

e. 위험회피 투자자는 어떤 포트폴리오를 선택할 것인가? 설명하라.

7.90 **a.** Enbridge (ENB): 10%, Magna International (MG): 20%, Open Text (OTEX): 30%, Telus (T): 40%

b. ENB: 30%, MG: 10%, OTEX: 50%, T: 10%

c. ENB: 10%, MG: 10%, OTEX: 30%, T: 50%

d. 도박을 좋아하는 투자자는 어떤 포트폴리오를 선택할 것인가? 설명하라.

e. 위험회피 투자자는 어떤 포트폴리오를 선택할 것인가? 설명하라.

7.91 a. Great West Life (GWO): 25%, Manulife Financial (MFC): 25%, Power Corporation of Canada (POW): 25%, Rogers Communication (RCI): 25%

b. GWO: 10%, MFC: 20%, POW: 30%, RCI: 40%

c. GWO: 15%, MFC: 15%, POW: 15%, RCI: 55%

d. 어떤 포트폴리오를 선택해야 하는지 설명하라.

7.92 당신은 Agnico Eagle (AEM), Barrick Gold (ABX), Open Text (OTEX), and Telus (T)의 4개 주식으로 구성된 포트폴리오에 투자하기로 결정했다. 또한 당신은 월간 포트폴리오 수익률의 기대치가 .0150보다 커야 한다고 결정했다. 포트폴리오 수익률의 분산이 가장 작은 포트폴리오를 찾기 위해 다양한 투자비중을 구해보라.

7.93 연습문제 7.92를 참조하라.

a. 다음과 같은 포트폴리오 수익률의 기대치와 분산을 계산하라. AEM: 2.93%, ABX: 15.5%, OTEX: 71.4%, T: 10.1%.

b. 당신은 더 좋은 포트폴리오를 찾을 수 있는가? 즉 당신은 포트폴리오 수익률의 기대치가 1%보다 크고 분산이 a에서 계산된 것보다 적은 포트폴리오를 발견할 수 있는가? (힌트: 이 문제에 너무 많은 시간을 사용하지 마라. 당신은 더 좋은 포트폴리오를 찾을 수 없을 것이다. 만일 당신이 더 좋은 포트폴리오를 찾는 방법을 배우기 원하면, linear and nonlinear programming을 가르쳐 주는 과목을 수강하라.)

<Xr07-NASDAQ> NASDAQ에 상장되어 있는 다음과 같이 선택된 주식들의 월간 수익률이 2016년 1월부터 2019년 12월까지 기록되어 있다.

Adobe Systems (ADBE), Amazon (AMZN), Amgen (AMGN), Apple (AAPL), Bed Bath & Beyond (BBBY), Cisco Systems (CSCO), Comcast (CMCSA), Costco Wholesale (COST), Dollar Tree (DLTR), Expedia (EXPE), Garmin (GRMN), Intel (INTC), Mattel (MAT), Microsoft (MSFT), Netflix (NFLX), Oracle (ORCL), Sirius XM Radio (SIRI), Starbucks (SBUX), Tesla (TSLA), Vertex Pharmaceuticals (VRTX)

연습문제 7.94~7.99에서 포트폴리오 수익률의 기대치와 표준편차를 계산하라. 괄호 안의 수치는 각 주식의 투자비중이다.

7.94 a. Adobe Systems (ADBE): 25%, Amgen (AMGN): 25%, Dollar Tree (DLTR): 25%, Garmin (GRMN): 25%

b. ADBE: 10%, AMGN: 20%, DLTR: 30%, GRMN: 40%

c. ADBE: 40%, AMGN: 10%, DLTR: 40%, GRMN: 10%

d. 어떤 포트폴리오를 선택해야 하는지 설명하라.

7.95 a. Cisco Systems (CSCO): 40%, Costco Wholesale (COST): 30%, Expedia (EXPE): 20%, Microsoft (MSFT): 10%

b. CSCO: 10%, COST: 30%, EXPE: 30%, MSFT: 30%

c. CSCO: 25%, COST: 25%, EXPE: 25%, MSFT: 25%

d. 어떤 포트폴리오를 선택해야 하는지 설명하라.

7.96 a. Comcast (CMCSA): 25%, Intel (INTC): 25%, Oracle (ORCL): 25%, Sirius XM Radio (SIRI): 25%

b. CMCSA: 40%, INTC: 10%, ORCL: 40%, SIRI: 10%

c. CMCSA: 10%, INTC: 50%, ORCL: 10%, SIRI: 30%

d. 도박을 좋아하는 투자자는 어떤 포트폴리오를 선택할 것인가? 설명하라.

e. 위험회피 투자자는 어떤 포트폴리오를 선택할 것인가? 설명하라.

7.97 a. Netflix (NFLX): 10%, Starbucks (SBUX): 20%, Tesla (TSLA): 30%, Vertex Pharmaceuticals (VRTX): 40%

b. NFLX: 30%, SBUX: 10%, TSLA: 30%, VRTX: 30%

c. NFLX: 50%, SBUX: 10%, TSLA: 20%, VRTX: 20%

d. 도박을 좋아하는 투자자는 어떤 포트폴리오를 선택할 것인가? 설명하라.

e. 위험회피 투자자는 어떤 포트폴리오를 선택할 것인가? 설명하라.

7.98 당신은 Amazon (AMZN), Apple (AAPL), Netflix (NFLX), Tesla (TSLA)의 4개 주식으로 구성된 포트폴리오에 투자하기로 결정했다. 당신은 월간 포트폴리오 수익률의 기대치가 .0300보다 커야 한다고 결정했다. 포트폴리오 수익률의 분산이 가장 작은 포트폴리오를 찾기 위해 다양한 투자비중을 구해보라.

7.99 연습문제 7.98을 참조하라.

a. 다음과 같은 포트폴리오 수익률의 기대치와 분산을 계산하라. AMZN: 41.8%, AAPL: 36.6%, NFLX: 8.7%, TSLA: 12.9%

b. 당신은 더 좋은 포트폴리오를 찾을 수 있는가? 즉 당신은 포트폴리오 수익률의 기대치가 2% 이상이고 분산이 a에서 계산된 것보다 적은 포트폴리오를 발견할 수 있는가? (힌트: 이 문제에 너무 많은 시간을 사용하지 마라. 당신은 더 좋은 포트폴리오를 찾을 수 없을 것이다. 만일 당신이 더 좋은 포트폴리오를 찾는 방법을 배우기 원하면, linear and nonlinear programming을 가르쳐 주는 과목을 수강하라.)

7.4 이항분포

확률분포에 대하여 일반적으로 살펴보았으므로 이제 몇 가지의 특정한 확률분포를 소개할 필요가 있다. 이 절에서는 **이항분포**(binomial distribution)가 소개된다.

이항분포는 다음과 같은 특성을 가진 **이항실험**(binomial experiment)의 결과로부터 도출되는 확률분포이다.

이항실험

1. **이항실험**(binomial experiment)은 고정된 수의 시행으로 구성된다. 시행횟수를 n으로 나타내자.
2. 각 시행에서 두 가지 가능한 결과가 존재한다. 이 중에서 한 결과를 **성공**(success)으로 나타내고 다른 결과를 **실패**(failure)로 나타내도록 하자.
3. 각 시행에서 성공의 확률은 p이고 실패의 확률은 $1-p$이다.
4. 시행들은 독립이다. 이것은 한 시행의 결과는 다른 시행의 결과에 영향을 미치지 않는다는 것을 의미한다.

만일 이항실험의 특성 2, 3, 4가 충족되면, 각 시행은 **베르누이 과정**(Bernoulli process)이라고 말한다. 여기에 이항실험의 특성 1이 추가되면 이항실험이 만들어진다. 이항실험의 확률변수는 n회 시행에서 발생하는 성공횟수로 정의된다. 이와 같은 확률변수는 **이항확률변수**(binomial random variable)라고 부른다. 몇 가지 이항실험의 예를 들어보면 다음과 같다.

1. **동전 한 개를 10회 던지기.** 각 시행에서 나타나는 두 가지 결과는 앞면과 뒷면이다. 성공과 실패의 용어는 임의로 선택한 것이다. 어떤 결과든지 성공으로 표시할 수 있다. 그러나 일반적으로 우리가 원하는 결과를 성공으로 나타낸다. 예를 들면, 앞면이 나오는 것에 돈을 건다면 앞면을 성공으로 나타낸다. 이 동전이 균형 있게 만들어져 있다면 각 시행에서 앞면이 나타날 확률은 50%이다. 따라서 $p=.5$이다. 마지막으로 한 시행에서 동전을 던져서 나타나는 결과는 다른 시행에서 동전을 던져서 나타나는 결과에 영향을 줄 수 없기 때문에 시행들은 독립이라는 것을 알 수 있다.

2. **섞어 정리된 카드 1벌에서 5장의 카드 뽑기.** 우리가 찾는 카드를 성공이라고 표시할 수 있다. 예를 들면, 5장의 클럽을 받을 확률을 알기 원하면, 클럽 1장은 성공이라고 표시된다. 첫 번째 뽑기에서 클럽 1장을 받을 확률은 13/52=.25이다. 그러나 첫 번째 카드를 복원시키지 않고 다시 정리한 후 두 번째 카드를 뽑는다면, 시행들은 독립이 아니다. 그 이유를 살펴보기 위해 첫 번째 뽑은 카드가 클럽이라고 하자. 첫 번째 카드를 복원시키지 않고 다시 한 장의 카드를 뽑는다면 두 번째 뽑기에서 클럽이 나올 확률은 12/51이다. 이 예에서 시행들은 독립이 **아니다.*** 따라서 이 실험은 이항실험이

* 이 경우에 확률을 계산하기 위해서는 초기하분포(hypergeometric distribution)가 사용되어야 한다.

아니다. 그러나 뽑은 카드를 복원시키고 다시 뽑기 전에 카드를 다시 정리하면, 이 실험은 이항실험이다. 대부분의 카드 게임에서 카드를 복원시키지 않기 때문에 이 실험은 이항실험이 아니다.

3. **차기 선거에서 누구에게 찬성 투표할 의사가 있는지 1,500명의 유권자에게 묻는 정치여론조사.** 미국에서 이루어지는 대부분의 선거에서는 2명의 후보, 즉 공화당 후보와 민주당 후보가 존재한다. 따라서 각 시행에서 두 개의 결과가 존재한다. 한 유권자의 선택이 다른 유권자의 선택에 영향을 미치지 않기 때문에 시행들은 독립이다. 의회제도를 가지고 있는 캐나다에서와 다른 나라에서는 일반적으로 선거에서 다수의 후보자들이 경쟁한다. 그러나 우리가 선호하는 후보자(또는 서베이의 비용을 지불하는 정당)에 대한 찬성투표를 성공이라고 표시하고 다른 후보자들 전체(또는 다른 정당 전체)를 실패라고 표시할 수 있다.

당신이 알게 되겠지만, 세 번째의 예가 매우 일반적으로 통계적 추론이 적용되는 예이다. p의 실제 값은 알려져 있지 않기 때문에 통계전문가의 일은 이 값을 추정하는 것이다. p를 사용하는 확률분포를 이해하면, p를 추정하는 통계적 방법을 개발할 수 있다.

7.4a 이항확률변수

이항확률변수는 이항실험의 n회 시행에서 나타나는 성공횟수이다. 이항확률변수는 0, 1, 2, . . . , n의 값을 가질 수 있다. 따라서 이항확률변수는 이산확률변수이다. 이제 이항확률변수가 가질 수 있는 각 값이 발생할 확률을 계산하여야 한다.

확률나무를 사용하면서 그림 7.2에 나타낸 것처럼 일련의 나뭇가지를 그린다. 각 단계는 n회 시행의 각 시행에 해당되는 결과들을 나타낸다. 각 단계에서 성공과 실패를 나타내는 두 개의 나뭇가지가 존재한다. n회 시행에서 x번 성공할 확률을 계산하기 위해, 일련의 사건발생 순서 상에 있는 각 성공에 대하여 p를 곱해야 한다. x번의 성공이 존재하면 $n-x$번의 실패가 존재한다. 일련의 사건발생 순서 상에 있는 각 실패에 대하여 $1-p$를 곱해야 한다. 따라서 x번의 성공과 $n-x$번의 실패를 나타내는 나뭇가지의 각각이 발생할 확률은

$$p^x(1-p)^{n-x}$$

이다.

x번의 성공과 $n-x$번의 실패를 가지고 있는 나뭇가지가 많다. 예를 들면, $n=2$인 시행에서 한 번의 성공과 한 번의 실패를 발생시키는 두 가지 방법, 즉 SF와 FS가 존재한다. x

그림 7.2 이항실험을 위한 확률나무

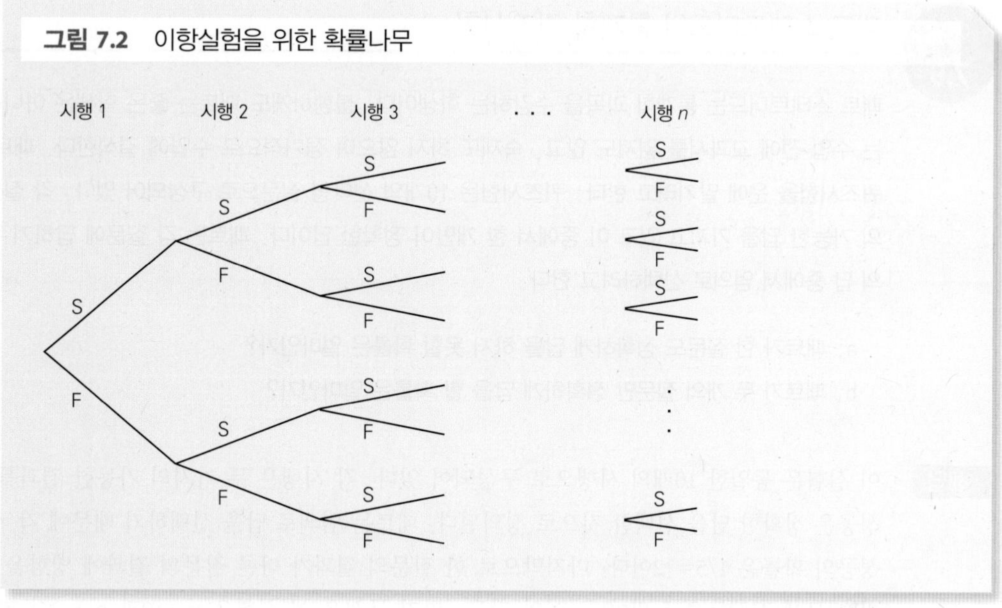

번의 성공과 $n-x$번의 실패를 나타내는 나뭇가지의 수를 계산하기 위해 조합공식(combinatorial formula)이 다음과 같이 사용된다.

$$C_x^n = \frac{n!}{x!(n-x)!}$$

여기서 $n!=n(n-1)(n-2)\ \cdots\ (2)(1)$이다. 예를 들면, $3!=3(2)(1)=6$이다. 따라서 논리적이지 않은 것으로 여겨질 수 있지만, $0!=1$이다.

이항확률분포의 두 가지 구성요소를 결합하면, 다음과 같은 결과가 얻어진다.

이항확률분포

n회 시행이 이루어지고 성공확률이 p인 이항실험에서 x번 성공이 발생할 확률은 다음과 같다.

$$P(x) = \frac{n!}{x!(n-x)!}p^x(1-p)^{n-x}$$

x는 0, 1, 2, . . . , n의 값을 가진다.

예제 7.9 패트 스태트더드와 통계학 퀴즈시험

패트 스태트더드는 통계학 과목을 수강하는 학생이다. 불행하게도 패트는 좋은 학생은 아니다. 패트는 수업 전에 교과서를 읽지도 않고, 숙제도 하지 않으며 정기적으로 수업에 결석한다. 패트는 다음 퀴즈시험을 운에 맡기려고 한다. 퀴즈시험은 10개의 선다형 질문으로 구성되어 있다. 각 질문은 5개의 가능한 답을 가지고 있고 이 중에서 한 개만이 정확한 답이다. 패트는 각 질문에 답하기 위해 5개의 답 중에서 임의로 선택하려고 한다.

a. 패트가 한 질문도 정확하게 답을 하지 못할 확률은 얼마인가?
b. 패트가 두 개의 질문만 정확하게 답을 할 확률은 얼마인가?

해답 이 실험은 동일한 10개의 시행으로 구성되어 있다. 각 시행은 두 가지의 가능한 결과를 가지며 성공은 정확한 답을 선택한 것으로 정의된다. 패트는 임의로 답을 선택하기 때문에 각 시행에서 성공의 확률은 1/5=.2이다. 마지막으로 한 질문의 결과가 다른 질문의 결과에 영향을 주지 않기 때문에 시행들은 독립이다. 이와 같은 4가지 특성은 이 실험은 $n=10$과 $p=.2$를 가진 이항실험이라는 것을 말해준다.

a. 0번의 성공이 발생할 확률은 이항확률분포

$$P(x) = \frac{n!}{x!(n-x)!}p^x(1-p)^{n-x}$$

에 $n=10$, $p=.2$, $x=0$을 대입하여 구해진다. 따라서

$$P(0) = \frac{10!}{0!(10-0)!}(.2)^0(1-.2)^{10-0}$$

이다. 이 공식의 조합부분인 $\frac{10!}{0!10!}$은 1이다. 이것은 0개의 정확한 답과 10개의 부정확한 답을 선택하는 방법의 수이다. 분명히 $x=0$이 되는 방법은 한 가지이다. $(.2)^0=1$이기 때문에

$$P(X=0) = 1(1)(.8)^{10} = .1074$$

이다.

b. 이와 유사하게 두 개의 정확한 답을 하게 될 확률은 이항확률분포에 $n=10$, $p=.2$, $x=2$를 대입함으로써 계산된다.

$$P(x) = \frac{n!}{x!(n-x)!}p^x(1-p)^{n-x}$$

$$P(0) = \frac{10!}{2!(10-2)!}(.2)^2(1-.2)^{10-2}$$

$$= \frac{(10)(9)(8)(7)(6)(5)(4)(3)(2)(1)}{(2)(1)(8)(7)(6)(5)(4)(3)(2)(1)}(.04)(.1678)$$
$$= 45(.006712)$$
$$= .3020$$

여기서 2개의 정확한 답과 8개의 부정확한 답을 선택하게 되는 방법은 45가지이고 각 방법은 .006712의 확률을 가진다는 것을 알 수 있다. 따라서 두 수치를 곱하면 .3020의 확률이 구해진다.

7.4b 누적확률

이항확률분포공식은 X가 하나의 특정한 값과 같을 확률을 결정할 수 있게 해준다. 예제 7.9에서 관심의 대상이 되는 X의 값은 0과 2이다. 확률변수가 하나의 특정한 값 이하일 확률을 구하기 원하는 많은 경우가 존재한다. 즉, $P(X \le x)$를 구하기 원한다. 이와 같은 확률은 **누적확률**(cumulative probability)이라고 부른다.

예제 7.10 패트는 퀴즈시험을 통과하지 못할 것인가?

패트가 퀴즈시험을 통과하지 못할 확률을 구하라. 점수가 50%(5개 정확한 답) 미만이면 실패이다.

해답 이 퀴즈시험에서 5개 미만의 정확한 답을 하게 되는 경우는 실패이다. 정확한 답의 수는 정수이기 때문에 4개 이하인 경우가 실패이다. 따라서

$$P(X \le 4) = P(0) + P(1) + P(2) + P(3) + P(4)$$

을 구하여야 한다. 예제 7.9로부터 $P(0) = .1074$이고 $P(2) = .3020$이라는 것을 알고 있다. 이항확률분포공식을 사용하면 $P(1) = .2684$, $P(3) = .2013$, $P(4) = .0881$이 구해진다. 따라서

$$P(X \le 4) = .1074 + .2684 + .3020 + .2013 + .0881 = .9672$$

이다. 패트가 각 질문에 임의로 답하면서 퀴즈시험을 통과하지 못할 확률은 96.72%이다.

7.4c 이항확률표

이항확률변수와 관련된 확률을 구하는 다른 방법이 있다. 부록 B의 표 1은 선정된 n과 p의 값을 가지는 누적이항확률을 제공한다. 예제 7.10의 $P(X \le 4)$를 구하기 위해 부록 B의

표 7.2 $n=10$, $p=.20$을 가지는 누적이항확률

x	$P(X\leq x)$
0	.1074
1	.3758
2	.6778
3	.8791
4	.9672
5	.9936
6	.9991
7	.9999
8	1.000
9	1.000
10	1.000

표 1을 사용하도록 하자. 부록 B의 표 1에서 $n=10$의 표에서 $p=.20$을 나타내는 열을 찾아라. 이 열에 있는 값은 표 7.2에서 보는 것처럼 $x=0, 1, 2, ... , 10$의 각각에 대하여 $P(X\leq x)$의 값이다.

첫 번째 누적확률은 $P(X\leq 0)$이고 $P(0)=.1074$이다. 예제 7.10에서 우리가 구하고자 하는 확률은 $P(X\leq 4)=.9672$이고 예제 7.10에서 직접 구한 값과 같다.

$P(X\geq x)$ 형태의 확률을 구하기 위해 부록 B의 표 1과 여사건법칙이 사용될 수 있다. 예를 들면, 패트가 퀴즈시험을 통과할 확률을 구하기 위해

$$P(X \leq 4) + P(X \geq 5) = 1$$

을 이용할 수 있다. 따라서

$$P(X \geq 5) = 1 - P(X \leq 4) = 1 - .9672 = .0328$$

이항확률 $P(X\geq x)$를 구하기 위해 부록 B의 표 1 사용하기

$$P(X \geq x) = 1 - P(X \leq [x - 1])$$

부록 B의 표 1은 X가 특정한 값을 가질 확률을 구하는 데도 유용하다. 예를 들면, 패트가 두 개의 질문에 정확한 답을 선택하게 될 확률을 구하기 위해

$$P(X \leq 2) = P(0) + P(1) + P(2)$$

이고

$$P(X \leq 1) = P(0) + P(1)$$

이라는 점에 주목하라. 이와 같은 두 개의 누적확률 차이가 $P(2)$이다. 따라서 $P(2)$는 다음과 같이 계산된다.

$$P(2) = P(X \leq 2) - P(X \leq 1) = .6778 - .3758 = .3020$$

이항확률 $P(X=x)$를 구하기 위해 부록 B의 표 1 사용하기

$$P(x) = P(X \leq x) - P(X \leq [x-1])$$

EXCEL Function

지시사항

임의의 셀 하나에 다음과 같이 입력하라.

=**BINOM.DIST**([*x*], [*n*], [*p*], [True] or [False])

"True"를 입력하면 누적확률이 계산되고 "False"를 입력하면 X의 개별 값에 해당되는 확률이 계산된다. 예제 7.9 a의 경우, 다음과 같이 입력하라.

=**BINOM.DIST**(0, 10, .2, False)

예제 7.10의 경우, 다음과 같이 입력하라.

=**BINOM.DIST**(4, 10, .2, True)

7.4d 이항분포의 평균과 분산

통계학자들은 이항확률변수의 평균, 분산, 표준편차를 구하는 다음과 같은 일반 공식을 개발하였다.

$$\mu = np$$
$$\sigma^2 = np(1-p)$$
$$\sigma = \sqrt{np(1-p)}$$

예제 7.11 패트 스태트더드가 복제되다!

한 통계학 교수가 패트와 같은 학생들로 가득 찬 클래스(악몽 그 자체이지만!)를 가지고 있다. 10개의 질문으로 구성된 퀴즈시험의 평균점수와 표준편차는 얼마인가?

해답 패트 스태트더드들로만 구성된 클래스의 평균점수와 표준편차는 각각 다음과 같다.

$$\mu = np = 10(.2) = 2$$

$$\sigma = \sqrt{np(1-p)} = \sqrt{10(.2)(1-.2)} = 1.26$$

연습문제

7.100 X가 $n=10$과 $p=.3$을 가진 이항확률변수라고 하자. 다음의 확률을 구하기 위해 이항확률분포 공식을 사용하라.

a. $P(X=3)$

b. $P(X=5)$

c. $P(X=8)$

7.101 부록 B의 표 1을 사용하면서 연습문제 7.100을 다시 풀어라.

7.102 Excel을 사용하면서 연습문제 7.100을 다시 풀어라.

7.103 X가 $n=6$과 $p=.2$를 가진 이항확률변수라고 하자. 다음의 확률을 구하기 위해 이항확률분포 공식을 사용하라.

a. $P(X=2)$

b. $P(X=3)$

c. $P(X=5)$

7.104 부록 B의 표 1을 사용하면서 연습문제 7.103을 다시 풀어라.

7.105 Excel을 사용하면서 연습문제 7.103을 다시 풀어라.

7.106 X가 $n=25$와 $p=.7$을 가진 이항확률변수라고 하자. 다음의 확률을 구하기 위해 부록 B의 표 1을 사용하라.

a. $P(X=18)$

b. $P(X=15)$

c. $P(X\leq 20)$

d. $P(X\geq 16)$

7.107 Excel을 사용하면서 연습문제 7.106을 다시 풀어라.

7.108 한 주유소 체인에 있는 주유 펌프에 고객이 엔진오일을 확인할 것을 권고하는 광고가 있다. 이 광고는 4대의 자동차 중에서 1대는 엔진오일을 추가하여야 할 필요가 있다고 주장한다. 만일 이것이 사실이라면, 다음 사건의 확률은 얼마인가?

a. 주유소에 들어오는 4대의 자동차 중에서 1대가 엔진오일을 추가하여야 할 필요가 있다.

b. 주유소에 들어오는 8대의 자동차 중에서 2대가 엔진오일을 추가하여야 할 필요가 있다.

c. 주유소에 들어오는 12대의 자동차 중에서 3대가 엔진오일을 추가하여야 할 필요가 있다.

7.109 한 식기세척제 선두 브랜드는 30%의 시장점유율을 가지고 있다. 25명의 식기세척제 고객들로 구성된 표본이 추출되었다.

a. 10명 이하의 고객이 선두 브랜드를 선택할 확률은 얼마인가?

b. 11명 이상의 고객이 선두 브랜드를 선택할 확률은 얼마인가?

c. 10명의 고객이 선두 브랜드를 선택할 확률은 얼마인가?

7.110 한 특정한 토마토 씨는 90%가 발아한다. 한 농부가 뒤뜰에 25개의 씨를 심었다.

a. 정확하게 20개의 씨가 발아할 확률은 얼마인가?

b. 20개 이상의 씨가 발아할 확률은 얼마인가?

c. 24개 이하의 씨가 발아할 확률은 얼마인가?

d. 발아하는 씨의 기대치는 얼마인가?

7.111 미국 미용치과협회에 의하면 성인의 75%는 매력적이지 못한 미소는 직업적 성공을 저해한다고 믿는다. 25명의 성인이 임의로 선택되었다고 하자.

a. 15명 이상이 주어진 주장에 동의할 확률은 얼마인가?

b. 14명 미만이 주어진 주장에 동의할 확률은 얼마인가?

c. 15명이 주어진 주장에 동의할 확률은 얼마인가?

7.112 회계학을 전공하는 한 학생은 취업지원서를 제출하여야 하는 회사의 수를 결정하려 하고 있다. 그는 취업지원서를 제출한 회사들의 70%로부터 취업제안을 받을 것으로 예상하고 있다. 이 학생은 4개의 회사에만 취업지원서를 제출하기로 결정하였다. 취업제안의 확률분포를 구하라. 즉, 취업제안의 수가 각각 0, 1, 2, 3, 4일 확률을 계산하라.

7.113 Gallup 여론조사에 의하면, 미국 성인의 27%는 은행을 신뢰하고 있다. 당신이 임의로 선택한 5명의 미국 성인을 인터뷰한다고 하자.

a. 2명 이하가 은행을 신뢰할 확률은 얼마인가?

b. 어느 누구도 은행을 신뢰하지 않을 확률은 얼마인가?

c. 3명 이상이 은행을 신뢰할 확률은 얼마인가?

7.114 Pew Research Center의 서베이에 의하면, 학생대출을 받은 졸업생의 30%는 연체한다(90일 이상 상환을 하지 못함). 학생대출을 받은 10명의 졸업생을 대상으로 서베이가 이루어졌다고 하자.

a. 3명이 연체할 확률은 얼마인가?

b. 3명 이상이 연체할 확률은 얼마인가?

7.115 피부과 전문의들은 햇볕에 노출되어 있는 사람들은 해가림막으로 가리든지 해가림막을 사용해야 한다고 권고한다. 한 플로리다 콘도에 있는 풀에서 거주자의 1/4만이 해가림막 없이 햇볕이 쪼이는 풀 주위에 앉는다고 하자.

a. 임의로 추출된 10명의 거주자들 중에서 3명 이하가 해가림막을 사용하지 않을 확률은 얼마인가?

b. 임의로 추출된 100명의 거주자 표본에서 해가림막을 사용하지 않는 거주자의 평균 수는 얼마인가?

7.116 메이저 리그 베이스볼에서 일하는 한 통계전문가는 한 타자가 땅볼로 아웃 카운트가 될 확률은 .75라고 결정하였다. 20개의 땅볼이 있는 한 게임에서 모두 아웃 카운트가 될 확률을 구하라.

7.117 한 최근에 수행된 서베이에서 Pew Research Center는 사립대학교 졸업생들에게 현재의 일자리에 만족하는지 물었고 그들 중 72%가 그렇다고 말했다. 당신이 4명의 사립대학교 졸업생으로 구성된 임의표본을 추출하고 각 졸업생에게 현재의 일자리에 만족하는지 물었다.

a. 4명 모두가 만족한다고 말할 확률은 얼마인가?

b. 2명이 만족한다고 말할 확률은 얼마인가?

c. 현재의 일자리에 만족하는 사람의 평균 수를 구하라.

7.118 최근에 수행된 한 Gallup 여론조사에 의하면, 미국 성인의 29%만이 미국에서 일이 진행되는 방식에 만족한다고 말했다. 당신이 임의로 10명의 미국 성인을 선택하고 각 사람에게 미국에서 일이 진행되는 방식에 만족하는지 묻는다고 하자.

a. 3명 이하가 만족한다고 말할 확률은 얼마인가?

b. 어느 누구도 만족하지 않는다고 말할 확률은 얼마인가?

c. 표본에서 만족한다고 말하는 사람의 평균 수는 얼마인가?

7.119 크랩스 게임(카지노에서 경기하는 주사위 던지기 게임)에서 이길 확률은 244/495이다.

a. 10게임에서 5번 이상 이길 확률은 얼마인가?

b. 100게임에서 이길 횟수의 기대치는 얼마인가?

7.120 많은 다른 도시들뿐만 아니라 Las Vegas, Atlantic City, Niagara Falls의 카지노에서 경기하는 블랙잭 게임에서 딜러가 우위를 가진다. 대부분의 경기자들은 블랙잭 게임을 아주 잘하지 못한다. 결과적으로 평균적인 경기자가 한 판을 이길 확률은 약 45%이다. 평균적인 경기자가 다음과 같은 결과를 얻을 확률을 구하라.

a. 5판에서 두 판 이길 확률

b. 25판에서 10판 이상 이길 확률

7.121 블랙잭 경기자가 한 경기를 이길 확률을 50%까지 증가시키는 "기본전략"을 가르쳐 주는 다수의 책들이 있다. 경기자가 기본전략을 따라 경기한다고 가정하면서 연습문제 7.120을 다시 풀어라.

7.122 블랙잭 게임에서 이기는 최상의 방법은 10카드, 10이 아닌 카드, 에이스 카드의 수를 세는 것이다. 이렇게 하면 한 판을 이길 확률은 52%까지 증가할 수 있다. 이러한 전략을 구사하는 경기자를 가정하면서 연습문제 7.120을 다시 풀어라.

7.123 룰렛 게임에서 한 개의 강철 볼이 18개의 적색 슬롯, 18개의 흑색 슬롯, 2개의 녹색 슬롯을 가지고 있는 휠 속에서 구른다. 이 강철 볼이 25회 구른다면, 다음 사건의 확률을 구하라.

a. 강철 볼이 2회 이상 녹색 슬롯에 들어간다.

b. 강철 볼이 녹색 슬롯에 들어가지 않는다.

c. 강철 볼이 15회 이상 흑색 슬롯에 들어간다.

d. 강철 볼이 10회 이하 적색 슬롯에 들어간다.

7.124 Gallup 여론조사에 의하면, 미국 성인의 52%는 환경보호가 미국 에너지 공급 개발보다 우선되어야 한다고 생각한다. 36%는 에너지 공급 개발이 더 중요하다고 생각하고 6%는 두 가지 모두 동등하게 중요하다고 믿는다. 나머지는 의견이 없었다. 100명의 미국 성인 표본에게 이러한 주제에 대해 묻는다고 하자. 다음 사건의 확률은 얼마인가?

a. 50명 이상이 환경보호가 우선되어야 한다고 생각한다.

b. 30명 이하가 에너지 공급 개발이 더 중요하다고 생각한다.

c. 5명 이하는 의견이 없다.

7.125 Power and Associates는 새로운 자동차 소유자들을 대상으로 서베이하고 다양한 질문을 한다. 한 최근 보고서에서 자동차 구매자의 60%는 자동차 선택과 가격 비교를 위해 인터넷을 사용하는 것으로 알려졌다. 임의로 선정된 10명의 새로운 자동차 구매자로 구성된 표본에서, 6명 이상이 의사결정을 위해 인터넷을 사용할 확률을 구하라.

7.126 또한 연습문제 7.116의 통계전문가는 한 타자가 라이너(line drive)를 치는 경우 아웃 카운트가 될 확률은 .23이라고 결정하였다. 다음의 확률을 구하라.

a. 10개의 라이너가 있는 게임에서 적어도 5라이너가 아웃 카운트가 된다.

b. 25개의 라이너가 있는 게임에서 5개 이하의 라이너가 아웃 카운트가 된다.

7.127 봉 에쁘띠(Bon Appetit) 여론조사에서 사람들의 38%는 좋아하는 아이스크림 맛은 초콜릿이라고 말했다. 표본으로 추출된 100명에게 좋아하는 아이스크림의 맛이 무엇인지 물었다. 이들 중 절반 이상이 초콜릿 맛을 좋아할 확률은 얼마인가?

7.128 최근에 수행된 한 Gallup 여론조사에 의하면, 미국 성인의 53%는 미국 의회가 일을 못하고 있다고 생각한다. 당신이 임의로 100명의 미국 성인을 선택하고 미국 의회에 대한 그들의 의견을 묻는다고 하자.

a. 50명 이상이 미국 의회가 일을 못한다고 말할 확률을 구하라.

b. 60% 이상이 미국 의회가 일을 못한다고 말할 확률을 구하라.

c. 당신의 표본에서 미국 의회가 일을 못한다고 말할 미국 성인의 평균 수는 얼마인가?

7.129 한 환경보호주의자는 사람들의 20%는 기후 변화에 대해 항의하는 집회에 참석한다고 주장한다. 당신은 이러한 문제에 대해 물어보는 서베이를 준비하고 있다. 표본크기가 400명이고 이 환경보호주의자의 주장이 옳다면, 400명 중 15% 미만이 기후 변화에 대해 항의하는 집회에 참석할 확률을 구하라.

7.5 포아송분포

다른 하나의 유용한 이산확률분포는 이 분포를 창안하였던 프랑스인 포아송(Poisson)을 따라 이름 붙여진 **포아송분포**(Poisson distribution)이다. 이항확률변수와 같이 **포아송확률변수**(Poisson random variable)도 **성공**이라고 부르는 사건의 발생하는 횟수이다. 두 확률변수의 차이점은 이항확률변수는 일정한 수의 시행에서 발생하는 성공횟수이고 포아송확률변수는 일정한 시간 동안 또는 일정한 공간에서 발생하는 성공횟수라는 것이다. 포아송확률변수의 몇 가지 예를 들어보면 다음과 같다.

1. 1시간 동안에 한 서비스 스테이션에 도착하는 자동차의 수. (일정한 시간은 1시간이다.)
2. 한 필지의 옷감에 있는 흠집의 수. (일정한 공간은 옷감 한 필지이다.)
3. 한 특정한 고속도로 구간에서 하루에 발생하는 사고의 수. (일정한 시간은 1일이고 일정한 공간은 한 특정한 고속도로 구간이다.)

포아송실험(Poisson experiment)은 다음의 박스에 설명되어 있다.

포아송실험

포아송실험(Poisson experiment)은 다음과 같은 특성을 가지고 있는 실험이다.

1. 임의의 일정한 시간구간(또는 임의의 일정한 공간)에서 발생하는 성공횟수는 다른 시간구간(또는 다른 공간)에서 발생하는 성공횟수와는 독립이다.
2. 한 일정한 시간구간(또는 한 일정한 공간)에서 한 번의 성공이 발생할 확률은 모든 동일한 시간구간(또는 모든 동일한 공간)의 경우에 같다.
3. 한 일정한 시간구간(또는 한 일정한 공간)에서 한 번의 성공이 발생할 확률은 시간구간(또는 공간)의 크기에 비례한다.
4. 한 일정한 시간구간(또는 한 일정한 공간)에서 한 번 이상의 성공이 발생할 확률은 시간구간(또는 공간)이 점점 작아짐에 따라 0으로 접근한다.

포아송확률변수

포아송확률변수(Poisson random variable)는 포아송실험에서 일정한 시간구간 또는 일정한 공간에서 발생하는 성공횟수이다.

포아송 확률변수의 확률분포를 도출하는 다수의 방법이 존재한다. 그러나 모든 방법은 이 책의 수준을 넘어서는 수학수준을 요구한다. 따라서 여기서는 단순히 포아송확률분포의 공식을 제시하고 이것이 어떻게 사용되는지 살펴본다.

포아송확률분포

포아송확률변수가 x의 값을 가질 확률은 다음과 같다.

$$P(x) = \frac{e^{-\mu}\mu^{x}}{x!}$$

x는 0, 1, 2, . . . 의 값을 가진다. μ는 일정한 구간 또는 일정한 공간에서 발생하는 성공횟수의 평균이다. e는 자연로그의 밑수로 약 2.71828이다. 포아송 확률변수 X의 분산은 X의 평균과 같다. 즉, $\sigma^2 = \mu$이다.

예제 7.12 교과서에서 발견되는 오타 수의 확률

한 통계학 교수는 교과서들의 새 버전에서 발견되는 오타 수는 교과서마다 크게 다르다는 것을 관찰하였다. 그는 약간의 분석을 한 후에 100페이지당 오타 수는 평균이 1.5인 포아송분포를 가진다고 결론지었다. 이 교수는 새 교과서의 100페이지를 임의로 선택하였다. 오타가 전혀 없을 확률은 얼마인가?

해답 평균이 1.5인 포아송확률변수가 0의 값을 가질 확률을 구하고자 한다. 따라서 포아송확률분포 공식에 $x=0$과 $\mu=1.5$를 대입한다.

$$P(0) = \frac{e^{-1.5}1.5^0}{0!} = \frac{(2.71828)^{-1.5}(1)}{1} = .2231$$

선택된 100페이지에 오타가 전혀 없을 확률은 .2231이다.

예제 7.12에서 100페이지에서 발견되는 오타 수의 평균이 1.5개인 경우 100페이지에서 오타가 발견되지 않을 확률을 구하였다. 다음 예제는 시간구간 또는 공간이 일치하지 않는 경우에 사건 발생의 확률을 계산하는 방법을 예시한다.

예제 7.13 400페이지에서 발견되는 오타 수의 확률

예제 7.12를 참조하라. 이 통계학 교수는 방금 새로운 통계학 교과서 1권을 받았다고 하자. 그는 이 책이 400페이지라는 것을 알았다.

a. 이 책에 오타가 전혀 없을 확률은 얼마인가?
b. 이 책에 5개 이하의 오타가 있을 확률은 얼마인가?

해답 우리가 관심을 가지는 일정한 공간은 400페이지이다. 이와 같은 공간과 관련된 포아송확률을 계산하기 위해, 400페이지당 오타 수의 평균을 결정해야 한다. 오타 수의 평균은 100페이지당 1.5개이기 때문에, 400페이지당 오타 수의 평균은 100페이지당 1.5에 4를 곱하여 계산된다. 따라서 400페이지당 오타 수의 평균은 $\mu=6$개이다.

a. 이 책에 오타가 전혀 없을 확률은 다음과 같이 계산된다.

$$P(0) = \frac{e^{-6}6^0}{0!} = \frac{(2.71828)^{-6}(1)}{1} = .002479$$

b. 평균이 6인 포아송확률변수가 5 이하의 값을 가질 확률을 구하고자 한다. 즉, 다음과 같은 확률을 계산하기를 원한다.

$$P(X \le 5) = P(0) + P(1) + P(2) + P(3) + P(4) + P(5)$$

이와 같은 확률을 계산하기 위해서는 포아송확률분포공식을 이용하여 계산되는 6개의 확률을 합하여야 한다.

$$P(0) = .002479$$

$$P(1) = \frac{e^{-\mu}\mu^x}{x!} = \frac{e^{-6}6^1}{1!} = \frac{(2.71828)^{-6}(6)}{1} = .01487$$

$$P(2) = \frac{e^{-\mu}\mu^x}{x!} = \frac{e^{-6}6^2}{2!} = \frac{(2.71828)^{-6}(36)}{2} = .04462$$

$$P(3) = \frac{e^{-\mu}\mu^x}{x!} = \frac{e^{-6}6^3}{3!} = \frac{(2.71828)^{-6}(216)}{6} = .08924$$

$$P(4) = \frac{e^{-\mu}\mu^x}{x!} = \frac{e^{-6}6^4}{4!} = \frac{(2.71828)^{-6}(1296)}{24} = .1339$$

$$P(5) = \frac{e^{-\mu}\mu^x}{x!} = \frac{e^{-6}6^5}{5!} = \frac{(2.71828)^{-6}(7776)}{120} = .1606$$

따라서

$$P(X \le 5) = .002479 + .01487 + .04462 + .08924 + .1339 + .1606 = .4457$$

이다. 이 책에서 5개 이하의 오타 수가 관측될 확률은 .4457이다.

7.5a 포아송 표

이항분포의 경우와 마찬가지로 포아송 확률표는 포아송확률변수가 하나의 특정한 값을 가질 확률뿐만 아니라 누적확률과 관련된 확률을 계산하는 것을 더 용이하게 해준다.

부록 B의 표 2는 주요 μ값별 누적포아송확률을 제공한다. 이 표는 예제 7.13 b에서 구하고자 하는 $P(X \le 5)$와 같은 누적확률을 구하는 것을 쉽게 해준다.

포아송 표를 이용하여 이와 같은 확률을 구하기 위해 부록 B의 표 2에서 $\mu=6$을 찾아라. 이 열에 있는 값들은 $P(X \le x)$, $k=0, 1, 2, \ldots$ 이다. 이 열은 표 7.3에 제시되어 있다.

이론적으로 포아송확률변수가 가지는 값의 상한은 없다. 부록 B의 표 2는 누적확률이 1.0000(소수점 이하 네 자릿수)일 때까지의 누적확률들을 제공한다.

첫 번째 누적확률은 $P(X \le 0)$이다. 표 7.3에서 보면 $P(0)=.0025$이다. 예제 7.13 b에서 구하고자 하는 확률은 표 7.3에서 보면 $P(X \le 5)=.4457$이다. 이 값은 포아송확률분포공식을 사용하여 직접 구한 값과 같다.

이항확률을 위한 부록 B의 표 1에서와 같이, 부록 B의 표 2는 $P(X \ge x)$ 형태의 확률을

표 7.3 $\mu = 6$인 경우의 누적포아송확률

x	$P(X \le x)$
0	.0025
1	.0174
2	.0620
3	.1512
4	.2851
5	.4457
6	.6063
7	.7440
8	.8472
9	.9161
10	.9574
11	.9799
12	.9912
13	.9964
14	.9986
15	.9995
16	.9998
17	.9999
18	1.0000

구하기 위해 사용될 수 있다. 예를 들면, 예제 7.13에서 6개 이상의 오타가 있을 확률을 구하기 위해서는 먼저 $P(X \le 5) + P(X \ge 6) = 1$이라는 점에 주목하라. 따라서 $P(X \ge 6)$은 다음과 같이 계산된다.

$$P(X \ge 6) = 1 - P(X \le 5) = 1 - .4457 = .5543$$

포아송확률 $P(X \ge x)$를 구하기 위해 부록 B의 표 2 사용하기

$$P(X \ge x) = 1 - P(X \le [x - 1])$$

또한 X가 하나의 특정한 값을 가질 확률을 구하기 위해 부록 B의 표 2가 사용될 수 있다. 예를 들면, 예제 7.13에서 주어진 책이 정확하게 10개의 오타를 가지고 있을 확률을 구하기 위해, 먼저 다음과 같은 식들에 주목하라.

$$P(X \le 10) = P(0) + P(1) + \cdot\cdot\cdot + P(9) + P(10)$$

이고

$$P(X \le 9) = P(0) + P(1) + \cdot \cdot \cdot + P(9)$$

이다. 이와 같은 두 개의 누적확률 차이가 $P(10)$이다. 따라서 $P(10)$은 다음과 같이 계산된다.

$$P(10) = P(X \le 10) - P(X \le 9) = .9574 - .9161 = .0413$$

포아송확률 $P(X=x)$를 구하기 위해 부록 B의 표 2 사용하기

$$P(x) = P(X \le x) - P(X \le [x-1])$$

EXCEL Function

지시사항

임의의 셀 하나에 다음과 같이 입력하라.

=**POISSON**([x], [μ], [True] or [False])

"True"를 입력하면 누적확률이 계산되고 "False"를 입력하면 X의 개별 값에 해당되는 확률이 계산된다. 예제 7.12의 확률을 계산하기 위해 다음과 같이 입력하라.

=**POISSON**(0, 1.5, False)

예제 7.13의 경우, 다음과 같이 입력하라.

=**POISSON**(5, 6, True)

연습문제

7.130 X는 $\mu=2$를 가지고 있는 포아송확률변수이다. 다음의 확률을 구하기 위해 포아송확률분포 공식을 사용하라.

a. $P(X=0)$

b. $P(X=3)$

c. $P(X=5)$

7.131 X는 $\mu=.5$를 가지고 있는 포아송확률변수이다. 다음의 확률을 구하기 위해 포아송확률분포 공식을 사용하라.

a. $P(X=0)$

b. $P(X=1)$

c. $P(X=2)$

7.132 한 분주한 교차로에서 발생하는 사건의 수는 일주일당 평균이 3.5건인 포아송분포를 따른다. 다음 사건의 확률을 구하라.

a. 일주일에 사고가 한 건도 없다.

b. 일주일에 5건 이상의 사건이 발생한다.

c. 오늘 한 건의 사건이 발생한다.

7.133 한 미네소타의 도시에서 강설은 겨울 동안에 임의로 그리고 독립적으로 내린다. 강설은 평균적으로 3일마다 한 번 내린다.

a. 2주일 동안에 5번의 강설이 내릴 확률은 얼마인가?

b. 오늘 한 번의 강설이 내릴 확률을 구하라.

7.134 통계학 과목을 공부하는 데 도움을 원하는 학생 수는 일일당 평균이 2명인 포아송분포를 따른다.

a. 내일 도움을 원하는 학생이 없을 확률은 얼마인가?

b. 일주일에 10명의 학생이 도움을 원하는 확률을 구하라.

7.135 한 개인 웹 사이트의 방문은 매우 드물게 이루어진다. 이 개인 웹 사이트의 방문은 일주일당 평균이 5회이고 임의로 그리고 독립적으로 이루어진다.

a. 이 사이트에 일주일에 10회 이상의 방문이 발생할 확률을 구하라.

b. 이 사이트에 2주일에 20회 이상의 방문이 발생할 확률을 구하라.

7.136 오래된 북미 도시들에서 사회기반시설이 노후화되고 있다. 이와 같은 분야 중 하나가 가정과 기업체에 물을 공급하는 상수도라인이다. Toronto 시 위원회에 제출된 한 보고서는 Toronto에서 연간 100킬로미터의 상수도라인당 평균 30개의 수도라인 파손이 존재한다고 보고하였다. Toronto의 외부에서 평균 수도라인 파손 수는 연간 100킬로미터의 상수도라인당 15개이다.

a. Toronto의 내부에 있는 100킬로미터의 상수도라인에서 다음 연도에 35개 이상의 수도라인 파손이 발생할 확률을 구하라.

b. Toronto의 외부에 있는 100킬로미터의 상수도라인에서 다음 연도에 12개 이하의 수도라인 파손이 발생할 확률을 구하라.

7.137 한 북미의 대도시에서 발생하는 은행강도사건의 수는 일일당 평균이 1.8건인 포아송분포를 따른다. 다음 사건의 확률을 구하라.

a. 하루에 3건 이상의 은행강도사건이 발생한다.

b. 5일 동안 은행강도사건이 10건~15건 사이에서 발생한다.

7.138 한 장의 카페트에 있는 흠집은 매 200제곱피트(ft^2)당 평균 한 개이고 임의로 그리고 독립적으로 발생하는 경향이 있다. 8피트×10피트인 카페트 한 장에 흠집이 전혀 없을 확률은 얼마인가?

7.139 한 고가구 경매에서 한 통계학자는 각 물건에 대한 응찰 건수를 기록했다. 이러한 수치를 분석한 후에 그녀는 응찰 건수는 평균이 2.5건인 포아송분포를 따른다고 결론짓는다.

a. 임의의 한 물건에서 응찰 건수가 5건 이상일 확률을 계산하라.

b. 응찰 건수가 0일 확률을 계산하라.

c. 응찰 건수가 3건 이하일 확률은 얼마인가?

7.140 연습문제 7.30에서 확률변수는 한 쇼핑몰에서 고객들이 방문하는 가게 수였다. 이러한 확률변수가 평균이 4인 포아송분포를 따른다고 하자.

a. 5개 이상 가게를 방문하는 고객의 비율은 얼마인가?

b. 한 고객이 3개 이하의 가게를 방문할 확률을 계산하라.

c. 한 고객이 정확히 4개 가게를 방문할 확률을 계산하라.

7.141 한 공공도서관에서 한 사서는 개인들이 온라인 신문을 읽는 것에 관한 서베이를 수행하였다. 데이터를 분석한 후 그녀는 개인들이 읽는 온라인 신문 수는 평균이 5인 포아송분포를 따른다고 결론짓는다.

a. 3개 이하의 온라인 신문을 읽는 도서관 방문자의 비율은 얼마인가?

b. 6개 이상의 온라인 신문을 읽는 도서관 방문자의 비율은 얼마인가?

c. 8개 이하의 온라인 신문을 읽는 도서관 방문자의 비율은 얼마인가?

7.142 연습문제 7.44에서 확률변수는 한 프라이빗 골프 코스 회원들의 홀인원 수였다. 실제로 홀인원 수는 평균이 1인 포아송분포를 따른다.

a. 홀인원을 해보지 못한 회원의 비율은 얼마인가?

b. 5개 이상 홀인원을 한 회원의 비율은 얼마인가?

7.143 골퍼들을 대상으로 서베이를 수행한 후 한 통계학자는 한 라운드에서 잃어버리는 골프공의 수는 평균이 2인 포아송분포를 따른다고 결론짓는다. 다음 사건의 확률을 구하라.

a. 한 골퍼가 골프공을 잃어버리지 않는다.

b. 한 골퍼가 4개 이상의 골프공을 잃어버린다.

c. 한 골퍼가 2개 이하의 골프공을 잃어버린다.

생산운영관리분야의 통계학 응용

Galina Barskaya/Shutterstock.com

줄 서서 기다리기

모든 사람들은 줄을 서서 기다리는 일에 익숙하다. 우리는 은행, 식료잡화점, 패스트푸드 레스토랑에서 줄을 서서 기다린다. 또한 트럭은 짐을 싣고 내리기 위해 줄을 서서 기다리며 조립라인 상에 있는 부서들은 새로운 부품을 받기 위해 줄을 서서 기다린다. 경영과학자들은 경영자가 줄을 서서 기다리는 작업의 특성을 결정할 수 있는 수학모형을 개발하였다. 줄을 서서 기다리는 작업의 특성은 다음과 같은 요소들에 의해 결정된다.

- 시스템에 단위가 존재하지 않을 확률
- 기다리는 줄에 있는 평균단위의 수
- 기다리는 줄에서 한 단위가 보내는 평균시간
- 한 도착단위가 서비스를 받기 위해 기다려야 하는 확률

포아송확률분포는 웨이팅 라인 모형(waiting line model)[또는 **큐잉** 모형(queuing model)이라고도 부름]에서 매우 많이 사용된다. 많은 모형들은 서비스를 받기 위한 도착단위의 수는 특정한 μ의 값을 가진 포아송분포를 따른다고 가정한다. 연습문제 7.144~7.146은 도착단위의 수에 관한 확률을 계산하는 문제이다.

7.144 미국 미시간주의 디트로이트와 캐나다 온타리오주의 윈저를 연결하는 Ambassador Bridge를 횡단하는 트럭의 수는 분당 평균이 1.5대인 포아송분포를 따른다.

a. 임의의 1분 동안에 2대 이상의 트럭이 이 다리를 횡단할 확률은 얼마인가?

b. 다음의 4분 동안에 4대 미만의 트럭이 이 다리를 횡단할 확률은 얼마인가?

7.145 한 특정한 주유소에서 주유하기 위해 도착하는 자동차의 수는 시간당 평균이 5대인 포

아송분포를 따른다.

a. 1시간 동안에 한 대의 자동차만이 도착할 확률을 구하라.

b. 3시간 동안에 20대 이상의 자동차가 도착할 확률을 계산하라.

7.146 자동은행기기(Automatic Banking Machine: ABM)의 사용자 수는 포아송분포를 따른다. 5분당 사용자 수의 평균은 1.5명이다. 다음 사건의 확률을 구하라.

a. 5분 동안에 자동은행기기의 사용자가 없다.

b. 15분 동안에 5명 이하가 자동은행기기를 사용한다.

c. 10분 동안에 3명 이상이 자동은행기기를 사용한다.

요약

두 가지 종류의 확률변수가 있다. **이산확률변수**(discrete random variable)는 가질 수 있는 값의 개수가 셀 수 있는 확률변수이다. **연속확률변수**(continuous random variable)는 셀 수 없는 개수의 값을 가질 수 있다. 이 장에서는 이산확률변수의 **확률분포**(probability distribution)가 논의되었다. 이산확률분포를 따르는 모집단의 **기대치**(expected value), **분산**(variance), **표준편차**(standard deviation)가 정의되었다. 금융분야에서 중요한 적용이 이루어지는 **이변량 이산확률분포**(bivariate discrete distribution)가 소개되었다. 마지막으로 가장 중요한 두 가지 이산확률분포인 **이항분포**(binomial distribution)와 **포아송분포**(Poisson distribution)가 논의되었다.

주요 용어

기대치(expected value)
누적확률(cumulative probability)
베르누이 과정(Bernoulli process)
연속확률변수(continuous random variable)
이변량 확률분포(bivariate distribution)
이산확률변수(discrete random variable)
이항실험(binomial experiment)
이항확률변수(binomial random variable)
이항분포(binomial distribution)
포아송실험(Poisson experiment)
포아송확률변수(Poisson random variable)
포아송분포(Poisson distribution)
확률변수(random variable)
확률분포(probability distribution)

주요 기호

기호	발음	의미
$\sum_{\text{all } x} x$	Sum of x for all values of x	합계
C_x^n	n choose x	조합의 수
$n!$	n factorial	$n(n-1)(n-2)\cdots(3)(2)(1)$
e		2.71828 ...

주요공식

기대치(평균)

$$E(X) = \mu = \sum_{\text{all } x} xP(x)$$

분산

$$V(x) = \sigma^2 = \sum_{\text{all } x} (x - \mu)^2 P(x)$$

표준편차

$$\sigma = \sqrt{\sigma^2}$$

공분산

$$\text{COV}(X, Y) = \sigma_{xy} = \sum_{\text{all } x} (x - \mu_x)(y - \mu_y)P(x, y)$$

상관계수

$$\rho = \frac{\text{COV}(X, Y)}{\sigma_x \sigma_y} = \frac{\sigma_{xy}}{\sigma_x \sigma_y}$$

기대치의 법칙

1. $E(c) = c$
2. $E(X+c) = E(X) + c$
3. $E(cX) = cE(X)$

분산의 법칙

1. $V(c) = 0$
2. $V(X+c) = V(X)$
3. $V(cX) = c^2 V(X)$

두 변수 합의 기대치 법칙과 분산법칙

1. $E(X+Y) = E(X) + E(Y)$
2. $V(X+Y) = V(X) + V(Y) + 2\text{COV}(X, Y)$

k 변수 합의 기대치 법칙과 분산법칙($k \geq 2$)

1. $E(X_1 + X_2 + \cdots + X_k)$
   $= E(X_1) + E(X_2) + \cdots + E(X_k)$
2. $V(X_1 + X_2 + \cdots + X_k)$
   $= V(X_1) + V(X_2) + \cdots + V(X_k)$
   (변수들이 독립인 경우)

두 주식으로 구성된 포트폴리오 수익률의 평균과 분산

$$E(R_p) = w_1 E(R_1) + w_2 E(R_2)$$

$$V(R_p) = w_1^2 V(R_1) + w_2^2 V(R_2) + 2w_1 w_2 \text{COV}(R_1, R_2)$$

$$= w_1^2 \sigma_1^2 + w_2^2 \sigma_2^2 + 2w_1 w_2 \rho \sigma_1 \sigma_2$$

k개 주식으로 구성된 포트폴리오 수익률의 평균과 분산

$$E(R_p) = \sum_{i=1}^{k} w_i E(R_i)$$

$$V(R_p) = \sum_{i=1}^{k} w_i^2 \sigma_i^2 + 2\sum_{i=1}^{k} \sum_{j=i+1}^{k} w_i w_j \text{COV}(R_i, R_j)$$

이항확률분포

$$P(X = x) = \frac{n!}{x!(n - x)!} p^x (1 - p)^{n-x}$$

$$\mu = np$$

$$\sigma^2 = np(1 - p)$$

$$\sigma = \sqrt{np(1 - p)}$$

포아송확률분포

$$P(X = x) = \frac{e^{-\mu} \mu^x}{x!}$$

연습문제

7.147 한 Gallup 여론조사에서 성인의 20%가 신문을 매우 신뢰한다고 말했다. 25명의 성인으로 구성된 임의표본을 추출하고 각 사람에게 신문을 매우 신뢰하는지 물었다. 다음 사건의 확률을 구하라.

a. 5명 이하가 신문을 매우 신뢰한다.
b. 7명 이상이 신문을 매우 신뢰한다.
c. 정확히 5명이 신문을 매우 신뢰한다.

7.148 최근에 수행된 한 Pew Research Center의 서베이는 미국 성인의 15%는 온라인 데이트 서비스를 사용했다는 것을 보여준다. 한 통계학자가 임의로 20명의 미국 성인을 선택했다.

a. 정확히 3명이 온라인 데이트 서비스를 사용했을 확률은 얼마인가?
b. 5명 이하가 온라인 데이트 서비스를 사용했을 확률은 얼마인가?
c. 3명 이상이 온라인 데이트 서비스를 사용했을 확률은 얼마인가?

7.149 한 항공사는 자기 회사 항공편의 77.4%는 정시에 운행한다고 자랑한다. 만일 임의로 5편의 항공편을 선택한다면, 5편 모두가 정시 운행할 확률은 얼마인가?

7.150 가을학기 통계학 과목의 기말시험은 12월 시험기간 동안에 시행된다. 아프거나 최종시험을 치르지 못할 합당한 이유를 가지고 있는 학생들은 다음 해 1월의 첫 주에 예정되어 있는 시험을 치를 수 있다. 한 통계학 교수는 모든 학생의 2%만이 합당한 이유로 12월의 기말시험에 참여하지 않는다는 것을 관측하였다. 이 통계학 교수는 이번 학기에 등록한 40명의 학생을 가지고 있다고 하자.

a. 이 통계학 교수는 몇 명의 학생이 12월의 기말시험에 참여하지 않을 것이라고 기대할 수 있는가?
b. 이 통계학 교수가 1월의 시험을 치를 필요가 없을 확률은 얼마인가?

7.151 가구당 잡지 구독 수는 다음과 같은 확률분포를 따른다.

가구당 잡지 구독 수	0	1	2	3	4
확률	.48	.35	.08	.05	.04

a. 가구당 잡지 구독 수의 평균을 계산하라.
b. 가구당 잡지 구독 수의 표준편차를 구하라.

7.152 한 자동차 세차장에 도착하는 자동차의 수는 시간당 평균이 8대인 포아송확률분포를 따른다.

a. 한 시간 동안 10대의 자동차가 세차장에 도착할 확률은 얼마인가?
b. 한 시간 동안 6대 이상의 자동차가 세차장에 도착할 확률은 얼마인가?
c. 한 시간 동안 12대 미만의 자동차가 세차장에 도착할 확률은 얼마인가?

7.153 하이커들과 여타 아웃도어 열광자들은 새로운 우려사항으로 Zika 바이러스에 직면해 있다. 의사들은 모기가 있는 지역에서 모기 살충제 사용을 권한다. 한 통계학자는 하이커들의 80%는 모기 살충제로 자신에게 뿌린다고 추정한다. 10명의 하이커 표본에게 모기 살충제를 사용하는지 묻는다고 하자. 다음 사건의 확률을 구하라.

a. 9명 이상이 모기 살충제를 사용한다.
b. 정확히 8명이 모기 살충제를 사용한다.
c. 7명 이하가 모기 살충제를 사용한다.

7.154 복권은 전 세계 많은 정부들의 중요한 수입원이다. 그러나 복권과 기타 형태의 도박은 사회문제인 도박중독을 발생시켰다. 정부가 주도하는 도박에 대한 한 비판자는 정기적으로 복권을 사는 사람의 30%는 도박중독자라고 주장하

였다. 복권을 정기적으로 사는 사람들 중에서 10명이 임의로 선택되었다. 이들 중 6명 이상이 도박중독자일 확률은 얼마인가?

7.155 소프트 볼 게임에서 홈런 수의 확률분포가 다음과 같다.

홈런 수	0	1	2	3	4	5
확률	.05	.16	.41	.27	.07	.04

a. 홈런 수의 평균을 계산하라.
b. 홈런 수의 표준편차를 구하라.

7.156 파워볼 복권은 미국에서 가장 인기 있는 복권 중 하나이다. 종종 잭팟은 1억 달러가 넘는다. 그 결과로 많은 사람들이 편의점에 줄을 서서 파워볼 복권을 산다. 한 통계학자는 줄 서 있는 수백 명의 사람들을 인터뷰하고 각 사람이 몇 장의 복권을 사려는지 묻는다. 그는 각 사람이 사는 복권의 수는 평균이 5인 포아송분포를 따른다고 결론짓는다.

a. 1장의 복권만을 사는 사람의 비율은 얼마인가?
b. 5장 이하의 복권을 사는 사람의 비율은 얼마인가?
c. 8장 이상의 복권을 사는 사람의 비율은 얼마인가?

7.157 한 Pew Research Center 보고서에 의하면 미국 성인의 10%는 콘솔, 컴퓨터, 셀룰러 폰에서 비디오 게임을 하는 데 많은 시간을 보내서 자신을 "게이머(gamer)"라고 여긴다. 25명으로 구성된 임의표본이 추출되고 각 사람에게 자신을 게이머라고 여기는지 묻는다고 하자. 다음 사건의 확률을 구하라.

a. 3명 이상이 자신을 게이머라고 여긴다.
b. 정확히 2명이 자신을 게이머라고 여긴다.
c. 3명 이하가 자신을 게이머라고 여긴다.

7.158 대학과 전문대학 학생들은 졸업 후 일자리 구하는 것에 대해서 상대적으로 확신한다.

한 Gallup 서베이에 의하면 학생들의 50%는 현재가 좋은 일자리를 구할 수 있는 좋은 때라고 말한다. 당신이 임의로 10명의 학생을 선택하고 그들의 미래 일자리 전망에 대해서 묻는다고 하자.

a. 6명이 현재가 좋은 일자리를 구할 수 있는 좋은 때라고 믿을 확률은 얼마인가?
b. 적어도 8명이 현재가 좋은 일자리를 구할 수 있는 좋은 때라고 믿을 확률을 계산하라.
c. 4명 이하가 현재가 좋은 일자리를 구할 수 있는 좋은 때라고 믿을 확률을 계산하라.

7.159 많은 셀룰러 폰 서비스 공급자들은 서비스를 구매하는 부모들이 다른 가족들을 위해 할인을 받을 수 있는 패밀리 플랜을 제공한다. 가족당 셀룰러 폰 수는 평균이 1.5인 포아송분포를 따른다고 하자. 한 가족이 임의로 선택된다고 하자. 다음 사건의 확률을 구하라.

a. 이 가족이 1개의 셀룰러 폰만을 가지고 있다.
b. 이 가족이 3개 이상의 셀룰러 폰을 가지고 있다.
c. 이 가족이 4개 이하의 셀룰러 폰을 가지고 있다.

7.160 한 회계감사관은 재고가치를 확인하기 위한 방법으로 재고의 양을 실제로 세어볼 준비를 하고 있다. 세어본 항목은 창고 감독관이 준비한 자료와 비교하여 조정된다. 한 특정한 회사에서 세어본 항목 중 20%는 송장을 재검토하지 않고는 창고 감독관이 준비한 자료와 비교하여 조정될 수 없다. 이 회계감사관은 10개 항목을 선택하였다. 6개 이상의 항목이 창고 감독관이 준비한 자료와 비교하여 조정될 수 없을 확률을 구하라.

7.161 내셔널 하키 리그(National Hockey League)에서 완봉승은 매 20게임당 한 번 임의로 그리고 독립적으로 발생한다. 다음 사건의 확률을 계산하라.

a. 10게임에서 2번의 완봉승이 발생한다.
b. 400게임에서 25번의 완봉승이 발생한다.
c. 오늘 저녁의 게임에서 완봉승이 발생한다.

7.162 대부분의 Miami Beach 레스토랑은 "early-bird" 특별메뉴를 제공한다. 이와 같은 특별메뉴는 오후 4시부터 오후 6시까지에만 제공되는 저가 식사이다. 그러나 오후 4시와 오후 6시 사이에 도착하는 모든 고객이 이와 같은 특별메뉴를 주문하는 것은 아니고 단지 70%만이 이와 같은 특별메뉴를 주문한다.

a. 오후 4시와 6시 사이에 방문하는 80명의 고객 중에서 66명 이상이 이와 같은 특별메뉴를 주문할 확률을 구하라.

b. 이와 같은 특별메뉴를 주문하는 고객 수의 평균은 얼마인가?

c. 이와 같은 특별메뉴를 주문하는 고객 수의 표준편차는 얼마인가?

7.163 기상학자들에 의하면 대서양 폭풍우의 장기 평균 수는 시즌(6월 1일부터 11월 30일까지의 기간)당 9.6개이다. 이 중에서 6개는 허리케인이 되고 2.3개는 격렬한 허리케인이 된다. 다음 사건들의 확률을 구하라.

a. 임의의 시즌에 10개 이상의 폭풍우가 발생한다.

b. 임의의 시즌에 5개 이하의 허리케인이 발생한다.

c. 임의의 시즌에 3개 이상의 격렬한 허리케인이 발생한다.

7.164 펜실베니아 대학의 약학대학에서 일하는 연구원들은 전등이 켜져 있는 방에서 잠을 자는 2세 미만의 어린이들은 16세까지 근시가 될 40%의 확률을 가진다는 이론을 설정하였다. 연구자들은 2세가 되기 전에 전등이 켜져 있는 상태에서 잠을 잤던 25명의 어린이를 선택하였다.

a. 이들 중 10명이 16세 이전에 근시가 될 확률은 얼마인가?

b. 이들 중 5명 미만이 16세 이전에 근시가 될 확률은 얼마인가?

c. 이들 중 16명 이상이 16세 이전에 근시가 될 확률은 얼마인가?

7.165 대머리 치유에 대하여 연구하는 한 제약회사 연구원은 머리의 중앙부에 대머리를 가지고 있는 중년 남성은 앞으로 10년 동안에 심장마비를 경험할 45%의 확률을 가지고 있다는 것을 발견하였다. 머리의 중앙부에 대머리를 가지고 있는 100명의 중년남성이 표본으로 추출되었다. 다음의 확률은 얼마인가?

a. 51명 이상이 앞으로 10년 동안에 심장마비를 경험할 것이다.

b. 44명 미만이 앞으로 10년 동안에 심장마비를 경험할 것이다.

c. 정확히 45명이 앞으로 10년 동안에 심장마비를 경험할 것이다.

7.166 광고 연구원들은 폭력 텔레비전 쇼에 나타나는 상업광고는 기억될 가능성이 더 적고 따라서 덜 효과적이라는 이론을 제시하였다. 폭력 프로그램과 비폭력 프로그램을 보는 시청자들로 구성된 표본을 구성하고 그들에게 광고에 대하여 5개의 질문을 한 후, 광고 연구원들은 정확한 답의 수에 관한 확률분포를 다음과 같이 구하였다.

폭력 프로그램 시청자

x	0	1	2	3	4	5
$P(x)$	.36	.22	.20	.09	.08	.05

비폭력 프로그램 시청자

y	0	1	2	3	4	5
$P(y)$	.15	.18	.23	.26	.10	.08

a. 폭력 텔레비전 프로그램의 시청자들이 제시한 정확한 답 수의 평균과 표준편차를 계산하라.

b. 비폭력 텔레비전 프로그램의 시청자들이 제시한 정확한 답 수의 평균과 표준편차를 계산하라.

7.167 1941년에 Joe DiMaggio는 연속적으로 56경기에서 안타를 쳤다. 이것은 결코 깨어지지 못할

것으로 예측되는 기록이었다. 이것이 얼마나 발생하기 어려운 것인지 알아보기 위해 타율이 3할 5푼인 한 타자가 한 경기에서 5차례 타석에 들어선다고 가정하라(4볼이나 피처에 의한 타자 히트가 없다고 가정).

a. 이 타자가 한 경기에서 적어도 1개의 안타를 칠 확률은 얼마인가?

b. a에서 구한 확률을 사용해서 이 타자가 연속적으로 56경기에서 안타를 칠 확률을 구하라.

7.168 농구 경기에서 플레이어는 파울을 당할 때 자유투를 얻는다. 한 플레이어가 자유투의 80%를 성공시킨다고 하자. 이 플레이어에게 10개의 자유투가 주어진다. 다음 사건의 확률을 구하라.

a. 10개 모두 자유투를 성공시킨다.

b. 8개 이상의 자유투를 성공시킨다.

c. 8개 이하의 자유투를 성공시킨다.

7.169 한 투자자는 New York Stock Exchange에서 거래되는 주식의 60%는 가치가 상승했다는 라디오 보도를 듣는다. 그는 NYSE에서 거래되는 20개의 주식을 보유하고 있다. 다음 사건의 확률을 구하라.

a. 15개 이상의 주식이 가치가 상승했다.

b. 12개 이하의 주식이 가치가 상승했다.

c. 12개 주식이 가치가 상승했다.

7.170 지구가 1998년 11월 17일에 Temple-Tuttle 혜성의 꼬리부분을 이루는 운석의 폭풍 속을 운행하였을 때, 이 운석의 폭풍은 평균 운석 폭풍의 1,000배의 강도를 가지고 있었다. 이 혜성이 도착하기 전에, 전자통신회사들은 궤도 상에 있는 약 650개의 인공위성에 미칠 수 있는 잠재적 손상에 대하여 걱정하였다. 각 인공위성이 전자시스템에 손상을 주면서 운석과 부딪힐 확률은 1%로 추정되었다. 그 당시에 한 회사는 궤도 상에 있는 5개의 인공위성을 가지고 있었다. 손상을 입을 이 회사의 인공위성 수에 관한 확률분포를 구하라.

7.171 40세가 넘은 여성은 매년 유방엑스선 사진을 촬영할 것을 권고받는다. 한 최근 보고서는 한 여성이 10년 동안 매년 유방엑스선 사진을 촬영한다면 적어도 한 번의 거짓 양성의 결과가 발생할 확률이 60%라고 제시한다. (거짓 양성은 실제로 암이 없는데 암이 있다고 제시하는 결과이다.) 연간 검사결과들이 독립이면 어느 한 해에 유방엑스선 사진이 거짓 양성을 나타낼 확률은 얼마인가? (**힌트**: $n=10$을 가진 이항확률변수가 1 이상일 확률이 .60일 때 p의 값을 구하라.)

사례분석 7.1 번트할 것이냐 번트하지 않을 것이냐, 그것이 문제이다 — PART II

Debby Wong/Shutterstock.com

사례분석 6.2에서 적어도 1점을 올릴 확률이 제시되었다. 코치가 당신에게 타자가 희생번트를 하도록 신호를 보내야 하는지 물었다고 하자. 코치가 타자에게 번트를 하도록 신호를 보낼 때와 자유롭게 스윙하도록 신호를 보낼 때 적어도 1점을 올릴 확률을 비교하여 의사결정이 이루어진다. 이와 같은 의사결정에 포함되어야 하는 다른 요인은 코치가 그의 팀이 올리기를 기대하는 *점수*이다. 사례분석 6.2에서 인용된 같은 논문에서 저자는 각각의 경우에 올리는 기대점수도 계산하였다. 아래의 표 1은 아웃 카운트 수와 베이스 진출상태에 의해 정의되는 상황에서 얻을 것으로 예상되는 기대점수를 정리한 것이다.

코치가 가능한 많은 점수를 올리기를 원한다고 하자. 사례분석 6.2에 정리되어 있는 번트의 4가지 결과가 발생할 확률이 같다고 가정하면서, 코치가 타자에게 희생번트를 하도록 신호를 보내야 하는지 결정하라. (현재 상황은 노 아웃과 1루 베이스 진출상황이라는 것을 기억하라.)

표 1 예상되는 기대점수

베이스 진출상태	노 아웃	원 아웃	투 아웃
베이스 진출이 없음	.49	.27	.10
1루 진출	.85	.52	.23
2루 진출	1.06	.69	.34
3루 진출	1.21	.82	.38
1루와 2루 진출	1.46	1.00	.48
1루와 3루 진출	1.65	1.10	.51
2루와 3루 진출	1.94	1.50	.62
풀 베이스 진출	2.31	1.62	.82

Wavebreakmedia/Shutterstock.com

8 연속확률분포

Continuous Probability Distributions

이 장의 구성

8.1 확률밀도함수

8.2 정규분포

8.3 지수분포

8.4 기타 연속확률분포

중역 MBA 프로그램에 입학하기 위한 최소 GMAT 점수

☞ (299페이지에 모범답안이 제시되어 있다.)

한 대학은 새로운 중역 MBA 프로그램(Executive MBA Program)을 방금 승인하였다. 경영대학원장은 명문 경영대학원의 이미지를 유지하기 위해 새로운 중역 MBA 프로그램은 높은 수준을 가져야 한다고 믿고 있다. 따라서 교수위원회는 입학조건의 하나로 입학지원자는 GMAT (Graduate Management Admission Test) 점수의 상위 1%를 취득하여야 한다고 결정하였다. 경영대학원장은 GMAT 점수는 평균이 490이고 표준편차가 61을 가진 정규분포를 따른다는 것을 알고 있다. 경영대학원장이 알지 못하고 있는 유일한 사항은 입학허가를 위한 최소 GMAT 점수가 얼마인가이다.

wavebreakmedia/Shutterstock.com

정규분포를 살펴본 후에 이와 같은 질문으로 돌아가서 답을 구해보도록 하자.

서론

이 장에서는 연속확률변수와 연속확률분포를 살펴보면서 확률에 대한 논의를 마무리한다. 제7장에서는 이산확률변수와 관련된 확률을 계산하기 위해 사용되는 이산확률분포를 살펴보았다. 제7.4절에서는 이항확률변수가 특정한 값(성공의 횟수)을 가질 확률을 결정할 수 있게 해주는 이항분포를 살펴보았다. 이와 같은 방식으로 확률분포로 제시되는 범주데이터의 모집단과 표본을 연결시킨다. 이 장에서는 구간변수와 관련된 확률을 계산하기 위해 사용되는 연속확률분포를 살펴본다. 이렇게 함으로써 구간데이터의 모집단과 표본을 연결시킨다.

제8.1절에서는 확률밀도함수(probability density function)를 논의하고 일양밀도함수(uniform density function)를 가지고 확률이 어떻게 계산되는지 예시한다. 제8.2절에서는 통계적 추론에서 가장 중요한 확률분포 중 하나인 정규분포에 초점을 맞추어 논의한다. 제8.3절에서는 경영과학분야의 다양한 응용에서 유용한 것으로 판명되어 있는 확률분포인 지수분포(exponential distribution)가 소개된다. 마지막으로 제8.4절에서는 추가적으로 3개의 연속확률분포가 소개된다. 이와 같은 연속확률분포들은 이 책의 도처에서 논의되는 통계적 추론과정에서 사용될 것이다.

8.1 확률밀도함수

연속확률변수는 셀 수 없는 개수의 값을 가질 수 있는 확률변수이다. 이와 같은 종류의 확률변수는 이산확률변수와 매우 다르기 때문에 연속확률변수는 완전히 다르게 다루어야 할 필요가 있다. 첫째, 연속확률변수는 무한개의 값을 가질 수 있기 때문에 가질 수 있는 값들을 나열할 수 없다. 둘째, 연속확률변수는 무한개의 값을 가질 수 있기 때문에 각 개별적인

그림 8.1 예제 3.1의 히스토그램

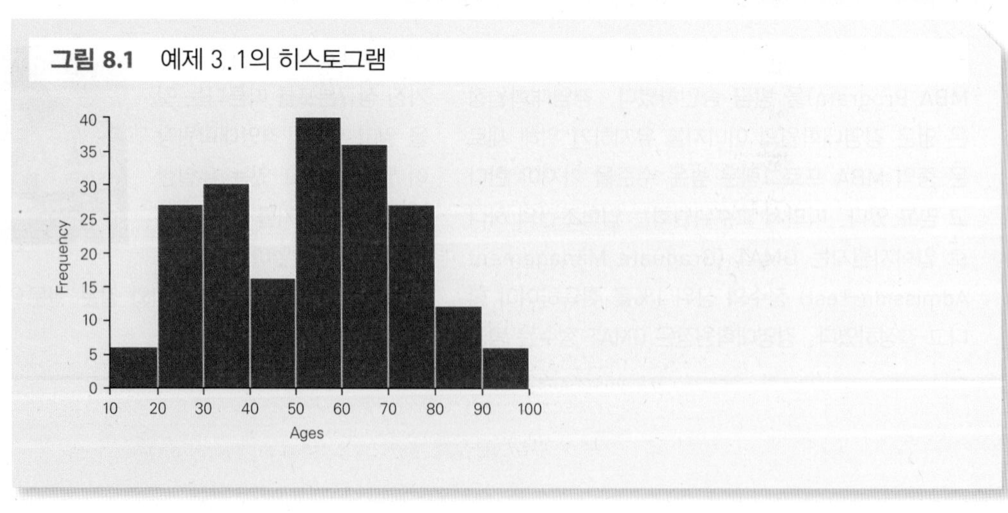

값을 가질 확률은 0이다. 이에 따라 연속확률변수가 가질 수 있는 값의 구간에 대해서만 확률이 결정될 수 있다. 이와 같은 점을 예시하기 위해 예제 3.1에서 다루었던 ACBL 회원 연령의 히스토그램을 생각해보자. 이 히스토그램이 그림 8.1에 그려져 있다.

예를 들면, 10~20구간의 상대빈도는 6/200이다. 상대빈도 방법을 사용하면, 임의로 선택된 한 ACBL 회원의 연령이 10세~20세의 구간에 속할 확률은 6/200=.030으로 추정된다. 이와 유사하게 임의로 선택된 다른 구간에 속할 확률이 추정될 수 있다.

구간	상대빈도
$10 \le X \le 20$	6/200
$20 < X \le 30$	27/200
$30 < X \le 40$	30/200
$40 < X \le 50$	16/200
$50 < X \le 60$	40/200
$60 < X \le 70$	36/200
$70 < X \le 80$	27/200
$80 < X \le 90$	12/200
$90 < X \le 100$	6/200
합계	200/200=1

이와 같이 추정된 확률의 합은 1이라는 점에 주목하라. 논의를 전개하기 위해 모든 직사각형 **면적**(area)의 합이 1이 되도록 각 구간의 직사각형 높이를 설정한다. 각 구간의 직사각형 높이는 각 구간의 상대빈도를 각 구간의 길이인 10으로 나누어 구해진다. 각 구간의 직사각형 **면적**(area)은 확률변수가 이 구간에 속할 확률과 같다.

히스토그램을 그릴 때 만들어진 구간과는 다른 구간의 확률을 구하기 위해서도 같은 방법이 적용된다. 예를 들면, 임의로 선택된 한 ACBL 회원의 연령이 25세와 45세 사이에 속할 확률은 그림 8.2에서 보는 것처럼 25와 45 사이의 면적과 같다.

짙게 음영으로 표시된 직사각형의 면적은 다음과 같이 계산된다.

구간	사각형의 높이	사각형의 밑변×높이
$25 < X \le 30$	$27/(200 \times 10) = .0135$	$(30-25) \times .0135 = .0675$
$30 < X \le 40$	$30/(200 \times 10) = .015$	$(40-30) \times .015 = .150$
$40 < X \le 45$	$16/(200 \times 10) = .008$	$(45-40) \times .008 = .040$
		합계=.2575

그림 8.2 한 ACBL 회원의 연령이 25세와 45세 사이에 속할 확률 추정

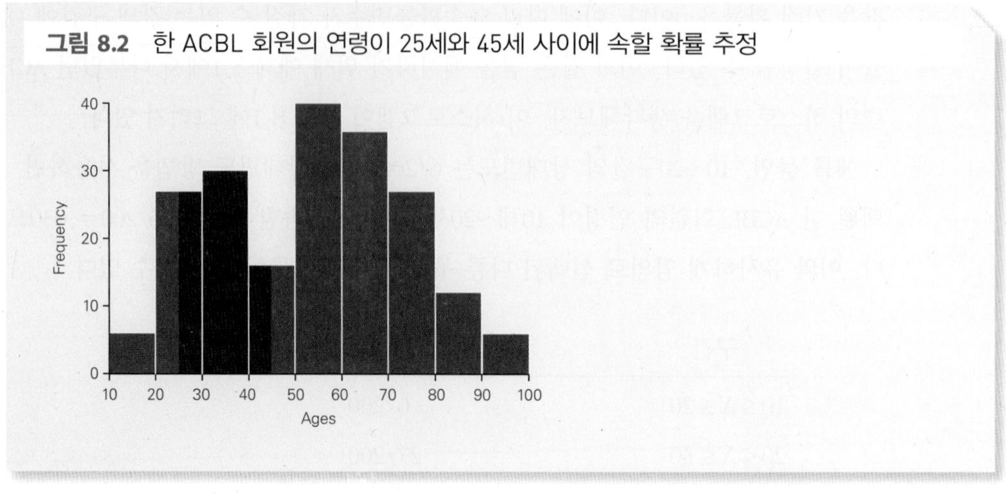

임의로 선택된 한 ACBL 회원의 연령이 25세와 45세 사이의 구간에 속할 확률은 .2575로 추정된다.

만일 주어진 히스토그램이 많은 수의 더 작은 구간들로 그려지면, 그림 8.3에서 보는 것처럼 직사각형의 끝부분은 매끄러운 곡선처럼 그려질 수 있다. 많은 경우에 이와 같은 곡선을 나타내는 함수 $f(x)$가 결정될 수 있다. 이와 같은 함수는 **확률밀도함수**(probability density function)라고 부른다. 확률밀도함수가 충족시켜야 하는 조건들이 다음의 박스에 정리되어 있다.

확률밀도함수의 필수조건

$a \le x \le b$의 범위를 가지는 확률밀도함수 $f(x)$는 다음과 같은 조건을 충족시켜야 한다.

1. a와 b 사이에 있는 모든 x에 대하여 $f(x) \ge 0$이다.
2. a와 b 사이에 있는 $f(x)$ 아래의 총 면적은 1이다.

적분(integral calculus)*이 곡선의 아래에 있는 면적을 계산하기 위해 사용될 수 있다. 다행히도 우리가 다루는 연속확률분포는 확률을 계산하기 위해 이와 같은 수학적 방법을 요구하지 않는다. 연속확률분포는 적분을 사용하기에 너무 단순하거나 너무 복잡할 수 있다. 가장 단순한 연속확률분포로부터 시작해보자.

* 연속확률변수의 확률과 모수를 결정하기 위해 적분이 사용된다.

그림 8.3 예제 3.1의 확률밀도함수

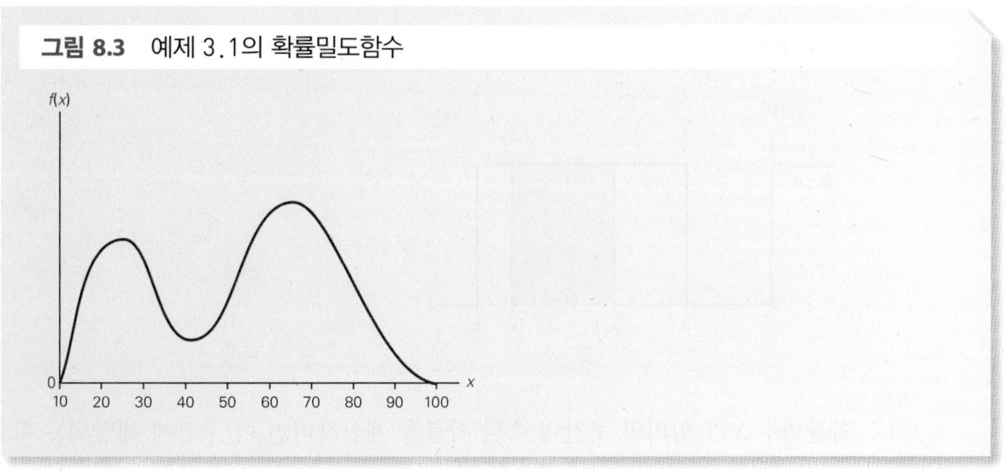

8.1a 일양분포

확률밀도함수를 나타내는 곡선 아래의 면적을 구하는 방법을 예시하기 위해 **일양확률분포**(uniform probability distribution)[**직사각형확률분포**(rectangular probability distribution)라고도 부름]를 살펴보자.

> **일양분포의 확률밀도함수**
>
> 일양분포의 확률밀도함수는 다음과 같다.
>
> $$f(x) = \frac{1}{b-a}, \quad a \le x \le b$$

이와 같은 일양분포의 확률밀도함수가 그림 8.4에 그려져 있다. 이 그림으로부터 당신은 일양분포가 **직사각형분포**라고 불리는 이유를 알 수 있다.

그림 8.4 일양분포

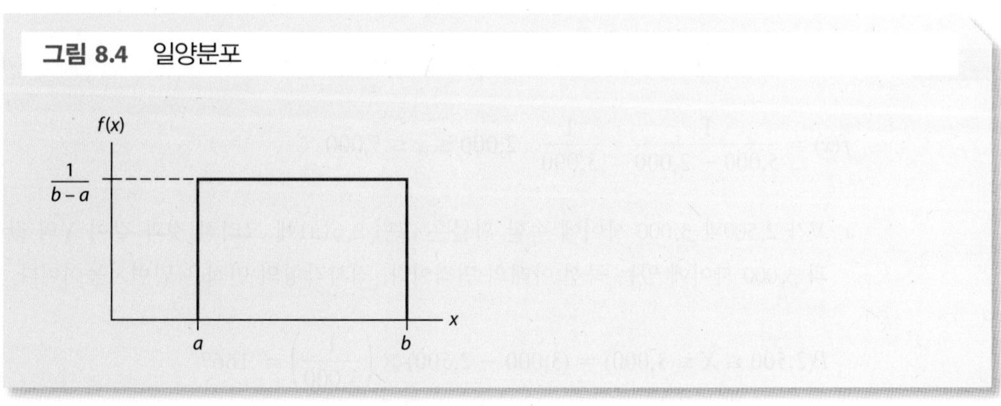

그림 8.5 $P(x_1<X<x_2)$

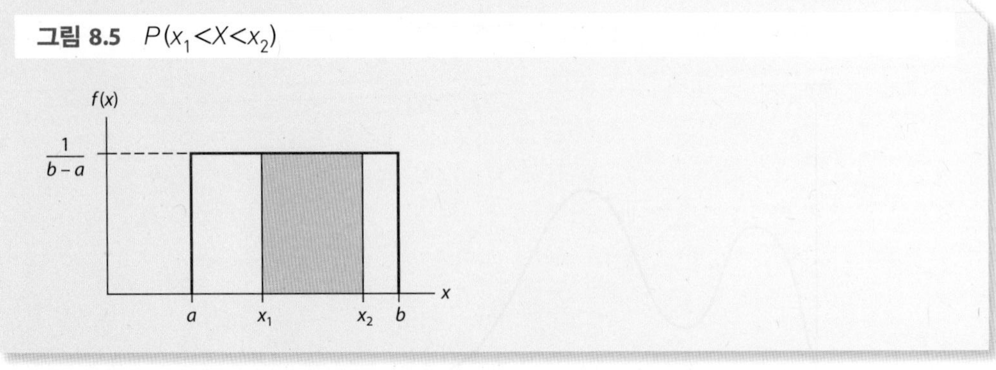

확률변수 X가 임의의 구간에 속할 확률을 계산하려면 이 구간에 해당되는 확률밀도함수 아래의 면적을 구하면 된다. 예를 들면, X가 x_1과 x_2 사이에 속할 확률을 구하려면 밑변이 x_2-x_1이고 높이가 $1/(b-a)$인 직사각형의 면적을 구하면 된다. 그림 8.5는 우리가 구하고자 하는 면적을 나타낸 것이다. 당신이 보는 것처럼, 이 면적은 직사각형이고 직사각형의 면적은 밑변과 높이를 곱하여 구하여진다. 따라서 $P(x_1<X<x_2)$는 다음과 같이 계산된다.

$$P(x_1<X<x_2)=\text{밑변}\times\text{높이}=(x_2-x_1)\times\frac{1}{b-a}$$

예제 8.1 일양분포를 따르는 가솔린 판매량

한 주유소에서 하루에 판매되는 가솔린의 양은 최솟값이 2,000갤런이고 최댓값이 5,000갤런을 가지는 일양분포를 따른다.

a. 하루 판매량이 2,500갤런과 3,000갤런 사이에 속할 확률을 구하라.
b. 이 주유소가 하루에 적어도 4,000갤런의 가솔린을 판매할 확률은 얼마인가?
c. 이 주유소가 하루에 정확히 2,500갤런의 가솔린을 판매할 확률은 얼마인가?

해답 이 예제에 해당되는 확률밀도함수는 다음과 같다.

$$f(x)=\frac{1}{5{,}000-2{,}000}=\frac{1}{3{,}000}\quad 2{,}000\le x\le 5{,}000$$

a. X가 2,500과 3,000 사이에 속할 확률은 그림 8.6(a)에 그려진 것과 같이 X의 값이 2,500과 3,000 사이에 있는 곡선 아래의 면적이다. 직사각형의 면적은 밑변×높이이다. 따라서

$$P(2{,}500\le X\le 3{,}000)=(3{,}000-2{,}500)\times\left(\frac{1}{3{,}000}\right)=.1667$$

b. $P(X \geq 4{,}000) = (5{,}000 - 4{,}000) \times \left(\frac{1}{3{,}000}\right) = .3333$ [그림 8.6(b) 참조]

c. $P(X = 2{,}500) = 0$

X가 가질 수 있는 값은 셀 수 없는 무한개이기 때문에 X가 각 개별적인 값을 가질 확률은 0이다. 더욱이, 당신이 그림 8.6(c)에서 보는 것처럼 한 직선의 면적은 0이다.

연속확률변수가 임의의 개별적인 값과 같을 확률은 0이기 때문에 $P(2{,}500 \leq X \leq 3{,}000)$과 $P(2{,}500 < X < 3{,}000)$의 값은 같다. 물론, 이산확률변수의 경우에는 이와 같은 일은 성립하지 않는다.

그림 8.6 예제 8.1에 대한 확률밀도함수

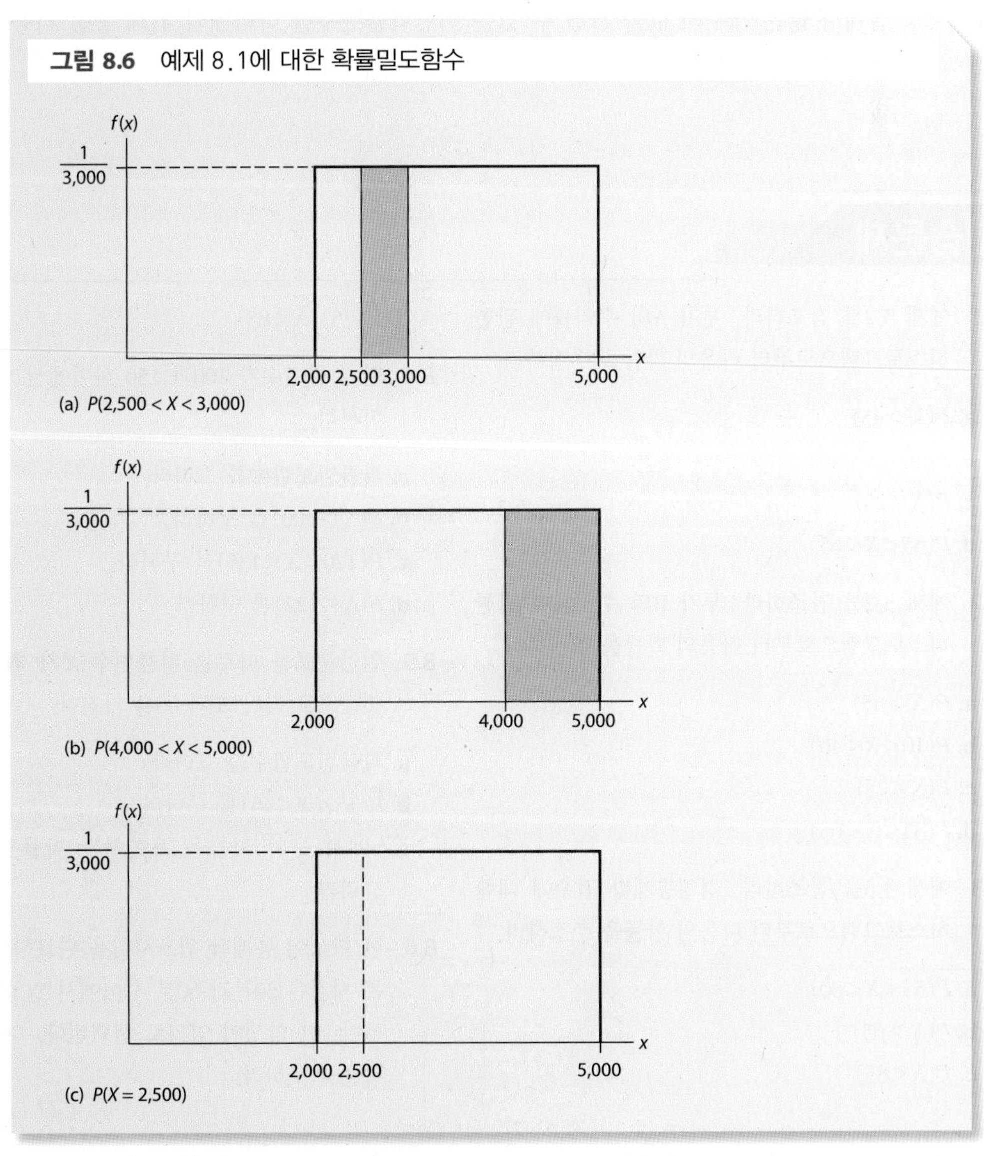

8.1b 이산확률분포를 근사하기 위해 연속확률분포 사용하기

이산확률변수와 연속확률변수의 정의에 의하면, 확률변수가 가질 수 있는 값의 개수가 셀 수 있는가 또는 셀 수 없는가에 따라서 확률변수는 이산확률변수 또는 연속확률변수로 구별된다. 그러나 실제로 확률변수가 가질 수 있는 값의 개수가 셀 수 있으나 많은 경우 이산확률변수를 근사시키기 위해 연속확률변수가 자주 사용된다. 예를 들면, 주간 소득이 가질 수 있는 값의 개수는 셀 수 있다. 달러로 나타낸 주간 소득의 값은 0, .01, .02, . . . 이다. 상한값이 존재하지 않지만, 모든 가능한 값들을 쉽게 셀 수 있다. 따라서 주간 소득은 이산확률변수이다. 그러나 이와 같은 이산확률변수는 매우 많은 값을 가질 수 있기 때문에, 이와 같은 이산확률변수와 관련된 확률을 구하기 위해 연속확률분포가 사용될 수 있다. 다음 절에서 많은 개수의 값을 가질 수 있는 이산확률변수를 나타내기 위해 종종 사용되는 정규분포가 소개된다.

연습문제

8.1 예제 3.2를 참조하라. 투자 A의 수익률에 관한 히스토그램으로부터 다음의 확률을 추정하라.

a. $P(X>45)$
b. $P(10<X<40)$
c. $P(X<25)$
d. $P(35<X<65)$

8.2 예제 3.2를 참조하라. 투자 B의 수익률에 관한 히스토그램으로부터 다음의 확률을 추정하라.

a. $P(X>45)$
b. $P(10<X<40)$
c. $P(\mathrm{X}<25)$
d. $P(35<X<65)$

8.3 예제 3.3을 참조하라. 경영통계학 점수에 대한 히스토그램으로부터 다음의 확률을 추정하라.

a. $P(55<X<80)$
b. $P(X>65)$
c. $P(X<85)$
d. $P(75<X<85)$

8.4 한 확률변수가 100과 150 사이에서 일양분포를 따른다.

a. 확률밀도함수를 그려라.
b. $P(X>100)$을 구하라.
c. $P(120<X<135)$를 구하라.
d. $P(X<122)$를 구하라.

8.5 일양분포를 따르는 확률변수 X가 최솟값과 최댓값으로 각각 20과 60을 가진다.

a. 확률밀도함수를 그려라.
b. $P(35<X<45)$를 구하라.
c. b에서 구한 확률을 포함하는 확률밀도함수를 그려라.

8.6 한 학생이 통계학 퀴즈시험을 완료하는 데 걸리는 시간은 30분과 60분 사이에서 일양분포를 따른다. 한 학생이 임의로 선택된다. 다음 사건의 확률을 구하라.

a. 이 학생이 퀴즈시험을 완료하는 데 55분 이상이 필요하다.

b. 이 학생은 30분과 40분 사이에 퀴즈시험을 완료한다.

c. 이 학생은 정확히 37.23분에 퀴즈시험을 완료한다.

8.7 연습문제 8.6을 참조하라. 통계학 교수는 시험종료시간이 하위 1/4에 속하는 학생에게 보너스 점수로 보상하기 원한다. 이 교수가 보너스 점수를 부여하기 위해 사용하여야 하는 시험종료시간은 얼마인가?

8.8 연습문제 8.6을 참조하라. 통계학 교수는 시험종료시간이 상위 10%에 속하는 학생들을 돕기 원한다. 교수가 이 일을 위해 사용하여야 하는 시험종료시간은 얼마인가?

8.9 한 제철소의 주간 생산량은 110톤과 175톤 사이의 값을 가지는 일양분포를 따르는 확률변수이다.

a. 이 제철소가 다음 주에 150톤 이상 생산할 확률을 계산하라.

b. 이 제철소가 다음 주에 120톤과 160톤 사이에서 생산할 확률을 구하라.

8.10 연습문제 8.9를 참조하라. 생산운영관리자는 생산량의 하위 20%를 생산하는 주를 "bad week"라고 표시한다. Bad week를 정의하기 위해서 몇 톤이 사용되어야 하는가?

8.11 확률변수 X가 다음과 같은 확률밀도함수를 가진다.

$$f(x) = 1 - .5x, \quad 0 < x < 2$$

a. 확률밀도함수를 그려라.

b. $f(x)$가 확률밀도함수라는 것을 증명하라.

c. $P(X > 1)$를 구하라.

d. $P(X < .5)$를 구하라.

e. $P(X = 1.5)$를 구하라.

8.12 다음의 함수는 확률변수 X의 확률밀도함수이다.

$$f(x) = \frac{x-1}{8}, \quad 1 < x < 5$$

a. 확률밀도함수를 그려라.

b. X가 2와 4 사이에 속할 확률을 구하라.

c. X가 3보다 작을 확률은 얼마인가?

8.13 확률변수 X의 확률밀도함수는 다음과 같다.

$$f(x) = \begin{cases} \dfrac{x}{25} & 0 < x < 5 \\ \dfrac{10 - x}{25} & 5 < x < 10 \end{cases}$$

a. 확률밀도함수를 그려라.

b. X가 1과 3 사이에 속할 확률을 구하라.

c. X가 4와 8 사이에 속할 확률은 얼마인가?

d. X가 7 미만일 확률을 계산하라.

e. X가 3보다 클 확률을 구하라.

8.14 다음은 확률변수 X의 확률밀도함수를 그린 것이다.

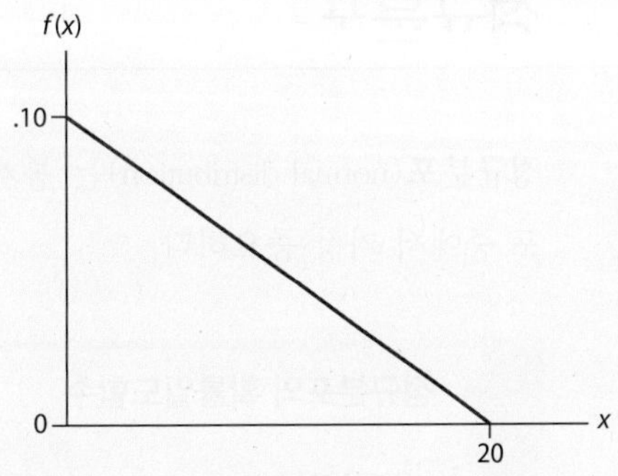

a. 확률밀도함수를 식으로 나타내라.

b. X가 10보다 클 확률을 구하라.

c. X가 6과 12 사이에 속할 확률을 구하라.

8.15 확률밀도함수가 다음과 같다.

$$\begin{aligned} f(x) &= .40 \quad 0 < x < 1 \\ &= .05 \quad 1 < x < 13 \end{aligned}$$

a. 확률밀도함수를 그려라.
b. X가 8 미만일 확률을 구하라.
c. X가 .4와 10 사이에 있을 확률은 얼마인가?

8.16 다음과 같은 확률밀도함수가 확률변수 X를 설명한다.

$$f(x) = .10 \quad 0 < x < 2$$
$$= .20 \quad 2 < x < 5$$
$$= .15 \quad 5 < x < 6$$
$$= .05 \quad 6 < x < 7$$

a. 확률밀도함수를 그려라.
b. X가 5.5 미만일 확률을 구하라.
c. X가 3.5보다 클 확률을 구하라.
d. X가 1과 6.5 사이에 있을 확률은 얼마인가?

8.17 확률밀도함수가 다음과 같다.

$$f(x) = .2x \quad 0 < x < 2$$
$$= .4 \quad 2 < x < 3.5$$

a. $f(x)$가 확률밀도함수인지 확인하라.
b. 확률밀도함수를 그려라.
c. X가 2 미만일 확률을 구하라.
d. X가 3 미만일 확률을 구하라.
e. X가 1과 2.5 사이에 있을 확률은 얼마인가?

8.18 다음과 같은 확률밀도함수가 확률변수 X를 설명한다.

$$f(x) = .40 - .10x \quad 0 < x < 4$$
$$= .10x - .40 \quad 4 < x < 6$$

a. 확률밀도함수를 그려라.
b. X가 2 미만일 확률은 얼마인가?
c. X가 5보다 클 확률을 구하라.
d. X가 2.5와 5.5 사이에 있을 확률을 구하라.

8.2 정규분포

정규분포(normal distribution)는 통계적 추론에서 핵심적인 역할을 하기 때문에 모든 확률분포 중에서 가장 중요하다.

정규분포의 확률밀도함수

정규확률변수(normal random variable)의 확률밀도함수는 다음과 같다.

$$f(x) = \frac{1}{\sigma\sqrt{2\pi}} e^{-\frac{1}{2}\left(\frac{x-\mu}{\sigma}\right)^2} \qquad -\infty < x < \infty$$

$e = 2.71828 \ldots$ 이고 $\pi = 3.14159 \ldots$ 이다.

그림 8.7은 정규분포를 그린 것이다. 정규분포를 나타내는 곡선은 확률변수의 평균을 중심으로 대칭이고 확률변수는 $-\infty$와 $+\infty$ 사이의 값을 가진다.

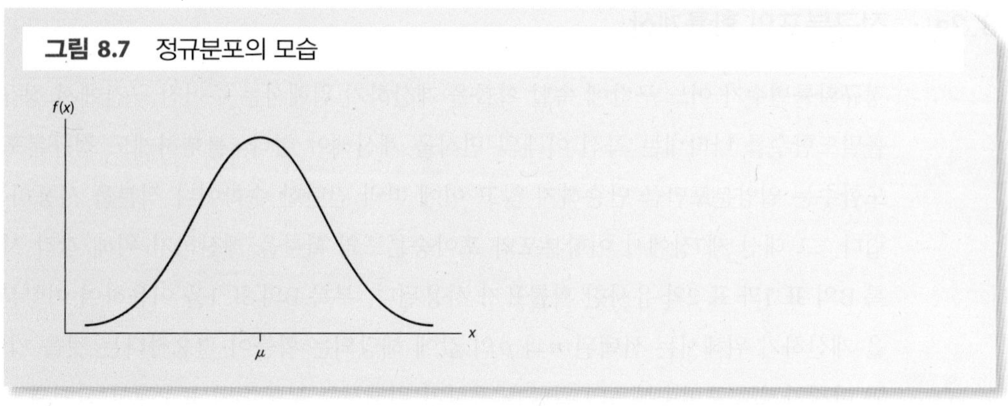

그림 8.7 정규분포의 모습

정규분포의 모습은 두 개의 모수, 즉 평균 μ와 표준편차 σ에 의해 결정된다. 그림 8.8은 μ의 값이 변화할 때 정규분포의 모습이 어떻게 변화하는지 보여준다. 정규분포곡선은 μ가 증가하면 오른쪽으로 이동하고 μ가 감소하면 왼쪽으로 이동한다.

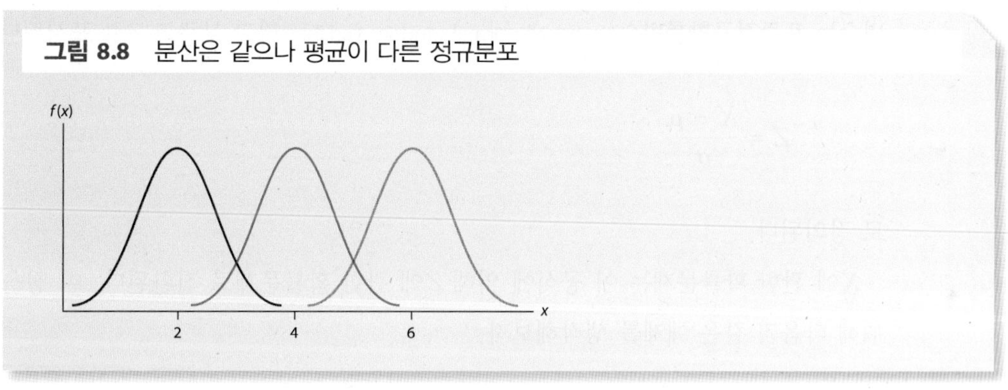

그림 8.8 분산은 같으나 평균이 다른 정규분포

그림 8.9는 σ가 달라지면 정규분포의 모습이 어떻게 달라지는지 보여준다. σ가 큰 값을 가질수록 정규분포의 모습은 더 넓어지고 σ가 작은 값을 가질수록 정규분포의 모습은 더 좁아진다.

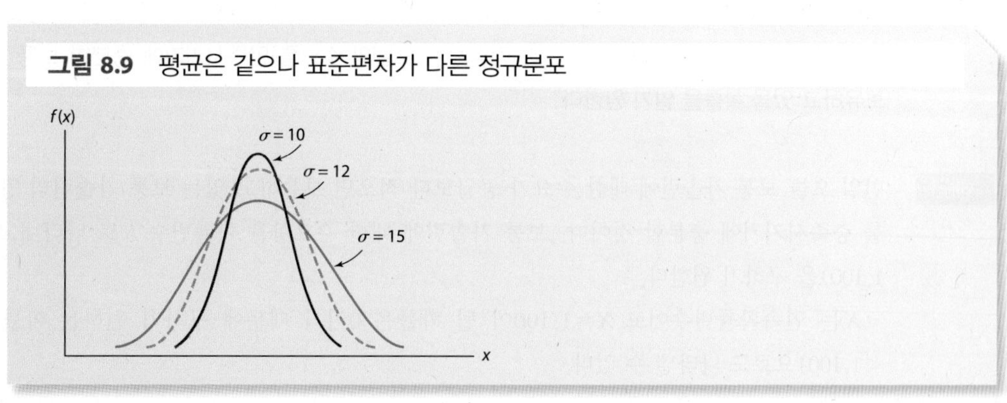

그림 8.9 평균은 같으나 표준편차가 다른 정규분포

8.2a 정규분포의 확률계산

정규확률변수가 어느 구간에 속할 확률을 계산하기 위해서는 주어진 구간에서 정규분포의 확률밀도함수를 나타내는 곡선 아래의 면적을 계산해야 한다. 불행하게도 정규분포의 확률밀도함수는 일양분포만큼 단순하지 않고 이에 따라 간단한 수학이나 적분을 사용하는 것이 어렵다. 그 대신 제7장에서 이항분포와 포아송분포의 확률을 계산하기 위해 각각 사용되는 부록 B의 표 1과 표 2와 유사한 확률표가 사용된다. 부록 B의 표 1을 이용하여 이항분포의 확률을 계산하기 위해서는 선택된 n과 p의 값에 해당되는 확률이 필요하다는 것을 기억하라. 이와 마찬가지로 포아송분포의 확률을 구하기 위해서는 부록 B의 표 2에서 선택된 μ의 값에 해당되는 확률이 필요하다. 정규분포의 확률을 계산하기 위해서는 선택된 μ와 σ의 값에 해당되는 확률표가 필요한 것으로 보인다. 그러나 다행스럽게도 이와 같은 표가 필요하지 않다. 그 대신 정규확률변수를 표준화함으로써 필요한 표의 수는 한 개로 줄어든다. 확률변수에서 평균을 빼고 이 값을 표준편차로 나누어서 확률변수를 표준화한다. 이와 같이 전환된 정규확률변수는 **표준정규확률변수**(standard normal random variable)라고 부르고 Z로 표시된다. 즉,

$$Z = \frac{X - \mu}{\sigma}$$

로 정의된다.

X에 관한 확률문제는 이 공식에 의해 Z에 관한 확률문제로 전환된다. 이 점을 예시하기 위해 다음과 같은 예제를 생각해보자.

예제 8.2 정규분포를 따르는 가솔린 판매량

다른 한 주유소에서 보통 가솔린에 대한 일일 수요량은 평균이 1,000갤런이고 표준편차가 100갤런인 정규분포를 따른다고 하자. 이 주유소의 경영자는 방금 영업을 시작하였고 저장소에 정확히 1,100갤런의 보통 가솔린을 보유하고 있다는 것을 알고 있다. 다음 가솔린 배달은 오늘 영업이 종료된 후에 이루어지는 것으로 예정되어 있다. 이 경영자는 오늘의 수요를 만족시키기에 충분한 보통 가솔린을 보유하고 있을 확률을 알기 원한다.

해답 만일 오늘 보통 가솔린에 대한 수요가 공급보다 적으면 보유하고 있는 보통 가솔린의 양은 수요를 충족시키기에 충분할 것이다. 보통 가솔린에 대한 수요량을 확률변수 X로 나타내고 $P(X \leq 1,100)$을 구하기 원한다.

X는 연속확률변수이고 $X=1,100$이 될 확률은 0이기 때문에 구하기 원하는 확률은 $P(X < 1,100)$으로도 나타낼 수 있다.

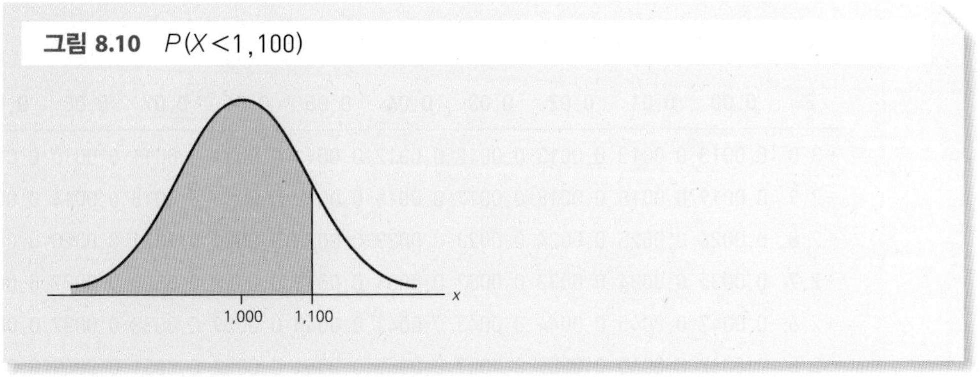

그림 8.10 $P(X<1,100)$

그림 8.10은 평균이 1,000과 표준편차가 100인 정규분포곡선과 구하기 원하는 확률을 나타내는 면적을 그린 것이다.

확률을 구하기 위한 첫 번째 단계는 X를 표준화하는 것이다. X에 대하여 연산을 하는 경우 1,100에 대하여도 동일한 연산을 하여야 한다. 따라서

$$P(X < 1{,}100) = P\left(\frac{X-\mu}{\sigma} < \frac{1{,}100 - 1{,}000}{100}\right) = P(Z < 1.00)$$

그림 8.11은 $P(Z<1.00)$을 그린 것이다. 확률변수 X는 확률변수 Z로 전환되었고 1,100은 1.00으로 전환되었다. 그러나 구하여야 하는 면적은 변화되지 않았다. 즉, 구하기 원하는 확률 $P(X<1,100)$은 $P(Z<1.00)$과 같다.

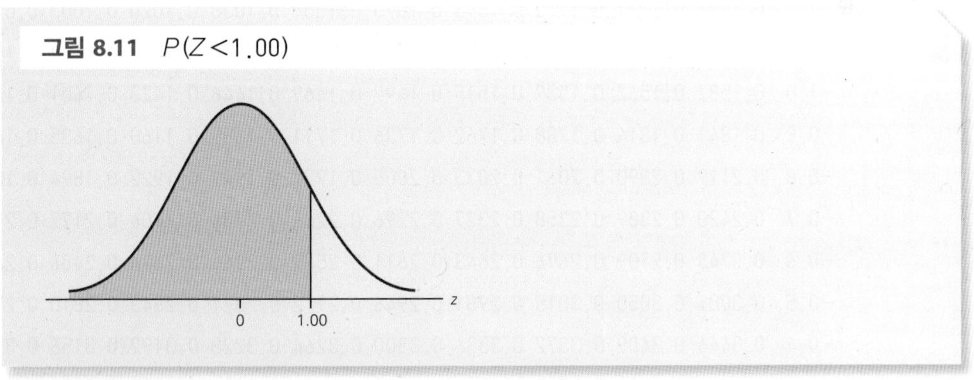

그림 8.11 $P(Z<1.00)$

Z의 값은 상응하는 X값의 위치를 규정한다. $Z=1$의 값은 평균 위로 1 표준편차 떨어져 있는 X의 값을 나타낸다. Z의 평균인 0은 X의 평균인 1000을 나타낸다.

만일 정규분포를 따르는 확률변수의 평균과 표준편차가 알려져 있다면, X에 대한 확률은 항상 Z에 대한 확률로 전환될 수 있다. 따라서 정규분포의 확률을 계산하기 위해 부록 B의 표 3으로 제시되어 있는 표준정규확률표만 필요하다. 이와 같은 표준정규확률표가 표 8.1로 복제되어 있다.

표 8.1 표준정규확률표 $P(Z<z)$[부록 B의 표 3]

Z	0.00	0.01	0.02	0.03	0.04	0.05	0.06	0.07	0.08	0.09
−3.0	0.0013	0.0013	0.0013	0.0012	0.0012	0.0011	0.0011	0.0011	0.0010	0.0010
−2.9	0.0019	0.0018	0.0018	0.0017	0.0016	0.0016	0.0015	0.0015	0.0014	0.0014
−2.8	0.0026	0.0025	0.0024	0.0023	0.0023	0.0022	0.0021	0.0021	0.0020	0.0019
−2.7	0.0035	0.0034	0.0033	0.0032	0.0031	0.0030	0.0029	0.0028	0.0027	0.0026
−2.6	0.0047	0.0045	0.0044	0.0043	0.0041	0.0040	0.0039	0.0038	0.0037	0.0036
−2.5	0.0062	0.0060	0.0059	0.0057	0.0055	0.0054	0.0052	0.0051	0.0049	0.0048
−2.4	0.0082	0.0080	0.0078	0.0075	0.0073	0.0071	0.0069	0.0068	0.0066	0.0064
−2.3	0.0107	0.0104	0.0102	0.0099	0.0096	0.0094	0.0091	0.0089	0.0087	0.0084
−2.2	0.0139	0.0136	0.0132	0.0129	0.0125	0.0122	0.0119	0.0116	0.0113	0.0110
−2.1	0.0179	0.0174	0.0170	0.0166	0.0162	0.0158	0.0154	0.0150	0.0146	0.0143
−2.0	0.0228	0.0222	0.0217	0.0212	0.0207	0.0202	0.0197	0.0192	0.0188	0.0183
−1.9	0.0287	0.0281	0.0274	0.0268	0.0262	0.0256	0.0250	0.0244	0.0239	0.0233
−1.8	0.0359	0.0351	0.0344	0.0336	0.0329	0.0322	0.0314	0.0307	0.0301	0.0294
−1.7	0.0446	0.0436	0.0427	0.0418	0.0409	0.0401	0.0392	0.0384	0.0375	0.0367
−1.6	0.0548	0.0537	0.0526	0.0516	0.0505	0.0495	0.0485	0.0475	0.0465	0.0455
−1.5	0.0668	0.0655	0.0643	0.0630	0.0618	0.0606	0.0594	0.0582	0.0571	0.0559
−1.4	0.0808	0.0793	0.0778	0.0764	0.0749	0.0735	0.0721	0.0708	0.0694	0.0681
−1.3	0.0968	0.0951	0.0934	0.0918	0.0901	0.0885	0.0869	0.0853	0.0838	0.0823
−1.2	0.1151	0.1131	0.1112	0.1093	0.1075	0.1056	0.1038	0.1020	0.1003	0.0985
−1.1	0.1357	0.1335	0.1314	0.1292	0.1271	0.1251	0.1230	0.1210	0.1190	0.1170
−1.0	0.1587	0.1562	0.1539	0.1515	0.1492	0.1469	0.1446	0.1423	0.1401	0.1379
−0.9	0.1841	0.1814	0.1788	0.1762	0.1736	0.1711	0.1685	0.1160	0.1635	0.1611
−0.8	0.2119	0.2090	0.2061	0.2033	0.2005	0.1977	0.1949	0.1922	0.1894	0.1867
−0.7	0.2420	0.2389	0.2358	0.2327	0.2296	0.2266	0.2236	0.2206	0.2177	0.2148
−0.6	0.2743	0.2709	0.2676	0.2643	0.2611	0.2578	0.2546	0.2514	0.2483	0.2451
−0.5	0.3085	0.3050	0.3015	0.2981	0.2946	0.2912	0.2877	0.2843	0.2810	0.2776
−0.4	0.3446	0.3409	0.3372	0.3336	0.3300	0.3264	0.3228	0.3192	0.3156	0.3121
−0.3	0.3821	0.3783	0.3745	0.3707	0.3669	0.3632	0.3594	0.3557	0.3520	0.3483
−0.2	0.4207	0.4168	0.4129	0.4090	0.4052	0.4013	0.3974	0.3936	0.3897	0.3859
−0.1	0.4602	0.4562	0.4522	0.4483	0.4443	0.4404	0.4364	0.4325	0.4286	0.4247
−0.0	0.5000	0.4960	0.4920	0.4880	0.4840	0.4801	0.4761	0.4721	0.4681	0.4641
0.0	0.5000	0.5040	0.5080	0.5120	0.5160	0.5199	0.5239	0.5279	0.5319	0.5359
0.1	0.5398	0.5438	0.5478	0.5517	0.5557	0.5596	0.5636	0.5675	0.5714	0.5753

(계속)

표 8.1 표준정규확률표 $P(Z<z)$[부록 B의 표 3] (계속)

Z	0.00	0.01	0.02	0.03	0.04	0.05	0.06	0.07	0.08	0.09
0.2	0.5793	0.5832	0.5871	0.5910	0.5948	0.5987	0.6026	0.6064	0.6103	0.6141
0.3	0.6179	0.6217	0.6255	0.6293	0.6331	0.6368	0.6406	0.6443	0.6480	0.6517
0.4	0.6554	0.6591	0.6628	0.6664	0.6700	0.6736	0.6772	0.6808	0.6844	0.6879
0.5	0.6915	0.6950	0.6985	0.7019	0.7054	0.7088	0.7123	0.7157	0.7190	0.7224
0.6	0.7257	0.7291	0.7324	0.7357	0.7389	0.7422	0.7454	0.7486	0.7517	0.7549
0.7	0.7580	0.7611	0.7642	0.7673	0.7704	0.7734	0.7764	0.7794	0.7823	0.7852
0.8	0.7881	0.7910	0.7939	0.7967	0.7995	0.8023	0.8051	0.8078	0.8106	0.8133
0.9	0.8159	0.8186	0.8212	0.8238	0.8264	0.8289	0.8315	0.8340	0.8365	0.8389
1.0	0.8413	0.8438	0.8461	0.8485	0.8508	0.8531	0.8554	0.8577	0.8599	0.8621
1.1	0.8643	0.8665	0.8686	0.8708	0.8729	0.8749	0.8770	0.8790	0.8810	0.8830
1.2	0.8849	0.8869	0.8888	0.8907	0.8925	0.8944	0.8962	0.8980	0.8997	0.9015
1.3	0.9032	0.9049	0.9066	0.9082	0.9099	0.9115	0.9131	0.9147	0.9162	0.9177
1.4	0.9192	0.9207	0.9222	0.9236	0.9251	0.9265	0.9279	0.9292	0.9306	0.9319
1.5	0.9332	0.9345	0.9357	0.9370	0.9382	0.9394	0.9406	0.9418	0.9429	0.9441
1.6	0.9452	0.9463	0.9474	0.9484	0.9495	0.9505	0.9515	0.9525	0.9535	0.9545
1.7	0.9554	0.9564	0.9573	0.9582	0.9591	0.9599	0.9608	0.9616	0.9625	0.9633
1.8	0.9641	0.9649	0.9656	0.9664	0.9671	0.9678	0.9686	0.9693	0.9699	0.9706
1.9	0.9713	0.9719	0.9726	0.9732	0.9738	0.9744	0.9750	0.9756	0.9761	0.9767
2.0	0.9772	0.9778	0.9783	0.9788	0.9793	0.9798	0.9803	0.9808	0.9812	0.9817
2.1	0.9821	0.9826	0.9830	0.9834	0.9838	0.9842	0.9846	0.9850	0.9854	0.9857
2.2	0.9861	0.9864	0.9868	0.9871	0.9875	0.9878	0.9881	0.9884	0.9887	0.9890
2.3	0.9893	0.9896	0.9898	0.9901	0.9904	0.9906	0.9909	0.9911	0.9913	0.9916
2.4	0.9918	0.9920	0.9922	0.9925	0.9927	0.9929	0.9931	0.9932	0.9934	0.9936
2.5	0.9938	0.9940	0.9941	0.9943	0.9945	0.9946	0.9948	0.9949	0.9951	0.9952
2.6	0.9953	0.9955	0.9956	0.9957	0.9959	0.9960	0.9961	0.9962	0.9963	0.9964
2.7	0.9965	0.9966	0.9967	0.9968	0.9969	0.9970	0.9971	0.9972	0.9973	0.9974
2.8	0.9974	0.9975	0.9976	0.9977	0.9977	0.9978	0.9979	0.9979	0.9980	0.9981
2.9	0.9981	0.9982	0.9982	0.9983	0.9984	0.9984	0.9985	0.9985	0.9986	0.9986
3.0	0.9987	0.9987	0.9987	0.9988	0.9988	0.9989	0.9989	0.9989	0.9990	0.9990

표준정규확률표는 이항분포와 포아송분포를 위해 사용하였던 표들과 유사하다. 즉, 표준정규확률표는 -3.09와 $+3.09$의 범위에 속하는 z의 값에 해당되는 누적확률 $P(Z<z)$을 정리한 것이다.

표준정규확률표를 사용하기 위해서는 z의 값을 정하고 누적확률을 읽으면 된다. 예를 들면,

$P(Z<2.00)$의 값은 첫 번째 열의 2.0과 첫 번째 행의 0.00이 만나는 곳에 있는 .9772이다. $P(Z<2.01)$의 값은 첫 번째 열의 2.0과 첫 번째 행의 0.01이 만나는 곳에 있는 .9778이다.

예제 8.2에서 구하고자 하는 확률 $P(Z<1.00)$은 표 8.1에서 첫 번째 열의 1.0과 첫 번째 행의 0.00에 있는 .8413이다. 그림 8.12는 $P(Z<1.00)$을 표준정규곡선의 면적으로 나타낸 것이다.

그림 8.12 $P(Z<1,00)$

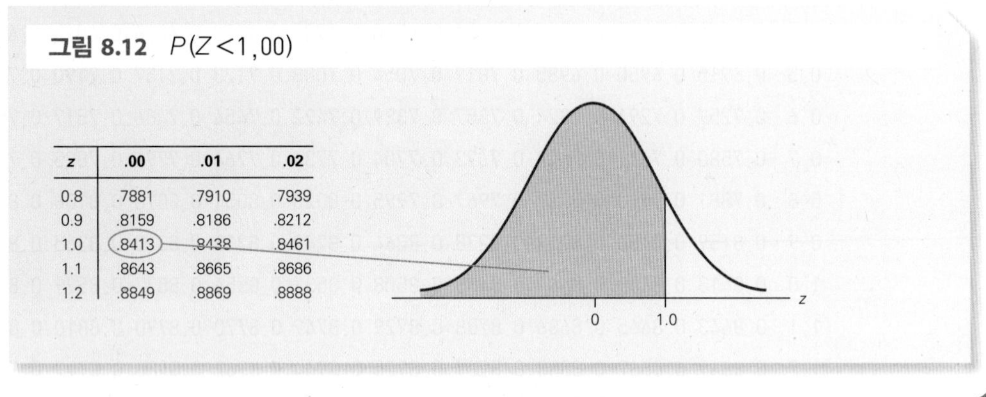

z	.00	.01	.02
0.8	.7881	.7910	.7939
0.9	.8159	.8186	.8212
1.0	.8413	.8438	.8461
1.1	.8643	.8665	.8686
1.2	.8849	.8869	.8888

표 8.1을 이용하여 표준정규확률변수가 z의 값보다 클 확률도 구할 수 있다. 예를 들면, Z가 1.80보다 클 확률은 1에서 Z가 1.80보다 작을 확률을 빼서 구해진다. 즉,

$$P(Z>1.80)=1-P(Z<1.80)=1-.9641=.0359$$

그림 8.13은 $P(Z>1.80)$을 계산하는 과정을 보여준다.

그림 8.13 $P(Z>1,80)$

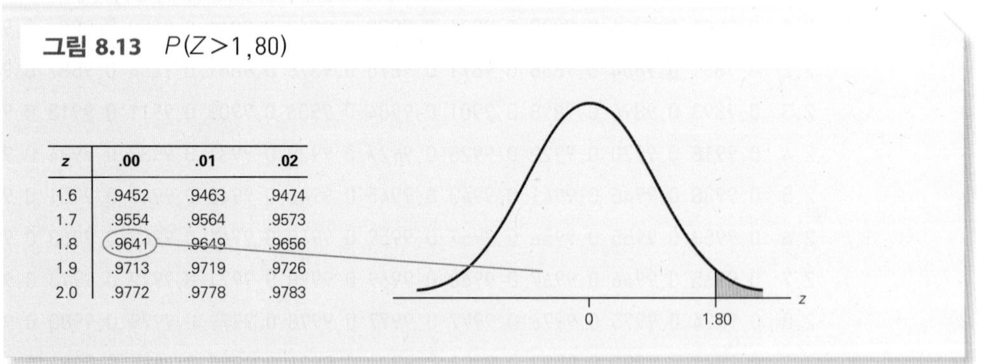

z	.00	.01	.02
1.6	.9452	.9463	.9474
1.7	.9554	.9564	.9573
1.8	.9641	.9649	.9656
1.9	.9713	.9719	.9726
2.0	.9772	.9778	.9783

또한 표 8.1을 이용하여 표준정규확률변수가 두 개의 값 사이에 속할 확률도 구할 수 있다. 예를 들면, $P(-0.71<Z<0.92)$는 두 개의 누적확률인 $P(Z<-0.71)=.2389$와 $P(Z<0.92)=.8212$를 구하고 그 차이를 계산하여 구해진다. 즉,

$$P(-0.71<Z<0.92)=P(Z<0.92)-P(Z<-0.71)=.8212-.2389=.5823$$

그림 8.14는 이와 같은 계산과정을 나타낸 것이다.

그림 8.14 $P(-0.71<Z<0.92)$

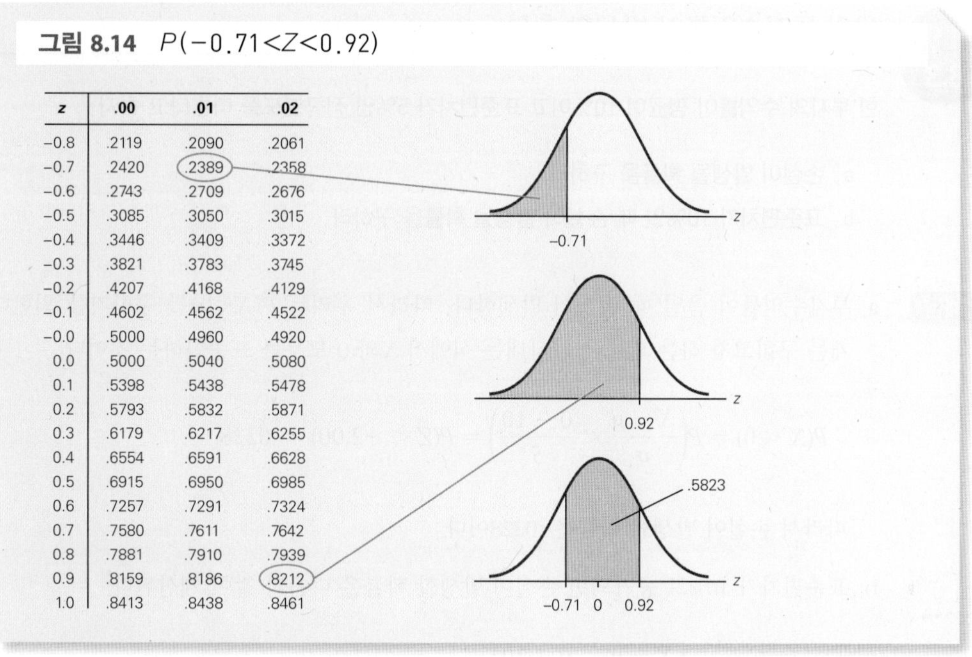

z	.00	.01	.02
−0.8	.2119	.2090	.2061
−0.7	.2420	.2389	.2358
−0.6	.2743	.2709	.2676
−0.5	.3085	.3050	.3015
−0.4	.3446	.3409	.3372
−0.3	.3821	.3783	.3745
−0.2	.4207	.4168	.4129
−0.1	.4602	.4562	.4522
−0.0	.5000	.4960	.4920
0.0	.5000	.5040	.5080
0.1	.5398	.5438	.5478
0.2	.5793	.5832	.5871
0.3	.6179	.6217	.6255
0.4	.6554	.6591	.6628
0.5	.6915	.6950	.6985
0.6	.7257	.7291	.7324
0.7	.7580	.7611	.7642
0.8	.7881	.7910	.7939
0.9	.8159	.8186	.8212
1.0	.8413	.8438	.8461

표준정규확률표에서 z의 최댓값은 3.09이고 $P(Z<3.09)=.9990$이다. 이것은 $P(Z>3.09)=1-.9990=.0010$이라는 것을 의미한다. 그러나 표준정규확률표는 z의 값이 3.09보다 큰 값들을 열거하고 있지 않기 때문에 z의 값이 3.10보다 클 확률은 0으로 근사시킨다. 즉, $P(Z>3.10)=P(Z<-3.10)\approx 0$.

이항확률표와 포아송확률표에서는 확률변수 X가 특정한 x의 값과 **같을** 확률을 구할 수 있으나 표준정규확률표에서는 확률변수 X가 특정한 x의 값과 같을 확률을 구할 수 없다. 정규확률변수는 연속변수이고 연속확률변수가 특정한 값과 같은 확률은 0이라는 점에 주목하라.

금융분야의 통계학 응용

Zhukovvlad/Shutterstock.com

위험의 측정

앞에 있는 장들에서는 투자와 관련된 위험을 측정하고 위험을 감소시키는 문제를 다루는 금융분야의 통계학 응용과 관련된 확률에 대한 논의가 이루어졌다. 예제 3.2에서 두 가지 투자의 수익률 분산을 측정하기 위해 히스토그램을 그렸고, 제4장에서 이 예제를 다시 반복하여 다루면서 위험의 수치적 측정치로서 표준편차와 분산을 계산하였다. 제7.3절에서는 포트폴리오의 분산을 감소시키는 문제를 강조하는 금융분야의 통계학 응용이 다루어졌다. 그러나 왜 위험이 분산 또는 표준편차에 의해 측정되는지 논의하지는 않았다. 다음의 예제에서 이와 같은 문제가 논의된다.

예제 8.3

음의 투자수익률이 발생할 확률

한 투자의 수익률이 평균이 10%이고 표준편차가 5%인 정규분포를 따른다고 하자.

a. 손실이 발생될 확률을 구하라.

b. 표준편차가 10%일 때 손실이 발생될 확률을 구하라.

해답 a. 투자수익률이 음일 때 손실이 발생한다. 따라서 우리는 $P(X<0)$를 구하기를 원한다. 첫 단계는 구하고자 하는 확률을 나타내는 식에서 X와 0 모두를 표준화하는 것이다.

$$P(X < 0) = P\left(\frac{X - \mu}{\sigma} < \frac{0 - 10}{5}\right) = P(Z < -2.00) = .0228$$

따라서 손실이 발생할 확률은 .0228이다.

b. 표준편차가 10%로 증가되면 손실이 발생할 확률은 다음과 같이 계산된다.

$$P(X < 0) = P\left(\frac{X - \mu}{\sigma} < \frac{0 - 10}{10}\right) = P(Z < -1.00) = .1587$$

당신이 보는 것처럼, 표준편차가 증가하면 손실이 발생할 확률이 증가한다. 표준편차가 증가하면 투자수익률이 약간 상대적으로 큰 값을 초과할 확률도 증가한다. 그러나 투자자는 위험을 기피하는 경향을 가지고 있기 때문에 표준편차가 증가할 때 손실이 발생할 확률이 증가한다는 점에 주목할 필요가 있다.

8.2b *Z*의 값 찾기

확률이 주어진 경우 Z의 값을 구하여야 하는 문제들이 있다. 표준정규분포에서 이 값의 오른쪽 면적이 A인 z의 값을 Z_A라 표시하기로 하자. 즉, Z_A는

$$P(Z > Z_A) = A$$

인 표준정규확률변수의 값이다. 그림 8.15는 Z_A를 그림으로 나타낸 것이다.

임의의 A값에 해당되는 Z_A를 구하기 위해서는 표준정규확률표를 반대방향으로 사용하여야 한다. 예제 8.2에서 본 것처럼 Z에 관한 확률을 구하기 위해서는 표준정규확률표에서 필요한 z의 값을 구하고 이와 관련된 확률을 결정해야 한다. 표준정규확률표를 반대방향으로 사용하기 위해서는 먼저 확률을 규정하고 이와 관련된 z의 값을 결정해야 한다. $Z_{.025}$의 값을 구해보자. 그림 8.16은 표준정규분포곡선과 $Z_{.025}$를 그린 것이다. 표준정규확률표

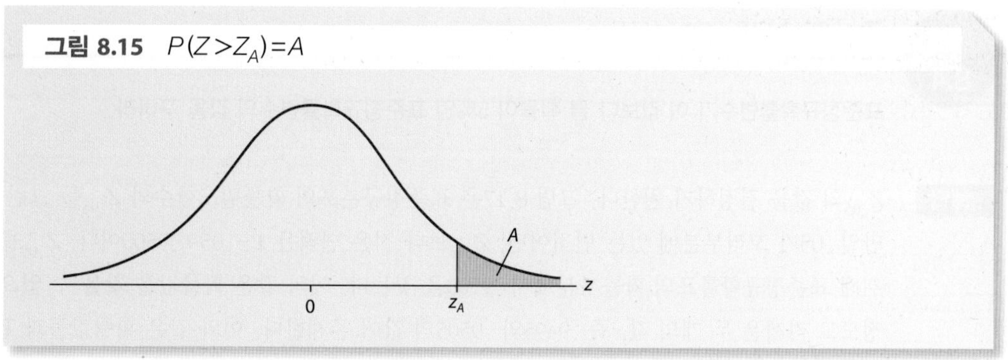

그림 8.15 $P(Z>Z_A)=A$

로부터 $Z_{.025}$보다 작은 면적은 $1-.025=.9750$이다. (당신이 무엇을 해야 하는지 더 쉽게 알 수 있도록 확률이 소수점 4자리로 표시되었다.) 이제 표준정규확률표의 확률을 나타내는 부분에서 .9750을 찾도록 하라. 이 값이 위치한 z의 값은 1.96이다.

따라서 $Z_{.025}=1.96$이고 이것은 $P(Z>1.96)=.025$라는 것을 의미한다.

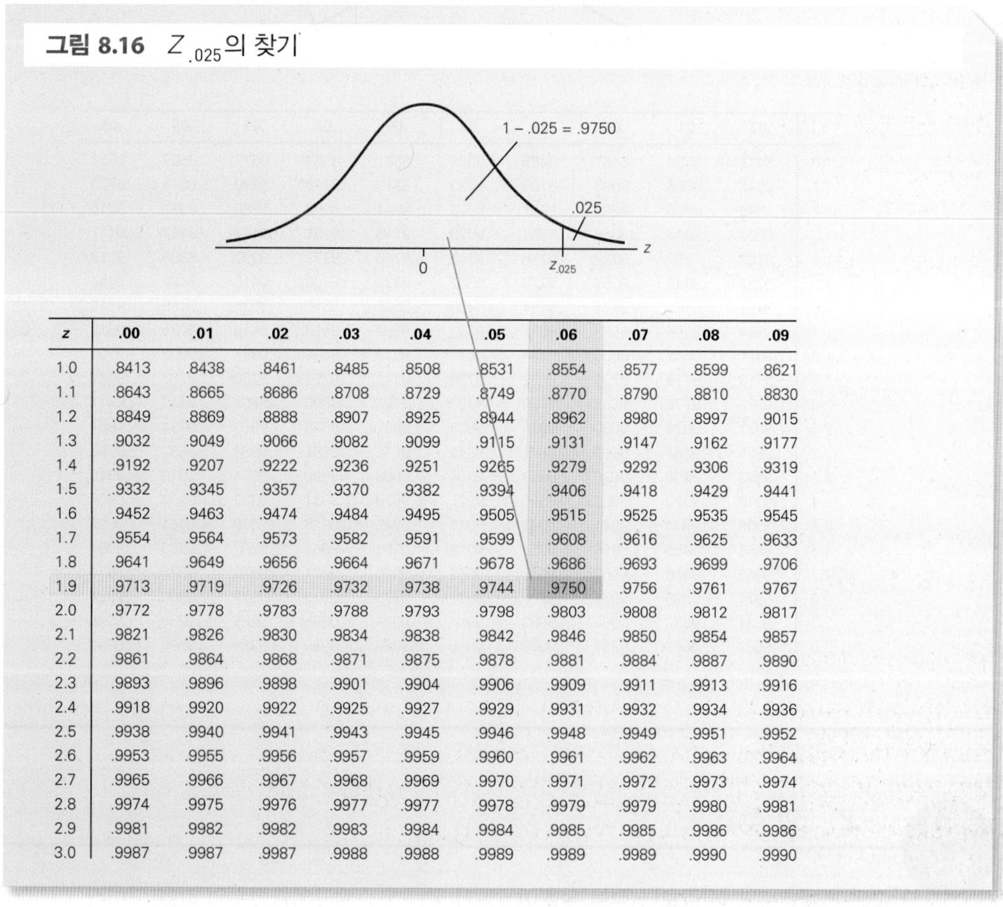

z	.00	.01	.02	.03	.04	.05	.06	.07	.08	.09
1.0	.8413	.8438	.8461	.8485	.8508	.8531	.8554	.8577	.8599	.8621
1.1	.8643	.8665	.8686	.8708	.8729	.8749	.8770	.8790	.8810	.8830
1.2	.8849	.8869	.8888	.8907	.8925	.8944	.8962	.8980	.8997	.9015
1.3	.9032	.9049	.9066	.9082	.9099	.9115	.9131	.9147	.9162	.9177
1.4	.9192	.9207	.9222	.9236	.9251	.9265	.9279	.9292	.9306	.9319
1.5	.9332	.9345	.9357	.9370	.9382	.9394	.9406	.9418	.9429	.9441
1.6	.9452	.9463	.9474	.9484	.9495	.9505	.9515	.9525	.9535	.9545
1.7	.9554	.9564	.9573	.9582	.9591	.9599	.9608	.9616	.9625	.9633
1.8	.9641	.9649	.9656	.9664	.9671	.9678	.9686	.9693	.9699	.9706
1.9	.9713	.9719	.9726	.9732	.9738	.9744	.9750	.9756	.9761	.9767
2.0	.9772	.9778	.9783	.9788	.9793	.9798	.9803	.9808	.9812	.9817
2.1	.9821	.9826	.9830	.9834	.9838	.9842	.9846	.9850	.9854	.9857
2.2	.9861	.9864	.9868	.9871	.9875	.9878	.9881	.9884	.9887	.9890
2.3	.9893	.9896	.9898	.9901	.9904	.9906	.9909	.9911	.9913	.9916
2.4	.9918	.9920	.9922	.9925	.9927	.9929	.9931	.9932	.9934	.9936
2.5	.9938	.9940	.9941	.9943	.9945	.9946	.9948	.9949	.9951	.9952
2.6	.9953	.9955	.9956	.9957	.9959	.9960	.9961	.9962	.9963	.9964
2.7	.9965	.9966	.9967	.9968	.9969	.9970	.9971	.9972	.9973	.9974
2.8	.9974	.9975	.9976	.9977	.9977	.9978	.9979	.9979	.9980	.9981
2.9	.9981	.9982	.9982	.9983	.9984	.9984	.9985	.9985	.9986	.9986
3.0	.9987	.9987	.9987	.9988	.9988	.9989	.9989	.9989	.9990	.9990

그림 8.16 $Z_{.025}$의 찾기

예제 8.4 $Z_{.05}$의 찾기

표준정규확률변수가 이 값보다 클 확률이 5%인 표준정규확률변수의 값을 구하라.

해답 $Z_{.05}$의 값을 결정하기 원한다. 그림 8.17은 표준정규분포의 확률밀도함수와 $Z_{.05}$를 그린 것이다. 만일 .05가 꼬리부분에 있는 면적이면, $Z_{.05}$보다 적은 면적은 $1-.05=.9500$이다. $Z_{.05}$를 구하기 위해 표준정규확률표의 확률부분에서 .9500을 찾는다. 이와 같은 확률값을 찾을 수 없으나 같은 정도로 가까운 두 개의 값, 즉 .9495와 .9505의 값이 존재한다. 이와 같은 확률값들과 관련된 Z의 값은 각각 1.64와 1.65이다. 이 두 값의 평균이 $Z_{.05}$로 정해진다. 따라서 $Z_{.05}=1.645$이다.

그림 8.17 $Z_{.05}$의 찾기

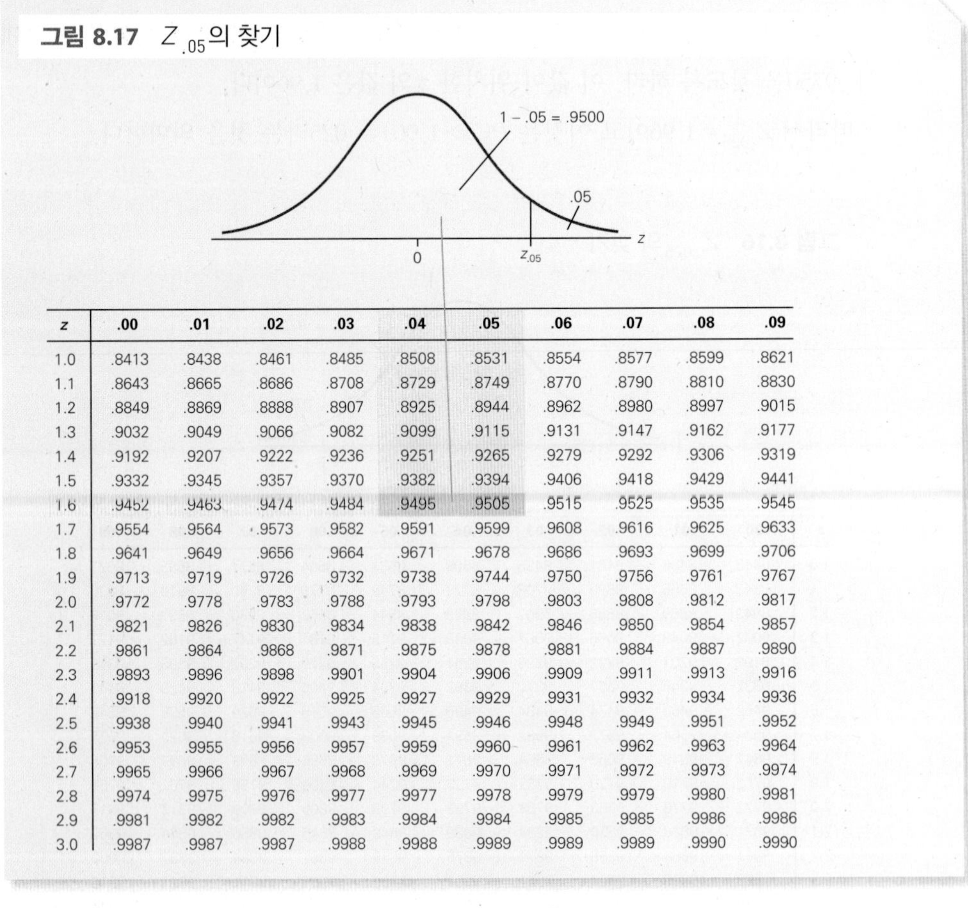

z	.00	.01	.02	.03	.04	.05	.06	.07	.08	.09
1.0	.8413	.8438	.8461	.8485	.8508	.8531	.8554	.8577	.8599	.8621
1.1	.8643	.8665	.8686	.8708	.8729	.8749	.8770	.8790	.8810	.8830
1.2	.8849	.8869	.8888	.8907	.8925	.8944	.8962	.8980	.8997	.9015
1.3	.9032	.9049	.9066	.9082	.9099	.9115	.9131	.9147	.9162	.9177
1.4	.9192	.9207	.9222	.9236	.9251	.9265	.9279	.9292	.9306	.9319
1.5	.9332	.9345	.9357	.9370	.9382	.9394	.9406	.9418	.9429	.9441
1.6	.9452	.9463	.9474	.9484	.9495	.9505	.9515	.9525	.9535	.9545
1.7	.9554	.9564	.9573	.9582	.9591	.9599	.9608	.9616	.9625	.9633
1.8	.9641	.9649	.9656	.9664	.9671	.9678	.9686	.9693	.9699	.9706
1.9	.9713	.9719	.9726	.9732	.9738	.9744	.9750	.9756	.9761	.9767
2.0	.9772	.9778	.9783	.9788	.9793	.9798	.9803	.9808	.9812	.9817
2.1	.9821	.9826	.9830	.9834	.9838	.9842	.9846	.9850	.9854	.9857
2.2	.9861	.9864	.9868	.9871	.9875	.9878	.9881	.9884	.9887	.9890
2.3	.9893	.9896	.9898	.9901	.9904	.9906	.9909	.9911	.9913	.9916
2.4	.9918	.9920	.9922	.9925	.9927	.9929	.9931	.9932	.9934	.9936
2.5	.9938	.9940	.9941	.9943	.9945	.9946	.9948	.9949	.9951	.9952
2.6	.9953	.9955	.9956	.9957	.9959	.9960	.9961	.9962	.9963	.9964
2.7	.9965	.9966	.9967	.9968	.9969	.9970	.9971	.9972	.9973	.9974
2.8	.9974	.9975	.9976	.9977	.9977	.9978	.9979	.9979	.9980	.9981
2.9	.9981	.9982	.9982	.9983	.9984	.9984	.9985	.9985	.9986	.9986
3.0	.9987	.9987	.9987	.9988	.9988	.9989	.9989	.9989	.9990	.9990

예제 8.5 $-Z_{.05}$의 찾기

표준확률변수가 이 값보다 적을 확률이 5%가 되는 표준정규확률변수의 값을 구하라.

해답 표준정규분포의 확률밀도함수는 0을 중심으로 대칭이기 때문에 이와 같은 대칭성을 이용하여 $-Z_{.05}$를 찾는다. 예제 8.4에서 $Z_{.05}=1.645$이다. 따라서 $-Z_{.05}=-1.645$이다. 그림 8.18을 참조하라.

그림 8.18 $-Z_{.05}$의 찾기

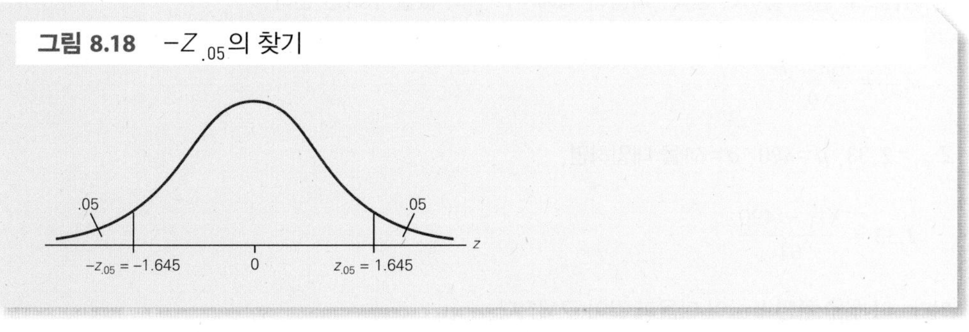

해답 중역 MBA 프로그램에 입학하기 위한 최소 GMAT 점수

wavebreakmedia/Shutterstock.com

그림 8.19는 GMAT 점수의 분포를 그린 것이다. 새로운 중역 MBA 프로그램에 들어가기 위해 필요한 GMAT 최소점수를 $X_{.01}$로 표시하자. 즉,

$$P(X > X_{.01}) = .01$$

그림 8.19 최소 GMAT 점수

z	.00	.01	.02	.03	.04
1.0	.8413	.8438	.8461	.8485	.8508
1.1	.8643	.8665	.8686	.8708	.8729
1.2	.8849	.8869	.8888	.8907	.8925
1.3	.9032	.9049	.9066	.9082	.9099
1.4	.9192	.9207	.9222	.9236	.9251
1.5	.9332	.9345	.9357	.9370	.9382
1.6	.9452	.9463	.9474	.9484	.9495
1.7	.9554	.9564	.9573	.9582	.9591
1.8	.9641	.9649	.9656	.9664	.9671
1.9	.9713	.9719	.9726	.9732	.9738
2.0	.9772	.9778	.9783	.9788	.9793
2.1	.9821	.9826	.9830	.9834	.9838
2.2	.9861	.9864	.9868	.9871	.9875
2.3	.9893	.9896	.9898	.9901	.9904
2.4	.9918	.9920	.9922	.9925	.9927
2.5	.9938	.9940	.9941	.9943	.9945
2.6	.9953	.9955	.9956	.9957	.9959
2.7	.9965	.9966	.9967	.9968	.9969
2.8	.9974	.9975	.9976	.9977	.9977
2.9	.9981	.9982	.9982	.9983	.9984
3.0	.9987	.9987	.9987	.9988	.9988

1 − .01 = .9900
.01
0
$z_{.01}$
z
.01
490
$x_{.01}$
GMAT

정규분포곡선 위에 표준정규분포곡선과 $Z_{.01}$이 그려져 있다. 예제 8.4에서와 마찬가지로 $Z_{.01}$의 값을 결정할 수 있다. 표준정규확률표에서 1−.01=.9900이고(표준정규확률표에서 이 값과 가장 가까운 값은 .9901이다) Z의 값은 2.33이다. 따라서 $X_{.01}$의 표준화된 값은 $Z_{.01}=2.33$이다. $X_{.01}$을 구하기 위해 $Z_{.01}$을 표준화 이전으로 돌려 놓아야 한다. 다음의 식에서 $X_{.01}$의 값을 구하면 된다.

$$Z_{.01} = \frac{X_{.01} - \mu}{\sigma}$$

$Z_{.01}=2.33$, $\mu=490$, $\sigma=61$을 대입하면,

$$2.33 = \frac{X_{.01} - 490}{61}$$

이다. 이 식을 풀면 $X_{.01}$이 다음과 같이 구해진다.

$$X_{.01} = 2.33(61) + 490 = 632.13$$

GMAT 점수를 정수로 정리하면, 중역 MBA 프로그램에 들어가기 위한 최소 GMAT 점수는 633점이다.

8.2c Z_A와 백분위수

제4장에서 상대적 위치의 척도인 백분위수가 소개되었다. Z_A의 값은 표준정규확률변수의 $100(1-A)$번째 백분위수이다. 예를 들면, $Z_{.05}=1.645$이고 1.645는 95번째 백분위수라는 것을 의미한다. Z의 모든 값들 중 95%는 1.645보다 작고 5%는 1.645보다 크다. Z_A의 다른 값들도 이와 유사하게 해석된다.

EXCEL Function

지시사항

X와 Z의 값과 확률을 계산하기 위해 Excel을 사용할 수 있다. 누적정규확률 $P(X<x)$를 계산하기 위해, 임의의 셀에서 다음과 같이 입력한다.

=**NORM.DIST**([X], [μ], [σ], True)

("True"를 입력하면 누적확률이 구해진다. "False"를 입력하면 의미가 없는 정규확률밀도함수의 값이 구해진다.)

만일 당신이 $\mu=0$과 $\sigma=1$을 입력하면, 표준정규확률이 구해진다. 이와는 달리 다음과 같이 입력해도 표준정규확률이 구해진다.

NORM.DIST 대신에 **NORM.S.DIST**와 z의 값을 입력한다.

(계속)

예제 8.2에서 $P(X<1,100)=P(Z<1.00)=.8413$이었다. Excel을 사용하여 이와 같은 확률을 계산하기 위해서는 다음과 같이 입력한다.

=**NORM.DIST**(1100, 1000, 100, True)

또는 =**NORM.S.DIST**(1.00)

Z_A의 값을 계산하기 위해 다음과 같이 입력한다.

=**NORM.S.INV**([1−*A*])

예제 8.4에서=**NORM.S.INV**(.95)를 입력하면 1.6449의 값이 구해진다. 즉, $Z_{.05}=1.645$이다.

$P(X>x)=A$가 주어진 경우 x의 값을 계산하기 위해 다음과 같이 입력한다.

=**NORM.INV**([1−*A*], μ, σ)

제8장의 서두 예제를 풀기 위해서=**NORM.INV**(.99, 490, 61)을 입력하면 최소 GMAT 점수=633이 구해진다.

생산운영관리분야의 통계학 응용

Kzenon/Shutterstock.com

재고관리

모든 조직은 상품의 스톡으로 정의되는 재고를 가지고 있다. 예를 들면, 그로서리 스토어는 판매하는 거의 모든 상품의 재고를 가지고 있다. 상품의 총 수가 정해진 수준까지 떨어질 때 재고관리 담당자는 상품의 추가적인 인도를 위한 조치를 취한다. 카센터는 많은 수의 대체부품 재고를 가지고 있다. 학교는 백묵, 펜, 편지봉투, 파일 폴더, 페이퍼 클립과 같이 정기적으로 사용하는 상품의 스톡을 가지고 있다. 재고를 유지하는 데는 비용이 발생한다.

재고를 유지하는 데 발생하는 비용에는 유지관리와 기록유지뿐만 아니라 자본, 손실(도난과 노후화), 창고공간 비용이 포함된다. 경영과학자들은 재고부족으로 발생되는 비용 및 잦은 소량주문에 의해 발생되는 비용과 재고비용을 균형시키는 최적재고를 결정하는 데 도움을 주는 많은 모형들을 개발하였다. 이들 모형 중 다수는 확정적 모형이다. 즉, 이들 모형들은 상품의 수요는 일정하다고 가정한다. 그러나 대부분의 현실적 상황에서 상품의 수요는 확률변수이다. 일반적으로 사용되는 확률모형은 리드타임 동안의 수요는 정규분포를 따르는 확률변수라고 가정한다. **리드타임**(lead time)은 주문이 이루어지는 시점과 상품이 인도되는 시점 간에 걸리는 시간으로 정의된다.

주문량은 일반적으로 주문비용과 재고유지비용을 포함하는 총 비용을 최소화하도록 계산된다. (이 주제는 대부분의 경영과학 과목들에서 논의된다.) 다른 하나의 중요한 의사결정은 주문이 공급자에게 이루어지는 재고의 수준을 의미하는 *재주문점*(reorder point)이다. 만일 재주문점이 너무 낮으면 상품의 재고가 소진될 것이고, 이에 따라 판매의 손실이 발생되고 고객들이 경쟁자에게 갈 가능성이 발생될 수 있다. 만일 재주문점이 너무 높으면 회사는 많은 재고를 유지하게 될 것이고, 이에 따라 상품을 저장하는 비용이 과다하게 발생된다. 일부 회사들은 재고가 뒷구멍으로 흘러나가거나 노후화되는 경향을 가진다. 결과적으로 재고관리 담당자는 회사가 상품부족에 직면하게 되는 상황이 발생되는 수를 감소시키기 위한 추가적 재고량을 의미하는 **안전재고**(safety stock)를 설정한다. 재고관리 담당자는 회사가 재고부족을 경험하지 않을 확률을 의미하는 서비스 수준(service level)을 설정함으로써 이와 같은 일을 수행한다. 재주문점을 결정하기 위해 사용되는 방법이 예제 8.6에서 제시된다.

예제 8.6 재주문점의 결정

한 대형 가전제품판매회사의 전기선풍기에 대한 수요는 봄 동안에 매우 강하다. 이 회사는 임의의 시점에 선풍기의 재고수준을 알 수 있도록 컴퓨터시스템을 사용하여 재고수준을 추적한다. 이 회사의 정책은 재고수준이 150개인 재주문점까지 떨어질 때 250개의 선풍기를 새로 주문하는 것이다. 그러나 리드타임과 수요가 매우 크게 변화하기 때문에 이와 같은 정책은 자주 선풍기의 부족을 발생시켰고 이에 따라 판매 손실이 발생하였다. 재고관리 담당자는 주문의 5%만이 재고가 0까지 떨어진 후(부족상황이 발생한 후)에 도착하도록 재고부족의 가능성을 감소시키기 원한다. 이와 같은 정책은 95%의 서비스 수준이라고 표현된다. 과거에 발생한 결과로부터 이 회사는 리드타임 동안의 수요는 평균이 200대이고 표준편차가 50대인 정규분포를 따른다고 결정하였다. 재주문점을 결정하라.

해답 재주문점은 리드타임 동안의 수요가 이 양을 초과할 확률이 5%가 되도록 설정된다. 그림 8.20은 리드타임 동안의 수요와 재주문점을 그린 것이다. 제8장의 서두에 있는 예제의 해답을 구할 때 했던 것처럼, 오른쪽의 면적이 .05인 표준정규확률변수의 값을 찾는다. 재주문점의 표준정규확률변수의 값은 $Z_{.05}=1.645$이다. 재주문점(ROP)을 찾기 위해서는 $Z_{.05}$의 표준화를 반대방향으로 풀어야 한다.

$$Z_{.05} = \frac{\text{ROP} - \mu}{\sigma}$$

$$1.645 = \frac{\text{ROP} - 200}{50}$$

$$\text{ROP} = 50(1.645) + 200 = 282.25$$

따라서 재주문점은 283대이다. 이와 같은 정책은 선풍기의 재고가 283대일 때 일정한 양의 선풍기를 새로 주문하는 것이다.

그림 8.20 리드타임 동안 수요의 확률분포

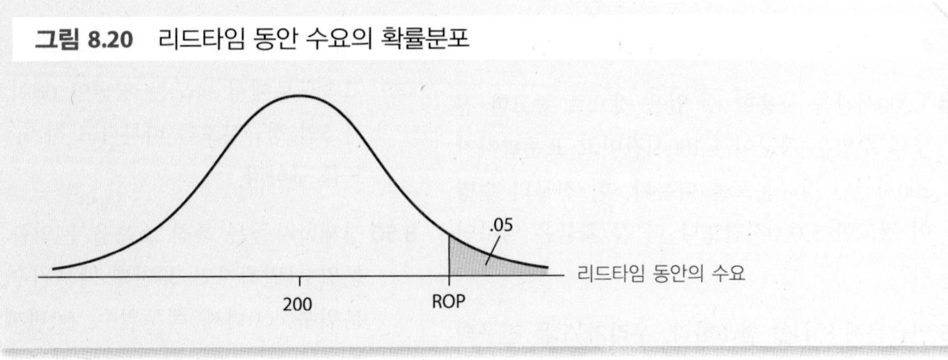

연습문제

연습문제 8.19~8.34에서 다음의 확률을 구하라.

8.19 $P(Z<1.60)$

8.20 $P(Z<1.61)$

8.21 $P(Z<1.65)$

8.22 $P(Z<-1.39)$

8.23 $P(Z<-1.80)$

8.24 $P(Z<-2.16)$

8.25 $P(-1.30<Z<.70)$

8.26 $P(Z>-1.24)$

8.27 $P(Z<2.23)$

8.28 $P(Z>1.87)$

8.29 $P(Z>2.57)$

8.30 $P(1.04<Z<2.03)$

8.31 $P(-0.71<Z<-0.33)$

8.32 $P(Z>3.09)$

8.33 $P(Z>0)$

8.34 $P(Z>4.0)$

8.35 $z_{0.03}$을 구하라.

8.36 $z_{0.065}$를 구하라.

8.37 $z_{0.28}$을 구하라.

8.38 X는 평균이 100이고 표준편차가 20인 정규분포를 따른다. X가 145보다 클 확률은 얼마인가?

8.39 X는 평균이 250이고 표준편차가 40인 정규분포를 따른다. 상위 15%만이 이 값을 초과하는 X의 값은 얼마인가?

8.40 X는 평균이 1,000이고 표준편차가 250인 정규분포를 따른다. X가 800과 1,100 사이에 있을 확률은 얼마인가?

8.41 X는 평균이 50이고 표준편차가 8인 정규분포를 따른다. X가 가질 수 있는 값들의 8%만이 이 값보다 작은 X의 값은 얼마인가?

8.42 한 회사의 종업원들이 거는 장거리 전화시간은 평균이 6.3분이고 표준편차가 2.2분인 정규분포를 따른다.

a. 한 번의 장거리 전화시간이 5분과 10분 사이에 있을 확률을 구하라.

b. 한 번의 장거리 전화시간이 7분 이상일 확률을 구하라.

c. 한 번의 장거리 전화시간이 4분 미만일 확률을 구하라.

8.43 연습문제 8.42를 참조하라. 장거리 전화시간이

가장 긴 10%는 얼마나 오랫동안 거는가?

8.44 5,000시간을 사용할 수 있을 것으로 광고한 전구의 수명은 평균이 5,100시간이고 표준편차가 200시간인 정규분포를 따른다. 한 전구의 수명이 광고한 5,000시간보다 더 길 확률은 얼마인가?

8.45 연습문제 8.44를 참조하라. 우리가 모든 전구의 98%가 광고한 시간보다 더 긴 수명을 갖기를 확신하고자 한다면, 어떤 수치의 시간을 광고해야 하는가?

8.46 SAT 점수는 평균이 1,000이고 표준편차가 300인 정규분포를 따른다. 사분위수를 구하라.

8.47 한 Pew Research Center 서베이에 의하면, 졸업 시에 학생 대출의 평균금액은 25,000달러이다. 학생 대출은 표준편차가 5,000달러인 정규분포를 따른다. 학생 대출을 받은 한 졸업생이 임의로 선택되었다. 다음 사건의 확률을 구하라.

a. 대출 금액이 30,000달러보다 크다.
b. 대출 금액이 22,500달러 미만이다.
c. 대출 금액이 20,000달러와 32,000달러 사이이다.

8.48 Tesla Model S 85D는 Tesla가 한 번 충전해서 270마일을 달릴 수 있다고 주장하는 전기차이다. 그러나 실제 주행거리는 속도를 포함하여 많은 요인들과 자동차가 도시에서 달리느냐 고속도로를 달리느냐에 의해 결정된다. 실제 주행거리는 평균이 200마일이고 표준편차가 20마일인 정규분포를 따르는 확률변수라고 하자. 이 모델 전기차의 한 소유자는 한 번 충전하여 인근 도시에 갔다 돌아오려 한다. 만일 총 거리가 210마일이면 이 모델 전기차가 한 번 충전하여 인근 도시에 갔다 돌아올 확률은 얼마인가?

8.49 연습문제 4.49는 고속도로의 적정한 속도제한을 정하는 문제를 다루었다. 자동차 전문가들은 "정확한" 속도는 85번째 백분위수라고 믿는다. 고속도로에서 속도는 평균이 68이고 표준편차가 5인 정규분포를 따른다고 하자. "정확한" 속도를 구하라.

8.50 경제학자들은 특히 소득을 논의할 때 자주 오분위수(말하자면 20번째 백분위수, 40번째 백분위수, 60번째 백분위수, 80번째 백분위수)를 사용한다. 한 대도시에서 가구소득은 평균이 50,000달러이고 표준편차가 10,000달러인 정규분포를 따른다고 하자. 한 경제학자는 오분위수를 구하기 원한다. 오분위수를 구해서 그를 도와라.

8.51 판매량이 상위인 Red and Voss 타이어는 70,000마일을 달리는 것으로 평가되나 이것은 아무런 의미가 없다. 실제로 자동차 타이어로 닳을 때까지 달릴 수 있는 거리는 평균이 82,000마일이고 표준편차가 6,400마일인 정규분포를 따르는 확률변수이다.

a. 한 개의 타이어가 70,000마일 이전에 닳아 버릴 확률은 얼마인가?
b. 한 개의 타이어가 100,000마일 이상 사용될 확률은 얼마인가?

8.52 2세 아동의 키는 평균이 32인치이고 표준편차가 1.5인치인 정규분포를 따른다. 소아과 의사들은 정기적으로 문제가 있는지 알아보기 위해 유아의 키를 측정한다. 한 아이의 키가 상위 5% 또는 하위 5%에 속할 때 문제가 있을 수 있다. 문제가 있을 수 있는 2세 아동의 키를 결정하라.

8.53 연습문제 8.52를 참조하라. 다음 사건의 확률을 구하라.

a. 한 2세 아동의 키가 36인치보다 크다.
b. 한 2세 아동의 키가 34인치보다 작다.
c. 한 2세 아동의 키가 30인치와 33인치 사이이다.

8.54 대학과 전문대학 학생들이 하룻밤에 자는 시간은 평균이 7.2시간이고 표준편차는 40분인 정규분포를 따른다. 하룻밤에 자는 시간이 8시간 이상인 대학과 전문대학 학생의 비율은 얼마인가?

8.55 연습문제 8.54를 참조하라. 대학과 전문대학 학생의 25%만이 이 값을 초과하는 하룻밤 자는 시간을 구하라.

8.56 통계학 과목에서 A학점을 받는 학생들이 일주일에 통계학을 공부하는 시간은 평균이 7.5시간이고 표준편차가 2.1시간인 정규분포를 따르는 확률변수이다.

a. 일주일에 10시간 이상 통계학을 공부하는 A학점을 받는 학생의 비율은 얼마인가?

b. A학점을 받는 한 학생이 일주일에 통계학을 공부하는 시간이 7시간과 9시간 사이에 있을 확률을 구하라.

c. 일주일에 3시간 미만 통계학을 공부하는 A학점을 받는 학생의 비율은 얼마인가?

d. 모든 A학점을 받는 학생들의 5%만이 이 값보다 적게 일주일에 통계학을 공부하는 시간은 얼마인가?

8.57 한 레이저 프린터의 카트리지를 교체하기 전에 인쇄되는 페이지의 수는 평균이 11,500페이지이고 표준편차가 800페이지인 정규분포를 따른다. 새로운 카트리지가 방금 설치되었다.

a. 이 카트리지가 교체되기 전에 이 프린터가 12,000페이지 이상 인쇄할 확률은 얼마인가?

b. 이 프린터가 10,000페이지 미만 인쇄할 확률은 얼마인가?

8.58 연습문제 8.57을 참조하라. 이 레이저 프린터의 제조회사는 잠재고객에게 각 카트리지로부터 예상할 수 있는 최소 인쇄 페이지 수에 관한 가이드라인을 제공하기 원한다. 이 회사가 99%의 수준에서 맞기를 원하면 최소 인쇄 페이지 수를 얼마로 광고해야 하는가?

8.59 최근에 수행된 한 Pew Research Center 서베이에 의하면, 전문학위와 박사학위를 취득한 졸업생들의 월 평균 소득은 6,000달러이다. 이러한 소득이 표준편차가 1,200달러인 정규분포를 따른다고 하자.

a. 4,900달러보다 큰 소득을 버는 비율은 얼마인가?

b. 3,800달러와 5,700달러 사이의 소득을 버는 비율은 얼마인가?

c. 6,500달러 미만의 소득을 버는 비율은 얼마인가?

8.60 한 대도시에서, 가구들이 외식을 위해 지출하는 연간 금액은 평균이 2,200달러이고 표준편차가 700달러인 정규분포를 따른다. 한 가구가 외식을 위해 연간 2,500달러 미만 지출할 확률을 계산하라.

8.61 배터리 제조회사들은 카메라와 장난감에 사용되는 배터리가 사용되는 시간에 기초하여 경쟁한다. 한 알카라인 배터리(alkaline battery) 제조회사는 자기 배터리는 장난감 경주차에 사용될 때 평균적으로 26시간 동안 사용된다는 것을 관측하였다. 이 회사가 생산한 알카라인 배터리가 사용되는 시간은 표준편차 2.5시간인 정규분포를 따른다.

a. 이 배터리가 24시간과 28시간 사이 동안 사용될 확률은 얼마인가?

b. 이 배터리가 28시간 이상 사용될 확률은 얼마인가?

c. 이 배터리가 24시간 미만 사용될 확률은 얼마인가?

8.62 대부분의 소비자들은 상대적으로 높은 이자율 때문에 신용카드 청구비용을 즉각적으로 지불하려고 한다. 그러나 이것이 항상 가능한 것은 아니다. 한 은행의 Visa 카드 보유자들이 월간 지불하는 이자금액을 분석한 결과는 이자금액

은 평균이 27달러이고 표준편차가 7달러인 정규분포를 따른다는 것을 보여준다.

a. 이자로 30달러 이상 지불하는 이 은행의 Visa 카드 보유자의 비율은 얼마인가?

b. 이자로 40달러 이상 지불하는 이 은행의 Visa 카드 보유자의 비율은 얼마인가?

c. 이자로 15달러 미만 지불하는 이 은행의 Visa 카드 보유자의 비율은 얼마인가?

d. 이 은행의 Visa 카드 보유자의 20%만이 이 값을 초과하는 이자금액은 얼마인가?

8.63 감기 바이러스로 고통받는 사람들은 7일 동안 감기 증상을 경험한다고 말한다. 그러나 감기 바이러스로 고통받는 시간은 평균이 7.5일이고 표준편차가 1.2일인 정규분포를 따르는 확률변수이다.

a. 4일 미만 동안 감기 증상을 경험하는 사람의 비율은 얼마인가?

b. 7일~10일 사이 동안 감기 증상을 경험하는 사람의 비율은 얼마인가?

8.64 한 전형적인 4인 가족은 McDonald's 레스토랑 방문 시에 얼마의 돈을 지출하는가? 4인 가족의 지출금액은 평균이 16.40달러이고 표준편차가 2.75달러인 정규분포를 따르는 확률변수이다.

a. 한 4인 가족이 10달러 미만을 지출할 확률을 구하라.

b. 4인 가족의 10%만이 McDonald's에서 이 값보다 적게 지출하는 금액은 얼마인가?

8.65 한 통계학 과목의 최종 점수는 평균이 70이고 표준편차가 10인 정규분포를 따른다. 이 과목의 교수는 모든 점수를 문자로 나타내는 학점으로 전환해야 한다. 이 교수는 학생들의 10%는 A, 30%는 B, 40%는 C, 15%는 D, 5%는 F를 부여하기로 결정하였다. 각 문자학점을 위한 절단점수를 결정하라.

8.66 Mensa의 회원들은 상위 2%에 속하는 IQ를 가지고 있다. IQ는 평균이 100이고 표준편차가 16인 정규분포를 따른다. Mensa 회원이 되기 위해 필요한 최소 IQ를 구하라.

8.67 한 서비스 센터에 설치된 한 ATM으로부터의 일일 인출금액은 평균이 50,000달러이고 표준편차가 8,000달러인 정규분포를 따른다. ATM 운영자가 하루의 시작시점에 현금으로 64,000달러를 이 ATM에 넣는다. 이 ATM의 현금이 소진될 확률은 얼마인가?

8.68 U.S. Census에 의하면, 가장이 55세와 64세 사이인 가구의 평균 순자산은 약 110,600달러이다. 가구의 순자산은 표준편차가 22,000달러인 정규분포를 따른다고 하자. 임의로 선택된 가장이 55세와 64세 사이인 가구의 순자산이 150,000달러보다 클 확률을 구하라.

8.69 한 컴퓨터 제품 소매업자는 다양한 컴퓨터 관련 제품들을 판매하고 있다. 가장 인기 있는 제품 중 하나는 HP Laser Printer이다. HP Laser Printer에 대한 주당 평균 수요는 200대이다. 신규주문해서 제조회사로부터 제품이 도착하는 데 걸리는 리드타임(lead time)은 일주일이다. 만일 프린터에 대한 수요가 일정하다면, 이 소매업자는 재고가 정확히 200대일 때 재주문할 것이다. 그러나 프린터에 대한 수요는 확률변수이다. 과거의 주간 판매기록을 분석한 결과는 주당 표준편차가 30대라는 것을 보여준다. 이 소매업자는 임의의 주에 제품이 부족할 확률이 기껏해야 6%가 되도록 하기를 원한다. 이 소매업자가 제조회사에 재주문할 때 재고로 몇 대의 HP Laser Printer를 가지고 있어야 하는가?

8.70 한 분주한 교차로에 있는 한 신문판매대에서 한 일간신문에 대한 일일수요는 평균이 150부이고 표준편차가 25부인 정규분포를 따른다. 이 신문판매대 관리자는 신문을 판매하는 하루 중 20% 초과하지 않게 신문이 부족하기 않게 하기 위해 몇 부의 신문을 주문해야 하는가?

8.71 한 제과점은 매일 유명한 단단한 호밀 빵을 준비한다. 통계학을 잘 알고 있는 한 고객은 단단한 호밀 빵의 일일 수요는 평균이 850개이고 표준편차가 90개인 정규분포를 따른다고 결정하였다. 이 제과점은 호밀 빵이 부족할 확률이 임의의 하루에 30%가 넘지 않도록 하기 원하면 몇 개의 호밀 빵을 만들어야 하는가?

8.72 연습문제 8.71을 참조하라. 하루의 종료시점에 판매되지 않은 단단한 호밀 빵은 1/2 가격으로 판매된다. 판매되지 않는 호밀 빵이 발생되는 날들의 비율이 60%가 넘지 않도록 하기 위해 이 제과점은 몇 개의 호밀 빵을 준비해야 하는가?

8.73 한 뮤추얼펀드의 연간 수익률은 평균이 14%이고 표준편차가 18%인 정규분포를 따른다.

a. 이 뮤추얼펀드의 수익률이 내년에 25% 이상일 확률은 얼마인가?

b. 이 뮤추얼펀드가 내년에 손실을 발생시킬 확률은 얼마인가?

8.74 소비자 금융에 대한 한 서베이에서 가구당 평균 부채는 250,000달러로 결정되었다. 가구당 부채가 표준편차가 30,000달러인 정규분포를 따른다. 오분위수를 구하라.

8.75 한 기업임원이 일주일에 받는 이메일 수는 평균이 220개이고 표준편차가 40개를 가지는 정규분포를 따른다. 이 임원이 다음 주에 220개의 이메일을 받을 확률을 계산하라.

8.76 대부분의 레스토랑은 팁은 18%보다 커야 한다고 제안한다. 실제로 팁은 평균이 15%이고 표준편차가 2%인 정규분포를 따르는 확률변수이다. 이 값보다 상위 1%만 초과하는 팁의 비율을 결정하라.

8.77 총부채상환비율(debt-to-income ratio)은 중요한 경제지표이다. 이 비율이 높다는 것은 한 특정한 가구의 부채가 지속적으로 감당하기 어렵다는 것을 의미한다. 이 비율은 평균이 1.5이고 표준편차가 .5인 정규분포를 따른다. 90번째 백분위수와 99번째 백분위수를 결정하라.

8.78 새로운 골프 코스에서 경기하는 한 골퍼는 연못을 성공적으로 건너 그린에 안착시키기 위해 111야드의 비거리를 날려야 한다. 이 골퍼의 7번 아이언의 비거리는 평균이 115야드이고 표준편차가 8야드인 정규분포를 따른다. 이 골퍼와 경기하는 상대방이 여분의 클럽이나 여분의 공을 가져가자고 제안했다. 이 골퍼가 이러한 충고를 들었어야 할 확률은 얼마인가? 즉, 이 골퍼가 날린 골프공이 연못에 빠질 확률을 계산하라.

8.79 경영대학에 있는 커피숍은 주중에 오후 9시까지 영업한다. 매일 오후 8시 이후에 판매되는 커피의 양은 평균이 15컵과 표준편차가 3컵인 정규분포를 따른다. 오후 8시에 두 개의 새로운 커피포트가 준비되고 각 포트는 10컵의 커피 양을 가지고 있다. 수요가 공급을 초과하면, 커피를 더 준비해야 할 것이다. 그들이 커피를 더 준비하지 않아도 될 확률은 얼마인가?

Banana Stock/Jupiter Images/Getty images

생산운영관리분야의 통계학 응용

PERT/CPM

앞에서 PERT/CPM이 소개되었다. 이와 같은 강력한 경영과학 방법의 목적은 프로젝트의 크리티컬 패스를 결정하는 것이다. 프로젝트 완성시간의 기대치와 분산은 크리티컬 패스 상에 있는 활동들이 완성되는 시간의 기대치와 분산에 기초하여 결정된다. 일단 프로젝트 완성시간의 기대치와 분산을 안다면, 프로젝트가 주어진 날짜에 완성될 확률을 구하기 위해 이와 같은 수치들을 사용할 수 있다. 통계학자들은 프로젝트 완성시간은 근사적으로 정규분포를 따른다고 가정하기 때문에 구하고자 하는 확률을 계산할 수 있다.

8.80 연습문제 7.67을 참조하라. 주어진 프로젝트를 완성하는 데 60일 이상이 걸릴 확률을 구하라.

8.81 연습문제 7.68에서 프로젝트 완성시간의 평균과 분산은 각각 145분과 31(분)^{2}이다. 기계를 정밀점검하는 데 2.5시간 미만이 걸릴 확률은 얼마인가?

8.82 연습문제 7.69를 참조하라. 다음 사건의 확률을 구하라.

a. 신제품 출시에 105일 이상이 걸린다.

b. 신제품 출시에 92일 이상 걸린다.

c. 신제품 출시에 95일과 112일 사이의 기간이 걸린다.

8.83 연습문제 7.70을 참조하라. 연구 프로젝트를 완성하는 데 걸리는 시간의 사분위수를 구하라.

8.3 지수분포

다른 하나의 중요한 연속확률분포는 **지수분포**(exponential distribution)이다.

지수분포의 확률밀도함수

확률변수 X의 확률밀도함수가 다음과 같이 주어지면 X는 지수분포를 따른다.

$$f(x) = \lambda e^{-\lambda x}, \quad x \geq 0$$

$e = 2.71828. . . .$ 이고 λ는 지수분포의 모수이다.

통계학자들은 지수분포를 따르는 확률변수의 평균과 표준편차는 같다는 것을 증명하였다. 즉,

$$\mu = \sigma = \frac{1}{\lambda}$$

이다.

정규분포는 두 개의 모수를 가진 분포라는 것을 기억하라. 정규분포는 두 개의 모수인 μ와 σ가 알려져 있으면 완전하게 규정된다. 이와 대조적으로 지수분포는 한 개의 모수를 가진 분포이다. 지수분포는 모수 λ의 값이 알려져 있으면 완전하게 규정된다. 그림 8.21은 서로 다른 3개의 λ값에 해당되는 3개의 지수분포를 그린 것이다. 지수분포 $f(x)$에서 $f(0)=\lambda$이고 x가 무한대로 접근함에 따라 $f(x)$는 0으로 접근한다.

그림 8.21 지수분포

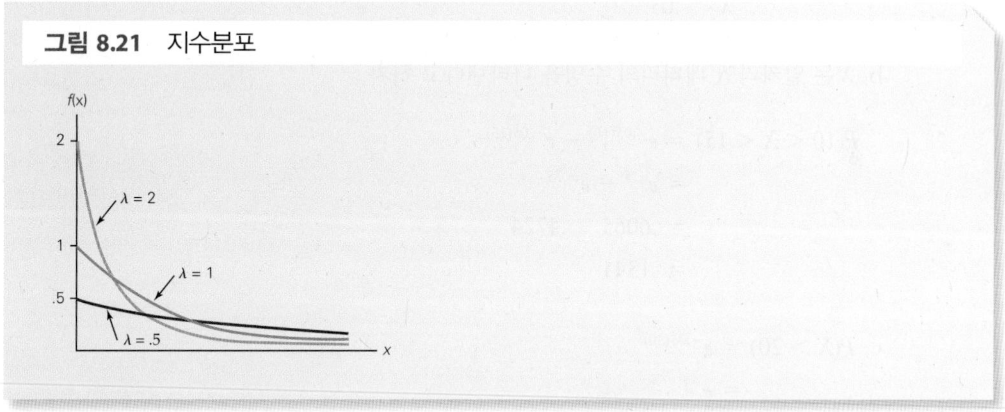

지수분포는 정규분포보다 다루기가 더 쉽다. 지수분포를 따르는 확률변수 X가 임의의 x 값들의 구간에 속할 확률을 계산하기 위한 공식이 개발되어 있다. 적분을 사용하면서 다음과 같은 공식이 도출될 수 있다.

지수분포를 따르는 확률변수와 관련된 확률공식

X가 지수분포를 따르는 확률변수이면 다음과 같은 확률공식이 성립한다.

$$P(X > x) = e^{-\lambda x}$$

$$P(X < x) = 1 - e^{-\lambda x}$$

$$P(x_1 < X < x_2) = P(X < x_2) - P(X < x_1) = e^{-\lambda x_1} - e^{-\lambda x_2}$$

$e^{-\lambda x}$의 값은 계산기를 이용하여 구할 수 있다.

예제 8.7 알카라인 배터리의 수명

알카라인 배터리의 수명(시간단위로 측정)은 $\lambda = .05$인 지수분포를 따른다.

a. 알카라인 배터리 수명의 평균과 표준편차는 얼마인가?

b. 알카라인 배터리의 수명이 10시간과 15시간 사이일 확률을 구하라.

c. 알카라인 배터리의 수명이 20시간 이상일 확률은 얼마인가?

해답 a. 평균과 표준편차는 $1/\lambda$과 같다. 따라서 μ와 σ는 다음과 같이 계산된다.

$$\mu = \sigma = \frac{1}{\lambda} = \frac{1}{.05} = 20\text{시간}$$

b. X는 알카라인 배터리의 수명을 나타낸다고 하자.

$$\begin{aligned} P(10 < X < 15) &= e^{-.05(10)} - e^{-.05(15)} \\ &= e^{-.5} - e^{-.75} \\ &= .6065 - .4724 \\ &= .1341 \end{aligned}$$

c. $$\begin{aligned} P(X > 20) &= e^{-.05(20)} \\ &= e^{-1} \\ &= .3679 \end{aligned}$$

그림 8.22는 b와 c에서 계산된 확률을 그린 것이다.

그림 8.22 예제 8.7의 확률

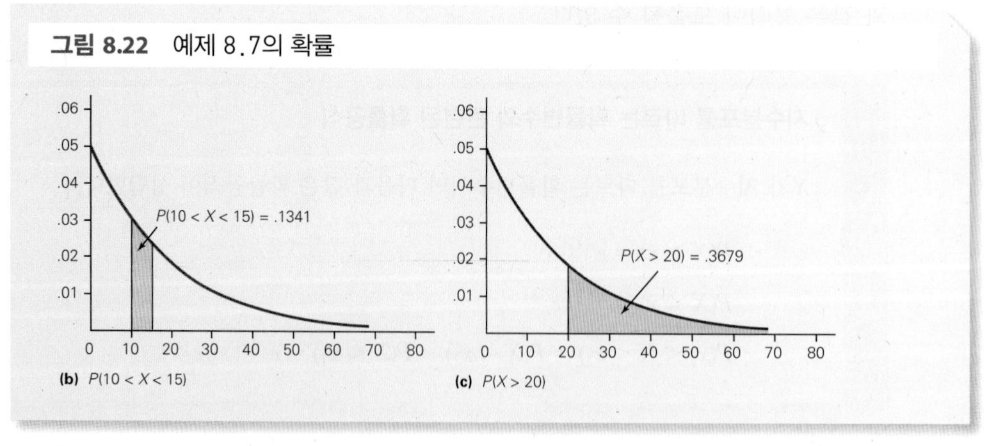

EXCEL Function

지시사항

지수분포의 확률을 계산하기 위해 임의의 셀에 다음과 같이 입력한다.

=**EXPON.DIST**([X], [λ], True)

예제 8.7 c의 답은 1에서 $P(X<20)$을 빼서 구한다.
먼저 $P(X<20)$을 구하기 위해

=**EXPON.DIST**(20, .05, True)

를 입력하면 $P(X<20)=.6321$이다. 따라서 직접 계산하여 구한 수치와 정확히 같은 $P(X>20)=1-.6321=.3679$가 구해진다.

Paul prescott/Shutterstock.com

생산운영관리분야의 통계학 응용

줄 서서 기다리기

제7.5절에서 줄 서서 기다리기 모형(waiting models)과 포아송분포가 시간구간당 도착하는 수에 관한 확률을 계산하기 위해 어떻게 사용되는지 살펴보았다. 줄 서서 기다리기의 특성을 계산하기 위해 경영과학자들은 종종 한 서비스가 완료되는 데 걸리는 시간은 지수분포를 따른다고 가정한다. 이 통계학 응용에서 모수 λ는 시간구간당 평균 서비스 완료 수로 정의되는 서비스율(service rate)이다. 예를 들면, 서비스시간이 $\lambda=5$/hour인 지수분포를 따르면, 서비스율은 시간당 5단위 또는 60분당 5단위이다. 지수분포의 평균은 $\mu=1/\lambda$라는 것을 기억하라. 이 경우에 서비스 제공기관은 평균적으로 12분에 한 건의 서비스를 완료할 수 있다. 이것은 다음과 같이 계산된다.

$$\mu = \frac{1}{\lambda} = \frac{1}{5/\text{hr.}} = \frac{1}{5/60\text{ min.}} = \frac{60\text{ min.}}{5} = 12\text{ min.}$$

지수분포는 다양한 확률을 계산하는 데 사용될 수 있다.

예제 8.8 슈퍼마켓의 계산대

한 슈퍼마켓에 있는 계산대는 시간당 6의 서비스율을 가진 지수분포를 따른다. 한 고객이 계산대에 도착한다. 다음 사건의 확률을 구하라.

a. 서비스가 5분 미만에 완료된다.
b. 이 고객은 도착한 후 10분이 넘어서 계산대를 떠난다.
c. 서비스가 5분~8분 사이에 완료된다.

해답 이 문제를 푸는 한 가지 방법은 서비스율을 시간구간이 1분이 되도록 전환하는 것이다. (이와는 달리 시간단위가 1시간의 비율로 측정되도록 확률표시를 전환함으로써 이 문제를 풀 수도 있다.) 서비스율$=\lambda=.1$/minute이다.

a. $P(X<5)=1-e^{-\lambda x}=1-e^{-.1(5)}=1-e^{-.5}=1-.6065=.3935$
b. $P(X>10)=e^{-\lambda x}=e^{-.1(10)}=e^{-1}=.3679$
c. $P(5<X<8)=e^{-.1(5)}-e^{-.1(8)}=e^{-.5}-e^{-.8}=.6065-.4493=.1572$

연습문제

8.84 확률변수 X는 $\lambda=3$인 지수분포를 따른다. $x=0$, .5, 1, 1.5, 2에 대한 $f(x)$를 나타내는 점들을 표시하고 연결하면서 X의 확률분포를 그래프로 그려라.

8.85 확률변수 X는 $\lambda=.25$인 지수분포를 따른다. $x=0$, 2, 4, 6, 8, 10, 15, 20에 대한 $f(x)$를 나타내는 점들을 표시하고 연결하면서 X의 확률분포를 그래프로 그려라.

8.86 X는 $\lambda=.5$를 가진 지수분포를 따르는 확률변수라고 하자. 다음의 확률을 구하라.

a. $P(X>1)$
b. $P(X>.4)$
c. $P(X<.5)$
d. $P(X<2)$

8.87 X는 $\lambda=.3$을 가진 지수분포를 따르는 확률변수라고 하자. 다음의 확률을 구하라.

a. $P(X>2)$
b. $P(X<4)$
c. $P(1<X<2)$
d. $P(X=3)$

8.88 항암약에 필요한 한 복합 화학물의 생산량은 시간당 $\lambda=6$ kg인 지수분포를 따르는 것으로 알려져 있다. 생산과정이 1 kg의 약을 생산하기 위해 15분 이상 걸릴 확률은 얼마인가?

8.89 술을 숙성시키는 기계에서 발생하는 고장 사이의 시간은 평균이 25시간인 지수분포를 따르는 것으로 알려져 있다. 이 기계는 방금 수리되었다. 다음의 고장이 지금부터 50시간 이상 지나서 발생할 확률을 구하라.

8.90 고객기반을 확충하기 원하는 한 은행은 가장 빠른 서비스를 제공하고 있으며 실제로 고객 모두는 10분 이내에 서비스를 받는다고 광고한다. 한 경영과학자는 이 은행의 서비스시간을 연구하고 서비스시간은 평균이 5분인 지수분포를 따른다고 결론지었다. 이 은행이 "실제로 모든" 고객이 10분 이내에 서비스를 받는다고 주장할 때 이것이 무엇을 의미하는지 설명하라.

8.91 New York State Thruway에 있는 요금계산소들에서 요금을 지불하기 위해 기다리는 많은 수의 자동차 때문에 종종 교통체증이 발생한다. 주정부에서 일하는 한 컨설턴트는 자동차가 줄을 서기 위해 정지할 때부터 자동차가 떠날 때까지의 서비스시간은 평균이 2.7분인 지수분포를 따른다고 결론지었다. 요금계산소를 3분 이내에 통과하는 자동차의 비율은 얼마인가?

8.92 한 주유소의 경영자는 운전자들이 자동차의 연

료탱크를 가득 채우고 요금을 지불하는 데 걸리는 시간이 매우 변동이 심하다는 것을 관측하였다. 실제로 이와 같은 시간은 평균이 7.5분인 지수분포를 따른다. 한 자동차가 5분 이내에 주유소에서 거래를 마무리할 수 있는 확률은 얼마인가?

8.93 자동은행기기(Automatic Banking Machine: ABM) 고객은 수많은 거래를 할 수 있기 때문에, 이와 같은 거래를 완료하는 데 걸리는 시간은 매우 변동이 심하다. 한 은행 컨설턴트는 이와 같은 거래를 완료하는 데 걸리는 시간은 평균이 125초인 지수분포를 따른다는 것을 알았다. 자동은행기기에서 은행거래를 완료하는 데 3분 이상이 걸리는 ABM 고객의 비율은 얼마인가?

8.94 한 슈퍼마켓의 경영자는 계산원에 의해 고객이 서비스를 받는 시간을 추적하였다. 그의 통계학 교수와 함께 검토한 후에 그는 계산에 걸리는 시간은 평균이 6분인 지수분포를 따른다고 결론지었다. 계산을 완료하는 데 걸리는 시간이 10분 이상인 고객의 비율은 얼마인가?

생산운영관리분야의 통계학 응용

서비스율 결정하기

일부 상황에서 λ의 값은 경영자에 의해 통제될 수 있다. 예를 들면, 슈퍼마켓에서 경영자는 고객의 백을 채워주는 근로자를 채용함으로써 계산대의 서비스율을 개선시킬 수 있다. x의 값과 확률을 구체적으로 정함으로써 λ의 값을 계산할 수 있다. 이 점을 예시하기 위해서 현재 서비스율이 시간당 8이라고 하자. 즉, λ=8이고 지수분포의 평균은 $1/\lambda=1/8=.125$시간=7.5분이다. 경영자는 한 계산대가 고객당 서비스를 제공하는 시간이 15분 이상 걸릴 확률을 5% 미만이 되도록 하기 원한다. λ=8에서 한 계산대가 고객당 서비스를 제공하는 시간이 한 시간의 0.25보다 더 걸릴 확률은 다음과 같이 계산된다.

$$P(X > .25) = e^{-\lambda x} = e^{-8(.25)} = e^{-2} = .1350$$

경영자는 이 값이 너무 크다고 생각한다.

x의 값과 X가 x보다 클 확률이 주어진 경우 λ의 값을 구하기 위해 λ에 대해 다음 방정식을 푼다.

$$P(X > x) = e^{-\lambda x}$$

따라서

$$\ln[P(X > x)] = -\lambda x$$

$$\lambda = \frac{-\ln[P(X > x)]}{x}$$

여기서 ln은 자연로그이다.

$x=.25$이고 $P(X>x)=.05$를 대입하면

$$\lambda = \frac{-\ln[P(X > x)]}{x} = \frac{-\ln(.05)}{.25} = 12$$

경영자는 서비스율을 시간당 12로 증가시킴으로써 한 계산대가 고객당 서비스를 제공하는 시간이 15분 이상이 될 확률을 5%로 감소시킬 수 있다.

8.95 한 Jiffy Lube 프랜차이즈 경영자는 그의 기술자들이 자동차의 오일과 필터를 교환하는 데 걸리는 시간에 대해 우려하고 있다. 현재 자동차의 오일과 필터를 교환하는 데 걸리는 평균 시간은 18분이다. 자동차의 오일과 필터를 교환하는 데 걸리는 시간이 30분 이상 걸리는 확률을 10%로 감소시키기 위해 필요한 평균 시간을 구하라.

8.4 기타 연속확률분포

이 절에서는 추가적으로 3개의 연속확률분포가 소개된다. 이와 같은 3개의 연속확률분포는 통계적 추론에서 광범위하게 사용된다.

8.4a Student t 분포

Student t 분포(Student t distribution)는 1908년에 William S. Gosset에 의해 처음 도출되었다. (Gosset는 "Student"라는 익명으로 그가 발견한 것을 출간하였고 확률변수를 나타내기 위해 문자 t를 사용하였다. 이것이 이 분포를 **Student t 분포**라고 부르는 이유이다.) Student t 분포는 통계적 추론에서 매우 일반적으로 사용되며 제12장, 제13장, 제14장, 제16장, 제17장, 제18장에서 Student t 분포가 어떻게 사용되는지 소개될 것이다.

Student t 분포의 확률밀도함수

Student t 분포의 확률밀도함수는 다음과 같다.

$$f(t) = \frac{\Gamma[(\nu + 1)/2]}{\sqrt{\nu\pi}\Gamma(\nu/2)}\left[1 + \frac{t^2}{\nu}\right]^{-(\nu+1)/2}$$

ν(그리스 문자 nu)는 **자유도**(degrees of freedom)라고 부르는 Student t 분포의 모수이고 $\pi = 3.14159, \ldots$ 이다. Γ는 감마함수(gamma function)이다. ([참고] 감마함수(gamma function)는 $\Gamma(\nu) = \int_0^\infty y^{\nu-1}e^{-y}dy$로 정의된다. 만일 ν가 양의 정수 값을 가지면, $\Gamma(\nu) = (\nu-1)!$이다. 만일 $\nu = 1/2$이면, $\Gamma(1/2) = \pi^{1/2}$이다. 만일 ν가 양의 실수이면, $\Gamma(\nu) = \nu\Gamma(\nu-1)$이다.)

Student t 분포를 따르는 확률변수의 평균과 분산은 각각 다음과 같다.

$$E(t) = 0$$

$$V(t) = \frac{\nu}{\nu - 2}, \quad \nu > 2$$

그림 8.23은 Student t 분포를 그린 것이다. 당신이 보는 것처럼, 이 분포는 표준정규분포와 유사하다. 두 분포는 모두 0을 중심으로 대칭이다. (Student t 확률변수와 표준정규확률변수의 평균은 각각 0으로 같다.) 표준정규분포는 종 모양을 가지는 반면, Student t 분포는 산 모양을 가진다.

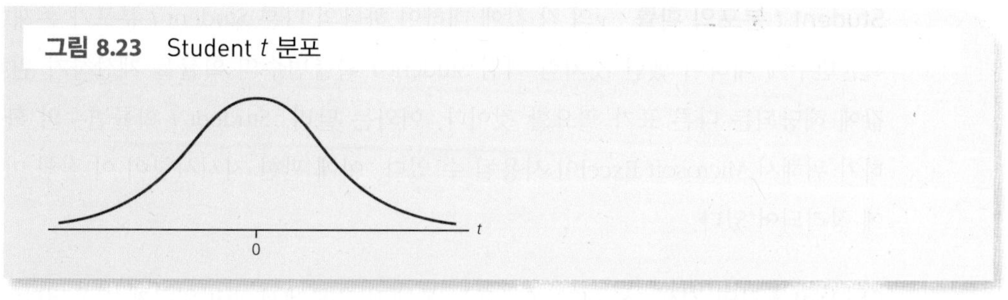

그림 8.23 Student t 분포

그림 8.24는 Student t 분포와 표준정규분포 모두를 보여준다. Student t 분포는 표준정규분포보다 더 넓게 퍼져 있다. [표준정규확률변수의 분산은 1인 반면, Student t 확률변수의 분산은 $v/(v-2)$이며 이 값은 모든 v에 대하여 1보다 크다.]

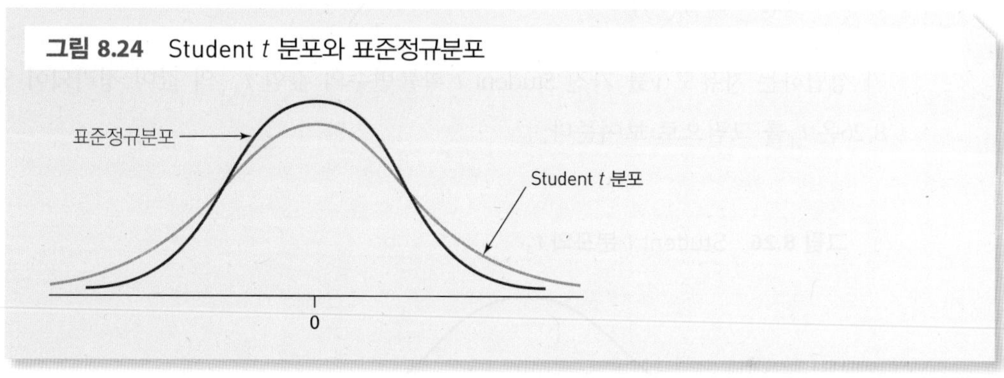

그림 8.24 Student t 분포와 표준정규분포

그림 8.25는 자유도가 다른 Student t 분포들을 그린 것이다. 자유도가 더 큰 Student t 분포가 더 적게 퍼져 있는 점에 주목하라. 예를 들면, $v=10$일 때 $V(t)=1.25$, $v=50$일 때 $V(t)=1.042$, $v=200$일 때 $V(t)=1.010$이다. v가 커짐에 따라 Student t 분포는 표준정규분포로 접근해 간다.

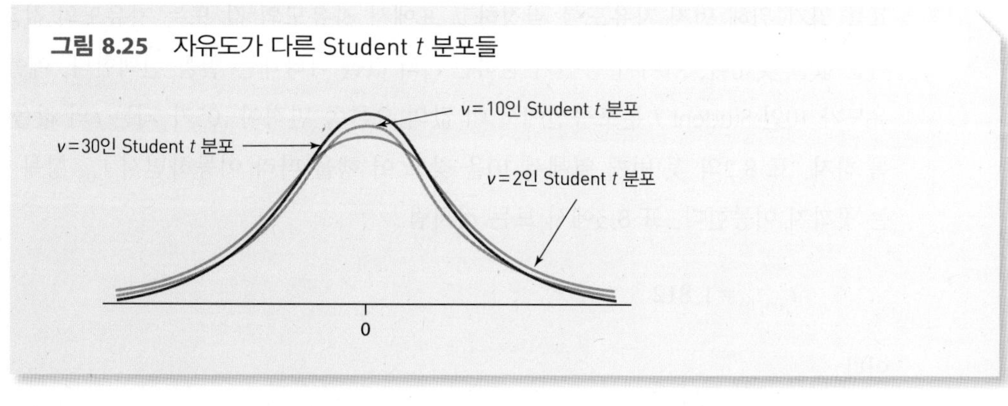

그림 8.25 자유도가 다른 Student t 분포들

Student t 분포의 확률 ν의 각 값에 대하여 하나의 다른 Student t 분포가 존재한다. 정규확률변수에 대하여 했던 것처럼 직접 Student t 확률변수의 확률을 계산하기 원하면, 각 ν 값에 해당되는 다른 표가 필요할 것이다. 이와는 달리, Student t 확률변수의 확률을 계산하기 위해서 Microsoft Excel이 사용될 수 있다. 이에 관한 지시사항이 이 절의 마지막 부분에 정리되어 있다.

Student t 값의 결정 Student t 분포는 통계적 추론에서 광범위하게 사용된다. 통계적 추론을 하는 데 있어서 종종 확률변수의 값을 찾아야 할 필요가 있다. 정규확률변수의 값을 구하기 위해서는 부록 B의 표 3이 사용된다. Student t 확률변수의 값을 찾는 일은 훨씬 더 쉽다. 부록 B의 표 4(표 8.2에 복제되어 있다)에는

$$P(t > t_{A,\nu}) = A$$

가 성립하는 자유도 ν를 가진 Student t 확률변수의 값인 $t_{A,\nu}$의 값이 정리되어 있다. 그림 8.26은 t_A를 그림으로 보여준다.

그림 8.26 Student t 분포와 t_A

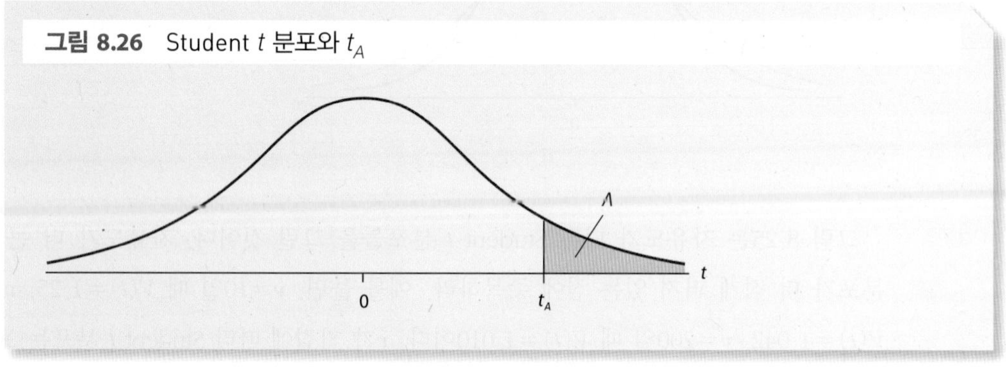

$t_{A,\nu}$의 값이 자유도가 1에서 200과 ∞까지에 대하여 정리되어 있다는 것을 살펴보라. 이 표를 읽기 위해 먼저 자유도를 결정하고 표에서 자유도의 값 또는 자유도의 값과 가장 가까운 값을 찾는다. 이어서 당신이 원하는 t_A의 값을 나타내는 열을 선택한다. 예를 들어, 자유도가 10인 Student t 분포곡선에서 이 값의 오른쪽 면적이 .05가 되는 t의 값을 찾아보도록 하자. 표 8.2의 첫 번째 열에서 10을 찾고 이 행을 따라 이동하면서 $t_{.05}$ 항목 아래에 있는 곳까지 이동한다. 표 8.3에서 보는 것처럼

$$t_{.05,10} = 1.812$$

이다.

표 8.2 t의 임계값

자유도	$t_{.100}$	$t_{.050}$	$t_{.025}$	$t_{.010}$	$t_{.005}$	자유도	$t_{.100}$	$t_{.050}$	$t_{.025}$	$t_{.010}$	$t_{.005}$
1	3.078	6.314	12.71	31.82	63.66	29	1.311	1.699	2.045	2.462	2.756
2	1.886	2.920	4.303	6.965	9.925	30	1.310	1.697	2.042	2.457	2.750
3	1.638	2.353	3.182	4.541	5.841	35	1.306	1.690	2.030	2.438	2.724
4	1.533	2.132	2.776	3.747	4.604	40	1.303	1.684	2.021	2.423	2.704
5	1.476	2.015	2.571	3.365	4.032	45	1.301	1.679	2.014	2.412	2.690
6	1.440	1.943	2.447	3.143	3.707	50	1.299	1.676	2.009	2.403	2.678
7	1.415	1.895	2.365	2.998	3.499	55	1.297	1.673	2.004	2.396	2.668
8	1.397	1.860	2.306	2.896	3.355	60	1.296	1.671	2.000	2.390	2.660
9	1.383	1.833	2.262	2.821	3.250	65	1.295	1.669	1.997	2.385	2.654
10	1.372	1.812	2.228	2.764	3.169	70	1.294	1.667	1.994	2.381	2.648
11	1.363	1.796	2.201	2.718	3.106	75	1.293	1.665	1.992	2.377	2.643
12	1.356	1.782	2.179	2.681	3.055	80	1.292	1.664	1.990	2.374	2.639
13	1.350	1.771	2.160	2.650	3.012	85	1.292	1.663	1.988	2.371	2.635
14	1.345	1.761	2.145	2.624	2.977	90	1.291	1.662	1.987	2.368	2.632
15	1.341	1.753	2.131	2.602	2.947	95	1.291	1.661	1.985	2.366	2.629
16	1.337	1.746	2.120	2.583	2.921	100	1.290	1.660	1.984	2.364	2.626
17	1.333	1.740	2.110	2.567	2.898	110	1.289	1.659	1.982	2.361	2.621
18	1.330	1.734	2.101	2.552	2.878	120	1.289	1.658	1.980	2.358	2.617
19	1.328	1.729	2.093	2.539	2.861	130	1.288	1.657	1.978	2.355	2.614
20	1.325	1.725	2.086	2.528	2.845	140	1.288	1.656	1.977	2.353	2.611
21	1.323	1.721	2.080	2.518	2.831	150	1.287	1.655	1.976	2.351	2.609
22	1.321	1.717	2.074	2.508	2.819	160	1.287	1.654	1.975	2.350	2.607
23	1.319	1.714	2.069	2.500	2.807	170	1.287	1.654	1.974	2.348	2.605
24	1.318	1.711	2.064	2.492	2.797	180	1.286	1.653	1.973	2.347	2.603
25	1.316	1.708	2.060	2.485	2.787	190	1.286	1.653	1.973	2.346	2.602
26	1.315	1.706	2.056	2.479	2.779	200	1.286	1.653	1.972	2.345	2.601
27	1.314	1.703	2.052	2.473	2.771	∞	1.282	1.645	1.960	2.326	2.576
28	1.313	1.701	2.048	2.467	2.763						

만일 자유도가 t의 임계값을 나타낸 표에 제시되어 있지 않으면, 가장 가까운 자유도가 활용된다. 예를 들면, $t_{.025,32}$의 값을 구하기 원한다고 하자. 자유도가 32인 경우는 t의 임계값을 나타낸 표에 제시되어 있지 않기 때문에 가장 가까운 자유도인 30이 활용되고 근사값으로 $t_{.025,32} \approx t_{.025,30} = 2.042$이다.

Student t 분포는 0을 중심으로 대칭이기 때문에, 이 값의 **왼쪽** 면적이 A인 t의 값은 $-t_{A,\nu}$이다. 예를 들면, 이 값의 왼쪽 면적이 .05인 자유도가 10인 t의 값은 다음과 같다.

$$-t_{.05,10} = -1.812$$

표 8.3 $t_{.05,10}$의 값 찾기

자유도	$t_{.10}$	$t_{.05}$	$t_{.025}$	$t_{.01}$	$t_{.005}$
1	3.078	6.314	12.706	31.821	63.657
2	1.886	2.920	4.303	6.965	9.925
3	1.638	2.353	3.182	4.541	5.841
4	1.533	2.132	2.776	3.747	4.604
5	1.476	2.015	2.571	3.365	4.032
6	1.440	1.943	2.447	3.143	3.707
7	1.415	1.895	2.365	2.998	3.499
8	1.397	1.860	2.306	2.896	3.355
9	1.383	1.833	2.262	2.821	3.250
10	1.372	1.812	2.228	2.764	3.169
11	1.363	1.796	2.201	2.718	3.106
12	1.356	1.782	2.179	2.681	3.055

Student t 표의 마지막 행을 보라. 자유도는 무한대이고 t값은 z값과 같다. 예를 들면,

$$t_{.10,\ \infty} = 1.282$$
$$t_{.05,\ \infty} = 1.645$$
$$t_{.025,\ \infty} = 1.960$$
$$t_{.01,\ \infty} = 2.326$$
$$t_{.005,\ \infty} = 2.576$$

정규확률표에서 이와 상응하는 값들은 다음과 같다.

$$Z_{.10} = 1.28$$
$$Z_{.05} = 1.645$$
$$Z_{.025} = 1.96$$
$$Z_{.01} = 2.33$$
$$Z_{.005} = 2.575$$

EXCEL Function

지시사항

Student t 분포의 확률을 계산하기 위해 Excel을 사용할 수 있다. 누적확률 $P(t_v < x)$를 계산하기 위해 임의의 셀에 다음과 같이 입력하라.

=**T.DIST**([x], [v], [True])

v는 자유도이다. 예를 들면,

=**T.DIST**(−2,50,True)=.02547

이고

=**T.DIST**(2, 50, True)=.97453

이다. t_A의 값을 결정하기 위해 다음과 같이 입력하라.

=**T.INV**([1−A], [v])

예를 들면, $t_{.05, 200}$의 값을 찾기 위해=**T.INV**(.95,200)을 입력하면 $t_{.05, 200}$=1.6525가 구해진다.

8.4b 카이제곱분포

매우 유용한 **카이제곱분포**(chi-squared distribution)의 확률밀도함수는 다음과 같다.

카이제곱분포의 확률밀도함수

카이제곱분포의 확률밀도함수는 다음과 같다.

$$f(\chi^2) = \frac{1}{\Gamma(\nu/2)} \frac{1}{2^{\nu/2}} (\chi^2)^{(\nu/2)-1} e^{-\chi^2/2} \quad \chi^2 > 0$$

모수 ν는 Student t 분포의 자유도와 마찬가지로 자유도이고 카이제곱분포의 모습에 영향을 미친다.

그림 8.27은 **카이제곱분포**를 그린 것이다. 당신이 보는 것처럼, 카이제곱분포는 0과 ∞ 사이에서 양의 비대칭을 가진다. Student t 분포의 모습과 같이, 카이제곱분포의 모습은 자유도에 따라 달라진다. 그림 8.28은 자유도가 증가할 때 카이제곱분포의 모습이 어떻게 변화하는지 보여준다.

그림 8.27 카이제곱분포

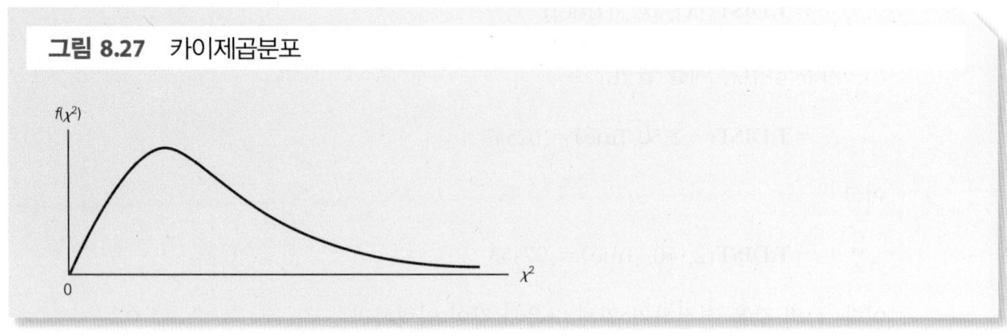

그림 8.28 ν = 1, 5, 10인 카이제곱분포

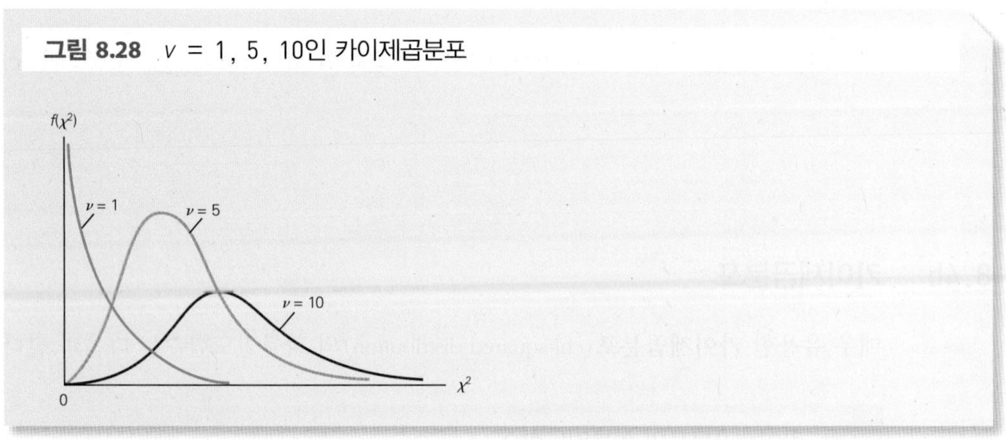

카이제곱 확률변수의 평균과 분산은 각각 다음과 같다.

$$E(\chi^2) = \nu$$

$$V(\chi^2) = 2\nu$$

카이제곱 확률변수 값의 결정 이 값의 오른쪽에 있는 카이제곱 확률밀도함수 아래의 면적이 A가 되는 자유도가 ν인 카이제곱 확률변수(χ^2)의 값은 $\chi^2_{A,\nu}$로 표시된다. 카이제곱 확률변수의 값은 항상 0보다 크기 때문에 이 값의 **왼쪽**에 있는 면적이 A인 카이제곱 확률변수의 값을 나타내기 위해 $-\chi^2_{A,v}$를 사용할 수 없다. 왼쪽 꼬리부분의 임계값을 나타내기 위해 이 값의 왼쪽 면적이 A이면 이 값의 오른쪽 면적은 $1-A$라는 점에 주목하라. 따라서 $\chi^2_{1-A,v}$는 이 값의 왼쪽 면적이 A인 카이제곱 확률변수의 값을 나타낸다. 그림 8.29를 참조하라.

그림 8.29 χ^2_A와 χ^2_{1-A}

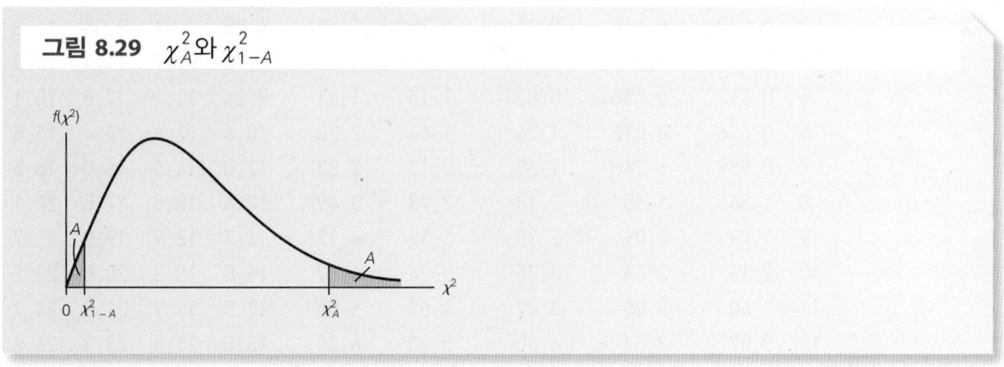

부록 B의 표 5(표 8.4로 복제되어 있다)는 자유도가 1~30, 40, 50, 60, 70, 80, 90, 100인 카이제곱분포의 임계값을 정리한 것이다. 예를 들면, 자유도가 8인 카이제곱분포에서 이 값의 오른쪽 면적이 .05가 되는 카이제곱 확률변수의 값을 찾기 위해 첫 번째 열에서 자유도가 8인 곳으로 가서 오른쪽으로 이동하면서 첫 번째 행에 있는 $\chi^2_{.05}$를 나타내는 열과 만나는 곳으로 이동한다. 자유도가 8인 행과 $\chi^2_{.050}$의 열이 만나는 곳에 있는 수치가 우리가 찾는 수치이다. 표 8.5에서 보는 것처럼

$$\chi^2_{.050,8} = 15.5$$

이다.

동일한 카이제곱분포에서 이 값의 **왼쪽** 면적이 .05인 카이제곱 확률변수의 값을 구하기 위해 이 값의 **오른쪽** 면적이 .95인 카이제곱 확률변수의 값을 찾는다. 자유도가 8인 행과 $\chi^2_{.950}$의 열이 만나는 곳을 찾아라. 표 8.5에서 보는 것처럼

$$\chi^2_{.950,8} = 2.73$$

이다.

자유도가 100보다 큰 경우 카이제곱분포는 $\mu=v$와 $\sigma=\sqrt{2v}$인 정규분포에 의해 근사될 수 있다.

표 8.4 χ^2의 임계값

자유도	$\chi^2_{.995}$	$\chi^2_{.990}$	$\chi^2_{.975}$	$\chi^2_{.950}$	$\chi^2_{.900}$	$\chi^2_{.100}$	$\chi^2_{.050}$	$\chi^2_{.025}$	$\chi^2_{.010}$	$\chi^2_{.005}$
1	0.000039	0.000157	0.000982	0.00393	0.0158	2.71	3.84	5.02	6.63	7.88
2	0.0100	0.0201	0.0506	0.103	0.211	4.61	5.99	7.38	9.21	10.6
3	0.072	0.115	0.216	0.352	0.584	6.25	7.81	9.35	11.3	12.8
4	0.207	0.297	0.484	0.711	1.06	7.78	9.49	11.1	13.3	14.9
5	0.412	0.554	0.831	1.15	1.61	9.24	11.1	12.8	15.1	16.7
6	0.676	0.872	1.24	1.64	2.20	10.6	12.6	14.4	16.8	18.5
7	0.989	1.24	1.69	2.17	2.83	12.0	14.1	16.0	18.5	20.3
8	1.34	1.65	2.18	2.73	3.49	13.4	15.5	17.5	20.1	22.0
9	1.73	2.09	2.70	3.33	4.17	14.7	16.9	19.0	21.7	23.6
10	2.16	2.56	3.25	3.94	4.87	16.0	18.3	20.5	23.2	25.2
11	2.60	3.05	3.82	4.57	5.58	17.3	19.7	21.9	24.7	26.8
12	3.07	3.57	4.40	5.23	6.30	18.5	21.0	23.3	26.2	28.3
13	3.57	4.11	5.01	5.89	7.04	19.8	22.4	24.7	27.7	29.8
14	4.07	4.66	5.63	6.57	7.79	21.1	23.7	26.1	29.1	31.3
15	4.60	5.23	6.26	7.26	8.55	22.3	25.0	27.5	30.6	32.8
16	5.14	5.81	6.91	7.96	9.31	23.5	26.3	28.8	32.0	34.3
17	5.70	6.41	7.56	8.67	10.09	24.8	27.6	30.2	33.4	35.7
18	6.26	7.01	8.23	9.39	10.86	26.0	28.9	31.5	34.8	37.2
19	6.84	7.63	8.91	10.12	11.65	27.2	30.1	32.9	36.2	38.6
20	7.43	8.26	9.59	10.85	12.44	28.4	31.4	34.2	37.6	40.0
21	8.03	8.90	10.28	11.59	13.24	29.6	32.7	35.5	38.9	41.4
22	8.64	9.54	10.98	12.34	14.04	30.8	33.9	36.8	40.3	42.8
23	9.26	10.20	11.69	13.09	14.85	32.0	35.2	38.1	41.6	44.2
24	9.89	10.86	12.40	13.85	15.66	33.2	36.4	39.4	43.0	45.6
25	10.52	11.52	13.12	14.61	16.47	34.4	37.7	40.6	44.3	46.9
26	11.16	12.20	13.84	15.38	17.29	35.6	38.9	41.9	45.6	48.3
27	11.81	12.88	14.57	16.15	18.11	36.7	40.1	43.2	47.0	49.6
28	12.46	13.56	15.31	16.93	18.94	37.9	41.3	44.5	48.3	51.0
29	13.12	14.26	16.05	17.71	19.77	39.1	42.6	45.7	49.6	52.3
30	13.79	14.95	16.79	18.49	20.60	40.3	43.8	47.0	50.9	53.7
40	20.71	22.16	24.43	26.51	29.05	51.8	55.8	59.3	63.7	66.8
50	27.99	29.71	32.36	34.76	37.69	63.2	67.5	71.4	76.2	79.5
60	35.53	37.48	40.48	43.19	46.46	74.4	79.1	83.3	88.4	92.0
70	43.28	45.44	48.76	51.74	55.33	85.5	90.5	95.0	100	104
80	51.17	53.54	57.15	60.39	64.28	96.6	102	107	112	116
90	59.19	61.75	65.65	69.13	73.29	108	113	118	124	128
100	67.33	70.06	74.22	77.93	82.36	118	124	130	136	140

표 8.5 $\chi^2_{.050,8}$와 $\chi^2_{.950,8}$의 값 찾기

자유도	$\chi^2_{.995}$	$\chi^2_{.990}$	$\chi^2_{.975}$	$\chi^2_{.950}$	$\chi^2_{.900}$	$\chi^2_{.100}$	$\chi^2_{.050}$	$\chi^2_{.025}$	$\chi^2_{.010}$	$\chi^2_{.005}$
1	0.000039	0.000157	0.000982	0.00393	0.0158	2.71	3.84	5.02	6.63	7.88
2	0.0100	0.0201	0.0506	0.103	0.211	4.61	5.99	7.38	9.21	10.6
3	0.072	0.115	0.216	0.352	0.584	6.25	7.81	9.35	11.3	12.8
4	0.207	0.297	0.484	0.711	1.06	7.78	9.49	11.1	13.3	14.9
5	0.412	0.554	0.831	1.15	1.61	9.24	11.1	12.8	15.1	16.7
6	0.676	0.872	1.24	1.64	2.20	10.6	12.6	14.4	16.8	18.5
7	0.989	1.24	1.69	2.17	2.83	12.0	14.1	16.0	18.5	20.3
8	1.34	1.65	2.18	2.73	3.49	13.4	15.5	17.5	20.1	22.0
9	1.73	2.09	2.70	3.33	4.17	14.7	16.9	19.0	21.7	23.6
10	2.16	2.56	3.25	3.94	4.87	16.0	18.3	20.5	23.2	25.2
11	2.60	3.05	3.82	4.57	5.58	17.3	19.7	21.9	24.7	26.8

EXCEL Function

지시사항

$P(\chi^2_v < x)$를 계산하기 위해 임의의 셀에 다음과 같이 입력하라.

=**CHISQ.DIST**([x], [v], True)

예를 들면, =**CHISQ.DIST**(6.25, 3, True)=.8999

$P(\chi^2_v > x)$를 계산하기 위해 임의의 셀에 다음과 같이 입력하라.

=**CHISQ.DIST.RT**([x], [v])

예를 들면, =**CHISQ.DIST.RT**(6.25, 3)=.1001

$\chi^2_{A,v}$의 값을 결정하기 위해 임의의 셀에 다음과 같이 입력하라.

=**CHISQ.INV.RT**([A], [v])

예를 들면, **CHISQ.INV.RT**(.10, 3)=6.2514

8.4c *F* 분포

***F* 분포**(*F* distribution)의 확률밀도함수는 다음과 같다.

F 분포의 확률밀도함수

$$f(F) = \frac{\Gamma\left(\frac{\nu_1 + \nu_2}{2}\right)}{\Gamma\left(\frac{\nu_1}{2}\right)\Gamma\left(\frac{\nu_2}{2}\right)} \left(\frac{\nu_1}{\nu_2}\right)^{\frac{\nu_1}{2}} \frac{F^{\frac{\nu_1 - 2}{2}}}{\left(1 + \frac{\nu_1 F}{\nu_2}\right)^{\frac{\nu_2 + \nu_2}{2}}}, \quad F > 0$$

F는 0과 ∞ 사이의 값을 가지며 ν_1과 ν_2는 자유도라 부르는 F 분포의 모수이다. ν_1은 분자의 자유도이고 ν_2는 분모의 자유도이다.

확률변수의 평균과 분산은 각각 다음과 같다.

$$E(F) = \frac{\nu_2}{\nu_2 - 2} \quad \nu_2 > 2$$

$$V(F) = \frac{2\nu_2^2(\nu_1 + \nu_2 - 2)}{\nu_1(\nu_2 - 2)^2(\nu_2 - 4)} \quad \nu_2 > 4$$

평균은 분모의 자유도에 의해서만 결정되고 ν_2가 매우 크면 F 분포의 평균은 1로 수렴한다는 점에 주목하라. 그림 8.30은 F 분포의 확률밀도함수를 그린 것이다. 당신이 보는 것처럼, F 분포는 양의 비대칭을 가진다. F 분포의 실제 모습은 두 개의 자유도에 의해 결정된다.

그림 8.30 *F* 분포

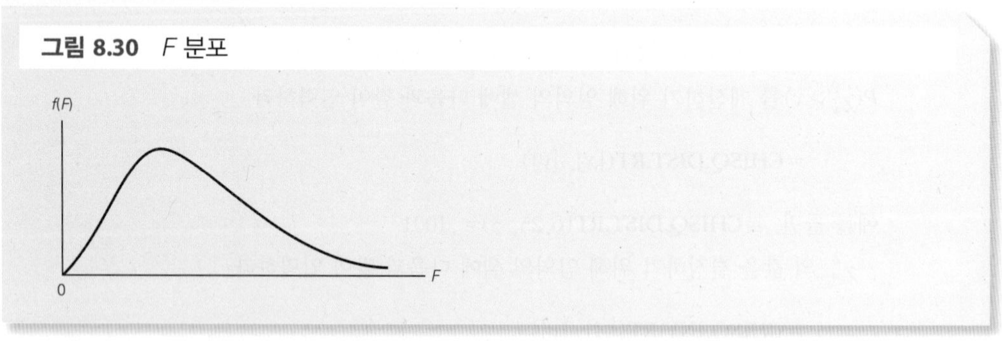

F값의 결정 F_{A,ν_1,ν_2}는 F_{ν_1,ν_2} 곡선 아래에 있는 이 값의 오른쪽 면적이 A인 자유도가 ν_1과 ν_2인 F의 값이라고 정의하자. 즉,

$$P(F > F_{A,\nu_1,\nu_2}) = A$$

F 확률변수는 카이제곱 확률변수와 마찬가지로 양의 값만을 가지기 때문에 이 값의 왼쪽 면적이 A인 F 확률변수의 값은 F_{1-A,ν_1,ν_2}로 표시된다. 그림 8.31은 이와 같은 기호를 그림으로 나타낸 것이다. 부록 B의 표 6은 A=.05, .025, .01, .005인 경우의 F_{A,ν_1,ν_2}의 값을 제공한다. 부록 B의 표 6의 일부가 표 8.6으로 복제되어 있다.

그림 8.31 F_A 와 F_{1-A}

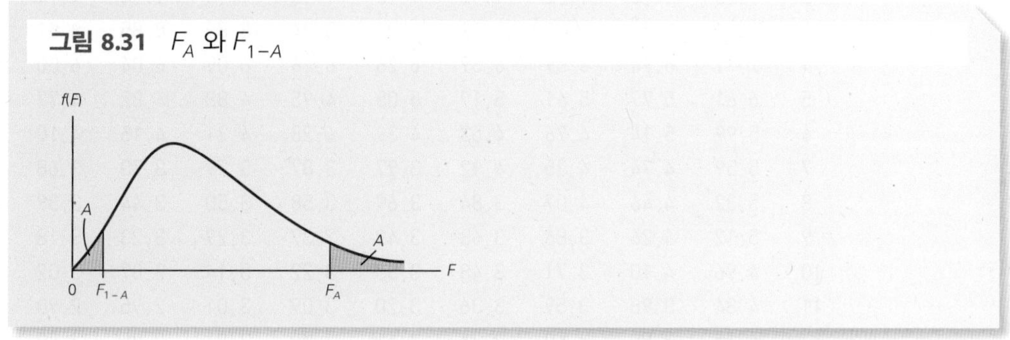

F_{1-A,ν_1,ν_2}의 값을 제공해주는 표는 없다. 그러나 F_{A,ν_1,ν_2}로부터 F_{1-A,ν_1,ν_2}를 구할 수 있다. 즉, 통계학자들은 다음과 같은 식이 성립한다는 것을 증명하였다.

$$F_{1-A,\nu_1,\nu_2} = \frac{1}{F_{A,\nu_2,\nu_1}}$$

F 분포의 임계값을 구하기 위해, 부록 B의 표 6에서 분자의 자유도와 분모의 자유도를 찾는다. 분자의 자유도와 분모의 자유도가 만나는 곳에 있는 수치가 구하고자 하는 수치이다. $F_{.05,5,7}$의 값을 찾기 원한다고 하자. 표 8.7(부록 B의 표 6)을 사용하자. 분자의 자유도가 5인 열과 분모의 자유도가 7인 행이 만나는 곳에 있는 수치는 3.97이다. 따라서 $F_{.05,5,7}$ =3.97이다.

자유도가 나타나는 순서가 중요하다는 점에 주목하라. $F_{.05,7,5}$=4.88은 분자의 자유도가 7인 열과 분모의 자유도가 5인 행이 만나는 곳에 있는 수치이다.

ν_1=4이고 ν_2=8인 F 분포에서 이 값의 오른쪽 면적이 .95인 F의 값을 구하기를 원한다고 하자. 이 값은 다음과 같이 구해진다.

$$F_{.95,4,8} = \frac{1}{F_{.05,8,4}} = \frac{1}{6.04} = .166$$

표 8.6 F의 임계값: $A = .05$

ν_2 \ ν_1	1	2	3	4	5	6	7	8	9	10
1	161	199	216	225	230	234	237	239	241	242
2	18.5	19.0	19.2	19.2	19.3	19.3	19.4	19.4	19.4	19.4
3	10.1	9.55	9.28	9.12	9.01	8.94	8.89	8.85	8.81	8.79
4	7.71	6.94	6.59	6.39	6.26	6.16	6.09	6.04	6.00	5.96
5	6.61	5.79	5.41	5.19	5.05	4.95	4.88	4.82	4.77	4.74
6	5.99	5.14	4.76	4.53	4.39	4.28	4.21	4.15	4.10	4.06
7	5.59	4.74	4.35	4.12	3.97	3.87	3.79	3.73	3.68	3.64
8	5.32	4.46	4.07	3.84	3.69	3.58	3.50	3.44	3.39	3.35
9	5.12	4.26	3.86	3.63	3.48	3.37	3.29	3.23	3.18	3.14
10	4.96	4.10	3.71	3.48	3.33	3.22	3.14	3.07	3.02	2.98
11	4.84	3.98	3.59	3.36	3.20	3.09	3.01	2.95	2.90	2.85
12	4.75	3.89	3.49	3.26	3.11	3.00	2.91	2.85	2.80	2.75
13	4.67	3.81	3.41	3.18	3.03	2.92	2.83	2.77	2.71	2.67
14	4.60	3.74	3.34	3.11	2.96	2.85	2.76	2.70	2.65	2.60
15	4.54	3.68	3.29	3.06	2.90	2.79	2.71	2.64	2.59	2.54
16	4.49	3.63	3.24	3.01	2.85	2.74	2.66	2.59	2.54	2.49
17	4.45	3.59	3.20	2.96	2.81	2.70	2.61	2.55	2.49	2.45
18	4.41	3.55	3.16	2.93	2.77	2.66	2.58	2.51	2.46	2.41
19	4.38	3.52	3.13	2.90	2.74	2.63	2.54	2.48	2.42	2.38
20	4.35	3.49	3.10	2.87	2.71	2.60	2.51	2.45	2.39	2.35
22	4.30	3.44	3.05	2.82	2.66	2.55	2.46	2.40	2.34	2.30
24	4.26	3.40	3.01	2.78	2.62	2.51	2.42	2.36	2.30	2.25
26	4.23	3.37	2.98	2.74	2.59	2.47	2.39	2.32	2.27	2.22
28	4.20	3.34	2.95	2.71	2.56	2.45	2.36	2.29	2.24	2.19
30	4.17	3.32	2.92	2.69	2.53	2.42	2.33	2.27	2.21	2.16
35	4.12	3.27	2.87	2.64	2.49	2.37	2.29	2.22	2.16	2.11
40	4.08	3.23	2.84	2.61	2.45	2.34	2.25	2.18	2.12	2.08
45	4.06	3.20	2.81	2.58	2.42	2.31	2.22	2.15	2.10	2.05
50	4.03	3.18	2.79	2.56	2.40	2.29	2.20	2.13	2.07	2.03
60	4.00	3.15	2.76	2.53	2.37	2.25	2.17	2.10	2.04	1.99
70	3.98	3.13	2.74	2.50	2.35	2.23	2.14	2.07	2.02	1.97
80	3.96	3.11	2.72	2.49	2.33	2.21	2.13	2.06	2.00	1.95
90	3.95	3.10	2.71	2.47	2.32	2.20	2.11	2.04	1.99	1.94
100	3.94	3.09	2.70	2.46	2.31	2.19	2.10	2.03	1.97	1.93
120	3.92	3.07	2.68	2.45	2.29	2.18	2.09	2.02	1.96	1.91
140	3.91	3.06	2.67	2.44	2.28	2.16	2.08	2.01	1.95	1.90
160	3.90	3.05	2.66	2.43	2.27	2.16	2.07	2.00	1.94	1.89
180	3.89	3.05	2.65	2.42	2.26	2.15	2.06	1.99	1.93	1.88
200	3.89	3.04	2.65	2.42	2.26	2.14	2.06	1.98	1.93	1.88
∞	3.84	3.00	2.61	2.37	2.21	2.10	2.01	1.94	1.88	1.83

표 8.7 $F_{.05,5,7}$의 값 찾기

분모의 자유도 (v_2) \ 분자의 자유도 (v_1)	1	2	3	4	5	6	7	8	9
1	161	199	216	225	230	234	237	239	241
2	18.5	19.0	19.2	19.2	19.3	19.3	19.4	19.4	19.4
3	10.1	9.55	9.28	9.12	9.01	8.94	8.89	8.85	8.81
4	7.71	6.94	9.59	6.39	6.26	6.16	6.09	6.04	6.00
5	6.61	5.79	5.41	5.19	5.05	4.95	4.88	4.82	4.77
6	5.99	5.14	4.76	4.53	4.39	4.28	4.21	4.15	4.10
7	5.59	4.74	4.35	4.12	3.97	3.87	3.79	3.73	3.68
8	5.32	4.46	4.07	3.84	3.69	3.58	3.50	3.44	3.39
9	5.12	4.26	3.86	3.63	3.48	3.37	3.29	3.23	3.18
10	4.96	4.10	3.71	3.48	3.33	3.22	3.14	3.07	3.02

EXCEL Function

지시사항

$P(F_{v_1,v_2} < x)$를 계산하기 위해 임의의 셀에 다음과 같이 입력하라.

=**F.DIST**([x], [v_1], [v_2], True)

예를 들면, =**F.DIST**(3.97, 5, 7, True) = .95

$P(F_{v_1,v_2} > x)$를 계산하기 위해 임의의 셀에 다음과 같이 입력하라.

=**F.DIST.RT**([x], [v_1], [v_2])

예를 들면, =**F.DIST.RT**(3.97, 5, 7) = .05

F_{A,v_1,v_2}의 값을 결정하기 위해 다음과 같이 입력하라.

=**F.INV.RT**([A], [v_1], [v_2])

예를 들면, **F.INV.RT**(.05, 5, 7) = 3.9715

연습문제

연습문제의 일부를 푸는 데 컴퓨터와 소프트웨어를 사용하여야 한다.

8.96 t값을 구하기 위해 부록 B의 표 4를 사용하라.

a. $t_{.10,15}$ **b.** $t_{.10,23}$ **c.** $t_{.025,83}$ **d.** $t_{.05,195}$

8.97 t값을 구하기 위해 부록 B의 표 4를 사용하라.

a. $t_{.005,33}$ **b.** $t_{.10,600}$ **c.** $t_{.05,4}$ **d.** $t_{.01,20}$

8.98 t값을 구하기 위해 컴퓨터를 사용하라.

a. $t_{.10,15}$ **b.** $t_{.10,23}$ **c.** $t_{.025,83}$ **d.** $t_{.05,195}$

8.99 t값을 구하기 위해 컴퓨터를 사용하라.

a. $t_{.05,143}$ **b.** $t_{.01,12}$ **c.** $t_{.025,\infty}$ **d.** $t_{.05,100}$

8.100 다음의 확률을 구하기 위해 컴퓨터를 사용하라.

a. $P(t_{64}>2.12)$ **b.** $P(t_{27}>1.90)$
c. $P(t_{159}>1.33)$ **d.** $P(t_{550}>1.85)$

8.101 다음의 확률을 구하기 위해 컴퓨터를 사용하라.

a. $P(t_{141}>.94)$ **b.** $P(t_{421}>2.00)$
c. $P(t_{1000}>1.96)$ **d.** $P(t_{82}>1.96)$

8.102 χ^2값을 구하기 위해 부록 B의 표 5를 사용하라.

a. $\chi^2_{.10,5}$ **b.** $\chi^2_{.01,100}$ **c.** $\chi^2_{.95,18}$ **d.** $\chi^2_{.99,60}$

8.103 χ^2값을 구하기 위해 부록 B의 표 5를 사용하라.

a. $\chi^2_{.90,26}$ **b.** $\chi^2_{.01,30}$ **c.** $\chi^2_{.10,1}$ **d.** $\chi^2_{.99,80}$

8.104 χ^2값을 구하기 위해 컴퓨터를 사용하라.

a. $\chi^2_{.25,66}$ **b.** $\chi^2_{.40,100}$ **c.** $\chi^2_{.50,17}$ **d.** $\chi^2_{.10,17}$

8.105 χ^2값을 구하기 위해 컴퓨터를 사용하라.

a. $\chi^2_{.99,55}$ **b.** $\chi^2_{.05,800}$ **c.** $\chi^2_{.99,43}$ **d.** $\chi^2_{.10,233}$

8.106 다음의 확률을 구하기 위해 컴퓨터를 사용하라.

a. $P(\chi^2_{73}>80)$ **b.** $P(\chi^2_{200}>125)$
c. $P(\chi^2_{88}>60)$ **d.** $P(\chi^2_{1000}>450)$

8.107 다음의 확률을 구하기 위해 컴퓨터를 사용하라.

a. $P(\chi^2_{250}>250)$ **b.** $P(\chi^2_{36}>25)$
c. $P(\chi^2_{600}>500)$ **d.** $P(\chi^2_{120}>100)$

8.108 F값을 구하기 위해 부록 B의 표 6을 사용하라.

a. $F_{.05,3,7}$ **b.** $F_{.05,7,3}$ **c.** $F_{.025,5,20}$ **d.** $F_{.01,12,60}$

8.109 F값을 구하기 위해 부록 B의 표 6을 사용하라.

a. $F_{.025,8,22}$ **b.** $F_{.05,20,30}$
c. $F_{.01,9,18}$ **d.** $F_{.025,24,10}$

8.110 F값을 구하기 위해 컴퓨터를 사용하라.

a. $F_{.05,70,70}$ **b.** $F_{.01,45,100}$
c. $F_{.025,36,50}$ **d.** $F_{.05,500,500}$

8.111 F값을 구하기 위해 컴퓨터를 사용하라.

a. $F_{.01,100,150}$ **b.** $F_{.05,25,125}$
c. $F_{.01,11,33}$ **d.** $F_{.05,300,800}$

8.112 다음의 확률을 구하기 위해 컴퓨터를 사용하라.

a. $P(F_{7,20}>2.5)$ **b.** $P(F_{18,63}>1.4)$
c. $P(F_{34,62}>1.8)$ **d.** $P(F_{200,400}>1.1)$

8.113 다음의 확률을 구하기 위해 컴퓨터를 사용하라.

a. $P(F_{600,800}>1.1)$ **b.** $P(F_{35,100}>1.3)$
c. $P(F_{66,148}>2.1)$ **d.** $P(F_{17,37}>2.8)$

요약

이 장에서는 **연속확률변수들**(continuous random variables)과 그들의 확률분포를 살펴보았다. 연속확률변수는 무한개의 값을 가질 수 있기 때문에 연속확률변수가 어느 하나의 값과 같을 확률은 0이다. 따라서 한 실수구간의 확률을 계산하는 문제가 다루어졌다. 연속확률변수가 임의의 구간에 속할 확률은 임의의 구간에서 **확률밀도함수**(probability density function)를 나타내는 곡선 아래의 면적이라는 것을 살펴보았다.

통계학에서 가장 중요한 확률분포인 정규분포가 소개되었고 **정규확률변수**(normal random variable)가 임의의 구간에 속할 확률을 계산하는 방법이 제시되었다. 추가적으로 확률이 주어진 경우 정규확률변수의 값을 찾기 위해 정규분포확률표를 반대방향으로 사용하는 방법이 제시되었다. 다음으로 다수의 경영과학응용분야에서 특히 유용한 확률분포인 **지수분포**(exponential distribution)가 소개되었다. 마지막으로 추가적으로 3개의 연속확률변수와 그들의 확률밀도함수가 제시되었다. **Student *t* 분포**(Student *t* distribution), **카이제곱분포**(chi-squared distribution), ***F* 분포**(*F* distribution)는 통계적 추론에서 광범위하게 사용된다.

주요 용어

일양확률분포(uniform probability distribution)
자유도(degrees of freedom)
정규분포(normal distribution)
정규확률변수(normal random variable)
지수분포(exponential distribution)
직사각형확률분포(rectangular probability distribution)
카이제곱분포(chi-squared distribution)
표준정규확률변수(standard normal random variable)
확률밀도함수(probability density function)
F 분포(*F* distribution)
Student *t* 분포(Student *t* distribution)

주요 기호

기호	발음	의미
π	pi	3.14159. . .
z_A	*z*-sub-*A* or *z*-*A*	이 값의 오른쪽 면적이 A인 Z의 값
ν	nu	자유도
t_A	*t*-sub-*A* or *t*-*A*	이 값의 오른쪽 면적이 A인 *t*의 값
χ^2_A	chi-squared-sub-*A* or chi-squared-*A*	이 값의 오른쪽 면적이 A인 카이제곱의 값
F_A	*F*-sub-*A* or *F*-*A*	이 값의 오른쪽 면적이 A인 *F*의 값
ν_1	nu-sub-one or nu-one	분자의 자유도
ν_2	nu-sub-two or nu-two	분모의 자유도

George Rudy/Shutterstock.com

표본분포

Sampling Distributions

이 장의 구성

9.1 표본평균의 표본분포
9.2 표본비율의 표본분포
9.3 표본분산의 표본분포
9.4 표본분포와 통계적 추론

경영대학원 졸업생의 급여

☞ (341페이지에 모범답안이 제시되어 있다.)

전문분야 대학원장들과 교수들은 종종 그들이 운영하는 프로그램의 졸업생들이 일자리시장에서 얼마나 잘 대우받는지 조사한다. 직업의 종류와 졸업생의 급여에 관한 정보는 제공되는 프로그램의 성공에 관한 유용한 정보를 제공할 수 있다.

한 대형 대학의 광고에서 경영대학원장은 졸업한 지 1년 후 자기 경영대학원 졸업생의 급여는 주당 평균이 800달러이고 표준편차는 100달러라고 주장한다. 통계학 과목을 방금 마친 이 경영대학원의 2년차 한 학생은 이와 같은 주당 평균 급여에 관한 학장의 주장이 맞는지 확인하기 원한다. 그는 1년 전에 졸업한 25명을 대상으로 서베이를 실시하고 그들의 주당 급여에 관한 데이터를 수집하였다. 그는 표본평균이 750달러라는 것을 발견하였다. 그가 발견한 것을 해석하기 위해 모평균이 800달러이고 모표준편차가 100달러일 때, 25명의 졸업생으로 구성된 표본평균이 750달러 이하일 확률을 계산할 필요가 있다. 이와 같은 확률을 계산한 후에 그는 어떤 결론을 도출할 수 있는가?

Anton Gvozdikov/Shutterstock.com

서론

이 장에서는 통계적 추론의 기본 요소인 **표본분포**(sampling distribution)가 소개된다. 통계적 추론은 데이터를 정보로 전환시키는 과정이다. 지금까지 통계적 추론과 관련하여 논의된 사항을 정리하면 다음과 같다.

1. 모수는 모집단의 특성을 나타낸다.
2. 모수는 거의 언제나 알려져 있지 않다.
3. 필요한 데이터를 얻기 위해 모집단으로부터 하나의 임의표본(random sample)이 추출된다.
4. 이와 같은 데이터로부터 하나 이상의 통계량이 계산된다.

예를 들면, 모평균을 추정하기 위해 표본평균이 계산된다. 표본평균과 모평균은 서로 같을 가능성은 거의 없지만 매우 가까울 것이라고 예상된다. 그러나 통계적 추론을 위해 표본평균과 모평균이 얼마나 가까운지 측정할 필요가 있다. 표본분포는 이와 같은 일을 수행한다. 표본분포가 제공하는 표본평균과 모평균 간의 근접 정도를 측정하는 척도는 통계적 추론의 핵심요소이기 때문에 표본분포는 통계적 추론에서 중요한 역할을 담당한다.

9.1 표본평균의 표본분포

표본분포(sampling distribution)는 그 이름이 제시하는 것처럼 표본추출에 의해 만들어진다. 표본분포를 만드는 두 가지의 방법이 존재한다. 첫 번째 방법은 모집단으로부터 같은 표본크기를 가지는 표본들을 실제로 추출하여 관심을 가지고 있는 통계량을 계산하고 표본분포에 관한 특성을 구하기 위해 기술통계기법을 사용하는 것이다. 두 번째 방법은 표본분포를 도출하기 위해 확률법칙과 기대치 및 분산법칙을 이용하는 것이다. 이 장에서는 두 개 주사위의 평균에 관한 표본분포를 도출하기 위해 두 번째 방법이 사용된다.

9.1a 두 개 주사위 평균의 표본분포

한 개의 균형 잡힌 주사위를 무한히 던져서 만들어지는 모집단을 생각해보자. 이때 확률변수 X는 한 개 주사위를 한 번 던져서 관찰되는 점의 수를 나타낸다. 확률변수 X의 확률분포는 다음과 같다.

x	1	2	3	4	5	6
$P(x)$	1/6	1/6	1/6	1/6	1/6	1/6

한 개의 주사위를 무한히 던질 수 있기 때문에 이와 같은 방법으로 만들어지는 모집단은 무한히 크다. 제7.1절에서 제시된 기대치와 분산의 정의로부터 모평균, 모분산, 모표준편차는 다음과 같이 계산된다.

모평균:

$$\begin{aligned}\mu &= \sum xP(x)\\ &= 1\left(\tfrac{1}{6}\right) + 2\left(\tfrac{1}{6}\right) + 3\left(\tfrac{1}{6}\right) + 4\left(\tfrac{1}{6}\right) + 5\left(\tfrac{1}{6}\right) + 6\left(\tfrac{1}{6}\right)\\ &= 3.5\end{aligned}$$

모분산:

$$\begin{aligned}\sigma^2 &= \sum (x-\mu)^2 P(x)\\ &= (1-3.5)^2\left(\tfrac{1}{6}\right) + (2-3.5)^2\left(\tfrac{1}{6}\right) + (3-3.5)^2\left(\tfrac{1}{6}\right) + (4-3.5)^2\left(\tfrac{1}{6}\right)\\ &\quad + (5-3.5)^2\left(\tfrac{1}{6}\right) + (6-3.5)^2\left(\tfrac{1}{6}\right)\\ &= 2.92\end{aligned}$$

모표준편차:

$$\sigma = \sqrt{\sigma^2} = \sqrt{2.92} = 1.71$$

표본크기가 2인 표본분포는 모집단으로부터 표본크기가 2인 표본을 추출함으로써 만들어진다. 달리 말하면, 두 개의 주사위를 던져서 얻는 두 개의 수치가 표본크기가 2인 하나의 표본이 될 수 있다. 그림 9.1은 이와 같은 과정과 이것으로부터 계산되는 각 표본의 평균을 보여준다. 표본평균의 값은 표본마다 다르기 때문에, $\overline{X}$를 표본추출에 의해 만들어지는 새로운 확률변수라고 생각할 수 있다. 표 9.1은 모든 가능한 표본들과 이와 같은 표본들로부터 계산되는 $\overline{x}$의 값들을 정리한 것이다.

그림 9.1 모집단으로부터 표본크기 2인 표본의 추출

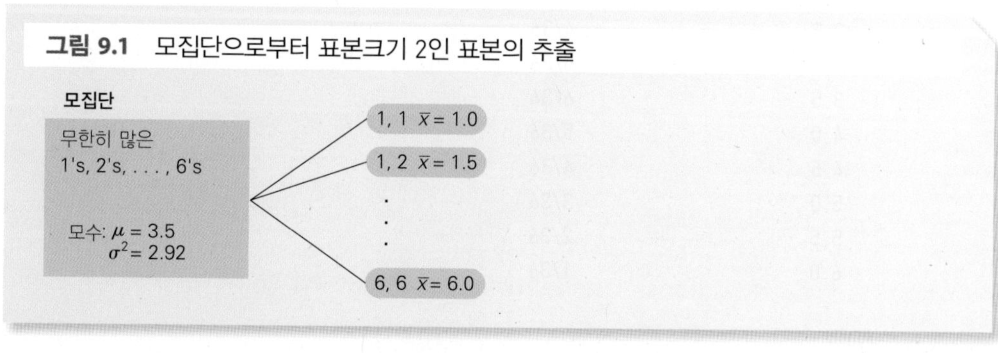

표 9.1 표본크기 2인 모든 표본과 표본평균

표본	$\bar{X}$	표본	$\bar{X}$	표본	$\bar{X}$
1, 1	1.0	3, 1	2.0	5, 1	3.0
1, 2	1.5	3, 2	2.5	5, 2	3.5
1, 3	2.0	3, 3	3.0	5, 3	4.0
1, 4	2.5	3, 4	3.5	5, 4	4.5
1, 5	3.0	3, 5	4.0	5, 5	5.0
1, 6	3.5	3, 6	4.5	5, 6	5.5
2, 1	1.5	4, 1	2.5	6, 1	3.5
2, 2	2.0	4, 2	3.0	6, 2	4.0
2, 3	2.5	4, 3	3.5	6, 3	4.5
2, 4	3.0	4, 4	4.0	6, 4	5.0
2, 5	3.5	4, 5	4.5	6, 5	5.5
2, 6	4.0	4, 6	5.0	6, 6	6.0

표본크기가 2인 36개의 서로 다른 가능한 표본들이 존재한다. 각 표본은 같은 정도로 발생할 가능성을 가지기 때문에 선택되는 임의의 표본이 발생될 확률은 1/36이다. 그러나 $\bar{x}$는 단지 11개의 서로 다른 값, 즉 1.0, 1.5, 2.0, . . . , 6.0을 가지며 특정한 $\bar{x}$의 값은 다른 $\bar{x}$값들보다 발생빈도가 더 크다. $\bar{x}=1.0$은 단 한 번 발생하고, 이에 따라 $\bar{x}=1.0$이 발생할 확률은 1/36이다. $\bar{x}=1.5$는 두 가지 방법, 즉 (1, 2)와 (2, 1)의 방법으로 발생하고 각 경우가 발생하는 확률은 1/36이므로 $P(\bar{x}=1.5)=2/36$이다. $\bar{x}$의 다른 값들이 발생될 확률도 이와 유사하게 구해진다. 결과적으로 얻어지는 $\bar{X}$의 **표본분포**는 표 9.2와 같다.

표 9.2 $\bar{X}$의 표본분포

$\bar{X}$	$P(\bar{X})$
1.0	1/36
1.5	2/36
2.0	3/36
2.5	4/36
3.0	5/36
3.5	6/36
4.0	5/36
4.5	4/36
5.0	3/36
5.5	2/36
6.0	1/36

그림 9.2 X의 분포와 $\overline{X}$의 분포

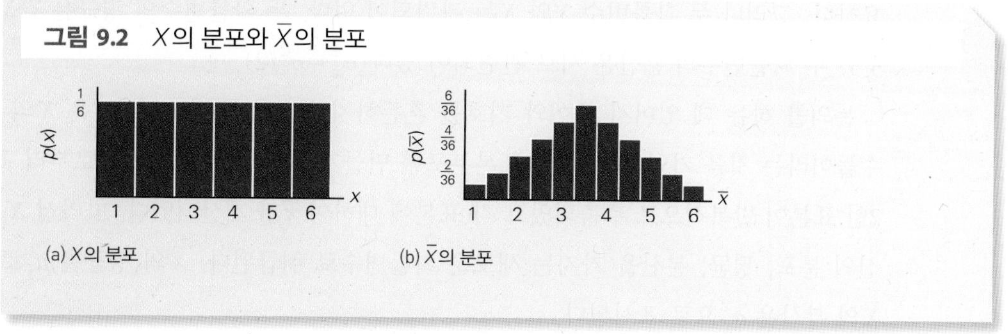

$\overline{X}$의 표본분포가 가지는 가장 흥미로운 점은 $\overline{X}$의 표본분포와 X의 분포가 얼마나 다르냐이다. 그림 9.2에서 보는 것처럼 $\overline{X}$의 표본분포와 X의 분포는 매우 다르다.

표본분포의 평균, 분산, 표준편차를 계산할 수 있다. 기대치와 분산의 정의를 사용하면, 표본분포의 모수들이 계산된다.

$\overline{X}$의 표본분포 평균:

$$\begin{aligned}\mu_{\bar{x}} &= \sum \bar{x}P(\bar{x}) \\ &= 1.0\left(\tfrac{1}{36}\right) + 1.5\left(\tfrac{2}{36}\right) + \cdots + 6.0\left(\tfrac{1}{36}\right) \\ &= 3.5\end{aligned}$$

$\overline{X}$의 표본분포 평균은 앞에서 계산된 한 개 주사위 던지기 모집단의 평균과 같다는 점에 주목하라.

$\overline{X}$의 표본분포 분산:

$$\begin{aligned}\sigma^2_{\bar{x}} &= \sum (\bar{x} - \mu_{\bar{x}})^2 P(\bar{x}) \\ &= (1.0 - 3.5)^2\left(\tfrac{1}{36}\right) + (1.5 - 3.5)^2\left(\tfrac{2}{36}\right) + \cdots + (6.0 - 3.5)^2\left(\tfrac{1}{36}\right) \\ &= 1.46\end{aligned}$$

$\overline{X}$의 표본분포 분산은 정확히 한 개 주사위 던지기 모집단 분산($\sigma^2 = 2.92$)의 1/2이라는 것은 우연의 일치가 아니다.

$\overline{X}$의 표본분포 표준편차:

$$\sigma_{\bar{x}} = \sqrt{\sigma^2_{\bar{x}}} = \sqrt{1.46} = 1.21$$

그림 9.2에서 보는 것처럼 $\overline{X}$의 표본분포와 X의 분포가 다르다는 것을 인식하는 것이 중

요하다. 그러나 두 확률변수 $\overline{X}$와 X는 관련되어 있다. 두 확률변수의 평균은 같고($\mu_{\overline{x}}=\mu=$ 3.5) 두 확률변수의 분산은 서로 관련되어 있다($\sigma_{\overline{x}}^2=\sigma^2/2$).

논의를 하는 데 있어서 용어와 기호를 혼돈하지 않도록 하라. μ와 σ^2은 X의 모집단 모수들이라는 것을 기억하라. $\overline{X}$의 표본분포를 만들기 위해 X의 모집단으로부터 표본크기가 2인 표본이 반복적으로 추출되었고 각 표본에 대하여 $\overline{x}$가 계산되었다. 따라서 $\overline{X}$는 자기 자신의 분포, 평균, 분산을 가지는 새로운 확률변수로 취급된다. $\overline{X}$의 평균은 $\mu_{\overline{x}}$로 표시되고 $\overline{X}$의 분산은 $\sigma_{\overline{x}}^2$으로 표시된다.

같은 모집단으로부터 다른 표본크기 n의 값들을 가지고 표본추출과정을 반복하면 서로 다른 $\overline{X}$의 표본분포들이 만들어진다. 그림 9.3은 $n=5$, 10, 25일 때 $\overline{X}$의 표본분포를 보여준다.

각 n의 값에 대하여 $\overline{X}$의 표본분포 평균은 표본이 추출되는 모집단의 평균과 같다. 즉,

$$\mu_{\overline{x}} = \mu = 3.5$$

이고, 표본평균의 표본분포 분산은 모분산을 표본크기로 나눈 것과 같다. 즉,

$$\sigma_{\overline{x}}^2 = \frac{\sigma^2}{n}$$

이다.

표본분포의 표준편차는 **표준오차**(standard error)라고 부른다. 즉, 표본평균의 표준오차는 다음과 같다.

$$\sigma_{\overline{x}} = \frac{\sigma}{\sqrt{n}}$$

당신이 보는 것처럼, $\overline{X}$의 표본분포 분산은 모든 표본크기에서 표본추출이 이루어지는 모집단의 분산보다 작다. 따라서 임의로 선택된 $\overline{X}$(한 개의 주사위를 5회 던져서 관측되는 5개 점의 수들의 평균)의 값은 임의로 선택된 X(한 개 주사위를 1회 던져서 관측되는 점의 수)보다 평균값인 3.5에 더 가까울 가능성이 크다. 실제로 당신은 한 개의 주사위를 5회 던질 때 일부는 5와 6을 가지고 일부는 1과 2를 가질 수 있다. 이 값들의 평균을 계산할 때 서로 상쇄되어 표본평균이 3.5에 가깝게 되기 때문에 당신은 이와 같은 현상을 예상할 수 있다. 한 개의 주사위를 던지는 횟수가 증가함에 따라, 표본평균이 3.5에 가까워질 확률은 증가한다. 따라서 그림 9.3에서 보는 것처럼 n이 증가함에 따라 $\overline{X}$의 표본분포는 중심 주위에 더 집중된다.

n이 증가함에 따라 발생되는 하나의 현상은 $\overline{X}$의 표본분포는 점차 종 모양을 가지게 된다는 것이다. 이와 같은 현상은 **중심극한정리**(central limit theorem)라고 부른다.

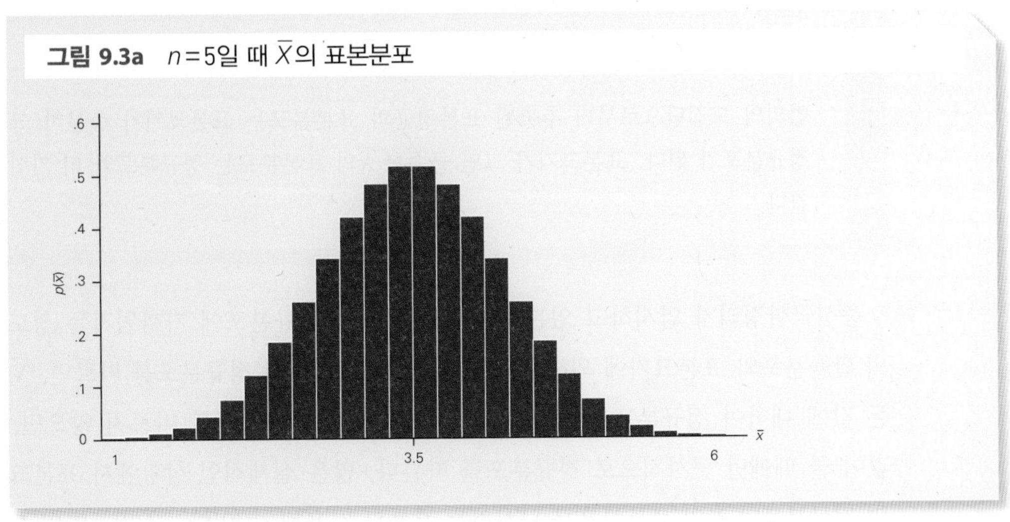

그림 9.3a $n=5$일 때 $\overline{X}$의 표본분포

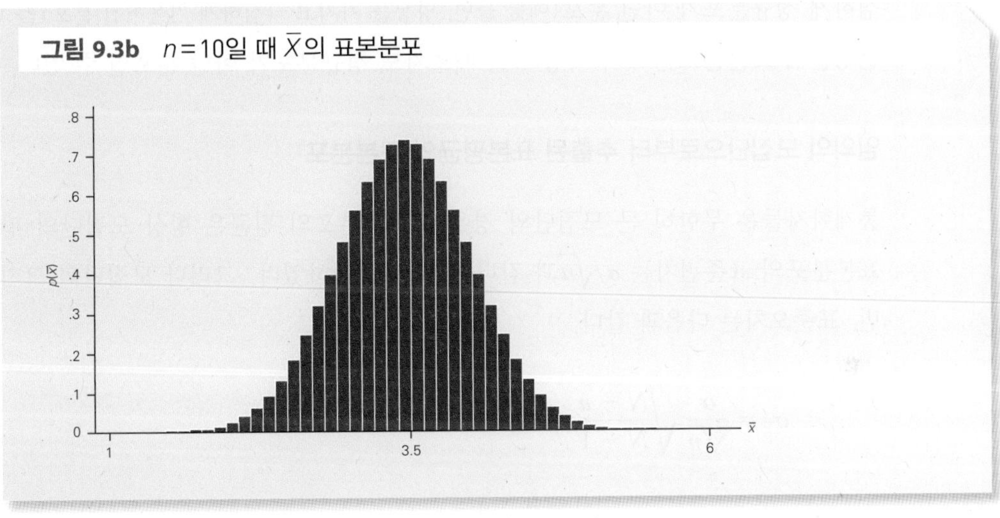

그림 9.3b $n=10$일 때 $\overline{X}$의 표본분포

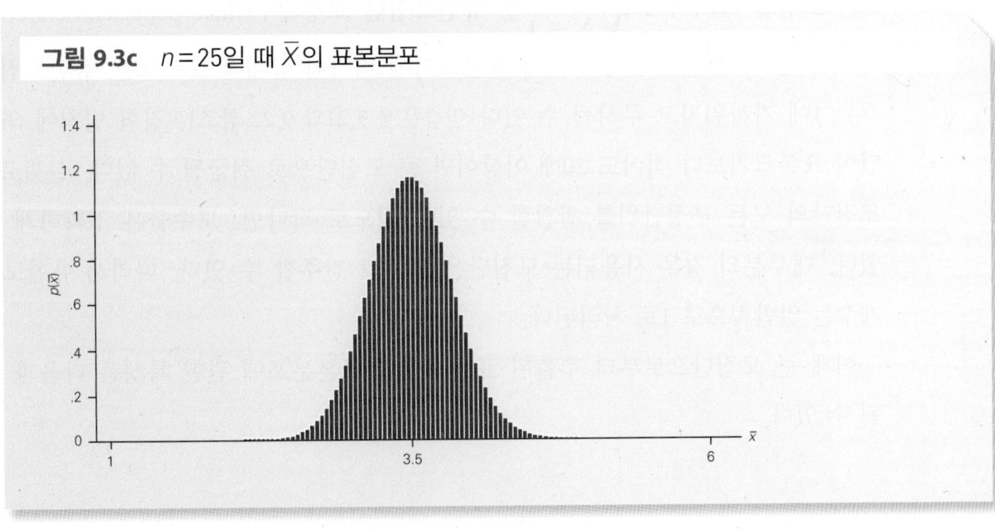

그림 9.3c $n=25$일 때 $\overline{X}$의 표본분포

중심극한정리

임의의 모집단으로부터 추출된 표본평균의 표본분포는 표본크기가 충분히 크면 거의 정규분포가 된다. 표본크기가 크면 클수록 $\bar{X}$의 표본분포는 정규분포와 더 가깝게 닮아 간다.

중심극한정리가 암시하고 있는 $\bar{X}$의 표본분포가 정규분포에 가까워지는 정도는 모집단의 확률분포와 표본크기에 의해 결정된다. 만일 모집단이 정규분포를 따르면, $\bar{X}$는 n의 모든 값에 대하여 정규분포를 따른다. 만일 모집단이 정규분포를 따르지 않으면, $\bar{X}$는 n의 값이 클 때에만 근사적으로 정규분포를 따른다. 많은 실제적인 상황에서 표본크기가 30이면 정규분포가 $\bar{X}$의 표본분포를 근사하는 분포로 사용될 수 있다. 그러나 만일 모집단이 극심하게 정규분포가 아닌 분포(예를 들면, 양봉을 가지고 극심하게 기울어진 분포)를 따르면, 표본평균의 표본분포는 n이 적정히 클 때조차도 정규분포가 아닌 분포일 수 있다.

임의의 모집단으로부터 추출된 표본평균의 표본분포

통계학자들은 무한히 큰 모집단의 경우에 표본분포의 평균은 항상 모집단의 평균과 같고 표본분포의 표준편차는 $\sigma/\sqrt{n}$과 같다는 것을 증명하였다. 그러나 모집단의 크기가 유한하면, 표준오차는 다음과 같다.

$$\sigma_{\bar{x}} = \frac{\sigma}{\sqrt{n}}\sqrt{\frac{N-n}{N-1}}$$

N은 모집단 크기이고 $\sqrt{\frac{N-n}{N-1}}$은 **유한모집단 교정계수**(finite population correction factor)라고 부른다. 만일 모집단 크기가 표본크기에 비하여 상대적으로 크면, 유한모집단 교정계수는 1에 가까워지고 무시될 수 있다(연습문제 9.21과 9.22 참조). 경험 법칙에 의하면 모집단이 표본크기보다 적어도 20배 이상이면 큰 모집단으로 취급될 수 있다. 실제로 모집단이 모집단의 모든 구성단위를 관찰할 수 있을 정도로 작다면, 모수들은 정확하게 계산될 수 있다. 대부분의 경우 사용되는 모집단은 크다고 간주할 수 있다. 따라서 유한모집단 교정계수는 일반적으로 1로 처리된다.

이제 큰 모집단으로부터 추출된 표본평균의 표본분포에 관한 특성은 다음과 같이 요약될 수 있다.

표본평균의 표본분포

1. $\mu_{\bar{x}} = \mu$
2. $\sigma^2_{\bar{x}} = \sigma^2/n$과 $\sigma_{\bar{x}} = \sigma/\sqrt{n}$
3. 만일 X가 정규분포를 따르면, $\bar{X}$는 정규분포를 따른다. 만일 X가 정규분포를 따르지 않으면, $\bar{X}$는 표본크기가 충분히 클 때 근사적으로 정규분포를 따른다. 표본크기가 "충분히 크다"는 정의는 X가 정규분포로부터 어느 정도 이탈되어 있는 분포를 따르느냐에 의해 결정된다.

9.1b 표본분포의 실증적 도출

지금까지의 분석에서는 표본평균의 표본분포가 이론적으로 도출되었다. 표본크기가 2인 모든 가능한 표본들과 그 발생할 확률들을 정리하면서 표본평균의 표본분포가 이론적으로 도출되었다. 이와 같이 구해진 확률분포로부터 표본분포가 만들어졌다. 표본분포는 실제로 두 개의 주사위를 반복적으로 던지면서 각 표본의 표본평균을 계산하고 $\bar{X}$의 각 값이 발생하는 이론적 확률을 추정하기 위해 상대빈도를 계산하면서 실증적으로도 도출될 수 있다. 만일 두 개의 주사위를 충분히 큰 횟수만큼 던지면, 상대빈도와 이론적 확률은 비슷해질 것이다. 당신 자신 스스로 시도해보라. 두 개의 주사위를 500회 던지면서 두 개의 주사위에서 나타나는 점의 수의 평균을 계산하고 각 표본평균이 발생하는 수를 세면서 표본분포를 나타내는 히스토그램을 그려라. 분명히 이와 같은 방법은 상대빈도가 이론적 확률의 좋은 근사치가 되게 하기 위해서 충분한 수만큼 주사위를 던져야 하기 때문에 이상적인 방법은 아니다. 그러나 Excel을 사용하여 두 개의 주사위를 많이 던지는 일을 시뮬레이션할 수 있다. 실제 Excel은 다양한 서로 다른 모집단으로부터 표본들을 생성할 수 있고 이것은 우리가 많은 서로 다른 종류의 표본분포를 만드는 것을 용이하게 해준다. 연습문제 9.1~9.8을 참조하라.

예제 9.1 "32-온스" 병의 내용물 중량

한 보틀링(bottling: 병에 음료를 채워넣는) 공장의 공장장은 각 32-온스 병에 들어 있는 탄산음료의 양은 실제로 평균이 32.2온스이고 표준편차가 .3온스인 정규분포를 따르는 확률변수라는 것을 관측하였다.

a. 한 고객이 한 개의 병을 사는 경우 이 병에 들어 있는 탄산음료의 양이 32온스를 초과할 확률은 얼마인가?
b. 한 고객이 4개의 병이 들어 있는 한 카톤을 사는 경우 이 카톤에 들어 있는 4개의 병에 들어 있는 탄산음료의 평균이 32온스를 초과할 확률은 얼마인가?

해답 a. 확률변수 X는 한 병에 들어 있는 탄산음료의 양이기 때문에 $P(X>32)$를 구하기 원한다. X는 $\mu=32.2$이고 $\sigma=.3$을 가진 정규분포를 따른다. 따라서 $P(X>32)$는 다음과 같이 계산된다.

$$P(X > 32) = P\left(\frac{X-\mu}{\sigma} > \frac{32-32.2}{.3}\right)$$
$$= P(Z > -.67)$$
$$= 1 - P(Z < -.67)$$
$$= 1 - .2514 = .7486$$

b. 이제 4개 병의 평균 탄산음료의 양이 32온스를 초과할 확률을 구하기 원한다. 즉, $P(\overline{X}>32)$를 구하기 원한다. 앞에서 논의한 분석과 중심극한정리로부터 다음과 같은 사항이 성립한다.

1. $\overline{X}$는 정규분포를 따른다.
2. $\mu_{\overline{x}}=\mu=32.2$
3. $\sigma_{\overline{x}}=\sigma/\sqrt{n}=.3/\sqrt{4}=.15$

따라서 $P(\overline{X}>32)$는 다음과 같이 계산된다.

$$P(\overline{X} > 32) = P\left(\frac{\overline{X}-\mu_{\overline{x}}}{\sigma_{\overline{x}}} > \frac{32-32.2}{.15}\right) = P(Z > -1.33)$$
$$= 1 - P(Z < -1.33) = 1 - .0918 = .9082$$

그림 9.4는 예제 9.1에서 사용된 확률분포들을 보여준다.

그림 9.4 예제 9.1에서 사용된 X의 확률분포와 $\overline{X}$의 표본분포

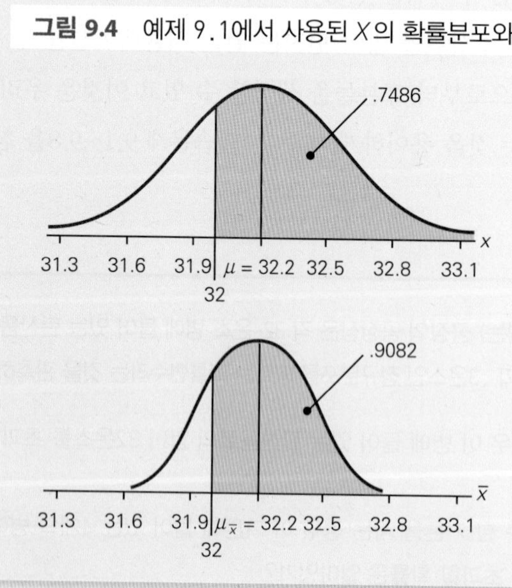

예제 9.1 b에서는 μ와 σ 모두가 알려져 있다고 가정하였다. 이어서 표본분포를 사용하면서 $\bar{X}$에 관한 확률을 구하였다. 불행하게도 μ와 σ의 값은 일반적으로 알려져 있지 않다. 따라서 예제 9.1에서와 같은 분석은 일반적으로 이루어질 수 없다. 그러나 표본평균에 기초하여 알려져 있지 않은 μ의 값에 대하여 추론하기 위해 표본분포가 사용될 수 있다.

해답 경영대학원 졸업생의 급여

Anton Gvozdikov/Shutterstock.com

표본평균이 750달러 미만일 확률을 구하기 원한다. 즉, $P(\bar{X}<750)$을 구하기 원한다. 주당 소득인 X의 확률분포는 양의 비대칭을 가질 가능성이 있으나 $\bar{X}$의 확률분포가 정규분포를 따르지 못하게 할 만큼 충분할 정도의 양의 비대칭을 가지고 있지는 않다. 따라서 $\bar{X}$는 평균이 $\mu_{\bar{X}}=\mu=800$이고 표준편차가 $\sigma_{\bar{X}}=\sigma/\sqrt{n}=100/\sqrt{25}=20$인 정규분포를 따른다고 가정할 수 있다. 따라서 $P(\bar{X}<750)$은 다음과 같이 계산된다.

$$\begin{aligned} P(\bar{X} < 750) &= P\left(\frac{\bar{X}-\mu_{\bar{X}}}{\sigma_{\bar{X}}} < \frac{750-800}{20}\right) \\ &= P(Z < -2.5) \\ &= .0062 \end{aligned}$$

그림 9.5는 $\bar{X}$의 확률분포를 보여준다.

그림 9.5 $P(\bar{X}<750)$

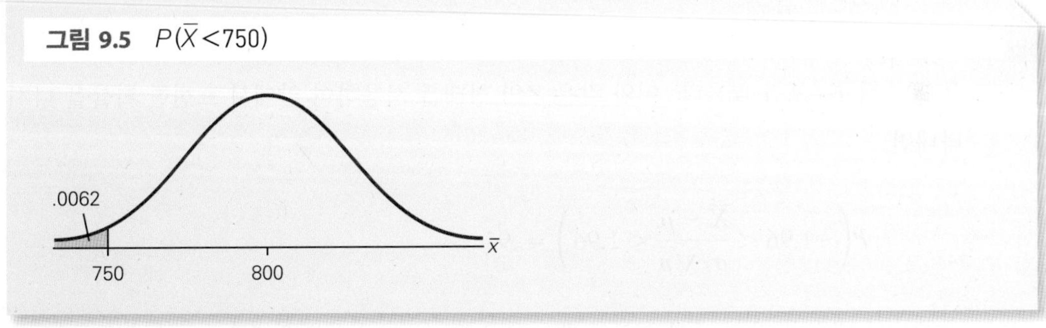

모평균이 800달러일 때 750달러 미만인 표본평균이 관측될 확률은 매우 작다. 이와 같은 사건이 발생될 가능성이 거의 없기 때문에, 경영대학원장의 주장은 정당화되지 못한다는 결론이 얻어진다.

9.1c 통계적 추론을 위해 표본분포 사용하기

이 장의 서두에 있는 예제의 결론은 표본분포가 모수에 관한 추론을 하기 위해 어떻게 사용될 수 있는지 보여준다. 통계적 추론의 첫 번째 종류는 다음 장에서 소개되는 추정(estimation)이다. 이와 같은 중요한 주제를 준비하기 위해, 표본분포와 관련된 확률을 나타내는 방법을 살펴보자.

제8.2절에서 소개된 기호를 기억하라. z_A는 z_A의 오른쪽에 있는 표준정규곡선 아래의 면적이 A와 같은 z의 값으로 정의되었다. 또한 $z_{.025}=1.96$이라는 것도 살펴보았다. 표준정규분포는 0을 중심으로 대칭이기 때문에 -1.96의 왼쪽에 있는 면적도 .025이다. -1.96과 1.96 사이의 면적은 .95이다. 그림 9.6은 이와 같은 기호를 보여준다. 이것을 식으로 나타내면 다음과 같다.

$$P(-1.96 < Z < 1.96) = .95$$

그림 9.6 $P(-1.96<Z<1.96)=.95$

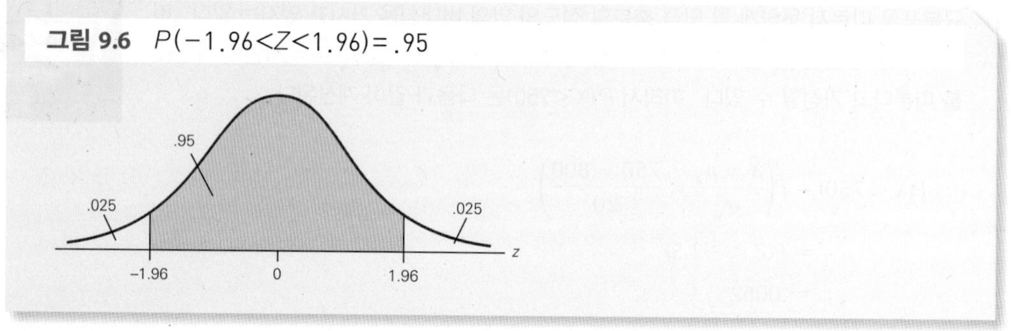

$$Z = \frac{\overline{X} - \mu}{\sigma/\sqrt{n}}$$

은 표준정규분포를 따른다. 이와 같은 Z의 형태를 사용하여 앞에서 표현한 확률을 다시 나타내면,

$$P\left(-1.96 < \frac{\overline{X} - \mu}{\sigma/\sqrt{n}} < 1.96\right) = .95$$

약간의 대수 조작을 하면(확률의 괄호 안에 있는 3개 항 모두에 대하여 $\sigma/\sqrt{n}$을 곱하고 μ를 더하면),

$$P\left(\mu - 1.96\frac{\sigma}{\sqrt{n}} < \overline{X} < \mu + 1.96\frac{\sigma}{\sqrt{n}}\right) = .95$$

이 장의 서두에 있는 예제의 해답으로 돌아가서 $\mu=800$, $\sigma=100$, $n=25$를 대입하면,

$$P\left(800 - 1.96\frac{100}{\sqrt{25}} < \overline{X} < 800 + 1.96\frac{100}{\sqrt{25}}\right) = .95$$

따라서

$$P(760.8 < \overline{X} < 839.2) = .95$$

이것은 표본평균이 760.8과 839.2 사이에 속할 확률이 95%라는 것을 말해준다. 표본평균이 750달러로 계산되었기 때문에 경영대학원장의 주장은 이와 같은 통계량에 의해 지지되지 않는다는 결론이 도출된다.

확률을 .95로부터 .90으로 변화시키면 확률에 관한 표현은 다음과 같이 변화된다.

$$P\left(\mu - 1.645\frac{\sigma}{\sqrt{n}} < \overline{X} < \mu + 1.645\frac{\sigma}{\sqrt{n}}\right) = .90$$

이와 같은 확률표현을 일반적인 형태로 나타내면 다음과 같다.

$$P\left(\mu - z_{\alpha/2}\frac{\sigma}{\sqrt{n}} < \overline{X} < \mu + z_{\alpha/2}\frac{\sigma}{\sqrt{n}}\right) = 1 - \alpha$$

이 식에서 α는 $\overline{X}$가 주어진 구간에 속하지 않을 확률이다. 이 공식을 적용하기 위해 필요한 일은 μ, σ, n, α의 값을 대입하는 것이다. 예를 들면, $\mu=800$, $\sigma=100$, $n=25$, $\alpha=.01$을 대입하면,

$$P\left(\mu - z_{.005}\frac{\sigma}{\sqrt{n}} < \overline{X} < \mu + z_{.005}\frac{\sigma}{\sqrt{n}}\right) = 1 - .01$$

$$P\left(800 - 2.575\frac{100}{\sqrt{25}} < \overline{X} < 800 + 2.575\frac{100}{\sqrt{25}}\right) = .99$$

$$P(748.5 < \overline{X} < 851.5) = .99$$

제10.2절에서 추정에 관한 논의를 하면서 이와 유사한 형태의 확률표현이 사용될 것이다.

9.1d 컴퓨터 시뮬레이션을 통해 실증적으로 표본분포 도출하기

이론적 표본분포를 근사시키기 위해 Excel이 사용될 수 있다. 두 개의 주사위 던지기에서 나타나는 표본평균의 표본분포를 시뮬레이션을 통해 실증적으로 도출하는 문제를 살펴보자.

1. 한 개의 주사위 던지기에 관한 확률분포를 설정하라. 열 A에 수치 1, 2, 3, 4, 5, 6과 열 B1에 =1/6을 입력하라. (.1667이나 1/6의 다른 형태 값을 입력하지 마라. 확률의 합이 1이 아니게 되어 단계 4에서 Excel이 오류 경고를 발령하게 만든다.) =1/6을 끌어내려 열 B2~열 B6를 채운다.

2. **Data, Data Analysis, Random Number Generation**을 클릭하라.

3. Number of Variables(난수의 수) 란에 2를 입력하고 Number of Random Variables 란에 10000을 입력하라.

4. Discrete 분포를 클릭하고 Value and Probability Input Range를 나타내기 위해 Parameters 란에 A1:B6를 입력하라.

5. New Worksheet Ply를 체크하고 OK를 클릭하라. 새로운 워크시트의 열 A와 열 B에 임의 수치들이 채워진다.

6. 셀 C1에 =AVERAGE(A1:B1)을 입력하라.

7. 이것을 끌어내려 열 C의 나머지 행들을 채운다. 열 C에 표본평균의 값들이 채워진다.

이러한 방식으로 생성된 표본분포는 단지 이론적 표본분포에 대한 근사라는 것을 이해하는 것이 중요하다. 그 결과로 표본평균들의 히스토그램은 그림 9.2와 정확히 같지 않을 것이고 표본평균의 평균과 표준편차도 각각 이론적 값인 3.5와 1.21을 근사시킬 것이다. 물론 두 개 주사위 던지기 시뮬레이션 수를 예를 들어 백만 개로 증가시키면 이러한 근사는 더 좋아질 것이다.

연습문제

9.1 계급구간(bins)으로 1.0, 1.5, 2.0, …,6.0을 사용하면서 9.1d의 컴퓨터 시뮬레이션으로부터 생성된 표본평균들의 히스토그램을 그려라. 히스토그램의 모습이 종 모양으로 나타나는가? 설명하라.

9.2 열 C에 저장되어 있는 표본평균들의 평균과 표준편차를 계산하라. 이 값들이 시뮬레이션에 의해 구해진 표본분포의 평균과 표준편차이다. 이 값들은 이론적 값들인 3.5와 1.21에 가까운가?

9.3 표본크기 $n=10$을 사용하면서 시뮬레이션을 반복하라. 계급구간(bins)으로 1.0, 1.5, 2.0, …, 6.0을 사용하면서 컴퓨터 시뮬레이션으로부터 생성된 표본평균들의 히스토그램을 그려라. 이렇게 그려진 히스토그램과 연습문제 9.1에서 그린 히스토그램을 비교하라. 두 히스토그램의 차이를 설명하라.

9.4 연습문제 9.3을 참조하라. 시뮬레이션에 의해 구해진 표본분포의 평균과 표준편차를 계산하라. 이 값들과 $\mu_{\bar{x}}$와 $\sigma_{\bar{x}}$의 이론적 값들, 즉 $\mu_{\bar{x}} = \mu = 3.5,\ \sigma_{\bar{x}} = \dfrac{\sigma}{\sqrt{n}} = \dfrac{1.71}{\sqrt{10}} = .54$를 비교하라.

9.5 다음과 같이 변화시키면서 시뮬레이션을 반복하라. 단계 3에서 Number of Variables 란에 1을 입력하고 Number of Random Numbers 란에 10000을 입력하라. 단계 4에서 분포를 Normal로 바꾸고 Parameter Mean 란에 100과 Standard Deviation 란에 20을 입력하라. 생성된 수치들의 평균과 표준편차를 계산하고 히스토그램을 그려라. 당신의 결과를 논의하라.

9.6 연습문제 9.5를 참조하라. 평균이 100이고 표준편차가 20인 정규분포와 표본크기가 9로부터 생성된 표본평균의 표본분포를 만들어라. 이러한 수치들의 평균과 표준편차를 계산하고 히스토그램을 그려라. 그 결과를 연습문제 9.5의 결과와 비교하라.

9.7 연습문제 9.6을 참조하라. 표본 중앙값의 표본분포를 구하라. 히스토그램을 그리고 표본분포의 평균과 표준편차를 계산하라. 그 결과를 연습문제 9.6의 결과와 비교하라.

9.8 표본분산의 표본분포를 계산하면서 연습문제 9.6을 반복하라.

9.9 X는 한 개의 균형 잡힌 주사위 던지기의 결과라고 하자. 다음의 확률을 구하라.

a. $P(X=1)$
b. $P(X=6)$

9.10 $\bar{X}$는 두 개의 균형 잡힌 주사위 던지기로부터 계산되는 평균이라고 하자. 표 9.2에 정리되어 있는 확률을 사용하여 다음의 확률을 구하라.

a. $P(\bar{X}=1)$
b. $P(\bar{X}=6)$

9.11 확률실험이 5개의 균형 잡힌 주사위 던지기라고 하자. 다음의 확률을 구하라. (두 개의 주사위 던지기의 경우를 위한 표 9.1과 표 9.2와 같은 정확한 확률을 구하라.)

a. $P(\bar{X}=1)$
b. $P(\bar{X}=6)$

9.12 연습문제 9.9~9.11을 참조하라. 구해진 확률들은 X와 $\bar{X}$의 분산에 대하여 무엇을 말해 주는가?

9.13 한 모집단이 평균이 40이고 표준편차가 12인 정규분포를 따른다. 중심극한정리는 표본크기가 100인 표본들이 이 모집단으로부터 추출되는 경우 이와 같은 표본들로부터 계산되는 표본평균의 표본분포에 대하여 무엇을 말해 주는가?

9.14 연습문제 9.13을 참조하라. 이 모집단이 정규분포를 따르지 않는다고 하자. 이것이 당신의 답을 변화시키는가? 설명하라.

9.15 $n=16$인 한 표본이 $\mu=1,000$이고 $\sigma=200$인 정규분포를 따르는 모집단으로부터 추출되었다. 다음의 확률을 구하라.

a. $P(\bar{X}>1,050)$
b. $P(\bar{X}<960)$
c. $P(\bar{X}>1,100)$

9.16 $n=25$일 때 연습문제 9.15를 반복하라.

9.17 $n=100$일 때 연습문제 9.15를 반복하라.

9.18 평균이 50이고 표준편차가 5인 정규분포를 따르는 모집단이 주어져 있다.

a. 임의로 선택된 표본크기가 4인 한 표본의 평균이 49와 52 사이의 값을 가질 확률을 구하라.
b. 임의로 선택된 표본크기가 16인 한 표본의 평균이 49와 52 사이의 값을 가질 확률을 구하라.
c. 임의로 선택된 표본크기가 25인 한 표본의 평균이 49와 52 사이의 값을 가질 확률을 구하라.

9.19 표준편차가 10일 때 연습문제 9.18을 반복하라.

9.20 표준편차가 20일 때 연습문제 9.18을 반복하라.

9.21 **a.** 모집단 크기가 $N=1,000$이고 표본크기가 $n=100$일 때 유한모집단 교정계수를 계산하라.
b. $N=3,000$일 때 a를 반복하라.
c. $N=5,000$일 때 a를 반복하라.
d. N이 n에 비하여 상대적으로 커질 때 유한모집단 교정계수는 어떻게 변화하는가?

9.22 **a.** $N=10,000$인 한 모집단의 표준편차가 500이라고 하자. 표본크기가 1,000일 때 표본평균의 표준오차를 구하라.

b. $n=500$일 때 a를 반복하라.

c. $n=100$일 때 a를 반복하라.

9.23 북미 여성의 키는 평균이 64인치이고 표준편차가 2인치인 정규분포를 따른다.

a. 임의로 선택된 한 여성이 66인치보다 클 확률은 얼마인가?

b. 4명의 여성이 임의로 선택된다. 4명 여성의 키로부터 계산된 표본평균이 66인치보다 클 확률은 얼마인가?

c. 임의로 선택된 100명의 여성으로 구성된 표본의 평균 키가 66인치보다 클 확률은 얼마인가?

9.24 연습문제 9.23을 참조하라. 만일 여성 키의 모집단이 정규분포를 따르지 않으면, 당신은 주어진 질문들 중에서 어느 것을 답할 수 있는가? 설명하라.

9.25 한 중요한 부품의 길이가 평균이 117 cm이고 표준편차가 5.2 cm인 정규분포를 따르면 제조과정에 사용되는 한 자동기계는 적정하게 작동한다.

a. 임의로 선택된 한 부품의 길이가 120 cm보다 길 확률을 구하라.

b. 4개의 부품이 임의로 선택되었을 때 평균 길이가 120 cm를 초과할 확률을 구하라.

c. 4개의 부품이 임의로 선택되었을 때 4개 부품 모두가 120 cm를 초과할 확률을 구하라.

9.26 통계학자들은 한 도시의 주택소유자가 가지고 있는 모기지 금액은 평균이 250,000달러이고 표준편차가 50,000달러인 정규분포를 따른다고 결정했다. 100명의 주택소유자들로 구성된 임의표본이 추출되었다. 그들의 평균 모기지 금액이 262,000달러보다 많을 확률은 얼마인가?

9.27 연습문제 9.26을 참조하라. 당신이 모기지 금액이 정규분포를 따르지 않는다는 것을 발견하면, 당신의 답은 달라지는가?

9.28 대학교수들이 주당 자기의 일을 하기 위해 사용하는 시간은 평균이 52시간이고 표준편차가 6시간인 정규분포를 따른다.

a. 한 교수가 주당 60시간을 초과하여 일할 확률은 얼마인가?

b. 임의로 선택된 3명의 교수가 주당 일하는 시간의 평균이 60시간을 초과할 확률을 구하라.

c. 임의로 3명의 교수가 선택되었을 때 3명 교수 모두가 주당 60시간을 초과하여 일할 확률을 구하라.

9.29 대학생들이 한 달에 소비하는 피자의 수는 평균이 10개이고 표준편차가 3개인 정규분포를 따른다.

a. 한 달에 12개의 피자를 초과하여 소비하는 학생의 비율은 얼마인가?

b. 임의로 선택된 25명의 학생으로 구성된 한 표본에서 한 달에 275개의 피자를 초과하여 소비될 확률은 얼마인가? (**힌트**: 25명의 학생으로 구성된 표본에 의해 소비된 평균 피자의 수는 얼마인가?)

9.30 한 통계학 과목 중간시험점수는 평균이 78이고 표준편차가 6인 정규분포를 따른다.

a. 중간시험점수가 75점 미만일 학생의 비율은 얼마인가?

b. 50명으로 구성된 한 반의 중간시험점수 평균이 75점 미만일 확률은 얼마인가?

9.31 북미 성인이 하루에 텔레비전을 시청하면서 보내는 시간은 평균이 6시간이고 표준편차가 1.5시간인 정규분포를 따른다.

a. 임의로 선택된 한 북미 성인이 하루에 7시간 이상 텔레비전을 시청할 확률은 얼마인가?

b. 임의로 선택된 5명의 북미 성인으로 구성된 한 표본이 하루에 텔레비전을 시청하는 평균 시간

이 7시간 이상일 확률은 얼마인가?

c. 임의로 선택된 5명의 북미 성인으로 구성된 한 표본에서 5명 모두가 하루에 7시간 이상 텔레비전을 시청할 확률은 얼마인가?

9.32 6온스의 순중량을 가지게 되어 있는 연어 통조림의 제조업자가 당신에게 연어 통조림의 순중량은 실제로 평균이 6.05온스이고 표준편차가 .18온스인 정규분포를 따른다고 말한다. 당신은 임의로 선택된 36개의 연어 통조림으로 구성된 한 표본을 추출한다고 하자.

a. 표본의 평균 중량이 5.97온스 미만일 확률을 구하라.

b. 36개의 연어 통조림 표본의 평균 중량이 5.97온스 미만이라고 하자. 연어 통조림의 제조업자의 주장에 대하여 논평하라.

9.33 한 시간 동안에 한 슈퍼마켓에 들어오는 고객의 수는 평균이 600명이고 표준편차가 200명인 정규분포를 따른다. 이 슈퍼마켓은 하루에 16시간 동안 영업한다. 하루에 이 슈퍼마켓에 들어오는 고객의 총 수가 10,000명 이상일 확률은 얼마인가? (**힌트**: 하루에 16시간 영업하는 이 슈퍼마켓에 들어오는 고객 수가 10,000명 이상이 되기 위해 필요한 시간당 평균 고객의 수를 계산하라.)

9.34 한 오피스 빌딩의 엘리베이터는 "최대 용량 1,140킬로그램(2,500파운드) 또는 16명"이라는 안내문을 가지고 있다. 한 통계학 교수는 16명의 몸무게가 1,140킬로그램을 초과할 확률은 얼마인가 알기 원한다. 이 통계학 교수가 그의 호기심을 만족시키기 위해 필요한 것이 무엇인지 논의하라.

9.35 연습문제 9.34를 참조하라. 이 통계학 교수가 엘리베이터를 사용하는 사람의 몸무게는 평균이 75킬로그램이고 표준편차가 10킬로그램인 정규분포를 따른다는 것을 발견하였다고 하자. 이 통계학 교수가 구하고자 하는 확률을 계산하라.

9.36 한 통계학 교수가 한 학생의 중간시험을 채점하는 데 걸리는 시간은 평균이 4.8분이고 표준편차가 1.3분인 정규분포를 따른다. 이 통계학 교수의 강의에는 60명의 학생이 있다. 이 통계학 교수가 모든 학생의 중간시험을 채점하는 데 5시간 이상 필요할 확률은 얼마인가? (올해에 통계학 강의를 수강하고 있는 60명 학생의 중간시험은 수천 명 학생의 중간시험으로부터 임의로 추출된 한 표본으로 간주될 수 있다.)

9.37 연습문제 9.36을 참조하라. 당신이 한 학생의 중간시험을 채점하는 데 걸리는 시간이 정규분포를 따르지 않는다는 것을 발견한다면 당신의 답이 달라지는가?

9.38 한 대형 상업빌딩 안에 있는 레스토랑은 이 빌딩에서 일하는 사람들을 위해 커피를 제공한다. 이 레스토랑의 주인은 빌딩에서 일하는 한 사람이 하루에 소비하는 커피잔 수의 평균은 2.0이고 표준편차는 .6이라는 것을 알았다. 이 빌딩의 새 주인은 총 125명의 새 종업원들을 고용하려고 한다. 새 종업원들이 하루에 240잔 이상의 커피를 소비할 확률은 얼마인가?

9.39 한 대도시의 주택소유자들이 납부하는 재산세는 평균이 2,800달러이고 표준편차가 400달러인 정규분포를 따르는 것으로 결정되었다. 4개의 주택으로 구성된 임의표본이 추출되었다.

a. 4개 주택으로 구성된 표본이 납부하는 재산세 평균의 확률분포를 구하라.

b. 4개 주택으로 구성된 표본이 납부하는 재산세 평균이 2,500달러와 2,900달러의 사이에 속할 확률을 구하라.

9.40 만일 재산세가 정규분포를 따르지 않는다면, 당신은 연습문제 9.39에 대해 어떻게 답을 하겠는가?

9.2 표본비율의 표본분포

제7.4절에서 모수가 p(임의의 한 시행에서 성공할 확률)인 이항분포가 소개되었다. 이항확률을 계산하기 위해, p가 알려져 있다고 가정하였다. 그러나 실제로 p는 알려져 있지 않다. 따라서 통계전문가들은 표본으로부터 p를 추정하여야 한다. 성공의 모비율(population proportion)에 대한 추정량은 표본비율(sample proportion)이다. 즉, 한 표본에 있는 성공의 수를 세고

$$\hat{P} = \frac{X}{n}$$

을 계산하라. $\hat{P}$은 p-hat이라고 읽는다. X는 성공의 수이고 n은 표본크기이다. 표본크기가 n인 한 표본에서 실제로 이항실험이 이루어진다. 결과적으로 X는 이항분포를 따른다. 따라서 임의의 $\hat{P}$의 값이 발생할 확률은 X의 값으로부터 계산될 수 있다. 예를 들면, $n=10$과 $p=.4$인 이항실험을 수행한다고 하자. 표본비율 $\hat{P}$이 .50 이하일 확률을 구하기 위해 X가 (5/10=.50이기 때문에) 5 이하일 확률을 구한다. 부록 B의 표 1을 사용하면 $n=10$과 $p=.4$일 때, $P(\hat{P} \le .50)$은 다음과 같이 계산된다.

$$P(\hat{P} \le .50) = P(X \le 5) = .8338$$

이와 유사하게 $\hat{P}$의 다른 값들과 관련된 확률이 계산될 수 있다.

이항분포와 같은 이산확률분포는 통계적 추론을 위해 필요한 계산을 하는 데 사용되지 않는다. 통계적 추론에서는 표본분포가 필요하다. 다행스럽게도 이항분포는 정규분포에 의해 근사될 수 있다.

이어서 정규분포가 이항분포를 근사시키기 위해 어떻게 사용될 수 있는지와 그 이유를 설명한다.

9.2a 이항분포의 정규분포에 의한 근사

제8장에서 연속확률분포가 어떻게 소개되었는지 기억하라. 직사각형의 총 면적이 1이 되도록 히스토그램을 전환시킴으로써 확률밀도함수가 도출되었다. 이항분포에 대하여도 같은 일을 할 수 있다. 예를 들어, X가 $n=20$과 $p=.5$인 이항확률변수라고 하자. X가 가질 수 있는 값은 0, 1, 2, . . . , 19, 20이고 X의 각 값이 발생할 확률은 쉽게 결정될 수 있다. x의 값이 나타내는 직사각형의 면적이 x가 발생할 확률과 같도록 그려진다. 이와 같은 일은 직사각형의 밑변이 1이고 직사각형의 높이가 x가 발생할 확률과 같도록 만들면 이루어

그림 9.7 $n=20$과 $p=.5$인 이항분포

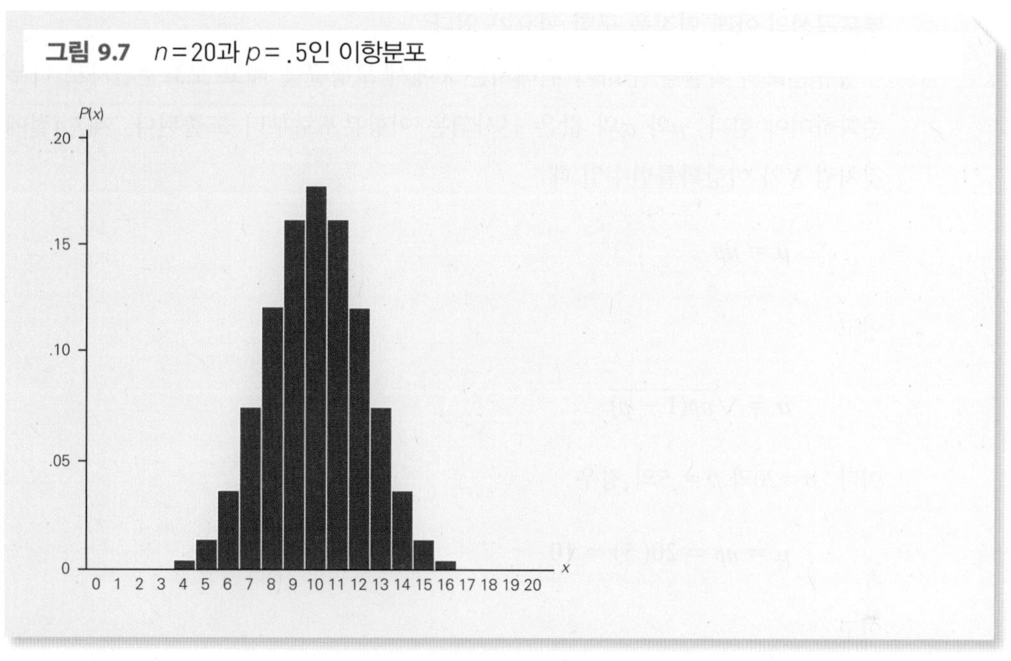

그림 9.8 $n=20$과 $p=.5$인 이항분포와 정규분포에 의한 근사

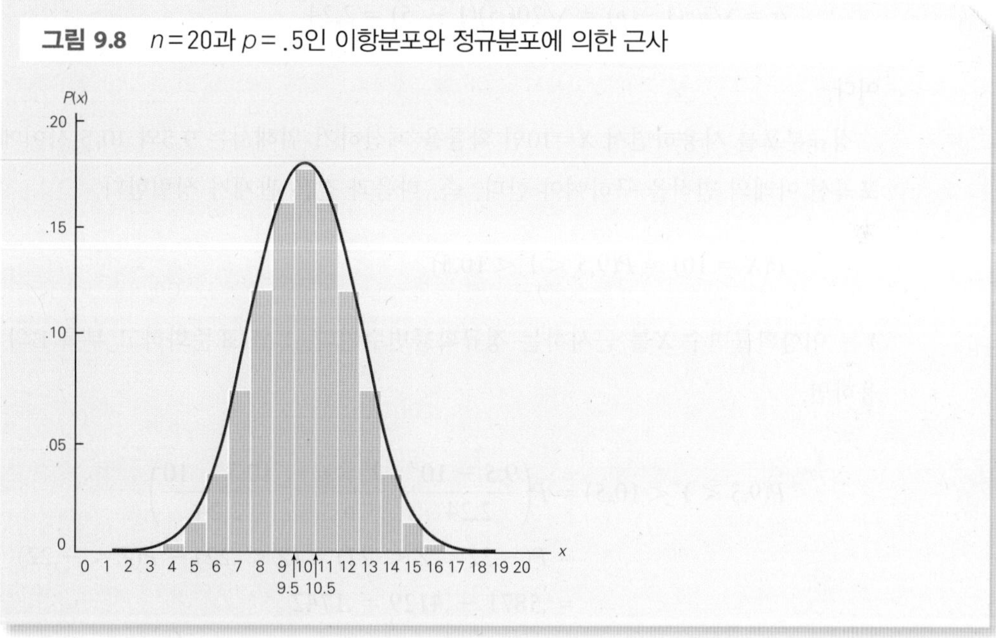

진다. 이 경우 x에 해당되는 직사각형의 밑변은 $x-.5$와 $x+.5$의 구간이다. 그림 9.7은 이와 같은 그림을 그린 것이다. 당신이 보는 것처럼 $x=10$을 나타내는 직사각형의 밑변은 9.5와 10.5의 구간이고 높이는 $P(X=10)=.1762$이다.

직사각형의 끝부분을 매끄럽게 연결하면, 그림 9.8에서 보는 것과 같은 종 모양의 곡선이 만들어진다. 따라서 정규분포에 의한 근사를 사용하려면, 9.5와 10.5 사이에 있는 **정규**

분포곡선의 아래 면적을 구할 필요가 있다.

정규분포의 확률을 구하기 위해서는 X에서 모평균을 빼고 모표준편차로 나누어 x를 표준화하여야 한다. μ와 σ의 값은 근사되는 이항분포로부터 도출된다. 제7.4절에서 지적한 것처럼 X가 이항확률변수일 때

$$\mu = np$$

이고

$$\sigma = \sqrt{np(1-p)}$$

이다. $n=20$과 $p=.5$의 경우

$$\mu = np = 20(.5) = 10$$

이고

$$\sigma = \sqrt{np(1-p)} = \sqrt{20(.5)(1-.5)} = 2.24$$

이다.

정규분포를 사용하면서 $X=10$인 확률을 계산하기 위해서는 9.5와 10.5 사이에서 정규분포곡선 아래의 면적을 구하여야 한다. 즉, 다음과 같은 관계가 성립한다.

$$P(X = 10) \approx P(9.5 < Y < 10.5)$$

Y는 이항확률변수 X를 근사하는 정규확률변수이다. Y를 표준화하고 부록 B의 표 3을 사용하면,

$$\begin{aligned}P(9.5 < Y < 10.5) &= P\left(\frac{9.5-10}{2.24} < \frac{Y-\mu}{\sigma} < \frac{10.5-10}{2.24}\right)\\ &= P(-.22 < Z < .22) = (Z < .22) - P(Z < -.22)\\ &= .5871 - .4129 = .1742\end{aligned}$$

이다.

이항분포로부터 실제로 계산되는 X가 10일 확률은

$$P(X = 10) = .1762$$

이다. 따라서 당신은 정규분포에 의한 근사가 양호하다는 것을 알 수 있다.

이산확률분포인 이항분포를 그리기 위해서 밑변이 X의 값에서 .5를 더하여 구하여지는 값과 빼서 구하여지는 값 사이인 직사각형을 그릴 필요가 있다. 여기서 사용되는 .5는 **연속성 교정계수**(continuity correction factor)라고 부른다.

X의 다른 값에 대한 정규분포에 의한 근사도 같은 방법으로 이루어진다. 일반적으로 이항확률 $P(X=x)$는 $x-.5$와 $x+.5$의 구간에 있는 정규분포곡선 아래의 면적으로 근사된다. 이항확률 $P(X \leq x)$를 구하기 위해서는 $x+.5$의 왼쪽에 있는 정규분포곡선 아래의 면적이 계산된다. 앞에서 사용한 이항확률변수에 대하여 X의 값이 8 이하인 확률은 $P(X \leq 8) = .2517$이다. 정규분포에 의한 근사는 다음과 같이 계산된다.

$$P(X \leq 8) \approx P(Y < 8.5) = P\left(\frac{Y-\mu}{\sigma} < \frac{8.5-10}{2.24}\right) = P(Z < -.67) = .2514$$

이항확률 $P(X \geq x)$를 구하기 위해서는 $x-.5$의 오른쪽에 있는 정규분포곡선 아래에 있는 면적을 구한다. $n=20$과 $p=.5$인 이항확률변수가 14 이상일 확률은 $P(X \geq 14) = .0577$이다. 정규분포에 의한 근사는 다음과 같이 계산된다.

$$P(X \geq 14) \approx P(Y > 13.5) = P\left(\frac{Y-\mu}{\sigma} > \frac{13.5-10}{2.24}\right) = P(Z > 1.56) = .0594$$

9.2b 연속성 교정계수의 생략

앞에서 X가 10일 확률을 계산할 때 했던 것처럼 정규분포를 이용하여 X의 **개별** 값이 발생할 확률을 계산할 때 연속성 교정계수가 사용되어야 한다. 만일 연속성 교정계수를 사용하지 않으면, 선상에 있는 면적을 구하게 되는 상황에 직면하고 선상에 있는 면적은 0이다. X의 값 **구간**에 대하여 확률을 계산할 때 연속성 교정계수가 생략될 수 있다. 그러나 이와 같은 연속성 교정계수의 생략은 근사의 정확성을 감소시킨다. 예를 들면, 연속성 교정계수 없이 앞에서 했던 것처럼 $P(X \leq 8)$을 근사시킨다면 다음과 같이 근사확률이 계산된다.

$$P(X \leq 8) \approx P(Y < 8) = P\left(\frac{Y-\mu}{\sigma} < \frac{8-10}{2.24}\right) = P(Z < -.89) = .1867$$

실제 누적이항확률과 정규분포에 의한 근사 간 오차의 절대크기는 x의 값들이 정규분포의 꼬리부분에 있을 때는 매우 작다. 예를 들면, $n=20$과 $p=.5$인 이항확률변수가 3 이하일 확률은

$$P(X \le 3) = .0013$$

이다. 연속성 교정계수가 있는 정규분포에 의한 근사는 다음과 같다.

$$P(X \le 3) \approx P(Y < 3.5) = P\left(\frac{Y-\mu}{\sigma} < \frac{3.5-10}{2.24}\right) = P(Z < -2.90) = .0019$$

연속성 교정계수가 없는 정규분포에 의한 근사는 다음과 같다(Excel 사용).

$$P(X \le 3) \approx P(Y < 3) = P\left(\frac{Y-\mu}{\sigma} < \frac{3-10}{2.24}\right) = P(Z < -3.13) = .0009$$

n의 값이 큰 경우, 정규분포의 중심 근처에 있는 X값들의 경우조차도 연속성 교정계수가 있는 정규분포에 의한 근사와 연속성 교정계수가 없는 정규분포에 의한 근사 간의 차이는 작다. 예를 들면, $n=1{,}000$과 $p=.3$인 이항확률변수가 260 이하인 확률은

$$P(X \le 260) = .0029 \text{(Excel 사용)}$$

이다. 연속성 교정계수가 있는 정규분포에 의한 근사는 다음과 같다.

$$P(X \le 260) \approx P(Y < 260.5) = P\left(\frac{Y-\mu}{\sigma} < \frac{260.5-300}{14.49}\right) = P(Z < -2.73) = .0032$$

연속성 교정계수가 없는 정규분포에 의한 근사는 다음과 같다.

$$P(X \le 260) \approx P(Y < 260) = P\left(\frac{Y-\mu}{\sigma} < \frac{260-300}{14.49}\right) = P(Z < -2.76) = .0029$$

앞에서 지적한 것처럼 이항분포의 정규분포에 의한 근사는 통계적 추론의 필요성 때문에 필요하다. 당신이 알게 될 것이지만, 일반적으로 통계적 추론에서 n의 값은 크고 관심의 대상이 되는 표본분포의 부분은 꼬리부분이다. 연속성 교정계수는 당신에게 이항분포가 정규분포에 의해서 근사될 수 있다는 것을 확신시키기 위해 일시적으로 사용된 수단이다. 이항분포가 정규분포에 의해서 근사될 수 있다는 것을 보였으므로 표본비율의 표본분포를 근사시키기 위해 이항분포의 정규분포에 의한 근사가 어떻게 사용되는지 살펴보자. 이와 같은 적용에서 연속성 교정계수는 생략된다.

9.2c 표본비율의 표본분포 근사

기대치와 분산법칙을 사용하면서 $\hat{P}$의 평균, 분산, 표준편차를 구할 수 있다.

표본비율의 표본분포

1. np와 $n(1-p)$가 5 이상이면 $\hat{P}$는 근사적으로 정규분포를 따른다. (이항확률변수 X는 평균이 np이고 분산이 $np(1-p)$인 정규확률변수 Y에 의해 근사되므로 표본비율 $\hat{P}=X/n$은 근사적으로 정규분포를 따른다. 즉, $X \sim B(n,p) \approx Y \sim N(np, np(1-\text{p}))$.
2. $\hat{P}$의 기대치는 $E(\hat{P})=E(X/n)=np/n=p$이다.
3. $\hat{P}$의 분산은 $V(\hat{P})=V(X/n)=V(X)/n^2=np(1-p)/n^2=p(1-p)/n$이다.*
4. 따라서 $\hat{P}$의 표준편차는 $\sigma_{\hat{P}}=\sqrt{p(1-p)/n}$이다. ($\hat{P}$의 표준편차는 **표본비율의 표준오차**(standard error of the sample proportion)라고 부른다.)

실제로 정규분포에 의한 이항분포의 근사가 유용하려면 매우 큰 표본크기가 필요하기 때문에 표본크기의 조건은 이론적인 조건이다.

예제 9.2 정치여론조사

지난 선거에서 한 하원의원은 투표자의 52% 지지투표를 얻었다. 선거 후 1년이 지난 시점에 이 하원의원은 임의로 선택된 300명으로 구성된 표본을 대상으로 다음 선거에서 그에게 지지투표를 할 것인지 물어보는 서베이를 실시하였다. 그의 인기도가 변화하지 않았다고 가정하면, 표본의 반 이상이 그에게 지지투표를 할 확률은 얼마인가?

해답 이 하원의원에게 지지투표를 할 응답자의 수는 $n=300$과 $p=.52$인 이항확률변수이다. 표본비율이 50%보다 클 확률을 구하기 원한다. 즉, $P(\hat{P}>.50)$을 구하기를 원한다.

표본비율 $\hat{P}$은 평균이 $p=.52$이고 표준편차$=\sqrt{p(1-p)/n}=\sqrt{(.52)(.48)/300}=.0288$인 정규분포를 근사적으로 따른다. 따라서

$$P(\hat{P} > .50) = \left(\frac{\hat{P}-p}{\sqrt{p(1-p)/n}} > \frac{.50-.52}{.0288}\right)$$

$$= P(Z > -.69) = 1 - P(Z < -.69) = 1 - .2451 = .7549$$

이다.

만일 지지율이 52%에서 유지된다고 가정하면, 300명 표본의 반 이상이 이 하원의원에게 지지투표를 할 확률은 75.49%이다.

---

* 표본평균의 표준오차 경우처럼, 표본비율의 표준오차는 무한히 큰 모집단으로부터 표본추출이 이루어질 때 $\sqrt{p(1-p)/n}$이다. 모집단의 크기가 유한할 때, 표본비율의 표준오차는 유한모집단 교정계수를 포함하여야 한다. 실제로 매우 일반적인 경우인 모집단이 표본크기에 비해 상대적으로 클 때, 유한모집단 교정계수는 생략될 수 있다.

연습문제

다음의 연습문제들에서 확률을 구하기 위해 연속성 교정계수가 없는 정규분포에 의한 근사를 사용하라.

9.41 a. $n=300$과 $p=.5$인 이항실험에서, $\hat{p}$이 60%보다 클 확률을 구하라.

b. $p=.55$일 때 a를 반복하라.

c. $p=.6$일 때 a를 반복하라.

9.42 a. 이항실험의 한 시행에서 성공의 확률은 25%이다. $n=500$일 때 성공의 비율이 22%보다 적을 확률을 구하라.

b. $n=800$일 때 a를 반복하라.

c. $n=1,000$일 때 a를 반복하라.

9.43 $n=100$인 표본에서 $p=.80$일 때 표본비율이 .75보다 적을 확률을 구하라.

9.44 $p=.4$인 이항실험이 시행된다. $n=60$인 표본에서 성공비율이 .35를 초과할 확률을 구하라.

9.45 다음 선거에서 현직자에게 지지투표를 할 유권자의 비율은 55%일 것으로 가정된다. 500명의 유권자로 구성된 임의표본에서 현직자에게 지지투표를 할 비율이 49% 미만일 확률은 얼마인가?

9.46 미사일 시스템의 한 전자부품을 생산하는 조립라인은 역사적으로 2%의 불량률을 가지고 있다. 800개의 전자부품으로 구성된 임의표본이 추출되었다. 불량률이 4%보다 클 확률은 얼마인가? 임의표본에서 불량률이 4%라고 하자. 이것은 조립라인에서의 불량률에 대하여 무엇을 제시하는가?

9.47 a. 아스피린 제조회사는 2알의 아스피린을 복용하고 안도하게 된 두통으로 고통을 당한 사람들의 비율이 53%라고 주장한다. 임의로 선택된 400명의 두통으로 고통을 당한 사람들로 구성된 표본에서 50% 미만이 2알의 아스피린을 복용하고 안도하게 될 확률은 얼마인가? 만일 표본의 50%가 실제로 안도하였다면, 이것은 아스피린 제조회사에 대하여 무엇을 제시하는가?

b. 임의로 선택된 1,000명의 두통으로 고통을 당한 사람들로 구성된 표본을 사용하면서 a를 반복하라.

9.48 한 상업빌딩 안에 있는 한 레스토랑의 경영자는 차를 마시는 고객의 비율은 14%라는 것을 알았다. 100명 고객 중에서 적어도 10%가 차를 마실 확률은 얼마인가?

9.49 가정설비 제조회사를 위한 광고는 이 회사가 생산한 모든 제품의 3%만이 첫 해에 서비스 방문을 요구한다고 주장한다. 한 소비자보호협회는 최근에 이 회사의 가정설비제품 중 하나를 구매한 400가구를 대상으로 서베이를 실시하여 이 회사의 주장을 확인하기 원한다. 5% 이상이 첫 해에 서비스 방문을 요구할 확률은 얼마인가? 만일 400가구로 구성된 임의표본에서 5%가 적어도 한 번의 서비스 방문을 요구하였다고 보고한다면, 당신은 이 회사 광고의 정직성에 대하여 어떻게 말하겠는가?

9.50 Laurier Company의 브랜드는 30%의 시장점유율을 가지고 있다. 한 서베이에서 1,000명의 소비자들에게 어느 브랜드를 선호하는지 물었다. 응답자의 32%가 Laurier Company의 브랜드를 선호한다고 말할 확률은 얼마인가?

9.51 한 대학 서점은 고객의 50%가 서비스와 가격에 만족한다고 주장한다.

a. 만일 이 주장이 사실이라면, 600명의 고객으로 구성된 임의표본에서 45% 미만이 만족할 확률

은 얼마인가?

b. 600명의 고객으로 구성된 임의표본에서 270명이 서점의 서비스와 가격에 만족한다고 말한다고 하자. 이것은 서점의 주장에 대하여 당신에게 무엇을 말해 주는가?

9.52 한 심리학자는 길을 잃었을 때 남성 운전자의 80%는 방향을 묻기보다는 찾고자 하는 위치를 발견할 수 있기 바라면서 운전을 계속한다고 믿는다. 이 심리학자는 자신의 믿음을 검토하기 위해, 임의로 선택된 350명의 남성 운전자로 구성된 표본을 추출하고 각각에게 길을 잃었을 때 어떻게 하였는지 물었다. 만일 이 심리학자의 믿음이 옳다면, 75% 미만이 계속 운전한다고 말할 확률을 구하라.

9.53 Red Lobster 레스토랑 체인은 정기적으로 고객을 대상으로 서베이를 실시한다. 이와 같은 서베이에 기초하여 이 체인의 경영자는 고객의 75%가 음식에 대하여 우수하다고 평가한다고 주장한다. 한 소비자조사 서비스사는 460명의 고객에게 음식에 대하여 평가하도록 요청하면서 이 체인 경영자의 주장을 확인하기 원한다. 70% 미만이 음식에 대하여 우수하다고 평가할 확률은 얼마인가?

9.54 한 회계학 교수는 학부에서 경영학을 공부하는 학생들 중의 1/4 이하가 회계학을 전공할 것이라고 주장한다. 학부에서 경영학을 공부하는 1,200명의 학생으로 구성된 임의표본에서 336명 이상이 회계학을 전공할 확률은 얼마인가?

9.55 연습문제 9.54를 참조하라. 학부에서 경영학을 공부하는 1,200명의 학생으로 구성된 임의표본을 대상으로 실시한 서베이는 336명의 학생이 회계학을 전공할 계획을 가지고 있다고 제시한다. 이것은 회계학 교수의 주장에 대하여 당신에게 무엇을 말해 주는가?

9.56 2014년에 노인층이 아닌 미국 성인의 약 13%는 의료보험을 가지고 있지 않았다. 노인층이 아닌 미국 성인 400명으로 구성된 임의표본이 추출되었다. 이들 중 15% 이상이 의료보험을 가지고 있지 않을 확률은 얼마인가?

9.57 한 Gallup 서베이에서 미국인들에게 전 세계에서 발생되고 있는 현재 사건들에 관한 뉴스의 주요 출처가 무엇인지 물었다. 모집단의 20%가 그들의 주요 출처가 텔레비전 뉴스라고 보고한다면, 500명의 표본에서 적어도 22%가 그들의 주요 출처가 텔레비전 뉴스라고 말할 확률을 구하라.

9.58 대부분의 텔레비전으로 방송되는 야구 경기는 투수가 던진 공이 스트라이크 존에 들어갔는지 보여주는 피칭 추적기를 보여준다. 이것은 심판이 정확하게 판정했는지 보여준다. MLB는 각 심판이 얼마나 잘 판정하는지 계속 추적한다. 타자들은 투수가 던진 공들의 약 47%에 대해 스윙한다. 그 결과 심판들은 나머지 투수가 던진 공들의 53%를 판정해야 한다. 최고의 심판들은 그들의 판정 중 10%를 잘못 판정하고 최악의 심판들은 그들의 판정 중 15%를 잘못 판정한다. 한 평균적인 야구 경기에서 최고의 심판들이 투수가 던진 150개 공에 대해 판정한다고 하자. 한 야구 경기에 이루어지는 심판의 판정들은 임의적이라고 가정하면, 한 최고의 심판이 8% 미만으로 잘못 판정할 확률은 얼마인가?

9.3 표본분산의 표본분포

확률변수 X는 평균이 μ이고 분산이 σ^2인 정규분포를 따른다고 하자. 확률변수 X로 구성된 모집단으로부터 표본크기가 n인 확률표본(random sample)을 추출한다고 하자. 확률표본으로부터 계산되는 표본분산 $s^2=\sum_{i=1}^{n}(X_i-\overline{X})^2/(n-1)$은 모분산 σ^2에 관한 추론에 사용되는 통계량이다.

통계학자들은 $\frac{(n-1)s^2}{\sigma^2}$로 정의되는 확률변수는 자유도가 $n-1$인 카이제곱분포(chi-squared distribution)를 따른다는 것을 증명하였다. 증명과정을 간략하게 요약하면 다음과 같다.

$X_i \sim N(\mu, \sigma^2)$, $i=1, 2, . . . , n$이므로 $\sum_{i=1}^{n}\left(\frac{X_i-\mu}{\sigma}\right)^2$은 자유도가 n인 카이제곱분포를 따른다.

$\sum_{i=1}^{n}\left(\frac{X_i-\mu}{\sigma}\right)^2=\frac{(n-1)s^2}{\sigma^2}+\left(\frac{\overline{X}-\mu}{\sigma/\sqrt{n}}\right)^2$이고 $\left(\frac{\overline{X}-\mu}{\sigma/\sqrt{n}}\right)^2$은 자유도가 1인 카이제곱분포를 따르므로 카이제곱분포의 특성으로부터 $\frac{(n-1)s^2}{\sigma^2}$로 정의되는 확률변수는 자유도가 $n-1$인 카이제곱분포(χ^2 distribution)를 따른다.

$\frac{(n-1)s^2}{\sigma^2}\sim\chi^2_{n-1}$이 모분산 σ^2에 관한 추론에 사용되는 확률분포이다. 카이제곱확률변수의 특성으로부터 $E\left(\frac{(n-1)s^2}{\sigma^2}\right)=n-1$이고 $V\left(\frac{(n-1)s^2}{\sigma^2}\right)=2(n-1)$이다. 이와 같은 결과를 이용하면 표본분산의 평균과 분산은 각각 $E(s^2)=\sigma^2$이고 $V(s^2)=2\sigma^4/(n-1)$이다. 따라서 표본분산의 평균은 표본크기와 관계없이 σ^2이고 표본크기가 증가할수록 표본분산의 분산은 감소한다. 즉, 표본크기가 증가할수록 **표본분산의 표본분포**(sampling distribution of the sample variance)는 모분산 σ^2을 중심으로 밀집하게 된다.

9.4 표본분포와 통계적 추론

표본분포의 주요 기능은 통계적 추론이다. 표본분포가 추론 방법의 개발에 어떻게 기여하는지 살펴보기 위해, 지금까지 논의한 것을 간략히 정리해볼 필요가 있다.

제7장과 제8장에서 확률분포가 소개되었다. 확률분포를 사용하면 확률변수의 값들에 대한 확률을 나타낼 수 있다. 이와 같은 계산의 전제조건은 확률분포와 관련된 모수가 알려져 있어야 한다는 것이다. 예제 7.9에서 Pat Statdud가 정확한 답(성공)을 추측하여 골라잡

을 확률은 20%($p=.2$)라는 것과 10개의 질문(시행)에서 Pat Statdud가 선택한 정확한 답의 수는 이항확률변수라는 것을 알 필요가 있다. 이어서 임의의 성공횟수가 발생할 확률을 계산할 수 있다. 예제 8.3에서 투자수익률은 평균이 10%이고 표준편차가 5%인 정규분포를 따른다는 것을 알 필요가 있다. 이와 같은 정보는 확률변수의 다양한 값이 발생할 확률을 계산할 수 있게 해준다.

그림 9.9는 확률분포가 어떻게 사용되는지 상징적으로 보여준다. 간단히 말하면, 모집단과 모수에 관한 지식은 모집단의 개별적인 원소에 대한 확률을 나타내기 위해 확률분포를 사용할 수 있게 해준다. 화살표의 방향은 정보 흐름의 방향을 나타낸다.

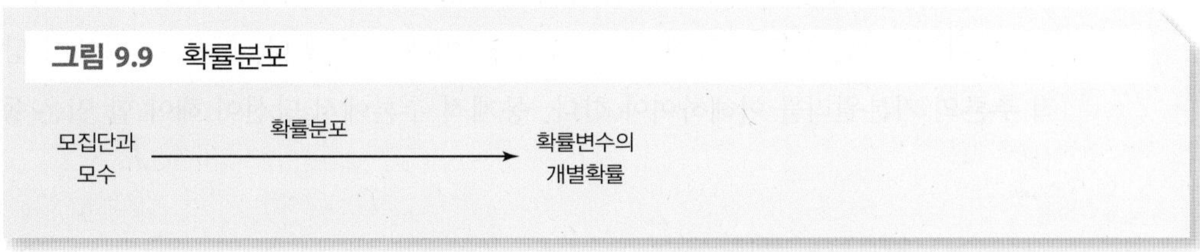

이 장에서는 표본분포가 논의되었다. 모수에 관한 지식과 표본분포에 관한 정보는 표본통계량(sample statistic)에 관한 확률을 나타낼 수 있게 해준다. 이 장의 예제 9.1b에서 모평균과 모표준편차에 관한 지식과 모집단의 확률분포가 극단적으로 정규분포로부터 이탈되어 있지 않다는 가정은 표본평균에 관한 확률을 계산할 수 있게 해준다. 그림 9.10은 표본분포가 적용되는 상황을 나타낸다.

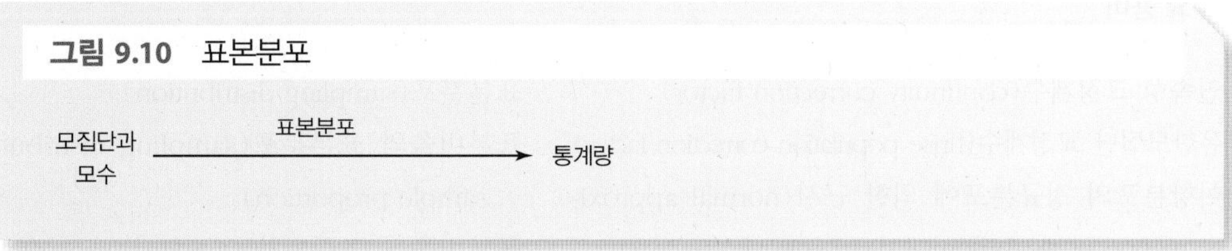

확률분포와 표본분포 모두를 적용하는 데 있어서 관련된 모수의 값을 알아야 한다는 것에 주목하라. 현실세계에서 모수는 극단적으로 큰 모집단에 관한 기술적 척도이기 때문에 거의 언제나 알려져 있지 않다. 통계적 추론은 이와 같은 문제를 다룬다. 통계적 추론은 그림 9.10에서 보는 정보흐름의 방향을 반대로 바꾸어 놓은 과정이다. 그림 9.11은 통계적 추론의 특성을 보여준다. 제10장을 시작하면서 대부분의 모수는 알려져 있지 않다고 가정할 것이다. 통계전문가들은 모집단으로부터 표본을 추출하고 필요한 통계량을 계산할 것이다. 통계량의 표본분포는 모수에 관한 추론을 할 수 있게 해준다.

그림 9.11 통계적 추론에서 표본분포의 사용

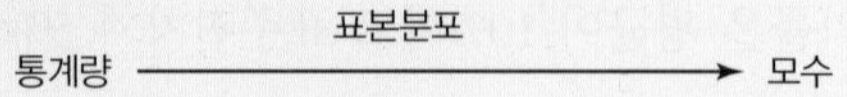

당신은 이것이 이 책의 나머지 부분에서 해야 할 모든 일이라는 것을 알면 놀랄 수 있다. 왜 우리는 이와 같은 일을 위해 나머지 많은 장들이 필요한가? 통계학 입문과목에서 제시되는 통계적 추론을 정의하는 많은 모수와 표본분포가 존재한다. 그러나 이에 대한 통계적 추론은 같은 방법으로 이루어진다. 당신이 하나의 통계적 추론과정이 어떻게 개발되는지 이해한다면, 당신은 모든 통계적 추론과정을 이해할 수 있다. 다음 두 장에서 당신은 통계적 추론의 기본원리를 이해하여야 한다. 통계적 추론에서 당신이 해야 할 일은 동일하다.

요약

한 통계량의 표본분포(sampling distribution)는 한 모집단으로부터 반복적인 표본추출에 의해 만들어진다. 이 장에서 표본평균, 표본비율, 표본분산의 표본분포가 소개되었다. 이와 같은 표본분포들이 이론적, 실증적으로 어떻게 도출되는지 설명되었다.

주요 용어

연속성 교정계수(continuity correction factor)
유한모집단 교정계수(finite population correction factor)
이항분포의 정규분포에 의한 근사(normal approximation of the binomial distribution)
중심극한정리(central limit theorem)
표본분산의 표본분포(sampling distribution of the sample variance)
표본분산의 표준오차(standard error of the sample variance)
표본분포(sampling distribution)
표본비율의 표본분포(sampling distribution of the sample proportion)
표본비율의 표준오차(standard error of the sample proportion)
표본평균의 표본분포(sampling distribution of the sample mean)
표본평균의 표준오차(standard error of the sample mean)

주요 기호

기호	발음	의미
$\mu_{\bar{x}}$	mu-x-bar	표본평균의 표본분포 평균
$\sigma_{\bar{x}}^2$	sigma-squared-x-bar	표본평균의 표본분포 분산
$\sigma_{\bar{x}}$	sigma-x-bar	표본평균의 표본분포 표준편차(표준오차)
α	alpha	확률
$\hat{P}$	p-hat	표본비율
$\sigma_{\hat{P}}^2$	sigma-squared-p-hat	표본비율의 표본분포 분산
$\sigma_{\hat{P}}$	sigma-p-hat	표본비율의 표본분포 표준편차(표준오차)

주요공식

표본평균의 기대치

$$E(\overline{X}) = \mu_{\bar{x}} = \mu$$

표본평균의 분산

$$V(\overline{X}) = \sigma_{\bar{x}}^2 = \frac{\sigma^2}{n}$$

표본평균의 표준오차

$$\sigma_{\bar{x}} = \frac{\sigma}{\sqrt{n}}$$

표본평균의 표준화

$$Z = \frac{\overline{X} - \mu}{\sigma/\sqrt{n}}$$

표본분산의 기대치

$$E(s^2) = \sigma^2$$

표본분산의 분산

$$V(s^2) = \frac{2\sigma^4}{n-1}$$

표본분산의 표준오차

$$\sigma_{s^2} = \sqrt{\frac{2\sigma^4}{n-1}}$$

표본비율의 기대치

$$E(\hat{P}) = \mu_{\hat{p}} = p$$

표본비율의 분산

$$V(\hat{P}) = \sigma_{\hat{p}}^2 = \frac{p(1-p)}{n}$$

표본비율의 표준오차

$$\sigma_{\hat{p}} = \sqrt{\frac{p(1-p)}{n}}$$

표본비율의 표준화

$$Z = \frac{\hat{P} - p}{\sqrt{p(1-p)/n}}$$

10

Pi-Lens/Shutterstock.com

추정의 기본원리

Introduction to Estimation

이 장의 구성

10.1 추정의 개념
10.2 모표준편차가 알려져 있을 때 모평균의 추정
10.3 표본크기의 선택

나무의 평균 지름을 추정하기 위한 표본크기의 결정

☞ (386페이지에 모범답안이 제시되어 있다.)

한 목재회사는 수천 그루의 나무를 포함하고 있는 한 대형 필지의 땅에 대한 권리를 방금 획득하였다.

이 목재회사는 목재 수확이 이익이 되는 일인지 결정하기 위해 한 필지의 땅에서 수확할 수 있는 목재의 양을 추정할 수 있어야 한다. 이 일을 하기 위해 이 목재회사는 나무의 평균 지름을 추정하여야 한다. 이 목재회사는 90%의 신뢰수준에서 나무의 평균 지름을 표본평균의 1인치 안에 있도록 추정하기로 결정하였다. 이 지역을 잘 알고 있는 한 산림전문가는 나무의 지름은 표준편차가 6인치인 정규분포를 따른다고 추측하고 있다. 제10.3절에 있는 공식을 사용하면서 그는 98그루 나무를 표본으로 추출하여야 한다고 결정하였다. 98그루의 나무를 표본으로 추출한 후에 그는 표본평균이 25인치라고 계산하였다. 그는 표본추출과 필요한 계산을 한 후에 나무 지름의 실제 표준편차는 12인치라는 것을 발견하였다. 그는 구해진 결과에 만족하는가?

ImageArt/Shutterstock.com

서론

기술통계학(제4장), 확률분포(제7장과 제8장), 표본분포(제9장)를 논의하였으므로 이제 통계적 추론을 논의해보도록 하자. 제1장에서 설명한 것처럼, **통계적 추론**(statistical inference)은 표본으로부터 모집단에 관한 정보를 얻고 결론을 도출하는 과정이다. 모집단에 관한 추론을 하는 데 있어서 두 가지의 일반적인 과정, 즉 **추정**(estimation)과 **가설검정**(hypothesis testing)이 존재한다. 이 장에서는 추정의 개념과 기본원리가 소개되고 간단한 예제들을 통하여 제시된다. 제11장에서는 가설검정의 기본원리가 논의된다. 이 책의 나머지 부분에서 하고자 하는 일의 대부분에서 추정과 가설검정의 개념이 적용되기 때문에, 제10장과 제11장을 이해하는 것은 당신이 통계전문가로 발전해가는 데 있어서 매우 중요하다.

10.1 추정의 개념

추정의 목적은 표본통계량에 기초하여 모수의 근삿값을 결정하는 것이다. 예를 들면, 표본평균은 모평균을 추정하기 위해 사용된다. 따라서 표본평균은 모평균의 **추정량**(estimator)이라고 부른다. 일단 표본으로부터 표본평균이 계산되면, 이와 같은 표본평균의 값은 모평균의 **추정치**(estimate)라고 부른다. 이 장에서는 표본데이터를 사용하면서 모평균을 추정하는 통계적 과정이 소개된다. 이 책의 나머지 부분에서는 이 장에서 소개되는 개념과 기법이 다른 모수들을 추정하는 데 사용된다.

10.1a 점추정량과 구간추정량

두 가지 방법으로 모수를 추정하기 위해 표본데이터를 사용할 수 있다. 첫째, 추정량의 값을 계산하고 이 값을 모수의 추정치로 간주하는 방법이다. 이와 같은 추정량은 **점추정량**(point estimator)이라고 부른다.

> **점추정량**
>
> **점추정량**(point estimator)은 하나의 값을 사용하면서 알려져 있지 않은 모수의 값을 추정함으로써 모집단에 대한 추론을 한다.

점추정량을 사용하는 데 있어서 세 가지의 단점이 있다. 첫째, 추정치가 모수와 일치하지 않는다는 것은 확실하다. (연속확률변수가 한 특정한 값을 가질 확률은 0이다. 즉, $\bar{x}$가 정확히

μ와 같을 확률은 0이다.) 둘째, 추정량이 모수와 얼마나 가까운지 알 필요가 있다. 셋째, 모집단에 관한 추론을 하는 데 있어서 큰 표본이 작은 표본보다 더 많은 정보를 포함하고 있기 때문에 더 정확한 결과를 제공할 것이라고 예상하는 것은 직관적으로 합리적이다. 그러나 점추정량은 큰 표본크기의 효과를 반영하지 못한다. 따라서 모수를 추정하는 두 번째 방법, 즉 **구간추정량**(interval estimator)이 사용된다.

구간추정량

구간추정량(interval estimator)은 구간을 사용하면서 알려져 있지 않는 모수의 값을 추정함으로써 모집단에 대한 추론을 한다.

당신이 앞으로 살펴보는 것처럼, 구간추정량은 표본크기에 의해 영향을 받는다. 구간추정량이 이와 같은 특성을 가지고 있기 때문에, 이 책에서는 구간추정량을 주로 논의한다.

점추정량과 구간추정량의 차이를 예시하기 위해 한 통계학 교수가 2년차 경영대학 학생들이 여름방학 동안 버는 주간 소득의 평균을 추정하기 원한다고 하자. 그는 임의로 25명의 학생을 선택하고 주간 소득의 표본평균이 400달러라고 계산한다. 점추정치는 표본평균이다. 즉, 그는 2년차 경영대학 학생들이 여름방학 동안 버는 주간 소득의 평균은 400달러라고 추정한다. 또한 그는 구간추정치를 사용할 수 있다. 그는 2년차 경영대학 학생들이 여름방학 동안 버는 주간 소득의 평균은 380달러와 420달러 사이라고 추정한다.

수많은 추정이 실제 세계에서 이루어진다. 예를 들면, 텔레비전방송국 임원들은 그들의 텔레비전 프로그램을 보는 시청자의 비율을 알기 원한다. 한 경제학자는 대학 졸업생들의 평균 소득을 알기 원한다. 한 의학연구원은 새로운 약으로 처방을 받은 심장마비 희생자들의 회복률을 추정하기 원한다. 이와 같은 경우들 각각에서 그 목적을 정확하게 달성하기 위해서는 통계전문가가 모집단의 각 구성원을 조사하여야 하고 관심 있는 모수를 계산하여야 할 것이다. 예를 들면, 텔레비전방송국 임원들은 그들의 쇼를 시청하는 사람들의 비율을 구하기 위해 전국의 각 사람들에게 무엇을 시청하는지 물어야 할 것이다. 수백만의 시청자들이 있기 때문에 이 일은 실제로 가능하지도 않고 이 일을 하려면 엄청난 비용이 든다. 하나의 대안은 모집단으로부터 임의표본을 추출하여 표본비율을 계산하고 이 표본비율을 모비율의 추정치로 사용하는 것이다. 모비율을 추정하기 위해 표본비율을 사용하는 것은 논리적인 것처럼 보인다. 그러나 추정량으로 사용되는 표본통계량의 선택은 표본통계량의 특성에 의존한다. 당연히 가장 바람직한 특성을 가진 통계량이 사용되어야 한다.

추정량의 바람직한 특성 중의 하나는 **불편성**(unbiasedness)이다.

> **불편추정량**
>
> 모수의 **불편추정량**(unbiased estimator)은 그 기대치가 모수와 같은 추정량이다.

이것은 무한히 많은 수의 표본을 추출하여 각 표본의 추정량을 사용하여 계산된 추정량들의 평균값이 모수와 같을 것이라는 것을 의미한다. 이것은 평균적으로 표본통계량은 모수와 같다고 말하는 것과 같다.

표본평균 $\overline{X}$는 모평균 μ의 불편추정량이다. 제9.1절에서 $\overline{X}$의 표본분포를 나타낼 때, $E(\overline{X})=\mu$라고 기술하였다. 또한 $E(\hat{P})=p$이기 때문에 표본비율은 모비율의 불편추정량이다.

제4장에서 표본분산은

$$s^2 = \sum \frac{(x_i - \bar{x})^2}{n-1}$$

으로 정의되었다는 것을 기억하라.

이때 당신은 $\sum(x_i-\bar{x})^2$을 n 대신에 $n-1$로 나누는 것을 이상하게 생각하였을 것이다. 이와 같이 $n-1$을 선택한 이유는 표본분산이 모분산의 불편추정량이 되도록, 즉 $E(s^2)=\sigma^2$이 되도록 하기 위한 것이었다. 분모에 n을 사용하면서 표본분산이 정의되었다면, $E(s^2)<\sigma^2$이기 때문에 이렇게 정의된 표본분산은 모분산의 편의추정량(biased estimator)이다.

추정량이 불편추정량이라는 것은 그 기대치가 모수와 같다는 것만을 의미하지 추정량이 모수와 얼마나 가까운지 말해주지는 않는다. 바람직한 추정량의 다른 하나의 특성은 표본크기가 커짐에 따라 표본통계량이 모수에 더 가까워져야 한다는 것이다. 이와 같은 특성은 **일치성**(consistency)이라고 부른다.

> **일치성**
>
> 표본크기가 커짐에 따라 추정량과 모수의 차이가 더 작아진다면 불편추정량은 **일치성**(consistency)을 가진다고 말한다.

추정량과 모수 간의 근접 정도를 측정하기 위해 사용되는 척도는 분산(또는 표준편차)이다. 따라서 $\overline{X}$의 분산은 σ^2/n이기 때문에 $\overline{X}$는 μ의 일치추정량(consistent estimator)이다. 이것은 n이 커짐에 따라 $\overline{X}$의 분산은 작아진다는 것을 의미한다. 따라서 대부분의 표본평균

그림 10.1 $n=25$인 $\overline{X}$의 표본분포와 $n=100$인 $\overline{X}$의 표본분포

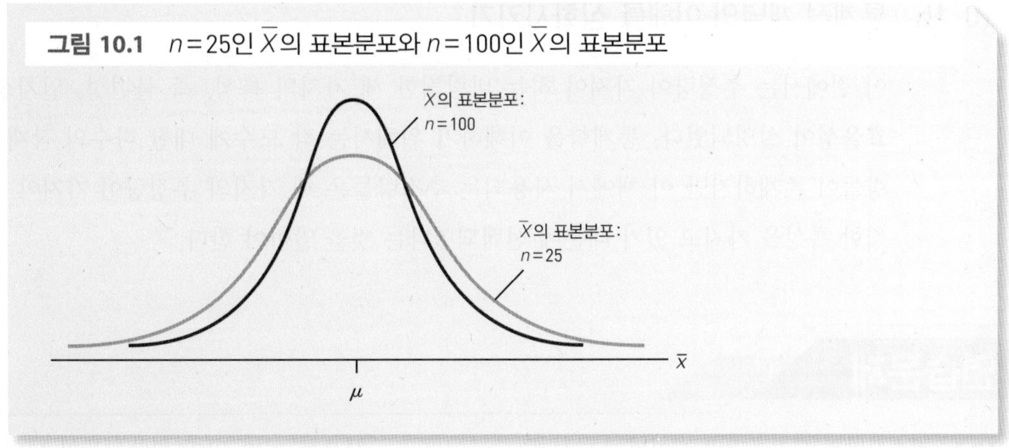

들은 μ에 가까워진다.

그림 10.1은 두 가지 $\overline{X}$의 표본분포를 그린 것이다. 한 표본분포는 표본크기가 25인 표본들에 기초하여 그린 것이고 다른 표본분포는 표본크기가 100인 표본들에 기초하여 그린 것이다. 표본크기가 25인 표본들에 기초한 표본분포가 표본크기가 100인 표본들에 기초한 표본분포보다 더 넓게 퍼져 있다.

이와 유사하게 $\hat{P}$은 불편추정량이고 $\hat{P}$의 분산은 $p(1-p)/n$이어서 n이 커짐에 따라 더 작아지기 때문에 $\hat{P}$은 일치추정량이다.

세 번째 바람직한 추정량의 특성은 한 모수의 두 개 불편추정량을 비교하는 **상대적 효율성**(relative efficiency)이다.

상대적 효율성

만일 한 모수의 두 개 불편추정량이 존재하면, 그 분산이 더 작은 추정량은 **상대적 효율성**(relatively efficient)을 가진다고 말한다.

표본평균은 모평균의 불편추정량이고 표본평균의 분산은 σ^2/n이라는 것을 이미 살펴보았다. 통계학자들은 표본중앙값은 불편추정량이지만(모집단이 정규분포를 따를 때) 표본중앙값의 분산은 표본평균의 분산보다 크다는 것을 증명하였다. 따라서 모평균을 추정할 때 표본평균은 표본중앙값보다 상대적으로 효율적이다.

이 책의 나머지 장들에서는 수많은 모수들에 관한 통계적 추론이 논의될 것이다. 각 경우에 불편성과 일치성을 가지고 있는 하나의 표본통계량이 선택된다. 이와 같은 통계량이 하나 이상 존재할 때, 상대적으로 효율적인 하나의 통계량이 추정량으로 선택된다.

10.1b 통계적 개념의 이해를 심화시키기

이 절에서는 추정량이 가져야 하는 바람직한 세 가지의 특성, 즉 불편성, 일치성, 상대적 효율성이 설명되었다. 통계학을 이해하기 위해서는 각 모수에 대한 다수의 잠재적인 추정량들이 존재하지만 이 책에서 사용되는 추정량들은 세 가지의 추정량이 가져야 하는 바람직한 특성을 가지고 있기 때문에 선택되었다는 것을 알아야 한다.

연습문제

10.1 점추정량과 구간추정량은 어떻게 다른가?

10.2 불편성을 정의하라.

10.3 한 불편추정량의 표본분포를 그려라.

10.4 한 편의추정량의 표본분포를 그려라.

10.5 일치성을 정의하라.

10.6 표본크기가 증가할 때 한 일치추정량의 표본분포에 어떤 일이 발생하는지 나타내는 그림을 그려라.

10.7 상대적 효율성을 정의하라.

10.8 하나가 상대적으로 효율적인 두 개의 불편추정량을 나타내는 표본분포를 보여주는 그림을 그려라.

제9장에서 Excel이 컴퓨터 시뮬레이션을 통해 표본분포를 구하기 위해 사용될 수 있다는 것을 살펴보았다. 이 절에서 논의된 개념들을 나타내기 위해 컴퓨터 시뮬레이션이 사용될 수 있다. 연습문제 10.9~10.12를 위해 다음과 같은 실험이 사용된다. 평균이 5이고 표준편차가 1인 정규분포로부터 표본크기가 4인 10,000개 표본을 생성하라.

연습문제

10.9 각 표본에 대해 표본평균을 계산하라. 만일 표본평균이 모평균의 불편추정량이면, 당신은 표본평균들의 평균을 계산할 때 무엇을 기대해야 하는가? 당신은 무엇을 관측했는가?

10.10 표본 중앙값을 계산하면서 주어진 실험을 반복하라(Excel 함수 MEDIAN을 사용하라). 만일 표본 중앙값이 모평균의 불편추정량이면, 당신은 표본 중앙값들의 평균을 계산할 때 무엇을 기대해야 하는가? 당신은 무엇을 관측했는가?

다음의 연습문제들은 우리가 왜 표본분산을

$$s^2 = \frac{\sum_{i=1}^{n}(x_i - \bar{x})^2}{n-1}$$

로 정의하는지 보여준다.

10.11 표본분산들을 계산하면서 주어진 실험을 반복하라(Excel 함수 VAR.S를 사용하라). 만일 표

본분산이 모분산의 불편추정량이면, 당신이 표본분산들의 평균을 계산할 때 어떤 값이 관측되어야 하는가? 당신은 실제로 무엇을 관측했는가?

10.12 각 표본에 대해 $\frac{\sum_{i=1}^{n}(x_i - \bar{x})^2}{n}$을 계산하면서 주어진 실험을 반복하라. 이러한 통계량을 계산하는 Excel 함수는 VAR.P이다. 이러한 통계량들의 평균을 계산하라. 왜 우리가 표본분산을 $\sum_{i=1}^{n}(x_i - \bar{x})^2$을 n이 아니라 $n-1$로 나눈 것으로 정의하는지 논의하라.

10.2 모표준편차가 알려져 있을 때 모평균의 추정

이제 구간추정량이 표본분포로부터 어떻게 구해지는지 살펴보도록 하자. 비현실적인 하나의 예를 가지고 구간추정을 예시하기로 하자. 그러나 이러한 비현실성에 따른 부담은 예제의 단순함에 의해 상쇄된다. 당신이 추정에 대하여 더 배우게 되면, 당신은 이 절에서 배운 기법을 더 현실적인 상황들에 적용할 수 있을 것이다.

평균이 μ이고 표준편차가 σ인 하나의 모집단이 있다고 하자. 모평균이 알려져 있지 않다면 우리가 해야 할 일은 모평균의 값을 추정하는 것이다. 제10.1절에서 논의한 것처럼 추정과정에서 통계전문가는 표본크기가 n인 임의표본을 추출하고 표본평균 $\bar{X}$를 계산하여야 한다.

제9.1절에서 소개된 중심극한정리는 X가 정규분포를 따르면 $\bar{X}$는 정규분포를 따르고 X가 정규분포를 따르지 않지만 n이 충분히 크면 $\bar{X}$는 근사적으로 정규분포를 따른다고 제시한다. 이것은 확률변수

$$Z = \frac{\bar{X} - \mu}{\sigma/\sqrt{n}}$$

는 표준정규분포를 따른다(또는 근사적으로 표준정규분포를 따른다)는 것을 의미한다. 제9.1절에서 표본평균의 표본분포와 관련된 확률을 다음과 같이 나타낸다는 것을 살펴보았다.

$$P\left(\mu - z_{\alpha/2}\frac{\sigma}{\sqrt{n}} < \bar{X} < \mu + z_{\alpha/2}\frac{\sigma}{\sqrt{n}}\right) = 1 - \alpha$$

이것은

$$P\left(-z_{\alpha/2} < \frac{\bar{X} - \mu}{\sigma/\sqrt{n}} < z_{\alpha/2}\right) = 1 - \alpha$$

로부터 도출된 것이다. 유사한 수학적 조작을 사용하면서, 이와 같은 확률은 약간 다른 형태로 다음과 같이 나타낼 수 있다.

$$P\left(\overline{X} - z_{\alpha/2}\frac{\sigma}{\sqrt{n}} < \mu < \overline{X} + z_{\alpha/2}\frac{\sigma}{\sqrt{n}}\right) = 1 - \alpha$$

이와 같은 확률의 표현에서 모평균이 구간의 중심에 있다는 점에 주목하라. 이것이 표본평균에 관한 확률을 나타내는 다른 하나의 형태일 뿐이라는 점을 이해하는 것이 중요하다. 이 식은 모집단으로부터 반복적으로 추출된 표본들을 가지고 계산된 표본평균들 중에서 구간

$$\overline{X} - z_{\alpha/2}\frac{\sigma}{\sqrt{n}},\ \overline{X} + z_{\alpha/2}\frac{\sigma}{\sqrt{n}}$$

이 모평균 μ를 포함하는 $\overline{X}$ 값들의 비율은 $1-\alpha$와 같다는 것을 말해준다. 그러나 이와 같은 확률의 표현은 **μ에 대한 신뢰구간추정량**(confidence interval estimator of μ)이기 때문에 매우 유용하다.

μ에 대한 $100(1-\alpha)$% 신뢰구간추정량*

$$\bar{x} - z_{\alpha/2}\frac{\sigma}{\sqrt{n}},\ \bar{x} + z_{\alpha/2}\frac{\sigma}{\sqrt{n}}$$

확률 $100(1-\alpha)$%는 신뢰수준(confidence level)이라고 부른다.

$\bar{x} - z_{\alpha/2}\frac{\sigma}{\sqrt{n}}$는 **신뢰하한**(lower confidence limit, LCL)이라고 부른다.

$\bar{x} + z_{\alpha/2}\frac{\sigma}{\sqrt{n}}$는 **신뢰상한**(upper confidence limit, UCL)이라고 부른다.

신뢰구간추정량은 종종

$$\bar{x} \pm z_{\alpha/2}\frac{\sigma}{\sqrt{n}}$$

으로 나타내며, 여기서 마이너스 부호는 신뢰하한을 정의하고 플러스 부호는 신뢰상한을 정의한다.

---

* 우리는 제7장부터 대문자(일반적으로 X)는 확률변수를 나타내고 소문자(일반적으로 x)는 확률변수가 가지는 값을 나타낸다는 전통을 사용하고 있다. 그러나 통계적 추론에서 사용되는 공식들에서는 확률변수와 확률변수 값의 구별이 없다. 따라서 우리는 더 이상 기호사용의 전통을 따르지 않는다. 단순히 확률을 나타내기를 원할 때를 제외하고 확률변수와 확률변수 값의 구별없이 소문자가 사용된다.

이 공식을 적용하기 위해, 부록 B의 표 3으로부터 신뢰수준 $1-\alpha$를 정의하고, α, $\alpha/2$, $z_{\alpha/2}$를 결정한다. 신뢰수준은 구간이 μ의 실제 값을 포함할 확률이기 때문에, 일반적으로 $1-\alpha$는 1에 가깝게(일반적으로 .90과 .99 사이의 값) 설정된다.

표 10.1에서 일반적으로 사용되는 4개의 신뢰수준과 이와 관련된 $z_{\alpha/2}$의 값이 정리되어 있다. 예를 들면, 신뢰수준이 $1-\alpha=.95$이면, $\alpha=.05$, $\alpha/2=.025$, $z_{\alpha/2}=z_{.025}=1.96$이다. 신뢰수준 $1-\alpha=.95$에서 구해지는 신뢰구간추정량은 **μ에 대한 95%의 신뢰구간추정량**(95% confidence interval estimator of μ)이라고 부른다.

표 10.1 일반적으로 사용되는 신뢰수준과 $z_{\alpha/2}$

$1-\alpha$	α	$\alpha/2$	$z_{\alpha/2}$
.90	.10	.05	$z_{.05}=1.645$
.95	.05	.025	$z_{.025}=1.96$
.98	.02	.01	$z_{.01}=2.33$
.99	.01	.005	$z_{.005}=2.575$

10.2a 선택-계산-해석 시스템

다음의 예제는 통계적 추론이 어떻게 적용되는지 보여준다. 또한 이 예제는 이 책의 나머지 부분에서 우리가 어떻게 문제를 풀 것인지 보여준다. 이 책 전체에서 우리가 사용하는 해법은 대체로 통계전문가들이 실제 세계에서 그들의 분석능력을 적용하기 위해 사용하는 해법과 같다. 이와 같은 해법은 세 단계로 나뉘어져 있다. 간단하게 정리하면, 세 단계는 (1) 계산 전에 수행하는 일, (2) 계산, (3) 계산 후에 수행하는 일이다. 이러한 접근법은 **선택-계산-해석 시스템**(Identify-Compute-Interpret System, ICI)이라고 부른다.

단계 1: **분석**을 시작하기 위해 사용할 적정한 통계기법을 선택한다. 물론, 다음 예제의 경우 당신은 단 한 가지의 통계기법인 모평균에 대한 신뢰구간 추정만 알고 있기 때문에 통계기법을 선택하는 데 어려움이 없을 것이다. 이 단계의 중요성을 과소평가해서는 안 된다. 다음 9개 장에 걸쳐 약 30여 개의 통계기법이 소개될 것이고 어떤 통계기법을 사용해야 하는지 선택하는 일은 매우 어려운 일이 될 것이다. 제11장에서 통계기법 선택 단계에 대해 상세하게 논의할 것이다.

단계 2: 통계량을 **계산**한다. 실행 가능한 경우, 계산기를 사용하여 직접 계산이 이루어진다. 직접 계산하면서 문제를 푸는 것은 통계적 추론 기법이 어떻게 작동되는지에 대한 통찰력을 제공해준다. 그러나 직접 계산이 지루해지는 경우에 컴퓨터가 전적으로 사용된다.

Microsoft Excel이 사용된다(필요한 경우 Excel에서 작동되는 XLSTAT가 사용된다). 다음과 같은 제1장에서 설명한 Excel의 4가지 요소가 사용된다.

1. **Statistical**(통계) 함수
2. **Analysis ToolPak**(분석도구): **Data**(데이터)와 **Data Analysis**(데이터 분석)을 클릭하여 사용할 수 있다.
3. **Spreadsheets**: 저자가 작성하였으며 센게이지 웹사이트로부터 다운로드하여 사용할 수 있다.
4. **Do It Yourself**: 나머지 추론방법을 수행하기 위해 Excel을 사용하는 방법에 대한 단계별 지시사항이 제공된다.

단계 3: 마지막으로 **분석** 결과를 해석한다. 분석 결과를 적정하게 해석할 수 있기 위해서 통계적 추론의 기초가 되는 기본원리를 이해할 필요가 있다.

생산운영관리분야의 통계학 응용

Comstock/Getty Images

재고관리

생산운영관리자는 총비용을 최소화하는 재고수준을 결정하기 위한 재고모형을 사용한다. 제8.2절에서 재고수준을 결정하기 위해 확률모형이 어떻게 사용되는지 살펴보았다. 이 모형의 한 가지 요소는 리드타임 동안의 평균 수요이다. **리드타임**은 주문시점과 인도시점 간의 시간이라는 것을 기억하라. 리드타임 동안의 수요는 종종 정규분포를 따른다고 가정되는 확률변수이다. 리드타임 동안의 평균 수요를 결정하는 다수의 방법들이 있으나 가장 간단한 방법은 표본으로부터 추정하는 것이다.

예제 10.1 DATA Xm10-01

GK Computer Company

GK Computer Company는 자기 자신의 컴퓨터를 만들고 인터넷을 통하여 주문하는 고객들에게 직접 컴퓨터를 인도한다. GK는 주로 가격과 인도속도로 경쟁한다. 인도속도의 목적을 달성하기 위해, GK는 가장 인기 있는 5개의 컴퓨터를 만들고 전국에 퍼져 있는 창고로 수송한다. 컴퓨터들은 일반적으로 고객에게 인도하는 데 1일이 걸리는 창고들에 저장된다. 이와 같은 전략은 비용을 크게 증가시키는 높은 재고수준을 필요로 한다. 이와 같은 비용을 감소시키기 위해 생산운영관리자는 재고모형을 사용하기 원한다. 리드타임 동안의 수요는 정규분포를 따른다고 알려져 있다. 그는 최적 재고모형을 계산하기 위해 모평균을 알아야 한다. 그는 25개의 리드타임으로 구성된 표본을 추출하고 각 리드타임 동안의 수요를 기록하였다. 이와 같은 데이터가 다음과 같이 정리되어 있다. 이 생산운영관리자는 리드타임 동안의 평균 수요(모평균)에 대한 95% 신뢰구간추정치를 구하기 원한다. 그는 오랜 경험으로부터 모표준편차가 75대라는 것을 알고 있다.

리드타임 동안의 수요

235	374	309	499	253
421	361	514	462	369
394	439	348	344	330
261	374	302	466	535
386	316	296	332	334

해답 **선택**

궁극적으로 최적 재고수준을 구하기 위해 생산운영관리자는 리드타임 동안의 평균 수요(모평균)를 알아야 한다. 따라서 추정되어야 하는 모수는 μ이다. 지금까지 한 가지 추정량만이 설명되었다. 우리가 사용하여야 하는 신뢰구간추정량은

$$\bar{x} \pm z_{\alpha/2}\frac{\sigma}{\sqrt{n}}$$

이다.

다음 단계는 계산을 하는 것이다. 앞에서 논의한 것처럼 직접 계산하는 방법과 Excel을 이용하는 방법이 사용될 것이다.

계산

μ의 신뢰구간추정치를 계산하기 위해서는 4개의 값이 필요하다. 4개의 값은

$$\bar{x}, z_{\alpha/2}, \sigma, n$$

이다.

계산기를 사용하면 $\sum x_i = 9,254$이다. 이것으로부터 표본평균은 다음과 같이 계산된다.

$$\bar{x} = \frac{\sum x_i}{n} = \frac{9,254}{25} = 370.16$$

신뢰수준은 95%로 설정된다. 따라서 $1-\alpha=.95$, $\alpha=1-.95=.05$, $\alpha/2=.025$이다.

부록 B의 표 3 또는 표 10.1로부터

$$z_{\alpha/2} = z_{.025} = 1.96$$

이라는 것을 알 수 있다. 모표준편차는 $\sigma=75$이고 표본크기는 $n=25$이다. μ에 대한 신뢰구간추정량에 $\bar{x}$, $z_{\alpha/2}$, σ, n을 대입하면, 다음과 같은 결과가 구해진다.

$$\bar{x} \pm z_{\alpha/2}\frac{\sigma}{\sqrt{n}} = 370.16 \pm z_{.025}\frac{75}{\sqrt{25}} = 370.16 \pm 1.96\frac{75}{\sqrt{25}} = 370.16 \pm 29.40$$

신뢰하한은 LCL=340.76이고 신뢰상한은 UCL=399.56이다.

EXCEL Workbook

	A	B	C	D	E
1	z-Estimate of a Mean				
2					
3	Sample mean	370.16	Confidence Interval Estimate		
4	Population standard deviation	75	370.16	±	29.40
5	Sample size	25	Lower confidence limit		340.76
6	Confidence level	0.95	Upper confidence limit		399.56

지시사항

1. 데이터를 한 열에 입력하거나 <Xm10-01>을 불러들여라. 임의의 빈 셀에 표본평균(=AVERAGE(A1:A26))을 계산하라.
2. Estimator Workbook을 열고 z-Estimate_Mean을 클릭하라. 셀 B3에 표본평균의 값을 입력하거나 복사하라. 만일 당신이 Copy를 사용하면 Paste Special과 Value를 사용하라. 셀 B4-B6에 각각 σ(75)의 값, n(25)의 값, 신뢰수준(.95)을 입력하라.

해석 생산운영관리자는 리드타임 동안의 평균 수요는 340.76과 399.56 사이라고 추정한다. 그는 이 추정치를 재고전략을 수립하는 데 하나의 투입요소로 사용할 수 있다. 제8.2절에서 논의된 재고모형은 특정한 리드타임 동안의 평균 수요 값을 가정하면서 재주문점을 계산한다. 이 예제에서 생산운영관리자는 최적재고수준의 하한값과 상한값을 결정하기 위해 신뢰구간 추정량의 하한과 상한을 사용할 수 있다.

10.2b 신뢰구간추정치의 해석

일부 사람들은 예제 10.1의 신뢰구간추정치를 모평균이 340.76과 399.56 사이에 있을 확률이 95%라는 것을 의미하는 것으로 잘못 해석한다. 이와 같은 해석은 모평균이 확률을 부여할 수 있는 확률변수라는 것을 의미하므로 잘못된 해석이다. 실제로 모평균은 고정된 값이지만 알려져 있지 않다. 따라서 μ에 대한 신뢰구간추정치를 μ에 대한 확률을 나타내는 것으로 해석할 수 없다. 신뢰구간추정치를 적정하게 해석하기 위해서는 신뢰구간추정량이 표본평균의 표본분포로부터 도출되었다는 것을 기억해야 한다. 제9.1절에서, 표본분포는 표본평균에 관한 확률을 나타내는 데 사용되었다. 비록 형태는 다르지만 신뢰구간추정량도 표본평균에 관한 확률을 나타낸다. 이것은 신뢰구간추정량은 표본평균이 $\bar{x}-z_{\alpha/2}\sigma/\sqrt{n}$과 $\bar{x}+z_{\alpha/2}\sigma/\sqrt{n}$의 구간이 모평균을 포함하는 값이 될 확률이 $1-\alpha$라는 것을 의미한다. 일단 표본평균이 계산되면, 신뢰구간은 모평균의 구간추정치의 하한과 상한을 결정한다.

이와 같은 신뢰구간추정치의 해석을 예시하기 위해, 한 개의 균형 잡힌 주사위를 던지는 확률실험을 사용하여 확률분포의 모평균을 추정하기 원한다고 하자. 이미 이와 같은 확률분포는 알려져 있으며 $\mu=3.5$이고 $\sigma=1.71$이라는 것도 알려져 있다. 그러나 이제 μ는 알려져 있지 않으며, $\sigma=1.71$이라는 것만 알려져 있다고 가정하자. μ를 추정하기 위해, 표본크기 $n=100$인 표본을 추출하고 $\bar{x}$를 계산하자. μ에 대한 신뢰구간추정량은 다음과 같다.

$$\bar{x} \pm z_{\alpha/2}\frac{\sigma}{\sqrt{n}}$$

μ에 대한 90%의 신뢰구간추정량은 다음과 같다.

$$\bar{x} + z_{\alpha/2}\frac{\sigma}{\sqrt{n}} = \bar{x} \pm 1.645\frac{1.71}{\sqrt{100}} = \bar{x} \pm .281$$

이것은 주어진 모집단으로부터 표본크기가 100인 표본들이 반복적으로 추출되면, $\bar{x}$ 값들의 90%는 $\bar{x}-.281$과 $\bar{x}+.281$의 구간 안에 μ를 포함하고 $\bar{x}$값들의 10%는 μ를 포함하고 있지 않은 구간을 생성한다는 것을 의미한다. 이제 각각이 100개의 관측치를 가진 40개의 표본을 추출한다고 하자. $\bar{x}$의 값들과 μ에 관한 신뢰구간추정치들이 표 10.2에 정리되어 있다. 모든 구간들이 $\mu=3.5$를 포함하고 있는 것은 아니라는 점에 주목하라. 표본 5, 16, 22, 34로부터 계산된 $\bar{x}$값을 사용하여 구한 신뢰구간은 $\mu=3.5$를 포함하고 있지 않다.

학생들은 종종 이와 같은 상황에 대하여 표본 5, 16, 22, 34에 무엇이 잘못된 것인가라는 질문을 한다. 이 질문에 대한 답은 없다. 통계학은 100%의 확실성을 약속하지 않는다. 이 예시에서 μ를 포함할 구간이 90%라는 것과 μ를 포함하지 않을 구간이 10%라는 것은 처음부터 예상되었던 일이다. 40개의 구간이 만들어졌기 때문에, 40개 구간의 10%인 4개 구간이 $\mu=3.5$를 포함하지 않을 것이라고 예상되었다.* 통계전문가들이 확률실험을 적정하게 수행할 때조차도 확률실험들의 일정 비율(이 예시에서 10%)은 부정확한 추정치를 생성한다는 점을 이해하는 것이 중요하다.

구간추정치와 관련된 확신의 정도는 개선될 수 있다. 만일 신뢰수준 $1-\alpha$를 .95로 설정하면, μ에 대한 95%의 신뢰구간추정량은 다음과 같다.

$$\bar{x} \pm z_{\alpha/2}\frac{\sigma}{\sqrt{n}} = \bar{x} \pm 1.96\frac{1.71}{\sqrt{100}} = \bar{x} \pm .335$$

---

* 이 예시에서 표본평균들의 10%가 정확하게 μ의 값을 포함하지 않는 구간추정치를 생성하였으나 이와 같은 일이 항상 발생하는 것은 아니다. 우리는 표본평균들의 10%가 장기적으로(이와 같은 일을 무한히 반복해서 했을 때) μ를 포함하지 않는 구간을 생성할 것이라고 예상한다는 것을 기억하라. 이 책에서 제시된 40개의 표본평균은 "장기적으로"라는 것에 해당되지 않는다.

표 10.2 μ에 대한 90%의 신뢰구간추정치

표본	$\bar{x}$	LCL = $\bar{x}$ − .281	UCL = $\bar{x}$ + .281	구간이 μ = 3.5를 포함하고 있는가?
1	3.550	3.269	3.831	Yes
2	3.610	3.329	3.891	Yes
3	3.470	3.189	3.751	Yes
4	3.480	3.199	3.761	Yes
5	3.800	3.519	4.081	No
6	3.370	3.089	3.651	Yes
7	3.480	3.199	3.761	Yes
8	3.520	3.239	3.801	Yes
9	3.740	3.459	4.021	Yes
10	3.510	3.229	3.791	Yes
11	3.230	2.949	3.511	Yes
12	3.450	3.169	3.731	Yes
13	3.570	3.289	3.851	Yes
14	3.770	3.489	4.051	Yes
15	3.310	3.029	3.591	Yes
16	3.100	2.819	3.381	No
17	3.500	3.219	3.781	Yes
18	3.550	3.269	3.831	Yes
19	3.650	3.369	3.931	Yes
20	3.280	2.999	3.561	Yes
21	3.400	3.119	3.681	Yes
22	3.880	3.599	4.161	No
23	3.760	3.479	4.041	Yes
24	3.400	3.119	3.681	Yes
25	3.340	3.059	3.621	Yes
26	3.650	3.369	3.931	Yes
27	3.450	3.169	3.731	Yes
28	3.470	3.189	3.751	Yes
29	3.580	3.299	3.861	Yes
30	3.360	3.079	3.641	Yes
31	3.710	3.429	3.991	Yes
32	3.510	3.229	3.791	Yes
33	3.420	3.139	3.701	Yes
34	3.110	2.829	3.391	No
35	3.290	3.009	3.571	Yes
36	3.640	3.359	3.921	Yes
37	3.390	3.109	3.671	Yes
38	3.750	3.469	4.031	Yes
39	3.260	2.979	3.541	Yes
40	3.540	3.259	3.821	Yes

이 구간은 더 넓기 때문에, μ의 값을 포함할 가능성이 더 크다. 95%의 신뢰구간추정량을 사용하면서 표 10.2를 다시 정리하면, 표본 16, 22, 34만이 μ를 포함하지 않는 구간을 생성한다. (μ를 포함하지 않는 구간들의 비율이 5%라고 예상되었지만 실제로는 3/40=7.5%라는 점에 주목하라.) μ에 대한 99%의 신뢰구간추정량은 다음과 같다.

$$\bar{x} \pm z_{\alpha/2}\frac{\sigma}{\sqrt{n}} = \bar{x} \pm 2.575\frac{1.71}{\sqrt{100}} = \bar{x} \pm .440$$

표 10.2에 정리되어 있는 표본평균들을 사용하여 이와 같은 신뢰구간추정치를 구하면, 40개 구간추정치 모두는 모평균 μ=3.5를 포함하는 결과가 얻어진다. (μ를 포함하지 않는 구간들의 비율이 1%일 것이라고 예상되었지만 실제로는 0/40=0%이다.)

실제 상황에서는 한 개의 표본만이 추출되고 한 개의 $\bar{x}$값만이 계산된다. 이것으로부터 계산되는 신뢰구간추정치는 정확하게 모평균을 포함할 수 있거나 부정확하게 모평균을 포함하지 않을 수 있다. 불행하게도 통계전문가들은 각 경우에 그들이 옳은지 알지 못한다. 다만 그들은 장기적으로 보면 일부의 경우에 부정확하게 모수를 추정한다는 것을 알고 있다. 통계전문가들은 이것을 하나의 현실로써 받아들인다.

예제 10.1에서 이루어진 계산들은 다음과 같이 요약된다. 리드타임 동안의 평균 수요는 340.76과 399.56 사이로 추정되고 이와 같은 일을 반복할 때 얻어지는 신뢰구간들 중 95%가 모평균을 포함한다. 따라서 신뢰수준은 추정과정에 적용되는 것이지 어느 하나의 구간에 적용되는 것은 아니다. 이에 따라 언론에서는 종종 95%라는 수치는 신뢰수준의 장기적 측면을 강조하기 위해 "20번 중 19번"이라고 언급된다.

10.2c 정보와 구간의 길이

모든 다른 통계기법들과 같이 구간추정은 데이터를 정보로 전환시키기 위해 창안된 것이다. 그러나 넓은 구간은 정보를 거의 제공하지 못한다. 예를 들면, 한 통계연구의 결과로 회계사의 최초 평균 연봉이 95%의 신뢰수준에서 15,000달러와 100,000달러 사이로 추정된다고 하자. 이와 같은 구간은 너무 넓어서 데이터로부터 아무런 정보도 구해지지 않는다. 그러나 이 구간의 추정치가 52,000달러와 55,000달러 사이라고 하자. 이 구간은 훨씬 더 좁아서 회계학 전공 학생들에게 최초 연봉에 대하여 더 정확한 정보를 제공한다.

신뢰구간 추정치의 넓이는 모표준편차, 신뢰수준, 표본크기의 함수이다. σ가 75라고 가정한 예제 10.1을 생각해보자. μ에 대한 95%의 신뢰구간추정치는 370.16±29.40이었다. 만일 σ가 150이었다면, μ에 대한 95%의 신뢰구간추정치는 다음과 같다.

$$\bar{x} \pm z_{\alpha/2}\frac{\sigma}{\sqrt{n}} = 370.16 \pm z_{.025}\frac{150}{\sqrt{25}} = 370.16 \pm 1.96\,\frac{150}{\sqrt{25}} = 370.16 \pm 58.80$$

따라서 모표준편차가 두 배가 되면 신뢰구간추정치의 넓이가 두 배가 된다. 이 결과는 매우 논리적이다. 만일 (큰 표준편차에 반영되어 있는 것처럼) 확률변수의 변동성이 상당히 크면, 모평균을 정확하게 추정하는 것이 더 어려워진다. 이와 같은 어려움은 더 넓은 구간으로 전환된다.

우리는 σ에 대한 통제력을 가지고 있지 않지만 다른 두 요소의 값을 선택할 권한을 가지고 있다. 예제 10.1에서 95%의 신뢰수준이 선택되었다. 만일 90%의 신뢰수준이 선택되면, 구간추정치는 다음과 같다.

$$\bar{x} \pm z_{\alpha/2}\frac{\sigma}{\sqrt{n}} = 370.16 \pm z_{.05}\frac{75}{\sqrt{25}} = 370.16 \pm 1.645\,\frac{75}{\sqrt{25}} = 370.16 \pm 24.68$$

99%의 신뢰수준에서는 다음과 같은 구간추정치가 구해진다.

$$\bar{x} \pm z_{\alpha/2}\frac{\sigma}{\sqrt{n}} = 370.16 \pm z_{.005}\frac{75}{\sqrt{25}} = 370.16 \pm 2.575\,\frac{75}{\sqrt{25}} = 370.16 \pm 38.63$$

당신이 보는 것처럼, 신뢰수준을 감소시키면 구간추정치는 좁아진다. 신뢰수준을 증가시키면 구간추정치는 넓어진다. 그러나 큰 신뢰수준이 일반적으로 바람직하다. 왜냐하면 큰 신뢰수준은 장기적으로 볼 때 정확한 신뢰구간추정치의 비율이 더 커진다는 것을 의미하기 때문이다. 신뢰수준과 구간넓이 간에 직접적인 관계가 있다. 이것은 추정치에 더 많은 확신을 가지기 위해서는 구간을 더 넓게 할 필요가 있기 때문이다. (이것은 나비를 잡을 가능성을 크게 하기 위해서는 나비 잡는 망을 더 크게 만들어야 할 필요가 있는 것과 같다.) 신뢰수준의 증가와 이에 따른 더 넓은 신뢰구간추정치의 상충관계는 통계전문가에 의해 해결되어야 한다. 그러나 일반적인 법칙으로 95%가 "표준적인" 신뢰수준으로 간주되고 있다.

세 번째 요소는 표본크기이다. 표본크기가 25 대신 100이면, 신뢰구간추정치는 다음과 같다.

$$\bar{x} \pm z_{\alpha/2}\frac{\sigma}{\sqrt{n}} = 370.16 \pm z_{.025}\frac{75}{\sqrt{100}} = 370.16 \pm 1.96\,\frac{75}{\sqrt{100}} = 370.16 \pm 14.70$$

표본크기가 4배 증가하면 구간의 넓이는 반으로 줄어든다. 표본크기의 증가는 더 많은 정보를 제공한다. 이와 같은 정보의 증가는 더 좁아진 구간에 반영되어 있다. 그러나 다른 상충관계가 존재한다. 표본크기의 증가는 표본추출의 비용을 증가시킨다. 제10.3절에서 표본크기의 선택에 대하여 설명할 때 이와 같은 쟁점이 논의될 것이다.

10.2d 표본중앙값을 사용하여 모평균 추정하기

왜 표본평균이 모평균을 추정하기 위해 가장 자주 사용되는지 이해하기 위해, (m으로 표시되는) 표본중앙값의 표본분포가 가지는 특성을 검토해보자. 모집단이 정규분포를 가지면, 표본중앙값의 표본분포는 정규분포를 따른다. 표본중앙값 표본분포의 평균과 표준편차는 각각 다음과 같다.

$$\mu_m = \mu$$

$$\sigma_m = \frac{1.2533\sigma}{\sqrt{n}}$$

신뢰구간추정량을 구하기 위해 사용했던 동일한 식을 사용하면, 모평균에 대한 신뢰구간추정량이 다음과 같이 도출된다.

$$m \pm z_{\alpha/2}\frac{1.2533\sigma}{\sqrt{n}}$$

이와 같은 추정량을 계산하는 것을 예시하기 위해, 표준편차가 2인 정규모집단으로부터 다음과 같은 표본이 추출되었다고 하자.

1 1 1 3 4 5 6 7 8

표본평균은 $\bar{x}=4$이고 표본중앙값은 $m=4$이다.

표본평균과 표본중앙값을 사용하면서 구한 모평균에 대한 95% 신뢰구간추정치는 각각 다음과 같다.

$$\bar{x} \pm z_{\alpha/2}\frac{\sigma}{\sqrt{n}} = 4.0 \pm 1.96\frac{2}{\sqrt{9}} = 4.0 \pm 1.307$$

$$m \pm z_{\alpha/2}\frac{1.2533\sigma}{\sqrt{n}} = 4.0 \pm 1.96\frac{(1.2533)(2)}{\sqrt{9}} = 4.0 \pm 1.638$$

당신이 보는 것처럼, 표본평균에 기초하여 구한 구간이 더 좁다. 앞에서 지적한 것처럼 더 좁은 구간은 더 정확한 정보를 제공한다. 왜 표본평균이 표본중앙값보다 더 좋은 추정량인가를 이해하기 위해, 중앙값이 어떻게 계산되는지 기억하라. 데이터를 순서대로 정리하고 중앙에 있는 관측치가 중앙값으로 선택된다. 따라서 중앙값에 관심이 있으면 데이터는 다음과 같은 형태로 정리될 수 있다.

1 2 3 4 5 6 7 8 9

실제 관측치들을 무시하고 그 대신 관측치들의 순위만이 사용되면 정보의 상실이 발생한다. 이와 같이 더 적은 정보가 주어지는 경우 구간추정치의 정확성이 감소하고 궁극적으로는 더 불량한 의사결정이 이루어진다.

10.2e 컴퓨터 시뮬레이션을 통해 μ에 대한 신뢰구간 추정량 구하기

다음의 시뮬레이션은 9.1d에서 설명한 컴퓨터 시뮬레이션과 유사하다.

평균이 $\mu=5$이고 표준편차가 $\sigma=1$인 정규분포를 따르는 모집단으로부터 표본크기가 $n=9$인 1,000개 표본을 생성한다. 시뮬레이션을 통해 모평균에 대한 95% 신뢰구간 추정치들을 구한다.

1. Data, Data Analysis, Random Number Generation을 클릭하라.
2. Number of Variables(난수의 수) 란에 9를 입력하고 Number of Random Numbers(표본의 수) 란에 1,000을 입력하라.
3. Distribution 박스에서 Normal을 클릭하고 Parameter 박스에서 Mean 5와 Standard Deviation 1을 입력하라.
4. New Worksheet Ply를 체크하고 OK를 클릭하라. 새로운 워크시트의 열 A와 열 I에 임의 수치들이 채워진다.
5. 셀 J1에 =AVERAGE(A1:I1)을 입력하라.
6. 이것을 끌어내려 열 J의 나머지 열들을 채운다. 열 J에 표본평균의 값들이 채워진다.
7. 셀 K1에 95% 신뢰구간 추정치의 하한을 계산한다.

   $$\bar{x}-z_{\alpha/2}\frac{\sigma}{\sqrt{n}}=\bar{x}-1.96\frac{1}{\sqrt{9}}=\bar{x}-.6533$$

   이것을 끌어내려 열 K의 나머지 열들을 채운다. 열 K에 1,000개 표본의 95% 신뢰구간 추정치의 하한 값이 채워진다.
8. 셀 L1에 95% 신뢰구간 추정치의 상한을 계산한다.

   $$\bar{x}+z_{\alpha/2}\frac{\sigma}{\sqrt{n}}=\bar{x}+1.96\frac{1}{\sqrt{9}}=\bar{x}+.6533$$

이것을 끌어내려 열 L의 나머지 열들을 채운다. 열 L에 1,000개 표본의 95% 신뢰구간 추정치의 상한 값이 채워진다.

9. 신뢰구간들 중 일부는 모평균의 값 5를 포함하고 일부는 모평균의 값 5를 포함하지 않는다. 어느 구간이 μ를 포함하는지 결정하도록 Excel에게 지시하기 위해, 셀 M1에 **=AND(K1<=5, L1>=5)**를 입력하라. 이러한 지시사항은 Excel이 하한 값(K1)이 5 이하이고 상한 값(L1)이 5 이상이면(즉, 구간이 모평균 값 5를 포함하고 있으면) TRUE가 셀 M1에 나타나도록 지시한다. 이것을 끌어내려 열 M의 나머지 열들을 채운다.

10. 모평균 값 5를 포함하지 않는 구간의 수를 계산하기 위한 다수의 방법이 존재한다. 여기서 하나를 사용한다. 셀 N1에 =IF(M1=TRUE, 0, 1)을 입력하라. 구간이 모평균 값 5를 포함하고 있는 각 행(열 M에서 TRUE를 보여주는 각 행)에 0의 값이 나타난다. 구간이 모평균 값 5를 포함하고 있지 않으면, 1의 값이 나타난다. 열 N의 합을 구하면 모평균 값 5를 포함하지 있지 않은 95% 신뢰구간 추정치의 총 수가 구해진다.

연습문제

10.13 앞에서 설명한 시뮬레이션을 수행하라. 모평균 $\mu=5$를 포함하고 있지 않은 구간의 비율은 얼마인가? 당신은 몇 개가 모평균 $\mu=5$를 포함하고 있지 않은 구간이라고 예상하는가?

10.14 90% 신뢰구간 추정량을 사용하면서 연습문제 10.13을 반복하라.

10.15 99% 신뢰수준 추정량을 사용하면서 연습문제 10.13을 반복하라.

10.16 표본크기가 9에서 100으로 변화하면 연습문제 10.13~연습문제 10.15의 답이 크게 변화하는가?

연습문제 10.17~10.24은 신뢰수준, 표본크기, 모표준편차가 변화할 때 구간추정치에 어떤 일이 발생하는지 살펴보기 위해 창안된 "what-if 분석"이다. 이 연습문제들은 직접 풀거나 Estimators workbook에 있는 z-Estimate_Mean을 사용하면서 풀 수 있다.

10.17 a. 한 통계전문가는 모표준편차가 25인 모집단으로부터 임의로 50개의 관측치를 표본추출하였고 표본평균이 100이라고 계산하였다. 모평균에 대한 90%의 신뢰구간추정치를 구하라.

b. 95%의 신뢰수준을 사용하면서 a를 반복하라.

c. 99%의 신뢰수준을 사용하면서 a를 반복하라.

d. 신뢰수준의 증가가 신뢰구간추정치에 미치는 효과를 설명하라.

10.18 a. 모표준편차가 50인 정규모집단으로부터 추출된 25개 관측치로 구성된 임의표본의 평

균은 200이다. 모평균에 대한 95%의 신뢰구간추정치를 구하라.

b. 모표준편차가 25인 경우 a를 반복하라.

c. 모표준편차가 10인 경우 a를 반복하라.

d. 모표준편차가 감소할 때 신뢰구간추정치에 어떤 일이 발생하는지 설명하라.

10.19 a. 25개의 관측치로 구성된 임의표본이 모표준편차가 5인 정규분포로부터 추출되었다. 표본평균은 80이었다. 모평균에 대한 95%의 신뢰구간추정치를 구하라.

b. 표본크기가 100인 경우 a를 반복하라.

c. 표본크기가 400인 경우 a를 반복하라.

d. 표본크기가 증가할 때 신뢰구간추정치에 어떤 일이 발생하는지 설명하라.

10.20 a. 다음과 같은 정보가 주어진 경우, 모평균에 대한 98%의 신뢰구간추정치를 구하라.

$\bar{x}=500,\quad \sigma=12,\quad n=50$

b. 95%의 신뢰수준을 사용하면서 a를 반복하라.

c. 90%의 신뢰수준을 사용하면서 a를 반복하라.

d. a~c를 재검토하고 신뢰수준의 감소가 신뢰구간추정치에 미치는 효과를 논의하라.

10.21 a. 한 통계전문가는 모표준편차가 25인 모집단으로부터 100개 관측치로 구성된 임의표본을 추출하고 표본평균이 50이라고 계산하였다. 모평균에 대한 95% 신뢰구간 추정치를 구하라.

b. 모표준편차가 50인 경우 a를 반복하라.

c. 모표준편차가 100인 경우 a를 반복하라.

d. 모표준편차의 증가가 신뢰구간 추정치에 미치는 효과를 설명하라.

10.22 a. 모표준편차가 100인 정규분포를 따르는 모집단으로부터 추출된 400개 관측치로 구성된 임의표본의 표본평균은 1,000이다. 모평균에 대한 95% 신뢰구간 추정치를 구하라.

b. 표본크기가 225인 경우 a를 반복하라.

c. 표본크기가 100인 경우 a를 반복하라.

d. 표본크기가 감소할 때 신뢰구간 추정치에 어떤 일이 발생하는지 설명하라.

10.23 a. 25개 관측치로 구성된 표본으로 계산된 표본평균은 300이다. 이 표본은 모표준편차가 15인 모집단으로부터 임의로 추출되었다. 모평균에 대한 99% 신뢰구간 추정치를 구하라.

b. 모표준편차가 30인 경우 a를 반복하라.

c. 모표준편차가 60인 경우 a를 반복하라.

d. 모표준편차가 증가할 때 신뢰구간 추정치에 어떤 일이 발생하는지 설명하라.

10.24 a. 한 통계전문가는 모표준편차가 5인 모집단으로부터 100개 관측치로 구성된 임의표본을 추출하였고 표본평균이 10이라는 것을 발견하였다. 모평균에 대한 90% 신뢰구간 추정치를 구하라.

b. 표본크기가 25인 경우 a를 반복하라.

c. 표본크기가 10인 경우 a를 반복하라.

d. 표본크기가 감소할 때 신뢰구간 추정치에 어떤 일이 발생하는지 설명하라.

연습문제 10.25~10.28은 "표본중앙값을 사용하여 모평균 추정하기"에 기초한 것이다. 모든 연습문제에서 모집단이 정규분포를 따른다고 가정하라.

10.25 표본중앙값은 모평균의 불편추정량인가? 설명하라.

10.26 표본중앙값은 모평균의 일치추정량인가? 설명하라.

10.27 모평균을 추정할 때 표본평균이 표본중앙값보다 상대적으로 더 효율적이라는 것을 보여라.

10.28 a. 다음과 같은 정보가 주어져 있는 경우, 표본

중앙값을 사용하면서 모평균에 대한 90%의 신뢰구간추정치를 구하라.

표본중앙값=500, σ=12, n=50

b. a에 대한 당신의 답과 연습문제 10.20의 c 부분의 답을 비교하라. 왜 표본중앙값에 기초한 신뢰구간추정치가 표본평균에 기초한 신뢰구간추정치보다 더 넓은가?

다음의 연습문제들은 직접 계산하여 풀거나 컴퓨터의 도움으로 풀 수 있다. 데이터를 포함한 파일의 이름이 제시되어 있다.

10.29 <Xr10-29> 다음의 데이터는 9개의 통계학 퀴즈시험점수(10점 만점)로 구성된 임의표본을 나타낸다. 이 점수는 모표준편차가 2인 정규분포를 따른다. 모평균에 대한 90%의 신뢰구간을 추정하라.

7 9 7 5 4 8 3 10 9

10.30 <Xr10-30> 다음의 관측치들은 한 술집에 있는 8명의 남성으로 구성된 임의표본의 나이이다. 이 나이는 모표준편차가 10인 정규분포를 따르는 것으로 알려져 있다. 모평균에 대한 95%의 신뢰구간추정치를 구하라. 이와 같은 신뢰구간추정치를 해석하라.

52 68 22 35 30 56 39 48

10.31 <Xr10-31> 의사들은 연간 몇 회의 골프라운드를 경기하는가? 12명의 의사를 대상으로 실시한 서베이는 다음과 같은 수치들을 보여준다.

3	41	17	1	33	37
18	15	17	12	29	51

골프라운드의 수는 모표준편차가 12인 정규분포를 따른다고 가정하면서 의사들이 연간 경기하는 골프라운드의 평균 수에 대한 95%의 신뢰구간을 추정하라.

10.32 <Xr10-32> 대학교수 삶의 가장 흥미로운 측면들 중에는 어느 컬러로 벽을 칠할 것인가, 누가 새 책상을 가질 것인가와 같은 중요한 문제들이 결정되는 학과회의가 있다. 20명 교수로 구성된 표본에게 이와 같은 회의로 연간 몇 시간을 보내는지 물었다. 이 질문에 대한 대답이 다음과 같이 정리되어 있다. 이 변수는 모표준편차가 8시간인 정규분포를 따른다고 가정하면서 모든 교수들이 학과회의로 보내는 평균 시간 수를 추정하라. 90%의 신뢰수준을 사용하라.

14	17	3	6	17	3	8	4	20	15
7	9	0	5	11	15	18	13	8	4

10.33 <Xr10-33> 중고차 판매원들에 의해 판매되는 연간 자동차의 수는 모표준편차가 15인 정규분포를 따른다. 15명의 중고차 판매원으로 구성된 임의표본이 추출되었고 각 중고차 판매원이 판매한 연간 자동차의 수가 다음에 정리되어 있다. 모평균에 대한 95%의 신뢰구간추정치를 구하라. 이 구간추정치를 해석하라.

79	43	58	66	101	63	79	33
58	71	60	101	74	55	88	

10.34 <Xr10-34> 자동차의 오일을 교환하기 위해 필요한 시간은 모표준편차가 5분인 정규분포를 따른다. 10회의 오일교환으로 구성된 임의표본의 오일교환시간이 다음과 같이 기록되었다. 모평균에 대한 99%의 신뢰구간추정치를 구하라.

11 10 16 15 18 12 25 20 18 24

10.35 <Xr10-35> 10대들이 주당 파트타임으로 일하는 시간은 모표준편차가 40분인 정규분포를 따른다고 하자. 15명의 10대들로 구성된 임의

표본이 추출되었고 각 사람은 주당 파트타임으로 일하는 시간(분 기준)을 보고하였다. 이 데이터가 다음과 같이 정리되어 있다. 모평균에 대한 95%의 신뢰구간추정치를 구하라.

180	130	150	165	90	130	120	60
200	180	80	240	210	150	125	

10.36 <Xr10-36> 담배를 끊을 때 발생하는 부작용 중 하나는 몸무게 증가이다. 담배를 끊은 후 12개월 동안의 몸무게 증가는 모표준편차가 6파운드인 정규분포를 따른다. 평균 몸무게 증가를 추정하기 위해, 13명의 금연자로 구성된 임의표본이 추출되었고 그들의 몸무게 증가가 다음과 같이 기록되었다. 담배를 끊은 후 12개월 동안에 발생하는 평균 몸무게 증가에 대한 90%의 신뢰구간추정치를 구하라.

16	23	8	2	14	22	18
11	10	19	5	8	15	

10.37 <Xr10-37> 판매능력, 경험, 열정의 차이 때문에 부동산 중개인의 소득은 상당히 다르다. 한 대도시에서 활동하는 부동산 중개인의 연간 소득은 모표준편차가 15,000달러인 정규분포를 따른다고 하자. 임의표본을 구성하고 있는 16명의 부동산 중개인에게 그들의 연간 소득(1,000달러 기준)을 보고하도록 요청하였다. 이에 대한 응답은 다음과 같다. 이 도시에 있는 모든 부동산 중개인의 평균 연간 소득에 대한 99%의 신뢰구간추정치를 구하라.

65	94	57	111	83	61	50	73
68	80	93	84	113	41	60	77

다음의 연습문제들을 풀기 위해서는 컴퓨터와 소프트웨어를 사용하여야 한다. 직접 계산하여 다음의 연습문제들을 풀 수도 있다. 표본통계량을 위해서는 부록 A를 참조하라.

10.38 <Xr10-38> 400명의 통계학 교수에 대한 서베이가 실시되었다. 각 교수에게 그래프 기법을 가르치는 데 얼마만큼의 시간을 소비하는지 물었다. 그래프 기법을 가르치는 데 소비하는 시간은 모표준편차가 30분인 정규분포를 따른다. 모평균에 대한 95%의 신뢰구간을 추정하라.

10.39 <Xr10-39> 휴가비용을 결정하기 위해 시행된 서베이에서 64명이 임의로 추출되었다. 그들에게 가장 최근의 휴가비용을 계산하도록 요청하였다. 모표준편차가 400달러라고 가정하면서, 모든 개인이 사용하는 휴가비용의 평균에 대한 95%의 신뢰구간을 추정하라.

10.40 <Xr10-40> 디스인플레이션(disinflation)에 관한 논문에서 다양한 투자수단에 대한 검토가 이루어졌다. 검토된 투자들에는 주식, 채권, 부동산이 포함되어 있다. 200개의 부동산 투자수익률이 계산되고 기록되었다고 하자. 모든 부동산 투자의 수익률 모표준편차는 2.1%라고 가정하면서 모든 부동산 투자의 평균 수익률에 대한 90%의 신뢰구간추정치를 구하라. 이와 같은 추정치를 해석하라.

10.41 <Xr10-41> 한 통계학 교수가 대학생들이 학기당 몇 번 결석하는지 조사하고 있는 중이다. 100명의 학생으로 구성된 임의표본이 추출되었고 각 학생에게 직전 학기에 몇 번 결석하였는지 보고하도록 요청하였다. 이 대학교에 다니는 모든 학생의 평균 결석 수를 추정하라. 99%의 신뢰수준을 사용하고 모표준편차는 2.2일로 알려져 있다고 가정하라.

10.42 <Xr10-42> 한 화학연구원은 더 좋은 잔디 비료를 개발하기 위한 프로젝트의 일환으로 일반적인 잔디 종류인 켄터키 블루그래스의 평균 주간 성장크기를 구하기 원하였다. 250개의 잔디 잎으로 구성된 표본이 추출되었고 일주일

동안 성장한 크기가 기록되었다. 이 잔디의 주간 성장크기는 모표준편차가 .10인치인 정규분포를 따른다고 가정하면서 켄터키 블루그래스의 평균 주간 성장크기에 대한 99%의 신뢰구간추정치를 구하라. 이와 같은 구간추정치는 켄터키 블루그래스의 성장에 관하여 당신에게 무엇을 말해 주는지 간략히 설명하라.

10.43 <Xr10-43> 한 대형 생산공장에서 한 대의 셀룰러 폰을 조립하는 데 걸리는 시간에 대한 연구가 수행되었다. 임의표본을 구성하는 50개의 셀룰러 폰을 조립하는 데 걸리는 시간이 기록되었다. 조립시간에 대한 분석에 의하면, 조립시간은 모표준편차가 1.3분인 정규분포를 따른다. 모든 셀룰러 폰의 평균 조립시간에 대한 95%의 신뢰구간추정치를 구하라. 이 결과는 당신에게 셀룰러 폰의 조립시간에 관하여 무엇을 말해 주는가?

10.44 <Xr10-44> 일본인 경영자의 이미지는 거의 쉬지 않거나 여가시간을 가지지 않는 일중독자의 이미지이다. 한 서베이에서 임의표본을 구성하고 있는 250명의 일본인 중간 경영자에게 여가활동(예를 들면, 스포츠, 영화, 텔레비전)으로 주당 몇 시간을 보내는지 물었다. 서베이의 결과가 기록되었다. 모표준편차가 6시간이라고 가정하면서 모든 일본인 중간 경영자의 주당 평균 여가시간에 대한 90%의 신뢰구간추정치를 구하라. 이 결과는 당신에게 무엇을 말해 주는가?

10.45 <Xr10-45> 신체적 적합도의 한 척도는 운동 후에 맥박이 정상으로 돌아오는 데 걸리는 시간이다. 임의표본으로 추출된 100명의 40세~50세 여성이 30분 동안 정지된 자전거를 타고 운동을 하였다. 그들의 맥박이 운동 이전 수준으로 돌아오는 데 걸리는 시간이 측정되어 기록되었다. 이와 같은 시간은 모표준편차가 2.3분인 정규분포를 따른다고 가정하면서, 모든 40세~50세 여성이 운동 후에 맥박이 운동 이전 수준으로 돌아오는 데 걸리는 평균 시간에 대한 99%의 신뢰구간추정치를 구하라. 분석결과를 해석하라.

10.46 <Xr10-46> 임의로 선택된 80개 회사를 대상으로 실시된 서베이에서 각 회사 사장의 연간 소득을 보고하도록 요청하였다. 회사 사장의 연간 소득은 모표준편차가 30,000달러인 정규분포를 따른다고 가정하면서 모든 회사 사장의 평균 연간 소득에 대한 90%의 신뢰구간추정치를 구하라. 이 결과를 해석하라.

10.47 <Xr10-47> 전기비용의 상승은 주택소유자들에게 하나의 우려사항이다. 한 경제학자는 과거 5년 동안 전기비용이 얼마나 상승했는지 알기 원하였다. 한 서베이가 수행되었고 퍼센트 증가율이 기록되었다. 모표준편차가 20%로 알려있다고 가정하면서 95%의 신뢰수준에서 전기비용 퍼센트 증가율의 모평균을 추정하라.

10.48 <Xr10-48> 미국인 가족들은 한 달에 오락을 위해 얼마나 많이 지출하는가? 한 서베이가 수행되었고 직전 달에 오락을 위해 지출된 금액이 기록되었다. 모표준편차는 50달러라고 가정하면서 월간 미국인 가족들이 오락을 위해 지출하는 금액의 모평균 금액에 대한 99% 신뢰구간 추정치를 구하라.

10.49 <Xr10-49> 아동들을 목표시장으로 설정하고 진행되는 한 텔레비전 쇼의 후원자들은 아동들이 텔레비전을 시청하면서 보내는 시간을 알기 원한다. 왜냐하면 프로그램과 광고의 종류와 수는 이와 같은 정보에 의해 크게 영향을 받기 때문이다. 100명의 북미 아동을 대상으로 서베이를 실시하고 그들에게 일주일 동안 텔레비전을 시청하는 시간을 기록하도록 요청

하였다. 과거의 경험에 의하면 북미 아동들이 주당 텔레비전을 시청하는 시간의 모표준편차는 σ=8.0시간으로 알려져 있다. 텔레비전 후원자들은 북미 아동이 주당 텔레비전을 시청하는 평균 시간에 대한 추정치를 알기 원한다. 95%의 신뢰수준을 사용하라.

10.3 표본크기의 선택

앞 절에서 논의한 것처럼 구간추정치는 너무 넓으면 거의 정보를 제공하지 못한다. 예제 10.1에서 구간추정치는 340.76과 399.56 사이였다. 만일 생산운영관리자가 이 추정치를 재고모형의 투입요소로 사용하고자 하면, 그에게는 더 정확한 추정치가 필요하다. 다행스럽게도 통계전문가는 좁은 구간추정치를 만들기 위해 필요한 표본크기를 결정함으로써 신뢰구간의 길이를 통제할 수 있다.

표본크기를 어떻게 결정할 수 있는지 이해하기 위해 추정오차(error of estimation)에 대하여 논의하도록 하자.

10.3a 추정오차

제5장에서 표본추출오차는 표본으로 추출된 관측치들 때문에 존재하는 표본과 모집단의 차이라는 것을 지적하였다. 이제 추정에 관하여 논의하였으므로 표본추출오차를 추정량과 모수의 차이라고도 정의할 수 있다. 또한 추정량과 모수의 차이를 **추정오차**(error of estimation)라고 정의할 수 있다. 이 장에서 추정오차는 $\overline{X}$와 μ의 차이로 나타낼 수 있다. μ에 대한 신뢰구간추정량을 도출하면서 다음과 같은 확률이 사용되었다.

$$P\left(-z_{\alpha/2} < \frac{\overline{X}-\mu}{\sigma/\sqrt{n}} < z_{\alpha/2}\right) = 1-\alpha$$

이 식은 다음과 같이 나타낼 수 있다.

$$P\left(-z_{\alpha/2}\frac{\sigma}{\sqrt{n}} < \overline{X}-\mu < +z_{\alpha/2}\frac{\sigma}{\sqrt{n}}\right) = 1-\alpha$$

이 식은 $\overline{X}$와 μ의 차이는 $1-\alpha$의 확률을 가지고 $-z_{\alpha/2}\frac{\sigma}{\sqrt{n}}$와 $+z_{\alpha/2}\frac{\sigma}{\sqrt{n}}$ 사이에 존재한다는 것을 말해준다. 다른 방식으로 이 식을 표현하면, $1-\alpha$의 확률을 가지고

$$|\overline{X}-\mu| < z_{\alpha/2}\frac{\sigma}{\sqrt{n}}$$

이다. 달리 말하면, 추정오차는 $z_{\alpha/2}\frac{\sigma}{\sqrt{n}}$보다 적다. 이것은 $z_{\alpha/2}\frac{\sigma}{\sqrt{n}}$가 우리가 기꺼이 허용하는 최대 추정오차라는 것을 의미한다. 이 값을 **추정오차의 허용크기**(bound on the error of estimation)를 나타내는 B로 표시하자. 즉,

$$B = z_{\alpha/2}\frac{\sigma}{\sqrt{n}}$$

10.3b 표본크기의 결정

모표준편차 σ, 신뢰수준 $1-\alpha$, 추정오차의 허용크기 B가 알려져 있으면 표본크기 n에 대하여 풀 수 있다.

모평균을 추정하기 위한 표본크기

$$n = \left(\frac{z_{\alpha/2}\sigma}{B}\right)^2$$

표본크기의 결정을 예시하기 위해, 예제 10.1에서 데이터를 수집하기 전에 생산운영관리자는 리드타임 동안 평균 수요를 추정오차의 허용크기를 16으로 하여 추정할 필요가 있다고 결정하였다고 하자. $1-\alpha=.95$이고 $\sigma=75$라고 하자. 이 경우 표본크기 n은 다음과 같이 계산된다.

$$n = \left(\frac{z_{\alpha/2}\sigma}{B}\right)^2 = \left(\frac{(1.96)\,(75)}{16}\right)^2 = 84.41$$

n은 정수여야 하고 추정오차의 허용크기가 16이어야 하기 때문에 정수가 아닌 값은 상위 정수 값으로 정리되어야 한다. 따라서 n의 값은 85가 되고 이것은 추정오차의 허용크기가 16이고 95%의 신뢰수준에서 임의로 85개의 리드타임구간이 표본으로 추출되어야 한다는 것을 의미한다.

이 장에서 모표준편차의 값이 알려져 있다고 가정하였다. 실제로 이와 같은 일은 발생하지 않는다. (제12장에서 보다 현실적인 모평균에 대한 신뢰구간추정량이 소개된다.) 종종 표본크기를 계산하기 위해 σ의 값을 "추측"해야 할 필요가 있다. 즉, σ에 어떤 값을 부여하기 위해서 우리가 다루고 있는 확률변수에 관한 지식을 사용해야 한다.

불행하게도 이와 같은 추측을 매우 정확하게 할 수 없다. 그러나 σ의 값을 추측하는 데 있어서 큰 값을 선택하는 것이 선호된다. 이 장의 서두 예제에서 산림전문가가 처음부터 $\sigma=12$를 사용하면서 표본크기를 결정하였다면,

$$n = \left(\frac{z_{\alpha/2}\sigma}{B}\right)^2 = \left(\frac{(1.645)\,(12)}{1}\right)^2 = 389.67 \text{ (상위 정수 값은 390)}$$

표본평균이 25라고 가정하고 $n=390$을 사용하면, 나무의 평균 지름에 대한 90%의 신뢰구간추정치는 다음과 같이 계산된다.

$$\bar{x} \pm z_{\alpha/2}\frac{\sigma}{\sqrt{n}} = 25 \pm 1.645\,\frac{12}{\sqrt{390}} = 25 \pm 1$$

이 구간은 산림전문가가 원하는 만큼 좁다.

해답 나무의 평균 지름을 추정하기 위한 표본크기의 결정

Image Art/Shutterstock.com

표본이 추출되기 전에 산림전문가는 다음과 같이 표본크기를 결정하였다.

추정 오차의 허용크기는 $B=1$이다. 신뢰수준은 90% $(1-\alpha=.90)$이다. 따라서 $\alpha=.10$이고 $\alpha/2=.05$이다. 이에 따라 $z_{\alpha/2}=1.645$이다. 모표준편차는 $\sigma=6$이라고 가정한다. 따라서

$$n = \left(\frac{z_{\alpha/2}\sigma}{B}\right)^2 = \left(\frac{1.645 \times 6}{1}\right)^2 = 97.42$$

따라서 $n=98$이다.

그러나 표본이 추출된 후 산림전문가는 $\sigma=12$라는 사실을 발견하였다. 나무의 평균 지름에 대한 90%의 신뢰구간추정치는 다음과 같이 계산된다.

$$\bar{x} \pm z_{\alpha/2}\frac{\sigma}{\sqrt{n}} = 25 \pm z_{.05}\frac{12}{\sqrt{98}} = 25 \pm 1.645\,\frac{12}{\sqrt{98}} = 25 \pm 2$$

당신이 보는 것처럼, 추정 오차의 허용크기는 1이 아니라 2이다. 구간은 처음에 설계한 것보다 두 배 더 넓다. 산림전문가가 결과로 얻은 추정치는 필요한 만큼 정확하지 않다.

만일 모표준편차가 가정한 것보다 **작다면**, 어떤 일이 발생하는가? 만일 모표준편차가 표본크기를 결정할 때 가정한 것보다 작다면, 신뢰구간추정량은 더 좁아지고 이에 따라 더 정확해진다. $\sigma=6$이라고 가정하면서 98개의 나무를 표본으로 추출한 후, 산림전문가는 $\sigma=3$이라는 것을 발견하였다고 하자. 이 경우 나무의 평균 지름에 대한 90%의 신뢰구간추정치는 다음과 같이 계산된다.

$$\bar{x} \pm z_{\alpha/2}\frac{\sigma}{\sqrt{n}} = 25 \pm 1.645\,\frac{3}{\sqrt{98}} = 25 \pm 0.5$$

이 구간은 산림전문가가 원한 것보다 더 좁다. 이것은 산림전문가가 필요한 것보다 더 많은 나무를 표본으로 추출했어야 한다는 것을 의미하지만, 표본크기를 증가시키는 데 따른 추가적인 비용은 도출된 정보의 가치와 비교하여 상대적으로 적다고 말할 수 있다.

연습문제

10.50 a. 모표준편차가 50인 경우 $\bar{x}\pm10$단위 이내로 모평균을 추정하기 위해 필요한 표본크기를 결정하라. 신뢰수준은 90%가 적정한 것으로 판단된다.

b. 모표준편차가 100인 경우 a를 반복하라.

c. 95%의 신뢰수준을 사용하면서 a를 반복하라.

d. $\bar{x}\pm20$단위 이내로 모평균을 추정하기 원하는 경우 a를 반복하라.

10.51 연습문제 10.50을 참조하라. 다음과 같은 경우에 표본크기는 어떻게 변화하는가 설명하라.

a. 모표준편차가 증가한다.

b. 신뢰수준이 증가한다.

c. 추정오차의 허용크기가 증가한다.

10.52 a. 한 통계전문가는 모표준편차가 250인 경우 99%의 신뢰수준을 가지고 $\bar{x}\pm50$단위 이내로 모평균을 추정하기 원한다. 사용되어야 할 표본크기는 얼마인가?

b. 모표준편차가 50인 경우 a를 반복하라.

c. 95%의 신뢰수준을 사용하면서 a를 반복하라.

d. $\bar{x}\pm10$단위 이내로 모평균을 추정하기 원하는 경우 a를 반복하라.

10.53 연습문제 10.52의 결과를 검토하라. 다음과 같은 경우에 표본크기는 어떻게 변화하는가 설명하라.

a. 모표준편차가 감소한다.

b. 신뢰수준이 감소한다.

c. 추정오차의 허용크기가 감소한다.

10.54 a. 모표준편차가 10인 경우 90%의 신뢰수준을 가지고 $\bar{x}\pm1$ 이내로 모평균을 추정하기 위해 필요한 표본크기를 구하라.

b. 표본평균이 150으로 계산되었다고 하자. 모평균에 대한 90% 신뢰구간을 추정하라.

10.55 a. 모표준편차가 실제로 5라는 것을 발견한 후에 연습문제 10.54 b를 반복하라.

b. 모표준편차가 실제로 20이라는 것을 발견한 후에 연습문제 10.54 b를 반복하라.

10.56 연습문제 10.54와 연습문제 10.55를 검토하라. 다음과 같은 경우에 신뢰구간추정치가 어떻게 변하는지 설명하라.

a. 모표준편차가 표본크기를 구하기 위해 사용된 값과 같다.

b. 모표준편차가 표본크기를 구하기 위해 사용된 값보다 작다.

c. 모표준편차가 표본크기를 구하기 위해 사용된 값보다 크다.

10.57 a. 한 통계전문가는 $\bar{x}\pm10$단위 이내로 모평균을 추정하기 원한다. 신뢰수준은 95%로 설정되었고 $\sigma=200$이다. 표본크기를 구하라.

b. 표본평균이 500으로 계산되었다고 하자. 모평균에 대한 95% 신뢰구간을 추정하라.

10.58 a. 모표준편차가 실제로 100이라는 것을 발견한 후 연습문제 10.57 b를 반복하라.

b. 모표준편차가 실제로 400이라는 것을 발견한 후 연습문제 10.57 b를 반복하라.

10.59 연습문제 10.57과 연습문제 10.58을 검토하라. 다음과 같은 경우에 신뢰구간추정치는 어떻게 변하는지 설명하라.

a. 모표준편차가 표본크기를 구하기 위해 사용된 값과 같다.

b. 모표준편차가 표본크기를 구하기 위해 사용된 값보다 작다.

c. 모표준편차가 표본크기를 구하기 위해 사용된 값보다 크다.

10.60 한 의료통계전문가는 새로운 다이어트 플랜을 시행하고 있는 사람들의 평균 몸무게 감소량을 추정하기 원한다. 그는 한 예비 연구에서 몸무게 감소량의 모표준편차는 약 10파운드라고 추측한다. 그는 90%의 신뢰수준을 가지고 $\bar{x} \pm 2$파운드 이내로 평균 몸무게 감소량을 추정하기 위해 얼마나 큰 표본을 추출하여야 하는가?

10.61 한 대형 생산 공장의 생산운영관리자는 근로자들이 새로운 전자부품을 조립하기 위해 걸리는 평균 시간을 추정하기 원한다. 그녀는 많은 근로자들이 유사한 부품을 조립하는 것을 관측한 후에 모표준편차가 6분이라고 추측한다. 만일 그녀가 평균 조립시간을 $\bar{x} \pm 20$초 이내로 추정하기 원하면, 근로자 표본은 얼마나 커야 하는가? 신뢰수준은 99%로 가정하라.

10.62 한 통계학 교수는 현재의 학생들과 25년 전의 학생들을 비교하기 원한다. 현재 학생들의 모든 점수가 모평균을 쉽게 구할 수 있도록 컴퓨터에 저장되어 있다. 그러나 25년 전 학생들의 점수는 그의 오래된 파일에 있다. 그는 25년 전 학생들의 모든 점수를 검색하지 않고 25년 전의 평균 점수에 대한 95%의 신뢰구간추정치를 구하고자 한다. 만일 모표준편차가 12라고 가정하면, 그는 $\bar{x} \pm 2$점 이내로 평균 점수를 추정하기 위해 얼마나 큰 표본을 사용해야 하는가?

10.63 한 의학연구원은 새로운 처방약을 복용한 후에 환자의 두통이 사라지기까지 걸리는 시간을 조사하기 원한다. 그녀는 회복시간의 모평균을 추정하기 위한 통계 방법을 사용할 계획이다. 그녀는 모집단은 모표준편차가 20분인 정규분포를 따른다고 믿는다. 90%의 신뢰수준을 가지고 $\bar{x} \pm 1$분 이내로 평균 시간을 추정하기 위해, 그녀는 얼마나 큰 표본을 추출하여야 하는가?

10.64 1갤런 페인트 통에 있는 상표에는 페인트의 양이 400 ft^2을 칠하기 위해 충분하다고 쓰여 있다. 그러나 이 수치는 매우 변동한다. 실제로 칠할 수 있는 면적은 대략적으로 모표준편차가 25 ft^2인 정규분포를 따르는 것으로 알려져 있다. 95%의 신뢰수준을 가지고 $\bar{x} \pm 5ft^2$ 이내로 모든 1갤런 페인트 통으로 칠할 수 있는 평균 ft^2을 추정하기 위해 얼마나 큰 표본이 추출되어야 하는가?

10.65 셀룰러 폰을 만드는 공장의 생산운영관리자는 효율성을 더 높이기 위해 생산과정을 재조정할 것을 제안하였다. 그녀는 새로운 생산과정을 사용하면서 셀룰러 폰을 조립하는 시간을 추정하기 원한다. 그녀는 모표준편차가 15초라고 믿는다. 그녀는 95%의 신뢰수준을 가지고 $\bar{x} \pm 2$초 이내로 평균 조립시간을 추정하기 위해 얼마나 큰 근로자의 표본을 추출하여야 하는가?

요약

이 장에서는 **추정**(estimation)의 개념과 모분산이 알려져 있을 때 모평균의 **추정량**(estimator)이 소개되었다. 또한 모평균을 추정하기 위해 필요한 표본크기를 계산하기 위한 공식이 소개되었다.

주요 용어

구간추정량(interval estimator)
불편추정량(unbiased estimator)
상대적 효율성(relative efficiency)
신뢰상한(upper confidence limit, UCL)
신뢰수준(confidence level)
신뢰하한(lower confidence limit, LCL)
일치성(consistency)
점추정량(point estimator)
추정오차(error of estimation)
추정오차의 허용크기(bound on the error of estimation)

주요 기호

기호	발음	의미
$1-\alpha$	One-minus-alpha	신뢰수준
B		추정오차의 허용크기
$z_{\alpha/2}$	z-alpha-by-2	이 값의 오른쪽 면적이 $\alpha/2$인 Z의 값

주요공식

σ가 알려져 있을 때 μ에 대한 신뢰구간추정량

$$\bar{x} \pm z_{\alpha/2}\frac{\sigma}{\sqrt{n}}$$

μ를 추정하기 위한 표본크기

$$n = \left(\frac{z_{\alpha/2}\sigma}{B}\right)^2$$

Wavebreakmedia/Shutterstock.com

가설검정의 기본원리

Introduction to Hypothesis Testing

이 장의 구성

11.1 가설검정의 개념
11.2 모표준편차가 알려져 있을 때 모평균에 대한 가설검정
11.3 제2종 오류의 확률 계산
11.4 통계적 추론의 로드 맵

SSA 봉투 발송계획

☞ (408페이지에 모범답안이 제시되어 있다.)

DATA Xm11-00

FedEx (Federal Express)는 고객들에게 30일 안에 지불할 것을 요청하는 청구서를 보낸다. 이 청구서는 지불금액을 보내야 할 주소를 게재하고 있고 고객들은 지불하기 위해 자기 자신의 봉투를 사용하여야 한다. 현재 청구서를 지불하는 데 걸리는 시간의 평균과 표준편차는 각각 24일과 6일이다. 최고재무경영자(CFO)는 우표스탬프가 찍혀 있고 회사 주소가 인쇄된(Stamped Self-Addressed, SSA) 봉투를 포함시키는 것이 고객이 지불하는 데 걸리는 시간을 감소시킬 것이라고 믿고, 지불기간의 2일 감소에 따른 현금흐름의 개선이 봉투와 우표비용을 지불할 수 있다고 생각한다. 지불기간의 추가적인 감소는 이익을 발생시킬 것이다. 그녀의 믿음을 검정하기 위해 그녀는 임의로 220명의 고객을 선택하고 청구서와 함께 우표스탬프가 찍혀 있고 회사 주소가 인쇄되어 있는 봉투를 포함시켰다. 지불이 이루어지는 데까지 걸리는 일수가 기록되었다. 최고재무경영자는 SSA 봉투 발송이 이익을 발생시킬 것이라고 결론 내릴 수 있는가?

Franck Boston/Shutterstock.com

서론

제10장에서 추정의 개념이 소개되었고 추정이 어떻게 사용되는지 논의하였다. 이제 한 모집단에 관한 두 번째 통계적 추론과정인 가설검정이 소개된다. 이와 같은 형태의 통계적 추론을 하는 목적은 모수에 관한 믿음 또는 가설이 데이터에 의해 지지된다고 결론내릴 수 있는 충분한 통계적 증거가 존재하는지 결정하는 것이다. 당신은 가설검정이 다른 많은 분야에서뿐만 아니라 경영과 경제 분야에서 매우 다양하게 적용된다는 것을 발견할 것이다. 이 장의 목적은 이 책의 나머지 부분에 대한 기초를 쌓는 일이다. 이와 같은 기초는 당신이 통계전문가로 발전해가는 데 중요한 기여를 할 것이다.

다음 절에서는 가설검정의 개념이 소개되고 제11.2절에서는 모표준편차가 알려져 있을 때 모평균에 관한 가설을 검정하기 위해 사용되는 방법이 논의된다. 이 장의 나머지 부분에서는 이와 관련된 주제들이 다루어진다.

11.1 가설검정의 개념

가설검정(hypothesis testing)이라는 용어는 대부분의 독자들에게 새로운 것이나 가설검정의 기초가 되는 개념들은 매우 잘 알려져 있다. 통계학 분야 이외에서 가설검정이 다양하게 적용되고 있으며 가설검정이 적용되는 가장 잘 알려진 분야가 범죄재판이다.

한 사람이 범죄로 기소되면 재판을 받게 된다. 검사는 유죄의 증거를 제시하고 배심원은 제시된 증거에 기초하여 의사결정을 하여야 한다. 사실상 배심원은 가설검정을 하고 있는 것이다. 실제로 검정되는 두 가지의 가설이 존재한다. 첫 번째 가설은 **귀무가설**(null hypothesis)이라고 부르고 H_0(*H-nought*라고 발음한다. *nought*이라는 단어는 제로라는 영어단어이다)로 표시된다. 즉, 범죄재판의 경우 귀무가설은 다음과 같이 설정된다.

H_0: 피고는 무죄이다.

두 번째 가설은 **대립가설**(alternative hypothesis) 또는 **연구가설**(research hypothesis)이라고 부르며 H_1으로 표시된다. 범죄재판에서 대립가설은 다음과 같이 설정된다.

H_1: 피고는 유죄이다.

물론 배심원은 어느 가설이 옳은지 모른다. 배심원은 검사와 변호인 모두에 의해 제시되는 증거에 기초하여 의사결정을 하여야 한다. 두 가지의 가능한 의사결정만이 존재한다. 두 가지의 가능한 의사결정은 피고가 유죄라고 선언하거나 무죄라고 선언하는 것이다. 통계학 용어로 말하면, 피고가 유죄라고 선언하는 것은 **귀무가설을 기각하는 것**(rejecting the null hypothesis)과 같다. 즉, 배심원은 피고가 유죄라고 결론지을 수 있는 충분한 증거가 존재한다고 말한다. 피고가 무죄라고 선언하는 것은 **귀무가설을 기각하지 않는 것**(not rejecting the null hypothesis)과 같다. 이것은 배심원이 피고가 유죄라고 결론지을 수 있는 충분한 증거가 존재하지 않는다고 결정한다는 것을 의미한다. 귀무가설을 채택한다(accept)고 말하지 않는다는 점에 주목하라. 범죄재판에서 이렇게 말하는 것은 피고가 **결백하다**는 것으로 해석될 수 있다. 재판시스템은 이와 같은 의사결정을 허용하지 않는다.

가설검정을 할 때 두 가지의 가능한 오류가 존재한다. **제1종 오류**(Type I error)는 옳은 귀무가설이 기각될 때 발생한다. **제2종 오류**(Type II error)는 허위인 귀무가설을 기각하지 않을 때 발생한다. 범죄재판에서 제1종 오류는 결백한 사람이 잘못하여 유죄로 선언될 때 발생한다. 제2종 오류는 유죄인 피고가 무죄로 선언될 때 발생한다. 제1종 오류의 확률은 α로 표시되고 **유의수준**(significance level)이라고 부른다. 제2종 오류의 확률은 β로 표시된다. 제1종 오류의 확률 α와 제2종 오류의 확률 β는 역의 관계를 가진다. 이것은 어느 한 확률을 감소시키는 것은 다른 확률을 증가시킨다는 것을 의미한다. 표 11.1은 가설검정과 관련된 주요 용어와 개념을 요약한 것이다.

표 11.1 가설검정의 주요 용어

의사결정	H_0이 옳다 (피고는 무죄이다)	H_0이 허위이다 (피고는 유죄이다)
H_0을 기각한다 (피고에게 유죄를 판결한다)	제1종 오류(Type I error) $P(\text{Type I error}) = \alpha$	옳은 판단
H_0을 기각하지 않는다 (피고에게 무죄를 판결한다)	옳은 판단	제2종 오류(Type II error) $P(\text{Type II error}) = \beta$

재판시스템에서 제1종 오류가 보다 더 심각한 것으로 여겨진다. 따라서 재판시스템은 제1종 오류의 확률이 작도록 만들어져 있다. 이와 같은 시스템은 검사측에 증명의 부담을 가지도록 하고(검사는 피고의 유죄를 증명하여야 하나 피고는 아무것도 증명할 필요가 없다) 판사가 배심원에게 "합리적인 의심을 넘어서는 증거(evidence beyond a reasonable doubt)"가 존재하는 경우에만 피고가 유죄라고 선언하도록 지시하게 만들어져 있다. 충분한 증거가 없는 경우 배심원은 약간의 유죄 증거가 있더라도 피고가 무죄라고 선언하여야 한다. 이와 같은 제도의 결과로 인해 유죄인 피고를 무죄라고 선언할 확률이 상대적으로 커진다. 영국 법학자인 Sir William Blackstone (1723~1780)은 제1종 오류의 확률과 제2종 오류의 확률 간 관계를 "한 명의 결백한 사람이 고통받는 것보다 죄를 지은 10명이 도망가는 것이 더

낫다"고 말했다. 윌리엄 경의 견해에 의하면, 제1종 오류의 확률은 제2종 오류의 확률의 10분의 1이어야 한다. 두 확률의 비율을 **블랙스톤 비율**이라고 부른다. Benjamin Franklin (1706~1790)은 1 대 10의 비율이 18세기에 일반적인 견해가 아니었다고 생각했다. 그는 "한 명의 결백한 사람이 고통받는 것보다 죄를 지은 100명이 도망가는 것이 더 낫다"는 것이 오랫동안 널리 인정된 격언이라고 말했다.

중요한 가설검정의 개념들을 정리하면 다음과 같다.

1. 두 가지의 가설이 존재한다. 하나는 귀무가설이라고 부르고 다른 하나는 대립가설 또는 연구가설이라고 부른다.

2. 검정과정은 귀무가설이 옳다는 가정을 가지고 시작한다.

3. 가설검정의 목표는 대립가설이 옳다고 추론할 수 있는 충분한 증거가 존재하는지 결정하는 것이다.

4. 두 가지의 가능한 결정이 존재한다:

   대립가설을 지지할 수 있는 충분한 증거가 존재한다고 결론을 내린다.

   대립가설을 지지할 수 있는 충분한 증거가 존재하지 않는다고 결론을 내린다.

5. 어떤 가설검정에서도 두 가지의 가능한 오류가 발생할 수 있다. 제1종 오류는 옳은 귀무가설이 기각될 때 발생하고, 제2종 오류는 허위인 귀무가설이 기각되지 않을 때 발생한다. 제1종 오류의 확률과 제2종 오류의 확률은 다음과 같다.

   $P(\text{제1종 오류}) = \alpha$

   $P(\text{제2종 오류}) = \beta$

이와 같은 가설검정의 개념들을 통계적 가설검정으로 확장하도록 하자.

통계학에서는 자주 모수에 관한 가설을 검정한다. 검정되는 가설은 경영자가 대답할 필요가 있는 질문에 의해 만들어진다. 이러한 사실을 예시하기 위해, 예제 10.1에서 생산운영관리자는 리드타임 동안 평균 수요를 추정하기를 원하는 것이 아니라 리드타임 동안 평균 수요가 350과 다른지 알기 원한다고 하자. 리드타임 동안 평균 수요가 350과 다르면 현재 재고정책이 수정되어야 할 것이다. 달리 말하면, 그가 μ가 350과 같지 않다고 추론할 수 있는지 결정하기 원한다고 하자. 이 예제의 질문은 다음과 같이 다시 정리될 수 있다. μ가 350과 같지 않다고 결론내릴 수 있는 충분한 증거가 존재하는가? 이렇게 질문하는 것은 범죄재판에서 피고가 유죄라고 결론내릴 수 있는 충분한 증거가 존재하는지 결정하도록 배심원에게 요청하는 것과 유사하다. 따라서 대립가설은 다음과 같이 설정된다.

H_1: $\mu \neq 350$

범죄재판에서 심리는 피고가 무죄라는 가정 하에서 진행된다. 이와 유사하게 통계적 가설검정은 검정하는 모수가 귀무가설에서 설정된 값과 같다는 가정하에서 진행된다. 따라서 생산운영관리자는 $\mu = 350$이라고 가정하고 귀무가설은 다음과 같이 표현된다.

H_0: $\mu = 350$

가설들을 기술할 때 귀무가설을 먼저 나타내고 이어서 대립가설을 나타낸다. 모평균이 350과 다른지 결정하기 위해 가설들은 다음과 같이 설정된다.

H_0: $\mu = 350$
H_1: $\mu \neq 350$

현재 재고정책은 리드타임 동안 실제 평균 수요가 350이라는 분석에 기초한 것이라고 하자. 활발한 광고활동을 한 후에 생산운영관리자는 수요가 증가하였고, 따라서 리드타임 동안 평균 수요가 증가하였다고 생각한다. 리드타임 동안 평균 수요가 증가하였다는 증거가 존재하는지 검정하기 위해 생산운영관리자는 대립가설을 다음과 같이 설정하여야 한다.

H_1: $\mu > 350$

생산운영관리자는 활발한 광고활동이 이루어지기 전의 평균 수요가 350이라는 것을 알고 있기 때문에 귀무가설은 다음과 같이 표현된다.

H_0: $\mu = 350$

이제 생산운영관리자는 리드타임 동안 실제 평균 수요를 알지 못하나 현재 재고정책은 리드타임 동안 평균 수요가 350 이하라는 가정에 기초하고 있다고 하자. 만일 광고활동이 리드타임 동안 평균 수요를 350보다 크게 증가시켰다면, 새로운 재고정책이 도입되어야 할 것이다. 이와 같은 시나리오에서 귀무가설과 대립가설은 다음과 같이 설정된다.

H_0: $\mu \leq 350$
H_1: $\mu > 350$

두 가지 경우 모두에서 대립가설은 평균 수요가 350보다 크다고 결론내릴 수 있는 충분한 증거가 존재하는지 결정하기 위해 설정된 것이라는 점을 주목하라. 두 가지 경우에서 귀무가설은 다르지만, 가설검정이 수행될 때 검정과정은 평균 수요가 350과 **같다**는 가정 하에서 진행된다. 달리 말하면, 귀무가설의 형태가 어떠하든지 귀무가설에서 =부호를 사용한다. 그 이유는 다음과 같다. 만일 평균 수요가 350이라고 가정할 때 대립가설이 옳다고 결론내릴 수 있는 충분한 증거가 존재하면, 평균 수요가 350 **미만**이라고 가정할 때도 확실히 동일한 결론을 내릴 수 있다. 따라서 귀무가설은 항상 검정되는 모수가 대립가설에서 설정된 값과 같다고 설정된다.

이 점을 강조하기 위해, 생산운영관리자는 리드타임 동안 평균 수요가 감소하였는지 결정하기 원한다고 하자. 이 경우 귀무가설과 대립가설은 각각 다음과 같이 표현된다.

$$H_0: \mu = 350$$
$$H_1: \mu < 350$$

가설들은 생산운영관리자의 의사결정문제를 반영하여 설정된다. 귀무가설은 현재 상태를 나타낸다. 귀무가설은 특정한 재고정책이 유지되는 상황을 반영하여 설정된다. 만일 모수 값의 증가 또는 감소에 관한 증거가 존재한다면, 새로운 조치가 이루어질 것이다. 이와 같은 새로운 조치에는 새로운 제품을 생산하기로 결정하는 것, 질병을 처방하기 위해 더 좋은 약으로 전환하는 것, 피고에게 감옥형을 선고하는 것 등이 포함된다.

가설검정의 다음 요소는 모집단으로부터 임의표본을 추출하고 표본평균을 계산하는 것이다. 표본평균은 **검정통계량**(test statistic)이라고 부른다. 검정통계량은 가설에 관한 의사결정을 할 때 기초가 되는 기준이다. (범죄재판에서 이것은 소송에서 제출된 증거에 해당된다.) 검정통계량은 모수의 최량추정량(best estimator)으로 설정된다. 제10장에서 모평균의 최량추정량은 표본평균이라는 것을 살펴보았다.

만일 검정통계량의 값이 귀무가설과 가깝지 않으면, 귀무가설은 기각되고 대립가설이 옳다는 추론이 이루어진다. 예를 들면, 평균 수요가 350보다 큰지 결정하고자 한다면, $\bar{x}$의 값이 크다(말하자면 600)는 것이 충분한 증거가 된다. 만일 $\bar{x}$가 350에 가까우면(말하자면 355), 표본평균의 값이 모평균이 350보다 크다고 추론할 수 있을 만큼 충분한 증거를 제시한다고 말할 수 없다. 충분한 증거가 없는 경우 귀무가설은 기각되지 않는다. (유죄의 충분한 증거가 없는 경우 배심원은 피고가 유죄가 아니라는 의사결정을 한다.)

범죄재판에서 “충분한 증거”는 “합리적인 의심을 넘어서는 증거”라고 정의된다. 통계학에서는 “충분한 증거”를 정의하기 위해 검정통계량의 표본분포가 사용된다. 다음 절에서는 검정통계량의 표본분포를 사용하는 방법이 논의된다.

연습문제

연습문제 11.1~11.5는 통계학 이외의 분야에서 가설검정이 어떻게 적용되는지 보여준다. 각 경우에 가설들을 설정하라. 제1종 오류와 제2종 오류를 정의하고 각 오류의 결과를 논의하라. 당신은 가설을 설정하는 데 있어서 "증명의 부담"을 어디에 두어야 하는지 고려하여야 한다.

11.1 새로운 약의 안정성과 효과를 판단하는 것은 미국 연방정부의 책임이다. 두 가지의 가능한 의사결정, 즉 새로운 약을 승인하는 것과 새로운 약을 승인하지 않는 것이 존재한다.

11.2 당신은 경영학 또는 경제학 박사학위 취득을 고려하고 있다. 만일 당신이 성공하면, 명예로운 삶, 재산, 행복이 기다린다. 만일 당신이 실패하면, 당신의 삶에서 5년을 낭비하게 된다. 당신은 경영학 또는 경제학 박사학위를 취득할 것인가?

11.3 당신은 New York Yankees의 중견수이다. 월드시리즈의 7번째 게임에서 9회말이 진행 중이다. 양키즈는 투 아웃과 2루와 3루에 주자들이 있는 상태에서 2점을 리드하고 있다. 타자는 평균 이상으로 안타를 치고 잘 달리는 것으로 알려져 있으나 보통의 파워를 가지고 있다. 안타는 게임을 타이로 만들 것이고 당신의 머리 위로 넘어가는 안타는 Yankees가 게임에서 지게 만들 것이다. 당신은 낮은 자세로 플레이할 것인가?

11.4 당신은 두 가지 투자방안에 직면해 있다. 한 가지 투자방안은 매우 위험스러우나 잠재적 수익률이 높다. 다른 투자방안은 안전하나 잠재적 수익률은 매우 제한되어 있다. 하나의 투자방안을 선택하라.

11.5 당신은 점보비행기의 조종사이다. 당신은 조종실에서 연기냄새를 감지하였다. 가장 가까운 비행장은 5분 미만의 거리만큼 떨어져 있다. 당신은 비행기를 즉각적으로 착륙시켜야 하는가?

11.6 수년 전에 이루어진 유명인사 소송의 피고는 이중살인재판에서 무죄선언되었으나 그 후에 민사재판에서 그 죽음에 책임이 있는 것으로 밝혀졌다. 민사재판에서 원고(희생자의 친척)는 피고의 유죄를 증명하기 위한 충분한 증거를 보이도록 해야 한다. 소송에서 다른 쟁점들은 제쳐두고 왜 이 결과는 논리적인지 논의하라.

11.2 모표준편차가 알려져 있을 때 모평균에 대한 가설검정

가설검정과정을 예시하기 위해 다음과 같은 예제를 생각해보자.

예제 11.1 백화점의 새로운 청구시스템

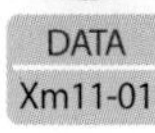

한 백화점의 경영자는 신용카드 고객을 위한 새로운 청구시스템을 구축하는 것에 대하여 생각하고 있다. 이 경영자는 철저한 재무분석을 한 후에 새로운 청구시스템은 월간 청구금액의 평균이 170달러

보다 클 때만 비용효율적이라고 결정하였다. 400개의 월간 청구금액으로 구성된 임의표본이 추출되었고 표본평균은 178달러였다. 이 경영자는 월간 청구금액은 근사적으로 모표준편차가 65달러인 정규분포를 따른다는 것을 알고 있다. 이 경영자는 새로운 청구시스템이 비용효율적이라고 결론내릴 수 있는가?

해답 **선택**

이 예제는 백화점의 신용카드고객 월간 청구금액 모집단을 다루고 있다. 새로운 청구시스템이 비용효율적이라고 결론내리기 위해서는 이 경영자는 모든 신용카드 고객들의 평균 청구금액이 170달러보다 커야 한다는 것을 보여야 한다. 따라서 이와 같은 상황을 나타내기 위한 대립가설은 다음과 같이 설정된다.

$H_1: \mu > 170$ (새로운 청구시스템을 도입하라)

만일 모평균이 170 이하이면, 새로운 청구시스템은 비용효율적이지 못할 것이다. 귀무가설은 다음과 같이 표현될 수 있다.

$H_0: \mu \leq 170$ (새로운 청구시스템을 도입하지 마라)

그러나 제11.1절에서 논의한 것처럼 실제로 $H_0: \mu = 170$을 검정할 것이다.

앞에서 지적한 것처럼 검정통계량은 모수의 최량추정량이다. 제10장에서 모평균을 추정하기 위해 표본평균이 사용되었다. 이와 같은 검정을 수행하기 위해 다음과 같은 질문에 대답해야 한다. 모평균이 170보다 크다고 확신을 가지고 추론할 수 있을 만큼 표본평균 178은 충분히 큰가?

이 질문에 대답하는 두 가지 방법이 존재한다. 첫 번째 방법은 **기각역 방법**(rejection region method)이라고 부른다. 이 방법은 컴퓨터와 함께 사용될 수 있으나 직접 통계량을 계산하고자 하는 사람에게는 필수적이다. 두 번째 방법은 일반적으로 컴퓨터와 통계 소프트웨어와 함께 사용될 수 있는 ***p*-값 방법**(*p*-value approach)이다. 그러나 통계 소프트웨어의 사용자도 두 가지 방법 모두를 알아야 한다.

11.2a 기각역

표본평균의 값이 170과 비교하여 상대적으로 크면 대립가설을 선호하여 귀무가설을 기각하는 것이 합리적이다. 만일 표본평균이 500으로 계산되었다면, 귀무가설이 허위라는 것이 매우 분명할 것이고 귀무가설은 기각된다. 다른 한편 $\bar{x}$가 171과 같이 170과 가깝다면, 평균이 170인 모집단으로부터 171의 표본평균을 관측하는 것이 전적으로 가능하기 때문에 귀무가설을 기각할 수 없다. 불행하게도 이와 같은 의사결정이 항상 명백한 것은 아니다. 이 예제에서 표본평균은 178로 계산되었다. 178은 170으로부터 매우 떨어져 있지도 않고 170에 매우 가깝지도 않다. 이와 같은 표본평균에 관한 의사결정을 하기 위해 **기각역**(rejection region)이 설정된다.

기각역

기각역(rejection region)은 검정통계량이 이 범위에 속하면 대립가설을 선호하여 귀무가설을 기각하는 의사결정이 이루어지는 값들의 범위이다.

귀무가설을 기각하기에 충분할 만큼 큰 표본평균의 값들 중에서 가장 작은 표본평균의 값을 $\bar{x}_L$이라고 정의하자. 기각역은 $\bar{x} > \bar{x}_L$이다.

제1종 오류는 옳은 귀무가설을 기각하는 오류이다. 제1종 오류를 범할 확률은 α이기 때문에,

$$\alpha = P(H_0\text{이 옳은데도 }H_0\text{을 기각한다})$$
$$= P(H_0\text{이 옳다는 전제 하에서 }\bar{x} > \bar{x}_L\text{이다})$$

그림 11.1은 H_0이 옳다는 전제 하에서 표본평균의 표본분포와 기각역을 그린 것이다.

그림 11.1 예제 11.1의 표본분포

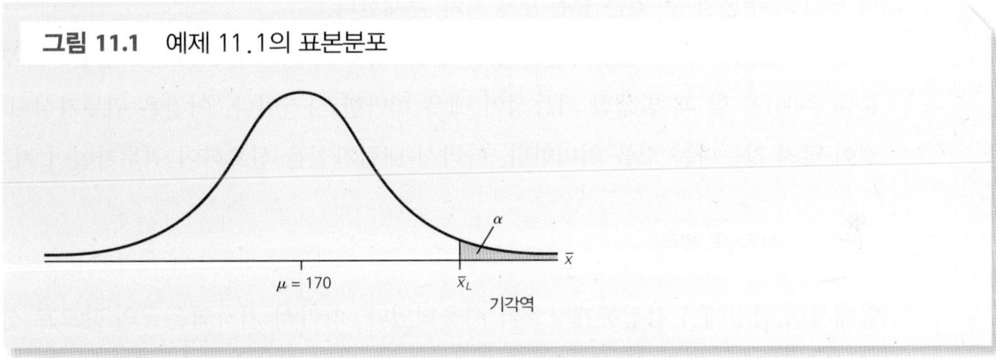

제9.1절에서 $\bar{x}$의 표본분포는 평균이 μ이고 표준편차가 $\sigma/\sqrt{n}$인 정규분포이거나 근사적으로 정규분포이다. 따라서 $\bar{x}$를 표준화하면 다음과 같은 확률이 구해진다.

$$P\left(\frac{\bar{x}-\mu}{\sigma/\sqrt{n}} > \frac{\bar{x}_L-\mu}{\sigma/\sqrt{n}}\right) = P\left(Z > \frac{\bar{x}_L-\mu}{\sigma/\sqrt{n}}\right) = \alpha$$

제8.2절에서 z_α는 다음과 같은 조건을 충족시키는 표준정규확률변수의 값으로 정의된다.

$$P(Z > z_\alpha) = \alpha$$

두 가지 확률 표현에는 동일한 분포(표준정규분포)와 동일한 확률(α)이 포함되어 있기 때문에 다음과 같은 관계가 얻어진다.

$$\frac{\bar{x}_L - \mu}{\sigma / \sqrt{n}} = z_\alpha$$

$\sigma=65$와 $n=400$이다. 귀무가설이 옳다는 조건 하에서 $\mu=170$이다. 기각역을 계산하기 위해서는 유의수준 α의 값이 필요하다. 이 백화점의 경영자가 α를 5%로 선택한다고 하자. 이러한 경우 $z_\alpha = z_{.05} = 1.645$이다. 이어서 $\bar{x}_L$은 다음과 같이 계산될 수 있다.

$$\frac{\bar{x}_L - \mu}{\sigma / \sqrt{n}} = z_\alpha$$

$$\frac{\bar{x}_L - 170}{65 / \sqrt{400}} = 1.645$$

$$x_L = 175.35$$

따라서 기각역은 $\bar{x} > 175.35$이다.

표본평균은 178로 계산되었다. 검정통계량(표본평균)이 기각역에 속하기 때문에($\bar{x}=178$이 175.35보다 크기 때문에) 귀무가설이 기각된다. 따라서 평균 월간 청구금액이 170달러보다 크다고 추론할 수 있는 충분한 증거가 존재한다.

$\bar{x}$가 175.35보다 크다는 사건은 평균이 170이고 표준편차가 65인 모집단으로부터 표본추출($n=400$)을 할 때 발생할 가능성이 매우 희박한 사건이다. 이것은 귀무가설이 옳다는 가정이 맞지 않는다는 것을 의미한다. 따라서 대립가설을 선호하여 귀무가설이 기각된다.

11.2b 표준화 검정통계량

앞에서의 검정에서 검정통계량 $\bar{x}$가 사용되었다. 따라서 기각역은 $\bar{x}$의 값으로 설정되었다. 더 쉬운 검정 방법은 검정통계량이 $\bar{x}$의 표준화 값이 되도록 하는 것이다. 즉, 다음과 같은 **표준화 검정통계량**(standardized test statistic)이 사용된다.

$$z = \frac{\bar{x} - \mu}{\sigma / \sqrt{n}}$$

기각역은 z_α보다 큰 z의 값들로 구성된다. 수학적으로 표현하면, 기각역은

$$z > z_\alpha$$

이다. 표준화 검정통계량을 사용하면서 예제 11.1을 다시 풀 수 있다. 기각역은

$$z > z_\alpha = z_{.05} = 1.645$$

이다. H_0가 옳다는 전제 하에서 검정통계량의 값은 다음과 같이 계산된다.

$$z = \frac{\bar{x} - \mu}{\sigma / \sqrt{n}} = \frac{178 - 170}{65 / \sqrt{400}} = 2.46$$

2.46은 1.645보다 크기 때문에 귀무가설을 기각하고 평균 월간 청구금액은 170달러보다 크다고 추론할 수 있는 충분한 증거가 존재한다고 결론내린다.

당신이 보는 것처럼, 검정통계량 $\bar{x}$를 사용하면서 얻은 결론과 표준화 검정통계량 z를 사용하면서 얻은 결론은 동일하다. 그림 11.2와 그림 11.3은 두 검정의 동일성을 강조하기 위해 두 개의 표본분포를 그린 것이다.

그림 11.2 예제 11.1을 위한 $\bar{x}$의 표본분포

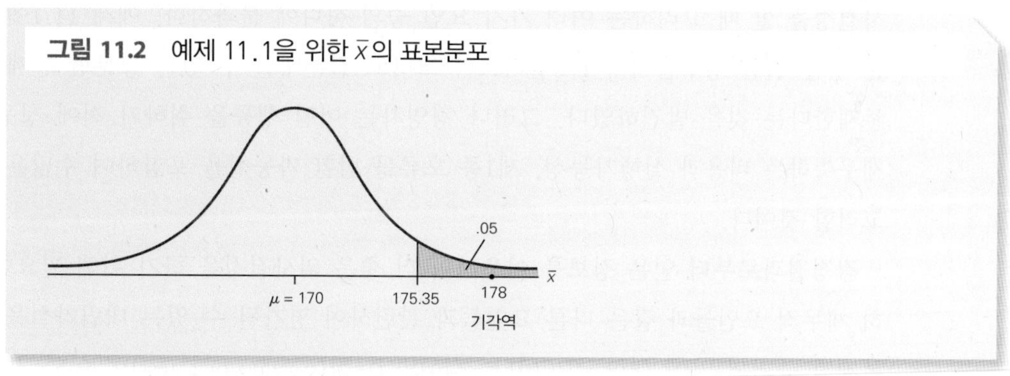

그림 11.3 예제 11.1을 위한 z의 표본분포

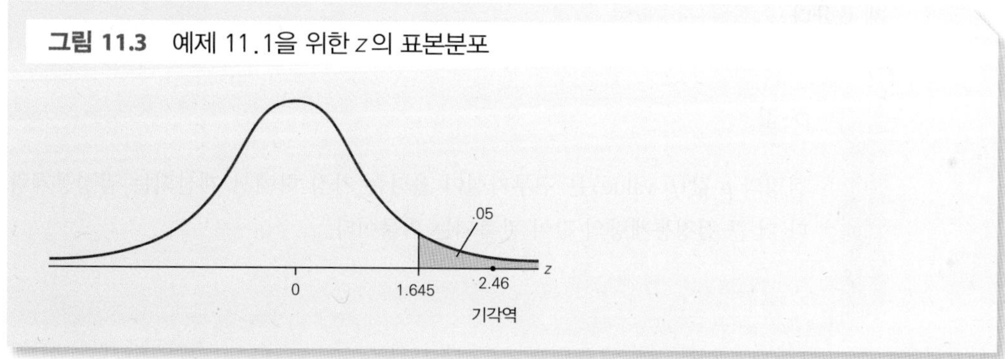

표준화 검정통계량은 편리하고 통계소프트웨어 패키지에서 사용되기 때문에 이 책에서 기본적로 사용된다. 이러한 이유로 이 책에서는 논의를 단순하게 하기 위해, **표준화 검정통계량**(standardized test statistic)을 간단히 **검정통계량**(test statistic)이라고 말한다.

다시 말하면, 귀무가설이 기각될 때 검정이 주어진 유의수준에서 **통계적으로 유의하다**(statistically significant)라고 말한다. 예제 11.1의 결과를 요약하면, 검정은 5%의 유의수준에서 유의하다.

11.2c p-값

기각역 방법에는 몇 가지의 단점이 존재한다. 가장 중요한 단점은 검정의 결과에 의해 제공되는 정보의 종류와 관련되어 있다. 기각역 방법은 "대립가설이 옳다고 추론할 수 있는 충분한 통계적 증거가 존재하는가?"라는 질문에 대하여 "예" 또는 "아니오"의 대답만을 제공한다. 이러한 기각역 방법의 시사점은 이와 같은 검정의 결과는 자동적으로 두 가지 가능한 행동, 즉 대립가설을 선호하여 귀무가설을 기각하는 결과와 같은 행동과 귀무가설을 기각하지 않는 결과와 같은 행동 중의 하나로 전환된다는 것이다. 예제 11.1에서 귀무가설의 기각은 새로운 청구시스템이 구축될 것이라는 것을 제시하는 것처럼 보인다.

실제로 이것이 통계분석의 결과가 사용되는 방식은 아니다. 통계분석은 경영자가 의사결정을 할 때 고려하는 여러 가지 요인 중의 하나에 불과하다. 예제 11.1에서 경영자는 평균 월간 청구금액이 170달러보다 크다고 결론내릴 수 있는 충분한 통계적 증거가 존재한다는 것을 발견하였다. 그러나 경영자는 어떤 행동을 취하기 전에 청구시스템을 재구축하는 비용과 실행가능성, 제1종 오류를 범할 가능성을 포함하여 수많은 요인들을 고려할 것이다.

검정결과로부터 얻은 정보를 이용하여 더 좋은 의사결정을 하기 위해 필요한 것은 특히 재무적 요인들과 같은 다른 요인들과 관련하여 평가될 수 있는 대립가설을 지지하는 통계적 증거의 양에 대한 척도이다. **검정의 p-값**(p-value of a test)이 이와 같은 척도를 제공한다.

p-값

검정의 **p-값**(p-value)은 귀무가설이 옳다는 가정 하에서 계산되는 검정통계량의 값보다 더 큰 검정통계량의 값이 관측되는 확률이다.

예제 11.1에서 p-값은 모평균이 170일 때 178보다 더 큰 표본평균을 관측할 확률이다. 따라서

$$p\text{-값} = P(\bar{x} > 178) = P\left(\frac{\bar{x} - \mu}{\sigma / \sqrt{n}} > \frac{178 - 170}{65 / \sqrt{400}}\right) = P(Z > 2.46)$$

$$= 1 - P(Z < 2.46) = 1 - .9931 = .0069$$

이다. 그림 11.4는 p-값을 그래프로 나타낸 것이다.

그림 11.4 예제 11.1을 위한 p-값

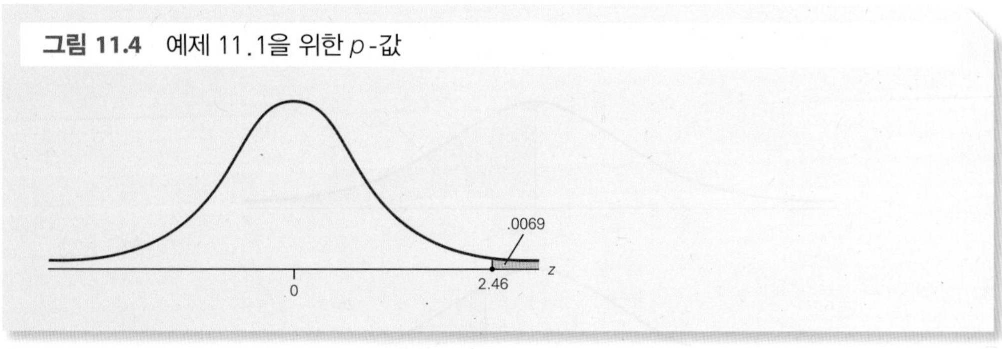

11.2d p-값의 해석 1

통계적 추론과정의 결과를 적정하게 해석하기 위해, 당신은 통계기법이 표본분포에 기초한 것이라는 것을 기억해야 한다. 표본분포는 모수를 안다고 가정하면서 표본통계량에 관한 확률을 계산할 수 있게 해준다. 따라서 평균이 170인 모집단으로부터 178보다 큰 표본평균을 관측할 확률은 매우 작은 값인 .0069이다. 만일 모평균이 170이라면, 표본평균이 178보다 클 가능성은 매우 작은데 이러한 사건이 발생되었다. 이 결과는 귀무가설이 옳지 않다는 점을 제시한다. 따라서 대립가설을 선호하여 귀무가설은 기각된다.

학생들은 p-값이 귀무가설이 옳을 확률이라고 단순하게 해석하고 싶을 수 있다. 그렇게 해석하지 마라. 신뢰구간추정량을 해석하는 경우처럼, 당신은 모수에 대하여 확률에 관한 진술을 할 수 없다. 모수는 확률변수가 아니다.

검정의 p-값은 대립가설을 지지하는 통계적 증거의 양을 측정하기 때문에 가치 있는 정보를 제공한다. 이와 같은 해석을 충분히 이해하기 위해 예제 11.1의 경우를 상정하여 여러 가지 $\bar{x}$값, z-통계량, p-값을 정리한 표 11.2를 참조하라. $\bar{x}$가 귀무가설로 설정된 모평균

표 11.2 예제 11.1을 위한 검정통계량의 값과 p-값

표본평균 $\bar{x}$	검정통계량 $z = \dfrac{\bar{x} - \mu}{\sigma/\sqrt{n}} = \dfrac{\bar{x} - 170}{65/\sqrt{400}}$	p-값
170	0	.5000
172	0.62	.2676
174	1.23	.1093
176	1.85	.0322
178	2.46	.0069
180	3.08	.0010

그림 11.5 예제 11.1을 위한 p-값

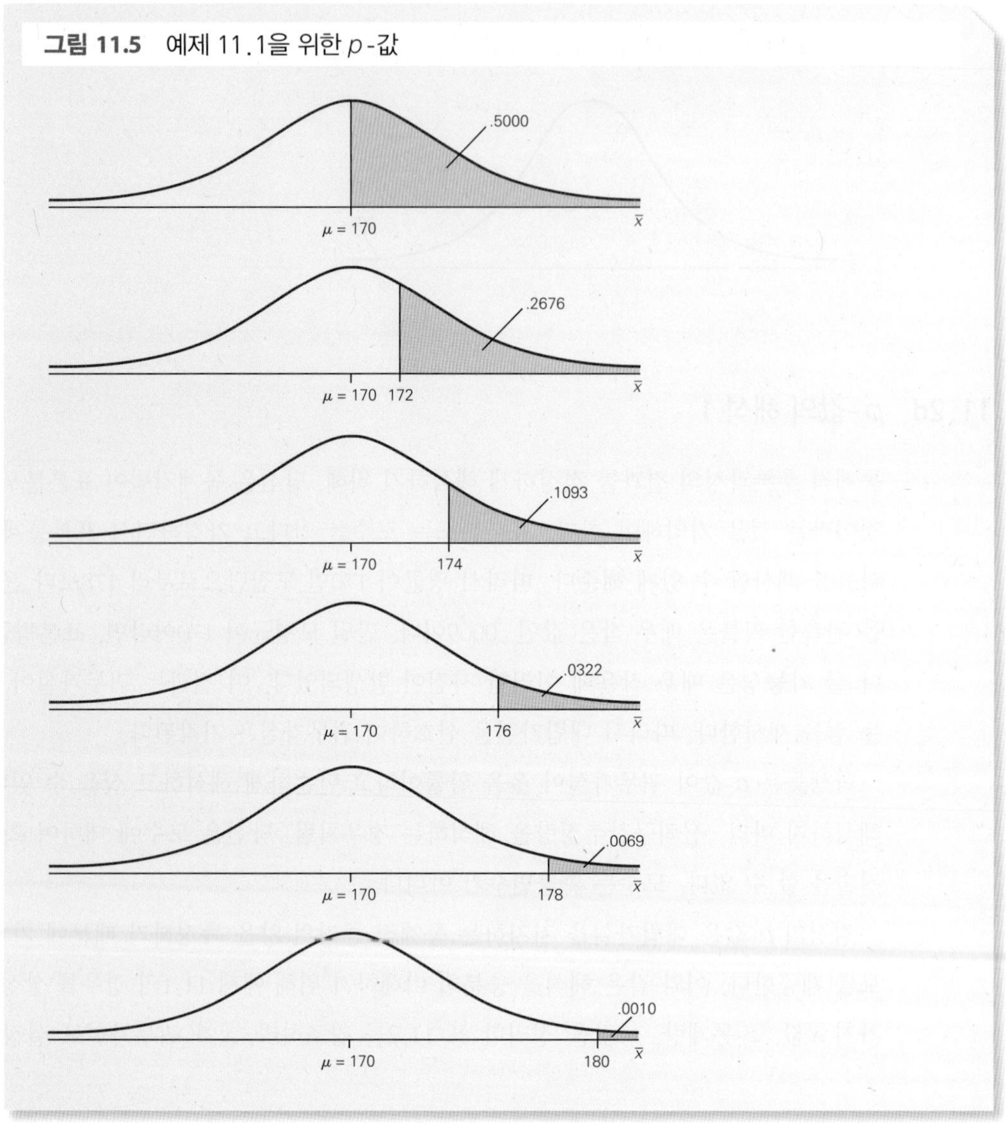

170에 가까울수록 p-값이 더 커진다는 점에 주목하라. $\bar{x}$가 170보다 크게 멀어질수록 p-값은 작아진다. 170보다 크게 떨어져 있는 $\bar{x}$의 값은 대립가설이 옳다는 점을 제시한다. 따라서 p-값이 작을수록 대립가설을 지지하는 더 많은 통계적 증거가 존재한다. 그림 11.5는 표 11.2에 있는 정보를 그래프로 나타낸 것이다.

이것은 다음과 같은 질문을 제기한다. 대립가설이 옳다고 추론하기 위해서 p-값은 얼마나 작아야 하는가? 일반적으로 이 질문에 대한 대답은 제1종 오류와 제2종 오류를 범하는 데 따른 비용을 포함하는 수많은 요인들에 의해 결정된다. 예제 11.1에서 경영자가 비용효율적이지 않은데도 새로운 청구시스템을 도입하면 제1종 오류가 발생할 것이다. 만일 이와 같은 오류의 비용이 크면, 제1종 오류의 확률을 최소화하도록 해야 한다. 기각역 방법에서는 이와 같은 일은 유의수준을 매우 낮게, 말하자면 1%로 선택함으로써 이루어진다. p-값 방법에서는 새로운 청구시스템을 도입하기 전에 평균 월간 청구금액이 170달러보다 크다고 추론할 수 있는 충분한 증거가 p-값이 매우 작도록 제시되어야 한다.

11.2e p-값의 해석 2

통계전문가들은 다음과 같은 용어를 사용하면서 p-값을 해석한다.

- 만일 p-값이 .01보다 작으면, 대립가설이 옳다고 추론할 수 있는 **압도적인**(overwhelming) 증거가 존재한다고 말한다. 검정이 **매우 유의하다**(highly significant)고 말한다.
- 만일 p-값이 .01과 .05 사이에 속하면, 대립가설이 옳다고 추론할 수 있는 **강한**(strong) 증거가 존재한다고 말한다. 검정은 **강하게 유의하다**(strongly significant)고 말한다.
- 만일 p-값이 .05와 .10 사이에 속하면, 대립가설이 옳다고 추론할 수 있는 **약한**(weak) 증거가 존재한다고 말한다. 검정은 통계적으로 **약하게 유의하다**(weekly significant)고 말한다.
- 만일 p-값이 .10보다 크면, 대립가설이 옳다고 추론할 수 있는 증거가 존재하지 않는다고 말한다. 검정은 통계적으로 **유의하지 않다**(not statistically significant)고 말한다.

그림 11.6은 p-값을 해석하는 데 사용되는 용어를 요약한 것이다.

그림 11.6 검정의 p-값 해석하기

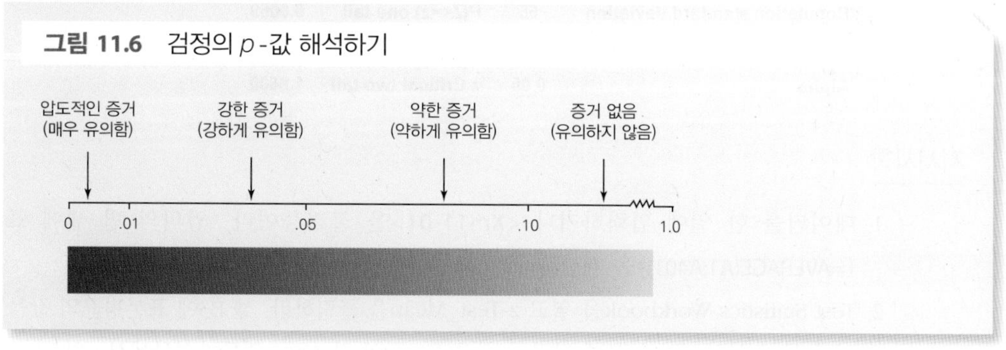

11.2f p-값 방법과 기각역 방법

기각역 방법에서 얻어지는 동일한 의사결정을 하기 위해 p-값 방법이 사용될 수 있다. 기각역 방법에서는 의사결정자가 기각역이 만들어지는 유의수준을 선택하여야 한다. 이어서 귀무가설을 기각하느냐 기각하지 않느냐의 의사결정이 이루어진다. 동일한 의사결정을 하는 다른 방법은 선택된 유의수준의 값 α와 p-값을 비교하는 것이다. 만일 p-값이 α보다 작으면, 귀무가설을 기각하기에 충분할 만큼 p-값이 작다고 판단한다. 만일 p-값이 α보다 크면, 귀무가설을 기각하지 않는다.

11.2g 직접 문제 풀기와 Excel을 사용하여 문제 풀기

당신이 이미 살펴본 것처럼, 이 책에서는 통계문제를 푸는 두 가지 방법이 사용된다. 직접 계산하는 경우에는 기각역 방법이 사용된다. 검정통계량의 표본분포와 부록 B에 있는 관련 표를 사용하면서 기각역이 설정된다. 계산이 직접 이루어지고 귀무가설을 기각하거나 기각하지 않는 의사결정이 이루어진다. 이 장에서는 검정의 p-값을 직접 계산하는 것이 가능하다. 그러나 정규분포를 따르지 않는 검정통계량들을 사용하는 다음의 장들에서는 검정의 p-값을 직접 계산하는 것이 불가능하다. 이와 같은 경우에 직접 문제를 풀 때 기각역 방법에 의해서만 의사결정이 이루어져야 한다. 그러나 계산을 수행하기 위해 컴퓨터가 사용될 때, Excel의 Data Analysis와 이 교재에서 제공하는 Workbooks를 포함하여 대부분의 통계 소프트웨어가 제공하는 p-값에 기초하여 의사결정이 이루어진다.

EXCEL Workbook

	A	B	C	D
1	z-Test of a Mean			
2				
3	Sample mean	178	z Stat	2.46
4	Population standard deviation	65	P(Z<=z) one-tail	0.0069
5	Sample size	400	z Critical one-tail	1.6449
6	Hypothesized mean	170	P(Z<=z) two-tail	0.0138
7	Alpha	0.05	z Critical two-tail	1.9600

지시사항

1. 데이터를 한 열에 입력하거나 <Xm11-01>을 불러들여라. 임의의 빈 셀에 표본평균(=AVERAGE(A1:A401))을 계산하라.
2. Test Statistics Workbook을 열고 z-Test_Mean을 클릭하라. 셀 B3에 표본평균의 값을 입력하거나 복사하라. 셀 B4-B7에 각각 σ의 값(65), n의 값(400), 귀무가설하에서 μ의 값(170), α의 값(.05)을 입력하라.

스프레드시트는 검정통계량의 값, $z=2.46$을 보고한다. 검정의 p-값은 .0069이다. Excel은 이러한 확률을 $P(Z<=z)$ one tail로 보고한다.

11.2h 검정의 결과 해석하기

예제 11.1에서 귀무가설이 기각되었다. 이와 같은 결과는 대립가설이 옳다는 것을 증명하는 것인가? 대답은 "아니오"이다. 왜냐하면 우리의 결론이 전체 모집단에 기초한 것이 아니라 표본데이터에 기초하고 있기 때문이다. 우리는 아무것도 **증명**할 수 없으며 단순히 추론만 할 뿐이다. 따라서 우리는 검정의 결과를 "귀무가설이 허위이고 대립가설이 옳다고 추론할 수 있는 충분한 증거가 존재한다"고 요약한다.

이제 $\bar{x}$가 178 대신에 174라고 하자. 이 경우 검정통계량의 값은 $z=1.23$ (p-값=.1093)이고 이 값은 기각역에 속하지 않는다. 이와 같은 결과에 기초하여 귀무가설이 옳다, 즉 $\mu=170$이라고 추론할 수 있는 충분한 증거가 존재한다고 결론내릴 수 있는가? 이에 대한 대답도 "아니오"이다. 왜냐하면 표본평균 174가 모평균이 170이라고 추론할 수 있는 충분한 증거를 제공한다고 제시하는 것이 불합리하기 때문이다. 귀무가설 하에서 하나의 모수값을 검정하는 것이기 때문에 전체 모집단이 표본으로 추출되지 않는 한 귀무가설이 옳다는 것을 증명할 충분한 증거가 제시될 수 없다. (만일 당신이 귀무가설을 H_0: $\mu \leq 170$으로 설정하더라도 동일한 주장이 유효하다. 표본평균 174가 모평균이 170 이하라고 결론지을 수 있는 충분한 증거가 제시되지 않는다.)

따라서 만일 검정통계량의 값이 기각역에 속하지 않으면(또는 p-값이 크면), 귀무가설을 채택한다고 말하기보다는 귀무가설이 기각되지 않는다고 말하고 대립가설이 옳다는 충분한 증거가 존재하지 않는다고 결론짓는다. 그렇게 보일 수 있지만 우리가 지나치게 기술적으로 논의하는 것은 아니다. 적정하게 가설을 설정하고 가설검정의 결과를 정확하게 해석하는 능력은 이와 같은 점에 대하여 당신이 얼마나 이해하느냐에 의해 결정된다. 결론은 대립가설에 기초하여 이루어진다는 것이 요점이다. 최종적인 분석에서 가설검정의 결론은 다음과 같은 두 가지 중 하나가 된다.

가설검정의 결론

만일 귀무가설이 기각되면, 대립가설이 옳다고 추론할 수 있는 충분한 통계적 증거가 존재한다고 결론짓는다.

만일 귀무가설이 기각되지 않으면, 대립가설이 옳다고 추론할 수 있는 충분한 통계적 증거가 존재하지 않는다고 결론짓는다.

대립가설이 결론의 초점이라는 점에 주목하라. 대립가설이 우리가 조사하고 있는 것을 나타낸다. 이것이 대립가설을 연구가설이라고 부르는 이유이다. 당신이 통계분석을 통하여 보이고자 하는 것은 대립가설로 제시되어야 한다. 당신은 대립가설을 설정할 때 3가지 선택만을 가지게 된다는 점을 명심하여야 한다. 3가지 선택은 모수가 귀무가설에서 규정된 값보다 크거나, 작거나, 또는 같지 않다는 것이다.

제10장에서 통계적 추론을 소개하면서 문제를 풀기 위한 첫 단계는 사용하여야 하는 통계기법을 선택하는 것이라는 점을 지적하였다. 문제가 가설검정이면, 가설의 설정이 이러한 과정의 한 부분이다. 대립가설은 연구하고자 하는 조건을 나타내기 때문에 먼저 설정되어야 한다. 귀무가설은 =의 형태로 규정되기 때문에 주어진 대립가설 하에서 자동적으로 설정된다. 그러나 전통적으로 두 가설을 열거할 때 먼저 귀무가설이 나오고 이어서 대립가설이 나온다. 이 책의 모든 예제는 이와 같은 방식을 따른다.

해답 SSA 봉투 발송계획

선택

Franck Boston/Shutterstock.com

연구의 목적은 평균 지불기간에 관한 결론을 도출하는 것이다. 따라서 검정되어야 하는 모수는 모평균 μ이다. 우리는 모평균이 22일보다 짧다는 것을 보일 수 있는 충분한 통계적 증거가 존재하는지 알기 원한다. 따라서 대립가설은 H_1: $\mu<22$로 설정된다. 귀무가설은 H_0: $\mu=22$로 설정된다. 검정통계량은 지금까지 소개했던 것과 같다. 검정통계량은

$$z = \frac{\bar{x} - \mu}{\sigma / \sqrt{n}}$$

이다.

계산

직접 계산

이 문제를 직접 풀기 위해서는 기각역이 정의되어야 한다. 먼저 유의수준을 선택하여야 한다. 10%의 유의수준이 적정한 것으로 선택되었다.

표본평균과 검정통계량의 값이 충분히 작을 때에만 대립가설을 선호하여 귀무가설이 기각된다. 따라서 기각역은 표본분포의 왼쪽 꼬리부분에 위치한다. 그 이유를 이해하기 위해서 우리가 하고자 하는 일은 대립가설에 규정되어 있는 모평균이 22보다 작다고 추론할 수 있는 충분한 통계적 증거가 존재하는지 결정하고자 하는 것이라는 점을 기억하라. 표본평균이 크면(이에 따라 z가 큰 값을 가지면) 대립가설을 선호하여 귀무가설을 기각하기를 원하는가? 그 대답은 단호하게 "아니오"이다. 말하자면, 표본평균이 30이면 모든 고객의 평균 지불기간은 22보다 작다라고 결론지을 수 있는 충분한 증거가 존재한다고 생각하는 것은 비논리적이다. 따라서 표본평균이 작을 때(이에 따라 검정통계량 z의 값이 작을 때)에만 귀무가설을 기각하기 원한다. 얼마나 작은 것이

충분히 작은 것인가? 그 대답은 유의수준과 기각역에 의해 결정된다. 따라서 기각역은 다음과 같이 설정된다.

$$z < -z_\alpha = -z_{.10} = -1.28$$

기각역에 있는 부등호의 방향($z < -z_\alpha$)은 대립가설에 있는 부등호의 방향($\mu<22$)과 일치한다는 점에 주목하라. 또한 기각역이 표본분포의 왼쪽 꼬리부분에 있기 때문에 음의 부호를 사용한다는 점에 주목하라.

데이터로부터 데이터의 합과 표본평균을 계산한다. 데이터의 합과 표본평균은 다음과 같다.

$$\sum x_i = 4{,}759$$

$$\bar{x} = \frac{\sum x_i}{220} = \frac{4{,}759}{220} = 21.63$$

SSA 프로그램의 지불기간 표준편차는 현재의 값인 $\sigma=6$과 같다고 가정한다. 표본크기는 $n=220$이고 μ의 값은 22라고 귀무가설로 설정되어 있다. 검정통계량의 값은 다음과 같이 계산된다.

$$z = \frac{\bar{x} - \mu}{\sigma/\sqrt{n}} = \frac{21.63 - 22}{6/\sqrt{220}} = -.91$$

검정통계량의 값 $z=-.91$은 -1.28보다 작지 않기 때문에 대립가설을 선호하여 귀무가설이 기각되지 않는다. 모평균이 22일보다 짧다고 추론할 수 있는 충분한 증거가 존재하지 않는다.
검정의 p-값은 다음과 같이 결정된다.

$$p\text{-값} = P(Z < -.91) = .1814$$

이와 같은 가설의 단측검정에서 p-값은 $P(Z<z,\ z=$검정통계량의 실제 값$)$으로 계산된다. 그림 11.7은 표본분포, 기각역, p-값을 그린 것이다.

EXCEL Workbook

	A	B	C	D
1	z-Test of a Mean			
2				
3	Sample mean	21.63	z Stat	-0.91
4	Population standard deviation	6	P(Z<=z) one-tail	0.1814
5	Sample size	220	z Critical one-tail	1.6449
6	Hypothesized mean	22	P(Z<=z) two-tail	0.3628
7	Alpha	0.05	z Critical two-tail	1.9600

해석

검정통계량의 값은 $-.91$이고 검정의 p-값은 .1814이다. 이 수치는 귀무가설을 기각할 수 없게 한다. 귀무가설을 기각할 수 없기 때문에 평균 지불기간이 22일보다 짧다고 추론할 수 있는 충분한 증거가 존재하지 않는다고 말한다. 지불기간의 전체 모집단 평균은 22일보다 짧다는 것을 제시하는 일부의 증거가 존재한다는 점에 주목하라. 표본평균은 21.63으로 계산되었다. 그러나 귀무가설을 기각하기 위해서는 충분한 통계적 증거가 필요하고 이 경우에 대립가설을 선호하여 귀무가설을 기각할 수 있는 충분한 이유를 가지고 있지 않다. SSA가 보내진 모든 고객의 평균 지불기간이 22일보다 짧다고 보일 수 있는 충분한 증거가 없기 때문에 SSA 프로그램이 이익을 발생시킬 것이라고 추론할 수 없다.

제1종 오류는 실제로 그렇지 않음에도 불구하고 SSA 프로그램이 이익을 발생시킬 것이라고 결론내릴 때 발생한다. 이와 같은 실수의 비용은 크지 않다. 제2종 오류는 SSA 프로그램이 비용을 감소시키는 데도 SSA 프로그램을 채택하지 않을 때 발생한다. 이와 같은 실수의 비용은 클 수 있다. 따라서 우리는 제2종 오류의 확률을 최소화시키기 원한다. 따라서 우리는 제1종 오류의 확률을 큰 값으로 선택하였다. $\alpha = .10$이 선택되었다. 그림 11.7은 이 예제를 위한 표본분포를 그린 것이다.

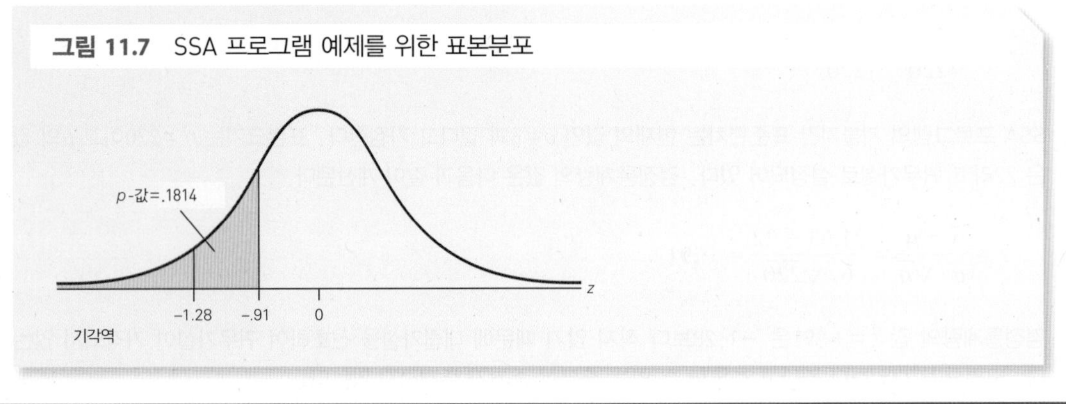

그림 11.7 SSA 프로그램 예제를 위한 표본분포

11.2i 단측검정과 양측검정

예제 11.1과 SSA 봉투 예제에서 수행된 통계적 검정은 기각역이 표본분포의 한쪽 꼬리부분에만 위치하고 있기 때문에 **단측검정**(one-tail test)이라고 부른다. 이 경우 p-값은 표본분포의 한쪽 꼬리부분에 있는 면적이다. 예제 11.1에서 오른쪽 꼬리부분은 대립가설이 평균이 170 **보다 크다**는 것을 규정하고 있기 때문에 중요한 꼬리부분이다. SSA 봉투 예제에서 대립가설은 평균이 22**보다 작다**고 규정하고 있기 때문에 왼쪽 꼬리부분이 중요한 꼬리부분이다.

이제 **양측검정**(two-tail test)이 필요한 예제를 살펴보자.

예제 11.2 자동주문기기가 패스트푸드 레스토랑의 매출에 미치는 영향

DATA Xm11-02

최근 많은 미국의 주들이 최저임금을 상당히 인상하는 법안을 통과시켰다. 많은 최저임금 근로자들이 패스트푸드 레스토랑에서 일한다. 증가하는 인건비에 대처하기 위해, 일부 회사들은 고객이 선택하고 신용카드나 직불카드를 사용하여 지불하는 자동주문기기로 근로자들을 대체했다. 한 소규모 패스트푸드 레스토랑 체인이 계산요원을 자동주문기기로 대체하는 것을 고려하고 있다. 이러한 계획을 세우는 것을 돕기 위해, 한 프랜차이즈 가맹점주는 맥도날드에서 새로운 기계를 사용하는 개인 고객들로 구성된 임의표본을 추출하고 그들의 지출액에 대한 데이터를 수집하였다. 자동주문기기가 등장하

기 전에 맥도날드 개인 고객의 지출액은 평균이 6.03달러이고 표준편차가 0.91달러인 것으로 알려져 있다. 이 프랜차이즈 가맹점주는 매출의 변화에 대해 우려하고 있다. 5%의 유의수준에서 수집된 데이터가 개인 고객의 지출액이 변화한다는 충분한 증거를 제공하는가?

해답 이 예제에서 평균 지출액이 6.03달러의 모평균으로부터 변화했는지 알기 원한다. 따라서 이러한 조건을 표현하기 위한 대립가설은 다음과 같이 설정된다.

$$H_1:\ \ \mu \neq 6.03$$

귀무가설은 모평균이 대립가설에서 규정된 값과 같다고 설정된다.

$$H_0:\ \ \mu = 6.03$$

계산

직접 계산

기각역을 설정하기 위해, 검정통계량이 크거나 작을 때 귀무가설을 기각할 수 있다는 것을 인식할 필요가 있다. 기각역에 속하는 총면적은 α여야 하기 때문에 이 확률을 2로 나누어야 한다. 따라서 기각역은 다음과 같이 설정된다.

$$z < -z_{\alpha/2} \quad \text{또는} \quad z > z_{\alpha/2}$$

α=.05, $\alpha/2$=.025, $z_{\alpha/2}=z_{.025}$=1.96인 경우, 기각역은 다음과 같이 설정된다.

$$z < -1.96 \quad \text{또는} \quad z > 1.96$$

표본데이터로부터 다음과 같은 통계량들이 계산된다.

$$\sum x_i = 591$$

$$\bar{x} = \frac{\sum_{i=1}^{n} x_i}{n} = \frac{591}{100} = 5.91$$

검정통계량의 값은 다음과 같이 계산된다.

$$z = \frac{\bar{x} - \mu}{\sigma/\sqrt{n}} = \frac{5.91 - 6.03}{.91/\sqrt{100}} = -1.32$$

검정통계량의 값 −1.32는 −1.9보다 작거나 1.96보다 크지 않기 때문에 귀무가설은 기각되지 않는다.

또한 검정의 p-값을 계산할 수 있다. 검정이 양측검정이기 때문에 검정의 p-값은 양쪽 꼬리에 있는 면적을 합하여 계산된다.

$$p\text{-값} = P(Z < -1.32) + P(Z > 1.32) = .0934 + .0934 = .1868.$$

EXCEL Workbook

	A	B	C	D
1	z-Test of a Mean			
2				
3	Sample mean	5.91	z Stat	-1.32
4	Population standard deviation	0.91	P(Z<=z) one-tail	0.0934
5	Sample size	100	z Critical one-tail	1.6449
6	Hypothesized mean	6.03	P(Z<=z) two-tail	0.1868
7	Alpha	0.05	z Critical two-tail	1.9600

해답 검정통계량의 값은 −1.32이고 p-값=.1868이다. 자동주문기기가 계산요원이 있을 때 발생하였던 고객의 지출액을 변화시킨다고 결론내릴 수 있는 충분한 증거가 존재하지 않는다.

그림 11.8 예제 11.2를 위한 표본분포

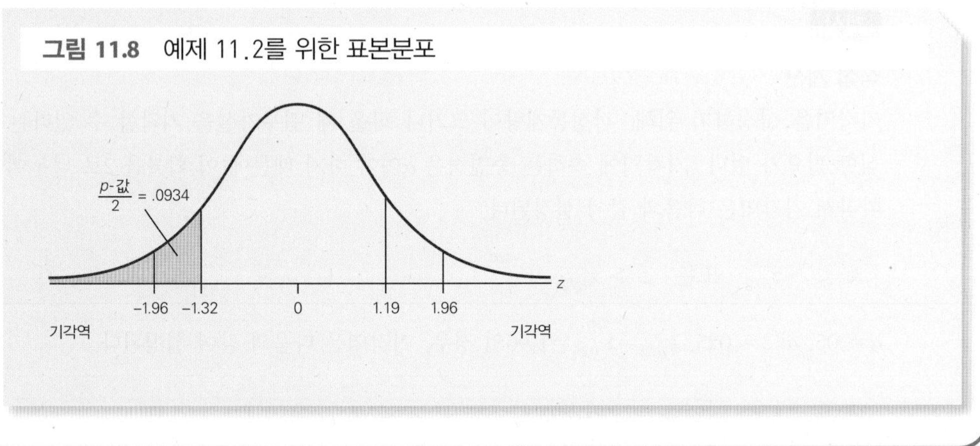

11.2j 단측검정과 양측검정은 언제 수행하는가?

대립가설에서 규정된 모평균의 값이 귀무가설에서 규정된 모평균의 값과 **같지 않은** 경우, 즉 가설들이 다음과 같은 형태를 가지는 경우에는 **양측검정**이 수행된다.

$$H_0: \quad \mu = \mu_0$$
$$H_1: \quad \mu \neq \mu_0$$

두 가지의 단측검정이 존재한다. 모평균이 귀무가설에서 규정된 값보다 크다고 추론할 수 있는 충분한 증거가 존재하는지 알기 원하는 경우, 즉 가설들이 다음과 같은 경우 표본분포의 오른쪽 꼬리부분에 초점을 맞추는 단측검정이 수행된다.

$$H_0:\quad \mu = \mu_0$$
$$H_1:\quad \mu > \mu_0$$

두 번째 단측검정은 표본분포의 왼쪽 꼬리부분에서 이루어진다. 이와 같은 단측검정은 통계전문가가 모평균이 귀무가설에서 규정된 모평균의 값보다 작다고 추론할 수 있는 충분한 증거가 존재하는지 결정하기 원할 때 사용된다. 이와 관련된 가설들은 다음과 같은 형태를 가진다.

$$H_0:\quad \mu = \mu_0$$
$$H_1:\quad \mu < \mu_0$$

제12장, 제13장, 제16장, 제17장, 제18장, 제19장에서 소개되는 통계기법은 당신이 검정의 3가지 형태 중에서 어느 것을 사용할 것인지 결정할 것을 요구한다. 지금까지 이와 같은 과정을 설명한 것과 같은 방법으로 의사결정을 하라.

11.2k 가설검정과 신뢰구간추정량

검정통계량과 신뢰구간추정량은 모두 표본분포로부터 도출된다. 가설검정을 하기 위해 신뢰구간추정량을 사용할 수 있다는 것은 놀라운 일이 아니다. 이 점을 예시하기 위해서 예제 11.2를 생각해보자. 모평균에 대한 95%의 신뢰구간추정치는 다음과 같다.

$$\bar{x} \pm z_{\alpha/2}\frac{\sigma}{\sqrt{n}} = 5.91 \pm 1.96\frac{.91}{\sqrt{100}} = 5.91 \pm .18$$
$$\text{LCL} = 5.73,\ \text{UCL} = 6.09$$

μ는 5.73과 6.09 사이에 속하는 것으로 추정된다. 이 구간은 6.03을 포함하고 있기 때문에 모평균이 변화한다고 추론할 수 있는 충분한 증거가 존재한다고 결론내릴 수 없다.

예제 11.1에서 95%의 신뢰구간추정치는 LCL=171.63과 UCL=184.37이다. 170은 이 구간추정치에 포함되어 있지 않다. 따라서 모평균이 170달러와 같지 않다고 결론내릴 수 있다.

당신이 보는 것처럼, 신뢰구간추정량은 가설을 검정하기 위해 사용될 수 있다. 이와 같은 과정은 기각역 방법과 동일하다. 그러나 기각역의 임계값을 구하고 검정통계량이 기각역에 속하는지 결정하는 대신, 구간추정치를 계산하고 귀무가설에서 규정된 평균값이 이 구간에 속하는지 결정한다.

가설을 검정하기 위해 구간추정량을 사용하는 것은 간편하다는 장점을 가진다. 분명히 검정통계량의 공식이 필요하지 않다. 다만 구간추정량만 필요하다. 그러나 가설검정을 위해 구간추정량을 사용하는 데 있어서 두 가지의 단점이 존재한다.

첫째, 단측검정을 수행할 때, 구간추정량 방법은 예제 11.1의 처음 질문에 대답하지 못할 수 있다. 예제 11.1에서 백화점의 경영자는 모평균이 170**보다 크다**고 추론할 수 있는 충분한 증거가 존재하는지 알기 원하였다. 신뢰구간추정치는 모평균이 170과 **다르다**는 결론을 제시한다. 당신은 전체 신뢰구간이 170보다 크기 때문에 모평균이 170보다 크다고 추론할 수 있는 충분한 통계적 증거가 존재한다고 말할 수 있다. 이와 같은 결론을 도출하기 위해서는 유의수준이 결정되어야 한다. 유의수준이 5%인가 2.5%인가? **단측신뢰구간추정량**(one-sided confidence interval estimator)을 사용하여 이와 같은 문제를 해결할 수 있다. 검정통계량 대신에 신뢰구간추정량을 사용하는 것은 간편성 때문이다. 그러나 단측추정량을 구하는 과정에서 간편성을 포기해야 하는 문제가 발생된다.

둘째, 신뢰구간추정량은 모수에 관한 추론을 하기 위한 더 좋은 방법으로 여겨지는 p-값을 제공하지 못한다. 신뢰구간추정량은 의사결정과정에서 다른 요인들과 견주어 판단하기 위해 얼마나 많은 통계적 증거가 존재하는지에 관한 정보를 제공하기보다 의사결정자로 하여금 기각/불기각 결정을 하게 만든다. 가설검정이 언제 사용되어야 하는가에 관한 논의가 뒤에서 상세하게 이루어질 것이다. 다음의 장들에서 가설검정이 의사결정을 하기 위해 필요한 정보를 생산하는가 하는 문제가 논의될 것이다.

11.2l 통계개념의 이해를 심화시키기 1

신뢰구간추정량의 경우처럼 가설검정은 표본통계량의 표본분포에 기초하여 이루어진다. 가설검정의 결과는 표본통계량에 관한 확률에 근거한 판단을 나타낸다. 모평균은 귀무가설에 의해 규정된다고 가정한다. 이어서 검정통계량을 계산하고 귀무가설이 옳을 때 검정통계량이 크거나 작을 확률이 얼마나 되는가를 결정한다. 만일 그와 같은 확률이 작다면, 귀무가설이 옳다는 것을 발견하지 못한 것이기 때문에 귀무가설을 기각한다고 결론짓는다.

11.2m 통계개념의 이해를 심화시키기 2

검정통계량

$$z = \frac{\bar{x} - \mu}{\sigma / \sqrt{n}}$$

의 값을 계산할 때, 표본통계량 $\bar{x}$와 귀무가설에서 규정된 모수 μ값 간의 차이도 측정된다. 이와 같은 차이를 측정하는 척도가 표준오차 $\sigma/\sqrt{n}$이다. 예제 11.2에서 검정통계량의 값은 $z = -1.32$였다. 이것은 표본평균이 귀무가설에서 규정된 μ의 값보다 1.32 표준오차만큼 작다는 것을 의미한다. 표준정규확률표는 이 값이 발생할 가능성이 없다는 것을 제시해준다. 따라서 귀무가설이 기각되지 않았다.

표본통계량과 귀무가설에서 규정된 모수 값의 차이를 표준오차 기준으로 측정한다는 개념은 이 책 전체에서 자주 사용되는 개념이다.

연습문제

연습문제 11.7~11.12에서 검정통계량의 값을 계산하고 기각역을 설정하라. p-값을 구하고 결과를 해석하라. 표본분포를 그려라.

11.7 H_0: $\mu=1,000$
H_1: $\mu\neq1,000$
$\sigma=200$, $n=100$, $\bar{x}=980$, $\alpha=.01$

11.8 H_0: $\mu=50$
H_1: $\mu>50$
$\sigma=5$, $n=9$, $\bar{x}=51$, $\alpha=.03$

11.9 H_0: $\mu=15$
H_1: $\mu<15$
$\sigma=2$, $n=25$, $\bar{x}=14.3$, $\alpha=.10$

11.10 H_0: $\mu=100$
H_1: $\mu\neq100$
$\sigma=10$, $n=100$, $\bar{x}=100$, $\alpha=.05$

11.11 H_0: $\mu=70$
H_1: $\mu>70$
$\sigma=20$, $n=100$, $\bar{x}=80$, $\alpha=.01$

11.12 H_0: $\mu=50$
H_1: $\mu<50$
$\sigma=15$, $n=100$, $\bar{x}=48$, $\alpha=.05$

연습문제 11.13~11.19에서 연구가설(대립가설)이 옳다고 추론할 수 있는 충분한 증거가 존재하는지 결정하기 위해 검정의 p-값을 계산하라.

11.13 연구가설: 모평균은 250 미만이다.
$\sigma=40$, $n=70$, $\bar{x}=240$

11.14 연구가설: 모평균은 1,500과 같지 않다.
$\sigma=220$, $n=125$, $\bar{x}=1,525$

11.15 연구가설: 모평균이 7.5보다 크다.
$\sigma=1.5$, $n=30$, $\bar{x}=8.5$

11.16 연구가설: 모평균이 0보다 크다.
$\sigma=10$, $n=100$, $\bar{x}=1.5$

11.17 연구가설: 모평균이 0보다 작다.
$\sigma=25$, $n=400$, $\bar{x}=-2.3$

11.18 연구가설: 모평균이 0과 같지 않다.
$\sigma=50$, $n=90$, $\bar{x}=-5.5$

11.19 연구가설: 모평균이 −5와 같지 않다.
$\sigma=5$, $n=25$, $\bar{x}=4.0$

11.20 당신은 모평균이 100보다 크다고 추론할 수 있는 충분한 증거가 존재하는지 결정하기 위한 검정을 수행하고 있다. 당신은 표본평균이 95라는 것을 발견한다.

a. 추가적인 계산을 할 필요가 있는가? 설명하라.
b. 당신이 검정의 p-값을 계산했다면, 그 값은 .5보다 작은가 큰가? 설명하라.

연습문제 11.21~11.35는 표본크기, 표준편차, 표본평균이 변화할 때 검정통계량과 p-값이 어떻게 변화하는지 구하기 위해 만들어진 "what-if 분석"이다. 이 연습문제들은 직접 풀거나 Excel 스프레드시트를 사용하면서 풀 수 있다.

11.21 a. $\bar{x}=52$, $n=9$, $\sigma=5$인 경우에 다음과 같은

가설을 검정하기 위해 p-값을 계산하라.

H_0: $\mu=50$
H_1: $\mu>50$

b. $n=25$인 경우 a를 반복하라.
c. $n=100$인 경우 a를 반복하라.
d. 표본크기가 증가할 때 검정통계량의 값과 p-값은 어떻게 변화하는지 설명하라.

11.22 a. 한 통계전문가는 다음과 같이 가설을 설정하였고 $\bar{x}=190$, $n=9$, $\sigma=50$이라는 것을 알았다. 검정의 p-값을 계산하라.

H_0: $\mu=200$
H_1: $\mu<200$

b. $\sigma=30$인 경우 a를 반복하라.
c. $\sigma=10$인 경우 a를 반복하라.
d. 모표준편차가 감소할 때 검정통계량의 값과 p-값이 어떻게 변화하는지 논의하라.

11.23 a. $\bar{x}=21$, $n=25$, $\sigma=5$인 경우 다음의 가설에 대한 검정의 p-값을 구하라.

H_0: $\mu=20$
H_1: $\mu\neq 20$

b. $\bar{x}=22$인 경우 a를 반복하라.
c. $\bar{x}=23$인 경우 a를 반복하라.
d. $\bar{x}$의 값이 증가할 때 검정통계량의 값과 p-값이 어떻게 변화하는지 설명하라.

11.24 a. $\bar{x}=99$, $n=100$, $\sigma=8$인 경우 p-값을 계산하고 다음의 가설을 검정하라.

H_0: $\mu=100$
H_1: $\mu\neq 100$

b. $n=50$인 경우 a를 반복하라.
c. $n=20$인 경우 a를 반복하라.
d. 표본크기의 감소가 검정통계량의 값과 p-값에 미치는 효과는 무엇인가?

11.25 a. $\bar{x}=990$, $n=100$, $\sigma=25$인 경우 다음 검정의 p-값을 구하라.

H_0: $\mu=1,000$
H_1: $\mu<1,000$

b. $\sigma=50$인 경우 a를 반복하라.
c. $\sigma=100$인 경우 a를 반복하라.
d. 모표준편차가 증가할 때 검정통계량의 값과 p-값에 어떤 일이 발생하는지 설명하라.

11.26 a. 다음의 경우에 검정의 p-값을 계산하라.

H_0: $\mu=60$
H_1: $\mu>60$
$\bar{x}=72$, $n=25$, $\sigma=20$

b. $\bar{x}=68$인 경우 a를 반복하라.
c. $\bar{x}=64$인 경우 a를 반복하라.
d. $\bar{x}$값의 감소가 검정통계량과 검정의 p-값에 미치는 효과를 설명하라.

11.27 다음의 경우 예제 11.1을 다시 풀어라.

a. $n=200$
b. $n=100$
c. n의 증가가 검정통계량과 p-값에 미치는 효과를 설명하라.

11.28 다음의 경우 예제 11.1을 다시 풀어라.

a. $\sigma=35$
b. $\sigma=100$
c. σ의 증가가 검정통계량과 p-값에 미치는 효과를 설명하라.

11.29 모평균이 900보다 작은지 결정하기 위한 검정을 하면서 당신은 표본평균이 1,050이라는 것을 발견한다.

a. 당신은 이러한 정보만을 사용해서 의사결정을 할 수 있는지 설명하라.

b. 만일 당신이 검정의 p-값을 계산했다면, 그 값은 .5보다 작은지 큰지 설명하라.

11.30 다음의 경우 SSA 예제를 다시 풀어라.

a. $n=100$

b. $n=500$

c. n의 증가가 검정통계량과 p-값에 미치는 효과는 무엇인가?

11.31 다음의 경우 SSA 예제를 다시 풀어라.

a. $\sigma=3$

b. $\sigma=12$

c. σ가 증가할 때 검정통계량의 값과 p-값이 어떻게 영향을 받는지 논의하라.

11.32 SSA 예제를 위해 표본평균의 감소가 검정통계량과 p-값에 미치는 효과를 보여주는 표를 만들어라. $\bar{x}=22.0,\ 21.8,\ 21.6,\ 21.4,\ 21.2,\ 21.0,\ 20.8,\ 20.6,\ 20.4$를 사용하라.

11.33 다음의 경우 예제 11.2를 다시 풀어라.

a. $n=50$

b. $n=400$

c. n이 증가할 때 검정통계량과 p-값에 미치는 효과를 간략히 설명하라.

11.34 다음의 경우 예제 11.2를 다시 풀어라.

a. $\sigma=2$

b. $\sigma=3$

c. σ가 증가할 때 검정통계량과 p-값에 어떠한 일이 발생하는가?

11.35 예제 11.2를 참조하라. 표본평균의 변화가 검정통계량과 p-값에 미치는 효과를 보여주는 표를 만들어라. $\bar{x}=6.05,\ 6.10,\ 6.15,\ 6.20,\ 6.25,\ 6.30,\ 6.35,\ 6.40$을 사용하라.

다음의 연습문제들은 직접 계산하여 답할 수 있거나 컴퓨터의 도움을 받아 답할 수 있다. 데이터를 포함하고 있는 파일이 주어져 있다.

11.36 <Xr11-36> 한 경영대학원 학생이 MBA 학생은 평균적으로 주당 5건 이상의 사례를 준비하여야 한다고 주장한다. 그의 주장을 검토하기 위해, 한 통계학 교수는 임의표본에 포함되어 있는 10명의 MBA 학생에게 주당 준비하는 사례의 수를 보고하도록 요청하였다. 그 결과가 다음과 같이 정리되어 있다. 사례의 수는 모표준편차가 1.5인 정규분포를 따른다고 가정하면서 5%의 유의수준에서 그의 주장이 옳다고 결론내릴 수 있는가?

2 7 4 8 9 15 11 3 7 4

11.37 <Xr11-37> 18명의 젊은(20세~30세) 성인으로 구성된 임의표본이 추출되었다. 그들 각자에게 매일 텔레비전으로 스포츠를 몇 분 동안 시청하는지 물었다. 그 응답이 다음과 같이 정리되어 있다. $\sigma=10$분이라고 알려져 있다. 모든 젊은 성인들이 매일 텔레비전으로 스포츠를 시청하는 평균 시간은 50분보다 크다고 추론할 수 있는 충분한 통계적 증거가 존재하는지 5%의 유의수준에서 검정하라.

50 48 65 74 66 37 45 68 64
65 58 55 52 63 59 57 74 65

11.38 <Xr11-38> 한 대중골프장의 클럽프로는 그의 골프장은 매우 어려워서 한 라운드의 골프경기를 하는 동안 평균 골퍼는 12개 이상의 골프공을 잃어버린다고 말한다. 그의 주장에 의심을 가진 한 골퍼가 클럽프로가 거짓말을 한다는 것을 보이기 위한 작업을 시작하였다. 그는 방금 골프라운드를 마친 15명의 골퍼로 구성된 임의표본을 추출하고 각 골퍼에게 골프라운드 중에 잃어버린 골프공의 수를 보고하도록 요청하였다. 잃어버리는 골프공의 수는 모표준편차가 3개인 정규분포를 따른다고 가정하면서

10%의 유의수준에서 잃어버리는 평균 골프공의 수가 12개 미만이라고 추론할 수 있는가?

1 14 8 15 17 10 12 6
14 21 15 9 11 4 8

11.39 <Xr11-39> 경영통계학 과목에 등록한 12명의 대학 2년생 학생이 임의표본으로 추출되었다. 이 과목을 마치는 시점에 각 학생들에게 통계학 과제를 하기 위해 사용한 시간이 얼마였는지 물었다. 이 데이터가 다음에 정리되어 있다. 모표준편차는 $\sigma=8.0$시간으로 알려져 있다. 이 과목의 교수는 12주 학기 동안 매주 3시간을 사용하도록 권고하였다. 평균 학생이 교수가 권고한 시간보다 적게 통계학 과제를 위해 시간을 사용했다는 증거가 존재하는지 검정하라. 이 검정의 p-값을 계산하라.

31 40 26 30 36 38
29 40 38 30 35 38

11.40 <Xr11-40> 한 대중골프장의 소유주는 골프경기의 흐름을 방해하고 결과적으로 라운드 판매 수를 감소시키는 느린 경기에 대하여 우려하고 있다. 이 소유주는 그린 상에서 퍼트를 하는 데 걸리는 시간에 문제가 있다고 믿는다. 이 문제를 조사하기 위해 10조의 4명 골프 팀을 임의표본으로 추출하고 그들이 18개의 그린에서 보내는 시간을 측정하였다. 이 데이터가 다음에 정리되어 있다. 이 시간이 모표준편차가 2분인 정규분포를 따른다고 가정하면서, 이 소유주는 5%의 유의수준에서 18개의 그린에서 퍼팅을 하면서 보내는 평균 시간이 6분 이상이라고 추론할 수 있는지 검정하라.

8 11 5 6 7 8 6 4 8 3

11.41 <Xr11-41> 볼 베어링을 생산하는 한 기계가 평균 지름이 .50인치가 되도록 설치되어 있다. 표본으로 추출된 10개의 볼 베어링 지름이 측정되었고 그 결과가 다음과 같이 정리되어 있다. 모표준편차가 .05인치라고 가정하라. 5%의 유의수준에서 평균 지름이 .50인치가 아니라고 결론내릴 수 있는가?

.48 .50 .49 .52 .53 .48 .49 .47 .46 .51

11.42 <Xr11-42> 스팸 이메일은 심각하고 처리하는 데 비용이 많이 드는 성가신 일이다. 한 사무실 경영자는 사무실 근로자들이 스팸 이메일을 읽고 삭제하는 데 보내는 평균 시간이 1일에 25분을 초과한다고 믿는다. 이와 같은 그의 믿음을 검정하기 위해, 그는 18명의 근로자를 임의로 표본추출하고 각 근로자가 스팸 이메일을 읽고 삭제하는 데 보내는 시간을 기록하였다. 이 결과가 다음에 정리되어 있다. 만일 이와 같은 시간의 모집단이 표준편차가 12분인 정규분포를 따른다면, 이 경영자는 1%의 유의수준에서 그의 믿음이 옳다고 추론할 수 있는가?

35 48 29 44 17 21 32 28 34
23 13 9 11 30 42 37 43 48

다음의 연습문제들을 풀기 위해서는 컴퓨터와 소프트웨어를 사용하여야 한다. 연습문제들에 대한 답은 직접 계산하여 풀 수도 있다. 표본통계량을 위해서 부록 A를 참조하라.

11.43 <Xr11-43> 한 전구제조회사는 자기 회사의 장수전구 수명은 평균적으로 5,000시간보다 길다고 광고한다. 이 주장을 검정하기 위해 한 통계학자가 100개의 전구를 임의표본으로 추출하고 각 전구가 수명을 다할 때까지의 시간을 측정하였다. 만일 이와 같은 종류의 전구 수명은 400시간의 모표준편차를 가진다고 가정하면, 이 주장이 옳다고 5%의 유의수준에서 결론내릴 수 있는가?

11.44 <Xr11-44> 노사협상 중에 한 회사의 사장은 연간 평균 50,000달러를 받는 이 회사의 블루칼라 근로자들은 나라 전체에 있는 모든 블루칼라 근로자의 평균 연간 소득이 50,000달러 미만이기 때문에 잘 지불받고 있는 것이라고 주장한다. 평균 연간 블루칼라 소득이 50,000달러 미만이라는 것을 믿지 않는 노동조합은 이 수치에 대하여 이의를 제기하고 있다. 이 회사 사장의 믿음을 검정하기 위해, 한 중재자는 나라 전체에서 임의로 350명의 블루칼라 근로자를 표본추출하고 각 근로자에게 그의 연간 소득을 보고하도록 요청하였다. 만일 이 중재자가 블루칼라 소득은 모표준편차가 15,000달러인 정규분포를 따른다고 가정하면, 이 회사 사장의 주장이 옳다고 5%의 유의수준에서 추론할 수 있는가?

11.45 <Xr11-45> 한 경영대학원장은 이 학교 MBA 프로그램 지원자의 GMAT 점수가 과거 5년 동안 증가하였다고 주장한다. 5년 전에 MBA 지원자 GMAT 점수의 평균과 표준편차는 각각 560과 50이었다. 금년의 MBA 프로그램 지원자들 중에서 20명이 임의로 선택되었고 그들의 GMAT 점수가 기록되었다. 만일 금년 지원자의 GMAT 점수분포가 평균을 제외하고 5년 전과 동일하다고 가정하면, 이 경영대학원장의 주장이 옳다고 5%의 유의수준에서 결론내릴 수 있는가?

11.46 <Xr11-46> 2020년 3월에 COVID-19 팬데믹이 시작되자, 미국인들은 공급 부족이 발생하게 될 것으로 생각하는 물품들을 비축하였다. 모든 사람들이 구매한 것으로 보이는 물품 중 하나는 화장지이다. 한 수학자는 신속하게 계산해보고 평균적인 가구는 30롤 이상의 화장지를 보유하고 있다고 결론 내렸다. 이러한 주장을 검정하기 위해, 가구들로 구성된 임의표본이 추출되었고 화장지 재고량을 보고하도록 요청하였다.

a. 모표준편차는 6롤이라고 가정하라. 10%의 유의수준에서 이러한 주장이 타당하다는 충분한 증거가 존재하는가?

b. a에 대해 답하기 위해 당신은 어떤 가정을 해야 하는가?

11.47 <Xr11-47> 산업재해의 결과로 잃게 되는 인–시간(person-hour)의 수를 감소시키기 위해, 한 대형 생산 공장은 새로운 안전장비를 설치하였다. 이와 같은 장비의 유효성을 검정하기 위해 50개 부서가 임의표본으로 추출되었다. 안전장비 설치 이전 달에 잃은 인–시간의 수와 안전장비 설치 이후 달에 잃은 인–시간의 수가 기록되었다. 또한 인–시간 수의 변화율이 계산되어 기록되었다. 모표준편차는 $\sigma=6$이라고 가정하라. 새로운 안전장비가 유효하다고 10%의 유의수준에서 추론할 수 있는가?

11.48 <Xr11-48> 한 고속도로 순찰원은 어떤 한 고속도로 구간 상을 달리는 자동차의 평균 속도는 표지판에 쓰여 있는 55 mph를 초과한다고 믿는다. 임의표본으로 추출된 200대 자동차의 속도가 기록되었다. 이 데이터는 1%의 유의수준에서 이 순찰원의 믿음을 지지하기에 충분한 증거를 제공하는가? 검정의 p-값은 얼마인가? (모표준편차는 5 mph라는 것이 알려져 있다고 가정하라.)

11.49 <Xr11-49> 한 자동차 전문가는 수많은 셀프서비스 주유소가 부실한 자동차 관리를 발생시키고 평균 타이어 압력은 제조회사의 규정보다 제곱인치당(per square inch: psi) 4파운드보다 더 높다고 주장한다. 그의 주장을 신속하게 검정하기 위해 50개의 타이어가 조사되었고 각 타이어가 제조회사의 규정보다 낮은 psi

수가 기록되었다. 만일 타이어 압력이 $\sigma=1.5$ psi인 정규분포를 따른다고 가정하면, 이 전문가의 주장이 옳다고 10%의 유의수준에서 추론할 수 있는가? 검정의 p-값은 얼마인가?

11.50 <Xr11-50> 과거 수년 동안 뉴욕에서 자동차에 승차한 채로 서비스를 받을 수 있는 한 은행(drive-up bank)의 고객 수는 시간당 평균이 20명이고 표준편차가 3명이다. 금년에 1마일 떨어져 있는 다른 은행이 자동차에 승차한 채로 서비스를 받을 수 있는 창구를 개설하였다. 첫 번째 은행의 경영자는 이것이 자기은행의 고객 수를 감소시킬 것이라고 믿는다. 임의로 선택된 36시간 동안에 도착한 고객 수가 기록되었다. 이 경영자의 믿음이 옳다고 5%의 유의수준에서 결론지을 수 있는가? 검정의 p-값은 얼마인가?

11.51 <Xr11-51> 한 패스트 푸드 업자가 어떤 장소에 레스토랑을 건설하는 것을 고려하고 있다. 재무분석에 기초하면 이 장소를 지나가는 도보자의 수가 시간당 평균 100명보다 많으면 이 장소가 레스토랑 건설장소로 적합할 수 있다. 40시간 동안 시간당 관측되는 도보자의 수가 기록되었다. 모표준편차는 16명으로 알려져 있다고 가정하면서 이 장소가 레스토랑 건설장소로 적합하다고 1%의 유의수준에서 결론지을 수 있는가?

11.52 <Xr11-52> 많은 알파인 스키 센터들은 평균적인 알파인 스키어는 연간 4회 스키를 탄다고 가정하면서 수입과 이익을 예측한다. 이와 같은 가정의 타당성을 조사하기 위해 63명의 스키어로 구성된 임의표본이 추출되었고 각 스키어에게 전년도에 몇 번이나 스키를 탔는지 물었다. 만일 모표준편차가 2라고 가정한다면, 10%의 유의수준에서 주어진 가정이 잘못이라고 추론할 수 있는가?

11.53 <Xr11-53> 사설골프장에서 일하는 한 골프프로가 레슨을 받은 회원들은 그들의 핸디캡을 5타 이상 감소시켰다고 주장한다. 이 클럽의 경영자는 그의 주장을 검정하기로 결정하였다. 그는 임의로 레슨을 받은 25명의 회원을 표본으로 추출하고 각 회원에게 핸디캡이 얼마나 줄었는지 보고하도록 요청하였다. 음의 수치는 핸디캡의 증가를 나타낸다. 핸디캡의 감소가 근사적으로 모표준편차가 2타인 정규분포를 따른다고 가정하면서 10%의 유의수준을 사용하여 이 골프프로의 주장을 검정하라.

11.54 <Xr11-54> 현재 사무실 빌딩 내의 금연규정에 의하면 흡연하는 근로자는 흡연하기 위해서 업무를 중단하고 사무실 건물 밖으로 나가도록 되어 있다. 한 연구에 의하면 흡연하는 근로자는 흡연을 위해 하루에 평균 32분을 사용한다. 모표준편차는 8분이다. 평균 휴식시간을 줄이기 위해 강력한 배기장치를 갖춘 방들이 건물 내에 설치되었다. 이와 같은 방들의 설치 목적이 달성되는지 살펴보기 위해, 110명의 흡연자로 구성된 임의표본이 추출되었다. 각 흡연자에 대하여 하루 동안 근무하는 책상을 떠나는 총 시간이 측정되었다. 흡연자가 근무하는 책상을 떠나는 시간이 감소했는지 검정하라. p-값을 계산하고 제1종 오류와 제2종 오류의 비용과 비교하면서 p-값을 해석하라.

11.55 <Xr11-55> 타이틀리스트(Titleist) 브랜드 골프공을 사용하는 한 저핸디캡 골퍼가 평균 드라이브 거리는 230야드이고 표준편차는 10야드라는 것을 관측하였다. 나이키(Nike)는 타이거 우즈가 사용하는 새로운 골프공을 출시하였다. 나이키는 새로운 골프공은 타이틀리스트 골프공보다 더 멀리 날아간다고 주장한다. 이와 같은 나이키의 주장을 검정하기 위해 이

저핸디캡 골퍼가 나이키 골프공으로 100번의 드라이브 샷을 날리고 그 거리를 측정하였다. 나이키의 주장이 옳은지 검정하라. 5%의 유의수준을 사용하라.

11.56 <Xr11-56> 한 경제학자는 과거 5년 동안 난방비 증가율을 결정하기 위해 한 대도시의 주택 소유자들을 대상으로 서베이를 수행했다. 특히 이 경제학자는 난방비의 증가율이 10%였던 인플레이션율보다 높았다고 추론할 수 있는 충분한 증거가 존재하는지 알기 원하였다. 난방비 증가율은 표준편차가 3%인 정규분포를 따른다고 가정하면서, 이 경제학자가 5%의 유의수준에서 난방비 증가율이 인플레이션율보다 높았다고 결론지을 수 있는가?

11.57 <Xr11-57> 미국 소비자를 대상으로 수행된 한 서베이에서 응답자들에게 한 전형적인 달에 빵 제품을 사기 위해 지출한 금액을 보고하도록 요청했다. 모표준편차가 5달러라고 가정하면, 10%의 유의수준에서 모든 미국인들의 빵 제품에 대한 월간 평균 지출금액이 30달러와 같지 않다고 결론내릴 수 있는가?

11.58 <Xr11-58> 많은 미국인들은 401k 투자계좌에 투자했다. 한 경제학자는 이러한 투자의 성과가 얼마나 좋았는지 결정하기 원하였다. 401k 투자계좌를 가지고 있는 미국인들로 구성된 임의표본을 대상으로 서베이가 시행되었고 총 투자금액을 보고하도록 요청했다. 401k 투자계좌에 투자한 투자금액은 표준편차가 25,000달러인 정규분포를 따른다고 가정하면서, 5%의 유의수준에서 401k 투자계좌를 가지고 있는 모든 미국인들의 평균 투자금액이 125,000달러보다 크다고 추론할 수 있는가?

11.59 <Xr11-59> 전문학위나 박사학위를 가지고 있는 25세~35세 사이에 속하는 미국인들을 대상으로 수행한 한 서베이에서 그들의 월간 소득을 보고하도록 요청했다. 전문학위나 박사학위를 가지고 있는 25세~35세 사이에 속하는 모든 미국인들의 월간 소득의 표준편차는 2,000달러라고 가정하면서, 10%의 유의수준에서 월간 평균 소득이 12,500달러보다 크다고 결론지을 수 있는가?

11.3 제2종 오류의 확률 계산

당신이 가설검정의 결과를 적정하게 해석하기 위해서는 적정한 유의수준을 선택할 수 있거나 검정의 p-값을 판단할 수 있어야 한다. 이에 더하여 당신은 제1종 오류와 제2종 오류의 관계를 이해하여야 한다. 이 절에서는 제2종 오류의 확률이 어떻게 계산되고 해석되는지 논의한다.

예제 11.1을 기억하라. 예제 11.1에서 검정통계량으로 표본평균을 사용하는 검정이 수행되었고 $\alpha = .05$ 하에서 기각역이 $\bar{x} > 175.35$라고 계산되었다. 제2종 오류는 허위인 귀무가설이 기각되지 않을 때 발생한다. 예제 11.1에서 $\bar{x}$가 175.35보다 작다면, 귀무가설은 기각되지 않는다. 만일 귀무가설이 기각되지 않으면, 새로운 청구시스템은 구축되지 않을 것이다. 따라서 이 예제에서 제2종 오류의 결과는 그것이 비용효율적이더라도 새로운 청구시스템이 구축되지 않는다는 것이다. 이와 같은 일이 발생할 확률이 제2종 오류의 확률이다. 제2종 오류의 확률은 다음과 같이 정의된다.

$$\beta = P(\text{귀무가설이 허위일 때 } \bar{x} < 175.35)$$

귀무가설이 허위라는 조건은 모평균이 170이 아니라는 것만을 말해준다. 만일 β를 계산하기 원하면, μ의 값을 규정할 필요가 있다. 평균 청구금액이 적어도 180달러일 때 새로운 청구시스템은 매력적이 되고 경영자는 큰 비용절약이 발생하는 데도 새로운 청구시스템을 구축하지 않는 실수를 범하는 것을 싫어할 것이라고 하자. 따라서 그녀는 큰 비용절약이 발생하는 데도 새로운 청구시스템을 구축하지 않을 확률을 구하기 원한다. 근사적으로 정규분포를 따르는 표본분포로부터 확률을 계산하기 위해서는 (σ와 n뿐만 아니라) μ의 값이 필요하기 때문에, μ가 180일 때 새로운 청구시스템을 구축하지 않을 확률을 계산하여야 한다. 이 경우 β는 다음과 같이 정의된다.

$$\beta = P(\mu = 180\text{일 때 } \bar{x} < 175.35)$$

$\bar{x}$는 근사적으로 평균이 μ이고 표준편차가 $\sigma/\sqrt{n}$인 정규분포를 따른다는 것이 알려져 있다. 따라서 $\bar{x}$를 표준화하고 표준정규표(부록 B의 표 3)를 사용하면, β는 다음과 같이 계산된다.

$$\beta = P\left(\frac{\bar{x} - \mu}{\sigma/\sqrt{n}} < \frac{175.35 - 180}{65/\sqrt{400}}\right) = P(Z < -1.43) = .0764$$

이것은 모평균이 실제로 180달러일 때 귀무가설을 기각하지 않는 잘못을 저지를 확률이 .0764라는 것을 말해준다. 그림 11.9는 이와 같은 확률이 어떻게 계산되는지 그래프로 그린 것이다. 제2종 오류의 확률을 계산하기 위해서 기각역을 표준화되지 않은 검정통계량 $\bar{x}$ 기준으로 나타내어야 하며 귀무가설에서 규정된 값과는 다른 μ의 값을 사용해야 한다는 점에 주목하라. 이 예시에서 사용된 μ의 값은 적어도 180달러일 때 비용절약이 매우 매력적일 것이라는 것을 제시해주는 재무분석에 기초하여 구해진 것이다.

11.3a α의 변화가 β에 미치는 효과

앞의 예시에서 5% 대신에 1%의 유의수준이 사용되었다고 하자. 표준화된 검정통계량 기준으로 나타낸 기각역은 다음과 같을 것이다.

그림 11.9 $\mu=180$, $\alpha=.05$, $n=400$일 때 β의 계산

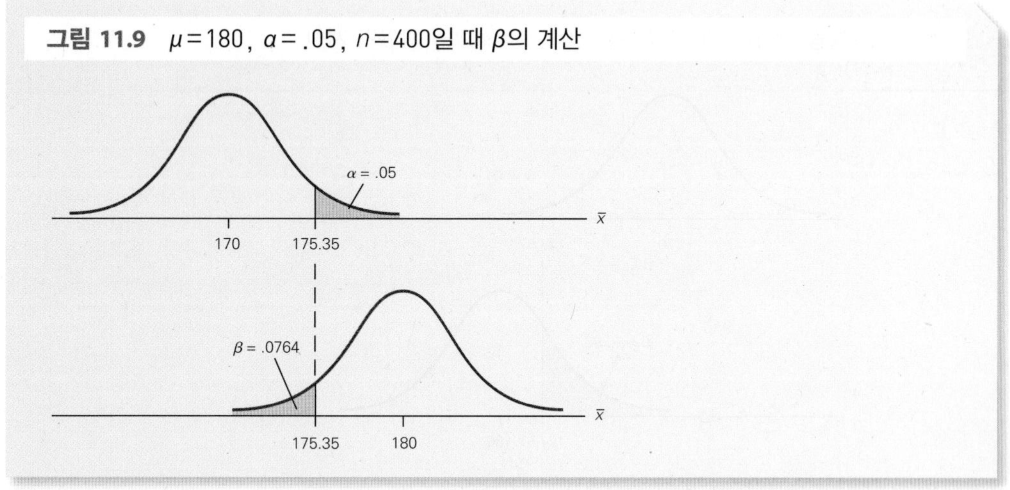

$$z > z_{.01} = 2.33$$

또는

$$\frac{\bar{x} - 170}{65/\sqrt{400}} > 2.33$$

$\bar{x}$에 대해서 풀면, 표준화되지 않은 검정통계량 기준의 기각역이 다음과 같이 구해진다.

$$\bar{x} > 177.57$$

$\mu=180$일 때 제2종 오류의 확률은 다음과 같이 계산된다.

$$\beta = P\left(\frac{\bar{x} - \mu}{\sigma/\sqrt{n}} < \frac{177.57 - 180}{65/\sqrt{400}}\right) = P(Z < -.75) = .2266$$

그림 11.10은 이와 같은 확률 계산을 그린 것이다. 여기서 구한 β의 값과 그림 11.9에 있는 β의 값을 비교해보라. 당신이 보는 것처럼, 유의수준을 5%로부터 1%로 감소시키면, 기각역의 임계값은 오른쪽으로 이동하고 귀무가설이 기각되지 않는 면적이 증가한다. 이에 따라 제2종 오류의 확률은 .0764로부터 .2266으로 증가한다.

이 계산은 제1종 오류의 확률과 제2종 오류의 확률이 역의 관계를 가진다는 것을 보여준다. 이와 같은 관계를 이해하는 것이 중요하다. 실용적인 관점에서 이와 같은 역의 관계는 당신이 제1종 오류의 확률을 감소시키기 원하면(α의 값을 작게 하기 원하면) 제2종 오류의 확률은 증가한다는 것을 의미한다. 제1종 오류의 비용이 제2종 오류의 비용보다 상당히 큰 경우에는 제1종 오류의 확률을 감소시키는 것이 적정하다. 실제로 1% 이하의 유의수준도 정당화될 수 있다. 그러나 제2종 오류의 비용이 상대적으로 크면, 5% 이상의 유의수준

그림 11.10 $\mu=180$, $\alpha=.01$, $n=400$일 때 β의 계산

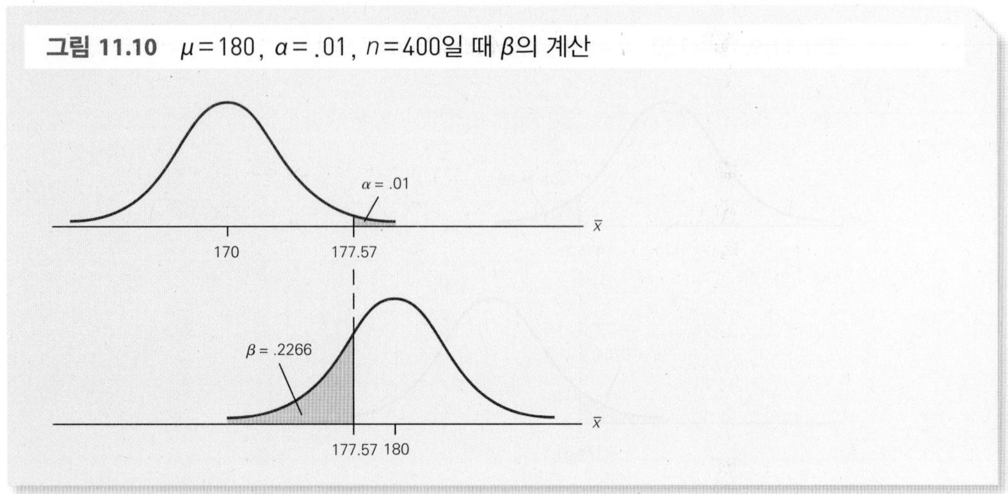

이 적정할 수 있다.

불행하게도 유의수준이 얼마여야 하느냐를 결정하는 간단한 공식은 존재하지 않는다. 경영자는 의사결정을 할 때 두 가지 실수의 비용을 고려하여야 한다. 의사결정의 요소들에 대한 판단과 지식이 중요하다.

11.3b 검정의 판단

이 절에서 도출되는 다른 하나의 중요한 개념이 존재한다. 통계적 가설검정은 통계전문가에 의해 선택되는 유의수준과 표본크기에 의해 효과적으로 정의된다. 어떤 모수의 값에서 제2종 오류의 확률을 계산함으로써 검정이 얼마나 잘 작동하는지 판단할 수 있다. 이 점을 예시해보자. 예제 11.1에서 경영자는 400의 표본크기와 5%의 유의수준을 선택하였다. 이와 같은 경우에 실제의 모평균이 180일 때 β는 .0764라는 것을 알았다. 제2종 오류의 비용이 클 때 제2종 오류의 확률을 감소시키기 위한 두 가지의 방법이 존재한다. 첫 번째 방법은 α의 값을 증가시키는 것이다. 그러나 이것은 매우 비용이 큰 제1종 오류를 범할 확률을 증가시키는 결과를 발생시킨다.

두 번째 방법은 표본크기를 증가시키는 것이다. 경영자가 1,000의 표본크기를 선택하였다고 하자. $n=1,000$과 $\alpha=.05$인 경우 β를 다시 계산해보자. 기각역은

$$z > z_{.05} = 1.645$$

또는

$$\frac{\bar{x} - 170}{65/\sqrt{1,000}} > 1.645$$

이다. 이것으로부터 $\bar{x}>173.38$이다. 제2종 오류의 확률은 다음과 같이 계산된다.

$$\beta = P\left(\frac{\bar{x}-\mu}{\sigma/\sqrt{n}} < \frac{173.38-180}{65/\sqrt{1,000}}\right) = P(Z < -3.22) \approx 0$$

이 경우에 유의수준은 그대로 $\alpha=.05$이다. 그러나 실제 모평균이 180달러일 때 새로운 청구시스템을 구축하지 않을 확률은 거의 0으로 감소한다.

11.3c 통계개념의 이해를 심화시키기: 표본크기가 클수록 더 많은 정보가 제공되고 더 좋은 의사결정이 이루어진다

그림 11.11은 앞에서 계산한 제2종 오류의 확률을 그린 것이다. 그림 11.11과 그림 11.9를 비교해보면, n이 증가하면서 표본평균의 표본오차 $\sigma/\sqrt{n}$이 더 작아지기 때문에 표본평균의 표본분포는 더 좁아진다는 것을 알 수 있다. 더 좁아진 표본분포는 더 많은 정보를 제공한다는 것을 의미한다. 증가된 정보는 제2종 오류의 확률이 더 작아진 데 반영되어 있다.

$n=400$과 $n=1,000$인 경우, 각각에 해당되는 제2종 오류의 확률은 아무리 강조해도 지나치지 않는 중요한 개념을 예시한다. 표본크기가 증가하면 제2종 오류의 확률은 감소한다. 제2종 오류의 확률을 감소시킴으로써 이와 같은 오류를 더 적게 범하게 된다. 따라서 장기적으로 더 좋은 의사결정을 할 수 있다. 이와 같은 사실은 응용통계분석의 중심에 자리잡고 있으며 이 책의 첫 문장인 "통계학은 데이터로부터 정보를 얻는 한 가지 방법"이라는 진술의 의미를 강화시켜준다.

이 책의 도처에서 회계분야, 재무금융분야, 마케팅분야, 생산운영관리분야, 인사관리분야, 경제학분야의 다양한 통계학 응용이 소개되어 있다. 이와 같은 모든 통계학 응용에

그림 11.11 $\mu=180$, $\alpha=.05$, $n=1,000$일 때 β의 계산

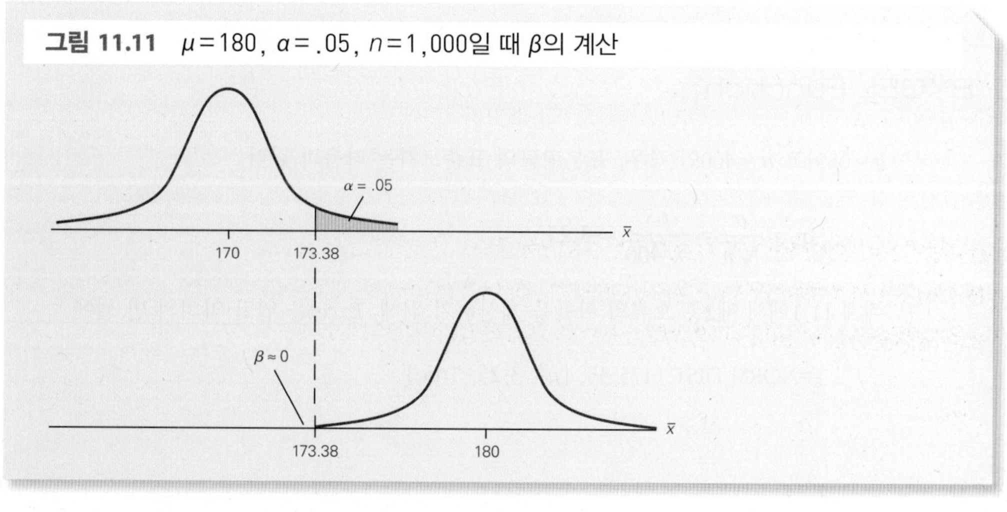

서 통계전문가는 데이터를 정보로 전환시키면서 의사결정을 해야 한다. 정보가 많을수록 더 좋은 의사결정이 이루어진다. 정보가 없으면 의사결정은 어림짐작, 직관, 운에 기초하여 이루어져야 한다. 유명한 통계학자인 W. Edwards Deming은 이에 대하여 다음과 같이 아주 훌륭한 언급을 하였다. "데이터가 없다면 당신은 의견을 가진 다른 한 사람에 불과하다."

11.3d 검정력

검정이 얼마나 잘 수행되는지 나타내는 다른 하나의 방법은 **검정력**(power), 즉 귀무가설이 허위일 때 귀무가설을 기각할 확률을 구하는 것이다. 따라서 검정력은 $1-\beta$이다.

주어진 상황에서 한 개 이상의 검정이 수행될 수 있을 때, 자연히 더 자주 정확한 검정이 사용되어야 한다. 만일 (동일한 대립가설, 표본크기, 유의수준이 주어진 경우) 첫 번째 검정이 두 번째 검정보다 더 높은 검정력을 가지고 있으면, 첫 번째 검정이 더 강력하다(more powerful)고 말한다.

11.3e 검사특성곡선

제2종 오류의 확률을 계산하기 위해서는 신뢰수준, 표본크기, 모평균의 대안 값이 규정되어야 한다. 이와 같은 요소들 모두를 추적하는 한 가지 방법은 μ의 값에 따른 β의 값을 그래프로 나타낸 **검사특성곡선**(operating characteristic (OC) curve)을 그리는 것이다. OC 곡선을 그리기 위해 필요한 계산을 하는 데 시간이 걸리기 때문에 컴퓨터가 사용되어야 한다. 예를 들어, 예제 11.1을 위한 OC 곡선을 그려보자.

예제 11.1에서, $n=400$인 상황에서 $\mu=170,\ 171,\ ...\ ,\ 185$ 각각에 대한 제2종 오류의 확률을 계산하기 위해 Excel함수 NORM.DIST를 사용하였다.

EXCEL Function

$\sigma=65$이고 $n=400$인 경우, 표본평균의 표준오차는 다음과 같다.

$$\sigma_{\bar{x}} = \frac{\sigma}{\sqrt{n}} = \frac{65}{\sqrt{400}} = 3.25$$

예제 11.1에서 제2종 오류의 확률을 계산하기 위해, Excel을 열고 임의의 빈 셀에

=NORM.DIST (175.35, [μ], 3.25, True)

를 입력하라. 예를 들면, $\mu=180$일 때 β를 계산하기 위해,

=NORM.DIST (175.35, 180, 3.25, True)

를 입력하라.

그림 11.12는 이 경우의 검사특성곡선을 그린 것이다. 대립가설로 규정되는 μ의 값이 증가함에 따라 β의 값이 감소한다는 점에 주목하라. 이것은 대립가설로 규정되는 μ의 값이 귀무가설에서 규정되는 μ의 값으로부터 멀어짐에 따라 제2종 오류의 확률은 감소한다는 것을 말해준다. 달리 말하면, μ가 170으로부터 멀어질 때 $\mu=170$과 μ의 다른 값들을 구별하는 것이 더 쉬워진다. $\mu=170$일 때, $\beta=1-\alpha$라는 점에 주목하라.

그림 11.12 예제 11.1을 위한 검사특성곡선

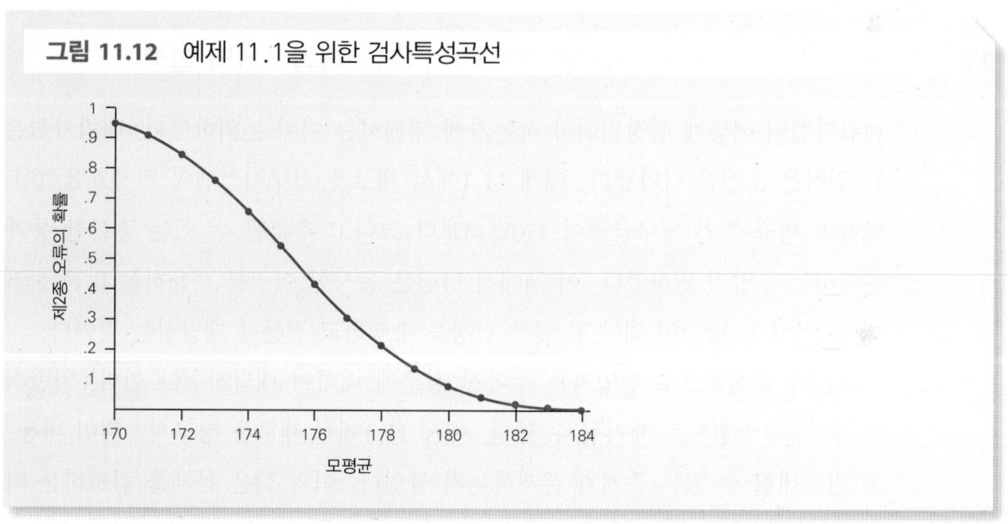

OC 곡선은 표본크기를 선택하는 데도 유용할 수 있다. 그림 11.13은 $n=100$, 400, 1000, 2000인 경우 각각의 경우에 해당되는 예제 11.1을 위한 OC 곡선을 그린 것이다. 이 그림은 표본크기의 증가가 μ의 다른 값들에서 검정이 얼마나 잘 수행되는지에 미치는 효과를 이해하는 데 도움을 준다. 예를 들면, 작은 표본크기는 170과 180보다 큰 μ의 값들 사이를 구분하는 데 잘 작동하는 것을 알 수 있다. 그러나 170과 180보다 작은 μ의 값들 사이를 구분하기 위해서는 큰 표본크기가 필요하다. 이와 같은 정보는 부정확하지만 문제의 목적에 적합한 표본크기를 선택할 수 있게 해준다.

그림 11.13 n=100, 400, 1000, 2000인 경우 예제 11.1을 위한 검사특성곡선

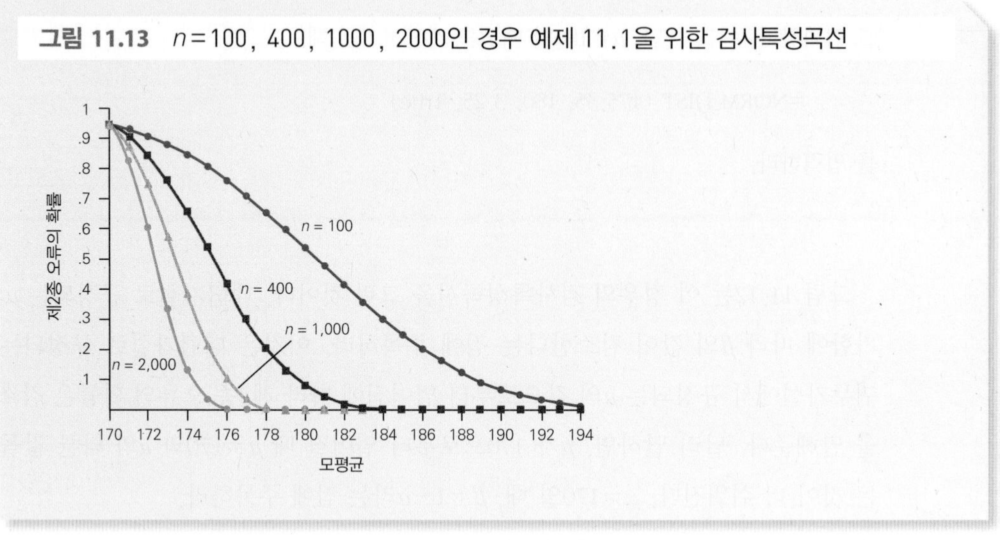

11.3f 제1종 오류와 제2종 오류를 정의하기 위한 대립가설의 설정

대립가설이 어떻게 설정되어야 하는가에 대해서는 이미 논의하였다. 대립가설은 검토하기를 원하는 조건을 나타낸다. 예제 11.1에서 새로운 청구시스템이 비용효율적이라고, 다시 말하면 평균 월간 청구금액이 170달러보다 크다고 추론할 수 있는 충분한 통계적 증거가 존재하는지 알기 원하였다. 이 책에서 당신은 유사한 어귀를 사용하는 많은 문제들을 만나게 될 것이다. 당신이 해야 할 일은 검정을 수행하고 질문에 대답하는 것이다.

그러나 현실적으로 경영자는 주어진 질문에 대하여 대답하여야 한다. 일반적으로 질문은 두 가지 방법으로 제기될 수 있다. 예제 11.1에서 새로운 청구시스템이 비용효율적이라고 결론내릴 수 있는 증거가 존재하는지 물었다. 이와 같은 문제를 검토하는 다른 방법은 새로운 청구시스템이 비용효율적이지 않다고 추론할 수 있는 충분한 증거가 존재하는지 결정하는 것이다. 범죄재판과의 유사성을 기억해보라. 범죄재판에서 피고가 유죄라고 증명해야 하는 증명의 부담은 검사에게 있다. 개인의 권리를 덜 강조하는 국가에서는 피고가 그의 결백을 증명하여야 한다. 미국과 캐나다(그리고 다른 국가들)에서는 결백한 피고에게 유죄 판결을 하는 것은 심각한 오류라고 생각하기 때문에 전자의 방식이 선택된다. 따라서 제11.1절에서 기술된 것과 같은 귀무가설과 대립가설에 대한 검정이 이루어진다.

통계적 검정에서는 비용이 더 드는 오류를 어떻게 통제할 수 있느냐의 문제가 제기된다. 이미 살펴본 것처럼 제1종 오류의 확률은 유의수준의 값을 규정함으로써 통제된다. 예

제 11.1을 다시 한번 생각해보자. 두 가지의 가능한 오류가 존재한다. 두 가지 가능한 오류는 새로운 청구시스템이 비용효율적이지 않은데도 비용효율적이라고 결론짓는 것과 새로운 청구시스템이 비용효율적인데도 비용효율적이지 않다고 결론짓는 것이다. 만일 경영자가 새로운 청구시스템이 비용효율적이라고 결론내리면, 이 회사는 새로운 청구시스템을 구축할 것이다. 그러나 만일 실제로 새로운 청구시스템이 비용효율적이지 않으면, 이 회사는 손실을 입을 것이다. 다른 한편, 만일 경영자가 새로운 청구시스템이 비용효율적이지 않다고 결론내리면, 이 회사는 새로운 청구시스템을 구축하지 않을 것이다. 그러나 만일 새로운 청구시스템이 실제로 비용효율적이면, 이 회사는 새로운 청구시스템을 구축하여 얻을 수 있는 잠재적 이익을 잃을 것이다. 어느 비용이 더 큰가?

비용효율적이지 않은 새로운 청구시스템을 구축하는 비용이 효율적인 청구시스템을 구축하지 않아서 발생하는 잠재적 손실보다 더 크다고 믿는다고 하자. 피하기를 원하는 오류는 새로운 청구시스템이 비용효율적이라고 잘못된 결론을 내리는 것이다. 이것이 제1종 오류이다. 따라서 평균 월간 청구금액이 170달러보다 크다는 충분한 통계적 증거를 제시하여야 하는 증명의 부담은 청구시스템에게 주어진다. 귀무가설과 대립가설은 앞에서와 마찬가지로 다음과 같이 설정된다.

$$H_0: \mu = 170$$
$$H_1: \mu > 170$$

그러나 만일 비용효율적인 새로운 청구시스템을 구축하지 않아서 발생되는 잠재적 손실이 더 크다고 믿으면, 평균 월간 청구금액이 170달러보다 작다고 추론하여야 하는 증명의 부담은 경영자에게 주어진다. 따라서 귀무가설과 대립가설은 다음과 같이 설정된다.

$$H_0: \mu = 170$$
$$H_1: \mu < 170$$

이와 같은 논의는 가설검정을 실제로 적용하는 데 있어서 가설을 설정하기 전에 두 가지 오류를 범하는 데서 발생되는 비용을 비교 검토하여야 한다는 점을 강조한다. 그러나 독자들은 이 책에 있는 연습문제들에서 제기된 질문은 이와 같은 비용을 이미 고려하였다는 점을 이해하는 것이 중요하다. 따라서 당신이 해야 할 일은 가설을 설정하고 질문에 대답하는 것이다.

연습문제

11.60 $\mu=203$인 경우 다음의 가설검정에서 제2종 오류의 확률을 계산하라.

$H_0: \mu=200$
$H_1: \mu\neq 200$
$\alpha=.05,\ \sigma=10,\ n=100$

11.61 $\mu=1,050$인 경우 다음의 가설검정에서 제2종 오류의 확률을 계산하라.

$H_0: \mu=1,000$
$H_1: \mu>1,000$
$\alpha=.01,\ \sigma=50,\ n=25$

11.62 $\mu=48$인 경우 다음의 가설검정에서 β를 구하라.

$H_0: \mu=50$
$H_1: \mu<50$
$\alpha=.05,\ \sigma=10,\ n=40$

11.63 연습문제 11.60~11.62의 각각에 대하여 그림 11.9와 유사한 표본분포를 그려라.

11.64 한 통계전문가가 $\sigma=20$과 $n=100$일 때 다음의 가설을 검정하기 원한다.

$H_0: \mu=100$
$H_1: \mu>100$

a. $\alpha=.10$을 사용하면서 실제로 $\mu=102$인 경우 제2종 오류의 확률을 구하라.
b. $\alpha=.02$인 경우 a를 반복하라.
c. α의 감소가 β에 미치는 효과를 설명하라.

11.65 a. $\mu=37$일 때 다음의 가설검정에서 제2종 오류의 확률을 계산하라.

$H_0: \mu=40$
$H_1: \mu<40$

유의수준은 5%이고, 모표준편차는 5이며 표본크기는 25이다.

b. $\alpha=15\%$인 경우 a를 반복하라.
c. α의 증가가 β에 미치는 효과를 설명하라.

11.66 연습문제 11.64와 연습문제 11.65를 위한 표본분포의 그림을 그려라.

11.67 a. $\mu=196$일 때 다음의 가설검정에서 제2종 오류의 확률을 구하라.

$H_0: \mu=200$
$H_1: \mu<200$

유의수준은 10%이고, 모표준편차는 30이며 표본크기는 25이다.

b. $n=100$인 경우 a를 반복하라.
c. n의 증가가 β에 미치는 효과를 설명하라.

11.68 a. $\mu=310$일 때 다음의 가설검정에서 β를 구하라.

$H_0: \mu=300$
$H_1: \mu>300$

통계전문가는 모표준편차가 50이고, 유의수준이 5%이며 표본크기가 81이라는 것을 알고 있다.

b. $n=36$인 경우 a를 반복하라.
c. n의 감소가 β에 미치는 효과를 설명하라.

11.69 연습문제 11.67과 연습문제 11.68을 위해 그림 11.9와 유사한 표본분포를 그려라.

11.70 다음과 같은 가설검정에서 $n=25,\ 100,\ 200$인 경우에 검사특성곡선을 그려라.

$H_0: \mu=1,000$
$H_1: \mu\neq 1,000$
$\alpha=.05,\ \sigma=200$

11.71 다음과 같은 가설검정에서 $n=10$, 50, 100인 경우에 검사특성곡선을 그려라.

H_0: $\mu=400$
H_1: $\mu>400$
$\alpha=.05$, $\sigma=50$

11.72 예제 11.1에서 새로운 청구시스템이 비용효율적이지 않다고 결론내릴 수 있는 충분한 증거가 존재하는지 결정하기 원한다고 하자. 귀무가설과 대립가설을 설정하고 제1종 오류와 제2종 오류의 결과를 논의하라. 검정에 대한 결론을 내려라. 당신의 결론은 예제 11.1에서 얻은 결론과 동일한가? 설명하라.

11.73 연습문제 11.47에서 안전장비의 설치가 산업재해로 잃게 되는 인-시간(person-hour)을 감소시키는 데 효과적인가를 결정하기 위한 검정을 수행하였다. 귀무가설과 대립가설은 다음과 같았다.

H_0: $\mu=0$
H_1: $\mu<0$

여기서 $\sigma=6$, $\alpha=.10$, $n=50$, μ=평균 퍼센트 변화율이다. 이 검정은 새로운 안전장비가 효과적이라는 것을 제시하지 못하였다. 경영자는 이 검정이 작지만 중요한 변화를 탐지할 만큼 민감하지 않다는 것을 우려한다. 특히 그는 산업재해 때문에 잃는 시간의 진짜 감소가 실제로 2%(말하자면, $\mu=-2$)라면 이 기업은 매우 효과적인 장비를 설치할 기회를 놓칠 수 있다는 점을 걱정한다. $\sigma=6$, $\alpha=.10$, $n=50$인 경우 검정이 이 장비가 효과적이라고 결론짓지 못할 확률을 구하라. 이와 같은 확률을 감소시킬 수 있는 방법들을 논의하라.

11.74 SSA 예제의 가설검정에서 SSA 프로그램은 이익이 된다고 추론할 수 있는 충분한 증거가 존재하지 않는다는 결론을 내렸다. 실제의 지불기간 감소가 3일(말하자면, $\mu=21$)만큼 작으면 이 회사는 SSA 프로그램을 도입하지 않는 것을 싫어할 것이다. 관련된 확률을 계산하고 이 회사가 이와 같은 정보를 어떻게 사용해야 하는지 설명하라.

11.75 연습문제 11.51에서 패스트푸드 업자는 고려하고 있는 레스토랑 건설장소를 받아들일 수 있는 충분한 증거를 제공할 수 없었다. 그녀는 이익이 발생할 수 있는 장소에 레스토랑을 만들 기회를 상실할 수 있다는 점을 우려한다. 그녀는 실제 평균이 104명인 경우 이 레스토랑은 매우 성공적일 수 있다고 생각한다. 평균이 실제로 104명일 때 제2종 오류의 확률을 구하라. 이와 같은 확률을 감소시키는 방법을 제시하라.

11.76 연습문제 11.54를 참조하라. 한 재무분석가는 평균 휴식시간을 2분 감소시키는 것이 생산성을 증가시킬 것이라고 분석하였다. 따라서 이 회사는 이와 같은 기회를 잃는 것을 싫어한다. 평균 휴식시간이 30분일 때 새로운 휴식공간의 설치가 성공적이지 못하다고 잘못 결론내릴 확률을 계산하라. 만일 이 확률이 높으면, 이 확률이 어떻게 감소될 수 있는지 설명하라. ($\alpha=.05$를 사용하라.)

11.77 한 학교이사회 관리자는 학생들의 연간 평균 결석 일수는 10일보다 적다고 믿는다. 과거의 경험으로부터 그는 모표준편차가 3일이라는 것을 알고 있다. 그의 믿음이 옳은지 결정하기 위한 검정을 하면서 그는 다음과 같은 방법 중 하나를 사용할 수 있다.

(1) $n=100$, $\alpha=.01$
(2) $n=75$, $\alpha=.05$
(3) $n=50$, $\alpha=.10$

실제의 모평균이 9일일 때 어느 방법이 가장 낮은 제2종 오류의 확률을 가지는가?

11.78 이익이 발생하는 전기를 생산하는 풍차 건설의 가능성은 평균 풍속에 의해 결정된다. 어떤 한 종류의 풍차 건설이 보장되기 위해서는 평균 풍속이 시간당 20마일보다 커야만 한다. 풍차 건설 사이트에 대한 결정은 2단계로 이루어진다. 첫 번째 단계에서는 풍속의 측정이 이루어지고 평균 풍속이 계산된다. 이 사이트가 풍차 건설의 가능성을 가지는가? 이 질문에 대답하기 위한 검정이 이루어졌다. 달리 말하면, 평균 풍속이 20 mph보다 크다고 결론내릴 수 있는 충분한 증거가 존재하는가? 이와 같은 충분한 증거가 존재하면, 두 번째 단계에서는 검정이 이루어진다. 만일 이와 같은 충분한 증거가 존재하지 않으면, 이 사이트는 고려대상에서 제외된다. 제1종 오류와 제2종 오류의 결과와 잠재적 비용을 논의하라.

11.79 연습문제 11.78에서 첫 단계 검정을 해야 하는 잠재적 사이트의 수가 매우 많고 이와 같은 사이트에 대하여 풍속을 측정하는 데 비용이 많이 들 수 있다. 따라서 이 검정은 25개 관측치로 구성된 표본을 가지고 수행된다. 두 번째 단계 검정의 비용이 높기 때문에, 유의수준은 1%로 설정된다. 잠재적 이익과 비용에 대한 재무분석은 평균 풍속이 25 mph만큼 높으면, 풍차는 매우 높은 이익을 발생시킬 것이라는 것을 보여준다. 첫 번째 단계의 검정이 실제의 평균 풍속이 25 mph일 때 이 사이트가 풍차 건설 가능성을 가진다고 결론내리지 않을 확률을 계산하라. σ는 8 mph이라고 가정하라. 이와 같은 검정과정은 어떻게 개선될 수 있는지 논의하라.

11.4 통계적 추론의 로드 맵

제10장과 제11장에서 달성하고자 하는 두 가지 목표가 있었다. 첫 번째 목표는 추정과 가설검정의 개념을 소개하는 것이었고 두 번째 목표는 신뢰구간추정치를 구하는 방법과 가설검정을 수행하는 방법을 소개하는 것이었다. 이 두 가지 목표의 중요성은 과소평가되어서는 안 된다. 이 장 이후에 나오는 거의 모든 내용은 모수를 추정하거나 가설을 검정하는 것이다. 따라서 제10.2절과 제11.2절은 통계기법이 적용되는 방법의 패턴을 제시한다. 만일 당신이 신뢰구간추정치를 구하고 사용하는 방법과 가설검정을 수행하고 해석하는 방법을 이해한다면, 당신은 이미 데이터를 분석하고 해석하는 일에 유능하게 되는 궁극적인 목표로 잘 나아가고 있다고 말하는 것이 결코 과장은 아니다. 당신이 이 목표를 달성하기 위해 무엇을 더 해야 하는가를 물어보는 것이 합당하다. 간략히 말하면, 그 대답도 거의 동일하다.

다음의 장들에서는 통계전문가들에 의해 사용될 수 있는 수많은 통계기법이 소개된다. 검정통계량의 값과 신뢰구간추정치를 계산하기 위해서는 가감승제를 할 수 있는 능력과 제곱근을 계산하는 능력만으로 충분하다. 만일 당신이 컴퓨터를 사용하고자 한다면, 당신이 알아야 할 일은 컴퓨터의 지시사항이다. 따라서 통계학을 적용하는 데 핵심이 되는 사항은 계산하기 위해 어떤 공식을 사용할 것인지 어떤 컴퓨터 지시사항을 사용할 것인지 아는 것이다. 주제가 변화하더라도 중요한 것은 문제를 정의하고 어느 통계기법이 가장 적정한 것인지 선택할 수 있어야 한다는 점이다.

대부분의 학생들은 필요한 통계기법을 소개한 절의 끝에 있는 연습문제들 중에 있지 않은 특정한 종류의 통계문제를 해결하는 데 약간의 어려움을 가지고 있다. 불행하게도 실제에서 접하는 통계문제는 이미 접해본 문제가 아니다. 따라서 이 책에서는 통계기법을 선택하는 것을 돕기 위한 방법이 제시되어 있다. 제10장에서 Identify-Computer-Interprete (ICI) 시스템에 대해 소개하였다는 것을 기억하라. 다음 절에서는 *Identify*(선택) 단계가 어떻게 작동되는지 설명한다.

11.4a 데이터의 종류

수많은 요소들이 어떤 통계기법이 사용되어야 하는지 결정한다. 그러나 두 가지 요소, 즉 데이터의 종류와 통계적 추론의 목적이 중요하다. 제2장에서는 3가지 종류의 데이터, 즉 구간데이터, 서열데이터, 범주데이터가 존재한다는 것을 지적하였다. 범주데이터는 결혼여부, 직업, 성별과 같은 범주를 나타낸다. 통계전문가들은 종종 범주데이터에 수치를 부여하면서 기록한다(말하자면, 1=독신, 2=기혼, 3=이혼, 4=과부/홀애비). 이와 같은 수치는 완전히 임의로 부여된 것이기 때문에 이와 같은 수치를 이용한 계산은 의미가 없다. 범주데이터에 대하여 할 수 있는 일은 각 범주가 관측되는 횟수를 세는 것이다. 서열데이터는 대답이 등급 또는 순위를 나타내는 질문으로부터 얻어진다. 예를 들면, 학생들에게 한 대학교수를 평가하도록 요청하면, 학생들의 대답은 우수, 양호, 보통, 불량일 수 있다. 이와 같은 데이터에 관한 추론을 하기 위해 학생들의 대답은 수치로 전환된다. 어떤 수치시스템도 서열이 유지되는 한 타당하다. 따라서 "4=우수, 3=양호, 2=보통, 1=불량"과 "15=우수, 8=양호, 5=보통, 2=불량" 중 어느 것도 타당한 코딩시스템이다. 이와 같은 특성 때문에 서열데이터에 대한 가장 적절한 통계기법은 순위에 기초한 기법이다.

구간데이터는 소득, 연령, 키, 무게, 부피와 같은 실수들이다. 따라서 평균과 분산이 계산될 수 있다.

통계기법을 결정하는 데 두 번째 핵심 요소는 통계분석을 하는 목적이다. 모든 통계기법은 어떤 특정한 목적을 가지고 있다. 이 책에서는 다음과 같은 5가지 목적이 제시되어 있다.

11.4b 문제의 목적

1. **한 모집단의 특성 설명하기**. 여기서 문제의 목적은 관심 있는 한 모집단의 특성을 설명

하는 것이다. 어떤 특성을 설명하고자 하는가에 대한 결정은 일반적으로 데이터의 종류에 의해 결정된다. 예를 들면, 관심 있는 모집단이 모든 컴퓨터의 구매자들로 구성되어 있다고 하자. 만일 구매자의 소득(구간데이터)에 관심을 가지고 있다면, 모집단의 특성을 나타내는 평균 또는 분산을 계산할 수 있다. 만일 구매자가 구매한 컴퓨터의 브랜드(범주데이터)에 관심을 가지고 있다면, 우리가 할 수 있는 일은 각 브랜드를 구매한 모집단의 비율을 계산하는 것이다.

2. **두 모집단 비교하기**. 이 경우 문제의 목적은 한 모집단의 특성을 두 번째 모집단의 같은 특성과 비교하는 것이다. 예를 들면, 관심 있는 모집단들이 컴퓨터의 남성구매자 모집단과 여성구매자 모집단이라고 하자. 남성과 여성구매자 모집단의 평균을 비교하거나 하나의 특정한 브랜드를 구매하는 각 모집단의 비율을 비교할 수 있다. 데이터의 종류는 일반적으로 우리가 비교하는 특성의 종류를 결정한다.
3. **두 개 이상의 모집단 비교하기**. 새로운 쇼핑센터를 어디에 건설할 것인지 결정하기 위해 여러 지역의 평균 소득을 비교할 필요가 있을 수 있다. 또는 어느 생산라인이 가장 좋은지 결정하기 위해 많은 생산라인의 불량률을 비교하기 원할 수 있다. 각 경우에, 문제의 목적은 두 개 이상의 모집단을 비교하는 것이다.
4. **두 변수의 관계 분석하기**. 한 변수가 다른 변수와 어떻게 관련되어 있는지 알기 원하는 많은 상황이 존재한다. 정부는 이자율의 인상이 실업률에 어떠한 영향을 미치는지 알기 원한다. 회사들은 광고예산의 크기가 판매량에 어떻게 영향을 주는지 알기 원한다. 이 책에 있는 문제들 대부분에서 분석되는 두 변수는 같은 종류이다. 다른 종류의 두 변수를 다루기 위해 개발된 상당히 방대한 분량의 통계기법들은 이 책에서 논의되지 않는다.
5. **두 개 이상 변수 간의 관계 분석하기**. 여기서 문제의 목적은 일반적으로 다른 변수들(독립변수들)에 기초하여 한 변수(종속변수)를 예측하는 것이다. 이 책에서는 모든 변수들이 구간데이터를 가지는 상황에서만 이와 같은 문제가 다루어진다.

표 11.3은 데이터의 종류와 5가지 문제의 목적을 정리한 것이다. 이 표에서는 문제의 목적과 데이터 종류의 각 결합에 대하여 적정한 통계기법이 제시되는 장과 절이 제시되어 있다.

11.4c 도출

이 책은 통계학의 응용에 관한 책이기 때문에 이 책의 독자는 설명되는 통계기법의 수학적

표 11.3 통계기법이 소개되는 곳을 보여주는 통계적 추론의 가이드

	데이터의 종류		
문제의 목적	범주데이터	서열데이터	구간데이터
한 모집단의 특성 설명하기	제12.3절, 제15.1절	–	제12.1절, 제12.2절
두 모집단 비교하기	제13.5절, 제15.2절	제19.1절, 제19.2절	제13.1절, 제13.3절, 제13.4절, 제19.1절, 제19.2절
두 개 이상 모집단 비교하기	제15.2절	제19.3절, 제19.4절	제14장, 제19.3절, 제19.4절
두 변수의 관계 분석하기	제15.2절	제19.5절	제16장
두 개 이상 변수 간의 관계 분석하기	–	–	제17절, 제18장

도출에 관심을 가지고 있지 않다고 가정한다. 그러나 공식이 도출되는 과정에 대하여 어느 정도 이해하고 있는 것이 도움이 될 수 있다.

앞에서 설명한 것처럼 문제의 목적과 데이터의 종류와 같은 요소들이 추정하여야 하는 모수 또는 검정되어야 하는 모수를 결정한다. 통계전문가는 각 모수에 대하여 어떤 통계량을 사용하여야 하는지 결정한다. 이와 같은 통계량은 일반적으로 공식으로 나타낼 수 있는 표본분포를 가진다. 예를 들면, 이 장에서 관심 있는 모수는 모평균 μ이고, 모평균에 대한 최량추정량은 표본평균 $\bar{x}$이다. 모표준편차 σ가 알려져 있다고 가정하면, $\bar{X}$의 표본분포는 평균이 μ이고 표준편차가 $\sigma/\sqrt{n}$인 정규분포(또는 근사적으로 정규분포)를 따른다. 표본분포는 다음과 같은 공식으로 나타낼 수 있다.

$$z = \frac{\bar{x} - \mu}{\sigma/\sqrt{n}}$$

또한 이 공식은 σ가 알려져 있는 경우 μ에 대한 검정통계량을 나타낸다. 약간의 대수를 사용하면서 제10.2절에서와 같이 μ에 대한 신뢰구간추정량을 도출할 수 있다.

다음의 장들에서 새로운 표본분포를 소개할 때 이와 같은 과정이 반복될 것이다. 표본분포의 모습과 공식은 이 장에서 사용된 표본분포와 공식과는 다를지라도 도출되는 패턴과 사용되는 패턴은 동일하다. 일반적으로 표본분포를 나타내는 공식이 검정통계량이다. 약간의 대수 조작을 하면 구간추정량이 구해진다. 따라서 앞으로의 논의에서는 두 통계기법을 설명하는 순서가 바뀌어진다. 먼저 가설검정이 제시되고 이어서 신뢰구간추정량이 제시된다.

요약

이 장에서는 가설검정의 개념이 소개되었고 이와 같은 가설검정의 개념이 모평균에 대한 가설검정에 적용되었다. 귀무가설과 대립가설을 설정하는 방법, 기각역을 결정하는 방법, 검정통계량의 값을 계산하는 방법, 의사결정을 하는 방법이 소개되었다. 검정결과를 해석하는 방법도 논의되었다. 또한 이 장에서는 의사결정을 하는 다른 방법인 검정의 p-값을 계산하고 사용하는 방법이 제시되었다. 검정결과의 해석을 돕기 위해 제2종 오류의 확률을 계산하는 방법도 제시되었다. 마지막으로, 앞으로 논의될 통계기법들의 로드 맵이 제시되었다.

주요 용어

가설검정(hypothesis testing)
검사특성곡선(operating characteristic curve)
검정의 p-값(p-value of a test)
검정통계량(test statistic)
귀무가설(null hypothesis)
기각역(rejection region)
단측검정(one-tail test)
단측신뢰구간추정량(one-sided confidence interval estimator)
대립가설(alternative hypothesis)
매우 유의하다(highly significant)
양측검정(two-tail test)
연구가설(research hypothesis)
유의수준(significance level)
유의하다(significant)
제1종 오류(Type I error)
제2종 오류(Type II error)
표준화 검정통계량(standardized test statistic)
통계적으로 유의하다(statistically significant)
통계적으로 유의하지 않다(not statistically significant)

주요 기호

기호	발음	의미
H_0	*H*-nought	귀무가설
H_1	*H*-one	대립가설 또는 연구가설
α	alpha	제1종 오류의 확률
β	beta	제2종 오류의 확률
$\bar{x}_L$	*X*-bar-sub-*L* or *X*-bar- *L*	H_0를 기각하기 위해 충분히 큰 $\bar{x}$의 값
$\lvert z \rvert$	Absolute-*z*	z의 절댓값

주요공식

μ에 대한 검정통계량

$$z = \frac{\bar{x} - \mu}{\sigma/\sqrt{n}}$$

Yuriy Rudyy/Shutterstock.com

12 한 모집단에 관한 추론

Inference about a Population

이 장의 구성

12.1 모표준편차가 알려져 있지 않을 때 모평균에 관한 추론

12.2 모분산에 관한 추론

12.3 모비율에 관한 추론

12.4 마케팅분야의 통계학 응용: 시장분할

실업자 수의 추정

☞ (472페이지에 모범답안이 제시되어 있다.)

DATA GSS2018

가장 중요한 경제 통계 중 하나는 실업률이다. 불행하게도, 실업률은 오해를 불러일으키기 때문에 매우 불량한 척도이다. 미국 노동통계국(BLS)은 실업률을 현재 경제활동인구 중에서 실업자가 차지하는 비율로 정의한다. 어떤 사람이 경제활동인구에 포함되기 위해서는 지난 4주 동안 일자리를 가지고 있었거나 일자리를 찾기 위한 구직활동을 하여야 한다. 이것은 많은 사람들을 경제활동인구로부터 배제시킨다. 일부 사람들은 지난 4주 이상 구직활동을 하지 않아 일자리를 찾는 일을 포기하여 배제되고, 일부 사람들은 그 순간에 일을 할 수 없기 때문에 배제된다. 그러나 이러한 사람들을 경제활동인구로부터 배제하는 것은 실업률을 상당히 과소추정하게 만든다.

Jupiterimages/Getty images

General Social Survey에 의해 생산된 데이터는 이러한 문제를 더 이해할 수 있게 해준다. 일자리 상태 변수(WRKSTAT)에 대한 응답은 다음과 같이 정리된다: 1. 풀 타임으로 일함, 2. 파트타임으로 일함, 3. 일시적으로 일하지 않음, 4. 실업이거나 해고 상태, 5. 은퇴 상태, 6. 학교 출석, 7. 가사 돌봄, 8. 기타.

미국의 18세 이상 성인은 255,200,373명이다. 일시적으로 일하지 않거나 실업이거나 해고 상태에 있는 미국 성인 수에 대한 95% 신뢰구간을 추정하라.

서론

앞의 두 장에서는 통계적 추론의 개념이 소개되었고 모평균을 추정하고 검정하는 방법이 제시되었다. 그러나 제시된 예시에서 사용된 통계기법은 일반적으로 알려져 있지 않은 모표준편차를 사용해야 하기 때문에 비현실적이다. 제10장과 제11장의 목표는 새로운 통계기법을 제시하기 위한 패턴을 설정하는 것이었다. 즉, 추정되어야 하는 모수 또는 검정되어야 하는 모수를 선택하는 것으로부터 논의를 시작한다. 이어서 모수의 추정량(제10장의 처음 부분에서 논의한 특성 때문에 각 모수는 선택되는 추정량을 가진다)과 이 추정량의 표본분포가 규정된다. 통계학자들은 간단한 수학을 사용하면서 구간추정량과 검정통계량을 도출하였다. 이와 같은 패턴이 새로운 통계기법을 소개할 때 반복적으로 사용된다.

제11.4절에서는 이 책에서 논의되는 5가지 문제의 목적이 설명되었고 통계기법이 소개되는 순서가 제시되었다. 이 장에서는 문제의 목적이 한 모집단의 특성을 파악하는 것일 때 사용되는 통계기법이 소개된다. 데이터가 구간데이터일 때, 관심 있는 모수들은 모평균 μ와 모분산 σ^2이다. 제12.1절에서는 모표준편차가 알려져 있지 않다는 보다 더 현실적인 가정 하에서 모평균에 관한 추론방법이 설명된다. 제12.2절에서는 계속해서 구간데이터를 사용하지만 관심 있는 모수는 모분산이다.

제2장과 제11.4절에서 살펴본 것처럼, 데이터가 범주데이터일 때 의미있는 유일한 계산은 각 값이 발생하는 비율을 구하는 것이다. 제12.3절에서는 모비율 p에 관한 추론이 논의된다. 제12.4절에서는 마케팅분야의 중요한 통계학 응용인 시장분할에 대한 논의가 이루어진다.

12.1 모표준편차가 알려져 있지 않을 때 모평균에 관한 추론

제10.2절과 제11.2절에서는 모표준편차가 알려져 있을 때 모평균을 추정하는 방법과 검정하는 방법이 제시되었다. 신뢰구간추정량과 검정통계량은 σ가 알려져 있다는 가정하에서 표본평균의 표본분포로부터 도출되었으며 다음과 같이 표현되었다.

$$z = \frac{\bar{x} - \mu}{\sigma/\sqrt{n}}$$

이 절에서는 모표준편차가 알려져 있지 않다고 가정하면서 보다 현실적인 접근 방법이 채택된다. 따라서 앞에서 나타낸 표본분포는 사용될 수 없다. 따라서 $Z=(\bar{x}-\mu)/(\sigma/\sqrt{n})$에서 알려져 있지 않은 모표준편차 σ는 표본표준편차 s로 대체된다. 그 결과로 얻어지는 검정통계량은 수학자인 William S. Gosset이 창안한 ***t*-통계량**(*t*-statistic)이라고 부른다. 1908년

에 Gosset는

$$t = \frac{\bar{x} - \mu}{s/\sqrt{n}}$$

으로 정의되는 t 통계량은 표본추출이 이루어지는 모집단이 정규분포일 때 자유도가 $n-1$인 **Student t 분포**(Student t distribution)를 따른다는 것을 증명하였다. (Gosset는 그의 연구결과를 익명인 "Student"라는 이름으로 출간하였다. 따라서 그가 발견한 분포를 Student t 분포(Student t distribution)라고 부른다.) Student t 분포는 제8.4절에서 소개되었다는 것을 기억하라.

제11.2절에서 검정통계량과 제10.2절에서 신뢰구간추정량을 도출할 때 사용한 것과 정확히 동일한 방법으로 모표준편차가 알려져 있지 않을 때 μ의 검정통계량과 μ에 대한 신뢰구간추정량이 다음과 같이 도출된다.

σ가 알려져 있지 않을 때 μ의 검정통계량

모표준편차가 알려져 있지 않고 모집단이 정규분포를 따를 때, μ에 관한 가설을 검정하기 위한 검정통계량은

$$t = \frac{\bar{x} - \mu}{s/\sqrt{n}}$$

이다. 이 검정통계량은 자유도가 $\nu = n-1$인 Student t 분포를 따른다.

σ가 알려져 있지 않을 때 μ에 대한 신뢰구간추정량

$$\bar{x} \pm t_{\alpha/2,\nu}\frac{s}{\sqrt{n}} \qquad \nu = n - 1$$

이 공식들은 이제 모평균을 추정하고 검정하기 위해 제10장과 제11장에서 사용된 검정통계량과 구간추정량을 쓸모없게 만든다. 제10장과 제11장에서 소개된 개념들이 계속적으로 사용되지만 z 통계량과 μ에 대한 z 추정량은 더 이상 사용되지 않는다. 앞으로 나오는 모평균에 관한 모든 추론문제에서는 바로 앞에서 제시된 t 통계량과 μ에 대한 t 추정량이 사용된다.

신문용지 재활용공장

DATA
Xm12-01+

가까운 미래에 국가들은 환경을 보존하기 위해 더 많은 일을 해야 할 것이다. 가능한 활동 중에는 에너지 사용의 감소와 자원 재활용이 포함된다. 현재 재활용 자원으로부터 제조되는 대부분의 생산물들은 지구에서 발견되는 자원으로부터 제조되는 생산물보다 상당히 더 비싸다. 예를 들면, 재활용 유리로부터 유리병을 생산하는 비용은 많은 국가들에서 채굴되는 풍부한 자원인 규사(silica sand), 소다회(soda ash), 석회석(limestone)으로부터 유리병을 생산하는 비용보다 약 3배 비싸다. 재활용 캔으로부터 알루미늄 캔을 제조하는 비용은 보크사이트(bauxite)로부터 알루미늄 캔을 제조하는 비용보다 더 비싸다. 하나의 예외가 신문용지이다. 신문용지를 재활용하는 것이 이윤을 발생시킬 수 있다. 신문용지 재활용에 있어서 많은 비용은 가구로부터 신문용지를 수집하는 데 지불된다. 최근에 많은 회사들은 가구로부터 신문용지를 수집하여 재활용하는 비즈니스에 뛰어들었다. 최근에 한 신문용지 재활용 회사의 한 재무분석가는 각 가구로부터 수집되는 주간 평균 신문용지량이 2.0파운드를 초과하면 이윤이 발생할 것이라고 계산하였다. 신문용지 재활용 공장의 설립 타당성을 결정하기 위한 연구에서 한 대형 커뮤니티로부터 148가구로 구성된 임의표본이 추출되었고 각 가구가 재활용을 위해 버리는 주간 신문용지량이 기록되었다. 이와 같은 데이터가 다음과 같이 제시되어 있다. 이와 같은 데이터는 신문용지 재활용 공장이 이윤을 발생시킬 것이라고 결론내릴 수 있는 충분한 증거를 제시하는가?

각 가구가 버리는 주간 신문용지량

2.5	0.7	3.4	1.8	1.9	2.0	1.3	1.2	2.2	0.9	2.7	2.9	1.5	1.5	2.2
3.2	0.7	2.3	3.1	1.3	4.2	3.4	1.5	2.1	1.0	2.4	1.8	0.9	1.3	2.6
3.6	0.8	3.0	2.8	3.6	3.1	2.4	3.2	4.4	4.1	1.5	1.9	3.2	1.9	1.6
3.0	3.7	1.7	3.1	2.4	3.0	1.5	3.1	2.4	2.1	2.1	2.3	0.7	0.9	2.7
1.2	2.2	1.3	3.0	3.0	2.2	1.5	2.7	0.9	2.5	3.2	3.7	1.9	2.0	3.7
2.3	0.6	0.0	1.0	1.4	0.9	2.6	2.1	3.4	0.5	4.1	2.2	3.4	3.3	0.0
2.2	4.2	1.1	2.3	3.1	1.7	2.8	2.5	1.8	1.7	0.6	3.6	1.4	2.2	2.2
1.3	1.7	3.0	0.8	1.6	1.8	1.4	3.0	1.9	2.7	0.8	3.3	2.5	1.5	2.2
2.6	3.2	1.0	3.2	1.6	3.4	1.7	2.3	2.6	1.4	3.3	1.3	2.4	2.0	
1.3	1.8	3.3	2.2	1.4	3.2	4.3	0.0	2.0	1.8	0.0	1.7	2.6	3.1	

해답 **선택**

문제의 목적은 모집단에 속한 각 가구에 의해 버려지는 주간 신문용지량으로 구성되어 있는 모집단의 특성을 파악하는 것이다. 데이터는 구간데이터이고 검정되어야 하는 모수는 모평균이다. 재무분석가는 모평균이 2.0파운드보다 큰지 결정할 필요가 있기 때문에 대립가설은 다음과 같이 설정된다.

$$H_1: \quad \mu > 2.0$$

통상적인 방법으로 귀무가설은 모평균이 대립가설에서 규정된 값과 같다고 설정된다.

$$H_0: \quad \mu = 2.0$$

검정통계량은 $t = \dfrac{\bar{x} - \mu}{s/\sqrt{n}}$, $\nu = n - 1$이다.

계산

직접 계산

재무분석가는 제1종 오류(모평균이 2.0보다 크지 않은데 2.0보다 크다고 결론을 내리는 오류)의 비용은 매우 크다고 생각한다. 따라서 그는 유의수준을 1%로 설정한다. 기각역은 다음과 같다.

$$t > t_{\alpha,\nu} = t_{.01,147} = 2.352 \text{ (엑셀 함수 =T.INV 이용)}$$

검정통계량의 값을 계산하기 위해 표본평균 $\bar{x}$와 표본표준편차 s를 계산할 필요가 있다. 주어진 데이터로부터 $\sum x_i = 322.7$이고 $\sum x_i^2 = 845.1$이다.

따라서 $\bar{x}$, s^2, s는 각각 다음과 같이 계산된다.

$$\bar{x} = \frac{\sum x_i}{n} = \frac{322.7}{148} = 2.18$$

$$s^2 = \frac{\sum x_i^2 - \dfrac{\left(\sum x_i\right)^2}{n}}{n - 1} = \frac{845.1 - \dfrac{(322.7)^2}{148}}{148 - 1} = .962$$

$$s = \sqrt{s^2} = \sqrt{.962} = .981$$

μ의 값은 귀무가설에서 정해진다. 즉, $\mu = 2.0$이다. 검정통계량의 값은 다음과 같이 계산된다.

$$t = \frac{\bar{x} - \mu}{s/\sqrt{n}} = \frac{2.18 - 2.0}{.981/\sqrt{148}} = 2.24$$

검정통계량의 값인 2.24는 2.352보다 작기 때문에 대립가설을 선호하여 귀무가설을 기각할 수 없다. 즉, 귀무가설이 기각되지 않는다.

EXCEL Workbook

	A	B	C	D
1	**t-Test of a Mean**			
2				
3	**Sample mean**	2.1804	**t Stat**	**2.24**
4	**Sample standard deviation**	0.9812	**P(T<=t) one-tail**	**0.0134**
5	**Sample size**	148	**t Critical one-tail**	**2.3520**
6	**Hypothesized mean**	2	**P(T<=t) two-tail**	**0.0268**
7	**Alpha**	0.01	**t Critical two-tail**	**2.6097**

지시사항

1. 데이터를 한 열에 입력하거나 <Xm12-01>을 불러들여라. 임의의 빈 셀에 표본평균(=AVERAGE(A1:A149))과 표본표준편차(=STDEV(A1:A149))를 계산하라.
2. Test Statistics Workbook을 열고 t-Test_Mean을 클릭하라. 표본평균과 표본표준편차의 값을 입력하거나 복사하라. 표본크기, 귀무가설하에서 μ의 값과 α의 값을 입력하라.

XLSTAT

	B	C	D	E	F	G
8	Theoretical mean: 2					
9						
10	Summary statistics:					
11						
12	Variable	Observations	Minimum	Maximum	Mean	Std. deviation
13	Newspaper	148	0.0	4.4	2.18	0.981
14						
15	**One-sample t-test / Upper-tailed test:**					
16						
17	Difference	0.180				
18	t (Observed value)	2.237				
19	t (Critical value)	2.532				
20	DF	147				
21	p-value (one-tailed)	0.0134				
22	alpha	0.01				

지시사항

1. 한 열에 데이터를 입력하거나 <Xm12-01>을 불러들여라.
2. **XLSTAT, Parametric tests, One-sample t-test and z-test**를 클릭하라.
3. **Data format**에서 **One sample**을 체크하라: **Data** 대화 상자에서 input range (A1:A149)를 입력하라. 데이터의 첫 번째 열이 변수의 이름을 포함하고 있으면 **Column labels**를 체크하라. 당신이 분석결과가 나타나기 원하는 곳에 따라 **Range:**, **Sheet**, 또는 **Workbook**을 선택하라. **Tests**에서 **Student's t test**를 클릭하라.
4. **Options**를 클릭하고 **Alternative hypothesis** 박스에서 **Mean 1 > Theoretical mean**을 선택하라. **Theoretical mean** (2)를 입력하라. **Significance level** (%) 박스에서 퍼센트로 나타낸 의 값 (1)을 설정하라.
5. **Outputs**를 클릭하고 **Descriptive statistics**와 **Detailed results**를 체크하라.

해석 검정통계량의 값은 $t=2.24$이고 검정의 p-값은 .0134이다. 각 가구로부터 버려지는 주간 평균 신문용지량이 2.0보다 크다고 추론할 수 있는 충분한 증거가 존재하지 않는다. p-값이 .0134라는 사실로부터 약간의 증거가 존재한다고 추론할 수 있다. 그러나 제1종 오류의 확률이 작기를 원하기 때문에 유의수준은 1%로 설정되었다. 따라서 신문용지 재활용 공장이 이윤을 발생시킬 것이라고 결론내릴 수 없다.

그림 12.1은 예제 12.1의 표본분포를 그린 것이다.

그림 12.1 예제 12.1을 위한 검정통계량의 표본분포

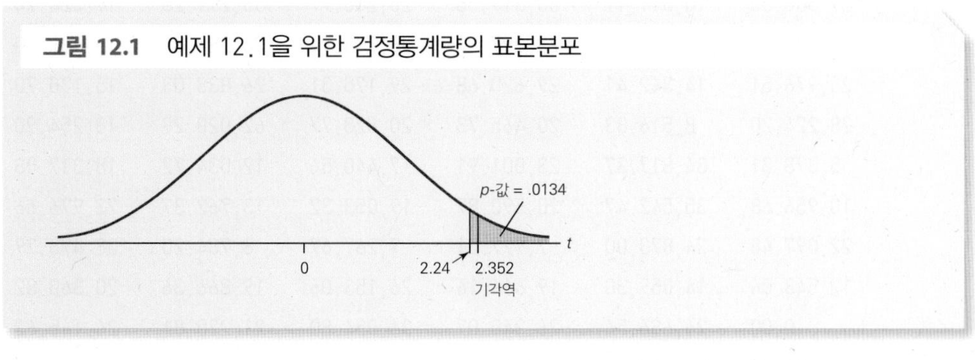

예제 12.2

DATA Xm12-02

회계감사가 이루어진 세금환불 건으로부터의 추가 세금수입

2019년에 미국에서는 199,365,492개의 세금환불 건이 접수되었다. 미국 국세청(Internal Revenue Service (IRS))은 접수된 세금환불 건이 정확하게 작성되었는지 결정하기 위해 접수된 총 세금환불 건 중 771,095개의 세금환불 건을 검토하였다. 회계감사자가 감사를 얼마나 잘 수행하는지 결정하기 위해 세금환불 건의 임의표본이 추출되었고 추가 소득세가 보고되었다. 이와 같은 데이터가 다음과 같이 정리되어 있다. 임의표본으로 추출된 세금환불 건으로부터 771,095개의 세금환불 건으로부터 징수되어야 하는 추가 소득세의 평균에 대한 95% 신뢰구간을 추정하라.

추가 소득세

16,760.38	10,835.33	36,970.82	7,343.70	23,885.84	30,236.64
25,604.82	17,188.78	17,029.63	27,468.59	30,362.54	9,703.89
24,390.07	12,122.10	22,793.63	12,498.51	48,890.06	22,315.04
17,583.09	28,524.40	31,146.13	8,558.74	14,560.66	21,115.88
13,799.51	0.00	25,956.35	12,106.65	37,786.05	26,182.80
4,231.08	3,563.11	22,642.30	40,690.76	39,986.04	43,459.96
14,873.61	28,878.39	53,146.24	29,083.56	28,786.00	25,258.21
22,515.00	22,755.94	2,127.62	54,505.15	20,737.66	14,584.91
27,502.97	17,138.96	33,498.19	14,870.09	30,855.96	15,124.90
36,505.89	12,552.58	34,841.31	28,452.90	23,966.82	37,363.03
20,264.52	20,252.21	28,422.81	20,015.92	56,725.28	8,728.88
24,725.09	16,544.70	8,326.08	66,500.33	26,727.87	26,332.34
9,347.79	12,876.61	18,680.49	40,003.06	11,781.62	8,842.33

13,006.29	53,241.52	24,077.18	19,153.98	20,814.31	18,844.03
20,202.24	15,495.38	45,801.31	4,912.03	12,903.28	34,057.25
8,547.02	22,759.63	34,125.33	11,942.09	26,265.52	33,598.85
23,466.93	26,116.59	13,575.06	34,453.97	17,530.18	14,965.70
29,508.35	10,311.19	30,519.55	20,286.97	36,291.20	19,324.74
18,778.24	18,839.59	23,097.87	36,774.14	28,392.81	15,438.60
25,976.51	14,342.41	29,620.68	29,175.31	26,833.03	15,170.70
28,224.20	8,516.83	20,465.73	20,828.77	62,020.29	18,254.90
5,378.81	34,817.37	23,001.91	7,440.54	12,034.72	18,317.08
10,956.68	35,542.47	20,590.87	19,053.32	13,762.37	22,976.66
22,097.48	24,873.00	7,777.21	7,267.67	8,784.20	38,473.79
12,543.06	14,059.30	19,664.16	26,153.06	19,866.36	20,360.82
0.00	26,686.54	26,340.07	36,054.80	21,220.81	24,145.62
30,631.96	27,618.82	16,133.41	26,920.19	21,885.38	8,008.45
24,501.48	12,961.52	20,070.32	16,781.76	20,478.76	18,964.26
23,687.42	49,787.37	19,087.14	3,400.60	4,923.85	19,606.61
4,566.29	22,692.44	11,716.49	27,075.35	0.00	22,142.02
19,241.25	23,929.36	22,692.44	15,561.24	20,604.62	13,747.11
22,387.21	29,354.67	14,841.03	19,001.08	18,625.60	26,888.11
30,468.14	34,200.03	27,044.73	13,525.59	26,039.65	46,020.55

해답 **선택**

문제의 목적은 추가 소득세 모집단의 특성을 파악하는 것이다. 데이터는 구간데이터이고 검정되어야 하는 모수는 모평균 μ이다. 주어진 질문은 모평균 μ를 추정하는 것이다. μ에 대한 신뢰구간추정량은 다음과 같다.

$$\bar{x} \pm t_{\alpha/2,n-1}\frac{s}{\sqrt{n}}$$

계산

직접 계산

주어진 데이터로부터 $\sum x_i = 4{,}438{,}221$이고 $\sum x_i^2 = 125{,}736{,}555{,}867$이다. 따라서 $\bar{x}$, s^2, s는 각각 다음과 같이 계산된다.

$$\bar{x} = \frac{\sum x_i}{n} = \frac{4{,}438{,}221}{198} = 22{,}415$$

$$s^2 = \frac{\sum x_i^2 - \frac{\left(\sum x_i\right)^2}{n}}{n-1} = \frac{125{,}736{,}555{,}867 - \frac{(4{,}438{,}221)^2}{198}}{198-1} = 133{,}262{,}368$$

$$s = \sqrt{s^2} = \sqrt{133{,}262{,}368} = 11{,}544$$

μ에 대한 95% 신뢰구간추정치를 구하기를 원하기 때문에 $1-\alpha=.95$, $\alpha=.05$, $\alpha/2=.025$이고 $t_{\alpha/2,n-1}=t_{.025,197}=1.972$(엑셀 함수=T.INV 이용)이다. 따라서 μ에 대한 95% 신뢰구간추정치는 다음과 같다.

$$\bar{x} \pm t_{\alpha/2,n-1}\frac{s}{\sqrt{n}} = 22{,}415 \pm 1.972\frac{11{,}544}{\sqrt{198}} = 22{,}415 \pm 1{,}618$$

$$\text{LCL} = 20{,}797 \quad \text{UCL} = 24{,}033$$

EXCEL Workbook

	A	B	C	D	E
1	**t-Estimate of a Mean**				
2					
3	**Sample mean**	22,415	**Confidence Interval Estimate**		
4	**Sample standard deviation**	11,544	**22,415**	±	**1618**
5	**Sample size**	198	**Lower confidence limit**		**20,797**
6	**Confidence level**	0.95	**Upper confidence limit**		**24,033**

지시사항

1. 데이터를 한 열에 입력하거나 <Xm12-02>을 불러들여라. 임의의 빈 셀에 표본평균(=AVERAGE(A1:A199))과 표본표준편차(=STDEV(A1:A199))을 계산하라.
2. Estimators Workbook을 열고 t-Estimate_Mean을 클릭하라. 표본평균과 표본표준편차의 값을 입력하거나 복사하라. 표본크기와 신뢰수준을 입력하라.

XLSTAT

	B	C	D	E	F	G
9	Summary statistics:					
10						
11	Variable	Observations	Minimum	Maximum	Mean	Std. deviation
12	Additional Income Tax	198	0.000	66,500	22,415	11,544
13						
14	95% confidence interval on the mean:					
15	20,797	24,033				

지시사항

1. 한 열에 데이터를 입력하거나 <Xm12-02>를 불러들여라.
2. XLSTAT, Parametric tests, One-sample t-test and z-test를 클릭하라.

3. Data format에서 One sample을 체크하라: Data 대화 상자에서 input range (A1:A199)를 입력하라. 데이터의 첫 번째 열이 변수의 이름을 포함하고 있으면 Column labels를 체크하라. 당신이 분석결과가 나타나기 원하는 곳에 따라 Range:, Sheet, 또는 Workbook을 선택하라. Tests에서 Student's t test를 클릭하라.
4. Options를 클릭하고 Alternative hypothesis 박스에서 Mean 1 ≠ Theoretical mean을 선택하라. Significance level (%) 박스에서 퍼센트로 나타낸 α의 값 (5)을 설정하라.
5. Outputs를 클릭하고 Descriptive statistics, Detailed results, Confidence interval을 체크하라.

해석 회계감사가 이루어진 세금환불 건으로부터의 평균 추가 소득세는 20,797달러와 24,033달러 사이라고 추정된다. 이와 같은 추정치는 IRS가 회계감사를 받은 개인들의 세금환불 건을 감사할 것인지 결정하기 위해 사용될 수 있다.

12.1a 필요조건 확인

Student t 분포를 소개할 때 표본추출이 이루어지는 모집단이 정규분포를 따르면 t-통계량은 Student t 분포를 따른다는 점을 지적하였다. 그러나 통계학자들은 Student t 분포를 도출한 수학적 과정은 **강건성**(robustness)을 가진다는 것을 증명하였다. 이것은 모집단이 **극단적으로** 비정규분포를 따르지 않는 한 t-검정과 신뢰구간추정치는 여전히 타당하다는 것을 의미한다.* 이와 같은 필요조건을 확인하기 위해서 히스토그램이 종 모양과 상당히 다른지가 검토된다. 그림 12.2와 그림 12.3은 각각 예제 12.1과 예제 12.2의 히스토그램을 그

그림 12.2 예제 12.1을 위한 히스토그램

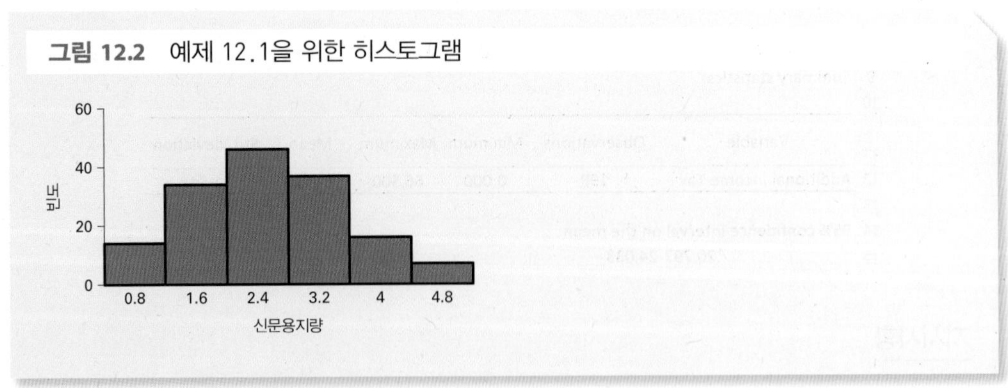

* 통계학자들은 표본크기가 큰 경우 t-검정과 모평균에 대한 추정량의 결과는 모집단이 극단적으로 비정규분포를 따르더라도 타당하다는 것을 증명하였다. 필요한 표본크기는 비정규분포의 정도에 의해 결정된다.

그림 12.3 예제 12.2를 위한 히스토그램

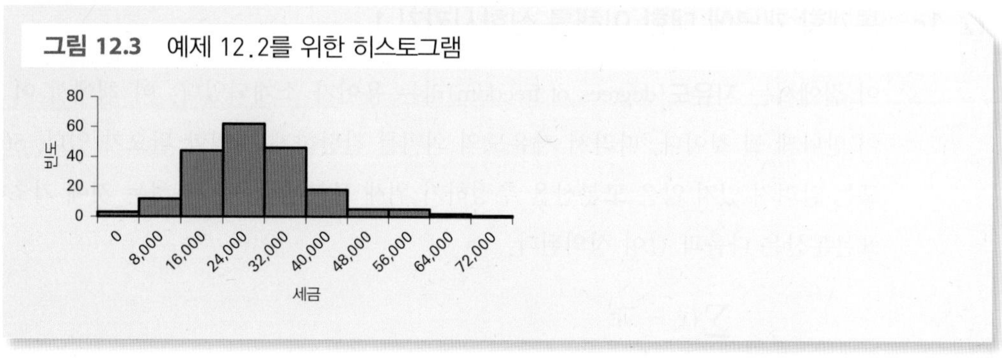

린 것이다. 두 히스토그램 모두 변수들이 극단적으로 비정규분포를 따르지 않고 실제로 정규분포를 따를 수 있다는 점을 제시한다.

12.1b 유한 모집단의 합계에 대한 추정

지금까지 소개된 추론기법은 모집단이 무한히 크다고 가정하면서 도출되었다. 그러나 실제로 대부분의 모집단은 유한하다. (무한히 큰 모집단은 일반적으로 하나의 동전 던지기 또는 복원을 하면서 항목을 선택하는 것과 같은 과정을 끝없이 반복하는 결과로 얻어진다.) 모집단이 작을 때, 검정통계량과 구간추정량은 제9장에서 소개된 유한 모집단 교정계수를 사용하면서 조정되어야 한다. 그러나 표본크기와 비교하여 상대적으로 큰 모집단에서는 교정계수가 무시될 수 있다. 큰 모집단은 적어도 표본크기의 20배인 모집단으로 정의된다.

유한 모집단에서는 모집단 합계의 신뢰구간추정량을 구하기 위해 모평균에 대한 신뢰구간추정량이 사용될 수 있다. 모집단 합계를 추정하기 위해 모평균에 대한 신뢰하한과 신뢰상한과 모집단 크기를 곱한다. 따라서 모집단 합계의 신뢰구간추정량은 다음과 같다.

$$N\left[\bar{x} \pm t_{\alpha/2}\frac{s}{\sqrt{n}}\right]$$

예를 들면, 검토된 771,095개의 세금환불 건으로부터 추가 소득세의 총 합계를 추정하기 원한다고 하자. 추가 소득세의 총 합계에 대한 95% 신뢰구간추정치는 다음과 같다.

$$N\left[\bar{x} \pm t_{\alpha/2}\frac{s}{\sqrt{n}}\right] = 771{,}095(22{,}415 \pm 1{,}618)$$

$$\text{LCL} = 16{,}036{,}462{,}715 \qquad \text{UCL} = 18{,}531{,}726{,}135$$

12.1c 통계학 개념에 대한 이해를 심화시키기 1

이 절에서는 **자유도**(degrees of freedom)라는 용어가 소개되었다. 이 책에서 이 용어를 많이 만나게 될 것이다. 따라서 자유도의 의미를 간단하게 논의할 필요가 있다. Student t 분포는 알려져 있지 않은 모분산을 추정하기 위해 표본분산을 사용하는 것에 기초하고 있다. 표본분산은 다음과 같이 정의된다.

$$s^2 = \frac{\sum (x_i - \bar{x})^2}{n-1}$$

s^2을 계산하기 위해서는 먼저 $\bar{x}$를 구해야 한다. 표본분포는 동일한 모집단으로부터 반복적으로 표본추출하면서 도출된다는 것을 기억하라. s^2을 계산하기 위해 표본들을 반복적으로 사용하면서 주어진 표본에 있는 $n-1$개의 관측치가 자유롭게 선택될 수 있다. 그러나 표본평균이 먼저 계산되어야 하기 때문에 n번째 값에 대한 선택의 여지가 없다. 예를 들면, $n=3$이고 $\bar{x}=10$이라고 하자. 아무런 제약 없이 x_1과 x_2는 어느 값이든 선택될 수 있다. 그러나 x_3는 $\bar{x}=10$이 되도록 선택되어야 한다. 예를 들면, $x_1=6$과 $x_2=8$이면, x_3는 16이어야 한다. 따라서 표본의 선택에서 자유도는 2이다. $\bar{x}$를 계산해야 하기 때문에 하나의 자유도가 상실된다.

s^2을 계산할 때 사용되는 분모는 자유도의 수와 같다는 점에 주목하라. 이것은 우연이 아니며 이 책에서 이와 같은 자유도는 반복적으로 사용된다.

12.1d 통계학 개념에 대한 이해를 심화시키기 2

z-통계량과 마찬가지로 t-통계량은 표본평균 $\bar{x}$와 귀무가설로 규정된 μ값의 차이를 표준오차의 크기로 측정한다. 그러나 모표준편차 σ가 알려져 있지 않을 때, 표준오차는 $s/\sqrt{n}$로 추정된다.

12.1e 통계학 개념에 대한 이해를 심화시키기 3

제8.4절에서 Student t 분포가 소개될 때 Student t 분포는 표준정규분포보다 더 넓게 퍼져 있다는 점을 지적하였다. 이와 같은 상황은 논리적이다. z-통계량에서 유일한 변수는 표본마다 달라지는 표본평균 $\bar{x}$이다. t-통계량은 두 개의 변수, 즉 표본마다 달라지는 표본평균 $\bar{x}$와 표본표준편차 s를 가진다. 이와 같은 특성 때문에 t-통계량은 더 큰 변동성을 가진다. 연습문제 12.15~연습문제 12.22는 이와 같은 개념을 다룬다.

연습문제

다음의 연습문제들은 통계적 추론의 요소들이 변화할 때 검정통계량과 구간추정치에 어떤 일이 발생하는지 파악하기 위해 만들어진 "what-if 분석"이다. 이 연습문제들은 직접 풀 수 있거나 Test Statistics나 Estimators 스프레드시트를 사용하여 풀 수 있다.

12.1 **a.** 한 통계전문가는 표본크기가 56인 임의표본을 추출했다. 표본평균과 표본표준편차는 각각 70과 12이다. 모평균에 대한 95% 신뢰구간을 구하라.

b. 표본평균을 30으로 바꾸고 a를 반복하라.

c. 표본평균이 감소할 때 신뢰구간의 길이에 어떤 일이 발생하는지 설명하라.

12.2 **a.** 표본크기는 25이고 표본평균과 표본표준편차는 각각 50과 10이다. 모평균에 대한 90% 신뢰구간을 구하라.

b. 표본평균을 100으로 바꾸고 a를 반복하라.

c. 표본평균이 증가할 때 신뢰구간의 길이에 어떤 일이 발생하는지 설명하라.

12.3 **a.** 25개 관측치로 구성된 임의표본이 모집단으로부터 추출되었다. 표본평균과 표본표준편차는 각각 $\bar{x}=510$과 $s=125$이다. 모평균에 대한 95% 신뢰구간추정치를 구하라.

b. $n=50$인 경우 a를 반복하라.

c. $n=100$인 경우 a를 반복하라.

d. 표본크기가 증가할 때 신뢰구간추정치는 어떻게 변하는지 설명하라.

12.4 **a.** 100개 관측치로 구성된 임의표본의 표본평균과 표본표준편차는 각각 $\bar{x}=1{,}500$과 $s=300$이다. 모평균에 대한 95% 신뢰구간추정치를 구하라.

b. $s=200$인 경우 a를 반복하라.

c. $s=100$인 경우 a를 반복하라.

d. 표본표준편차 s의 감소가 신뢰구간추정치에 미치는 효과를 논의하라.

12.5 **a.** 한 통계전문가는 400개의 관측치로 구성된 임의표본을 추출하였고 $\bar{x}=700$과 $s=100$이라는 것을 알았다. 모평균에 대한 90% 신뢰구간추정치를 구하라.

b. 95%의 신뢰수준인 경우 a를 반복하라.

c. 99%의 신뢰수준인 경우 a를 반복하라.

d. 신뢰수준의 증가가 신뢰구간추정치에 미치는 효과는 무엇인가?

12.6 **a.** 100개의 관측치로 구성된 표본의 평균과 표준편차는 각각 $\bar{x}=10$과 $s=1$이다. 모평균에 대한 95% 신뢰구간추정치를 구하라.

b. $s=4$인 경우 a를 반복하라.

c. $s=10$인 경우 a를 반복하라.

d. 표본표준편차 s의 증가가 신뢰구간추정치에 미치는 효과를 논의하라.

12.7 **a.** 한 통계전문가가 51개의 관측치로 구성된 표본의 평균과 표준편차를 계산하였다. 표본평균과 표본표준편차는 각각 $\bar{x}=120$과 $s=15$이다. 모평균에 대한 95% 신뢰구간추정치를 구하라.

b. 90%의 신뢰수준인 경우 a를 반복하라.

c. 80%의 신뢰수준인 경우 a를 반복하라.

d. 신뢰수준의 감소가 신뢰구간추정치에 미치는 효과는 무엇인가?

12.8 **a.** 81개의 관측치로 구성된 표본으로부터 계산된 평균과 표준편차는 각각 $\bar{x}=63$과 $s=8$이다. 모평균에 대한 95% 신뢰구간추정치를 구하라.

b. $n=64$인 경우 a를 반복하라.

c. $n=36$인 경우 a를 반복하라.

d. 표본크기가 감소할 때 신뢰구간추정치에 어떤 일이 발생하는지 논의하라.

12.9 a. 10개 관측치로 구성된 임의표본이 정규분포를 따르는 모집단으로부터 추출되었다. 표본평균과 표본표준편차는 각각 $\bar{x}=23$과 $s=9$로 계산되었다. 5%의 유의수준에서 모평균이 20보다 크다고 추론할 수 있는 충분한 증거가 존재하는지 결정하기 위해 필요한 검정의 검정통계량 값과 검정의 p-값을 계산하라.

b. $n=30$인 경우 a를 반복하라.

c. $n=50$인 경우 a를 반복하라.

d. 표본크기의 증가가 t-통계량과 p-값에 미치는 효과를 설명하라.

12.10 a. 한 통계전문가는 모평균이 180과 다르다고 추론할 수 있는 충분한 증거가 존재하는지 결정하기 위한 검정을 하고 있다. 200개의 관측치로 구성된 표본의 평균과 표준편차는 각각 $\bar{x}=175$와 $s=22$이다. 5%의 유의수준에서 충분한 증거가 존재하는지 결정하기 위해 필요한 검정통계량의 값과 검정의 p-값을 계산하라.

b. $s=45$인 경우 a를 반복하라.

c. $s=60$인 경우 a를 반복하라.

d. 표본표준편차가 증가할 때 t-통계량과 p-값에 어떤 일이 발생하는지 논의하라.

12.11 a. $\bar{x}=145$, $s=50$, $n=100$일 때 다음의 가설을 검정하기 위한 검정통계량과 p-값을 계산하라. 5%의 유의수준을 사용하라.

H_0: $\mu=150$
H_1: $\mu<150$

b. $\bar{x}=140$인 경우 a를 반복하라.

c. $\bar{x}=135$인 경우 a를 반복하라.

d. 표본평균이 감소할 때 t-통계량과 p-값에 어떤 일이 발생하는가?

12.12 a. 25개의 관측치로 구성된 임의표본이 정규분포의 모집단으로부터 추출되었다. 표본평균과 표본표준편차는 각각 $\bar{x}=52$와 $s=15$이다. 10%의 유의수준에서 모평균이 50이 아니라고 추론할 수 있는 충분한 증거가 존재하는지 결정하기 위한 검정의 검정통계량과 p-값을 계산하라.

b. $n=15$인 경우 a를 반복하라.

c. $n=5$인 경우 a를 반복하라.

d. 표본크기가 감소할 때 t-통계량과 p-값에 어떤 일이 발생하는지 논의하라.

12.13 a. 한 통계전문가는 다음과 같은 가설을 검정하기 원한다.

H_0: $\mu=600$
H_1: $\mu<600$

50개의 관측치로 구성된 표본으로부터 계산된 평균과 표준편차는 각각 $\bar{x}=585$와 $s=45$이다. 10%의 유의수준에서 대립가설이 옳다고 추론할 수 있는 충분한 증거가 존재하는지 결정하기 위한 검정의 검정통계량과 p-값을 계산하라.

b. $\bar{x}=590$인 경우 a를 반복하라.

c. $\bar{x}=595$인 경우 a를 반복하라.

d. 표본평균의 증가 효과를 설명하라.

12.14 a. 다음과 같은 가설을 검정하기 위해 한 통계전문가는 임의로 100개의 관측치를 표본추출하였고 $\bar{x}=106$과 $s=35$라는 것을 발견하였다. 1%의 유의수준에서 대립가설이 옳다고 추론할 수 있는 충분한 증거가 존재하는지 결정하기 위한 검정의 검정통계량과 p-값을 계산하라.

H_0: $\mu=100$

$H_1: \mu > 100$

b. $s=25$인 경우 a를 반복하라.

c. $s=15$인 경우 a를 반복하라.

d. 표본표준편차가 감소할 때 t-통계량과 p-값에 어떤 일이 발생하는지 논의하라.

12.15 a. 8개의 관측치로 구성된 임의표본이 정규분포의 모집단으로부터 추출되었다. 표본평균과 표본표준편차는 각각 $\bar{x}=40$과 $s=10$이다. 모평균에 대한 95% 신뢰구간을 추정하라.

b. 당신이 모표준편차가 $\sigma=10$이라는 것을 알고 있다고 가정하면서 a를 반복하라.

c. b의 구간추정치는 왜 a의 구간추정치보다 더 좁은지 설명하라.

12.16 a. $\bar{x}=175$, $s=30$, $n=5$인 경우 모평균에 대한 90% 신뢰구간을 추정하라.

b. 당신이 모표준편차가 $\sigma=30$이라는 것을 알고 있다고 가정하면서 a를 반복하라.

c. b의 구간추정치가 왜 a의 구간추정치보다 더 좁은지 설명하라.

12.17 a. 정규분포의 모집단으로부터 1,000개의 관측치를 표본추출한 후에 당신은 $\bar{x}=15,500$과 $s=9,950$이라는 것을 알았다. 모평균에 대한 90% 신뢰구간을 추정하라.

b. 당신이 모표준편차가 $\sigma=9,950$이라는 것을 알고 있다고 가정하면서 a를 반복하라.

c. a와 b의 구간추정치들이 왜 실제로 동일한지 설명하라.

12.18 a. 정규분포의 모집단으로부터 추출된 500개의 관측치로 구성된 임의표본에서 표본평균과 표본표준편차는 $\bar{x}=350$과 $s=100$으로 계산되었다. 모평균에 대한 99% 신뢰구간추정치를 구하라.

b. 당신이 모표준편차가 $\sigma=100$이라는 것을 알고 있다고 가정하면서 a를 반복하라.

c. a와 b의 구간추정치들이 왜 실제로 동일한지 설명하라.

12.19 a. 11개의 관측치로 구성된 임의표본은 정규분포의 모집단으로부터 추출되었다. 표본평균과 표본표준편차는 $\bar{x}=74.5$와 $s=9$이다. 모평균이 70보다 크다고 5%의 유의수준에서 추론할 수 있는가?

b. 당신이 모표준편차가 $\sigma=9$라는 것을 알고 있다고 가정하면서 a를 반복하라.

c. a와 b의 결론이 왜 다른지 설명하라.

12.20 a. 한 통계전문가는 임의로 10개 관측치를 표본추출하였고 $\bar{x}=103$과 $s=17$이라는 것을 알았다. 10%의 유의수준에서 모평균이 110보다 작다고 추론할 수 있는 충분한 증거가 존재하는가?

b. 당신이 모표준편차가 $\sigma=17$이라는 것을 알고 있다고 가정하면서 a를 반복하라.

c. a와 b의 결론이 왜 다른지 설명하라.

12.21 a. 한 통계전문가는 임의로 1,500개 관측치를 표본추출하였고 $\bar{x}=14$와 $s=25$라는 것을 알았다. 5%의 유의수준에서 모평균이 15보다 작다고 추론할 수 있는 충분한 증거가 존재하는지 결정하기 위한 검정을 하라.

b. 당신이 모표준편차가 $\sigma=25$라는 것을 알고 있다고 가정하면서 a를 반복하라.

c. a와 b의 결론이 왜 실제로 동일한지 설명하라.

12.22 a. $\bar{x}=405$, $s=100$, $n=1,000$인 경우 $\alpha=.05$에서 다음의 가설을 검정하라.

$H_0: \mu=400$
$H_1: \mu>400$

b. 당신이 모표준편차는 $\sigma=100$이라는 것을 알고 있다고 가정하면서 a를 반복하라.

c. a와 b의 결론이 왜 실제로 동일한지 설명하라.

다음의 연습문제들은 직접 계산하여 풀 수 있거나 컴퓨터의 도움으로 풀 수 있다. 데이터는 파일로 저장되어 있다. 확률변수는 정규분포를 따른다고 가정하라.

12.23 <Xr12-23> 한 신속배달서비스회사는 지역배달의 경우 평균 인도시간이 6시간 미만이라고 광고한다. 임의로 표본추출된 도시 내의 한 주소로 인도되는 12개 패키지의 배달시간이 기록되었다. 이 데이터가 다음과 같이 제시되어 있다. 이 신속배달서비스회사의 광고를 지지할 수 있는 충분한 증거가 5%의 유의수준에서 존재하는가?

3.03 6.33 6.50 5.22 3.56 6.76
7.98 4.82 7.96 4.54 5.09 6.46

12.24 <Xr12-24> "Jeopardy" 텔레비전 퀴즈 쇼의 승자들은 얼마나 많은 돈을 가지고 집에 가는가? 이 질문에 대답하기 위해 승자들의 임의표본이 추출되었고 각자가 받은 금액이 기록되었다. 이 데이터가 다음과 같이 정리되어 있다. 이 쇼의 모든 승자들이 받는 평균 금액을 95%의 신뢰수준을 가지고 추정하라.

26,650 6,060 52,820 8,490 13,660
25,840 49,840 23,790 51,480 18,960
990 11,450 41,810 21,060 7,860

12.25 <Xr12-25> 한 다이어트 전문의사는 북미인들의 몸무게는 평균적으로 20파운드보다 더 과중하다고 주장한다. 그의 주장을 검정하기 위해 20명의 북미인이 임의표본으로 추출되었고 그들의 몸무게가 측정되었다. 그들의 실제 몸무게와 이상적인 몸무게의 차이가 계산되었다. 이 데이터가 다음과 같이 정리되어 있다. 이 데이터로부터 이 의사의 주장이 옳다고 5%의 유의수준에서 추론할 수 있는가?

16 23 18 41 22 18 23 19 22 15
18 35 16 15 17 19 23 15 16 26

12.26 <Xr12-26> 중량에 관한 법을 집행하는 책임을 가지고 있는 한 연방정부기관은 통상 내용물의 중량이 적어도 포장 상에 광고되어 있는 중량만큼 큰지 결정하기 위해 조사한다. 포장 상에 내용물의 중량이 8온스라고 표시되어 있는 18개의 용기로 구성된 임의표본이 추출되었다. 내용물의 중량이 측정되었고 그 결과는 다음과 같다. 1%의 유의수준에서 이 용기들은 평균적으로 중량을 잘못 표시하고 있다고 결론내릴 수 있는가?

7.80 7.91 7.93 7.99 7.94 7.75
7.97 7.95 7.79 8.06 7.82 7.89
7.92 7.87 7.92 7.98 8.05 7.91

12.27 <Xr12-27> 한 주차관리원이 주차미터기에 남아 있는 시간에 대한 분석을 수행하고 있다. 방금 주차미터기가 있는 곳을 떠난 15대의 자동차들에 대한 서베이를 통하여 다음과 같은 시간(분 단위)이 기록되었다. 이 도시의 모든 주차미터기에 남아 있는 평균 시간에 대한 95% 신뢰구간추정치를 구하라.

22 15 1 14 0 9 17 31
18 26 23 15 33 28 20

12.28 <Xr12-28> 한 대학교수의 일 중 일부는 그의 연구결과를 출간하는 것이다. 그는 이 일을 위해 종종 최근의 연구결과를 추적하기 위해 많은 저널 논문들을 읽어야 한다. 한 경영대학원장은 교수의 표준을 정하기 위해 전국에 걸쳐 12명의 교수들로 구성된 임의표본을 서베이하였고 그들에게 통상적으로 한 달 동안에 읽는 저널 논문의 수를 보고해주도록 요청하였다.

이 데이터가 다음과 같이 정리되어 있다. 교수들이 한 달에 읽는 평균 저널 논문 수에 대한 90% 신뢰구간을 추정하라.

9	17	4	23	56	30
41	45	21	10	44	20

12.29 <Xr12-29> 한 크로스워드 퍼즐 잡지 출판사는 고객들에 대해 더 알기를 원한다. 이 출판사는 13명의 고객을 임의표본으로 추출하고 각 고객에게 한 크로스워드 퍼즐을 성공적으로 푸는 데 평균적으로 얼마나 걸리는지 물었다. 이러한 데이터가 다음과 같이 정리되어있다. 이 출판사는 한 크로스워드 퍼즐을 푸는 데 걸리는 평균 시간에 대한 95% 신뢰구간추정치를 구하기 원한다.

55	36	22	26	31	38	43
40	24	42	51	33	61	

12.30 <Xr12-30> 대학서점들은 교수들이 그들의 강의과목을 위해 채택한 책들을 주문한다. 주문하는 책의 수는 예상되는 수요와 일치한다. 그러나 주어진 학기 말에 서점은 너무 많은 책을 보유하고 있고 남은 책들을 출판사에게 반납하여야 한다. 한 서점은 반납하는 책의 비율은 가능한 한 적어야 한다는 정책을 가지고 있다. 평균적인 비율은 10% 미만이어야 한다. 이와 같은 정책이 작동하는지 조사하기 위해 제목이 다른 책들의 임의표본이 추출되었고 처음에 주문한 책 중에서 반납되는 책의 비율이 기록되었고 다음과 같이 정리되어 있다. 평균 반납비율이 10% 미만이라고 10%의 유의수준에서 추론할 수 있는가?

4 15 11 7 5 9 4 3 5 8

다음의 연습문제들을 풀기 위해서는 컴퓨터와 소프트웨어를 사용하여야 한다. 연습문제에 대한 답은 직접 계산될 수 있다. 표본통계량들을 위해 부록 A를 참조하라. 다른 지시가 없는 한 5%의 유의수준과 95%의 신뢰수준을 사용하라.

12.31 <Xr12-31+> 점차 증대하는 미국 교육자들의 우려는 고등학교를 다니는 동안 파트타임 일을 하는 10대의 수이다. 사람들은 일반적으로 10대들이 일하면서 보내는 시간은 학업을 위해 보내야 하는 시간을 감소시킨다고 생각한다. 이 문제를 조사하기 위해, 한 가이던스 카운슬러는 200명의 15세 고등학생으로 구성된 임의표본을 추출하였고 각자에게 파트타임 일을 하면서 주당 보내는 시간을 물어보았다. 모든 15세 고등학생이 주당 파트타임 일을 하면서 보내는 평균 시간에 대한 95% 신뢰구간을 추정하라.

12.32 <Xr12-32> 범용 리모컨을 생산하는 한 회사는 미국 가정이 가지고 있는 리모컨의 수를 알기 원하였다. 이 회사는 임의로 선택된 240가정을 서베이하고 리모컨의 수를 결정하기 위해 한 통계전문가를 고용하였다. 만일 1억 2,800만 가정이 존재한다면, 미국의 총 리모컨 수에 대한 99% 신뢰구간추정치를 구하라.

12.33 <Xr12-33> 임의 표본을 구성하고 있는 미국 성인들에게 흡연하는지 물었다. 흡연을 한다고 응답한 사람들에게는 하루에 몇 개의 담배를 흡연하는지 물었다. 질병통제센터에 의하면, 흡연하는 미국 성인은 3,780만 명이다. 미국에서 하루에 흡연하는 담배의 개수에 대한 95% 신뢰구간을 추정하라.

12.34 <Xr12-34> 은행원들과 경제학자들은 경제가 둔화되고 있다는 징후를 지켜 보고있다. 그들이 감시하고 있는 하나의 통계량은 소비자 부채, 특히 신용카드부채이다. 연방준비제도(Federal Reserve)는 3년마다 소비자 금융에 대한 서베이를 시행한다. 최근 서베이에 의하

면, 미국 가구의 23.8%는 신용카드를 보유하고 있지 않으며 미국 가구의 31.2%는 그들의 가장 최근 신용카드 청구금액을 지불하였다. 약 5,000만 가구에 이르는 나머지는 전 달의 신용카드 청구금액을 지불하지 않았다. 이와 같은 가구들로 구성된 임의표본이 추출되었다. 표본에 속한 각 가구는 현재 보유하고 있는 신용카드부채를 보고하였다. 연방준비제도는 미국 가구의 총 신용카드부채에 대한 95% 신뢰구간추정치를 구하기 원한다.

12.35 <Xr12-35+> 매우 다양한 사무실 비품을 판매하는 체인인 OfficeMax는 리베이트(rebate) 때문에 가격이 하락하는 제품을 판매한다. 일부의 리베이트는 매우 커서 유효가격이 0달러가 된다. 이와 같은 세일을 하는 첫 번째의 목표는 고객이 세일 이외 품목들을 사도록 OfficeMax로 유인하는 것이다. 두 번째의 목표는 텔레마케터와 다른 대량 마케터가 판매할 주소와 전화번호를 확보하는 것이다. 1월의 한 주 동안 OfficeMax는 100개의 CD-ROM 팩을 유효가격 0달러(정상가격 29.99달러－즉시 리베이트 10달러－제조회사 리베이트 12달러－OfficeMax 메일 리베이트 8달러)로 제공하였다. CD-ROM 팩의 수가 제한되어 있었고 0달러로 추후에 제품을 구매할 수 있는 구매권(rain check)이 발급되지 않았다. 모든 OfficeMax 점포에 2,800개의 팩이 있었고 모든 팩이 판매되었다. 122명의 구매자로 구성된 임의표본이 추출되었다. 각 구매자에게 CD-ROM 팩을 구매한 날에 산 다른 제품의 구매액을 보고하도록 요청하였다. CD-ROM 팩을 구매한 사람들이 산 다른 제품의 구매액 평균에 대한 95% 신뢰구간추정치를 구하라.

12.36 <Xr12-36> 오랫동안 식당의 표준 팁은 15%라고 생각되었다. 그러나 오늘날 많은 레스토랑 손님들은 팁을 더 많이 준다. 전화 설문 조사의 응답자들에게 그들이 통상적으로 웨이터와 웨이트리스에게 주는 팁의 비율을 보고하도록 요청했다. 이러한 데이터가 평균적인 레스토랑 손님이 15% 이상의 팁을 준다고 추론할 수 있는 충분한 증거를 제시하는가?

12.37 <Xr12-37> 일반약 판매는 미국에서 판매되는 모든 처방약의 50%를 차지한다. 한 제약회사의 마케팅관리자는 일반처방약의 판매에 관한 더 많은 정보를 얻기 원한다. 이와 같은 정보를 얻기 위해 최근에 일반약 처방을 받은 475명으로 구성된 임의표본이 추출되었고 각 처방의 비용이 기록되었다. 모든 일반처방약의 평균 비용에 대한 95% 신뢰구간추정치를 구하라.

12.38 <Xr12-38> 교통체증이 매년 악화되는 것 같다. 이러한 상황은 다음과 같은 질문을 제기한다. 교통체증 때문에 미국은 매년 얼마나 많은 비용을 지불하는가? 운전자들로 구성된 임의표본이 추출되었고 각 운전자가 지불하는 시간과 가솔린의 교통체증비용이 기록되었다. Los Angeles (LA)에 대한 데이터가 파일에 저장되었다. LA의 총 운전자 수는 6,789,250명이다. 교통체증으로 지불되는 총비용에 대한 95% 신뢰구간추정치를 구하라.

12.39 <Xr12-39> 사용 후 버릴 수 있는 일회용 면도칼 시장의 크기를 추정하기 위해 임의표본으로 추출된 남성들에게 각 면도칼을 사용하는 면도의 횟수를 세어보도록 요청하였다. 각 면도칼은 하루에 한 번 사용된다고 가정하고 10개의 면도칼 팩이 사용되는 일수에 대한 95% 신뢰구간추정치를 구하라.

12.40 <Xr12-40> 슈퍼볼(Super Bowl)게임 동안 광고하는 기업들은 시청자가 거대하기 때문에

매우 재미있는 특별광고를 만든다. 슈퍼볼 게임 동안 30초짜리 광고에 수백만 달러의 비용이 든다. 임의로 선택된 슈퍼볼 게임을 시청한 사람들에게 모두 몇 개의 광고를 시청했는지 물었다. 이 데이터로부터 시청한 평균 광고 수가 15개보다 많다고 추론할 수 있는가?

12.41 <Xr12-41> 한 감자 칩 제조업체가 15,000,000킬로그램의 감자를 납품받기로 계약하였다. 감자 공급업체는 감자를 트럭당 동일한 15,000킬로그램으로 배달하는 것에 동의하였다. 이 감자 칩 제조업체는 감자 공급업체가 부정행위를 시도할 것으로 의심하고 처음 50대의 트럭 적재 중량을 기록하였다. 이 감자 칩 제조업체는 이러한 데이터로부터 감자 공급업체가 부정행위를 하고 있다고 결론을 내릴 수 있는가?

12.42 <Xr12-42> 인터넷에서 식료품을 판매하는 회사는 e-grocer라고 부른다. 고객은 주문을 하고 신용카드로 지불하며 주문한 물건을 트럭으로 배달받는다. 한 잠재 e-grocer 고객은 시장을 분석하였고 e-grocer가 이익을 발생하기 위해서는 평균 주문액이 85달러를 초과해야 한다고 결정하였다. 한 대형 도시에서 e-grocer가 이익을 발생시킬 수 있는지 결정하기 위해 e-grocer 서비스가 제공되었고 임의표본으로 선택된 고객들의 주문액이 기록되었다. 이 데이터로부터 e-grocer가 이 도시에서 이익을 발생시킬 것이라고 추론할 수 있는가?

12.43 <Xr12-43> 과거 10년 동안 미국에서 제품과 서비스의 품질을 개선하기 위해 전적으로 일하는 많은 기관들이 만들어졌다. 이와 같은 기관들 중 많은 기관들은 매년 높은 품질의 제품과 서비스를 생산하는 회사들에게 상을 수여한다. 한 투자자는 이와 같은 상을 수상한 상장회사 주식의 수익률이 이와 같은 상을 수상하지 못한 상장회사 주식의 수익률보다 높다고 믿는다. 이와 같은 상장회사 주식에 대한 투자 수익률을 결정하기 위해 그는 전년도에 품질상을 수상한 83개 회사로 구성된 임의표본을 추출하고 연간 투자수익률을 계산하였다. 이 투자자는 기대수익률에 대한 95% 신뢰구간추정치를 구하기 원한다.

12.44 <Xr12-44> 2010년에 대부분의 캐나다 도시들은 주택경기 붐을 경험하였다. 그 결과로 주택 매입자들은 더 많은 금액의 모기지 대출을 받아야만 했다. 이 문제의 정도를 알아보기 위해서 캐나다 가구를 대상으로 하는 서베이가 시행되었다. 가구주에게 총부채를 보고하도록 요청하였다. 캐나다에 1,240만 가구가 존재한다. 총가구부채에 대한 95% 신뢰구간을 추정하라.

12.45 <Xr12-45> 병에 든 물은 어디서든지 1달러에서 3달러 사이로 팔릴 수 있다. 그러나 수돗물에서 나오는 물은 훨씬 더 싸다. 물의 비용에 대해 더 알기 위해 토론토의 가구들이 임의표본으로 추출되었다. 각 가구의 연간 물 비용이 기록되었다. 토론토에는 2,235,145가구가 살고 있다. 토론토 가구의 총 물 비용에 대한 95% 신뢰구간추정치를 구하라.

12.46 <Xr12-46> 4년제 대학을 졸업하는 학생들의 약 70%는 학생대출부채를 가지고 있다. 이 문제를 검토하기 위해 4년제 대학 졸업생으로 구성된 임의표본이 추출되었고 학생대출부채 금액이 기록되었다. 4,330만 명의 미국인들이 학생대출을 가지고 있다. 95% 신뢰수준에서 학생대출을 가지고 있는 졸업생들의 총부채금액을 추정하라.

12.47 <Xr12-47> 학생대출부채에 관한 다른 연구에서 20세~30세 사이 졸업생들로 구성된 임의

표본이 추출되었고 그들의 월간 상환금액이 얼마인지 물었다. 평균 월간 상환금액에 대한 95% 신뢰구간추정치를 구하라.

12.48 <Xr12-48> 한 세금보고준비회사는 웨이터와 웨이트리스로 구성된 임의표본의 과세소득을 보고하였다. 이러한 과세소득은 각자가 일한 레스토랑이 제출한 지급 명세서에 기초한 것이다. 웨이터와 웨이트리스의 평균 과세소득에 대한 95% 신뢰구간추정치를 구하라.

12.2 모분산에 관한 추론

제12.1절에서는 모평균에 관한 추론방법이 제시되었고 모집단의 중심위치에 대한 정보를 얻는 데 관심이 있었다. 이에 따라 모평균을 검정하고 추정하였다. 모평균 대신 모집단의 변동성에 관한 추론에 관심이 있다면, 검토하여야 할 필요가 있는 모수는 모분산 σ^2이다. 모분산에 관한 추론은 다양한 문제의 의사결정을 하는 데 사용될 수 있다. 제8.2절에서는 정규분포를 사용하는 예제에서 왜 모분산이 위험의 측정치인지 살펴보았다. 제7.3절에서는 분산투자가 포트폴리오의 분산을 감소시키면서 포트폴리오와 관련된 위험을 감소시킨다는 것을 보여주는 금융분야의 통계학 응용을 살펴보았다. 제8.2절과 제7.3절 모두에서 모분산은 알려져 있다고 가정하였다. 이 절에서는 보다 더 현실적인 방법을 사용하여 모분산에 관한 추론을 하기 위한 통계기법이 사용된다.

모분산을 사용하는 통계학 응용은 생산운영관리분야에서 많이 이루어진다. 품질관리원들은 그들 회사의 제품 규격을 일관되게 충족시키고자 한다. 생산과정의 일관성을 판단하는 한 가지 방법은 제품의 크기, 중량, 부피의 분산을 계산하는 것이다. 즉, 제품의 크기, 중량, 부피의 변동성이 크면, 만족스럽지 못하게 많은 수의 제품이 규격을 벗어나 있을 가능성이 있다.

모분산에 관한 추론을 하기 위해 사용되는 검정통계량과 구간추정량을 도출하는 일은 일반적으로 통계기법이 어떻게 개발되는지 보여준다. 최량추정량을 찾는 일부터 논의를 시작하자. 이 추정량은 표본분포를 가지며, 이 표본분포로부터 검정통계량과 구간추정량이 도출된다.

12.2a 검정통계량과 표본분포

σ^2의 추정량은 제4.2절에서 소개된 표본분산이다. 통계량 s^2은 제10.1절에서 제시된 바람직한 특성들을 가진다. 즉, s^2은 σ^2의 불편추정량이자 일치추정량이다.

통계학자들은 표본추출이 이루어지는 모집단이 정규분포를 따르면 $\sum(x_i-\bar{x})^2[=(n-1)s^2]$을 σ^2으로 나눈 통계량은 자유도가 $\nu=n-1$인 카이제곱분포를 따른다는 것을 증명하였다. 이와 같은 통계량인

$$\chi^2 = \frac{(n-1)s^2}{\sigma^2}$$

은 **카이제곱통계량**(chi-squared statistic: χ^2-통계량)이라고 부른다. 카이제곱분포는 제8.4절에서 소개되었다.

12.2b 모분산의 검정과 추정

제11.4절에서 논의한 것처럼, 표본분포를 나타내는 공식은 검정통계량의 공식이다.

> **σ^2에 관한 검정통계량**
>
> σ^2에 관한 가설을 검정하기 위해 사용되는 검정통계량은
>
> $$\chi^2 = \frac{(n-1)s^2}{\sigma^2}$$
>
> 이다. 이 검정통계량은 모집단 확률변수가 분산이 σ^2인 정규분포를 따르면 자유도가 $\nu=n-1$인 카이제곱분포를 따른다.

제8.4절에서 소개된 기호를 사용하면서 다음과 같이 확률을 표현할 수 있다.

$$P(\chi^2_{1-\alpha/2} < \chi^2 < \chi^2_{\alpha/2}) = 1-\alpha$$

$$\chi^2 = \frac{(n-1)s^2}{\sigma^2}$$

을 대입하고 약간의 대수적 조작을 하면, 모분산에 대한 신뢰구간추정량이 도출된다.

> **σ^2에 대한 신뢰구간추정량**
>
> $$\text{신뢰하한(LCL)} = \frac{(n-1)s^2}{\chi^2_{\alpha/2}}$$
>
> $$\text{신뢰상한(UCL)} = \frac{(n-1)s^2}{\chi^2_{1-\alpha/2}}$$

생산운영관리분야의 통계학 응용

Michaeljung/Shutterstock.com

품질

생산의 한 가지 중요한 측면은 품질이다. 최종 제품의 품질은 제품에 사용되는 부품들의 품질의 함수이다. 만일 부품들이 적합하지 않으면 제품은 예상한 대로 기능하지 않을 것이고 고객이 예상한 기간 이전에 기능하는 것을 멈출 가능성이 있다. 예를 들면, 만일 자동차 문이 규격대로 만들어져 있지 않으면, 자동차 문이 잘 맞지 않을 것이다. 이 결과로 자동차 문으로 물과 공기가 새어들 것이다.

생산운영관리자는 모든 부품들이 가능한 한 변동성이 거의 없도록 하게 함으로써 제품의 품질을 유지하고 개선하고자 한다. 당신이 이미 살펴본 것처럼, 통계학자들은 변동성을 모분산으로 측정한다.

예제 12.3 용기에 액체를 채우는 기계의 일관성, PART 1

DATA Xm12-03

용기에 액체를 채우는 기계가 우유, 소프트드링크, 페인트와 같은 다양한 액체를 용기에 채우는 데 사용된다. 이상적으로는 용기에 채워지는 액체의 양은 약간만 변동해야 한다. 왜냐하면 용기에 채워지는 액체량의 변동성이 크면, 일부 용기에는 액체가 과소하게 투입되어 고객을 속이게 되고 일부 용기에는 액체가 과다하게 투입되어 비용의 낭비가 초래되기 때문이다. 새로운 액체투입 기계를 개발한 한 회사의 사장은 이 기계가 1리터(=1,000 cm^3)의 용기에 매우 일관성 있게 액체를 투입하여 투입 액체량의 분산이 1 cc^2보다 작다고 자랑한다(1 cc=1 cm^3). 이와 같은 주장의 진실성을 조사하기 위해 25개의 1리터 용기에 채워진 액체의 양을 임의표본으로 추출하였고 1리터 용기에 투입된 액체의 양이 측정되었다. 이 데이터가 다음과 같이 정리되어 있다. 이 데이터로부터 새로운 액체투입기계를 개발한 사장의 주장이 옳은지 5%의 유의수준에서 검정하라.

투입액체량

999.6	1000.7	999.3	1000.1	999.5
1000.5	999.7	999.6	999.1	997.8
1001.3	1000.7	999.4	1000.0	998.3
999.5	1000.1	998.3	999.2	999.2
1000.4	1000.1	1000.1	999.6	999.9

해답 **선택**

문제의 목적은 이 기계로부터 1리터 용기에 투입되는 액체량에 관한 모집단의 특성을 파악하는 것이다. 이 문제에서 데이터는 구간데이터이고 투입액체량의 변동성에 관심이 있다. 따라서 관심있는 모수는 모분산이다. 새로운 기계를 개발한 사장의 주장을 지지할 수 있는 충분한 증거가 존재하는지 결정하고자 하기 때문에 대립가설은 다음과 같이 설정된다.

$$H_1:\quad \sigma^2 < 1$$

귀무가설은

$$H_0:\quad \sigma^2 = 1$$

이고, 사용하여야 하는 검정통계량은

$$\chi^2 = \frac{(n-1)s^2}{\sigma^2}$$

이다.

계산

직접 계산

계산기를 사용하면서 s^2을 계산한다.

$$\sum x_i = 24{,}992.0\text{과}\quad \sum x_i^2 = 24{,}984{,}017.76$$

이고, 따라서

$$s^2 = \frac{\sum x_i^2 - \frac{\left(\sum x_i\right)^2}{n}}{n-1} = \frac{24{,}984{,}017.76 - \frac{(24{,}992.0)^2}{25}}{25-1} = .6333$$

이다. 검정통계량의 값은 다음과 같이 계산된다.

$$\chi^2 = \frac{(n-1)s^2}{\sigma^2} = \frac{(25-1)(.6333)}{1} = 15.20$$

기각역은 다음과 같다.

$$\chi^2 < \chi^2_{1-\alpha,n-1} = \chi^2_{1-.05,25-1} = \chi^2_{.95,24} = 13.85$$

검정통계량의 값 15.20은 임계값 13.85보다 작지 않기 때문에, 대립가설을 선호하여 귀무가설을 기각할 수 없다.

EXCEL Workbook

	A	B	C	D
1	**Chi-squared Test of a Variance**			
2				
3	**Sample variance**	0.6333	**Chi-squared Stat**	**15.20**
4	**Sample size**	25	**P(CHI<=chi) one-tail**	**0.0852**
5	**Hypothesized variance**	1	**chi-squared Critical one-tail**	**13.85**
6	**Alpha**	0.05	**P(CHI<=chi) two-tail**	**0.1705**
7			**chi-squared Critical two-tail**	**12.40**
8				**39.36**

지시사항

1. 데이터를 한 열에 입력하거나 <Xm12-03>를 불러들여라. 임의의 빈 셀에 표본분산 (=VAR(A1:A26))을 계산하라.
2. Test Statistics Workbook을 열고 Chi-squared Test_Variance를 클릭하라. 표본분산을 입력하거나 복사하라. n의 값, 귀무가설하에서 σ^2의 값, α의 값을 입력하라.

XLSTAT

	B	C	D	E	F	G
8	Theoretical variance = 1					
9						
10	Summary statistics:					
11						
12	Variable	Observations	Minimum	Maximum	Mean	Std. deviation
13	Fills	25	997.8	1001.3	999.68	0.796
14						
15	**One-sample variance test / Lower-tailed test (Fills):**					
16						
17	Variance	0.633				
18	Chi-square (Observed value)	15.20				
19	Chi-square (Critical value)	13.85				
20	DF	24				
21	p-value (one-tailed)	0.0852				
22	alpha	0.05				

지시사항

1. 한 열에 데이터를 입력하거나 <Xm12-03>을 불러들여라.
2. **XLSTAT, Parametric tests, One-sample variance test**를 클릭하라.
3. **Data** 대화 상자에서 input range (A1:A26)을 입력하라. 데이터의 첫 번째 열이 변수의 이름을 포함하고 있으면 **Column labels**를 체크하라. 당신이 분석결과가 나타나기 원하는 곳에 따라 **Range:, Sheet,** 또는 **Workbook**을 선택하라.
4. **Options**를 클릭하고 **Alternative hypothesis** 박스에서 **Variance 1 < Theoretical variance**를 선택하라. Theoretical variance (1)을 입력하라. **Significance level (%)** 박스에서 퍼센트로 나타낸 α의 값 (5)을 설정하라.
5. **Outputs**를 클릭하고 **Descriptive statistics**와 **Detailed results**를 체크하라.

해석 새로운 기계를 개발한 사장의 주장이 옳다고 추론할 수 있는 충분한 증거가 존재하지 않는다. 앞에서 논의한 것처럼 이 결과는 모분산이 1이라는 것을 말하는 것은 아니다. 이 결과는 단지 모분산이 1보다 작다는 것을 보일 수 없다고 말하는 것이다. 그림 12.4는 검정통계량의 표본분포를 그린 것이다.

그림 12.4 예제 12.3을 위한 표본분포

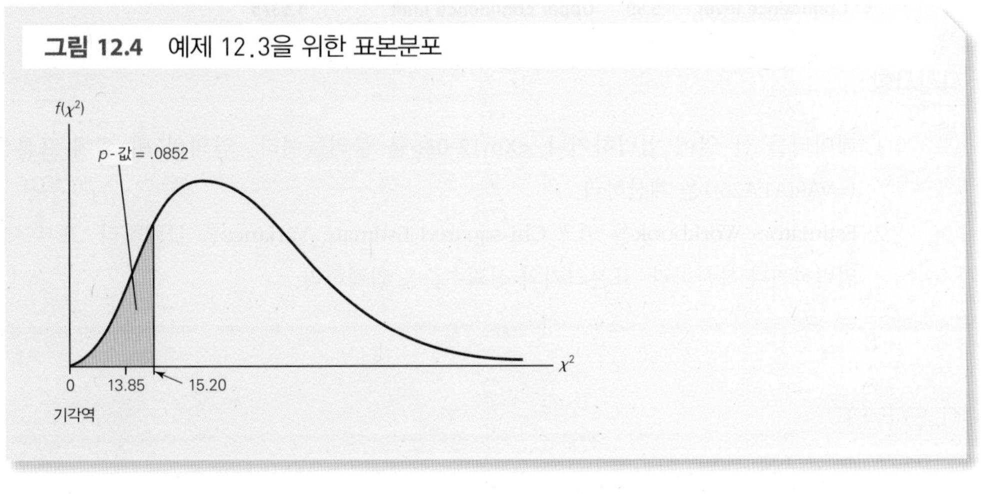

예제 12.4 용기에 액체를 채우는 기계의 일관성, PART 2

예제 12.3에서 투입액체량의 분산에 대한 99% 신뢰구간을 추정하라.

해답 직접 계산

예제 12.3의 해답에서, $(n-1)s^2=15.20$이다.

$$\chi^2_{\alpha/2,n-1} = \chi^2_{.005,24} = 45.56$$

$$\chi^2_{1-\alpha/2,n-1} = \chi^2_{.995,24} = 9.89$$

이다. 따라서

$$\text{LCL} = \frac{(n-1)s^2}{\chi^2_{\alpha/2}} = \frac{15.20}{45.56} = .3336$$

$$\text{UCL} = \frac{(n-1)s^2}{\chi^2_{1-\alpha/2}} = \frac{15.20}{9.89} = 1.537$$

이다. 이에 따라 투입액체량의 분산은 .3336과 1.5375 사이라고 추정한다.

EXCEL Workbook

	A	B	C	D
1	Chi-Squared Estimate of a Variance			
2				
3	Sample variance	0.6333	Confidence Interval Estimate	
4	Sample size	25	Lower confidence limit	0.3336
5	Confidence level	0.99	Upper confidence limit	1.5375

지시사항

1. 데이터를 한 열에 입력하거나 <Xm12-03>를 불러들여라. 임의의 빈 셀에 표본분산 (=VAR(A1:A26))을 계산하라.
2. Estimators Workbook을 열고 Chi-squared Estimate_Variance를 클릭하라. 표본분산을 입력하거나 복사하라. 표본크기와 신뢰수준을 입력하라.

XLSTAT

	B	C	D	E
17	99% confidence interval on the variance:			
18	(0.334,	1.537)		

지시사항

1. 한 열에 데이터를 입력하거나 <Xm12-03>을 불러들여라.
2. XLSTAT, Parametric tests, One-sample variance test를 클릭하라.
3. Data 대화 상자에서 input range (A1:A26)을 입력하라. 데이터의 첫 번째 열이 변수의 이름을 포함하고 있으면 Column labels를 체크하라. 당신이 분석결과가 나타나기 원하는 곳에 따라 Range:, Sheet, 또는 Workbook을 선택하라.
4. Options를 클릭하고 Alternative hypothesis 박스에서 Variance 1 Theoretical variance를 선택하라. Significance level (%) 박스에서 퍼센트로 나타낸 α의 값 (1)을 설정하라.
5. Outputs를 클릭하고 Descriptive statistics, Detailed results, Confidence interval을 체크하라.

해석 예제 12.3에서 모분산이 1보다 작다고 추론할 수 있는 충분한 증거가 없다는 것을 살펴보았다. 여기서 σ^2은 .3336과 1.5375 사이에 있는 것으로 추정된다. 이 구간의 일부는 1보다 크다. 이것은 모분산이 1보다 클 수 있다는 것을 말해주며 예제 12.3에서 얻은 결론을 확인해준다. 과다투입된 병의 비율과 과소투입된 병의 비율을 예측하기 위해 모분산의 추정치를 사용할 수 있다. 이러한 작업을 통하여 경쟁대상이 되는 기계들 중에서 가장 좋은 기계를 선택할 수 있다.

12.2c 필요조건의 확인

제12.1절에서 소개되었던 t 검정과 μ에 대한 추정량과 마찬가지로, 카이제곱검정과 σ^2의 추정량은 이론적으로 표본이 추출되는 모집단이 정규분포를 따라야 한다는 조건을 요구한다. 그러나 실제로 모집단이 극단적으로 비정규분포가 아니라면 이 기법은 타당하다. 히스토그램을 그려서 비정규분포의 정도를 평가할 수 있다. 그림 12.5는 이와 같은 히스토그램을 Excel을 사용하여 그린 것이다.

그림 12.5 예제 12.3과 예제 12.4를 위한 히스토그램

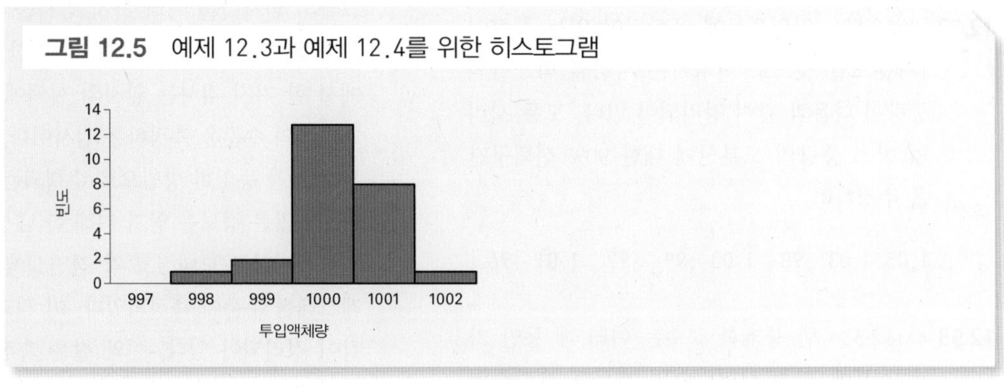

당신이 보는 것처럼, 투입액체량은 어느 정도 대칭의 모습을 나타내며 극단적으로 비정규분포를 따르지 않는 것으로 보인다. 따라서 모집단의 정규분포조건이 심각하게 위배되어 있지 않다고 결론내린다.

연습문제

다음의 3개 연습문제(12.49~12.51)는 통계적 추론의 요소들이 변화할 때 검정통계량과 구간추정치에 어떤 일이 발생하는지 파악하기 위해 만들어진 "what-if 분석"이다. 이 연습문제들은 직접 풀 수 있거나 Excel 스프레드시트를 사용하여 풀 수 있다.

12.49 a. 100개 관측치로 구성된 임의표본이 정규분포를 따르는 모집단으로부터 추출되었다. 표본분산은 $s^2=220$으로 계산되었다. 모분산이 300과 다르다고 추론할 수 있는지 결정하기 위해 $\alpha=.05$에서 검정하라.

b. 표본크기가 50인 경우 a를 반복하라.

c. 표본크기의 감소가 미치는 효과는 무엇인가?

12.50 a. 정규분포를 따르는 모집단으로부터 추출된 50개 관측치로 구성된 임의표본의 표본분산은 $s^2=80$으로 계산되었다. 1%의 유의수준에서 σ^2이 100보다 작다고 추론할 수 있는가?

b. 표본크기가 100으로 증가하는 경우 a를 반복하라.

c. 표본크기의 증가가 미치는 효과는 무엇인가?

12.51 **a.** $n=15$와 $s^2=12$인 경우 σ^2에 대한 90%의 신뢰구간을 추정하라.

b. $n=30$인 경우 a를 반복하라.

c. 표본크기의 증가가 미치는 효과는 무엇인가?

12.52 <Xr12-52> 임의표본에 포함되어 있는 중량이 1파운드일 것으로 여겨지는 시리얼 박스들의 중량이 다음과 같이 정리되어 있다. 모든 시리얼 박스 중량의 모분산에 대한 90% 신뢰구간을 추정하라.

1.05 1.03 .98 1.00 .99 .97 1.01 .96

12.53 <Xr12-53> 한 통계학 교수는 여러 해 동안 가르친 후에 최종 시험점수의 분산을 계산하였고 $\sigma^2=250$이라는 것을 발견하였다. 이 교수는 최근에 최종 시험의 점수부여 방법을 바꾸었고 이것이 모분산을 감소시키는지 궁금해하고 있다. 임의표본에 포함되어 있는 금년도 최종 시험점수가 다음과 같이 정리되어 있다. 이 교수는 10%의 유의수준에서 모분산이 감소하였다고 추론할 수 있는가?

57 92 99 73 62 64 75 70 88 60

12.54 <Xr12-54> 가솔린 가격이 상승하면 운전자들은 자동차의 가솔린 소비량에 더 관심을 가지게 된다. 과거 5년 동안 한 운전자는 그의 자동차의 가스 마일리지를 기록하였고 완전히 가솔린을 채우는 경우 $\sigma^2=23$ $(\text{mpg})^2$이라는 것을 발견하였다. 그의 자동차는 5년차 자동차이다. 그는 가스 마일리지의 변동성이 변화했는지 알기 원한다. 그는 최근의 8번 완전히 가솔린을 채운 경우에 해당되는 가스 마일리지를 기록하였다. 이 데이터가 다음과 같이 정리되어 있다. 가스 마일리지의 변동성이 변화하였다고 추론할 수 있는지 10%의 유의수준에서 검정하라.

28 25 29 25 32 36 27 24

12.55 <Xr12-55> 연간 건강검진기간 동안 의사들은 그들의 환자들을 여러 가지 검사를 받을 수 있도록 의료검진실로 보낸다. 이러한 검사들 중에서 한 가지 검사는 환자의 혈액에 있는 콜레스테롤의 수준을 측정하는 검사이다. 그러나 모든 검사가 동일한 방법으로 수행되는 것은 아니다. 더 많은 정보를 얻기 위해 한 남성은 10개의 의료검진실로 보내졌고 각 검진실에서 그의 콜레스테롤 수준이 측정되었다. 이 결과가 다음과 같이 정리되어 있다. 이와 같은 측정치의 모분산에 대한 95%의 신뢰구간을 추정하라.

188 193 186 184 190 195 187 190 192 196

다음의 연습문제들을 풀기 위해서는 컴퓨터와 소프트웨어를 사용하여야 한다. 연습문제에 대한 답은 직접 계산될 수 있다. 표본통계량들을 위해 부록 A를 참조하라. 5%의 유의수준과 95%의 신뢰수준을 사용하라.

12.56 <Xr12-56> 재고관리의 한 가지 중요한 요소는 제품에 대한 일일 수요의 분산이다. 한 경영과학자는 분산이 250과 같다고 가정하면서 최적의 주문량과 재주문점을 개발하였다. 최근에 이 회사는 일부의 재고관리문제를 경험하였고 이에 따라 생산운영관리자는 재고관리모형의 가정에 대하여 의심하게 되었다. 생산운영관리자는 이 문제를 조사하기 위해 25일의 표본을 추출하였고 매일의 수요를 기록하였다.

a. 이 데이터는 5%의 유의수준에서 이 경영과학자의 분산에 관한 가정이 잘못된 것이라고 추론할 수 있는 충분한 증거를 제공하는가?

b. a의 통계기법을 위한 필요조건은 무엇인가?

c. 필요조건이 충족되지 않는 것으로 보이는가?

12.57 <Xr12-57> 일부 교통전문가들은 고속도로 충돌사고의 주요 원인은 자동차의 주행속도가 다른 데 있다고 믿는다. 일부 자동차는 저속으로 주행하는 반면 일부 자동차는 제한속도를 초과하는 속도로 주행할 때, 자동차들은 한 떼로 뭉쳐지는 경향을 가지고 이것이 사고의 확률을 증가시킨다. 따라서 주행속도의 분산이 크면 클수록 충돌사고의 수는 증가할 것이다. 한 교통전문가는 주행속도의 분산이 18 $(\text{mph})^2$을 초과할 때 충돌사고의 수는 수용할 수 없을 정도로 많다고 믿는다고 하자. 나라 전체에서 사고율이 가장 높은 한 고속도로 구간 상에서 245대 자동차의 주행속도로 구성된 임의표본이 추출되었다. 주행속도의 분산이 18 $(\text{mph})^2$을 초과한다고 5%의 유의수준에서 결론내릴 수 있는가?

12.58 <Xr12-58> 한 대학의 취업지원서비스센터는 이 대학 졸업생들의 점수와 직업경험의 분산에 관하여 예상되는 결과를 관측하였다. 일부 졸업생들은 많은 취업제안을 받는 반면, 다른 일부 졸업생들은 매우 적은 취업제안을 받는다. 이 문제에 관하여 더 많이 알기 위해 90명의 최근 졸업생에 대한 서베이가 실시되었고 각 졸업생에게 몇 개의 취업제안을 받았는지 물었다. 이 대학 졸업생들에게 이루어지는 취업제안 수의 분산에 대한 95% 신뢰구간을 추정하라.

12.59 <Xr12-59> 시설관리부서의 관리자가 직면하는 한 가지 문제는 언제 가로등의 전구를 바꾸어야 하는가이다. 전구를 수명이 다한 때에만 바꾸는 경우, 한 번에 하나의 전구만을 바꾸기 위해 기술자를 보내는 것은 비용이 매우 많이 드는 일이다. 이와 같은 방법에서는 누군가가 발생된 문제를 보고해야 하고 보고가 이루어지는 동안 전등은 꺼져 있게 된다. 만일 각 전구의 수명이 대략적으로 동일하다면, 모든 전구들은 정기적으로 교체될 수 있고 이것이 시설관리비용을 크게 절약하게 만들어줄 수 있다. Yankees Stadium에 있는 전등에 관한 재무분석을 통하여 전구수명의 분산이 200 $(\text{시간})^2$보다 작다면 모든 전구를 동시에 교체하는 것이 비용을 절약시킨다는 결론이 얻어졌다고 하자. 100개 전구의 수명이 기록되었다. 이 데이터로부터 어떤 결론이 도출될 수 있는가? 5%의 유의수준을 사용하라.

12.60 <Xr12-60> 가정용 혈압측정기가 시장에서 판매되고 있다. 이 장비는 사람들이 자기 자신의 혈압을 측정할 수 있게 해주고 추가적인 약의 복용이 필요한지 결정할 수 있게 해준다. 부정확한 측정에 대한 우려가 제기되었다. 이 문제의 심각성을 판단하기 위해 한 실험실 연구원이 가장 대표적인 브랜드를 가지고 있는 가정용 혈압측정기를 사용하여 자기 자신의 혈압을 25회 측정하였다. 모분산에 대한 95%의 신뢰구간을 추정하라.

12.3 모비율에 관한 추론

이 절에서도 한 모집단의 특성을 파악하는 문제를 계속해서 다룬다. 그러나 우리의 관심은 범주데이터를 가지는 모집단으로 이동한다. 이것은 모집단이 범주의 값들로 구성되어 있다는 것을 의미한다. 예를 들면, 한 통계전문가가 브랜드 선호 서베이에서 특정 제품의 고객들에게 어느 브랜드를 구매하는지 물어본다고 하자. 이 경우 확률변수의 값은 브랜드이다. 만일 5가지의 브랜드가 있으면, 확률변수의 값은 브랜드 이름, 문자(A, B, C, D, E), 또는 숫자(1, 2, 3, 4, 5)로 나타낼 수 있다. 숫자가 사용될 때, 이 숫자는 단지 브랜드의 이름을 나타내기 위해 사용된 것이고 완전히 임의로 부여된 것이기 때문에 실수로 취급될 수 없다. 즉, 이 경우 평균과 분산을 계산할 수 없다.

12.3a 관심대상의 모수

제2장에서 데이터의 종류에 대하여 논의한 것을 기억하라. 데이터가 범주데이터일 때, 모집단 또는 표본의 특성을 나타내기 위해 할 수 있는 일은 각 값이 발생하는 횟수를 세는 것이다. 이렇게 각 값을 세고 비율이 계산된다. 따라서 범주데이터의 모집단을 나타내기 위해 관심의 대상이 되는 모수는 모비율 p이다. 제 7.4절에서 이 모수는 이항실험에 기초한 확률을 계산하기 위해 사용되었다. 이항실험의 특성 중 하나는 시행당 두 가지 가능한 결과만 존재한다는 것이다. p에 관한 추론을 하는 대부분의 실제적인 적용에서는 시행당 두 가지 이상의 결과들이 존재한다. 그러나 대부분의 경우 "성공"이라고 표시하는 단지 하나의 결과에만 관심을 가진다. 모든 다른 결과들은 "실패"로 표시된다. 예를 들면, 브랜드 선호 서베이에서 특정 회사의 브랜드에만 관심을 가진다. 정치여론조사에서 특정 후보자에게 지지 투표할 투표자의 비율을 추정하거나 검정하기를 원한다.

12.3b 검정통계량과 표본분포

모비율을 추정하고 검정하기 위해 사용되는 논리적인 통계량은 다음과 같이 정의되는 표본비율이다.

$$\hat{p} = \frac{x}{n}$$

x는 표본에 있는 성공의 수이고 n은 표본크기이다. 제9.2절에서 $\hat{p}$의 근사적 표본분포가 제시되었다. $\hat{p}$의 표본분포는 (np와 $n(1-p)$가 5보다 크면) 평균이 p이고 표준편차가

$\sqrt{p(1-p)/n}$인 정규분포를 근사적으로 따른다. 이와 같은 $\hat{p}$의 표본분포는 다음과 같이 표현된다.

$$z = \frac{\hat{P} - p}{\sqrt{p(1-p)/n}}$$

12.3c 모비율의 검정과 추정

당신이 이미 살펴본 것처럼, 표본분포를 요약하는 공식은 또한 검정통계량을 나타낸다.

p에 대한 검정통계량

$$z = \frac{\hat{P} - p}{\sqrt{p(1-p)/n}}$$

는 np와 $n(1-p)$가 5보다 큰 경우 근사적으로 표준정규분포를 따른다.

제10.2절과 제12.1절에서 사용된 것과 동일한 대수를 사용하면, 표본분포로부터 p에 대한 신뢰구간추정량이 도출된다. 그 결과는 다음과 같다.

$$\hat{p} \pm z_{\alpha/2}\sqrt{p(1-p)/n}$$

이 공식은 기술적으로는 정확하지만 쓸모가 없다. 그 이유를 이해하기 위해 표본분포의 표준오차인 $\sqrt{p(1-p)/n}$을 살펴보자. 구간추정치를 구하기 위해서는 표준오차를 계산해야 하며 이 경우 추정하기를 원하는 모수인 p의 값을 알아야 한다. 이것이 동일한 문제에 직면하게 되는 여러 가지의 통계기법 중 첫 번째의 것이다. 그렇다면 어떻게 표준오차의 값을 구할 것인가? 이 응용에서 문제는 쉽고도 논리적으로 해결된다. 간단하게 p의 값을 $\hat{p}$로 추정한다.

따라서 표준오차는 $\sqrt{\hat{p}(1-\hat{p})/n}$으로 추정된다.

p에 대한 신뢰구간추정량

$$\hat{p} \pm z_{\alpha/2}\sqrt{\hat{p}(1-\hat{p})/n}$$

이와 같은 p에 대한 신뢰구간추정량은 $n\hat{p}$와 $n(1-\hat{p})$이 5보다 크면 타당하다.

예제 12.5

DATA Xm12-05⁺

선거일 출구조사

정치적 직위에 대한 선거가 있을 때, 텔레비전방송국들은 정규 방송을 취소하고 선거에 관한 방송을 내보낸다. 개표가 이루어질 때 개표결과가 보도된다. 그러나 대형 주들에서 대통령 또는 상원의원 같은 중요한 직위에 대한 선거가 있을 때 텔레비전방송국들은 어느 후보가 승리할 것인지 예측하는 첫 번째 방송국이 되기 위해 적극적으로 경쟁한다. 이와 같은 예측은 출구조사*에 기초하여 이루어진다. 출구조사는 임의표본에 속하는 투표소를 방금 나온 유권자들에게 어느 후보에게 지지하는 투표를 했는지 물어보면서 이루어진다. 출구조사결과로부터 특정 후보를 지지하는 투표를 한 유권자들의 표본비율이 계산된다. 선두 후보가 승리하기에 충분한 투표 수를 확보할 것이라고 추론하기에 충분한 증거가 존재하는지 결정하기 위해 통계기법이 사용된다. 2000년 대통령 선거일 동안 플로리다주에서 실시된 출구조사에서 조사원들은 승리할 가능성이 있는 두 후보자, 즉 민주당 후보 Albert Gore (code = 1)와 공화당 후보 George W. Bush (code = 2)에 대한 투표수만을 기록하였다. 출구조사는 오후 8시에 종료된다. 텔레비전방송국들은 이와 같은 출구조사 데이터로부터 공화당 후보가 플로리다주에서 승리할 것이라고 결론지을 수 있는가? 텔레비전방송국들은 공화당 후보가 플로리다주에서 승리할 것이라고 오후 8시 1분에 발표하여야 하는가?

해답 **선택**

문제의 목적은 이 주의 투표 모집단의 특성을 파악하는 것이다. 데이터의 값이 "민주당 후보"(code = 1)와 "공화당 후보"(code = 2)이기 때문에 데이터는 범주데이터이다. 따라서 검정되어야 하는 모수는 이 주 전체에서 공화당 후보를 지지한 투표의 비율이다. 텔레비전방송국이 공화당 후보가 승자라고 오후 8시 1분에 선언할 수 있는지 결정하기 원하기 때문에 대립가설은 다음과 같이 설정된다.

H_1: $p > .5$

귀무가설은

H_0: $p = .5$

이다. 검정통계량은

---

* Warren Mitofsky가 CBS 뉴스 부서에서 일하였던 1967년에 선거일 출구조사를 창안한 것으로 일반적으로 알려져 있다. Mitofsky는 출구조사를 통하여 2,500번의 선거결과를 정확하게 예측하였고 단지 6번의 선거결과를 부정확하게 예측하였다고 주장하였다. 출구조사는 매우 정확한 것으로 여겨져서 출구조사결과와 실제 선거결과가 다를 때 일부 신문들과 텔레비전 리포터들은 실제 선거결과가 잘못된 것이라고까지 주장한다. 2004년 미국 대통령 선거에서 출구조사는 오하이오주에서 John Kerry 후보가 승리한다고 예측하였으나 개표가 종료되었을 때, George W. Bush 후보가 승리하였다. 음모론자들은 출구조사를 "증거"로 제시하면서 오하이오주 선거는 공화당원들에게 도둑 당하였다고 여전히 믿고 있다. 그러나 Mitofsky는 자신의 분석을 통하여 출구조사는 부적정하게 수행되었고 이에 따라 공화당 투표자들이 출구조사에 참여하는 것을 거부하는 결과가 초래되었다는 점을 발견하였다. 문제의 원인은 제대로 훈련받지 못한 출구조사원들에게 있었다(자료: *Amstat News*, December 2006).

$$z = \frac{\hat{p} - p}{\sqrt{p(1-p)/n}}$$

이다.

계산

직접 계산

이 예제는 5%의 유의수준을 요구하는 "표준적인" 문제이다. 따라서 기각역은

$$z > z_\alpha = z_{.05} = 1.645$$

이다. 데이터 파일로부터 공화당 후보를 지지하는 투표를 한 투표의 수를 나타내는 "성공"의 수를 세어보면 $x=407$이다. 표본크기는 765이다. 따라서 표본비율은

$$\hat{p} = \frac{x}{n} = \frac{407}{765} = .532$$

이다. 검정통계량의 값은

$$z = \frac{\hat{p} - p}{\sqrt{p(1-p)/n}} = \frac{.532 - .5}{\sqrt{.5(1-.5)/765}} = 1.77$$

이다. 검정통계량은 근사적으로 정규분포를 따르기 때문에 검정의 p-값을 다음과 같이 결정할 수 있다.

$$p\text{-값} = P(Z > 1.77) = 1 - P(Z < 1.77) = 1 - .9616 = .0384$$

5%의 유의수준에서 공화당 후보가 승리했다는 충분한 증거가 존재한다.

EXCEL Workbook

	A	B	C	D
1	**z-Test of a Proportion**			
2				
3	**Sample proportion**	0.532	**z Stat**	**1.77**
4	**Sample size**	765	**P(Z<=z) one-tail**	**0.0384**
5	**Hypothesized proportion**	0.5	**z Critical one-tail**	**1.6449**
6	**Alpha**	0.05	**P(Z<=z) two-tail**	**0.0764**
7			**z Critical two-tail**	**1.9600**

1. 데이터를 한 열에 입력하거나 <Xm12-05>를 불러들여라. 임의의 빈 셀에 "성공"의 수 (=COUNTIF(A1:A766,2))를 계산하라.
2. Test Statistics Workbook을 열고 z-Test_Proportion을 클릭하라. 표본비율을 입력하거나 복사하라. 표본크기, 귀무가설하에서 p의 값, α의 값을 입력하라.

XLSTAT

	B	C	D
12	Frequency: 407		
13	Sample size: 765		
14	Test proportion: 0.5		
15	Hypothesized difference (D): 0		
16	Proportion:	0.532	
17			
18	z-test for one proportion / Upper-tailed test:		
19			
20	Difference	0.032	
21	z (Observed value)	1.772	
22	z (Critical value)	1.645	
23	p-value (one-tailed)	0.0384	
24	alpha	0.05	

지시사항

1. 한 열에 데이터를 입력하거나 <Xm12-05>을 불러들여라. "성공"의 수와 표본크기를 계산하라.
2. **XLSTAT, Parametric tests, Tests for one proportion**을 클릭하라.
3. **Frequency** (성공의 수) (407)과 **Sample size** (765)를 입력하라. **Test proportion** (.5)를 입력하라. **Data format**에서 **Frequency**를 선택하라. **z-test**를 체크하라.
4. **Options**를 클릭하고 **Alternative hypothesis** 박스에서 **Proportion-Test proportion > D**를 선택하라. **Hypothesized difference (D)** (0)을 입력하라. **Significance level (%)** 박스에서 퍼센트로 나타낸 α의 값 (5)를 설정하라.

해석 검정통계량의 값은 $z=1.77$이고 검정의 단측 p-값=.0384이다. 5%의 유의수준에서 귀무가설은 기각되고 플로리다주에서 George W. Bush 공화당 후보가 대통령 선거에서 승리했다고 추론하기에 충분한 증거가 존재한다고 결론내린다.

여기서 고려하여야 하는 주요 쟁점 중의 하나는 제1종 오류와 제2종 오류의 비용이다. 제1종 오류는 실제로는 패배했는데도 공화당 후보가 승리할 것이라고 결론을 내리면 발생한다. 이와 같은 오류는 텔레비전방송국이 오후 8시 1분에 공화당 후보가 승리했다고 선언하고 이어서 저녁 늦게 실수를 인정해야만 한다는 것을 의미한다. 만일 한 특정 텔레비전방송국이 이와 같은 오류를 범한 유일한 방송국이라면, 이 사건은 이 방송국의 성실성에 대하여 의구심을 불러일으키고 시청자의 수에 영향을 미칠 수 있다.

이것이 정확히 2000년 11월의 미국 대통령 선거일 저녁에 발생한 일이었다. 투표가 오후 8시에 종료된 직후에 모든 텔레비전방송국들은 민주당 후보인 Albert Gore가 플로리다주에서 승리했다고 선언하였다. 두 시간 후에 텔레비전방송국들은 실수가 발생했으며 공화당 후보인 George W. Bush가 승리했다고 시인했다. 수 시간 후에 텔레비전방송국들은 다시 실수를 시인했으며 마지막으로 경쟁이 너무 막상막하여서 누가 승리할 것인지 알 수 없다고 선언하였다. 각 방송국의 입장에서 볼 때 다행스러운 일은 모든 텔레비전방송국들이 동일한 실수를 범하였다는 것이다. 그러나 한 텔레비전방송국이 이와 같은 실수를 범하지 않았다면, 이 방송국은 좋은 기록을 달성하게 된다. 이와 같은 성취는 뉴스 프로그램의 미래 광고에서 사용될 것이고 더 많은 시청자들을 끌어들이는 데 사용될 것이다.

12.3d 결측치

실제로 통계학을 적용하는 데 있어서 데이터 세트가 종종 불완전하다. 어느 경우에는 통계전문가들이 일부 관측치를 적정하게 기록하지 못할 수 있거나 일부 데이터는 생략될 수 있다. 다른 경우에는 응답자들이 대답하는 것을 거부할 수 있다. 예를 들면, 통계전문가들이 투표자들에게 다음 선거에서 누구를 지지하는 투표를 할 것인지 묻는 정치여론조사에서 일부 사람들은 아직 결정하지 않았다고 대답하거나 그들의 투표는 비밀이어서 대답하기를 거부할 것이다. 응답자들에게 그들의 소득을 보고하도록 요청하는 서베이에서 사람들은 종종 이와 같은 정보를 누설하기를 거부한다. 이것은 통계전문가들에게는 골치 아픈 문제이다. 우리는 사람들에게 질문에 대답하도록 강요할 수 없다. 그러나 무응답의 수가 많으면, 표본이 더 이상 진정으로 임의표본이 아니기 때문에 분석결과는 타당하지 않을 수 있다. 그 이유를 이해하기 위해서 가구소득이 상위 1/4에 속하는 사람들이 일정하게 그들의 소득에 관한 질문에 대답하기를 거부한다고 하자. 이 경우에 결과적으로 계산되는 모집단의 평균 가구소득의 추정치는 실제 값보다 낮을 것이다.

이와 같은 쟁점은 복잡할 수 있다. 무응답의 문제를 해결하기 위한 여러 가지 방법들이 있다. 가장 간단한 방법은 무응답을 제거하는 것이다. 예를 들면, 한 정치여론조사에서 응답자들에게 두 경쟁 후보 중 누구를 지지하는 투표를 할 것인지 물었다고 하자. 여론조사자들은 그 결과를 1=후보 A, 2=후보 B, 3="모름", 4="의사표시 거부"의 방식으로 기록한다. 만일 후보 A를 지지하는 투표를 할 투표자의 비율에 관하여 추론하기를 원하면, 간단히 코드 3과 코드 4가 생략될 수 있다. 만일 우리가 직접 작업을 한다면, 후보 A를 선호하는 투표자의 수와 후보 B를 선호하는 투표자의 수를 세어볼 것이다. 이 두 수치의 합이 총표본크기가 된다.

통계소프트웨어의 용어로 말하면, 우리가 제거하기를 원하는 무응답은 **결측치**(missing data)라고 부른다. 소프트웨어 패키지들은 서로 다른 방법으로 결측치를 다룬다.

12.3e 큰 유한 모집단에서 성공의 총 수 추정하기

모평균에 관한 추론의 경우와 마찬가지로, 이 절에서 소개된 통계기법은 모집단은 무한히 크다고 가정한다. 모집단이 작을 때, 유한 모집단 교정계수가 사용되어야 한다. 모집단이 표본크기의 20배 이하일 때 모집단은 작다고 말한다. 모집단이 크고 유한할 때, 모집단에 있는 성공의 총 수를 추정할 수 있다.

모집단에 있는 성공의 총 수에 대한 신뢰구간추정치를 구하기 위해 성공의 비율에 대한 구간추정량의 신뢰하한과 신뢰상한에 모집단 크기를 곱한다. 큰 유한 모집단에 있는 성공의 총 수에 대한 신뢰구간추정량은 다음과 같다.

$$N\left(\hat{p} \pm z_{\alpha/2}\sqrt{\frac{\hat{p}(1-\hat{p})}{n}}\right)$$

이와 같은 추정량은 이 장의 서두에 있는 예제와 이 절의 일부 연습문제들에서 사용될 것이다.

해답 실업자 수의 추정

선택

Jupiterimages/Getty images

문제의 목적은 미국 성인의 일자리 상태를 나타내는 모집단 특성을 파악하는 것이다. 데이터는 범주데이터이다. 문제의 목적과 데이터의 종류를 고려하면, 추정되어야 하는 모수는 실업자가 모집단에서 차지하는 비율이다. 모비율에 대한 신뢰구간추정량은 다음과 같다.

$$\hat{p} \pm z_{\alpha/2}\sqrt{\frac{\hat{p}(1-\hat{p})}{n}}$$

계산

직접계산

이 문제를 직접 풀기 위해, WRKSTAT 변수 열에 있는 3과 4의 수를 센다. 3의 개수와 4의 개수는 각각 53과 84이다. 표본크기는 2,346이다. (결측치를 나타내는 2개의 비어 있는 셀이 존재한다.) 따라서

$$\hat{p} = \frac{53 + 84}{2{,}346} = .0584$$

신뢰수준은 $1-\alpha = .95$이다. 따라서 $\alpha = .05$, $\alpha/2 = .025$, $z_{\alpha/2} = z_{.025} = 1.96$이다. p에 대한 95% 신뢰구간 추정치는 다음과 같다.

$$\hat{p} \pm z_{\alpha/2}\sqrt{\frac{\hat{p}(1-\hat{p})}{n}} = .0584 \pm 1.96\sqrt{\frac{.0584(1-.0584)}{2{,}346}} = .0584 \pm .0095$$

$$\text{LCL} = .0489 \qquad \text{UCL} = .0679$$

EXCEL Workbook

	A	B	C	D	E
1	z-Estimate of a Proportion				
2					
3	Sample proportion	0.0584	Confidence Interval Estimate		
4	Sample size	2346	0.0584	±	0.0095
5	Confidence level	0.95	Lower confidence limit		0.0489
6			Upper confidence limit		0.0679

지시사항

1. 데이터를 한 열에 입력하거나 <GSS2018>을 불러들여라. (X열을 다른 스프레드시트에 복사한다.) 임의의 빈 셀에 "성공"의 수(=COUNTIF (A1:A2349, 3)와 (=COUNTIF (A1:A2349,4))를 계산한다. 이 수치 (53+84)를 표본크기 (2,346)으로 나누어서 표본비율을 구한다.
2. Estimators Workbook을 열고 z-Estimate_Proportion을 클릭하라. 표본비율을 입력하거나 복사하라. 표본크기의 값과 α의 값을 입력하라.

XLSTAT

	B	C	D	E	F
12	Frequency: 137				
13	Sample size: 2346				
14					
15	Proportion	0.058			
16					
17	95% confidence interval on the proportion (Wald):				
18	(0.0489, (0.0679,				

지시사항

1. GSS2018 파일을 열고 X열에 있는 3의 개수와 4의 개수를 센다. 3의 개수와 4의 개수는 각각 53과 84이다. 따라서 "성공"의 수는 137이다. 표본크기를 결정하라. 표본크기는 2346이다.
2. XLSTAT, Parametric tests, Tests for one proportion을 클릭하라.
3. Frequency (137)와 Sample size (2346)를 입력하라. Data format에서 Frequency를 선택하라. z-test를 체크하라.
4. Options 탭을 클릭하고 Alternative hypothesis 박스에서 Proportion - test proportion ≠ D를 선택하라. Significance level (%) (5)를 설정하라. Variance (confidence interval): Sample를 체크하고 Wald를 체크하라.

해석

실업상태에 있는 미국 성인의 비율은 4.89%와 6.79% 사이로 추정된다. 실업자 수를 추정하기 위해, 신뢰구간의 하한과 상한에 모집단 크기 255,200,373을 곱하라. 실업자 수에 대한 구간추정치가 다음과 같이 구해진다.

LCL = 255,200,373 (.0489) = 12,479,298
UCL = 255,200,373 (.0679) = 17,328,105

12.3f 모비율을 추정하기 위한 표본크기의 선택

제10.3절에서 모평균을 추정하기 위한 표본크기의 선택을 소개하였을 때, 표본크기는 통계전문가가 기꺼이 허용하고자 하는 신뢰수준과 추정오차의 허용크기에 의해 결정된다는 점을 지적하였다. 추정되어야 하는 모수가 모비율일 때, 추정오차의 허용크기는 다음과 같다.

$$B = z_{\alpha/2}\sqrt{\frac{\hat{p}(1-\hat{p})}{n}}$$

n에 대하여 풀면, 다음의 박스에 제시되어 있는 것처럼 필요한 표본크기가 결정된다.

모비율을 추정하기 위한 표본크기

$$n = \left(\frac{z_{\alpha/2}\sqrt{\hat{p}(1-\hat{p})}}{B}\right)^2$$

이 공식을 사용하는 방법을 예시하기 위해 브랜드 선호 서베이에서 특정 회사의 브랜드를 선호하는 고객의 비율을 95%의 신뢰수준을 가지고 3% 이내로 추정하기 원한다고 하자. 이것은 추정오차의 허용크기가 $B=.03$이라는 것을 의미한다. $1-\alpha=.95$, $\alpha=.05$, $\alpha/2=.025$, $z_{\alpha/2}=z_{.025}=1.96$이므로 n은 다음과 같이 계산된다.

$$n = \left(\frac{1.96\sqrt{\hat{p}(1-\hat{p})}}{.03}\right)^2$$

그러나 n에 대하여 풀기 위해서는 $\hat{p}$을 알아야 한다. 불행하게도 표본이 아직 추출되지 않았기 때문에 이 값은 알려져 있지 않다. n에 대하여 풀기 위해 두 가지 방법 중 하나가 사용될 수 있다.

방법 1 만일 $\hat{p}$의 근사치조차도 모르면, $\hat{p}=.5$로 설정하라. $\hat{p}(1-\hat{p})$는 $\hat{p}=.5$에서 최댓값을 가지기 때문에 $\hat{p}=.5$를 선택한다. (그림 12.6은 이 점을 보여준다.) $\hat{p}=.5$로 설정하는 경우 보수적인 n의 값이 구해진다. 따라서 신뢰구간은 $\hat{p}\pm.03$보다 더 넓지 않을 것이다. 만일 표본이 추출되었을 때 $\hat{p}$가 .5가 아니면, 신뢰구간추정치는 처음에 계획된 것보다 더 좁아질 것이다. n은 다음과 같이 계산된다.

$$n = \left(\frac{1.96\sqrt{(.5)(.5)}}{.03}\right)^2 = (32.67)^2 = 1{,}068$$

만일 $\hat{p}=.5$이면, 구간추정치는 $.5\pm.03$이다. 만일 $\hat{p}$이 .5가 아니면, 구간추정치는 더 좁아진다. 예를 들면, $\hat{p}=.2$이면, 구간추정치는 계획한 것보다 더 좁은 $.2\pm.024$가 된다.

그림 12.6 $\hat{p}(1-\hat{p})$의 그래프

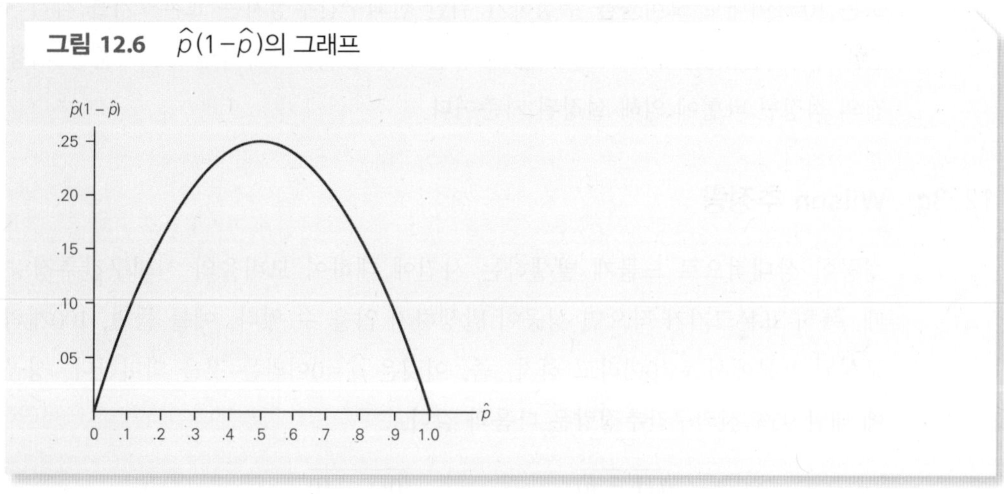

방법 2 만일 $\hat{p}$의 값에 관하여 약간의 감을 가지고 있으면, n을 결정하기 위해 이와 같은 $\hat{p}$의 값이 사용될 수 있다. 예를 들면, 만일 $\hat{p}$가 약 .2가 될 것이라고 믿는다면, 다음과 같이 n에 대하여 풀 수 있다.

$$n = \left(\frac{1.96\sqrt{(.2)(.8)}}{.03}\right)^2 = (26.13)^2 = 683$$

이 방법으로부터 방법 1보다 더 작은 n의 값이 구해진다. 그러나 만일 $\hat{p}$이 실제로 .2와 .8 사이에 있으면, 이 추정치는 원하는 만큼 좋지 못한 결과를 제공한다. 왜냐하면 이 경우의 구간추정치는 바람직한 구간보다 더 넓을 것이기 때문이다.

방법 1은 종종 신문, 잡지, 텔레비전, 라디오에 의해 보도되는 여론조사 서베이에서 사용되는 표본크기를 결정하기 위해 사용된다. 이와 같은 여론조사는 일반적으로 95%의 신

뢰수준을 가지고 3% 이내로 모비율을 추정한다. (언론매체에서는 종종 95%의 신뢰수준을 "20번 중에서 19번"과 같이 표현한다.) 당신은 왜 여론조사에서 거의 언제나 모비율을 표본비율 ±3% 이내로 추정하는지 궁금해 할 수 있다. 모비율을 표본비율±1% 이내로 추정하기 위해 필요한 표본크기를 생각해보자.

$$n = \left(\frac{1.96\sqrt{(.5)(.5)}}{.01}\right)^2 = (98)^2 = 9{,}604$$

표본크기 9,604는 표본비율 ±3% 이내로 모비율을 추정하기 위해 필요한 표본크기의 9배이다. 따라서 신뢰구간의 넓이를 1/3로 줄이기 위해서는 표본크기를 9배 증가시켜야 한다. 이에 따른 비용은 상당히 증가할 것이다. 대부분의 적용에서 신뢰구간추정치의 넓이를 감소시키면서 얻어지는 정확성의 증가는 이와 같은 비용의 증가를 보상하지 못한다. 5% 또는 10% 이내로 모비율을 추정하기 위한 신뢰구간추정치는 표본크기를 각각 385와 97로 감소시키지만 일반적으로 너무 넓어서 쓸모가 없다. 따라서 3%의 기준은 비용과 정확성 간의 적정한 타협에 의해 설정된 기준이다.

12.3g Wilson 추정량

성공이 상대적으로 드물게 발생하는 사건에 대하여 모비율의 신뢰구간추정량을 적용할 때, 특히 표본크기가 작으면 성공이 발생하지 않을 수 있다. 예를 들면, 100개의 관측치로 구성된 표본에서 $x=0$이라고 하자. 즉, 이것은 $\hat{p}=0$이라는 것을 의미한다. 성공의 모비율에 대한 95% 신뢰구간추정량은 다음과 같다.

$$\hat{p} \pm z_{\alpha/2}\sqrt{\frac{\hat{p}(1-\hat{p})}{n}} = 0 \pm 1.96\sqrt{\frac{0(1-0)}{100}} = 0 \pm 0$$

이것은 만일 표본에서 성공이 발생하지 않으면, 모집단에서도 성공이 발생하지 않을 가능성이 있다는 것을 의미한다. 실제로 임의의 표본크기로부터 이와 같은 결론을 도출하는 것은 수용될 수 없다. 이에 대한 처방이 1927년에 Edwin Wilson에 의해 제안되었다. $\tilde{p}$(p-tilde라고 발음)로 표시되는 윌슨추정치는 표본에 있는 성공의 수에 2를 더하고 표본크기에 4를 더하여 계산된다. 따라서

$$\tilde{p} = \frac{x+2}{n+4}$$

이고, $\tilde{p}$의 표준오차는

$$\sigma_{\widetilde{p}} = \sqrt{\frac{\widetilde{p}(1-\widetilde{p})}{n+4}}$$

이다.

윌슨추정치를 사용하는 경우의 p에 대한 신뢰구간추정량

$$\widetilde{p} \pm z_{\alpha/2}\sqrt{\frac{\widetilde{p}(1-\widetilde{p})}{n+4}}$$

연습문제 12.79~연습문제 12.81에서는 이와 같은 통계기법이 사용되어야 한다.

연습문제

연습문제 12.61~12.64는 통계적 추론의 요소들이 변화할 때 검정통계량과 구간추정치에 어떤 일이 발생하는지 파악하기 위해 만들어진 "what-if 분석"이다. 이 연습문제들은 직접 풀 수 있거나 Excel 스프레드시트를 사용하여 풀 수 있다.

12.61 a. 200개의 관측치로 구성된 임의표본에서 성공의 비율이 48%라는 것을 발견하였다. 성공의 모비율에 대한 95% 신뢰구간을 추정하라.

b. $n=500$인 경우 a를 반복하라.

c. $n=1,000$인 경우 a를 반복하라.

d. 표본크기의 증가가 신뢰구간추정치에 미치는 효과를 설명하라.

12.62 a. 400개의 관측치로 구성된 임의표본에서 성공의 비율이 50%로 계산되었다. 성공의 모비율에 대한 95% 신뢰구간을 추정하라.

b. $\hat{p}=33\%$인 경우 a를 반복하라.

c. $\hat{p}=10\%$인 경우 a를 반복하라.

d. 표본비율의 감소가 신뢰구간추정치의 넓이에 미치는 효과를 논의하라.

12.63 a. $\hat{p}=.63$과 $n=100$인 경우 다음의 가설에 대한 검정의 p-값을 계산하라.

H_0: $p=.60$

H_1 : $p>.60$

b. $n=200$인 경우 a를 반복하라.

c. $n=400$인 경우 a를 반복하라.

d. 표본크기의 증가가 p-값에 미치는 효과를 설명하라.

12.64 a. 한 통계전문가는 다음과 같은 가설을 검정하기 원한다.

H_0: $p=.70$

H_1 : $p>.70$

100개의 관측치로 구성된 임의표본으로부터 계산된 표본비율은 $\hat{p}=.73$이었다. 검정의 p-값을 계산하라.

b. $\hat{p}=.72$인 경우 a를 반복하라.

c. $\hat{p}=.71$인 경우 a를 반복하라.

d. 표본비율의 감소가 z-통계량과 검정의 p-값에 미치는 효과를 설명하라.

12.65 당신이 표본비율의 근사치에 대하여 알지 못한다고 가정하면서 90%의 신뢰수준을 가지고 모비율을 표본비율 ±.03 이내로 추정하기 위해 필요한 표본크기를 결정하라.

12.66 당신이 연습문제 12.65에서 계산된 표본크기를 사용하였고 $\hat{p}=.5$라는 것을 발견했다고 하자.

a. 모비율에 대한 90% 신뢰구간을 추정하라.

b. 이것이 당신이 예상한 결과인가? 설명하라.

12.67 당신이 연습문제 12.65에서 계산된 표본크기를 사용하였고 $\hat{p}=.75$라는 것을 발견했다고 하자.

a. 모비율에 대한 90% 신뢰구간을 추정하라.

b. 이것이 당신이 예상한 결과인가? 설명하라.

c. 만일 당신이 이와 같은 분석을 수행하기 위해 고용되었다면, 당신을 고용한 사람은 당신이 구한 구간추정치에 만족할 것인가? 설명하라.

12.68 당신이 표본비율이 .75라는 것을 안다고 가정하면서 연습문제 12.65를 다시 풀어라.

12.69 당신은 연습문제 12.68에서 계산된 표본크기를 사용하였고 $\hat{p}=.75$라는 것을 발견했다고 하자.

a. 모비율에 대한 90% 신뢰구간을 추정하라.

b. 이것이 당신이 예상한 결과인가? 설명하라.

12.70 당신은 연습문제 12.68에서 계산된 표본크기를 사용하였고 $\hat{p}=.92$라는 것을 발견했다고 하자.

a. 모비율에 대한 90% 신뢰구간을 추정하라.

b. 이것이 당신이 예상한 결과인가? 설명하라.

c. 만일 당신이 이와 같은 분석을 수행하기 위해 고용되었다면, 당신을 고용한 사람은 당신이 구한 구간추정치에 만족할 것인가? 설명하라.

12.71 당신은 연습문제 12.68에서 계산된 표본크기를 사용하였고 $\hat{p}=.5$라는 것을 발견했다고 하자.

a. 모비율에 대한 90% 신뢰구간을 추정하라.

b. 이것이 당신이 예상한 결과인가? 설명하라.

c. 만일 당신이 이와 같은 분석을 수행하기 위해 고용되었다면, 당신을 고용한 사람은 당신이 구한 구간추정치에 만족할 것인가? 설명하라.

12.72 메이저 리그 야구를 위해 일하는 한 통계전문가는 라디오와 텔레비전 해설자들에게 재미있는 통계를 공급하기 원한다. 그는 수백 개의 게임을 관측하고 1루 주자가 2루로 도루를 시도한 수를 세어보았다. 그는 1루 주자가 2루로 도루를 시도한 횟수가 373번이었고 그중에서 259번이 도루에 성공하였다는 것을 발견하였다. 모든 2루 도루 시도 중에서 성공한 비율에 대한 95% 신뢰구간을 추정하라.

12.73 일부의 주들에서는 법에 의해 운전자들은 빗속에서 운전할 때 헤드라이트를 켜야 한다. 한 고속도로 순찰원은 모든 운전자 중에서 1/4 미만이 이와 같은 법규를 준수한다고 믿는다. 이것을 검정하기 위해 그는 빗속에서 운전하는 200대의 자동차들을 임의로 표본추출하였고 헤드라이트가 켜져 있는 자동차의 수를 세어보았다. 그는 이 수가 41대라는 것을 발견하였다. 이 고속도로 순찰원은 10%의 유의수준에서 그의 믿음을 지지할 수 있는 충분한 증거를 가지고 있는가?

12.74 한 경영대학원장은 졸업생들이 졸업 후 고용된 첫 해 동안에 통계적 추론기법을 사용하였는지 알기 원한다. 314명의 졸업생으로 구성된 임의

표본이 추출되었고 그중에서 204명의 졸업생이 졸업 후 고용된 첫 해 동안에 통계적 추론 기법을 사용했다는 것이 발견되었다. 모든 경영대학원 졸업생들 중에서 졸업 후 첫 해 동안에 통계기법을 사용한 비율에 대한 90%의 신뢰구간을 추정하라.

12.75 최근 항공승객의 감소가 더 좋은 정시운항의 결과를 발생시켰는가? 최근에 항공승객이 감소하기 전에 한 항공사는 자기 항공편의 92%는 정시운항한다고 자랑하였다. 금년도에 운항된 165편의 항공운항으로 구성된 임의표본 중에서 153편이 정시운항하였다. 5%의 유의수준에서 이 항공사의 정시운항률이 개선되었다고 결론지을 수 있는가?

12.76 CEO들은 어떤 교육배경을 가지고 있는가? 한 서베이에서 중대형 회사의 344명 CEO들에게 MBA 학위를 가지고 있는지 물었다. MBA 학위를 가지고 있는 CEO들은 97명이었다. 모든 중대형회사 CEO들 중에서 MBA 학위를 가지고 있는 비율에 대한 95% 신뢰구간을 추정하라.

12.77 버스와 통근열차의 GO 수송시스템은 명예제도에 기초하여 운영된다. 열차승객은 열차에 승차하기 전에 티켓을 사도록 되어 있다. 소수의 승객들을 대상으로 열차에서 그들이 티켓을 구매했는지 알아보았다. 임의표본으로 400명의 열차승객이 추출되었고 그들 중에서 68명이 티켓을 구매하지 않았다. 모든 열차승객들 중에서 티켓을 구매하지 않는 승객의 비율에 대한 95% 신뢰구간을 추정하라.

12.78 연습문제 12.77을 참조하라. 연간 열차승객의 수는 100만 명이고 요금은 3달러라고 가정하면서 매년 상실되는 수입액에 대한 95% 신뢰구간을 추정하라.

다음의 연습문제들을 풀기 위해서는 윌슨추정량을 사용하여야 한다.

12.79 제6장에서는 확률에 대한 이해를 이용하여 의료진단검사의 결과를 어떻게 적절하게 해석할 수 있는지 논의하였다. 베이즈의 법칙을 사용하려면 과거의 기록에 기초하여 계산되는 일련의 사전적 확률이 필요하다. 한 의사가 35세 미만의 여성이 다운증후군(Down syndrome)을 가진 아이를 출산할 확률을 추정하기 원한다고 하자. 이 의사는 임의로 200명의 신생아를 표본추출하였고 단지 한 명만이 다운증후군을 가지고 있다는 것을 발견하였다. 다운증후군을 가진 아이를 가지고 있을 35세 미만 여성의 비율에 대한 95% 신뢰구간추정치를 구하기 위해 윌슨추정량(Wilson estimator)을 사용하라.

12.80 스팸메일은 이메일 주소를 가지고 있는 누구에게나 골칫거리이다. 다수의 회사들은 스팸메일이 들어오자마자 제거하는 방법을 제공한다. 이와 같이 스팸메일을 제거하는 한 제품을 검토하기 위해 한 경영자는 스팸 소프트웨어를 설치한 후에 50일 동안 그의 일일 이메일을 임의로 표본추출하였다. 총 374개의 이메일이 수신되었고 그중에서 3개의 스팸메일이 있었다. 주어진 스팸 소프트웨어에 의해 제거되지 않는 스팸메일의 비율에 대한 90% 신뢰구간을 추정하기 위해 윌슨추정량을 사용하라.

12.81 한 경영학 교수는 교육수준과 성취직위의 관계를 조사하고 있는 중이다. 그의 데이터는 중대형회사의 385명 CEO를 대상으로 실시한 서베이로부터 얻은 것이다. 그는 적어도 하나의 학사학위도 가지고 있지 않은 CEO는 단 1명이었다는 것을 발견하였다. 윌슨추정량을 사용하면서 학사학위를 가지고 있지 않은 중대형

회사의 CEO 비율에 대한 99% 신뢰구간을 추정하라.

다음의 연습문제들을 풀기 위해서는 컴퓨터와 소프트웨어를 사용하여야 한다. 연습문제에 대한 답은 직접 계산될 수 있다. 표본통계량들을 위해 부록 A를 참조하라. 5%의 유의수준과 95%의 신뢰수준을 사용하라.

12.82 <Xr12-82> Pew Research Center에 의해 시행된 서베이에서 임의표본에 추출된 974명의 미국 성인들에게 세금을 납부하는 것에 대해 어떻게 생각하는지 물었다. 응답은 다음과 같은 코드를 사용하여 정리되었다. 1=기꺼이 한다, 2=좋아한다, 3=기꺼이 하지도 좋아하지도 않는다, 4=좋아하지 않는다, 5=증오한다. 미국의 납세자 수는 143,300,000명이다. 세금납부를 증오하는 미국 성인 수에 대한 95% 신뢰구간을 추정하라.

12.83 <Xr12-83> 연습문제 12.82를 참조하라. 세금납부를 증오하거나 좋아하지 않는 사람들에게 그 이유를 물었다. 응답은 다음과 같은 코드를 사용하여 정리되었다. 1=너무 많은 세금을 납부한다, 2=복잡하고 너무 많은 서류작업이 필요하다, 3=불편하고 시간 소비적이다, 4=정부가 세금을 사용하는 방법을 좋아하지 않는다, 5=정부에게 빚지고 있다, 6=기타. 정부가 세금을 사용하는 방법을 좋아하지 않기 때문에 세금납부를 증오하거나 좋아하지 않는 미국의 납세자 수의 비율에 대한 95% 신뢰구간을 추정하라.

12.84 <Xr12-84+> 북미 전체의 대학과 전문대학들에 심각한 위기가 존재한다. 대부분의 지역에서 등록학생 수가 증가하고 있고 더 많은 교수들이 필요하다. 그러나 필요한 교수자리를 채울 박사학위자들이 충분하지 않다. 더욱이 현재의 교수들 중에서 상당 비율은 은퇴연령에 가까워지고 있다. 이와 같은 문제의 중심에는 일부 대학들이 60세 이상의 교수들에게 조기 은퇴를 허용하는 제도가 자리잡고 있다. 이와 같은 위기에 대처하기 위한 계획을 창안하기 위해 한 컨설턴트는 521명의 55세~64세 사이의 대학교수를 대상으로 서베이를 실시하였고 각 교수에게 65세 이전에 은퇴할 의사가 있는지 물었다. 이에 대한 응답은 1=아니오와 2=예이다. 55세~64세 사이의 대학교수 수가 75,000명이라면, 조기 은퇴를 계획하고 있는 교수의 총 수에 대한 95% 신뢰구간추정치를 구하라.

12.85 <Xr12-85+> 2020년 팬데믹 기간 동안 전 세계 정부는 코로나19 확산을 늦추기 위해 개인에게 마스크나 다른 얼굴 덮개를 착용할 것을 권고하였다. Abacus가 2020년 7월 캐나다 성인(18세 이상)을 대상으로 수행한 서베이에서 "당신은 소매점 같은 공공장소에 들어갈 때 마스크를 쓰나요?"라고 물었다. 응답은 다음과 같은 코드를 사용하여 정리되었다: 1=항상 또는 거의 항상 작용한나, 2=설반 이하 작용한다, 3=착용하지 않는다. 캐나다 성인 수는 30,706,072명이다. 공공장소에서 항상 또는 거의 항상 마스크를 착용하는 캐나다 성인의 총 수에 대한 95% 신뢰구간추정치를 구하라.

12.86 <Xr12-86> 점차 많은 사람들이 크리스마스 선물로 선물상품권을 사용한다. 이와 같은 관행의 정도를 측정하기 위해 12월 26일~29일 사이에 실시된 서베이에서 임의표본으로 추출된 각 사람에게 크리스마스 선물상품권을 받았는지 물었다. 이에 대한 응답이 1=아니오와 2=예로 기록되었다. 크리스마스 선물상품권을 받은 사람의 비율에 대한 95%의 신뢰구간을 추정하라.

12.87 <Xr12-87+> 크리스마스를 즐기려는 사람은 실제의 나무를 살 것인지 인공의 나무를 살 것인지에 관한 중요한 의사결정에 직면한다. 표본으로 추출된 18세 이상인 1,508명의 남성과 여성 응답자에 대한 인터뷰가 이루어졌다. 각 응답자에게 실제의 나무(1) 또는 인공의 나무(2)를 선호하는지 물었다. 만일 크리스마스트리를 사는 캐나다인 가구 수가 6백만이라면, 인공의 크리스마스 트리를 선호하는 캐나다인 가구 수에 대한 95% 신뢰구간을 추정하라.

12.88 <Xr12-88+> 뉴스방송의 텔레비전 시청자는 더 나이 든 계층이 되어가는 경향을 가지기 때문에(그리고 나이 든 사람들은 다양한 병으로 고생하기 때문에), 제약회사들의 광고가 종종 3개의 텔레비전(ABC, CBS, NBC)에서 진행되는 전국 뉴스 방송시간 중에 나타난다. 이 광고들은 가슴앓이(heartburn)와 같은 질병들을 처방하기 위한 약과 관련되어 있다. 이 광고들이 얼마나 효과가 있는지 결정하기 위해 한 서베이가 실시되었다. 텔레비전 뉴스방송을 정기적으로 시청하는 50세 이상의 성인들에게 뉴스방송시간 동안 광고된 처방약 중의 하나에 관하여 물어보기 위해 의사를 접촉했는지 물었다. 이에 대한 응답(1=아니오, 2=예)이 기록되었다. 처방약에 관하여 물어보기 위해 의사를 접촉한 50세 이상 성인의 비율에 대한 95% 신뢰구간을 추정하라.

12.89 <Xr12-89> 질병관리본부에 의하면, 비타민 D 결핍은 암과 제2형 당뇨병을 유발할 수 있다. 비타민 D는 COVID-19를 막는 데 도움이 될 수 있다는 사실도 밝혀졌다. 비타민 D는 지방이 많은 생선, 버섯, 계란 노른자, 간 등 몇 가지 음식에서 발견된다. 비타민 D는 햇빛으로부터 피부로 흡수될 수 있다. 미국 남성과 여성으로 구성된 임의표본이 추출되었고 각각에게 비타민 D 검사를 받도록 하였다. 그 결과는 1=결핍과 2=충분으로 정리되었다. 미국의 성인 수는 255,200,373명이다. 비타민 D 결핍이 있는 미국 성인의 총 수에 대한 95% 신뢰구간 추정치를 구하라.

12.90 <Xr12-90> 한 갤럽 서베이는 미국 성인들에게 그들의 일자리에 대해 걱정하는지 물었다. 응답의 코드는 1=걱정함 또는 0=걱정하지 않음이다. 30세~49세 사이의 미국 성인들의 응답이 이 코드를 사용하여 기록되었다. 30세~49세 사이의 미국인 수는 42,278,000명이다. 일자리에 대해 걱정하는 30세~49세 사이의 미국인 수에 대한 95% 신뢰구간추정치를 구하라.

12.4 마케팅분야의 통계학 응용: 시장분할

대량 마케팅(mass marketing)은 한 회사가 수행하는 전체 시장을 대상으로 이루어지는 특정 제품의 대량 생산과 마케팅을 말한다. 대량 마케팅은 가격과 편리성을 제외하고 경쟁을 차별화하는 것이 매우 어려운 가솔린과 같은 상품의 경우에 특히 효과적이다. 그러나 일반적으로 말하면, 대량 마케팅은 전체 시장 중 특정한 분할시장의 수요를 충족시키는 것에 초점을 맞추는 타겟마케팅(target marketing)에 자리를 양보해주었다. 예를 들면, Coca-Cola사는 단일 음료의 대량 마케팅으로부터 다수 음료의 타겟마케팅으로 이동하였다. 콜라 제품 중에는 Coca-Cola Classic, Diet Coke, Caffeine-Free Diet Coke가 있다. 각 제품은 다른 분할시장을 목표시장으로 삼고 있다.

시장을 분할하는 다수의 방법이 존재하기 때문에 경영자들은 분할시장을 구별하기 위해 여러 가지 변수들(또는 특성들)을 고려하여야 한다. 고객들에 대한 서베이가 시장의 다양한 측면에 대한 데이터를 수집하기 위해 사용되고 통계기법이 분할시장을 정의하기 위해 적용된다. 시장분할은 각 그룹의 고객들이 서로 비슷하고 그룹들 간에 차이가 존재하는 방식으로 고객들을 여러 개의 그룹으로 분리시킨다. 단일 제품이 모든 고객들의 수요를 결코 충족시킬 수 없다는 인식 하에서 시장분할의 개념이 발전하였다. 경영자는 이어서 마케팅 믹스의 4가지 요소인 제품, 가격, 판매촉진, 장소를 사용하면서 이익을 발생시키는 분할시장을 목표로 하는 전략을 수립하여야 한다.

시장을 분할하는 많은 방법들이 존재한다. 표 12.1은 시장분할변수와 분할시장을 정리한 것이다. 예를 들면, 자동차 회사는 시장을 분할하기 위해 교육수준을 사용할 수 있다. 고등학교 졸업생들은 이 그룹에 속하는 다른 사람들과 유사하지만 대학졸업생들과는 다르다. 이와 같은 차이점은 각 그룹이 구매하기 위해 선택하는 자동차의 종류와 브랜드를 결정할 것이다. 소득수준은 분할시장들을 더 명료하게 구별시키는 변수이다. 통계기법이 시장을 분할하는 가장 좋은 방법을 결정하기 위해 사용될 수 있다. 시장분할을 위해 사용되는 통계기법은

표 12.1 시장분할

분할변수	분할시장
지리적 변수	
국가	브라질, 캐나다, 중국, 프랑스, 미국
지역	중서부, 북동부, 남서부, 남동부
인구통계학적 변수	
연령	5세 미만, 5~12, 13~19, 20~29, 30~50, 50세 초과
교육	고등학교 중퇴, 고등학교 졸업, 대학 중퇴, 전문대학 또는 대학 졸업
결혼 상태	독신, 기혼, 이혼, 과부/홀애비
사회적 변수	
종교	가톨릭, 프로테스탄트, 유대교, 무슬림, 불교
신분	상류층, 중류층, 근로층, 기저층
행태변수	
매체 사용	TV, 인터넷, 신문, 잡지
지불 방법	현금, 수표, Visa, Mastercard

이 책의 수준을 넘어선다. 따라서 이 책에서는 통계학의 적용에 초점이 맞추어져 있다.

시장의 크기는 수익성을 결정하기 때문에, 마케팅 담당자가 분할시장의 크기를 아는 것이 중요하다. 모든 분할시장들이 대응할 가치를 가지고 있는 것은 아니다. 어느 경우에는 분할시장의 크기가 너무 작거나 분할시장을 만족시키는 비용이 너무 높을 수 있다. 시장의 크기는 여러 가지 방법으로 결정될 수 있다. 센서스는 유용한 정보를 제공한다. 예를 들면, 다양한 연령그룹별 미국인의 수 또는 지역별 주민의 수가 결정될 수 있다. 다른 분할시장들의 경우에는 시장의 크기를 결정하기 위해 총인구를 대상으로 서베이를 하고 성공의 총 수를 추정하는 방법이 사용될 수 있다.

제12.3절에서는 한 큰 유한 모집단에서 성공의 총 수를 추정하는 방법이 소개되었다. 이 경우 성공의 총 수에 대한 신뢰구간추정량은 다음과 같다.

$$N\left(\hat{p} \pm z_{\alpha/2}\sqrt{\frac{\hat{p}(1-\hat{p})}{n}}\right)$$

다음의 예제는 시장분할에서 이와 같은 추정량이 어떻게 사용되는지 보여준다.

예제 12.6

아침식사용 시리얼 시장의 분할

DATA Xm12-06[+]

아침식사용 시리얼 시장을 분할하는 데 한 식품회사는 분할변수로 건강과 다이어트에 대한 의식을 사용한다. 다음과 같은 4개의 분할시장이 제시된다.

1. 건강식품을 먹는 데 관심이 있다.
2. 우선적으로 몸무게에 관심이 있다.
3. 질병 때문에 건강에 관심이 있다.
4. 건강과 다이어트에 관심이 없다.

그룹들을 구별하기 위해 서베이가 실시된다. 질문지에 기초하여 사람들은 제시된 4개의 그룹 중 하나에 속하도록 구분된다. 최근에 실시된 서베이에서 임의표본에 속하는 1,250명의 미국 성인(18세 이상)에게 질문지를 완성하도록 요청하였다. 각 사람이 속하는 그룹이 코드를 사용하면서 기록되었다. 가장 최근의 센서스에 의하면 18세 이상인 미국인의 총 수는 255,200,373명이다. 건강식품을 먹는 데 관심이 있는 미국 성인의 수에 대한 95%의 신뢰구간을 추정하라.

해답 **선택**

문제의 목적은 미국 성인 모집단의 특성을 파악하는 것이다. 주어진 데이터는 범주데이터이다. 따라서 우리가 추정하기 원하는 모수는 건강식품을 먹는 데 관심이 있는 것으로 분류되는 미국 성인의 비율 p이다. 사용하여야 하는 신뢰구간추정량은

$$\hat{p} \pm z_{\alpha/2}\sqrt{\frac{\hat{p}(1-\hat{p})}{n}}$$

이고, 이것으로부터 분할시장의 크기에 대한 추정치가 구해진다.

계산

직접 계산

이 문제를 직접 풀기 위해서는 데이터 파일 속에 있는 1의 수를 세어야 한다. 이 값은 269이다. 따라서 $\hat{p}$은 다음과 같이 계산된다.

$$\hat{p} = \frac{x}{n} = \frac{269}{1,250} = .2152$$

신뢰수준은 $1-\alpha=.95$이다. 따라서 $\alpha=.05$, $\alpha/2=.025$, $z_{\alpha/2}=z_{.025}=1.96$이다. p에 대한 95%의 신뢰구간추정치는 다음과 같다.

$$\hat{p} \pm z_{\alpha/2}\sqrt{\frac{\hat{p}(1-\hat{p})}{n}} = .2152 \pm 1.96\sqrt{\frac{(.2152)(1-.2152)}{1,250}} = .2152 \pm .0228$$

$$LCL = .1924, \quad UCL = .2380$$

EXCEL Workbook

	A	B	C	D	E
1	z-Estimate of a Proportion				
2					
3	Sample proportion	0.2152	Confidence Interval Estimate		
4	Sample size	1250	0.2152	±	0.0228
5	Confidence level	0.95	Lower confidence limit		0.1924
6			Upper confidence limit		0.2380

해석 그룹 1에 속하는 미국 성인의 비율은 .1924와 .2380 사이인 것으로 추정된다. 미국 성인의 수는 255,200,373명이기 때문에 그룹 1에 속하는 미국 성인의 수는

$$LCL = N\left[\hat{p} - z_{\alpha/2}\sqrt{\frac{\hat{p}(1-\hat{p})}{n}}\right] = 255,200,373(.1924) = 49,100,552\text{명}$$

과

$$UCL = N\left[\hat{p} + z_{\alpha/2}\sqrt{\frac{\hat{p}(1-\hat{p})}{n}}\right] = 255,200,373(.2380) = 60,737,689\text{명}$$

사이인 것으로 추정된다. 분할시장들 간에 차이가 존재하는지 결정하기 위해 통계기법이 어떻게 사용될 수 있는지 소개하는 다른 장들에서 시장분할에 관한 주제가 다시 논의될 것이다.

연습문제

다음의 연습문제들은 직접 풀 수 있다. 표본통계량들을 위해서 부록 A를 참조하라.

12.91 <Xr12-91> 한 새로운 신용카드회사는 각 분할시장을 목표로 광고하는 것이 이익을 발생시키는가를 결정하기 위해 다양한 분할시장을 조사하고 있다. 분할시장들 중의 하나는 히스패닉(Hispanic) 사람들로 구성되어 있다. 가장 최근의 센서스에 의하면 미국에는 53,900,000명의 히스패닉 성인(18세 이상)이 있다. 475명의 히스패닉 성인을 대상으로 실시한 서베이에서 각 사람에게 구매하는 제품에 대하여 일반적으로 어떻게 지불하는가 물었다. 이에 대한 응답은 다음과 같다.

1. 현금 4. Mastercard
2. 수표 5. 기타 신용카드
3. Visa

일반적으로 신용카드로 지불하는 미국에 있는 히스패닉의 수에 대한 95% 신뢰구간을 추정하라.

12.92 <Xr12-92+> 한 캘리포니아 대학은 저녁 프로그램을 확장하는 일을 검토하고 있다. 이 대학은 고등학교를 졸업하였으나 전문대학 또는 대학을 졸업하지 못한 25세~55세 사이의 사람들을 대상으로 하는 프로그램을 확장하기 원한다. 이와 같은 프로그램의 정도와 종류를 결정하기 위해서 이 대학은 목표시장의 크기를 알 필요가 있다. 서베이를 위해 320명의 캘리포니아 성인들이 추출되었고 각 사람에게 최종 학력을 보고하도록 요청하였다. 이에 대한 응답은 다음과 같다.

1. 고등학교 중퇴
2. 고등학교 졸업
3. 전문대학 또는 대학 중퇴
4. 전문대학 또는 대학 졸업

*Public Policy Institute of California*에 의하면, 25세~55세 사이의 캘리포니아 인구는 10,674,896명이다. 이 대학이 목표로 겨냥하기를 원하는 분할시장에 있는 25세~55세 사이의 캘리포니아 성인 수에 대한 95% 신뢰구간을 추정하라.

12.93 <Xr12-93+> J.C. Penney 백화점 체인은 가치기준에 의해 여성의류시장을 분할하고 있다. 3개의 분할시장은 다음과 같다.

1. 보수적인 시장
2. 전통적인 시장
3. 현대적인 시장

한 여성이 어느 분할시장에 속하는지 구별하기 위해 개인과 가족가치에 관한 질문지가 사용되었다. 이 질문지가 임의로 선택된 1,836명의 여성에게 보내졌다고 하자. 각 여성은 코드 1, 2, 3을 사용하면서 분류되었다. 가장 최근의 센서스에 의하면 미국의 성인 여성은 125,127,519명이다. 95% 신뢰수준을 사용하라.

a. 전통적 시장에 속하는 미국 성인 여성의 비율을 추정하라.

b. 전통적 시장의 크기를 추정하라.

12.94 <Xr12-94> 대부분의 생명보험회사들은 64세 이상의 사람들에게 보험을 판매하는 것에 대하여 경계한다. 그들에게 보험을 판매할 때 보험료는 예상되는 수명에 충분히 대응할 만큼 높아야 한다. 한 생명보험회사의 사장은 풀타임 직업을 가지고 있는 64세 이상의 미국인들에게 특별할인을 제공하는 것에 대하여 고려하고 있다. 이 계획은 64세 이상의 풀타임 근

로자는 양호한 건강상태를 가지고 있을 가능성이 있고 80대까지 살 가능성이 있다는 믿음에 기초한다. 그는 어떻게 해야 할 것인지 결정하기 위해 64세 이상인 29,983,973명의 미국 성인 중에서 임의로 추출한 표본을 대상으로 서베이를 실시하였다. 임의표본으로 추출된 64세 이상 325명의 미국인에게 현재 풀타임 직업을 가지고 있는지 물었다(1=아니오, 2=예). 이 분할시장의 크기에 대한 95% 신뢰구간을 추정하라.

12.95 <Xr12-95> 한 광고회사는 Rolls Royce 자동차를 위한 광고를 디자인하는 계약을 성사시켰다. 이 회사의 한 임원은 미국의 부유층뿐만 아니라 소득이 상위 1%에 속한다고 생각하는 사람들에게 Rolls Royce 자동차를 소개하기로 결정하였다. 한 서베이가 실시되었고 25세 이상의 응답자들에게 그들의 연간 소득이 어느 수준에 속하는지 물었다. 다음의 응답이 이루어졌다.

1=상위 1%에 속한다.
2=상위 5%에 속하나 상위 1%에는 속하지 않는다.
3=상위 10%에 속하나 상위 5%에는 속하지 않는다.
4=상위 25%에 속하나 상위 10%에는 속하지 않는다.
5=하위 75%에 속한다.

연간 소득이 상위 1%에 속한다고 믿는 25세 이상의 미국인 수에 대한 90% 신뢰구간을 추정하라. 25세 이상의 미국인 수는 211,447,331명이다.

12.96 <Xr12-96> 연습문제 12.95의 서베이에서 상위 1%에 속하지 않았던 사람들에게 연간 소득이 5년 안에 상위 1%에 속할 것이라고 믿는지 물었다고 하자(1=5년 안에 상위 1%에 속하지 않을 것이다, 2=5년 안에 상위 1%에 속할 것이다). 연간 소득이 5년 안에 상위 1%에 속할 것이라고 믿는 25세 이상의 미국인 수에 대한 95% 신뢰구간을 추정하라.

요약

이 장에서 소개된 통계적 추론 방법들은 한 모집단의 특성을 파악하는 문제를 다룬다. 데이터가 구간데이터일 때, 관심 있는 모수는 모평균 μ와 모분산 σ^2이다. Student t 분포가 모표준편차가 알려져 있지 않을 때 모평균을 검정하고 추정하기 위해 사용된다. 카이제곱분포는 모분산에 관한 추론을 하기 위해 사용된다. 데이터가 범주데이터일 때, 검정되고 추정되어야 하는 모수는 모비율 p이다. 표본비율은 근사적으로 정규분포를 따르고 이것으로부터 모비율에 관한 검정통계량과 구간추정량이 구해진다. 모비율을 추정하기 위해 요구되는 표본크기를 결정하는 방법이 논의되었다. 시장분할에 관한 내용이 소개되었고, 분할시장의 크기를 추정하기 위해 이 장에서 제시된 통계기법이 어떻게 사용될 수 있는지 설명되었다.

주요 용어

강건성(robustness)
카이제곱통계량(chi-squared statistic)
Student t 분포(Student t distribution)
t-통계량(t-statistic)

주요 기호

기호	발음	의미
ν	nu	자유도
χ^2	chi-squared	카이제곱통계량
$\hat{p}$	p-hat	표본비율
$\tilde{p}$	p-tilde	윌슨추정량

주요공식

μ에 대한 검정통계량

$$t = \frac{\bar{x} - \mu}{s/\sqrt{n}}$$

μ에 대한 신뢰구간추정량

$$\bar{x} \pm t_{\alpha/2}\frac{s}{\sqrt{n}}$$

σ^2에 대한 검정통계량

$$\chi^2 = \frac{(n-1)s^2}{\sigma^2}$$

σ^2에 대한 신뢰구간추정량

$$\text{LCL} = \frac{(n-1)s^2}{\chi^2_{\alpha/2}}$$

$$\text{UCL} = \frac{(n-1)s^2}{\chi^2_{1-\alpha/2}}$$

p에 대한 검정통계량

$$z = \frac{\hat{p} - p}{\sqrt{p(1-p)/n}}$$

p에 대한 신뢰구간추정량

$$\hat{p} \pm z_{\alpha/2}\sqrt{\hat{p}(1-\hat{p})/n}$$

p를 추정하기 위한 표본크기

$$n = \left(\frac{z_{\alpha/2}\sqrt{\hat{p}(1-\hat{p})}}{B}\right)^2$$

윌슨추정량

$$\tilde{p} = \frac{x+2}{n+4}$$

윌슨추정량을 사용하여 구한 p에 대한 신뢰구간추정량

$$\tilde{p} \pm z_{\alpha/2}\sqrt{\tilde{p}(1-\tilde{p})/(n+4)}$$

큰 유한 모집단의 총합계에 대한 신뢰구간추정량

$$N\left[\bar{x} \pm t_{\alpha/2}\frac{s}{\sqrt{n}}\right]$$

큰 유한 모집단에 있는 성공의 총 수에 대한 신뢰구간추정량

$$N\left[\hat{p} \pm z_{\alpha/2}\sqrt{\frac{\hat{p}(1-\hat{p})}{n}}\right]$$

연습문제

다음의 연습문제를 풀기 위해서는 컴퓨터와 소프트웨어를 사용하여야 한다. 5%의 유의수준과 95%의 신뢰수준을 사용하라.

12.97 <Xr12-97> 내셔널하키리그(National Hackey League)의 플로리다 Panthers는 BB&T센터에서 경기를 한다. 주차장 비용은 20달러이다. 그러나 렉서스(Lexus)는 종종 렉서스 자동차 운전자들에게 무료주차를 제공하고 이에 대한 비용을 지불한다. 한 통계전문가는 이러한 프로그램의 비용을 추정하기 원했다. 그는 임의로 주차장으로 들어오는 300대 자동차를 표본추출했고 각 자동차가 렉서스(1)인지 아닌지(0)를 기록했다. 그는 비어 있는 주차장 수를 세어보고 그날 저녁에 4,850대가 주차했다는 것을 발견했다. 렉서스가 BB&T에 지불해야 하는 평균 금액에 대한 95% 신뢰구간을 추정하라.

12.98 <Xr12-98> 위험물질이 지속적으로 전국으로 운반되고 있다. 이 일이 얼마나 위험한지 결정하는 것을 돕기 위해, 한 통계전문가는 임의표본을 구성하는 폭발물을 운반하는 트럭, 열차, 비행기, 보트가 운반하는 거리를 기록했다. 이러한 운반거리의 모평균에 대한 95% 신뢰구간을 추정하라.

12.99 <Xr12-99> 최근의 지자체 선거에서 등장했던 이슈 중의 하나는 주택비용이 높다는 것이었다. 현직자를 떨어뜨리기를 원하는 한 후보는 평균적인 가족이 주택비용으로 연간 소득의 30% 이상을 지출한다고 주장하였다. 한 주택전문가가 이와 같은 주장을 조사하는 일을 요청받았다. 125가구로 구성된 임의표본이 추출되었고 각 가구에게 주택비용으로 지출되는 가구소득의 비율을 보고하도록 요청하였다.

a. 이 후보자의 주장이 옳다고 추론할 수 있는 충분한 증거가 존재하는가?

b. 95%의 신뢰수준을 사용하면서 모든 가구가 주택비용으로 지출하는 가구소득의 평균 비율을 추정하라.

c. a와 b에서 사용된 통계기법의 필요조건은 무엇인가? 이와 같은 필요조건이 충족되고 있는지 확인하기 위해 그래프 기법을 사용하라.

12.100 <Xr12-100> 미국에는 604,474개의 다리가 있다. 한 구조 공학 팀은 임의로 850개의 다리를 표본추출하고 각 다리를 구조적으로 결함을 가지고 있는 다리(경차 통과만 허용, 개통을 유지하기 위해 즉각적인 복구가 이루어져야 하거나 폐쇄가 요구됨), 기능적으로 노후화된 다리(화물운반용량, 여유공간, 고속도로 연계성 측면), 구조적으로 견고한 다리로 분류했다. 이러한 세 가지 분류가 각각 1, 2, 3으로 기록되었다.

a. 구조적으로 결함이 있는 미국의 다리 수에 대한 95% 신뢰구간을 추정하라.

b. 기능적으로 노후화된 미국의 다리 수에 대한 95% 신뢰구간을 추정하라.

12.101 <Xr12-101> 로봇이 단조로운 일을 수행하기 위해 생산라인 상에서 점차 더 많이 사용되고 있다. 자동차를 생산하는 데 용접로봇이 용접공을 대체하여야 하는가를 결정하기 위해 한 실험이 수행되었다. 로봇이 일련의 용접을 완료하는 데 걸리는 시간은 38초라는 것이 밝혀졌다. 20명의 근로자가 임의표본으로 추출되었고 각 근로자가 동일한 용접을 완료하는 데 걸리는 시간이 측정되었다. 표본평균이 로봇이 용접을 완료하는 데 걸리는 시간인 38초와 동일하였다. 그러나 로봇의 용접시간은 변동하지 않는 반면, 근로자의 용접시간은 변동하

였다. 생산라인에 관한 한 분석에 의하면 용접 시간의 분산이 17(초)^{2}보다 크면 문제가 될 수 있다. 데이터에 대한 분석을 수행하고 용접공을 사용하는 데 따른 문제가 발생할 가능성이 있는지 결정하라.

12.102 <Xr12-102> 신차에 대한 수요를 예측하는 데 있어서 한 중요한 요소는 이미 도로상에서 주행하고 있는 자동차들의 연령이다. 650대로 구성된 임의표본이 추출되었고 각 차의 연령이 기록되었다.

a. 모든 차들의 평균 연령에 대한 95% 신뢰구간을 추정하라.

b. a에서 사용한 기법이 타당하기 위한 필요조건은 무엇인가? 이러한 조건이 충족되는가?

12.103 <Xr12-103> Opinion Research International은 가구 소득이 5만 달러를 초과하는 사람들을 대상으로 서베이를 시행하고 각 사람에게 가장 먼저 새해에 해결해야 할 사안이 무엇인지 물었다. 응답은 다음과 같은 코드를 가지고 정리되었다. 1=신용카드 채무 해결하기, 2=65세 전에 은퇴하기, 3=다 쓰고 죽기, 4=현재 재무상태로 살기, 5=더 높은 연봉을 지불하는 일자리 찾기. 가장 먼저 해결해야 할 사안이 신용카드 채무 해결하기인 가구 소득이 5만 달러를 초과하는 사람들의 비율에 대한 95% 신뢰구간을 추정하라.

12.104 <Xr12-104> 많은 캠퍼스를 가지고 있는 한 대형 주립대학에서 통계학 입문과목의 점수는 평균이 68점인 정규분포를 따른다고 하자. 학생들에게 현재는 선수과목이 아닌 미적분학 시험을 통과하여야 한다는 요건을 부과하는 것의 효과를 결정하기 위해 미적분학 과목을 수강한 50명의 학생에게 통계학 과목이 부과되었다. 100점 만점으로 점수가 기록되었다.

a. 미적분학을 수강한 모든 학생의 평균 통계학 점수에 대한 95% 신뢰구간을 추정하라.

b. 이 데이터는 미적분학을 수강한 학생들이 미적분학을 수강하지 않은 학생들보다 통계학 과목을 더 잘한다고 추론할 수 있는 증거를 제공하는가?

12.105 <Xr12-105> 미국 항공기에 대한 불만사항으로 구성된 임의표본이 추출되었고 불만사항의 유형이 기록되었다(1=운항문제(취소, 지연 등), 2=고객서비스(도움을 주지 못하는 종업원, 부적절한 운송 수단이나 기내 서비스, 지연 승객에 대한 처리), 3=여행가방과 짐, 4=티켓팅/보딩, 5=기타). 고객서비스와 관련된 불만사항의 비율에 대한 95% 신뢰구간을 추정하라.

12.106 <Xr12-106+> 2020년 팬데믹으로 인한 사망자 수의 증가에 대한 대응으로 이루어진 봉쇄가 많은 미국 가정에 재정적 어려움을 발생시켰다. 미국 인구조사국(Census Bureau)이 미국 성인(만 18세 이상)들에게 봉쇄로 인해 그들 또는 그들 가족이 고용 소득의 감소를 경험했는지 물었다. 데이터는 1=예 또는 0=아니오의 코드를 사용하면서 기록되었다. 미국에는 128,451,000가구가 있다. 소득 손실을 경험한 가구의 총 수를 추정하라.

12.107 <Xr12-107> 우편배달경로는 각 우편배달원이 7시간~7시간 30분 사이 동안 일하도록 세심하게 계획되어 만들어져 있다. 이와 같은 우편배달경로는 우편배달원이 시간당 평균 2마일의 속도로 걷고 잔디를 가로지르는 일이 없다는 가정 하에서 만들어진 것이다. 우편배달원들이 실제로 그들의 작업을 완성하는 데 보내는 시간을 조사하기 위해 75명의 우편배달원으로 구성된 임의표본이 추출되었고 그들의 작업시간이 비밀리에 측정되었다.

a. 모든 우편배달원의 평균 작업시간에 대한 95% 신뢰구간을 추정하라.

b. 이와 같은 통계적 추론의 필요조건이 충족되는지 확인하라.

c. 5%의 유의수준에서 우편배달원이 하루에 평균적으로 7시간 미만 동안 일한다고 결론지을 수 있는 충분한 증거가 존재하는가?

12.108 <Xr12-108> 한 대형은행 지점장은 서비스를 개선하기 원한다. 그녀는 과다하다고 여겨지는 시간 동안 줄을 서서 기다리는 고객들에게 1달러를 주는 것을 고려하고 있다. (이 은행은 최종적으로 8분 이상이 과도하다고 여겨지는 시간이라고 결정하였다.) 그러나 현재의 서비스 수준에 관하여 더 잘 알기 위해, 고객들을 대상으로 서베이가 시행되었다. 한 학생이 임의표본으로 추출된 50명의 고객이 줄을 서서 기다리는 시간을 측정하기 위해 고용되었다. 이 학생은 스톱워치를 사용하면서 고객이 줄을 서기 시작하는 시점과 텔러(teller)에게 도달하는 시점 간의 시간을 측정하였다. 이와 같은 시간들이 기록되었다. 이 은행지점의 고객들이 기다리는 평균 시간에 대한 95%의 신뢰구간추정치를 구하라.

12.109 <Xr12-109> 비만은 신체질량지수(BMI=체중(kg)/[키(m)]^2)가 30을 초과하는 경우로 정의된다. 한 의사가 18세 이상 미국성인들로 구성된 임의표본을 추출하고 BMI 기준으로 1=20 미만, 2=20~30, 3=30 초과로 분류하였다. 미국성인 수는 255,200,373명이다. 비만인 미국성인 수에 대한 95% 신뢰구간을 추정하라.

12.110 <Xr12-110> 한 록 음악(rock music) 프로모터는 한 록 콘서트를 위해 새로운 밴드를 예약하여야 하는지 결정하는 과정에 있다. 그는 이 밴드는 거의 절대적으로 10대들을 매혹시킨다는 것을 알고 있다. 가장 최근의 센서스에 의하면 이 지역에는 40만 명의 10대들이 있다. 이 프로모터는 계획하고 있는 콘서트에 참석할 10대의 비율을 추정하기 위한 서베이를 실시하기로 결정하였다. 95%의 신뢰수준을 가지고 모비율을 표본비율 ±.02 이내로 추정하기 위해 추출해야 하는 표본크기는 얼마인가?

12.111 <Xr12-111> 연습문제 12.110에서 이 프로모터는 금전적인 고려 때문에 600명의 10대들로 구성된 표본을 추출하기로 결정하였다. 각 10대에게 계획된 콘서트에 참석할 것인지 물었다(1=예, 참석할 것이다; 0=아니오, 참석하지 않을 것이다). 계획된 콘서트에 참석할 10대의 수에 대한 95%의 신뢰구간을 추정하라.

12.112 <Xr12-112> 한 도심지 주차장의 주인은 이 주차장을 관리하기 위해 고용한 사람이 약간의 돈을 훔치는 것이 아닌가 의심하고 있다. 이 종업원이 제공하는 영수증에 의하면 이 주차장에 하루에 주차하는 자동차의 수는 평균적으로 125대이고 각 자동차는 평균적으로 3.5시간을 주차한다. 이 종업원이 약간의 돈을 훔치고 있는지 결정하기 위해 이 주인은 5일 동안 주차장을 관찰하였다. 5일 동안 주차한 자동차의 대수는 다음과 같았다.

120 130 124 127 128

이 주인이 5일 동안 관찰한 629대의 자동차가 주차한 시간이 기록되었다. 이 주인은 종업원이 일부의 돈을 훔치고 있다고 5%의 유의수준에서 결론내릴 수 있는가? (힌트: 돈을 훔치는 두 가지 방법이 존재하기 때문에, 두 가지 검정이 수행되어야 한다.)

12.113 <Xr12-113+> 불행하게도 미국에서 고등학생들이 무기(총, 칼, 곤봉)를 가지고 다니는 것은 일상적인 일이다. 이러한 일이 얼마나 널리 퍼져 있는지 알아보기 위해서 고등학생들을 대상으로 하는 한 서베이가 시행되었다. 표본으로 추출된 고등학생들에게 이전 30일 동안에 적어도 한 번 무기를 가지고 다녔는지(0

=아니오, 1=예)를 물었다. 이전 30일 동안에 적어도 한 번 무기를 가지고 다닌 고등학생들이 전체 고등학생 수에서 차지하는 비율에 대한 95% 신뢰구간을 추정하라.

12.114 <Xr12-114> 2016년에 주택소유자들의 평균 가구 총부채원리금상환비율(DSR)은 14.35%였다. 가구 총부채원리금상환비율(DSR)은 가처분소득에 대한 부채 지불액의 비율이다. 부채 지불에는 모기지 지불과 소비자 부채에 대한 지불이 포함된다. 이 비율이 증가했는지 알아보기 위해서 미국인들로 구성된 임의표본이 추출되었다. 이 데이터로부터 총부채원리금상환비율(DSR)이 2016년 이후 증가했다고 추론할 수 있는가?

12.115 <Xr12-115> 연습문제 12.114를 참조하라. 부채 정도에 대한 다른 척도는 금융채무비율이다. 금융채무비율을 계산하기 위해 포함되는 부채들은 총부채원리금상환비율에 포함되는 부채들에 추가하여 자동차 리스 지불, 임대인 점유 재산에 대한 임대료, 주택소유자 보험, 재산세 지불이다. 2016년에 주택소유자들의 평균 금융채무비율은 17.62%였다. 주택소유자들의 금융채무비율은 2016년과 금년 사이에 증가했다고 추론할 수 있는가?

12.116 <Xr12-116> 2019년에 미국에는 128,451,000가구가 존재하였다. 기혼부부, 싱글남성, 싱글여성 가구로 구성된 가구의 수는 81,716,000개였다. 각 유형의 가구가 얼마나 되는지 알아보기 위해, 한 서베이가 시행되었다. 응답들은 1=기혼부부, 2=싱글남성, 3=싱글여성의 코드를 사용하면서 저장되었다. 기혼부부의 총가구 수에 대한 95% 신뢰구간을 추정하라.

12.117 <Xr12-117> 임금과 급여는 총 보상의 일부분을 구성한다. 다른 보상들로는 유급휴가, 건강보험, 많은 다른 형태의 보상들이 있다. 2013년에 미국 제조업자들의 임금과 급여는 평균적으로 총 보상의 65.8%를 차지하였다. 이러한 평균 비율이 변화했는지 알아보기 위해 제조업체의 종업원들을 임의표본으로 추출하였다. 임금과 급여가 총 보상에서 차지하는 비율이 2013년에 증가했다고 추론할 수 있는가?

12.118 <Xr12-118> 수십 년 전에 상당한 비율의 미국인들이 흡연했다. 그러나 최근에 많은 성인들이 금연하고 있다. 현재의 흡연 정도를 측정하기 위해 18세 이상 미국 성인들로 구성된 임의표본이 추출되었고 그들이 흡연하는지 보고하도록 요청했다(1=예, 0=아니오). 미국 성인의 수는 255,200,373명이다. 흡연하는 미국 성인의 수에 대한 95%의 신뢰구간을 추정하라.

사례분석 12.1 대학과 펩시의 독점공급계약

과거 수년 동안, 전문대학들과 대학들은 다양한 민간기업들과 독점공급계약을 체결하였다. 이와 같은 계약에 의해 대학은 계약을 체결한 회사의 제품만을 캠퍼스에서 판매하여야 한다. 많은 계약들이 식품과 음료회사들과 체결한 계약들이다. 약 50,000명의 학생이 등록하고 있는 한 대형 대학은 Pepsi에게 내년도에 모든 대학건물에서 펩시제품을 판매할 수 있는 독점권과 차후 연도들에 대한 옵션을 부여하는 독점계약을 제안하였다. 이에 대한 대가로 이 대학은 캠퍼스 수입의 35%와 연간 20만 달러의 추가금액을 받도록 되어 있다. Pepsi에게 이에 대한 응답을 위해 2주간의 시간이 주어졌다.

iStockphoto.com/SKrow

Pepsi의 경영진은 신속하게 무엇을 알아야 하는지 검토한다. 소프트드링크 시장은 12온스 캔을 기준으로 측정된다. Pepsi는 현재 이 대학이 운영되는 연간 40주 동안 매주 평균적으로 22,000캔을 판매하고 있다. 이 캔은 평균적으로 1달러에 판매된다. 노동비용을 포함한 비용은 캔당 30센트이다. Pepsi는 현재의 시장점유율에 대하여 확신하지 못하지만 50%보다 상당히 작을 것이라고 생각한다. 만일 현재의 시장점유율이 25%라면, 독점계약 하에서 Pepsi는 매주 88,000캔을 판매할 것이다. 따라서 연간 판매량은 3,520,000캔(매주 88,000캔×40주)이 될 것이다. 이에 따른 총수입은 다음과 같이 계산될 것이다.*

총수입 = 3,520,000 캔 × $1.00 수입/캔 = $3,520,000

대학이 총수입의 35%를 받아갈 것이기 때문에 Pepsi가 얻는 총수입은 이 수치에 65%를 곱하여야 한다. 따라서

Pepsi의 총수입 = 65%
× $3,520,000 = $2,288,000

이다. Pepsi의 순이윤을 계산하기 위해서는 총수입으로부터 캔당 30센트로 계산되는 총비용 105만 6,000달러와 대학에 대한 연간 지불액 20만 달러를 빼어야 한다.

Pepsi의 순이윤 = $2,288,000 − $1,056,000
− $200,000 = $1,032,000

현재 연간 Pepsi의 이윤은 다음과 같이 계산된다.

Pepsi의 현재 이윤 = 40주 × 22,000 캔/주
× $.70/캔 = $616,000

만일 현재의 시장점유율이 25%이면, 독점계약으로부터 발생하는 잠재이득은

$1,032,000 − $616,000 = $416,000

이다. 이와 같은 분석의 유일한 문제점은 Pepsi가 이 대학에서 매주 얼마나 많은 소프트드링크가 판매되는지 모른다는 것이다. 이에 더하여 Pepsi와 더불어 전체시장을 구성하고 있는 Coke는 자기의 판매량에 대한 정보를 Pepsi에게 제공하지 않을 것이다.

경영프로그램의 한 최근 졸업생은 이 대학의 학생들을 대상으로 실시하는 서베이가 필요한 정보를 제공할 수 있다고 믿는다. 500명의 학생에게 앞으로 7일 동안 구매하는 소프트드링크의 수를 기록하도록 요청하는 서베이가 수행되었다. 이와 같은 서베이로부터 수집된 데이터로부터 필요한 정보를 추출하기 위한 통계분석을 수행하라. 의사결정의 핵심부분인 모수에 대한 95% 신뢰구간을 추정하라.

이 추정치를 이용하여 연간 이윤을 추정하라. Coke 구매자와 Pepsi 구매자는 첫 번째 선택하는 소프트드링크가 없는 경우 다른 브랜드의 제품을 기꺼이 구매할 것이라고 가정하라.

a. 이 대학에서 소프트드링크를 판매하여 얻는 이윤을 극대화하고자 한다면, Pepsi는 독점계약에 동의하여야 하는가?
b. Pepsi의 임원진을 위해 당신의 분석을 설명하는 보고서를 작성하라.

* 사례분석 12.1의 계산을 위한 Excel 스프레드시트가 만들어져 있다. Excel 스프레드시트를 사용하기 위해서는 **Excel Workbooks**와 **Case 12.1**을 클릭하라. 당신이 변경할 수 있는 유일한 셀은 셀 C3이다. 셀 C3는 연간 판매되는 총 캔의 수는 88,000개라고 가정하면서 계산된 학생당 매주 평균적으로 소비하는 소프트드링크의 수이다.

사례분석 12.2 대학과 펩시의 독점공급계약: Coke의 관점

DATA C12-01

Pepsi Cola의 임원진이 어떻게 해야 할 것인지 결정하고자 하는 동안 이 대학은 유사한 제안을 Coca-Cola 회사에게도 했다는 것을 그들에게 알린다. 이에 더하여 만일 두 회사가 독점권을 원하면, 입찰경쟁전쟁이 발생할 것이다. Pepsi의 임원진은 Coke가 이 대학이 제안하는 조건 하에서 독점권을 원할 가능성이 얼마나 될 것인지 알기 원한다.

당신이 사례분석 12.1에서 했던 것과 유사한 분석을 Coke의 관점에서 수행하라. Coke가 이 대학과 독점계약을 하기로 결론내릴 가능성이 있는가? 당신의 결론에 대한 이유를 논의하라.

iStockphoto.com/SKrow

사례분석 12.3 총 의료비용의 추정

DATA C12-03

실제로 모든 국가들은 일반적인 정부관리 건강보험시스템을 가지고 있다. 미국은 하나의 유명한 예외이다. 이것이 매 선거의 쟁점이다. 일부의 정치가들은 미국이 캐나다와 유사한 건강보험 프로그램을 채택하도록 밀어부치고 있다.

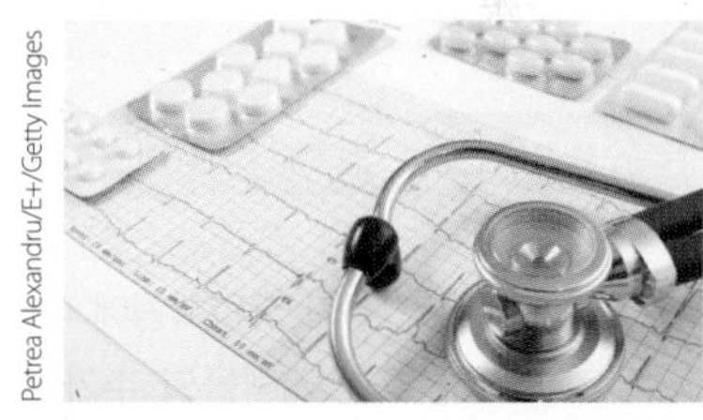
Petrea Alexandru/E+/Getty Images

캐나다에서 병원은 지방정부에 의해 자금지원을 받고 관리된다. 의사들은 각 서비스에 대하여 정부로부터 지불받는다. 따라서 캐나다인들은 의료서비스에 대하여 아무것도 지불하지 않는다. 이와 같은 시스템을 지원하는 수입은 소득세, 법인세, 판매세를 통하여 만들어진다. 캐나다의 세금이 미국보다 더 많은데도 불구하고 이와 같은 시스템을 위해 만성적으로 충분한 자금이 공급되지 않는다. 이에 따라 종종 중요한 과정을 위해 오랜 시간 기다려야 하는 일이 발생한다. 예를 들면, 일부 지역에서 새로이 암환자로 진단받은 사람들이 처방을 받는 데 수 주일을 기다려야 한다. 실제로 모든 사람들은 더 많은 자금이 필요하다는 데 동의한다. 그러나 얼마만큼의 자금이 필요한가에 대하여는 합의가 이루어지지 못하고 있다. 불행하게도 문제는 더 악화되고 있다. 미국과 마찬가지로 캐나다에서도 "베이비 붐"(1946년과 1966년 사이에 태어난 사람) 세대의 많은 사람들이 늙어가고 있고 의료비용은 일반적으로 노인들의 경우에 더 높기 때문이다.

이와 같은 문제를 다루는 첫 단계는 특히 첫 베이비 붐 세대에 해당되는 사람들이 60세가 되는 시점(2006년)을 시작으로 20년 동안에 필요한 의료비용을 예측하는 것이다. 한 통계전문가에게 이와 같은 예측을 하는 일이 부여되었다. 따라서 4그룹의 캐나다인들에 대한 임의표본들이 추출되었다.

그룹	연령
1	45세~64세
2	65세~74세
3	75세~84세
4	85세 이상

지난 12개월 동안의 의료비용이 각각 1, 2, 3, 4 그룹에 대하여 기록되고 c12-03에 저장되었다. 2028년, 2033년, 2038년에 예측되는 각 연령그룹에 속하는 캐나다인의 수(1,000명 기준)가 아래의 표에 정리되어 있다.

연령그룹	2028	2033	2038
45~64	9,970	10,172	10,671
65~74	4,804	4,873	4,621
75~84	2,987	3,536	4,042
85 이상	1,095	1,429	1,793

자료 Statistics Canada.

a. 4개의 연령그룹 각각의 평균 의료비용에 대한 95% 신뢰구간추정치를 구하라.

b. 각 예측년도에서 45세 이상 캐나다인들의 총의료비용에 대한 95% 신뢰구간추정치를 구하라.

사례분석 12.4 알츠하아머 환자 수의 추정

DATA C12-04

미국 인구가 고령화됨에 따라, 의료서비스가 필요한 사람들의 수가 증가하고 있다. 새로운 치료법이 앞으로 10년 내에 발견되지 않으면, 이러한 의료서비스가 필요한 가장 비싼 질병 중의 하나가 치매의 한 형태인 알츠하이머(Alzheimer's)이다. 미래에 발생할 알츠하이머 환자의 수를 추정하기 위해서, 한 서베이가 시행되었다. 이 서베이에서 연령범주는 1=65~74세, 2=75~84세, 3=85세 이상이고 응답자의 알츠하이머 환자 여부는 1=아니오, 2=예이다. (Alzheimer's Association, www.alz.org.)

3개의 연령범주별 미국인의 수(1,000명 기준)에 대한 예측치는 다음과 같다.

a. 각 연령범주에서 발생할 것으로 예상되는 알츠하이머 환자 비율에 대한 95% 신뢰구간추정치를 구하라.

b. 각 예측년도에서 알츠하이머병을 가질 것으로 예상되는 미국인 수에 대한 95% 신뢰구간추정치를 구하라.

연령그룹	2025	2033	2035	2040
65~74	37,093	39,227	38,162	36,644
75~84	21,345	25,750	29,162	31,067
85 이상	7,482	9,131	11,908	14,634

자료 *United States Census*.

Pressmaster/Shutterstock.com

13 두 모집단 비교에 관한 추론

Inference about Comparing Two Populations

이 장의 구성

13.1 두 모평균 차이에 관한 추론: 독립표본

13.2 관측데이터와 실험데이터

13.3 두 모평균 차이에 관한 추론: 짝진표본

13.4 두 모분산 비율에 관한 추론

13.5 두 모비율 차이에 관한 추론

General Social Survey

지난 8년 동안 미국에서 기업가 정신이 감소했는가? 2010년과 2018년의 비교

☞ (557페이지에 모범답안이 제시되어 있다.)

미국의 소기업들은 경제의 복지에 매우 중요하다. 미국에는 약 3천만 개의 소기업이 있다. 소기업은 종업원 수가 500명 미만인 기업으로 정의된다. 종업원 수가 20명 미만인 사업체가 미국 전체 사업체의 거의 90%를 차지한다. 소기업은 연간 150만 개의 새로운 일자리를 만든다. 이 소기업들 중 많은 수가 자신을 위해 일하는 개인으로부터 시작된다. 따라서 자신을 위해 일하려는 미국인의 수가 감소하는 것은 경제에 악영향을 미칠 것이다. General Social Survey는 응답자들에게 자신을 위해 일하는지를 물었다(WRKSLF: 1 = Yes, 2 = No). 자신을 위해 일하는 미국인의 비율이 2010년과 2018년 사이에 감소했다고 추론할 수 있는 충분한 통계적 증거가 존재하는가?

Thomas Barwick/DigitalVision/Gettyimages

서론

통계기법을 사용하는 방법을 배우는 것과 자동차를 운전하는 방법을 배우는 것은 유사하다. 지금까지 제1장에서 통계학은 어떠한 학문인지 설명하는 것으로 시작하여 제2장부터 제9장까지 통계기법에 필요한 배경지식이 소개되었다. 제10장과 제11장에서 통계적 추론의 개념과 기본원리를 배우고 이와 같은 통계적 추론의 원리를 적용하는 것은 빈 주차장에서 자동차를 운전하는 것과 유사하다. 당신은 운전을 하고 있으나 아직 현실적인 경험을 하고 있는 것은 아니다. 제12장을 배우는 것은 마치 교통량이 거의 없는 한적한 거리를 운전하는 것과 같다. 당신은 실제로 운전하고 있기는 하지만 많은 어려운 상황들은 제거되어 있는 상태이다. 이 장에서는 운전자가 실제로 많은 문제들에 직면하면서 운전하기 시작한다. 이와 같은 경험은 당신을 앞으로 직면할 어려운 문제를 해결할 수 있도록 준비시킨다.

이 장에서는 두 모집단을 비교하는 다양한 통계기법이 제시된다. 제13.1절과 제13.3절에서는 구간변수들이 분석대상이며 관심 있는 모수는 두 모평균의 차이이다. 두 모평균의 차이에 관한 추론에서 올바른 통계방법을 결정하는 다른 요인, 즉 데이터를 수집하기 위해 사용되는 서로 다른 실험설계 방법이 소개된다. 제13.1절에서 표본들은 독립적으로 추출되는 반면, 제13.3절에서 표본들은 짝진실험(matched pairs experiment)으로부터 추출된다. 제13.2절에서는 통계분석결과를 해석하는 데 중요한 역할을 하는 관측데이터와 실험데이터의 차이점이 논의된다.

제13.4절에서는 두 모분산의 차이가 존재하는지 추론하기 위해 사용되는 통계기법이 제시된다. 이 경우의 모수는 두 모분산 비율인 σ_1^2/σ_2^2이다. (두 모분산을 비교할 때 표본분포의 특성 때문에 두 모분산 차이 대신 두 모분산 비율이 사용된다.)

제13.5절에서는 범주데이터로 구성된 두 모집단을 비교하는 문제가 다루어진다. 검정되고 추정되는 모수는 두 모비율의 차이이다.

13.1 두 모평균 차이에 관한 추론: 독립표본

두 모평균 차이를 검정하고 추정하기 위해서 통계전문가들은 두 모집단의 각각으로부터 임의표본을 추출한다. 이 절에서는 독립표본(independent sample)들을 대상으로 두 모평균 차이에 관한 논의가 이루어진다. 짝진실험이 소개되는 제13.3절에서 독립표본과 짝진표본(matched pairs sample)의 차이점이 분명해질 것이다. 잠시 동안 독립표본들은 서로 관련되어 있지 않은 표본들로 정의하자.

그림 13.1은 표본추출과정을 그린 것이다. 모집단 1로부터 크기가 n_1인 표본이 추출되고 모집단 2로부터 크기가 n_2인 표본이 추출된다. 각 표본에 해당되는 표본평균과 표본분산이 계산된다.

그림 13.1 두 모집단으로부터 추출된 독립표본들

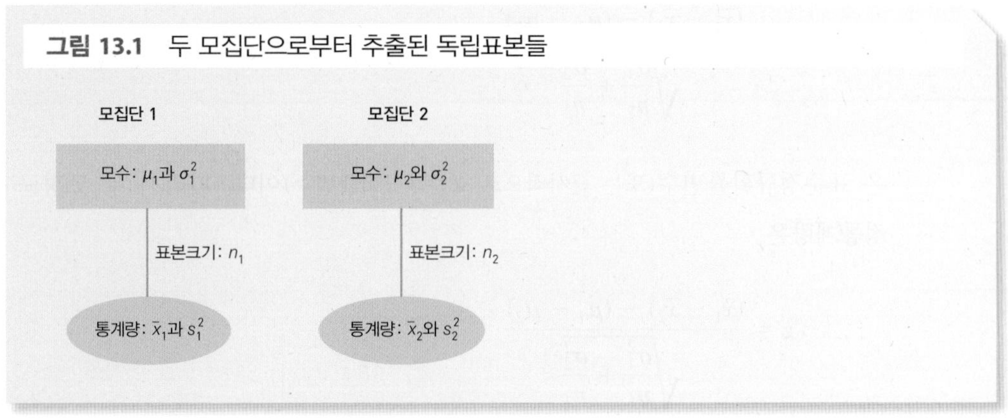

두 모평균 차이 $\mu_1 - \mu_2$의 최량추정량은 두 표본평균 차이 $\bar{x}_1 - \bar{x}_2$이다. 제9.1절에서 소개한 중심극한정리에 의하면, 평균이 μ이고 표준편차가 σ인 정규분포를 따르는 모집단으로부터 반복적으로 표본크기가 n인 표본을 추출하면, 표본평균의 표본분포는 평균이 μ이고 표준편차가 $\sigma/\sqrt{n}$인 정규분포를 따른다. 통계학자들은 두 독립적인 정규확률변수 차이도 정규분포를 따른다는 것을 증명하였다. 따라서 두 모집단이 정규분포를 따르면, 두 표본평균 차이 $\bar{x}_1 - \bar{x}_2$는 정규분포를 따른다. 기대치와 분산의 법칙을 적용하면, $\bar{x}_1 - \bar{x}_2$의 **표본분포**(sampling distribution)의 기대치, 분산, (표준오차라고 부르는) 표준편차가 다음과 같이 구해진다.

$\bar{x}_1 - \bar{x}_2$의 표본분포

1. $\bar{x}_1 - \bar{x}_2$는 모집단들이 정규분포를 따르면 정규분포를 따르고 모집단들이 정규분포를 따르지 않지만 표본크기가 크면 근사적으로 정규분포를 따른다.
2. $\bar{x}_1 - \bar{x}_2$의 기대치는 다음과 같다.

$$E(\bar{x}_1 - \bar{x}_2) = \mu_1 - \mu_2$$

3. $\bar{x}_1 - \bar{x}_2$의 분산은 다음과 같다.

$$V(\bar{x}_1 - \bar{x}_2) = \frac{\sigma_1^2}{n_1} + \frac{\sigma_2^2}{n_2}$$

$\bar{x}_1 - \bar{x}_2$의 표준편차는 다음과 같다.

$$\sqrt{\frac{\sigma_1^2}{n_1} + \frac{\sigma_2^2}{n_2}}$$

따라서

$$z = \frac{(\bar{x}_1 - \bar{x}_2) - (\mu_1 - \mu_2)}{\sqrt{\dfrac{\sigma_1^2}{n_1} + \dfrac{\sigma_2^2}{n_2}}}$$

은 표준정규확률변수(또는 근사적으로 표준정규확률변수)이다. 따라서 두 모평균 차이의 검정통계량은

$$z = \frac{(\bar{x}_1 - \bar{x}_2) - (\mu_1 - \mu_2)}{\sqrt{\dfrac{\sigma_1^2}{n_1} + \dfrac{\sigma_2^2}{n_2}}}$$

이고, 두 모평균 차이에 대한 구간추정량은

$$(\bar{x}_1 - \bar{x}_2) \pm z_{\alpha/2}\sqrt{\frac{\sigma_1^2}{n_1} + \frac{\sigma_2^2}{n_2}}$$

이다. 그러나 이 공식들은 모분산 σ_1^2과 σ_2^2이 실제로 알려져 있지 않기 때문에 거의 사용되지 않는다. 따라서 표본분포의 표준오차를 추정할 필요가 있다. 표본분포의 표준오차를 추정할 때 알려져 있지 않은 두 모분산이 동일한지 여부에 따라 다른 방법이 사용된다. 두 모분산이 동일할 때, 검정통계량은 다음과 같이 정의된다.

$\sigma_1^2 = \sigma_2^2$일 때 $\mu_1 - \mu_2$의 검정통계량

$$t = \frac{(\bar{x}_1 - \bar{x}_2) - (\mu_1 - \mu_2)}{\sqrt{s_p^2\left(\dfrac{1}{n_1} + \dfrac{1}{n_2}\right)}} \qquad v = n_1 + n_2 - 2$$

$$s_p^2 = \frac{(n_1 - 1)s_1^2 + (n_2 - 1)s_2^2}{n_1 + n_2 - 2}$$

s_p^2은 **통합분산추정량**(pooled variance estimator)이라고 부른다. 통합분산추정량은 각 표본의 자유도를 가중치로 사용하면서 구해지는 두 표본분산의 가중평균이다. 두 모분산이 동일하다는 조건에 의해 σ_1^2과 σ_2^2이 동일한 값을 가지는 추정치로 대체될 수 있기 때문에 이와 같은 계산이 가능하다. 두 표본을 통합하여 더 좋은 추정치를 얻을 수 있기 때문에 통합분산추정량을 사용하는 것이 일리가 있다.

두 모집단이 정규분포를 따르면, 검정통계량은 자유도가 n_1+n_2-2인 Student t 분포를 따른다. 이것으로부터 지금까지 했던 방식으로 $\mu_1-\mu_2$에 대한 신뢰구간추정량이 도출된다.

$\sigma_1^2=\sigma_2^2$일 때 $\mu_1-\mu_2$에 대한 신뢰구간추정량

$$(\bar{x}_1-\bar{x}_2)\pm t_{\alpha/2}\sqrt{s_p^2\left(\frac{1}{n_1}+\frac{1}{n_2}\right)} \qquad \nu=n_1+n_2-2$$

이와 같은 공식들은 각각 **동분산 검정통계량**(equal-variance test statistic)과 **동분산 신뢰구간추정량**(equal-variance confidence interval estimator)이라고 부른다.

모분산이 동일하지 않을 때, 통합분산추정치가 사용될 수 없다. 이 경우 각 모분산은 각 표본분산으로 추정된다. 불행하게도 각 모분산을 각 표본분산으로 대체한 검정통계량

$$\frac{(\bar{x}_1-\bar{x}_2)-(\mu_1-\mu_2)}{\sqrt{\dfrac{s_1^2}{n_1}+\dfrac{s_2^2}{n_2}}}$$

은 정규분포도 따르지 않고 Student t 분포도 따르지 않는다. 그러나 각 모분산을 각 표본분산으로 대체한 검정통계량의 표본분포는 다음과 같은 자유도를 가지는 Student t 분포에 의해 근사될 수 있다.

$$\nu=\frac{(s_1^2/n_1+s_2^2/n_2)^2}{\dfrac{(s_1^2/n_1)^2}{n_1-1}+\dfrac{(s_2^2/n_2)^2}{n_2-1}}$$

이와 같은 자유도의 값은 일반적으로 가장 가까운 정수로 정해진다. 검정통계량과 신뢰구간추정량은 표본분포로부터 쉽게 도출된다.

$\sigma_1^2\neq\sigma_2^2$일 때 $\mu_1-\mu_2$의 검정통계량

$$t=\frac{(\bar{x}_1-\bar{x}_2)-(\mu_1-\mu_2)}{\sqrt{\left(\dfrac{s_1^2}{n_1}+\dfrac{s_2^2}{n_2}\right)}} \qquad \nu=\frac{(s_1^2/n_1+s_2^2/n_2)^2}{\dfrac{(s_1^2/n_1)^2}{n_1-1}+\dfrac{(s_2^2/n_2)^2}{n_2-1}}$$

$\sigma_1^2 \neq \sigma_2^2$일 때 $\mu_1 - \mu_2$에 대한 신뢰구간추정량

$$(\bar{x}_1 - \bar{x}_2) \pm t_{\alpha/2}\sqrt{\left(\frac{s_1^2}{n_1} + \frac{s_2^2}{n_2}\right)} \qquad \nu = \frac{(s_1^2/n_1 + s_2^2/n_2)^2}{\dfrac{(s_1^2/n_1)^2}{n_1 - 1} + \dfrac{(s_2^2/n_2)^2}{n_2 - 1}}$$

이와 같은 공식들은 각각 **이분산 검정통계량**(unequal-variance test statistic)과 **이분산 신뢰구간추정량**(unequal-variance confidence interval estimator)이라고 부른다.

다음과 같은 질문이 자연스럽게 제기된다. 모분산들이 동일하다는 것을 어떻게 알 수 있는가? σ_1^2과 σ_2^2은 알려져 있지 않기 때문에 모분산들이 동일한지 확실하게 알 수 없다. 그러나 모분산들이 다르다고 추론할 수 있는 증거가 존재하는지 결정하기 위한 통계적 검정을 수행할 수 있다. 두 모분산 비율에 대한 F-검정이 수행된다. 여기서 F-검정에 대하여 간략하게 제시하고 제13.4절에서 상세하게 논의한다.

모분산 비율에 대한 검정

검정되는 가설들은 다음과 같이 설정된다.

$$H_0: \sigma_1^2/\sigma_2^2 = 1$$
$$H_1: \sigma_1^2/\sigma_2^2 \neq 1$$

검정통계량은 표본분산 비율 s_1^2/s_2^2이고 자유도가 $\nu_1 = n_1 - 1$과 $\nu_2 = n_2 - 1$인 F-분포를 따른다. 제8.4절에서 F-분포가 논의되었다는 것을 기억하라. F-검정의 필요조건은 $\mu_1 - \mu_2$에 관한 t-검정의 필요조건과 마찬가지로 두 모집단 모두 정규분포를 따른다는 것이다.

여기서 F-검정은 양측검정이므로 기각역은 다음과 같다.

$$F > F_{\alpha/2, \nu_1, \nu_2} \text{ 또는 } F < F_{1-\alpha/2, \nu_1, \nu_2}$$

간략하게 말하면, 표본분산 비율이 임계값보다 크거나 작으면 두 모분산이 동일하다는 귀무가설은 기각된다. 부록 B의 표 6은 F-분포의 임계값을 정리한 것이다.

13.1a 의사결정규칙: 동분산 또는 이분산 t 검정과 추정량

귀무가설이 옳다고 결론지을 수 있는 충분한 통계적 증거를 가질 수 없다는 점을 기억하라. 이것은 두 모분산이 다르다고 추론할 수 있는 충분한 증거가 존재하는지 결정할 수 있을 뿐이라는 것을 의미한다. 따라서 다음과 같은 규칙이 채택된다. 모분산 비율에 대한 F-검정에 기초하여 두 모분산이 다르기 때문에 이분산 검정통계량과 이분산 신뢰구간추정량을 적용하여야 한다고 제시하는 증거가 존재하지 않으면 동분산 검정통계량과 동분산 신뢰구간추정량이 사용된다.

예제 13.1*

DATA Xm13-01

직접 구매한 뮤추얼 펀드와 브로커를 통해 구매한 뮤추얼 펀드

수백만의 투자자들은 수천 개 가능성 중에서 선택하면서 뮤추얼 펀드를 구매한다. 일부 펀드들은 은행 또는 기타 금융기관으로부터 직접 구매될 수 있는 반면, 다른 펀드들은 중개서비스를 제공하고 수수료를 부과하는 브로커를 통해서 구매되어야 한다. 이것은 다음과 같은 질문을 제기한다. 투자자들은 브로커를 통해 뮤추얼 펀드를 구매하는 것보다 직접 뮤추얼 펀드를 구매하는 것에 의해 더 좋은 투자성과를 얻을 수 있는가? 이와 같은 질문에 답변하기 위해 일단의 연구자들은 직접 구매될 수 있는 뮤추얼 펀드들과 브로커를 통해 구매될 수 있는 뮤추얼 펀드들로부터 임의로 뮤추얼 펀드의 연간수익률들을 표본으로 추출하고 모든 관련된 수수료를 공제한 후의 투자수익률을 의미하는 연간순수익률들을 기록하였다. 이와 같은 데이터는 다음과 같다.

직접 구매한 뮤추얼 펀드의 연간순수익률					브로커를 통해 구매한 뮤추얼 펀드의 연간순수익률				
9.33	4.68	4.23	14.69	10.29	3.24	3.71	16.4	4.36	9.43
6.94	3.09	10.28	−2.97	4.39	−6.76	13.15	6.39	−11.07	8.31
16.17	7.26	7.1	10.37	−2.06	12.8	11.05	−1.9	9.24	−3.99
16.97	2.05	−3.09	−0.63	7.66	11.1	−3.12	9.49	−2.67	−4.44
5.94	13.07	5.6	−0.15	10.83	2.73	8.94	6.7	8.97	8.63
12.61	0.59	5.27	0.27	14.48	−0.13	2.74	0.19	1.87	7.06
3.33	13.57	8.09	4.59	4.8	18.22	4.07	12.39	−1.53	1.57
16.13	0.35	15.05	6.38	13.12	−0.8	5.6	6.54	5.23	−8.44
11.2	2.69	13.21	−0.24	−6.54	−5.75	−0.85	10.92	6.87	−5.72
1.14	18.45	1.72	10.32	−1.06	2.59	−0.28	−2.15	−1.69	6.95

5%의 유의수준에서 직접 구매한 뮤추얼 펀드의 연간순수익률이 브로커를 통해 구매한 뮤추얼 펀드의 연간순수익률보다 더 높다고 결론내릴 수 있는가?

해답 **선택**

질문에 답하기 위해 직접 구매한 뮤추얼 펀드의 연간순수익률 모집단과 브로커를 통해 구매한 뮤추얼 펀드의 연간순수익률 모집단을 비교할 필요가 있다. 주어진 데이터는 분명히 구간데이

* D. Bergstresser, J. Chalmers, and P. Tufano, "Assessing the Costs and Benefits of Brokers in the Mutual Fund Industry."

터이다. 문제의 목적과 데이터 종류는 검정되어야 하는 모수가 두 모평균 차이 $\mu_1 - \mu_2$라는 것을 말해준다. 검정되어야 하는 가설은 직접 구매한 뮤추얼 펀드의 평균 연간순수익률(μ_1)이 브로커를 통해 구매한 뮤추얼 펀드의 평균 연간순수익률(μ_2)보다 더 크다는 것이다. 따라서 대립가설은 다음과 같다.

H_1: $(\mu_1 - \mu_2) > 0$

통상 귀무가설은 자동적으로 다음과 같이 설정된다.

H_0: $(\mu_1 - \mu_2) = 0$

먼저 $\mu_1 - \mu_2$에 대한 t-검정 중 어느 것을 선택하여야 하는지 결정하기 위해, σ_1^2/σ_2^2에 대한 F-검정이 수행된다.

H_0: $\sigma_1^2/\sigma_2^2 = 1$

H_1: $\sigma_1^2/\sigma_2^2 \neq 1$

계산

직접 계산

주어진 데이터로부터 다음과 같은 통계량들을 계산한다.

$s_1^2 = 37.49$, $s_2^2 = 43.34$

검정통계량: $F = s_1^2/s_2^2 = 37.49/43.34 = 0.86$

자유도: $v_1 = n_1 - 1 = 50 - 1 = 49$, $v_2 = n_2 - 1 = 50 - 1 = 49$

기각역: $F > F_{\alpha/2, v_1, v_2} = F_{.025, 49, 49} = 1.7622$ (엑셀 함수 =F.INV.RT 이용) 또는

$F < F_{1-\alpha/2, v_1, v_2} = F_{.975, 49, 49} = 1/F_{.025, 49, 49} = 1/1.7622 = 0.5675$

검정통계량의 값 $F = .86$은 F-검정통계량의 임계값 1.7622보다 크지 않고 0.5675보다 작지 않으므로 귀무가설은 기각되지 않는다.

EXCEL Data Analysis

	A	B	C
1	F-Test:Two-Sample for Variances		
2			
3		Direct	Broker
4	Mean	6.63	3.72
5	Variance	37.49	43.34
6	Observations	50	50
7	df	49	49
8	F	0.8650	
9	P(F<=f) one-tail	0.3068	
10	F Critical one-tail	0.5675	

검정통계량의 값은 $F = .8650$이다. Excel output은 단측 p-값을 제공한다. 수행되는 검정은 양측검정이므로 검정의 p-값은 단측 p-값의 두 배가 된다. 따라서 검정의 p-값은 $2 \times .3068 = .6136$이다.

지시사항

1. 데이터를 입력하거나 <Xm13-01>을 불러들여라.
2. **데이터**(Data), **데이터분석**(Data Analysis), **F-Test Two-Sample for Variances**를 클릭하라.
3. **변수 1 입력범위**(Variable 1 Range) (A1:A51), **변수 2 입력범위**(Variable 2 Range) (B1:B51)을 입력하라. α의 값 (.025)를 입력하라.

해석 두 모분산이 다르다고 추론할 수 있는 충분한 증거가 존재하지 않는다. 따라서 $\mu_1 - \mu_2$에 대한 동분산 t-검정이 적용되어야 한다.

검정되어야 하는 가설은 다음과 같이 설정된다.

$$H_0: (\mu_1 - \mu_2) = 0$$
$$H_1: (\mu_1 - \mu_2) > 0$$

계산

직접 계산

주어진 데이터로부터 다음과 같은 통계량들을 계산한다.

$$\bar{x}_1 = 6.63$$
$$\bar{x}_2 = 3.72$$
$$s_1^2 = 37.49$$
$$s_2^2 = 43.34$$

통합분산추정량은 다음과 같이 계산된다.

$$s_p^2 = \frac{(n_1 - 1)s_1^2 + (n_2 - 1)s_2^2}{n_1 + n_2 - 2} = \frac{(50-1)37.49 + (50-1)43.34}{50 + 50 - 2} = 40.42$$

검정통계량의 자유도는 $v = n_1 + n_2 - 2 = 50 + 50 - 2 = 98$이다. 기각역은 $t > t_{\alpha, v} = t_{.05, 98} = 1.6606$ (엑셀 함수 =T.INV 이용)이다. 검정통계량의 값은 다음과 같이 계산된다.

$$t = \frac{(\bar{x}_1 - \bar{x}_2) - (\mu_1 - \mu_2)}{\sqrt{s_p^2\left(\frac{1}{n_1} + \frac{1}{n_2}\right)}} = \frac{(6.63 - 3.72) - 0}{\sqrt{40.42\left(\frac{1}{50} + \frac{1}{50}\right)}} = 2.29$$

EXCEL Data Analysis

	A	B	C
1	t-Test: Two-Sample Assuming Equal Variances		
2			
3		Direct	Broker
4	Mean	6.63	3.72
5	Variance	37.49	43.34
6	Observations	50	50
7	Pooled Variance	40.41	
8	Hypothesized Mean Difference	0	
9	df	98	
10	t Stat	2.29	
11	P(T<=t) one-tail	0.0122	
12	t Critical one-tail	1.6606	
13	P(T<=t) two-tail	0.0243	
14	t Critical two-tail	1.9845	

지시사항

1. 데이터를 입력하거나 <Xm13-01>을 불러들여라.
2. **Data, Data Analysis, t-Test: Two-Sample Assuming Equal Variances**를 클릭하라.
3. **변수 1 입력범위**(Variable 1 Range) (A1:A51), **변수 2 입력범위**(Variable 2 Range) (B1:B51)을 입력하라. **가설평균차**(Hypothesized Mean Difference)* (0), α의 값 (.05)를 입력하라.

해석 검정통계량의 값은 2.29이다. 단측 p-값은 .0122이다. 검정의 p-값이 작고 검정통계량이 기각역에 속한다. 따라서 평균적으로 직접 구매한 뮤추얼 펀드의 연간순수익률은 브로커를 통해 구매한 뮤추얼 펀드의 연간순수익률보다 크다고 추론할 수 있는 충분한 증거가 존재한다고 결론을 내린다.

$\mu_1 - \mu_2$의 추정: 동분산의 경우

두 모평균 차이의 값을 검정하는 것에 더하여 두 모평균 차이를 추정할 수 있다. 이어서 직접 구매한 뮤추얼 펀드의 평균 연간순수익률과 브로커를 통해 구매한 뮤추얼 펀드의 평균 연간순수익률의 차이에 대한 95% 신뢰구간추정치를 계산하도록 하자.

계산

직접 계산

두 모분산이 동일할 때 두 모평균 차이에 대한 신뢰구간추정량은 다음과 같다.

$$(\bar{x}_1 - \bar{x}_2) \pm t_{\alpha/2}\sqrt{s_p^2\left(\frac{1}{n_1} + \frac{1}{n_2}\right)}$$

---

* 이 용어는 기술적으로 말하면 정확하지 않다. $\mu_1 - \mu_2$에 대하여 검정하는 것이기 때문에 Excel에서 필요한 정보는 "귀무가설에서 가정된 모평균들 간 차이(Hypothesized Difference between Means)"이다.

직접 구매한 뮤추얼 펀드의 평균 연간순수익률과 브로커를 통해 구매한 뮤추얼 펀드의 평균 연간순수익률의 차이에 대한 95% 신뢰구간추정치는 다음과 같이 계산된다.

$$(\bar{x}_1 - \bar{x}_2) \pm t_{\alpha/2}\sqrt{s_p^2\left(\frac{1}{n_1}+\frac{1}{n_2}\right)} = (6.63 - 3.72) \pm 1.984\sqrt{40.42\left(\frac{1}{50}+\frac{1}{50}\right)}$$
$$= 2.91 \pm 2.52$$

따라서 신뢰하한과 신뢰상한은 각각 .39와 5.43이다.

EXCEL Workbook

	A	B	C	D	E	F
1	t-Estimate of the Difference Between Two Means (Equal-Variances)					
2						
3		Sample 1	Sample 2	Confidence Interval Estimate		
4	Mean	6.63	3.72	2.91	±	2.52
5	Variance	37.49	43.34	Lower confidence limit		0.39
6	Sample size	50	50	Upper confidence limit		5.43
7	Pooled Variance	40.42				
8	Confidence level	0.95				

지시사항

1. 데이터를 두 열에 입력하거나 <Xm13-01>을 불러들여라. 각 표본의 평균과 분산을 계산하라.
2. Estimators Workbook을 열고 t-Estimate_2 Means (Eq-Var)를 클릭하라. 표본평균과 분산을 입력하라. 표본크기와 신뢰수준을 입력하라.

XLSTAT

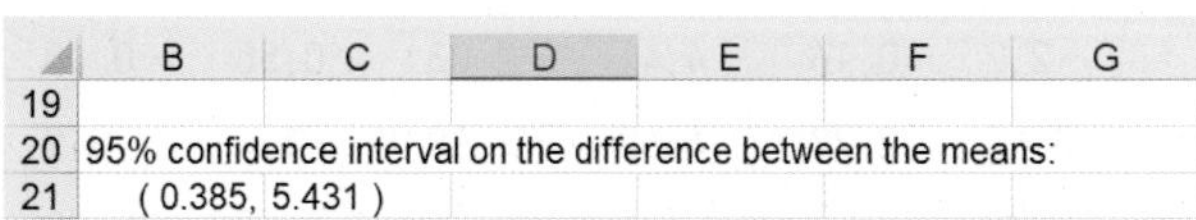

	B	C	D	E	F	G
19						
20	95% confidence interval on the difference between the means:					
21	(0.385, 5.431)					

지시사항

1. 두 열에 데이터를 입력하거나 <Xm13-01>을 불러들여라.
2. XLSTAT, Parametric tests, Two-sample t-test and z-test를 클릭하라.
3. One column per sample을 클릭하라. 두 표본을 위한 input range를 Sample 1: (A1:A51), Sample 2: (B1:B51)과 같이 입력하라. Column labels와 Student's t-test를 클릭하라.
4. Options를 클릭하고 Alternative hypothesis 박스에서 Mean 1 − Mean 2 ≠ D를 선택하라. Hypothesized difference (D) (0)을 입력하라. Population variances for the t-test에서 Assume equality를 클릭하라. (두 모평균 차이에 대한 t-test와 함께 Use an F-test를 클릭하면, 두 모평균 차이를 검정하는 첫 번째 단계로 두 모분산에 대한 F-test를 따로

할 필요가 없다.) **Significance level (%)** 박스에서 퍼센트로 나타낸 α의 값 (5)를 설정하라.

5. **Outputs**를 클릭하고 **Confidence interval**을 체크하라.

해석 직접 구매한 뮤추얼 펀드의 평균 연간순수익률은 브로커를 통해 구매한 뮤추얼 펀드의 평균 연간순수익률보다 큰 정도는 .39와 5.43 퍼센트 포인트 사이라고 추정한다.

예제 13.2* 가족경영기업의 새로운 CEO 효과

DATA Xm13-02

사장의 아들 또는 딸이 CEO가 될 때 가족경영기업에 어떤 일이 발생하는가? 새로운 사장이 소유주의 자녀일 때 가족경영기업이 더 잘 되는가 외부인이 새로운 CEO가 될 때 가족경영기업이 더 잘 되는가? 이와 같은 질문에 대한 답을 구하기 위해, 연구자들은 임의로 140개 기업을 선택하였다. 이 중 30%는 소유권이 자녀에게 넘어갔으며 나머지 70%는 외부인을 CEO로 지명하였다. 연구자들은 각 기업에 대하여 새로운 CEO 취임 이전 연도와 이후 연도의 영업이익률(=영업이익/자산 비율)을 계산하였다. 새로운 CEO 취임 이후 연도와 이전 연도의 영업이익률 변화가 기록되었다. 이 데이터는 다음과 같다. 이 데이터로부터 소유주의 자녀가 CEO가 되는 경우의 효과가 외부인이 CEO가 되는 경우의 효과와 다르다고 추론할 수 있는가?

자녀가 CEO가 되는 경우			외부인이 CEO가 되는 경우						
−1.95	0.91	−3.15	0.69	−1.05	1.58	−2.46	3.33	−1.32	−0.51
0	−2.16	3.27	0.95	−4.23	−1.98	1.59	3.2	5.93	8.68
0.56	1.22	−0.67	−2.2	−0.16	4.41	−2.03	0.55	−0.45	1.43
1.44	0.67	2.61	2.65	2.77	4.62	−1.69	−1.4	−3.2	−0.37
1.5	−0.39	1.55	5.39	−0.96	4.5	0.55	2.79	5.08	−0.49
1.41	−1.43	−2.67	4.15	1.01	2.37	0.95	5.62	0.23	−0.08
−0.32	−0.48	−1.91	4.28	0.09	2.44	3.06	−2.69	−2.69	−1.16
−1.7	0.24	1.01	2.97	6.79	1.07	4.83	−2.59	3.76	1.04
−1.66	0.79	−1.62	4.11	1.72	−1.11	5.67	2.45	1.05	1.28
−1.87	−1.19	−5.25	2.66	6.64	0.44	−0.8	3.39	0.53	1.74
−1.38	1.89	0.14	6.31	4.75	1.36	1.37	5.89	3.2	−0.14
0.57	−3.7	2.12	−3.04	2.84	0.88	0.72	−0.71	−3.07	−0.82
3.05	−0.31	2.75	−0.42	−2.1	0.33	4.14	4.22	−4.34	0
2.98	−1.37	0.3	−0.89	2.07	−5.96	3.04	0.46	−1.16	2.68

* M. Bennedsen and K. Nielsen, Copenhagen Business School and D. Wolfenzon, New York University.

해답 **선택**

문제의 목적은 두 모집단을 비교하는 것이고 주어진 데이터는 구간데이터이다. 관심있는 모수는 두 모평균 차이 $\mu_1 - \mu_2$이다. μ_1은 소유주의 아들 또는 딸이 CEO가 되었을 때 영업이익률의 평균 변화이고 μ_2는 외부인이 CEO가 되었을 때 영업이익률의 평균 변화이다.

동분산 t-검정 또는 이분산 t-검정 중 어느 것이 적용되어야 하는지 결정하기 위해, σ_1^2/σ_2^2에 대한 F-검정이 수행된다.

H_0: $\sigma_1^2/\sigma_2^2 = 1$

H_1: $\sigma_1^2/\sigma_2^2 \neq 1$

계산

직접 계산

주어진 데이터로부터 다음과 같은 통계량들을 계산한다.

$s_1^2 = 3.79$, $s_2^2 = 8.03$

검정통계량: $F = s_1^2/s_2^2 = 3.79/8.03 = 0.47$

자유도: $\nu_1 = n_1 - 1 = 42 - 1 = 41$, $\nu_2 = n_2 - 1 = 98 - 1 = 97$

기각역: $F > F_{\alpha/2, \nu_1, \nu_2} = F_{.025, 41, 97} = 1.6392$ (엑셀 함수 =F.INV.RT 이용) 또는

$F < F_{1-\alpha/2, \nu_1, \nu_2} = F_{.975, 41, 97} = 1/F_{.025, 97, 41} = 1/1.7332 = 0.5770$

(엑셀 함수 =F.INV.RT 이용)

검정통계량의 값 $F = 0.47$은 F-검정통계량의 임계값 0.5770보다 작으므로 귀무가설은 기각된다.

EXCEL Data Analysis

	A	B	C
1	F-Test:Two-Sample for Variances		
2			
3		*Offspring*	*Outsider*
4	Mean	−0.10	1.24
5	Variance	3.79	8.03
6	Observations	42	98
7	df	41	97
8	F	0.47	
9	P(F<=f) one-tail	0.0040	
10	F Critical one-tail	0.5770	

검정통계량의 값은 $F = .47$이고 검정의 p-값 $= 2 \times .0040 = .0080$이다.

지시사항

1. 데이터를 입력하거나 <Xm13-02>를 불러들여라.
2. 데이터(Data), **데이터분석**(Data Analysis), **F-Test: Two-Sample for Variances**를 클릭하라.
3. **변수 1 입력범위**(Variable 1 Range) (A1:A43), **변수 2 입력범위**(Variable 2 Range) (B1:B99)를 입력하라. 이름표(Labels)에 마크하라. α의 값 (.025)를 입력하라.

해석 두 모분산이 다르다고 추론할 수 있는 충분한 증거가 존재한다. 따라서 $\mu_1-\mu_2$에 대한 이분산 t-검정이 적용되어야 한다.

두 모평균이 다른지 결정하기 원하기 때문에 대립가설은 H_1: $(\mu_1-\mu_2)\neq 0$이고 귀무가설은 H_0: $(\mu_1-\mu_2)=0$이다.

계산

직접 계산

주어진 데이터로부터 다음과 같은 통계량들을 계산한다.

$$\bar{x}_1 = -.10$$
$$\bar{x}_2 = 1.24$$
$$s_1^2 = 3.79$$
$$s_2^2 = 8.03$$

검정통계량의 자유도는 다음과 같이 계산된다.

$$\nu = \frac{(s_1^2/n_1 + s_2^2/n_2)^2}{\dfrac{(s_1^2/n_1)^2}{n_1-1} + \dfrac{(s_2^2/n_2)^2}{n_2-1}}$$

$$= \frac{(3.79/42 + 8.03/98)^2}{\dfrac{(3.79/42)^2}{42-1} + \dfrac{(8.03/98)^2}{98-1}}$$

$$= 110.69(\text{반올림하면 } 111)$$

기각역은

$t<-t_{\alpha/2,}\nu=-t_{0.025,111}=-1.9816$ (엑셀 함수=T.INV 이용) 또는 $t>t_{\alpha/2,}\nu=t_{0.025,111}=1.9816$

이다.

검정통계량의 값은 다음과 같이 계산된다.

$$t = \frac{(\bar{x}_1 - \bar{x}_2) - (\mu_1 - \mu_2)}{\sqrt{\left(\dfrac{s_1^2}{n_1} + \dfrac{s_2^2}{n_2}\right)}}$$

$$= \frac{(-.10 - 1.24) - (0)}{\sqrt{\left(\dfrac{3.79}{42} + \dfrac{8.03}{98}\right)}} = -3.22$$

EXCEL Data Analysis

	A	B	C
1	t-Test: Two-Sample Assuming Unequal Variances		
2			
3		*Offspring*	*Outsider*
4	Mean	–0.10	1.24
5	Variance	3.79	8.03
6	Observations	42	98
7	Hypothesized Mean Difference	0	
8	df	111	
9	t Stat	–3.22	
10	P(T<=t) one-tail	0.0008	
11	t Critical one-tail	1.6587	
12	P(T<=t) two-tail	0.0017	
13	t Critical two-tail	1.9816	

지시사항

1. 데이터를 입력하거나 <Xm13-02>를 불러들여라.
2. **데이터**(Data), **데이터분**(Data Analysis), **t-Test: Two-Sample Assuming Unequal Variances**를 클릭하라.
3. **변수 1 입력범위**(Variable 1 Range) (A1:A43), **변수 2 입력범위**(Variable 2 Range) (B1:B99)를 입력하라. **가설평균차**(Hypothesized Mean Difference) (0), 이름표(Labels)에 마크하라. α의 값 (.05)를 입력하라.

해석 t-통계량의 값은 -3.22이고 검정의 p-값은 .0017이다. 따라서 소유주의 자녀가 CEO가 되는 경우와 외부인이 CEO가 되는 경우에 발생되는 영업이익률의 평균 변화가 다르다는 충분한 증거가 존재한다고 결론내린다.

$\mu_1-\mu_2$의 추정: 이분산의 경우

또한 신뢰구간추정량을 계산하여 두 모평균 차이에 관한 추론을 수행할 수 있다. 이제 $\mu_1-\mu_2$에 대한 95% 이분산 신뢰구간추정치를 계산하도록 하자.

계산

직접 계산

두 모분산이 다를 때 두 모평균 차이에 대한 신뢰구간추정량은 다음과 같다.

$$(\bar{x}_1-\bar{x}_2) \pm t_{\alpha/2}\sqrt{\left(\frac{s_1^2}{n_1}+\frac{s_2^2}{n_2}\right)}$$

$$= (-.10-1.24) \pm 1.982\sqrt{\left(\frac{3.79}{42}+\frac{8.03}{98}\right)}$$

$$= -1.34 \pm .82$$

$$\text{LCL} = -2.16 \quad \text{and} \quad \text{UCL} = -.52$$

EXCEL Workbook

	A	B	C	D	E	F
1	t-Estimate of the Difference Between Two Means (Unequal-Variances)					
2						
3		Sample 1	Sample 2	Confidence Interval Estimate		
4	Mean	-0.1	1.2	-1.34	±	0.82
5	Variance	3.79	8.03	Lower confidence limit		− 2.16
6	Sample size	42	98	Upper confidence limit		− 0.52
7	Degrees of freedom	111				
8	Confidence level	0.95				

지시사항

1. 데이터를 두 열에 입력하거나 <Xm13-01>을 불러들여라. 각 표본의 평균과 분산을 계산하라.
2. Estimators Workbook을 열고 t-Estimate_2 Means (Uneq-Var)를 클릭하라. 표본평균과 분산을 입력하라. 표본크기와 신뢰수준을 입력하라.

XLSTAT

	B	C	D	E	F	G
34	95% confidence interval on the difference between the means:					
35	(-2.158, -0.514)					

지시사항

1. 두 열에 데이터를 입력하거나 <Xm13-01>을 불러들여라.
2. XLSTAT, Parametric tests, Two-sample t-test and z-test를 클릭하라.
3. One column per sample을 클릭하라. 두 표본을 위한 input range를 Sample 1: (A1:A43), Sample 2: (B1:B99)와 같이 입력하라. Column labels와 Student's t-test를 클릭하라.
4. Options를 클릭하고 Alternative hypothesis 박스에서 Mean 1 − Mean 2 ≠ D를 선택하라. Hypothesized difference (D) (0)을 입력하라. Population variances for the t-test에서 Assume unequality를 클릭하라. (두 모평균 차이에 대한 t-test와 함께 Use an F-test를 클릭하면, 두 모평균 차이를 검정하는 첫 번째 단계로 두 모분산에 대한 F-test를 따로 할 필요가 없다.) Significance level (%) 박스에서 퍼센트로 나타낸 α의 값 (5)를 설정하라.
5. Outputs를 클릭하고 Confidence interval을 체크하라.

해석 외부인이 CEO가 되는 경우의 영업이익률의 변화가 소유주의 자녀가 CEO가 되는 경우의 영업이익률 변화보다 큰 정도는 .52와 2.16퍼센트 포인트 사이라고 추정한다.

13.1b 필요조건의 확인

동분산 통계기법과 이분산 통계기법 모두는 모집단들이 정규분포를 따라야 한다는 조건을 요구한다.* 앞에서 했던 것처럼, 이와 같은 조건이 충족되는지는 데이터의 히스토그램을 그려보면서 확인할 수 있다.

이와 같은 점을 예시하기 위해 Excel을 사용하여 예제 13.1의 히스토그램들(그림 13.2와 그림 13.3)과 예제 13.2의 히스토그램들(그림 13.4와 그림 13.5)을 그렸다. 그려진 히스토그램들이 완벽하게 종 모양을 가지는 것은 아니지만, 두 예제에서 데이터들은 적어도 근사적으로 정규분포를 따르는 것으로 보인다. 이와 같은 통계기법들은 강건성을 가지고 있기 때문에 우리는 분석결과의 타당성에 대하여 확신할 수 있다.

그림 13.2 직접 구매한 뮤추얼 펀드의 연간순수익률 히스토그램(예제 13.1)

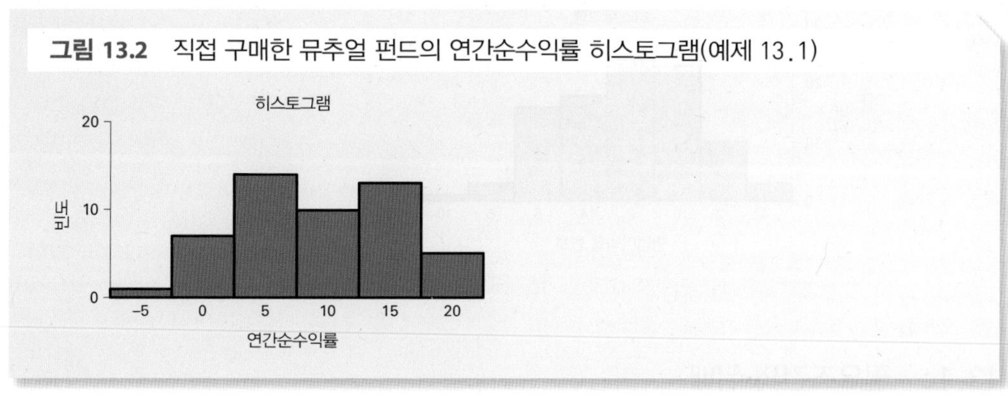

그림 13.3 브로커를 통해 구매한 뮤추얼 펀드의 연간순수익률 히스토그램(예제 13.1)

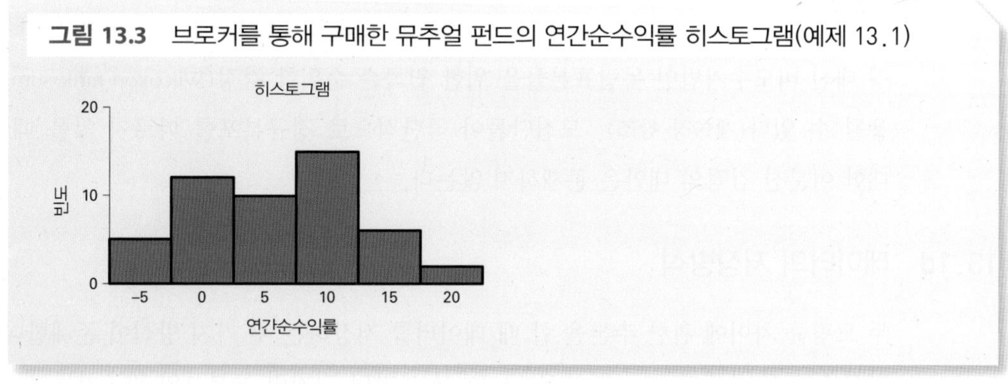

---

* 제12장에서 지적한 것처럼 표본크기가 크면 극단적인 비정규분포의 효과는 상쇄될 수 있다.

그림 13.4 소유주의 자녀가 CEO가 되는 경우의 영업이익률 변화 히스토그램(예제 13.2)

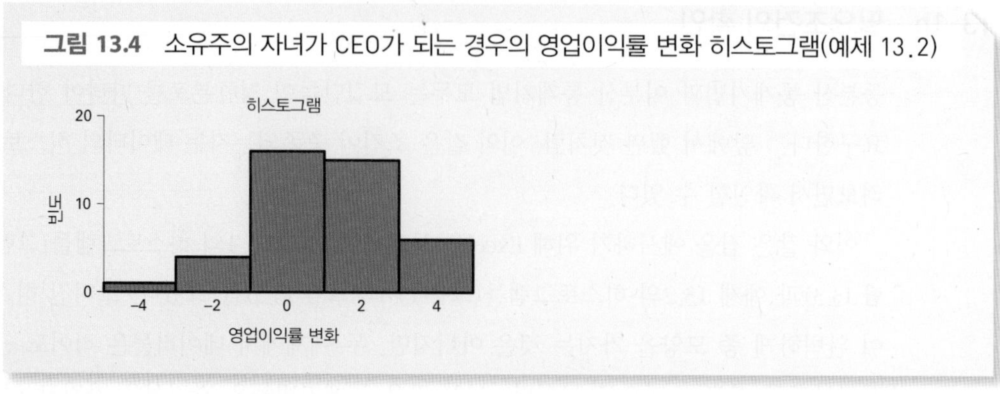

그림 13.5 외부인이 CEO가 되는 경우의 영업이익률 변화 히스토그램(예제 13.2)

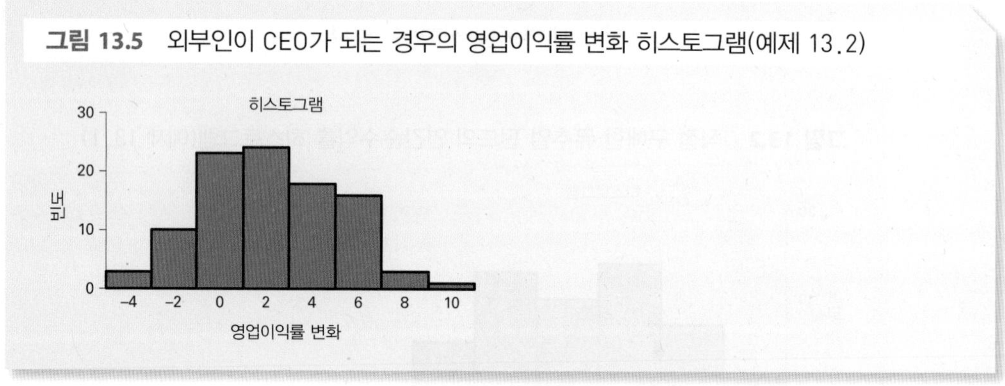

13.1c 필요조건의 위배

모집단들이 정규분포를 따라야 한다는 조건이 충족되지 않을 때, $\mu_1 - \mu_2$에 대한 동분산 검정 대신 비모수기법인 독립표본들을 위한 윌콕슨 순위합 검정(Wilcoxon rank sum test)이 사용될 수 있다(제19장 참조). 모집단들이 극단적으로 정규분포를 따르지 않을 때 $\mu_1 - \mu_2$에 대한 이분산 검정의 대안은 존재하지 않는다.

13.1d 데이터의 저장방식

두 모평균 차이에 관한 추론을 할 때 데이터를 저장하는 두 가지 방식이 존재한다. 첫 번째 방식은 당신이 예제 13.1과 예제 13.2에서 보았던 것처럼 표본 1의 관측치들이 첫 번째 열에 저장되고 표본 2의 관측치들이 두 번째 열에 저장되는 방식이다. 이 방식은 **겹쳐쌓지 않는 방식**(unstacked format)이라고 부른다. 데이터는 **겹쳐쌓는 방식**(stacked format)으로 저장될 수도 있다. 이 방식에서는 모든 관측치들이 한 개의 열에 저장된다. 두 번째 열은 일반적으로 해당되는 관측치가 추출된 표본을 나타내는 코드가 정리된다. 겹쳐쌓지 않는 방식의 예는 다음과 같다.

열 1(표본 1)	열 2(표본 2)
12	18
19	23
13	25

동일한 데이터는 다음과 같이 겹쳐쌓는 방식으로 정리될 수 있다.

열 1	열 2
12	1
19	1
13	1
18	2
23	2
25	2

겹쳐쌓는 방식으로 데이터를 정리할 때 코드의 순서대로 정리할 필요는 없다. 따라서 다음과 같이 데이터가 겹쳐쌓는 방식으로 정리될 수 있다.

열 1	열 2
18	2
25	2
13	1
12	1
23	2
19	1

만일 두 모집단을 비교하고 한 변수만이 존재하면, 데이터를 겹쳐쌓지 않는 방식으로 기록하는 것이 더 좋다. 그러나 다수의 변수들을 관측하여 비교하기 원하는 경우가 종종 있다. 예를 들면, 남성 MBA와 여성 MBA를 대상으로 서베이를 실시하고 각자에게 연령, 소득, 경력 연수를 보고하도록 요청한다고 하자. 이와 같은 데이터는 일반적으로 다음과 같은 방법을 사용하여 겹쳐쌓는 방식으로 저장된다.

열 1: 남성(1)과 여성(2)을 구별하는 코드

열 2: 연령

열 3: 소득

열 4: 경력 연수

연령을 비교하기 위해 열 1과 열 2가 사용된다. 열 1과 열 3은 소득을 비교하기 위해 사용되고 열 1과 열 4는 경력수준을 비교하기 위해 사용된다.

13.1e 통계개념의 이해를 심화시키기 1

이 절에서 제시된 공식들은 상대적으로 복잡하다. 그러나 두 검정통계량들은 개념적으로 제11장에서 소개되고 제12장에서 반복적으로 다루어졌던 기법에 기초한 것이다. 다시 말하면, 검정통계량의 값은 통계량 $\bar{x}_1-\bar{x}_2$과 귀무가설에서 규정된 $\mu_1-\mu_2$의 차이를 통계량 $\bar{x}_1-\bar{x}_2$의 표준오차로 나누어서 계산된다.

13.1f 통계개념의 이해를 심화시키기 2

이 장에서 소개된 모든 추론기법을 위한 표준오차는 데이터로부터 추정되어야 한다. 우리가 $\bar{x}_1-\bar{x}_2$의 표준오차를 계산하기 위해 사용한 방법은 모분산들이 동일한가에 따라 결정된다. 모분산들이 동일할 때 통합분산추정량 s_p^2이 $\bar{x}_1-\bar{x}_2$의 표준오차를 계산하기 위해 사용된다. 여기서 중요한 원칙이 적용된다. 이와 같은 작업이 제13.5절과 다음의 장들에서 다시 다루어진다. 이 원칙은 대략적으로 다음과 같이 나타낼 수 있다. 가능한 경우에는 표준오차를 추정하기 위해 표본데이터를 통합하는 것이 유리하다. 예제 13.1에서, 두 표본들이 공통의 분산을 가진 모집단들로부터 추출되었다고 가정하기 때문에 표본데이터를 통합할 수 있다. 두 표본들을 통합하면 추정치의 정확성이 증가한다. 따라서 s_p^2이 s_1^2 또는 s_2^2보다 더 좋은 공통 분산의 추정량이다. 두 모분산들이 동일하지 않을 때, 우리는 표본데이터를 통합할 수 없고 따라서 공통의 추정량을 만들 수 없다. 우리는 s_1^2과 s_2^2을 계산하여 각각을 σ_1^2과 σ_2^2을 추정하기 위해 사용하여야 한다.

연습문제

연습문제 13.1~13.6은 통계적 추론의 요소들이 변화할 때 검정통계량과 구간추정치에 어떤 일이 발생하는지 파악하기 위해 만들어진 "what-if 분석"이다. 이 연습문제들은 직접 풀 수 있거나 Excel 스프레드시트를 사용하여 풀 수 있다.

13.1 정규분포를 따르는 두 모집단의 각각으로부터 25개의 관측치로 구성된 임의표본들이 추출되었고 다음과 같은 통계량들이 구해졌다.

$\bar{x}_1=524$ $s_1=129$

$\bar{x}_2=469$ $s_2=141$

a. 95%의 신뢰수준에서 두 모평균 차이를 추정하라.

b. 표본표준편차들이 각각 $s_1=255$와 $s_2=260$으로 증가한 경우 a를 반복하라.

c. 표본표준편차들이 증가함에 따라 어떤 일이 발생하는지 설명하라.

d. 표본크기가 100인 경우 a를 반복하라.

e. 표본크기 증가의 효과를 논의하라.

13.2 정규분포를 따르는 두 모집단의 각각으로부터 12개의 관측치로 구성된 임의표본들이 추출되었고 다음과 같은 통계량들이 구해졌다.

$\bar{x}_1=74$ $s_1=18$

$\bar{x}_2=71$ $s_2=16$

a. 모평균들이 다르다고 추론할 수 있는지 결정하기 위해 $\alpha=.05$에서 검정하라.

b. 표본표준편차들이 각각 $s_1=210$과 $s_2=198$로 증가한 경우 a를 반복하라.

c. 표본표준편차들이 증가함에 따라 어떤 일이 발생하는지 설명하라.

d. 표본크기가 150인 경우 a를 반복하라.

e. 표본크기 증가의 효과를 논의하라.

f. 표본 1의 표본평균이 $\bar{x}_1=76$으로 증가한 경우 a를 반복하라.

g. $\bar{x}_1$ 증가의 효과를 논의하라.

13.3 정규분포를 따르는 두 모집단으로부터 추출된 임의표본들로부터 다음과 같은 결과가 얻어졌다.

$\bar{x}_1=63$ $s_1=18$ $n_1=50$

$\bar{x}_2=60$ $s_2=7$ $n_2=45$

a. 두 모평균 차이를 90%의 신뢰수준에서 추정하라.

b. 표본표준편차가 각각 41과 15로 변화하는 경우 a를 반복하라.

c. 표본표준편차들이 증가할 때 어떤 일이 발생하는가?

d. 표본크기가 두 배로 증가하는 경우 a를 반복하라.

e. 표본크기 증가의 효과를 설명하라.

13.4 정규분포를 따르는 두 모집단으로부터 추출된 임의표본들로부터 다음과 같은 결과가 얻어졌다.

$\bar{x}_1=412$ $s_1=128$ $n_1=150$

$\bar{x}_2=405$ $s_2=54$ $n_2=150$

a. 5%의 유의수준에서 μ_1이 μ_2보다 크다고 추론할 수 있는가?

b. 표본표준편차가 각각 $s_1=31$과 $s_2=16$으로 감소하는 경우 a를 반복하라.

c. 표본표준편차들이 감소할 때 어떤 일이 발생하는지 설명하라.

d. 표본크기가 20인 경우 a를 반복하라.

e. 표본크기 감소의 효과를 논의하라.

f. 표본 1의 표본평균이 $\bar{x}_1=409$로 변화한 경우 a를 반복하라.

g. $\bar{x}_1$ 감소의 효과를 논의하라.

13.5 다음의 각 경우에 대해서 동분산 또는 이분산을 가정하면서 자유도를 결정하라.

a. $n_1=15$ $n_2=15$ $s_1^2=25$ $s_2^2=15$

b. $n_1=10$ $n_2=16$ $s_1^2=100$ $s_2^2=15$

c. $n_1=50$ $n_2=50$ $s_1^2=8$ $s_2^2=14$

d. $n_1=60$ $n_2=45$ $s_1^2=75$ $s_2^2=10$

13.6 연습문제 13.5를 참조하라.

a. 각 경우에 동분산 검정통계량과 동분산 신뢰구간 추정량의 자유도가 이분산 검정통계량과 이분산 신뢰구간추정량의 자유도보다 크다는 것을 확인하라.

b. 동분산 검정통계량과 동분산 신뢰구간추정량의 자유도가 이분산 검정통계량과 이분산 신뢰구간추정량의 자유도보다 크다는 것을 보여주는지 표본크기와 표본분산의 여러 가지 결합을 가지고 살펴보라.

연습문제 13.7~13.16을 풀기 위해 10%의 유의수준을 사용하라.

13.7 한 자동차회사의 인적자원 담당자는 생산라인 근로자들이 사무실 근로자들보다 결근하는 일수가 많은지 알기 원하였다. 그는 각 범주에 속하는 8명의 근로자들로 구성된 임의표본을 추출하였고 직전 연도의 결근 일수를 기록하였다. 두 그룹의 근로자들 사이에 결근 일수가 다르다고 추론할 수 있는가?

생산라인 근로자	4	0	6	8	3	11	13	5
사무실 근로자	9	2	7	1	4	7	9	8

13.8 한 작은 도서출판사의 사장은 책을 읽는 사람의 수가 감소하는 것에 대해 우려하고 있다. 이 문제에 관해 더 알기 위해서 소매 서점 고객들로 구성된 임의표본이 추출되었고 각 사람에게 지난 12개월 동안 몇 권의 책을 읽었는지 물었다. 아래의 수치들이 정리되었다. 남성과 여성이 구매한 책의 권수에 차이가 있다고 추론할 수 있는 충분한 증거가 존재하는가?

여성	5	8	11	3	7	5	9	13	15
남성	9	7	9	3	6	5			

13.9 한 텔레비전 리모트 컨트롤러 제조회사의 생산운영관리자는 그의 제품에서 어느 배터리의 수명이 가장 긴지 결정하기 원한다. 리모트 컨트롤러로 구성된 임의표본이 선택되었고 두 브랜드의 배터리를 시험하였다. 다음의 수치들은 각 브랜드의 경우 배터리의 수명이 다하기 전에 지속적으로 사용된 시간(분 기준)이다. 두 배터리 간 수명이 차이가 난다는 통계적 증거가 존재하는가?

배터리 1	106	111	109	105
배터리 2	125	103	121	118

13.10 한 열렬한 골퍼가 방금 환불 보증이 있는 새로운 퍼터를 구매하였다. 이 골퍼는 새로운 퍼터를 가지고 6번의 라운드와 오래된 퍼터를 가지고 6번 라운드 경기를 하고 퍼팅의 수를 기록하였다. 이 골퍼는 새로운 퍼터가 더 좋다고 결론내릴 수 있는가?

오래된 퍼터	37	35	38	40	37	33
새로운 퍼터	36	34	34	32	35	36

13.11 <Xr13-11> 한 의류가게는 매달 재고를 파악하고 도난에 의한 손실을 계산한다. 이 가게는 이와 같은 손실을 감소시키기 위한 두 가지 방법을 고려하고 있다. 첫 번째 방법은 경비원을 고용하는 것이고 두 번째 방법은 카메라를 설치하는 것이다. 어느 방법을 선택하여야 할 것인지 결정하기 위해 이 가게 경영자는 먼저 경비원을 6개월 동안 고용하였다. 이어서 다음 6개월 동안 카메라를 설치하였다. 두 기간 동안 경비원을 고용한 경우와 카메라를 설치한 경우의 월간 손실이 기록되었고 다음과 같이 정리되어 있다. 이 가게의 경영자는 카메라가 경비원보다 더 비용이 적게 들기 때문에 경비원이 더 좋다고 추론할 수 있는 충분한 증거가 존재하지 않는 한 카메라를 설치할 것이다. 이 경영자는 어떻게 해야 하는가?

경비원	355	284	401	398	477	254
카메라	486	303	270	386	411	435

13.12 <Xr13-12> 남성 소프트볼 리그는 야간 경기 동안 보기에 더 쉬운 노란색 공을 사용하는 것을 실험하고 있다. 노란색 공의 유효성을 판단하기 위한 한 방법은 에러의 수를 세어보는 것이다. 한 예비실험에서 노란색 공이 10경기에서 사용되었고 전통적인 하얀색 공이 다른 10경기에서 사용되었다. 각 경기에서의 에러 수가 기록되었고 다음과 같이 정리되어 있다. 노란색 공이 사용될 때 더 적은 에러가 발생한다고 추론할 수 있는가?

노란색 공 5 2 6 7 2 5 3 8 4 9
하얀색 공 7 6 8 5 9 11 8 3 6 10

13.13 <Xr13-13> 많은 레스토랑들은 신용카드 사용자들이 식탁에서 자신의 카드를 판독기에 통과시킬 수 있는 새로운 장치를 가지고 있다. 이 장치는 신용카드 사용자들이 팁으로 남겨두는 금액 퍼센티지나 금액을 명시할 수 있도록 해준다. 이 장치가 어떻게 작동하는지 알아보기 위한 한 실험에서, 신용카드 사용자들로 구성된 임의표본이 추출되었다. 일부는 통상적인 방식으로 지불하였고 일부는 새로운 장치를 사용하였다. 팁으로 남겨두는 금액 퍼센티지가 기록되었고 다음과 같이 정리되었다. 새로운 장치 사용자들이 더 많은 팁을 남긴다고 추론할 수 있는가?

통상적인 방식의 지불
10.3 15.2 13.0 9.9 12.1 13.4 12.2 14.9 13.2 12.0

새로운 장치를 사용한 지불
13.6 15.7 12.9 13.2 12.9 13.4 12.1 13.9 15.7 15.4 17.4

13.14 <Xr13-14> 골퍼 또는 스키어 중에서 누가 휴가기간 동안 더 많이 지출하는가? 이 질문에 대답하기 위해서 한 여행사는 정기적으로 스키휴가 또는 골프휴가 시에 배우자를 동반하는 15명의 고객을 대상으로 서베이를 실시하였다. 작년 휴가기간 동안 지출한 금액이 다음과 같이 정리되어 있다. 골퍼와 스키어는 휴가지출금액에 차이가 있다고 추론할 수 있는가?

골퍼 2,450 3,860 4,528 1,944 3,166 3,275 4,490 3,685 2,950
스키어 3,805 3,725 2,990 4,357 5,550 4,130

13.15 <Xr13-15> 한 메이저 리그 야구 경기를 마무리하는 데 걸리는 시간에 대한 우려가 팬과 구단주 사이에서 점차 더 커지고 있다. 이 문제의 심각성을 평가하기 위해서, 한 통계전문가는 5년 전과 금년에 임의표본을 구성하는 경기들을 마무리하는 데 걸린 시간(분 기준)을 기록하였다. 한 경기를 마무리하는 데 걸리는 시간이 5년 전보다 금년에 더 길다고 결론내릴 수 있는가?

5년 전 169 160 174 161 187 172 177 187 153 169 161 194
금년 153 182 162 190 163 189 171 197 159 180 197 178

13.16 <Xr13-16> 가솔린 가격의 갑작스러운 급등에 대하여 운전자들은 어떻게 반응하는가? 이 질문에 대한 답을 얻기 위해서, 한 통계전문가는 운전자들이 대형 주유소를 통과할 때 자동차의 속도(mph)를 기록하였다. 그는 또한 이 주유소의 가솔린 가격이 15센트 상승했다는 표시가 내걸린 후에 같은 장소에서 자동차의 속도를 기록하였다. 두 자동차 속도가 다르다고 추론할 수 있는가?

가격 상승 전 속도
43 36 31 30 28 36 27 36 35 30 32 36

가격 상승 후 속도
32 33 36 31 32 29 28 39 26 30 32 30

다음의 연습문제들을 풀기 위해서는 컴퓨터와 소프트웨어를 사용하여야 한다. 5%의 유의수준과 95%의 신뢰수준을 사용하라.

13.17 <Xr13-17> 베이비 식품회사인 Tastee Inc.의 사장은 자기 회사 제품이 베이비들의 몸무게를 더 빠르게 증가시키기 때문에(이것은 베이비에게 좋은 일이다) 선두 경쟁회사의 제품보다 더 우수하다고 주장한다. 이와 같은 주장을 검정하기 위해 서베이가 실시되었다. 신생아의 어머니들에게 그들의 아이에게 어떤 베이비 식품을 먹일 계획인지 물어보았다. Tastee 또는 선두 경쟁회사라고 응답한 어머니들에게 앞으로 두 달 동안 아이의 몸무게 증가 정도를 기

록하도록 요청하였다. 아이에게 Tastee의 제품을 먹일 계획이라고 응답한 어머니는 15명이었고 선두 경쟁회사의 제품을 먹일 계획이라고 응답한 어머니는 25명이었다. 각 베이비의 몸무게 증가 정도(온스 단위)가 기록되었다.

a. 몸무게 증가 정도를 기준으로 사용하면서 Tastee 베이비 식품이 정말로 더 우수하다고 결론내릴 수 있는가?

b. 두 회사 제품의 평균 몸무게 증가 정도 차이에 대한 95% 신뢰구간을 추정하라.

c. 필요조건이 충족되는지 확인하라.

13.18 <Xr13-18> 귀리(oat bran)를 먹는 것이 콜레스테롤을 감소시키기 위한 효과적인 방법인가? 선행연구들은 귀리를 매일 먹는 것이 콜레스테롤의 수준을 5%~10% 정도 감소시킨다고 제시하였다. 이와 같은 연구의 결과로 귀리를 다양한 비율로 포함하는 많은 새로운 아침 시리얼들이 만들어졌다. 그러나 Boston에 있는 의학 연구원들이 수행한 한 실험은 귀리의 유효성에 대하여 의문을 제기하였다. 그들의 연구에서 120명의 자원자들은 아침식사로 귀리 시리얼을 먹었고 다른 120명의 자원자들은 아침식사로 다른 곡류 시리얼을 먹었다. 6주간이 지난 후에 콜레스테롤 감소 정도(% 단위)가 두 그룹에 대하여 계산되었다. 귀리 시리얼이 콜레스테롤 감소 정도 기준으로 볼 때 다른 시리얼과 다르다고 추론할 수 있는가?

13.19 <Xr13-19> 크루이즈선(cruise ship) 비즈니스가 급속히 성장하고 있다. 크루이즈는 오랫동안 시니어들과 관련되어 있었지만 이제는 젊은 사람들이 휴가여행으로 크루이즈를 선택하고 있는 것으로 보인다. 이것이 사실인지 결정하기 위해 크루이즈 선사의 한 임원은 2년 전과 금년에 승객들을 표본추출하였고 그들의 연령을 물어 보았다.

a. 이 데이터로부터 이 임원은 크루이즈선이 젊은 고객들을 끌어들이고 있다고 추론할 수 있는가?

b. 금년과 2년 전 고객의 연령 차이에 대한 95% 신뢰구간을 추정하라.

13.20 <Xr13-20+> 자동차보험회사는 요율을 설정할 때 많은 요소들을 고려한다. 이와 같은 요소들로는 연령, 결혼여부, 연간 운전거리 등이 있다. 성별의 효과를 결정하기 위해 임의표본으로 추출된(적어도 2년의 운전경험이 있는 25세 이하) 젊은 남성 운전자들과 여성 운전자들에 대한 서베이가 실시되었다. 각 운전자에게 작년에 운전한 거리가 얼마인지 물었다. 운전거리(1,000마일 기준)가 겹쳐쌓는 방식으로 저장되어 있다(열 1=운전거리, 열 2=성별(1=남성, 2=여성)).

a. 남성 운전자와 여성 운전자의 연간 운전거리는 다르다고 결론내릴 수 있는가?

b. 남성 운전자와 여성 운전자의 평균 운전거리 차이에 대한 95%의 신뢰구간을 추정하라.

c. a와 b에서 사용된 통계기법의 필요조건이 충족되는지 확인하라.

13.21 <Xr13-21> 자동차 에어컨을 제조하는 한 회사의 사장은 냉각기 공급자를 바꿀 것을 고려하고 있다. 현재의 냉각기 공급자인 공급자 A는 자기 제품 가격을 공급자 B보다 5% 더 높게 설정하고 있다. 이 회사의 사장은 품질 측면에서 자기 회사의 명성을 유지하기 원하기 때문에 공급자 B의 냉각기 수명이 적어도 공급자 A의 냉각기만큼 되는지 확신하기 원한다. 세심한 분석을 수행한 후에 이 회사의 사장은 공급자 A의 냉각기 수명이 공급자 B의 냉각기 수명보다 평균적으로 더 길면 공급자 A를 유지시키기로 결정하였다. 한 실험에서 30대의 중형자동차에는 공급자 A의 냉각기를 사용한 에어컨이 장착되었고 다른 30대의 중형자동차에는 공급

자 B의 냉각기를 사용한 에어컨이 장착되었다. 냉각기의 작동이 멈추기까지 각 자동차의 운전 거리(1,000마일 기준)가 기록되었다. 이 회사의 사장은 공급자 A를 유지시켜야 하는가?

13.22 <Xr13-22> 거의 모든 사람들이 휴대폰을 사용하고 있다. 1965년~1980년 사이에 태어난 가장(X 세대)과 1980년 이후 태어난 가장(밀레니얼 세대)을 대상으로 서베이가 수행되었다. 각 가장은 휴대폰 서비스에 대한 연간 지출액을 보고하였다. 이러한 데이터로부터 X 세대가 휴대폰 서비스에 밀레니얼 세대보다 더 많이 지출한다고 추론할 수 있는가?

13.23 <Xr13-23> 우리는 오래된 일자리가 사라지고 새로운 일자리가 만들어지는 시대에 살고 있다. 이러한 현상의 정도를 판단하기 위해 2021년 1월에 25세 이상 임금과 급여를 받는 근로자들에게 현재 일자리에 고용된 기간이 몇 개월인지 묻는 서베이가 시행되었다. 여론조사 회사의 기록에서 이에 해당되는 2011년의 데이터가 기록되었다. 현재 임금과 급여를 받는 근로자들의 고용기간이 10년 전보다 더 짧다고 추론할 수 있는 충분한 증거가 존재하는가?

13.24 <Xr13-24> 한 통계학 교수는 그녀의 과목을 위해 통계소프트웨어 하나를 선택하려고 한다. 이 교수에 의하면 가장 중요한 특성 중의 하나는 학생들이 소프트웨어를 사용하기 위해 얼마나 쉽게 배울 수 있느냐이다. 이 교수는 두 가지의 소프트웨어로 선택범위를 좁혔다. 소프트웨어 A는 약간의 고수준 기법들을 포함하고 있는 메뉴 실행형 통계패키지이고 소프트웨어 B는 대부분의 통계기법들을 수행할 수 있는 스프레드시트이다. 의사결정을 돕기 위해 이 교수는 임의로 선택된 40명의 통계학을 공부하는 학생들에게 두 소프트웨어 중에서 하나를 선택하도록 요청하였다. 이 교수는 각 학생에게 컴퓨터와 매뉴얼을 사용하여 풀어야 하는 한 통계학 문제를 주었다. 각 학생이 부여된 과제를 완료하는 데 필요한 시간이 기록되었다.

a. 이 교수는 주어진 데이터로부터 두 소프트웨어 패키지는 사용하는 방법을 배우는 데 필요한 시간에서 차이가 있다고 결론지을 수 있는가?

b. 두 소프트웨어 패키지의 사용 방법을 배우기 위해 필요한 평균 시간의 차이에 대한 95% 신뢰구간을 추정하라.

c. a와 b에서 사용된 통계기법의 필요조건은 무엇인가?

d. 필요조건이 충족되는지 확인하라.

13.25 <Xr13-25> 낮은 생산성의 한 요인은 근로자들이 낭비하는 시간의 양이다. 근로자들이 낭비하는 시간에는 실수를 해결하는 데 사용하는 시간, 추가적인 재료와 장비를 기다리는 시간, 생산과 관련되어 있지 않는 다른 활동을 수행하는 시간이 포함된다. 이와 같은 문제를 조사하기 위한 한 프로젝트에서 한 생산운영관리 컨설턴트가 최근 연간 이윤에 기초하여 성공적이었던 것으로 분류되었던 회사들에서 추출된 200명의 근로자와 성공적이지 못했던 것으로 분류되었던 회사들에서 추출된 200명의 근로자를 대상으로 서베이를 실시하였다. 표준적인 40시간의 주간 근로시간 중에서 낭비한 시간(시간 단위)이 각 근로자에 대하여 기록되었다.

a. 이 데이터는 성공적이지 못했던 회사들에서 낭비한 시간이 성공적이었던 회사들에서 낭비한 시간보다 더 많다고 추론할 수 있는 충분한 증거를 제공하는가?

b. 얼마나 많은 시간이 성공적이었던 회사들에서 보다 성공적이지 못했던 회사들에서 낭비되는가를 95%의 신뢰수준에서 추정하라.

13.26 <Xr13-26> 최근 연구들은 운전하는 동안 휴대폰을 사용하는 것은 위험한 일이라고 제시한다. 이에 대한 한 이유는 운전자의 반응시간이 휴대폰으로 대화하는 동안 늦어질 수 있기 때문이다. 오하이오주에 있는 마이애미 대학의 연구원들은 휴대폰을 가지고 있는 운전자 표본을 대상으로 반응시간을 측정하였다. 표본에 포함된 운전자들의 절반에 대하여는 휴대폰을 사용하는 동안의 반응시간이 측정되었고, 나머지 절반에 대하여는 휴대폰을 사용하지 않는 동안의 반응시간이 측정되었다. 휴대폰을 사용하는 운전자들의 반응시간이 더 늦다고 결론내릴 수 있는가?

13.27 <Xr13-27> 연습문제 13.26을 참조하라. 전화사용의 형태가 반응시간에 영향을 주는지 결정하기 위해 다른 연구가 진행되었다. 한 그룹의 운전자들에게 운전하는 동안 전화대화에 참여하도록 요청하였다. 이 그룹의 절반은 간단한 잡담을 하였고 나머지 절반은 정치문제에 대한 논의를 하였다. 다시 반응시간이 측정되었다. 전화대화의 형태가 반응시간에 영향을 미친다고 추론할 수 있는가?

13.28 <Xr13-28> 다양한 전문서비스를 요구하는 대부분의 소비자들은 의사결정을 하기 전에 연구를 수행한다. 최근에 금융상담사를 선택한 사람들로 구성된 임의표본과 주식브로커를 선택한 사람들로 구성된 임의표본에 대하여 그들이 의사결정을 하기 전에 연구하면서 보내는 시간을 보고하도록 요청하였다. 금융상담사를 선택한 사람들이 주식브로커를 선택한 사람들보다 연구하는 데 더 많은 시간을 보낸다고 추론할 수 있는가?

13.29 <Xr13-29> 최근의 한 연구에서 North Carolina State University의 연구원들은 12개의 가장 널리 사용되는 중학교 과학교과서에서 수천 개의 오류를 발견하였다. 예를 들면, 자유의 여신상은 왼손잡이이고 부피는 길이와 깊이의 곱과 같다. 이와 같이 과학교과서들이 매우 불량하기 때문에 하버드–스미소니안 천체물리학 센터(Harvard-Smithsonian Center for Astrophysics)의 과학교육국장인 Philip Sadler는 불량한 과학교과서의 영향에 대한 연구를 수행하기로 결정하였다. 그는 고등학교에서 과학교과서를 사용하였던 학생들의 대학 물리학 점수와 과학교과서를 사용하지 않았던 학생들의 대학 물리학 점수를 기록하였다. 이 데이터로부터 고등학교에서 과학교과서를 사용하지 않았던 학생들의 대학 물리학 점수가 과학교과서를 사용하였던 학생들의 대학 물리학 점수보다 높다고 추론할 수 있는가?

13.30 <Xr13-30> Wendy's와 McDonald's 중 어느 패스트푸드 자동차 창구의 서비스가 더 빠른가? 이 질문에 대답하기 위해서 임의표본으로 추출된 각 레스토랑의 서비스시간이 측정되었다. 이 데이터로부터 두 패스트푸드 체인들 간 서비스시간의 차이가 존재한다고 추론할 수 있는가?

13.31 <Xr13-31> 수면 부족은 심각한 의학적 문제이다. 수면 부족은 심장 마비와 자동차 충돌과 관련되어 있다. 한 캐나다의 통계학적 연구에서 임의표본을 구성하고 있는 캐나다 성인에게 정상적인 수면시간을 보고하도록 요청하였다. 이 데이터로부터 남성과 여성의 수면시간이 서로 다르다고 추론할 수 있는가?

13.32 <Xr13-32> 회사들은 그들의 고객들은 누구이며 그들이 어떻게 고객이 되었는지 아는 것이 종종 유용하다. 신용카드 사용에 관한 한 연구에서 신용카드를 신청한 카드 보유자들의 임의표본과 텔레마케터들 또는 우편에 의해 접촉받은 적이 있는 신용카드 보유자들의 임의표본이 추출되었다. 지난달에 이루어진 각 사

람의 총 구매액이 기록되었다. 이 데이터로부터 두 종류의 고객들 간에 차이가 존재한다고 결론내릴 수 있는가?

13.33 <Xr13-33> 타이어 제조회사들은 수명이 더 긴 타이어를 생산하는 방법을 지속적으로 연구하고 있다. 새로운 혁신이 자동차 경주장에서 전문 운전자들에 의해 테스트된다. 그러나 유망한 혁신은 또한 일반 운전자들에 의해 테스트된다. 후자의 테스트가 타이어 회사의 고객들이 실제로 경험하게 될 것과 더 가깝다. 이 회사의 새로운 스틸 벨트 래디얼 타이어의 수명이 현재 타이어의 수명보다 더 긴지 결정하기 위해 두 개의 새롭게 설계된 타이어가 임의로 선택된 20대 자동차의 뒷바퀴에 장착되었고 두 개의 현재 타이어가 임의로 선택된 20대 자동차의 뒷바퀴에 장착되었다고 하자. 모든 운전자들에게 타이어들이 낡을 때까지 통상적인 방법으로 운전하도록 요청하였다. 각 운전자의 운전거리가 기록되었다. 이 회사는 새로운 타이어의 수명이 기존 타이어의 수명보다 평균적으로 더 길다고 추론할 수 있는가?

13.34 <Xr13-34> 일반적으로 수수료 기준으로 지불받는 판매원이 고정급여를 지불받는 판매원보다 더 좋은 성과를 낸다고 여겨지고 있다. 그러나 일부 경영 컨설턴트들은 특정한 산업분야에서는 소비자들이 구매압력을 보다 덜 느끼고 판매원에게 보다 덜 적대적으로 반응하기 때문에 고정급여를 지불받는 판매원이 더 많이 판매할 수 있다고 주장한다. 이와 같은 문제를 연구하기 위한 한 실험에서 소매의류 체인에서 일하는 180명의 판매원이 임의표본으로 선택되었다. 이들 중 90명의 판매원은 고정급여를 지불받았고 나머지 90명의 판매원은 각 판매에 따른 수수료 기준으로 지불받았다. 각 판매원의 1개월간 판매금액(달러 기준)이 기록되었다. 수수료 기준으로 지불받는 판매원이 고정급여를 지불받는 판매원보다 더 좋은 성과를 낸다고 결론내릴 수 있는가?

13.35 <Xr13-35> 신용평점카드는 금융기관의 대출신청에 대한 의사결정을 돕기 위해 디자인되었다. 그러나 일부 보험회사들은 신용평점은 또한 보험료, 특히 자동차 보험료를 결정하기 위해 사용될 수 있다고 제안하였다. Massachusetts Public Interest Research Group은 이와 같은 제안에 반대하였다. 한 자동차보험회사의 한 임원은 더 많은 정보를 얻기 위해 자기 회사의 고객들로 구성된 임의표본에 관한 데이터를 수집하였다. 그녀는 개별 고객이 과거 3년 동안에 자동차 사고를 내었는지 기록하고 신용점수를 결정하였다. 이 임원은 과거 3년 동안 자동차 사고를 낸 고객들과 자동차 사고를 내지 않은 고객들 간에 신용점수의 차이가 존재한다고 추론할 수 있는가?

13.36 <Xr13-36+> 전통적으로 와인은 코르크 마개를 가지고 있는 유리병에 담겨져 판매되고 있다. 코르크 마개는 유리병 안으로 공기가 들어오지 못하도록 한다. 산소는 와인, 특히 적색 와인의 적이다. 최근 연구는 금속뚜껑이 유리병 안으로 공기가 들어오지 못하도록 하는데 더 효과적이라고 제시한다. 그러나 금속뚜껑은 품위를 떨어뜨리고 일반적으로 값싼 와인 브랜드와 관련되어 있는 것으로 인식되고 있다. 이와 같은 인식이 잘못된 것인지 결정하기 위해 평균적으로 일주일에 적어도 1병의 와인을 마시는 130명으로 구성된 임의표본을 추출하고 한 실험에 참여하도록 요청하였다. 각 사람에게 두 가지 형태의 병에 담겨져 있는 동일한 와인이 제공되었다. 한 가지 형태의 병은 코르크 마개를 가진 병이고 다른 형태의 병은 금속뚜껑을 가진 병이다. 각 사람에게 두 가지

형태의 병에 담겨져 있는 동일한 와인을 시음하도록 요청하고 와인의 소매가격은 얼마여야 한다고 생각하는지 제시하도록 하였다. 금속 뚜껑을 가진 와인이 더 값싼 것으로 인식된다고 결론내릴 수 있는 충분한 증거가 존재하는지 결정하라.

13.37 <Xr13-37> 많은 연구들은 피곤한 아동들은 신경단위가 기억을 코드화하기 위해 필요한 새로운 신경세포 자극전달 연결고리를 형성할 수 없기 때문에 학습에 어려움을 겪는다는 것을 보여 주었다. 문제는 학교가 너무 일찍 시작한다는 것이다. 새벽에 깬 10대들의 뇌는 여전히 멜라토닌을 배출하며 이것이 그들을 졸리게 만든다. 수년 전에, 미네소타의 Edina시는 고등학교 시작시간을 오전 7시 25분에서 오전 8시 30분으로 변경시켰다. 이러한 수업시간 변경 전과 후에 임의표본을 구성하는 학생들의 SAT 점수들이 기록되었다. 이 데이터로부터 SAT 점수가 수업시간 변경 후에 높아졌다고 추론할 수 있는가?

13.2 관측데이터와 실험데이터

수차례 지적한 것처럼 통계기법의 결과를 적정하게 해석할 수 있는 능력은 학생들이 개발하여야 하는 중요한 능력이다. 이 능력은 제1종 오류와 제2종 오류에 대한 이해와 통계적 추론에서 중요한 역할을 하는 기본개념들에 대한 이해에 의해 결정된다. 그러나 우리가 이해하여야 하는 다른 요소가 존재한다. 이 요소는 **관측데이터**(observational data)와 **실험데이터**(experimental data)의 차이이다. 관측데이터와 실험데이터의 차이는 데이터가 생성되는 방식에 의해 발생된다. 다음의 예제는 관측데이터와 실험데이터의 차이를 보여준다.

예제 13.3 고섬유질 아침 시리얼의 다이어트 효과

DATA Xm13-03

약간의 논란에도 불구하고, 과학자들은 일반적으로 고섬유질 시리얼은 여러 가지 형태의 암 발생 가능성을 감소시킨다는 점에 동의한다. 그러나 한 과학자는 아침식사로 고섬유질 시리얼을 먹는 사람들은 아침식사로 고섬유질 시리얼을 먹지 않는 사람들보다 점심식사에 평균적으로 더 적은 칼로리를 섭취한다고 주장한다. 만일 이것이 사실이라면, 고섬유질 시리얼 제조회사는 자기 제품을 먹는 다른 하나의 장점으로 잠재적인 체중감소를 주장할 수 있을 것이다. 이와 같은 주장을 예비적으로 검정하기 위해 150명이 임의로 선택되었고 그들이 아침식사와 점심식사로 통상 무엇을 먹는지 물었다. 각 사람은 아침식사로 고섬유질 시리얼을 먹는 사람 또는 고섬유질 시리얼을 먹지 않는 사람으로 구별되었고 각 사람이 점심식사로 섭취하는 칼로리의 양이 측정되어 기록되었다. 이와 같은 데이터가 다음과 같이 정리되어 있다. 이 과학자는 5%의 유의수준에서 자신의 믿음이 옳다고 결론내릴 수 있는가?

고섬유질 시리얼을 먹는 사람이 점심식사로 섭취하는 칼로리

568	646	607	555	530	714	593	647	650
498	636	529	565	566	639	551	580	629
589	739	637	568	687	693	683	532	651
681	539	617	584	694	556	667	467	
540	596	633	607	566	473	649	622	

고섬유질 시리얼을 먹지 않는 사람이 점심식사로 섭취하는 칼로리

705	754	740	569	593	637	563	421	514	536
819	741	688	547	723	553	733	812	580	833
706	628	539	710	730	620	664	547	624	644
509	537	725	679	701	679	625	643	566	594
613	748	711	674	672	599	655	693	709	596
582	663	607	505	685	566	466	624	518	750
601	526	816	527	800	484	462	549	554	582
608	541	426	679	663	739	603	726	623	788
787	462	773	830	369	717	646	645	747	
573	719	480	602	596	642	588	794	583	
428	754	632	765	758	663	476	490	573	

해답 적정한 통계기법은 $\mu_1-\mu_2$에 대한 이분산 t-검정이다. 여기서 μ_1은 아침식사로 고섬유질 시리얼을 먹는 사람들이 점심식사로 섭취하는 칼로리 양의 모평균이고, μ_2는 아침식사로 고섬유질 시리얼을 먹지 않는 사람들이 점심식사로 섭취하는 칼로리 양의 모평균이다.(여기서 제시되어 있지는 않지만 두 모분산 비율에 대한 F-검정에 의하면, $F=.3845$이고 p-값은 .0008이다.)

귀무가설과 대립가설은 다음과 같이 설정된다.

$$H_0: (\mu_1-\mu_2)=0$$
$$H_1: (\mu_1-\mu_2)<0$$

Excel 분석결과는 다음과 같다. 이 분석결과는 직접 계산한 결과와 동일하다.

EXCEL Data Analysis

	A	B	C
1	t-Test: Two-Sample Assuming Unequal Variances		
2			
3		*Consumers*	*Nonconsumers*
4	Mean	604.02	633.23
5	Variance	4103	10670
6	Observations	43	107
7	Hypothesized Mean Difference	0	
8	df	123	
9	t Stat	−2.09	
10	P(T<=t) one-tail	0.0193	
11	t Critical one-tail	1.6573	
12	P(T<=t) two-tail	0.0386	
13	t Critical two-tail	1.9794	

해석 검정통계량의 값은 −2.09이다. 단측 p-값은 .0193이다. 검정의 p-값이 작다(검정통계량은 기각역에 속한다). 따라서 아침식사로 고섬유질 시리얼을 먹는 사람들이 아침식사로 고섬유질 시리얼을 먹지 않는 사람들보다 점심식사로 더 적은 칼로리를 섭취한다고 추론할 수 있는 충분한 증거가 존재한다고 결론내린다. 이와 같은 결과로부터 아침식사로 고섬유질 시리얼을 먹는 것이 몸무게를 감소시키는 한 방법일 수 있다고 믿기 쉽다. 그러나 다른 해석들도 가능하다. 예를 들면, 점심식사에서 더 적은 칼로리를 섭취하는 사람들은 아마도 건강을 더 의식하는 사람들일 수 있고, 이와 같은 사람들은 건강한 아침식사를 위해 아침식사로 고섬유질 시리얼을 먹을 가능성이 크다. 이와 같은 해석에서, 고섬유질 시리얼이 반드시 점심식사에서 더 적은 칼로리 섭취를 유도하는 것은 아니다. 그 대신 다른 요인인 일반적인 건강의식이 점심식사에서 더 적은 칼로리 섭취와 아침식사에서 고섬유질 시리얼 먹기 모두를 유도할 수 있다. 통계기법의 결론은 변화하지 않는다는 점을 주목하라. 평균적으로 아침식사에 고섬유질 시리얼을 먹는 사람들은 점심식사에서 더 적은 칼로리를 섭취한다. 그러나 데이터가 생성되는 방법 때문에 분석결과를 해석하는 데 많은 어려움이 존재한다.

실험데이터를 사용하면서 예제 13.3을 다시 풀어본다고 하자. 실험에 참여할 150명을 임의로 선택한다. 이 중에서 75명은 아침식사로 고섬유질 시리얼을 먹고 나머지 75명은 아침식사로 다른 것을 먹도록 할당한다. 이어서 각자는 점심식사에서 섭취하는 칼로리의 양을 기록한다. 이상적인 실험에서는 두 그룹은 건강의식을 포함하여 모든 다른 차원에서 유사하다. (표본크기가 클수록 두 그룹이 유사해질 가능성이 커진다.) 만일 통계분석결과가 예제 13.3의 분석결과와 동일하다면, 아침식사로 고섬유질 시리얼을 먹는 것이 점심에서의 칼로리 섭취량을 감소시킨다고 믿을 수 있는 약간의 타당한 이유를 가진다.

실험을 수행하기 위해 필요한 계획 때문에 일반적으로 실험데이터를 확보하는 데 비용이 많이 든다. 일반적으로 관측데이터를 수집하는 데 더 적은 작업이 요구된다. 이에 더하여 많은 상황들에서는 통제된 실험을 수행하는 것이 불가능할 수 있다. 예를 들면, 공학분야의 학사학위가 인문분야의 학사학위보다 MBA 프로그램의 학생들을 더 잘 준비시키는지 알기 원한다고 하자. 통제된 실험에서는 일부 학생들이 공학분야의 학위를 취득하도록 하고 다른 일부 학생들은 인문분야의 학위를 취득하도록 임의로 할당된다. 이어서 그들이 MBA 프로그램에 등록하게 하고 그들의 학점을 기록한다. 통계학 독재자에게는 불행한 일이지만, 우리는 민주사회에서 살고 있고 이와 같은 통제된 실험을 수행하기 위해 필요한 압제정치는 불가능하다.

공학분야 학생들과 인문분야 학생들의 상대적 성취에 관한 질문에 대답하기 위해서 관측하는 방식으로 데이터를 확보하는 것 이외의 다른 선택이 존재하지 않는다. 이미 MBA 프로그램에 입학한 공학분야 학생들과 인문분야 학생들로 구성된 임의표본이 추출되고 그들의 학점이 기록된다. 만일 공학분야 학생들이 더 잘하면, 공학분야의 배경이 MBA 프로그램의 학생들을 더 잘 준비시킨다고 결론내릴 수 있다. 그러나 보다 더 우수한 학생들이 학부 전공으로 공학을 선택하는 경향이 있고 MBA 프로그램을 포함하여 모든 프로그램에서 더 높은 학점을 취득하는 것이 사실일 수 있다.

두 모평균 차이에 관한 검정의 관점에서 관측데이터와 실험데이터를 논의하였지만, 당신은 데이터가 어떻게 확보되는가에 관한 문제가 모든 통계기법의 해석과 관련되어 있다는 점을 알아야 한다.

연습문제

13.38 연습문제 13.17을 참조하라. 만일 주어진 데이터가 관측데이터이면, Tastee의 제품이 베이비들에게 더 좋다는 결론과 다른 결론을 내릴 수 있는지 설명하라.

13.39 연습문제 13.18에서 사용되는 데이터는 관측데이터인가 실험데이터인가? 설명하라. 만일 주어진 데이터가 관측데이터이면, 실험데이터를 확보할 수 있는 방법을 설명하라.

13.40 연습문제 13.24를 참조하라.

a. 주어진 데이터는 관측데이터인가 실험데이터인가?

b. 만일 주어진 데이터가 관측데이터이면, 실험데이터를 가지고 질문에 대답하는 방법을 설명하라.

13.41 당신은 통계학을 가르치는 한 방법이 다른 방법보다 더 좋은지 결정하기 위한 검정을 하기 원한다고 하자.

a. 관측데이터를 확보하는 데이터 수집과정을 설명하라.

b. 실험데이터를 확보하는 데이터 수집과정을 설명하라.

13.42 당신이 한 제약회사의 연구개발책임자라고 하자. 신약이 개발될 때, 수많은 테스트가 이루어진다. 이와 같은 테스트 중의 하나는 신약이 안전하고 효과적인지 결정하기 위해 설계된다. 당신의 회사가 다중 경화증(multiple sclerosis)과 같은 퇴행성 질병의 증상을 완화시키기 위한 약을 개발하였다. 이와 같은 신약을 테스트하기 위한 실험을 설명하라.

13.43 당신은 금융을 전공한 MBA 졸업생들이 마케팅을 전공한 MBA 졸업생들보다 더 높은 초봉을 받는지 결정하기 원한다고 하자.

a. 관측데이터를 확보하는 데이터 수집과정을 설명하라.

b. 실험데이터를 확보하는 데이터 수집과정을 설명하라.

c. 만일 관측데이터가 재무전공자들이 마케팅전공자들보다 더 높은 초봉을 받는다고 제시하면, 이와 같은 분석결과에 대한 두 가지의 설명을 제시하라.

13.44 당신은 폐암과 흡연을 연결시키는 수백 개의 통계연구들 중의 하나를 분석하고 있다고 하자. 이 연구에서 임의로 선택된 수천 명의 사람들이 분석되었다. 이들 중의 일부는 폐암을 가지고 있었다. 이 연구는 폐암을 가지고 있는

사람들은 폐암을 가지고 있지 않은 사람들보다 평균적으로 상당히 더 많이 흡연한다고 제시하였다.

a. 주어진 데이터가 관측데이터라는 것을 어떻게 알 수 있는지 설명하라.

b. 흡연이 폐암을 발생시킨다는 분명한 해석 이외에 다른 해석이 존재하는가? 만일 존재한다면, 다른 해석은 무엇인가? (제일 좋은 대답을 하는 학생들은 담배회사의 홍보부서에서 일할 자격을 가질 것이다.)

c. 흡연과 폐암의 관계를 다루기 위한 데이터를 확보하기 위해 통제된 실험을 수행하는 것이 가능한가? 만일 가능하다면, 통제된 실험을 설명하라.

13.3 두 모평균 차이에 관한 추론: 짝진표본

구간데이터로 구성된 두 모집단을 비교하는 문제를 다루는 통계기법을 계속해서 살펴보도록 하자. 제13.1절에서 관심 있는 모수는 두 모평균 차이였다. 이 경우에 데이터는 독립표본들로부터 수집되었다. 이 절에서는 데이터가 짝진실험(matched pairs experiment)으로부터 수집된다. 짝진실험이 왜 필요한지와 이와 같이 확보된 데이터를 어떻게 다루는지 예시하기 위해서 다음의 예제를 살펴보자.

예제 13.4

DATA Xm13-04

MBA 재무전공자와 MBA 마케팅전공자의 비교, PART 1

과거 수년 동안에 취업서비스를 제공하는 수많은 웹기반 회사들이 만들어졌다. 이와 같은 회사들 중 한 회사는 최근의 MBA 졸업생들이 받는 취업제안을 조사하기 원하였다. 특히 이 회사는 재무전공자들이 마케팅전공자들보다 더 높은 연봉을 제안받는지 알기 원하였다. 한 예비연구에서 이 회사는 임의로 50명의 최근 MBA 졸업생들을 표본으로 추출하였다. 이들 중 절반은 재무전공자들이고 나머지 절반은 마케팅전공자들이었다. 이 회사는 각 MBA 졸업생이 제안받은 최고 연봉에 관한 데이터를 수집하였다. 이에 대한 데이터가 다음과 같이 정리되어 있다. MBA 재무전공자들이 MBA 마케팅전공자들보다 더 높은 연봉제안을 받는다고 추론할 수 있는가?

재무전공자들이 제안받는 최고 연봉(달러)

61,228	51,836	20,620	73,356	84,186	79,782	29,523	80,645	76,125
62,531	77,073	86,705	70,286	63,196	64,358	47,915	86,792	75,155
65,948	29,392	96,382	80,644	51,389	61,955	63,573		

마케팅전공자들이 제안받는 최고 연봉(달러)

73,361	36,956	63,627	71,069	40,203	97,097	49,442	75,188	59,854
79,816	51,943	35,272	60,631	63,567	69,423	68,421	56,276	47,510
58,925	78,704	62,553	81,931	30,867	49,091	48,843		

해답 **선택**

문제의 목적은 구간데이터로 구성된 두 모집단을 비교하는 것이다. 관심 있는 모수는 두 모평균 차이 $\mu_1-\mu_2$ (μ_1=재무전공자들이 받는 최고 연봉의 평균, μ_2=마케팅전공자들이 받는 최고 연봉의 평균)이다. 재무전공자들이 더 높은 연봉을 제안받는지 결정하기 원하기 때문에 대립가설은 μ_1이 μ_2보다 크다고 설정된다. 모분산 비율에 대한 F-검정이 수행되었고 검정 결과는 두 모분산이 다르다고 추론할 수 있는 충분한 증거가 존재하지 않는다고 제시한다. 따라서 동분산 검정통계량이 사용된다.

$$H_0: \mu_1-\mu_2=0$$
$$H_1: \mu_1-\mu_2>0$$

$$\text{검정통계량: } t=\frac{(\bar{x}_1-\bar{x}_2)-(\mu_1-\mu_2)}{\sqrt{s_p^2\left(\frac{1}{n_1}+\frac{1}{n_2}\right)}}$$

계산

직접계산

주어진 데이터로부터 필요한 통계량들이 다음과 같이 계산된다.

$$\begin{aligned}
\bar{x}_1 &= 65{,}624\\
\bar{x}_2 &= 60{,}423\\
s_1^2 &= 360{,}433{,}294\\
s_2^2 &= 262{,}228{,}559\\
s_p^2 &= \frac{(n_1-1)s_1^2+(n_2-1)s_2^2}{n_1+n_2-2}\\
&= \frac{(25-1)(360{,}433{,}294)+(25-1)(262{,}228{,}559)}{25+25-2}\\
&= 311{,}330{,}926
\end{aligned}$$

검정통계량의 값이 다음과 같이 계산된다.

$$\begin{aligned}
t &= \frac{(\bar{x}_1-\bar{x}_2)-(\mu_1-\mu_2)}{\sqrt{s_p^2\left(\frac{1}{n_1}+\frac{1}{n_2}\right)}}\\
&= \frac{(65{,}624-60{,}423)-(0)}{\sqrt{311{,}330{,}926\left(\frac{1}{25}+\frac{1}{25}\right)}}\\
&= 1.04
\end{aligned}$$

검정통계량의 자유도는

$$\nu = n_1+n_2-2 = 25+25-2 = 48$$

이다. 기각역은 다음과 같다.

$$t > t_{\alpha,\nu} = t_{.05,48} = 1.676 \text{ (엑셀 함수 =T.INV 이용)}$$

EXCEL Data Analysis

	A	B	C
1	t-Test: Two-Sample Assuming Equal Variances		
2			
3		*Finance*	*Marketing*
4	Mean	65,624	60,423
5	Variance	360,433,294	262,228,559
6	Observations	25	25
7	Pooled Variance	311,330,926	
8	Hypothesized Mean Difference	0	
9	df	48	
10	t Stat	1.04	
11	P(T<=t) one-tail	0.1513	
12	t Critical one-tail	1.6772	
13	P(T<=t) two-tail	0.3026	
14	t Critical two-tail	2.0106	

해석 검정통계량의 값(t=1.04)과 p-값(p-value=.1513)은 재무전공자들이 마케팅전공자들보다 더 높은 연봉제안을 받는다는 가설을 지지할 수 있는 증거가 존재하지 않는다고 제시한다.

대립가설을 지지할 수 있는 약간의 증거가 존재한다는 점을 주목하라. 표본평균 차이는

$$(\bar{x}_1 - \bar{x}_2) = (65{,}624 - 60{,}423) = 5{,}201$$

이다. 그러나 표본평균 차이는 $\bar{x}_1 - \bar{x}_2$의 표준오차와 관련하여 판단되어야 한다. 이미 계산한 것처럼

$$s_p^2 = 311{,}330{,}926$$

$$\sqrt{s_p^2\left(\frac{1}{n_1} + \frac{1}{n_2}\right)} = 4{,}991$$

이다. 따라서 검정통계량의 값은 t=5,201/4,991=1.04이고 이 값은 재무전공자들이 더 높은 연봉을 제안받는다고 결론내릴 수 없다는 것을 제시한다. 표본평균 차이는 매우 크지만, s_p^2으로 측정되는 데이터의 변동성도 매우 크기 때문에 검정통계량의 값이 작아진다.

예제 13.5 MBA 재무전공자와 MBA 마케팅전공자의 비교, PART 2

DATA Xm13-05

다음과 같은 방식으로 주어진 실험을 다시 한다고 하자. MBA 재무전공자들과 MBA 마케팅전공자들의 성적표를 조사하고 GPA가 3.92와 4(최대 학점은 4이다) 사이에 속하는 재무전공자와 마케팅전공자를 임의표본으로 추출한다. 이어서 GPA가 3.84와 3.92 사이에 속하는 재무전공자와 마케팅전공자를 임의표본으로 추출한다. 이와 같은 표본추출과정을 GPA가 2.0(최소 학점은 2.0이다)과 2.08 사이에 속하는 재무전공자와 마케팅전공자의 25번째 임의표본이 추출될 때까지 계속한다. 예제 13.4에서 했던 것처럼, 각 그룹에서 재무전공자와 마케팅전공자가 제안받는 최고 연봉이 기록되었다. 이와 같은 데이터가 GPA 그룹별로 다음과 같이 정리되어 있다. 이 데이터로부터 재무전공자가 마케팅전공자보다 더 높은 연봉제안을 받는다고 결론내릴 수 있는가?

GPA 그룹	재무전공자	마케팅전공자
1	95,171	89,329
2	88,009	92,705
3	98,089	99,205
4	106,322	99,003
5	74,566	74,825
6	87,089	77,038
7	88,664	78,272
8	71,200	59,462
9	69,367	51,555
10	82,618	81,591
11	69,131	68,110
12	58,187	54,970
13	64,718	68,675
14	67,716	54,110
15	49,296	46,467
16	56,625	53,559
17	63,728	46,793
18	55,425	39,984
19	37,898	30,137
20	56,244	61,965
21	51,071	47,438
22	31,235	29,662
23	32,477	33,710
24	35,274	31,989
25	45,835	38,788

해답 예제 13.4에서 설명한 실험은 표본들이 독립인 실험이다. 즉, 첫 번째 표본의 관측치들과 두 번째 표본의 관측치들 간에 관계가 존재하지 않는다. 그러나 예제 13.5에서 실험은 한 표본의 각 관측치가 다른 표본의 한 관측치와 짝이 되도록 설계되었다. 이와 같은 매칭은 동일한 GPA 그룹에 속하는 재무전공자와 마케팅전공자를 선택함으로써 이루어진다. 따라서 각 GPA 그룹에서 재무전공자와 마케팅전공자의 연봉제안을 비교하는 것은 논리적으로 맞는 일이다. 이와 같은 형태의 실험은 **짝진실험**(matched pairs experiment)이라고 부른다. 이제 주어진 검정을 어떻게 수행하는지 살펴보자.

각 GPA 그룹에 대하여 재무전공자의 최고 연봉제안과 마케팅전공자의 최고 연봉제안 차이를 계산한다.

GPA 그룹	재무전공자	마케팅전공자	차이
1	95,171	89,329	5,842
2	88,009	92,705	−4,696
3	98,089	99,205	−1,116
4	106,322	99,003	7,319
5	74,566	74,825	−259
6	87,089	77,038	10,051
7	88,664	78,272	10,392
8	71,200	59,462	11,738
9	69,367	51,555	17,812
10	82,618	81,591	1,027
11	69,131	68,110	1,021
12	58,187	54,970	3,217
13	64,718	68,675	−3,957
14	67,716	54,110	13,606
15	49,296	46,467	2,829
16	56,625	53,559	3,066
17	63,728	46,793	16,935
18	55,425	39,984	15,441
19	37,898	30,137	7,761
20	56,244	61,965	−5,721
21	51,071	47,438	3,633
22	31,235	29,662	1,573
23	32,477	33,710	−1,233
24	35,274	31,989	3,285
25	45,835	38,788	7,047

이 실험 설계에서 관심 있는 모수는 μ_D로 표시되는 **차이 모집단의 평균**(mean of the population of difference)이다. 실제로 μ_D는 $\mu_1 - \mu_2$와 동일하지만 실험이 설계된 방식 때문에 μ_D를 검정한다. 따라서 검정되어야 하는 가설들은 다음과 같이 설정된다.

$$H_0: \mu_D = 0$$
$$\mathrm{H}_1: \mu_D > 0$$

한 모평균에 관한 추론기법은 이미 소개되었다. 제12장에서 μ에 대한 t 검정이 소개되었다. 따라서 μ_D에 대한 가설을 검정하기 위해 다음과 같은 검정통계량이 사용된다.

μ_D에 대한 검정통계량

차이 모집단이 정규분포를 따르면, 검정통계량

$$t = \frac{\bar{x}_D - \mu_D}{s_D/\sqrt{n_D}}$$

는 자유도가 $v = n_D - 1$인 Student t 분포를 따른다.

μ_D에 대한 검정통계량은 하첨자 D가 있는 것을 제외하고 제12장에서 제시된 검정통계량과 동일하다. 통상적인 방법으로 검정이 수행된다.

계산

직접계산

이미 계산된 차이를 사용하여 다음과 같은 통계량들이 구해진다.

$$\bar{x}_D = 5{,}065$$
$$s_D = 6{,}647$$

이 값들로부터 검정통계량의 값이 다음과 같이 계산된다.

$$t = \frac{\bar{x}_D - \mu_D}{s_D/\sqrt{n_D}} = \frac{5{,}065 - 0}{6{,}647/\sqrt{25}} = 3.81$$

기각역은 다음과 같다.

$$t > t_{\alpha,\nu} = t_{.05,24} = 1.711$$

EXCEL Data Analysis

	A	B	C
1	t-Test: Paired Two Sample for Means		
2			
3		*Finance*	*Marketing*
4	Mean	65,438	60,374
5	Variance	444,981,810	469,441,785
6	Observations	25	25
7	Pearson Correlation	0.9520	
8	Hypothesized Mean Difference	0	
9	df	24	
10	t Stat	3.81	
11	P(T<=t) one-tail	0.0004	
12	t Critical one-tail	1.7109	
13	P(T<=t) two-tail	0.0009	
14	t Critical two-tail	2.0639	

Excel은 각 표본의 표본평균, 표본분산, 표본크기, 상관계수를 계산하여 제공해준다. 그러나 여기서 우리가 사용하는 통계기법은 이와 같은 통계량들을 사용하지 않는다. 우리가 사

용하는 통계기법은 짝진표본의 차이에 기초하여 계산된다. 따라서 Excel은 짝진표본의 평균, 분산, 표본크기와 같은 통계량들을 계산하여 제공해주어야 한다.

지시사항

1. 데이터를 입력하거나 <Xm13-05>를 불러들여라.
2. **Data, Data Analysis, t-Test: Paired Two-Sample for Means**를 클릭하라.
3. **변수 1 입력범위**(Variable 1 Range) (B1:B26)과 **변수 2 입력범위**(Variable 2 Range) (C1:C26)을 입력하라. **가설평균차**(Hypothesized Mean Difference) (0)과 α의 값 (.05)를 입력하라.

해석 검정통계량의 값은 t=3.81이고 p-값은 .0004이다. 이 예제에서 재무전공자가 마케팅전공자보다 더 높은 연봉제안을 받는다고 추론할 수 있는 압도적인 증거가 존재한다. 짝진실험을 시행함으로써 데이터로부터 이와 같은 정보를 추출할 수 있다.

13.3a 차이 평균의 추정

일반적인 신뢰구간 공식을 적용하면 μ_D에 대한 신뢰구간추정량이 도출된다.

μ_D에 대한 신뢰구간추정량

$$\bar{x}_D \pm t_{\alpha/2}\frac{s_D}{\sqrt{n_D}}$$

예제 13.6

DATA Xm13-05

MBA 재무전공자와 MBA 마케팅전공자의 비교, PART 3

예제 13.5에서 재무전공자들과 마케팅전공자들에 대한 연봉제안 차이의 평균에 대한 95% 신뢰구간 추정치를 계산하라.

해답 **계산**

직접계산

연봉제안 차이의 평균에 대한 95%의 신뢰구간추정치는 다음과 같이 계산된다.

$$\bar{x}_D \pm t_{\alpha/2}\frac{s_D}{\sqrt{n_D}} = 5{,}065 \pm 2.064\frac{6{,}647}{\sqrt{25}} = 5{,}065 \pm 2{,}744$$

$$\text{LCL} = 2{,}321 \quad \text{and} \quad \text{UCL} = 7{,}809$$

EXCEL Workbook

	A	B	C	D	E
1	t-Estimate of a Mean				
2					
3	Sample mean	5065	Confidence Interval Estimate		
4	Sample standard deviation	6647	5065	±	2744
5	Sample size	25	Lower confidence limit		2321
6	Confidence level	0.95	Upper confidence limit		7809

지시사항

1. 데이터를 두 열에 입력하거나 <Xm13-05>를 불러들여라. 각 행에서 짝진표본의 차이를 계산하라. 짝진표본의 차이의 평균과 표준편차를 계산하라.
2. Estimators Workbook을 열고 t-Estimate_Mean을 클릭하라. 표본평균과 표본표준편차를 입력하거나 복사하라. 표본크기와 신뢰수준을 입력하라.

해석 재무전공자들이 제안받는 평균 연봉은 2,321달러와 7,809달러 사이에 속하는 금액만큼 마케팅 전공자들이 제안받는 평균 연봉보다 높다고 추정된다.

13.3b 독립표본 또는 짝진표본: 어느 실험설계가 더 좋은가?

예제 13.4와 예제 13.5는 실험설계가 통계적 추론에서 하나의 중요한 요소라는 것을 보여준다. 그러나 이와 같은 두 예제는 실험설계에 관하여 여러 가지 질문을 제기한다.

1. 왜 독립표본실험에서는 재무전공자가 마케팅전공자보다 더 높은 연봉을 제안받는다고 추론할 수 있는 충분한 증거가 존재하지 않는 반면, 짝진실험에서는 재무전공자가 마케팅전공자보다 더 높은 연봉을 제안받는다고 추론할 수 있는 충분한 증거가 존재한다는 결론이 도출되는가?

2. 언제나 짝진실험이 사용되어야 하는가? 특히 짝진실험을 사용하는 데 따른 단점들이 존재하는가?

3. 짝진실험이 수행되었다는 것을 어떻게 알 수 있는가?

각각의 질문에 대하여 논의해보자.

1. 예제 13.5에서 짝진실험은 데이터의 변동성을 감소시키는 역할을 하였다. 이 점을 이해하기 위해 두 예제의 통계량들을 조사해보자. 예제 13.4에서 $\bar{x}_1 - \bar{x}_2 = 5,201$이었다. 예제 13.5에서 $\bar{x}_D = 5,065$이었다. 두 검정통계량의 분자 값은 매우 비슷하다. 그러나

표준오차들의 값 때문에 예제 13.5의 검정통계량은 예제 13.4의 검정통계량보다 훨씬 크다. 예제 13.4에서

$$s_p^2 = 311,330,926\text{이고 표준오차는 } \sqrt{s_p^2\left(\frac{1}{n_1}+\frac{1}{n_2}\right)} = 4,991$$

이다. 예제 13.5에서

$$s_D = 6,647\text{이고 표준오차는 } \frac{s_D}{\sqrt{n_D}} = 1,329$$

이다. 당신이 보는 것처럼, 검정통계량 값들의 차이는 분자에 의해 발생한 것이 아니라 분모에 의해 발생한 것이다. 이것은 다음과 같은 질문을 제기한다. 왜 예제 13.4의 데이터 변동성은 예제 13.5의 데이터 변동성보다 훨씬 더 큰가? 예제 13.4의 데이터와 통계량들을 조사해보면, 당신은 각 표본의 연봉제안 간에 변동성이 매우 크다는 것을 발견할 것이다. 즉, 일부 MBA 졸업생들은 높은 연봉제안을 받았고 다른 MBA 졸업생들은 상대적으로 낮은 연봉제안을 받았다. 이와 같이 s_p^2으로 표시되는 변동성이 큰 것이 표본평균 차이를 상대적으로 작게 만들었다. 따라서 재무전공자들이 더 높은 연봉제안을 받는다고 결론내릴 수 없었다.

예제 13.5의 데이터를 살펴보면, 짝진표본 차이의 관측치들 간에는 거의 변동성이 없다. GPA가 다른 것에 의해 야기되는 변동성을 크게 감소시켰다. 관측치의 변동성이 작을수록 검정통계량의 값이 더 커진다. 따라서 재무전공자들이 더 높은 연봉제안을 받는다고 결론지었다.

2. 짝진실험은 항상 독립표본실험보다 더 큰 검정통계량의 값을 만드는가? 이에 대한 대답은 “반드시 그러한 것은 아니다”이다. 주어진 예제에서 회사들은 MBA 졸업생들에게 얼마의 연봉을 제안할 것인지에 관한 의사결정을 할 때 GPA를 고려하지 않았다고 하자. 이와 같은 상황에서는 짝진실험이 독립표본실험과 비교하여 상당한 변동성의 감소를 발생시키지 않을 것이다. 짝진실험이 독립표본실험보다 귀무가설을 기각할 가능성이 더 없을 수 있다. 그 이유는 자유도를 계산함으로써 살펴볼 수 있다. 예제 13.4에서 자유도는 48이었던 반면, 예제 13.5에서 자유도는 24였다. 관측치의 수가 동일하더라도(각 표본의 관측치 수는 25였다), 짝진표본 자유도는 독립표본 자유도의 반이다. 검정통계량의 값이 정확히 동일하더라도 Student t 분포를 따르는 검정통계량의 자유도가 작을수록 검정의 p-값은 더 커진다. 이것은 통계전문가는 짝진실험에 의해 변동성이 거의 감소되지 않으면 그 대신 독립표본실험을 수행해야 한다는 것을 의미한다.

3. 통계전문가는 "현실세계"에서 처음부터 짝진실험 또는 독립표본 중의 하나로 실험을 설계할 것이다. 그러나 실험이 이미 수행되었다면, 당신이 해야 할 일은 적정한 검정통계량을 선택하는 것이다. 구간데이터로 구성된 두 모집단을 비교하는 경우, 정확한 검정통계량을 선택하기 위해서는 표본들이 독립표본인지(이 경우 모수는 $\mu_1-\mu_2$이다) 짝진표본인지(이 경우 모수는 μ_D이다)를 결정하여야 한다. 당신이 이렇게 할 수 있도록 돕기 위해 우리는 당신이 다음과 같은 질문을 던지고 대답할 것을 제안한다. 표본 1의 첫 번째 관측치와 표본 2의 첫 번째 관측치, 표본 1의 두 번째 관측치와 표본 2의 두 번째 관측치, 계속해서 이러한 방식으로 두 관측치들을 비교할 논리적 이유를 제공하는 관측치들 간의 어떤 자연스러운 관계가 존재하는가? 만일 어떤 자연스러운 관계가 존재하면, 짝진실험이 수행되어야 한다. 만일 어떤 자연스러운 관계가 존재하지 않으면, 독립표본실험이 수행되어야 한다.

13.3c 관측데이터와 실험데이터

제13.2절에서 지적한 요점들은 이 절에서도 성립한다. 즉, 데이터가 통제된 실험 또는 관측에 의해 수집되는 경우 짝진실험이 설계될 수 있다. 예제 13.4와 예제 13.5의 데이터는 관측데이터이다. 따라서 통계분석결과가 재무전공자들이 더 높은 연봉제안을 받는다는 증거를 제공할 때, 이것이 재무분야를 교육받은 학생들이 고용주에게 더 매력적이라는 것을 반드시 의미하는 것은 아니다. 예를 들면, 우수한 학생들이 재무분야를 전공하고 더 높은 초봉을 받을 수 있다.

13.3d 필요조건의 확인

t 검정과 μ_D의 추정량의 유효성은 연봉 차이가 정규분포를 따른다는 조건(또는 표본크기가 충분히 크다는 조건)에 의해 결정된다. 연봉 차이의 히스토그램(그림 13.6)은 오른쪽으로 기울어져 있으나 정규분포의 조건이 위배될 정도로 충분히 기울어져 있는 것은 아니다.

그림 13.6 연봉 차이의 히스토그램

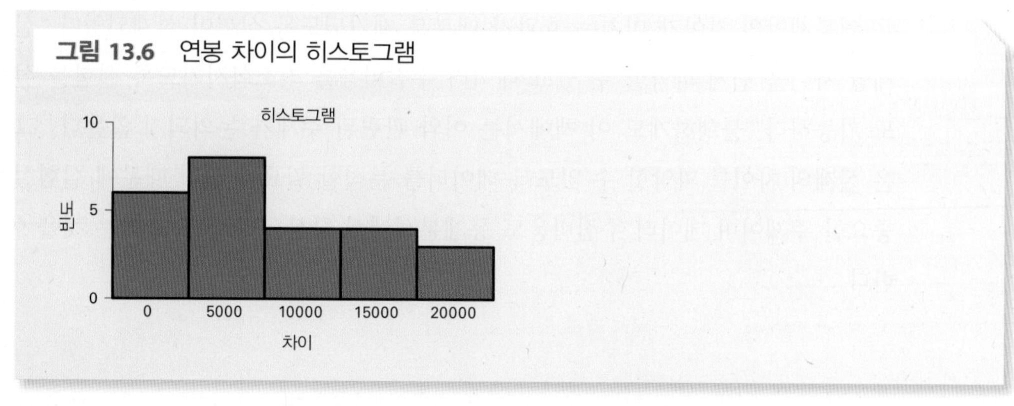

13.3e 필요조건의 위반

연봉 차이가 극단적으로 정규분포를 따르지 않으면, μ_D에 대한 t 검정이 사용될 수 없다. 이 경우에는 제19장에서 소개되는 비모수 통계기법(nonparametric technique)인 짝진표본을 위한 윌콕슨 부호 순위합 검정(Wilcoxon signed rank sum test)이 사용될 수 있다.

13.3f 통계개념의 이해를 심화시키기 1

통계학에서 가장 중요한 원리 중 두 가지가 이 절에서 적용되었다. 첫 번째 원리는 변동성의 원천을 분석하는 개념이다. 예제 13.4와 예제 13.5에서 각 표본에 있는 연봉제안들 간의 변동성을 감소시킴으로써 재무전공자들과 마케팅전공자들의 연봉제안 간의 실제 차이를 발견할 수 있었다. 이것은 데이터를 분석하고 변동성의 일부를 여러 가지 원천들로 구분하는 일반적인 통계기법의 적용이다. 예제 13.5에서 변동성의 두 가지 원천은 GPA와 MBA 전공이었다. 그러나 GPA가 다른 졸업생들 간의 변동성에 미친 영향은 관심의 대상이 아니었다. 그 대신 이와 같은 변동성의 원천을 제거함으로써 재무전공자가 더 높은 연봉제안을 받느냐를 결정하는 것을 용이하게 만들었다.

제14장에서는 **분산분석**(analysis of variance)이라고 부르는 기법이 소개된다. 분산분석은 실제의 차이를 파악하기 위해 변동성의 원천들을 분석한다. 이 기법을 적용한 대부분의 경우 각 변동성의 원천이 관심의 대상이다. 이와 같은 과정은 **변동성의 설명**(explaining the variation)이라고 부른다. 설명된 변동성(explained variation)의 개념은 회귀분석에 관하여 논의하는 제16장~제18장에서도 적용된다.

13.3g 통계개념의 이해를 심화시키기 2

이 절에서 제시된 두 번째의 원리는 통계전문가는 변동성의 원천을 분석할 수 있도록 데이터 생성과정을 설계할 수 있다는 것이다. 예제 13.5의 실험을 수행하기 전에 통계전문가는 GPA가 다른 졸업생들 간에 연봉제안의 큰 차이가 존재한다고 생각하였다. 따라서 이와 같은 연봉제안의 차이가 미치는 효과가 대부분 제거되도록 실험이 설계되었다. 실제의 연봉제안 차이를 쉽게 파악할 수 있고 데이터 수집비용을 최소화시키도록 실험을 설계하는 것도 가능하다. 불행하게도 이 책에서는 이와 관련된 주제가 논의되지 않는다. 그러나 당신은 실제의 차이를 파악할 수 있도록 데이터를 분석할 필요가 있기 때문에 실험설계는 매우 중요한 주제이며 데이터 수집비용도 통계분석에서 항상 중요한 요소라는 것을 이해하여야 한다.

연습문제

13.45 <Xr13-45> 많은 사람들은 문서를 읽고 Word 파일(또는 다른 소프트웨어 파일)로 저장하기 위해 스캐너를 사용한다. 어느 브랜드의 스캐너를 살 것인지 결정하기 위해 한 학생은 관심 있는 두 개의 스캐너 각각을 사용하여 8개의 문서를 스캔하는 실험을 수행하였다. 그는 각 스캐너에 의해 발생되는 오류의 수를 기록하였다. 이 데이터가 다음과 같이 정리되어 있다. 그는 10%의 유의수준에서 브랜드 A(더 비싼 스캐너)가 브랜드 B보다 더 좋다고 추론할 수 있는가?

문서	1	2	3	4	5	6	7	8
브랜드 A	17	29	18	14	21	25	22	29
브랜드 B	21	38	15	19	22	30	31	37

13.46 <Xr13-46> 잠금장치 대신 매우 급속하게 펌프하여 미끄러짐을 피하기 위해 사용되는 앤티 록 브레이크(antilock brake)가 얼마나 효과적인가? 한 자동차 구매자는 앤티 록 브레이크를 테스트하기 위한 실험을 수행하였다. 그는 브레이크를 작동시키고 스톱워치를 사용하여 ABS가 장착되어 있는 자동차와 ABS가 장착되어 있지 않은 동일한 자동차를 정지시키는 데 걸리는 시간(초 단위)을 기록하였다. 브레이크가 작동할 때의 속도와 각 자동차가 마른 도로 상에서 정지하는 데 걸리는 시간이 다음과 같이 정리되어 있다. 10%의 유의수준에서 ABS가 더 좋다고 추론할 수 있는가?

속도	20	25	30	35	40	45	50	55
ABS 장착	3.6	4.1	4.8	5.3	5.9	6.3	6.7	7.0
ABS 미장착	3.4	4.0	5.1	5.5	6.4	6.5	6.9	7.3

13.47 <Xr13-47> 적색신호등을 통과하는 자동차를 잡아내기 위해 고안된 카메라의 설치가 위반자의 수에 영향을 미치는지 결정하기 위해 수행된 한 예비연구에서, 적색신호등을 통과하는 자동차의 수가 카메라 설치 이전과 설치 이후의 각 요일별로 기록되었다. 이에 대한 데이터가 다음과 같이 정리되어 있다. 5%의 유의수준에서 카메라가 적색신호등을 통과하는 자동차의 수를 감소시킨다고 추론할 수 있는가?

요일	일요일	월요일	화요일	수요일
설치 이전	7	21	27	18
설치 이후	8	18	24	19

요일	목요일	금요일	토요일
설치 이전	20	24	16
설치 이후	16	9	16

13.48 <Xr13-48> 새로운 종류의 비료가 현재 사용되는 비료보다 더 효과적인지 결정하기 위해 연구원들은 전국적으로 흩어져 있는 12개의 2에이커 토지를 선택하였다. 각 2에이커 토지는 두 개의 동일한 크기로 분할되었다. 이 중의 한 토지에는 현재의 비료가 사용되었고 다른 토지에는 새로운 비료가 사용되었다. 밀이 심어졌고 수확량이 측정되었다.

토지	1	2	3	4	5	6	7	8	9	10	11	12
현재의 비료	56	45	68	72	61	69	57	55	60	72	75	66
새로운 비료	60	49	66	73	59	67	61	60	58	75	72	68

a. 5%의 유의수준에서 새로운 비료가 현재의 비료보다 효과적이라고 결론내릴 수 있는가?

b. 두 종류의 비료가 사용된 토지의 평균 수확량 차이에 대한 95% 신뢰구간을 추정하라.

c. a와 b에서 얻은 결과의 타당성을 결정하는 필

요조건은 무엇인가?

d. 필요조건이 충족되는가?

e. 주어진 데이터는 실험데이터인가 관측데이터인가? 설명하라.

f. 만일 연구원들이 전국에 흩어져 있는 토지들이 본질적으로 동일하다고 믿는다면, 실험은 어떻게 수행되어야 하는가?

13.49 <Xr13-49> 한 대기업의 사장은 점심시간 운동프로그램을 채택할 것인지 결정하는 과정에 있다. 이와 같은 프로그램의 목적은 근로자들의 건강을 증진시키는 것이고 그렇게 함으로써 의료비용을 감소시키는 것이다. 더 많은 정보를 얻기 위해 한 사무실에 있는 종업원들을 위한 운동프로그램을 도입하였다. 감기와 독감의 발병 때문에 겨울 동안의 의료비용이 상대적으로 높다는 것이 알려져 있다. 따라서 이 사장은 운동프로그램 도입 이전과 도입 이후의 12개월 동안 의료비용을 기록하면서 만들어진 짝진표본을 사용하기로 결정하였다. 주어진 월 기준으로 운동프로그램 "도입 이전"과 "도입 이후"의 의료비용이 비교되었고 이에 대한 데이터가 다음과 같이 정리되어 있다.

월	1월	2월	3월	4월	5월	6월
운동프로그램 도입 이전	68	44	30	58	35	33
운동프로그램 도입 이후	59	42	20	62	25	30

월	7월	8월	9월	10월	11월	12월
운동프로그램 도입 이전	52	69	23	69	48	30
운동프로그램 도입 이후	56	62	25	75	40	26

a. 이 데이터는 운동프로그램이 의료비용을 감소시킨다고 제시하는가? (α = .05를 사용하라.)

b. 운동프로그램에 의해 절약되는 평균 의료비용에 대한 95% 신뢰구간을 추정하라.

c. 짝진실험을 수행한 것이 적정했는가? 설명하라.

다음의 연습문제들을 풀기 위해서는 컴퓨터와 소프트웨어를 사용하여야 한다. 연습문제에 대한 답은 직접 계산될 수 있다. 표본통계량들을 위해 부록 A를 참조하라. 다른 지시가 없는 한 5%의 유의수준과 95%의 신뢰수준을 사용하라.

13.50 <Xr13-50> 경제상태를 나타내는 척도 중 하나는 주택소유자들이 매달 모기지로 지불하는 금액이다. 금년도와 5년 전 사이의 변화 정도를 결정하기 위해 150명의 주택소유자가 임의표본으로 추출되었다. 금년도와 5년 전 동안에 각 주택소유자의 월간 모기지 지불금액이 기록되었다. (지불금액은 불변기준 달러금액으로 비교할 수 있도록 조정되었다.) 모기지 지불금액이 과거 5년 동안 증가했다고 추론할 수 있는가?

13.51 <Xr13-51> 웨이터 또는 웨이트리스 중에서 누가 더 많은 팁을 받는가? 이 질문에 대답하기 위해 한 레스토랑 컨설턴트는 예비연구를 수행하였다. 이 연구에서 임의로 선택된 한 명의 웨이터와 한 명의 웨이트리스를 위한 팁이 일주일 동안 50개 레스토랑의 각각에서 총지불금액에서 차지하는 비율로 측정되었다. 이 데이터로부터 어떤 결론이 도출될 수 있는가?

13.52 <Xr13-52> 전화번호부인 옐로우 페이지(Yellow Page)의 광고효과를 결정하기 위해 Bell Telephone은 옐로우 페이지에 작년도에 광고하지 않았으나 금년도에 광고를 한 40개의 소매점을 임의표본으로 추출하였다. 금년도와 작년도에 각 소매점의 연간 매출액(1,000달러 기준)이 기록되었다.

a. 2개 연도 간에 발생한 연간 매출액의 증가 정도에 대한 95% 신뢰구간을 추정하라.

b. 옐로우 페이지의 광고가 매출액을 증가시킨다고 추론할 수 있는가?

c. a와 b에서 사용된 통계기법의 필요조건이 충

족되는지 확인하라.

d. 독립표본들을 가지고 이와 같은 실험을 수행하는 것이 장점을 가지는가? 설명하라.

13.53 <Xr13-53> 높은 에너지비용 때문에 북부지역의 주택소유자들은 난방비용을 감소시키기 위한 방법을 찾아야 할 필요가 있다. 한 주택건설회사는 주택의 절연체 처리를 증가시키는 것이 난방비용에 미치는 효과를 조사하기 원하였다. 그는 실험을 하기 위해 최소의 절연체 처리를 한 대규모 주택단지를 선정하였다. 그는 절연체 처리를 한 주택과 절연체 처리를 하지 않은 주택의 난방비용을 비교하였다. 그러나 주택의 크기가 난방비용을 결정하는 중요한 요인이라는 것이 그에게 분명하였다. 따라서 그는 1,200제곱피트(ft^2)~2,800제곱피트 사이의 면적 중에서 동일한 면적을 가지는 16개 쌍의 주택을 발견하였다. 그는 각 쌍의 주택들 중에서 한 주택은 절연체 처리되었고 나머지 한 주택은 절연체 처리가 되지 않았다. 다음 겨울시즌 동안의 난방비용이 각 주택에 대하여 기록되었다.

a. 이 데이터로부터 이 주택건설회사는 10%의 유의수준에서 절연체 처리를 한 주택의 난방비용이 절연체 처리를 하지 않은 주택의 난방비용보다 적다고 추론할 수 있는가?

b. 주택의 절연체 처리에 의한 평균 난방비 절약비용에 대한 95% 신뢰구간을 추정하라.

c. a와 b에서 사용된 통계기법을 위한 필요조건은 무엇인가?

13.54 <Xr13-54> 건강관리비용은 대부분의 다른 항목보다 더 빠르게 증가하고 있다. 이 문제에 대하여 더 많은 것을 알기 위해 건강관리지출액의 차이가 남성과 여성 간에 존재하는지 결정하기 위한 서베이가 실시되었다. 이 서베이를 위해 연령이 21세, 22세, . . . , 65세의 남성과 여성을 임의로 표본추출하였고 그들이 건강관리를 위해 지출한 총금액을 구하였다. 이 데이터로부터 남성과 여성은 건강관리를 위해 서로 다른 금액을 지출한다고 추론할 수 있는가?

13.55 <Xr13-55> 주식시장의 변동은 일부 투자자들로 하여금 주식을 팔고 그들의 자금을 더 안전한 투자로 이동시키게 만든다. 최근 주식시장의 변동이 주식 소유에 어느 정도 영향을 미쳤는지 결정하기 위해 일부의 주식을 소유하고 있는 170명을 대상으로 서베이가 실시되었다. 재작년 말과 작년 말 현재 주식보유액이 기록되었다. 주식보유액이 감소했다고 추론할 수 있는가?

13.56 <Xr13-56> 미국인들은 작년과 비교하여 금년에 더 많은 부채를 가지고 있는가? 이 질문에 답하기 위해 한 통계전문가는 금년과 작년에 임의로 미국인들을 표본추출하였다. 표본들이 가구주의 연령에 따라 짝지어지도록 표본추출이 이루어졌다. 각 가구주에 대하여 가구소득에 대한 부채지불 비율이 기록되었다. 이 비율이 작년보다 금년에 더 높다고 추론할 수 있는가?

13.57 <Xr13-57> 매년 4월에 미국인들과 캐나다인들은 세금환불보고서를 작성한다. 많은 사람들은 이와 같은 지루한 일을 하기 위해 세금환불보고서를 준비해주는 회사들에게 의존한다. 다음과 같은 질문이 제기된다. 세금환불보고서를 준비해주는 회사들 간에 차이가 존재하는가? 한 실험에서 가장 규모가 큰 회사 중 두 회사에게 표본으로 추출된 55명의 납세자를 위한 세금환불보고서를 준비하도록 요청하였다. 과세소득액이 기록되었다. 회사 1이 더 높은 과세소득을 발생시킨다고 결론내릴 수 있는가?

13.58 <Xr13-58> 연습문제 13.33을 참조하라. 이제

다음과 같은 방법으로 실험을 다시 수행한다고 하자. 임의로 선택된 20대의 자동차를 대상으로 각 종류의 타이어 한 개가 뒷바퀴에 장착되었고 타이어들이 낡을 때까지 자동차가 운행되었다. 타이어가 낡을 때까지의 운전거리가 기록되었다. 이 데이터로부터 새로운 타이어가 더 우수하다고 결론내릴 수 있는가?

13.59 연습문제 13.33과 연습문제 13.58을 참조하라. 독립표본에 대한 t 검정은 유의한 결과를 도출하지 못한 반면, 짝진표본에 대한 t 검정은 유의한 결과를 도출한 이유를 설명하라.

13.60 <Xr13-60> 예제 13.4와 예제 13.5를 참조하라. 다른 실험이 수행된다고 하자. MBA 재무전공자들과 MBA 마케팅전공자들이 그들의 학부 GPA에 따라 매치되었다. 앞의 예제들에서처럼 최고 연봉제안이 기록되었다. 이 데이터로부터 재무전공자들이 마케팅전공자들보다 더 높은 연봉제안을 받는다고 추론할 수 있는가?

13.61 연습문제 13.60의 실험이 유의한 검정결과를 도출하지 못한 반면, 예제 13.5의 실험이 유의한 검정결과를 도출한 이유를 논의하라.

13.62 <Xr13-62> 예제 13.2를 참조하라. 실제의 새로운 CEO 취임 이전과 이후 연도의 영업이익률이 기록되었다.

a. 소유주의 자녀가 기업경영의 책임을 지는 기업들의 경우에 영업이익률이 감소한다고 추론할 수 있는 충분한 증거가 존재하는지 결정하기 위한 검정을 시행하라.

b. 외부인이 CEO가 될 때 영업이익률은 증가한다고 결론내릴 수 있는 충분한 증거가 존재하는가?

13.4 두 모분산 비율에 관한 추론

제13.1절과 제13.3절에서 두 모평균 차이에 관한 통계적 추론이 논의되었다. 각 경우에서 문제의 목적은 구간데이터로 구성된 두 모집단의 평균을 비교하는 것이었다. 이 절에서는 문제의 목적과 데이터 종류가 제13.1절과 제13.3절에서와 동일하나 관심의 대상이 두 모집단의 변동성을 비교하는 것일 때 사용되는 통계기법이 논의된다. 이 절에서는 두 모분산 비율에 대한 논의가 이루어진다. 검정통계량의 표본분포 때문에 두 모분산 차이가 아닌 두 모분산 비율에 대한 추론이 이루어진다.

이미 두 모평균 차이에 관한 추론을 할 때 어떤 t-검정과 추정량을 사용하여야 할 것인지 결정하기 위해 모분산 비율에 대한 F-검정이 사용되었다. 이 절에서는 두 모집단의 변동성을 비교하는 문제들에 이와 같은 통계기법이 적용된다.

제12장에서는 한 모분산에 관한 추론을 하기 위해 사용되는 통계기법이 제시되었다. 분산은 생산과정의 일관성을 판단할 필요가 있는 문제들을 다루기 위해 사용될 수 있다는 점을 지적하였다. 또한 투자 포트폴리오와 관련된 위험을 측정하기 위해 분산이 사용될 수

있다. 이 절에서는 두 모분산이 비교되며 이에 따라 두 생산과정의 일관성이 비교될 수 있다. 또한 두 투자 방법의 상대적인 위험들이 비교될 수 있다.

13.4a 모수

두 모분산 비율을 사용하여 두 모분산을 비교한다. 따라서 관심 있는 모수는 σ_1^2/σ_2^2이다.

13.4b 검정통계량과 표본분포

표본분산은 모분산의 불편추정량이자 일치추정량이다. 모수 σ_1^2/σ_2^2의 추정량이 각각의 모집단으로부터 추출된 두 표본분산 비율 s_1^2/s_2^2이라는 것은 놀라운 일이 아니다.

두 표본이 각각 정규분포를 따르는 모집단으로 독립적으로 추출되었다면, s_1^2/s_2^2의 표본분포는 F 분포를 따른다. (F 분포는 제8.4절에서 소개되었다.)

통계학자들은 각각의 자유도로 나눈 두 독립적인 카이제곱변수들의 비율은 F 분포를 따른다는 것을 증명하였다. F 분포의 자유도는 두 카이제곱분포의 자유도들과 동일하다. 제12.2절에서 모집단이 정규분포를 따르면 $(n-1)s^2/\sigma^2$은 카이제곱분포를 따른다는 것을 지적하였다. 정규분포를 따르는 두 모집단으로부터 추출된 표본들이 독립이면, $(n_1-1)s_1^2/\sigma_1^2$과 $(n_2-1)s_2^2/\sigma_2^2$ 모두는 각각 카이제곱분포를 따른다. 각 통계량을 각 자유도로 나누고 그 비율을 구하면, 다음과 같은 통계량이 구해진다.

$$\frac{\dfrac{(n_1-1)s_1^2/\sigma_1^2}{(n_1-1)}}{\dfrac{(n_2-1)s_2^2/\sigma_2^2}{(n_2-1)}}$$

이것은 다음과 같이 단순화된다.

$$\frac{s_1^2/\sigma_1^2}{s_2^2/\sigma_2^2}$$

이 통계량은 자유도가 $\nu_1=n_1-1$과 $\nu_2=n_2-1$인 F 분포를 따른다. ν_1은 **분자의 자유도**(numerator degrees of freedom)라고 부르고 ν_2는 **분모의 자유도**(denominator degrees of freedom)라고 부른다.

13.4c 두 모분산 비율의 검정과 추정

이 책에서 귀무가설은 항상 두 모분산이 동일하다고 규정한다. 따라서 귀무가설에서 두 모분산 비율은 항상 1이다. 귀무가설은 다음과 같이 표현된다.

$$H_0: \ \sigma_1^2/\sigma_2^2 = 1$$

대립가설은 σ_1^2/σ_2^2이 1과 같지 않거나, 1보다 크거나 1보다 작다고 표현된다. 기술적으로 말하면, 검정통계량은

$$F = \frac{s_1^2/\sigma_1^2}{s_2^2/\sigma_2^2}$$

이다. 그러나 귀무가설하에서 $\sigma_1^2/\sigma_2^2=1$이기 때문에 검정통계량은 다음과 같다.

σ_1^2/σ_2^2에 대한 검정통계량

$\sigma_1^2/\sigma_2^2=1$이라는 가설을 검정하기 위해 사용되는 검정통계량은

$$F = \frac{s_1^2}{s_2^2}$$

이다. 두 모집단이 정규분포를 따르면, 검정통계량 $F=s_1^2/s_2^2$은 자유도가 $\nu_1=n_1-1$과 $\nu_2=n_2-1$인 F 분포를 따른다.

통상적인 대수조작을 사용하면, 두 모분산 비율에 대한 신뢰구간추정량이 도출된다.

σ_1^2/σ_2^2에 대한 신뢰구간추정량

$$\text{LCL} = \left(\frac{s_1^2}{s_2^2}\right)\frac{1}{F_{\alpha/2,\nu_1,\nu_2}}$$

$$\text{UCL} = \left(\frac{s_1^2}{s_2^2}\right)F_{\alpha/2,\nu_2,\nu_1}$$

$\nu_1=n_1-1$이고 $\nu_2=n_2-1$이다.

예제 13.7

DATA Xm13-07

용기에 액체를 채우는 두 기계의 품질 검정

예제 12.3에서 모분산이 1.0보다 작다고 결론내릴 수 있는 충분한 증거가 존재하는지 결정하기 위해 하나의 모분산에 대한 카이제곱검정이 적용되었다. 통계전문가가 용기에 액체를 채우는 다른 기계로부터 데이터를 수집하고 임의로 선택된 표본을 구성하는 투입액체량들을 기록하였다고 하자. 두 번째 기계가 액체투입량의 일관성에서 더 우월하다고 5%의 유의수준에서 추론할 수 있는가?

해답 **선택**

문제의 목적은 두 모집단을 비교하는 것이고 주어진 데이터는 구간데이터이다. 액체투입량에서 두 기계의 일관성에 관한 정보를 얻기 원하기 때문에 검정하기 원하는 모수는 σ_1^2/σ_2^2이다. 여기서 σ_1^2은 기계 1의 분산이고 σ_2^2은 기계 2의 분산이다. 모집단 2의 모분산이 모집단 1의 모분산보다 작은지 결정하기 위해 σ_1^2/σ_2^2에 대한 F-검정을 수행할 필요가 있다. 달리 표현하면, σ_1^2이 σ_2^2보다 크다고 추론할 수 있는 충분한 증거가 존재하는지 결정하기 원한다. 따라서 귀무가설과 대립가설은 다음과 같이 설정된다.

H_0: $\sigma_1^2/\sigma_2^2=1$
H_1: $\sigma_1^2/\sigma_2^2>1$

계산

직접계산

표본분산들은 각각 $s_1^2=.6333$과 $s_2^2=.4528$이다.

검정통계량의 값은 다음과 같다.

$$F=\frac{s_1^2}{s_2^2}=\frac{.6333}{.4528}=1.40$$

기각역은 다음과 같다.

$$F>F_{\alpha,\nu_1,\nu_2}=F_{.05,24,24}=1.98$$

검정통계량의 값이 1.98보다 크지 않기 때문에 귀무가설은 기각되지 않는다.

EXCEL Data Analysis

	A	B	C
1	F-Test Two-Sample for Variances		
2			
3		Machine 1	Machine 2
4	Mean	999.7	999.8
5	Variance	0.6333	0.4528
6	Observations	25	25
7	df	24	24
8	F	1.3988	
9	P(F<=f) one-tail	0.2085	
10	F Critical one-tail	1.9838	

검정통계량의 값은 $F=1.3988$이다. Excel 분석결과에 의하면 단측 p-값은 .2085이다.

지시사항

1. 데이터를 입력하거나 <Xm13-07>을 불러들여라.
2. **데이터**(Data), **데이터분석**(Data Analysis), **F-Test Two-Sample for Variances**를 입력하라.
3. **변수 1 입력범위**(Variable 1 Range) (A1:A26)과 **변수 2 입력범위**(Variable 2 Range) (B1:B26)을 입력하라. α의 값 (.05)를 입력하라.

해석 기계 2의 모분산이 기계 1의 모분산보다 작다고 추론할 수 있는 충분한 증거가 존재하지 않는다. 표본들의 히스토그램들은 정규분포의 필요조건을 충족시키기에 충분한 종 모양의 모습을 가지는 것으로 나타난다.

예제 13.8 예제 13.7의 모분산 비율 추정

DATA Xm13-08

예제 13.7에서 두 모분산 비율에 대한 95% 신뢰구간을 추정하라.

해답 **계산**

직접계산

$$F_{\alpha/2,\nu_1,\nu_2} = F_{.025,24,24} = 2.27$$

따라서

$$\text{LCL} = \left(\frac{s_1^2}{s_2^2}\right)\frac{1}{F_{\alpha/2,\nu_2,\nu_1}} = \left(\frac{.6333}{.4528}\right)\frac{1}{2.27} = .616$$

$$\text{UCL} = \left(\frac{s_1^2}{s_2^2}\right)F_{\alpha/2,\nu_2,\nu_1} = \left(\frac{.6333}{.4528}\right)2.27 = 3.17$$

σ_1^2/σ_2^2은 .616과 3.17 사이에 있는 것으로 추정된다.

EXCEL Workbook

	A	B	C	D	E
1	F-Estimate of the Ratio of Two Variances				
2					
3		Sample 1	Sample 2	Confidence Interval Estimate	
4	Sample variance	0.63	0.45	Lower confidence limit	0.6163
5	Sample size	25	25	Upper confidence limit	3.1739
6	Confidence level	0.95			

지시사항

1. 데이터를 두 열에 입력하거나 <Xm13-07>을 불러들여라. 각 표본의 표본분산을 계산하라.
2. Estimators Workbook을 열고 F-Estimate_2 Variances를 클릭하라. 표본분산, 표본크기, 신뢰수준을 입력하거나 복사하라.

XLSTAT

	B	C	D	E	F
19	95% confidence interval on the ratio of variances:				
20	(0.616, 3.174)				

지시사항

1. 두 열에 데이터를 입력하거나 <Xm13-07>을 불러들여라.
2. XLSTAT, Parametric tests, Two-sample comparison of variances를 클릭하라.
3. One column per sample을 클릭하라. 두 표본을 위한 input range를 Sample 1: (A1:A26), Sample 2: (B1:B26)과 같이 입력하라. Column labels와 Fisher's F-test를 클릭하라.
4. Options를 클릭하고 Alternative hypothesis 박스에서 Variance 1/Variance 2 ≠ R을 선택하라. Hypothesized ratio (1)을 입력하라. Significance level (%) 박스에서 퍼센트로 나타낸 α의 값 (5)를 설정하라.
5. Outputs를 클릭하고 Descriptive statistics, Confidence interval, Detailed results를 체크하라.

해석 제11장에서 지적한 것처럼, 가설을 검정하기 위해 신뢰구간추정량이 사용될 수 있다. 이 예제에서 신뢰구간추정치는 1의 값을 포함하고 있다. 따라서 예제 13.7과 동일한 결론이 도출될 수 있다.

연습문제

연습문제 13.63과 연습문제 13.64는 통계적 추론의 요소들이 변화할 때 검정통계량과 구간추정치에 어떤 일이 발생하는지 파악하기 위해 만들어진 "what-if 분석"이다. 이 연습문제들은 직접 풀 수 있거나 Excel 스프레드시트를 사용하여 풀 수 있다.

13.63 정규분포를 따르는 두 모집단으로부터 추출된 두 임의표본으로부터 다음과 같은 통계량들이 계산되었다.

$s_1^2 = 350 \quad n_1 = 30 \quad s_2^2 = 700 \quad n_2 = 30$

a. 10%의 유의수준에서 두 모분산이 다르다고 추론할 수 있는가?

b. 표본크기가 $n_1 = 15$와 $n_2 = 15$인 경우 a를 반복하라.

c. 표본크기가 감소할 때 검정통계량에는 어떤 일이 발생하는지 설명하라.

13.64 정규분포를 따르는 두 모집단으로부터 추출된 두 임의표본으로부터 다음과 같은 통계량들이 계산되었다.

$s_1^2 = 28 \quad n_1 = 10 \quad s_2^2 = 19 \quad n_2 = 10$

a. 두 모분산 비율에 대한 95% 신뢰구간을 추정하라.

b. 표본크기가 $n_1 = 25$와 $n_2 = 25$인 경우 a를 반복하라.

c. 표본크기가 증가할 때 신뢰구간추정치의 넓이에 어떤 일이 발생하는지 설명하라.

모든 검정에서 5%의 유의수준을 사용하라.

13.65 <Xr13-65> 한 낙농회사의 경영자는 카톤에 우유를 투입하는 두 가지 새로운 기계 중에서 어느 것을 사용하여야 할 것인지 결정하는 과정에 있다. 가장 중요한 특성은 투입용액량의 일

관성이다. 한 예비연구에서 그녀는 두 기계를 사용하여 1리터 카톤에 투입되는 우유의 양을 측정하였고 이에 대한 데이터가 다음과 같이 정리되어 있다. 이 경영자는 투입용액량의 일관성 측면에서 두 기계가 다르다고 추론할 수 있는가?

기계 1 .998 .997 1.003 1.000 .999
1.000 .998 1.003 1.004 1.000

기계 2 1.003 1.004 .997 .996 .999 1.003
1.000 1.005 1.002 1.004 .996

13.66 <Xr13-66> 한 조립라인을 감독하는 한 생산운영관리자는 작업순서 상에 발생하는 문제를 경험하고 있다. 작업순서의 비일관성 때문에 작업 상의 체증이 발생하고 있는 것이 문제이다. 그는 한 실험을 수행하기로 결정하였다. 이 실험에서 두 가지 다른 방법이 동일한 일을 완성하기 위해 사용되었다. 그는 각 방법이 동일한 일을 완성하는 데 걸리는 시간(초 단위)을 측정하였다. 이에 대한 데이터가 다음과 같이 정리되어 있다. 그는 두 번째 방법이 첫 번째 방법보다 더 일관성을 가진다고 추론할 수 있는가?

방법 1 8.8 9.68.49.08.39.29.08.78.59.4
방법 2 9.2 9.48.99.69.78.48.88.99.09.7

13.67 <Xr13-67> 한 통계학 교수는 경영통계학 과목을 두 가지 다른 방법으로 가르치고 동일한 기말 시험을 치르면 평균뿐만 아니라 분산도 다를 것이라고 생각하였다. 그는 한 실험을 수행하였다. 이 실험에서 통계학 과목의 한 반을 자세한 PowerPoint 슬라이드를 사용하면서 가르친 반면, 다른 한 반을 학생들이 반드시 책을 읽게 하고 강의시간의 토론에서 질문에 답하도록 하는 방식으로 가르쳤다. 각 반에서 임의표본으로 추출된 학생들의 점수가 기록되었고 다음과 같이 정리되어 있다. 점수의 분산이 두 반 간에 다르다고 추론할 수 있는가?

클래스 1 64 85 80 64 48 62 75 77 50 81 90
클래스 2 73 78 66 69 79 81 74 59 83 79 84

다음의 연습문제들을 풀기 위해서는 컴퓨터와 소프트웨어를 사용하여야 한다. 연습문제에 대한 답은 직접 계산될 수 있다. 표본통계량들을 위해 부록 A를 참조하라. 모든 검정에서 5%의 유의수준을 사용하라.

13.68 <Xr13-68> 새로운 고속도로가 방금 완성되었고 정부는 제한속도를 결정하여야 한다. 여러 가지 가능한 선택들이 존재한다. 그러나 교통을 감시하는 경찰의 권고에 기초하여 제한속도를 결정하는 목적은 충돌 수를 결정하는 속도의 변동성을 감소시키고자 하는 데 있다. 속도는 충돌 수를 결정한다고 인식되고 있다. 더 많은 정보를 얻기 위해 한 실험을 수행하기로 결정되었다. 제한속도가 70 mph라는 표지판이 첫 번째 주일 동안 부착되었다. 임의표본으로 추출된 자동차들의 속도가 측정되었다. 두 번째 주일 동안 최대 속도가 70 mph이고 최소 속도가 60 mph라는 표지판이 부착되었다. 다시 한번 임의표본으로 추출된 자동차들의 속도가 측정되었다. 최소 속도와 최대 속도를 제한하는 것이 속도의 변동성을 감소시킨다고 추론할 수 있는가?

13.69 <Xr13-69> 연습문제 12.59에서 Yankees Stadium에 있는 모든 전구들을 바꿀 것인지 전구가 수명을 다할 때마다 하나씩 바꿀 것인지에 관한 문제가 설명되었다. 사용될 수 있는 두 가지 브랜드의 전구가 존재한다. 전구수명의 평균과 분산 모두가 중요하기 때문에, 두 브랜드를 검정하기로 결정되었다. 두 브랜드 전구의 임의표본이 추출되었고 전구들의 수명이 측정

되어 기록되었다. Yankees Stadium의 경영진은 두 브랜드 전구수명의 분산이 다르다고 결론내릴 수 있는가?

13.70 <Xr13-70> 은퇴자금을 어디에 투자할 것인지 결정하기 위해 한 투자자는 두 포트폴리오의 주간 수익률들을 1년 동안 기록하였다. 5%의 유의수준에서 포트폴리오 2가 포트폴리오 1보다 더 위험스럽다고 결론내릴 수 있는가?

13.71 <Xr13-71> 레스토랑과 은행과 같은 서비스 제공자의 중요한 척도는 서비스시간의 변동성이다. 한 실험에서 두 은행의 텔러들이 100명의 각 고객에게 제공하는 서비스시간이 기록되었다. 이 데이터로부터 10%의 유의수준에서 서비스시간의 분산이 두 은행의 텔러들 간에 다르다고 추론할 수 있는가?

13.5 두 모비율 차이에 관한 추론

이 절에서는 범주데이터로 구성된 두 모집단 간에 차이가 존재하는지에 관한 추론기법이 소개된다. 이와 같은 기법은 매우 다양하게 적용될 수 있다. 예를 들면, 제약회사들은 새로운 약과 기존의 약을 비교하면서 또는 새로운 약과 위약(placebo)을 비교하면서 새로운 약을 테스트한다. 마케팅담당자는 광고활동 이전과 이후의 시장점유율을 비교한다. 생산운영관리자는 두 기계의 불량률을 비교한다. 정치여론조사원은 선거 이전과 선거 이후의 인기도 차이를 측정한다.

13.5a 모수

데이터가 범주데이터일 때, 의미 있게 할 수 있는 유일한 계산은 각 결과의 발생횟수를 세는 것과 비율을 계산하는 것이다. 따라서 이 절에서 검정되고 추정되어야 하는 모수는 두 모비율 차이 $p_1 - p_2$이다.

13.5b 검정통계량과 표본분포

$p_1 - p_2$에 대한 추론을 하기 위해 모집단 1로부터 크기가 n_1인 표본과 모집단 2로부터 크기가 n_2인 표본이 추출된다(그림 13.7은 이와 같은 표본추출과정을 그린 것이다).

그림 13.7 범주데이터로 구성된 두 모집단으로부터의 표본추출

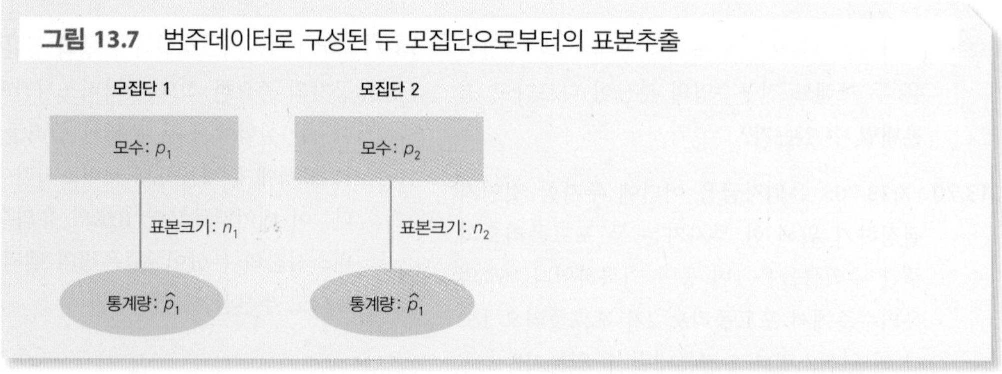

각 표본에서 성공의 횟수가 계산된다. 성공의 횟수는 각각 x_1과 x_2로 표시된다. 표본비율들은 다음과 같이 계산된다.

$$\hat{p}_1 = \frac{x_1}{n_1},\ \hat{p}_2 = \frac{x_2}{n_2}$$

통계학자들은 통계량 $\hat{p}_1 - \hat{p}_2$는 모수 $p_1 - p_2$의 불편일치추정량이라는 것을 증명하였다. 표본비율의 표본분포를 도출하기 위해 제9장에서 사용되었던 수학을 사용하면서, 두 표본비율 차이의 표본분포가 도출된다.

$\hat{p}_1 - \hat{p}_2$의 표본분포

1. n_1p_1, $n_1(1-p_1)$, n_2p_2, $n_2(1-p_2)$가 모두 5 이상이 되도록 표본크기들이 충분히 크면 통계량 $\hat{p}_1 - \hat{p}_2$은 근사적으로 정규분포를 따른다. [p_1과 p_2는 알려져 있지 않기 때문에, 표본크기의 조건은 $n_1\hat{p}_1$, $n_1(1-\hat{p}_2)$, $n_2\hat{p}_2$, $n_2(1-\hat{p}_2)$이 모두 5 이상이다.]
2. $\hat{p}_1 - \hat{p}_2$의 평균은 다음과 같다.

$$E(\hat{p}_1 - \hat{p}_2) = p_1 - p_2$$

3. $\hat{p}_1 - \hat{p}_2$의 분산은 다음과 같다.

$$V(\hat{p}_1 - \hat{p}_2) = \frac{p_1(1-p_1)}{n_1} + \frac{p_2(1-p_2)}{n_2}$$

$\hat{p}_1 - \hat{p}_2$의 표준오차는 다음과 같다.

$$\sigma_{\hat{p}_1 - \hat{p}_2} = \sqrt{\frac{p_1(1-p_1)}{n_1} + \frac{p_2(1-p_2)}{n_2}}$$

따라서

$$z = \frac{(\hat{p}_1 - \hat{p}_2) - (p_1 - p_2)}{\sqrt{\dfrac{p_1(1-p_1)}{n_1} + \dfrac{p_2(1-p_2)}{n_2}}}$$

은 근사적으로 표준정규분포를 따른다.

13.5c 두 모비율 차이의 검정과 추정

z 통계량을 두 모비율 차이의 검정통계량으로 사용하기를 원한다. 그러나 $\hat{p}_1 - \hat{p}_2$의 표준오차인

$$\sigma_{\hat{p}_1 - \hat{p}_2} = \sqrt{\frac{p_1(1-p_1)}{n_1} + \frac{p_2(1-p_2)}{n_2}}$$

는 알려져 있지 않다. 따라서 $\hat{p}_1 - \hat{p}_2$의 표준오차는 표본데이터로부터 추정되어야 한다. 표준오차의 추정량은 두 가지가 존재한다. 어느 것을 사용해야 하느냐는 귀무가설에 의해 결정된다. 만일 귀무가설이 $p_1 - p_2 = 0$이면, 귀무가설 하에서 두 모비율이 동일하기 때문에 두 모비율 p_1과 p_2의 공통 값에 대한 추정량을 구하기 위해 두 표본데이터를 통합할 수 있다. **통합모비율추정량**(pooled proportion estimator)은 다음과 같이 정의된다.

$$\hat{p} = \frac{x_1 + x_2}{n_1 + n_2}$$

따라서 $\hat{p}_1 - \hat{p}_2$의 표준오차추정량은

$$\sqrt{\frac{\hat{p}(1-\hat{p})}{n_1} + \frac{\hat{p}(1-\hat{p})}{n_2}} = \sqrt{\hat{p}(1-\hat{p})\left(\frac{1}{n_1} + \frac{1}{n_2}\right)}$$

가 된다.

$\hat{p}_1 - \hat{p}_2$의 표준오차를 추정하는 데 사용된 원리는 σ_1^2과 σ_2^2이 알려져 있지 않으나 동일할 때 $\mu_1 - \mu_2$를 검정하기 위해 사용된 통합분산추정량 s_p^2을 구하기 위해 제13.1절에서 적용된 원리와 유사하다. 대략적으로 말하면, 이 원리는 가능한 한 두 표본데이터를 통합하는 것이 더 좋은 표준오차의 추정량을 제공한다는 것이다. 여기서 두 표본데이터의 통합은 귀무가설에서처럼 $p_1 = p_2$라고 가정함으로써 가능하다. (제13.1절에서는 $\sigma_1^2 = \sigma_2^2$이라고 가정했기 때문에 통합분산추정량이 사용되었다.) 이 경우를 Case 1이라고 부르도록 하자.

$p_1 - p_2$에 대한 검정통계량: Case 1

만일 귀무가설이 H_0: $(p_1 - p_2) = 0$이면, 검정통계량은

$$z = \frac{(\hat{p}_1 - \hat{p}_2) - (p_1 - p_2)}{\sqrt{\hat{p}(1 - \hat{p})\left(\frac{1}{n_1} + \frac{1}{n_2}\right)}}$$

이다. 귀무가설($p_1 - p_2 = 0$) 하에서 검정통계량은 다음과 같이 단순화된다.

$$z = \frac{(\hat{p}_1 - \hat{p}_2)}{\sqrt{\hat{p}(1 - \hat{p})\left(\frac{1}{n_1} + \frac{1}{n_2}\right)}}$$

두 번째 경우는 귀무가설이 $p_1 - p_2 = D$ (D는 0이 아닌 다른 값이다)일 때 적용된다. 이와 같은 상황에서는 $\hat{p}_1 - \hat{p}_2$의 표준오차를 추정하기 위해 표본데이터를 통합할 수 없다. 이 경우 적정한 검정통계량은 다음의 박스에서와 같이 정의된다. 이 경우를 Case 2라고 부르도록 하자.

$p_1 - p_2$에 대한 검정통계량: Case 2

만일 귀무가설이 H_0: $(p_1 - p_2) = D$ $(D \neq 0)$이면, 검정통계량은

$$z = \frac{(\hat{p}_1 - \hat{p}_2) - (p_1 - p_2)}{\sqrt{\frac{\hat{p}_1(1 - \hat{p}_1)}{n_1} + \frac{\hat{p}_2(1 - \hat{p}_2)}{n_2}}}$$

이다. 귀무가설 하에서 검정통계량은 다음과 같이 나타낼 수 있다.

$$z = \frac{(\hat{p}_1 - \hat{p}_2) - D}{\sqrt{\frac{\hat{p}_1(1 - \hat{p}_1)}{n_1} + \frac{\hat{p}_2(1 - \hat{p}_2)}{n_2}}}$$

Case 2의 검정통계량은 $\hat{p}_1 - \hat{p}_2$의 표준오차에 있는 p_1과 p_2를 각각 표본통계량인 $\hat{p}_1$과 $\hat{p}_2$로 대체함으로써 구해진다는 점에 주목하라.

대부분의 실제 적용에서는 Case 1이 사용된다. 대부분의 문제들에서는 두 모비율이 다른지 알기 원한다. 이 경우의 대립가설은

$$H_1: \ (p_1 - p_2) \neq 0$$

이다. 만일 한 모비율이 다른 모비율보다 크면, 대립가설은

$$H_1: \ (p_1 - p_2) > 0 \text{ 또는 } H_1: \ (p_1 - p_2) < 0$$

이다. 그러나 일부의 문제들에서는 문제의 목적이 한 모비율이 다른 모비율보다 일정한 크기만큼 큰지 결정하는 것이다. 이러한 경우에는 Case 2가 적용된다.

$p_1 - p_2$의 구간추정량은 제10장 이후 지금까지 했던 것과 동일한 방법으로 도출된다.

$p_1 - p_2$에 대한 신뢰구간추정량

$$(\hat{p}_1 - \hat{p}_2) \pm z_{\alpha/2}\sqrt{\frac{\hat{p}_1(1-\hat{p}_1)}{n_1} + \frac{\hat{p}_2(1-\hat{p}_2)}{n_2}}$$

이 공식은 $n_1\hat{p}_1$, $n_1(1-\hat{p}_1)$, $n_2\hat{p}_2$, $n_2(1-\hat{p}_2)$가 모두 5 이상일 때 타당하다.

$\hat{p}_1 - \hat{p}_2$의 표준오차가 통합모비율이 아닌 개별 표본비율들을 사용하면서 추정된다는 점에 주목하라. 이 통계기법에서는 Case 1의 검정통계량에서 했던 것과 같이 모비율들이 동일하다고 가정할 수 없다.

마케팅분야의 통계학 응용

Monkey Business Images/Shutterstock.com

테스트 마케팅

마케팅 담당자들은 종종 기존 제품의 (가격 또는 포장과 같은) 특성 변화에 대한 소비자의 반응을 평가하기 위해 또는 제안된 새로운 제품에 관한 소비자의 선호를 평가하기 위해 테스트 마케팅을 사용한다. 테스트 마케팅(test marketing)에는 소규모이고 제한된 테스트 시장에서 마케팅 믹스를 변화시키면서 실험하는 일과 전체 시장의 생산과 배분에서 비용이 드는 변화를 시도하기 전에 테스트 시장에서 소비자의 반응을 평가하는 일이 포함되어 있다.

예제 13.9

DATA Xm13-09

포장디자인의 테스트 마케팅, PART 1

General Products사는 다양한 가정용품을 생산하고 판매한다. 심한 경쟁 때문에 가정용품 중 하나인 목욕비누가 잘 팔리지 않고 있다. General Products사는 매출 증가를 바라면서 보다 더 매력적인 포장을 도입하기로 결정하였다. 이 회사의 광고회사는 두 가지의 새로운 포장을 개발하였다. 첫 번째 포장디자인은 다른 브랜드들과 구별하기 위해 몇 가지의 밝은 색들을 사용한다. 두 번째 포장디자인은 회사의 로고만을 가지는 옅은 녹색을 사용한다. 어떤 포장디자인이 더 좋은지 결정하기 위해, 마케팅 담당자는 두 개의 슈퍼마켓을 선택하였다. 한 슈퍼마켓에서 판매되는 비누는 첫 번째 포장디

자인을 사용하여 포장되었고, 두 번째 슈퍼마켓에서 판매되는 비누는 두 번째 포장디자인을 사용하여 포장되었다. 각 슈퍼마켓의 제품 스캐너는 일주일의 기간 동안 모든 비누 구매자들을 추적하였다. 두 슈퍼마켓은 판매하는 5가지 비누 브랜드 각각에 해당되는 스캐너 코드의 마지막 4자리를 기록하였다. General Products 사 비누 브랜드의 코드는 9077이다(다른 비누 브랜드들의 코드는 4255, 3745, 7118, 8855이다). 테스트기간이 끝난 후에 스캐너 데이터가 컴퓨터 파일로 전송되었다. 첫 번째 포장디자인은 더 비싸기 때문에, 경영진은 첫 번째 포장디자인이 더 좋다고 결론을 내릴 수 있는 충분한 증거가 존재하는 경우에만 첫 번째 포장디자인을 사용하기로 결정하였다. 경영진은 밝은 컬러의 디자인을 사용해야 하는가 단순한 녹색의 디자인을 사용해야 하는가?

해답 **선택**

문제의 목적은 두 모집단을 비교하는 것이다. General Products사의 비누는 두 가지 방법으로 포장되어 있다. 주어진 데이터는 "General Products사의 비누를 구매하였다"와 "다른 회사의 비누를 구매하였다"를 나타내는 값들을 가지기 때문에 범주데이터이다. 따라서 검정되어야 하는 모수는 두 모비율 차이 $p_1 - p_2$이다(p_1과 p_2는 각각 슈퍼마켓 1과 슈퍼마켓 2에서 판매된 General Products 사 비누의 비율이다). 밝은 컬러의 디자인을 채택할 수 있는 충분한 증거가 존재하는지 알기 원하기 때문에, 대립가설은 다음과 같이 설정된다.

$$H_1 : (p_1 - p_2) > 0$$

귀무가설은 다음과 같이 설정된다.

$$H_0 : (p_1 - p_2) = 0$$

귀무가설 하에서 사용되어야 하는 검정통계량은 Case 1이다. 따라서 검정통계량은 다음과 같다.

$$z = \frac{(\hat{p}_1 - \hat{p}_2)}{\sqrt{\hat{p}(1 - \hat{p})\left(\frac{1}{n_1} + \frac{1}{n_2}\right)}}$$

계산

직접계산

검정통계량을 계산하기 위해 각 표본에서 성공의 횟수를 세어 보아야 한다. 성공은 코드번호 9077로 표시되어 있다. 모든 비누매출에 대한 기록을 조사해보면,

$$x_1 = 180 \quad n_1 = 904 \quad x_2 = 155 \quad n_2 = 1,038$$

이다. 표본비율들은

$$\hat{p}_1 = \frac{180}{904} = .1991$$

과

$$\hat{p}_2 = \frac{155}{1,038} = .1493$$

이다. 통합모비율추정치는

$$\hat{p} = \frac{180 + 155}{904 + 1,038} = \frac{335}{1,942} = .1725$$

이다. 검정통계량의 값은 다음과 같이 계산된다.

$$z = \frac{(\hat{p}_1 - \hat{p}_2)}{\sqrt{\hat{p}(1-\hat{p})\left(\frac{1}{n_1} + \frac{1}{n_2}\right)}} = \frac{(.1991 - .1493)}{\sqrt{(.1725)(1 - .1725)\left(\frac{1}{904} + \frac{1}{1,038}\right)}} = 2.90$$

5%의 유의수준에서 기각역은 다음과 같다.

$$z > z_\alpha = z_{.05} = 1.645$$

EXCEL Workbook

	A	B	C	D	E
1	z-Test of the Difference Between Two Proportions (Case 1)				
2					
3		Sample 1	Sample 2	z Stat	2.90
4	Sample proportion	0.1991	0.1493	P(Z<=z) one-tail	0.0019
5	Sample size	904	1038	z Critical one-tail	1.6449
6	Alpha	0.05		P(Z<=z) two-tail	0.0038
7				z Critical two-tail	1.9600

지시사항

1. 데이터를 두 열에 입력하거나 <Xm13-09>를 불러들여라. 각 표본의 표본비율을 계산하라.
2. Test Statistics Workbook을 열고 z-Test_2 Proportions (Case 1)을 클릭하라. 표본비율, 표본크기, α를 입력하거나 복사하라.

XLSTAT

	B	C	D
13	Sample size 1: 904		
14	Frequency 2: 155		
15	Sample size 2: 1038		
16	Hypothesized difference (D): 0		
17	Variance: pq(1/n1+1/n2)		
18			
19	z-test for two proportions / Upper-tailed test:		
20			
21	Difference	0.050	
22	z (Observed value)	2.897	
23	z (Critical value)	1.645	
24	p-value (one-tailed)	0.0019	
25	alpha	0.05	

지시사항

1. 두 열에 데이터를 입력하거나 <Xm13-09>를 불러들여라.
2. XLSTAT, Parametric tests, Tests for two proportions를 클릭하라.
3. 각 표본의 빈도와 표본크기를 입력하라. Data format에서 Frequencies를 클릭하라. z-test를 클릭하라.
4. Options를 클릭하고 Alternative hypothesis 박스에서 Proportion 1- Proportion 2 > D를 선택하라. Hypothesized difference (D) (0)을 입력하라. Significance level (%) 박스에서 퍼센트로 나타낸 α의 값 (5)를 설정하라. Variance에서 pq(1/n1+1/n2)를 체크하라.

해석 검정통계량의 값은 $z=2.90$이고 검정의 p-값은 .0019이다. 밝은 컬러의 디자인이 단순한 녹색의 디자인보다 더 인기가 있다고 추론할 수 있는 충분한 증거가 존재한다. 따라서 마케팅 담당자는 경영진이 첫 번째 포장디자인을 사용하여야 한다고 추천한다.

예제 13.10 포장디자인의 테스트 마케팅, PART 2

DATA Xm13-09

예제 13.9에서 밝은 컬러 디자인의 추가비용 때문에 밝은 컬러의 디자인이 선택되려면 밝은 컬러의 포장디자인 비누가 단순한 포장디자인 비누보다 3% 이상 더 팔려야 한다. 경영진은 밝은 컬러의 포장디자인으로 변경하여야 하는가?

해답 **선택**

대립가설은 다음과 같이 설정된다.

$$H_1: (p_1 - p_2) > .03$$

귀무가설은 다음과 같다.

$$H_0: (p_1 - p_2) = .03$$

귀무가설에서 $p_1 - p_2$가 0이 아니기 때문에 Case 2의 검정통계량이 사용되어야 한다.

계산

직접계산

검정통계량의 값은 다음과 같이 계산된다.

$$z = \frac{(\hat{p}_1 - \hat{p}_2) - (p_1 - p_2)}{\sqrt{\frac{\hat{p}_1(1-\hat{p}_1)}{n_1} + \frac{\hat{p}_2(1-\hat{p}_2)}{n_2}}} = \frac{(.1991 - .1493) - (.03)}{\sqrt{\frac{.1991(1 - .1991)}{904} + \frac{.1493(1 - .1493)}{1,038}}} = 1.15$$

EXCEL Workbook

	A	B	C	D	E
1	z-Test of the Difference Between Two Proportions (Case 2)				
2					
3		Sample 1	Sample 2	z Stat	1.15
4	Sample proportion	0.1991	0.1493	P(Z<=z) one-tail	0.1260
5	Sample size	904	1038	z Critical one-tail	1.6449
6	Hypothesized difference	0.03		P(Z<=z) two-tail	0.2520
7	Alpha	0.05		z Critical two-tail	1.9600

지시사항

1. 데이터를 두 열에 입력하거나 <Xm13-09>를 불러들여라. 각 표본의 표본비율을 계산하라.
2. Test Statistics Workbook을 열고 z-Test_2 Proportions (Case 2)를 클릭하라. 표본비율, 표본크기, 귀무가설하에서 두 모비율 간 차이(.03), α를 입력하거나 복사하라.

XLSTAT

	B	C	D
13	Frequency 1: 180		
14	Sample size 1: 904		
15	Frequency 2: 155		
16	Sample size 2: 1038		
17	Hypothesized difference (D): 0.03		
18	Variance: p1q1/n1+p2q2/n2		
19	z-test for two proportions / Upper-tailed test:		
20			
21	Difference	0.050	
22	z (Observed value)	1.14	
23	z (Critical value)	1.645	
24	p-value (one-tailed)	0.1261	
25	alpha	0.05	

지시사항

예제 13.9에서와 동일한 명령어를 사용하라. 다만 Hypothesized difference (D) (.03)을 입력하고 Variance에서 p1q1/n1+p2q2/n2를 체크하라.

해석 밝은 컬러의 디자인을 가진 비누를 구매하는 비누고객의 비율이 단순한 디자인을 가진 비누를 구매하는 비누고객의 비율보다 3% 이상 높다고 추론할 수 있는 충분한 증거가 존재하지 않는다. 충분한 증거가 없기 때문에 분석결과는 비누제품은 단순한 디자인을 사용하여 포장되어야 한다고 제시한다.

예제 13.11 포장디자인의 테스트 마케팅, PART 3

DATA Xm13-09

수익성의 차이를 추정하기 위해 예제 13.9와 예제 13.10의 마케팅 담당자는 두 모비율 차이를 추정하기 원한다. 95%의 신뢰수준을 사용하라.

해답 **선택**

모수 $p_1 - p_2$는 다음과 같은 신뢰구간추정량에 의해 추정된다.

$$(\hat{p}_1 - \hat{p}_2) \pm z_{\alpha/2}\sqrt{\frac{\hat{p}_1(1-\hat{p}_1)}{n_1} + \frac{\hat{p}_2(1-\hat{p}_2)}{n_2}}$$

계산

직접계산

표본비율들이 이미 계산되었다. 표본비율들은 다음과 같다.

$$\hat{p}_1 = \frac{180}{904} = .1991$$

$$\hat{p}_2 = \frac{155}{1,038} = .1493$$

$p_1 - p_2$에 대한 95%의 신뢰구간추정치는 다음과 같이 계산된다.

$$(\hat{p}_1 - \hat{p}_2) \pm z_{\alpha/2}\sqrt{\frac{\hat{p}_1(1-\hat{p}_1)}{n_1} + \frac{\hat{p}_2(1-\hat{p}_2)}{n_2}}$$

$$= (.1991 - .1493) \pm 1.96\sqrt{\frac{.1991(1-.1991)}{904} + \frac{.1493(1-.1493)}{1,038}}$$

$$= .0498 \pm .0339$$

$$\text{LCL} = .0159 \quad \text{and} \quad \text{UCL} = .0837$$

EXCEL Workbook

	A	B	C	D	E	F
1	z-Estimate of the Difference Between Two Proportions					
2						
3		Sample 1	Sample 2	Confidence Interval Estimate		
4	Sample proportion	0.1991	0.1493	0.0498	±	0.0339
5	Sample size	904	1038	Lower confidence limit		0.0159
6	Confidence level	0.95		Upper confidence limit		0.0837

지시사항

1. 데이터를 두 열에 입력하거나 <Xm13-09>를 불러들여라. 각 표본의 표본비율을 계산하라.
2. Estimators Workbook을 열고 z-Estimate_2 Proportions를 클릭하라. 표본비율, 표본크기, α를 입력하거나 복사하라.

XLSTAT

	B	C	D	E	F	G	H
16	95% confidence interval on the difference between the proportions:						
17	(0.0159, 0.0837)						

지시사항

예제 13.9에서와 동일한 명령어를 사용하라. 다만 Alternative hypothesis 박스에서 Proportion 1- Proportion 2 ≠ D를 선택하고 Variance에서 p1q1/n1+p2q2/n2를 체크하라.

해석 밝은 컬러 디자인의 시장점유율은 단순한 디자인의 시장점유율보다 1.59%와 8.37% 사이만큼 더 높은 것으로 추정된다.

General Social Survey

해답 지난 8년 동안 미국에서 기업가 정신이 감소했는가? 2010년과 2018년의 비교

선택

문제의 목적은 두 모집단, 즉 자신을 위해 일하는지(WRKSLF: 1 = Yes, 2 = No)에 관한 질문에 대한 2010년의 응답과 2018년의 응답을 비교하는 것이다.

Thomas Barwick/DigitalVision/Gettyimages

귀무가설과 대립가설은 다음과 같이 설정된다.

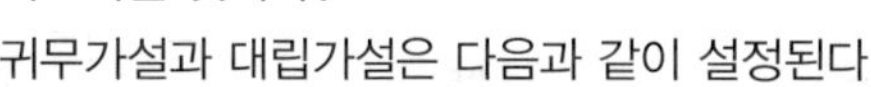

$$H_0: (p_1 - p_2) = 0$$
$$H_1: (p_1 - p_2) > 0$$

p_1은 2010년의 자기고용 근로자의 비율이고 p_2는 2018년의 자기고용 근로자의 비율이다. 귀무가설은 Case 1의 적용을 제시한다. 따라서 검정통계량은 다음과 같다.

$$z = \frac{(\hat{p}_1 - \hat{p}_2)}{\sqrt{\hat{p}(1-\hat{p})\left(\frac{1}{n_1} + \frac{1}{n_2}\right)}}$$

계산

검정통계량을 계산하기 위해, 각 표본에서 성공의 횟수와 표본크기를 센다. 성공은 WRKSLF = 1로 표시되어 있다.

$x_1 = 234$ $n_1 = 1{,}940$ $x_2 = 232$ $n_2 = 2{,}261$

표본비율들은 다음과 같이 계산된다.

$$\hat{p}_1 = \frac{234}{1,940} = .1206$$

$$\hat{p}_2 = \frac{232}{2,261} = .1026$$

통합모비율은 다음과 같이 계산된다.

$$\hat{p} = \frac{234 + 232}{1,940 + 2,261} = \frac{446}{4,201} = .1109$$

검정통계량의 값은 다음과 같이 계산된다.

$$z = \frac{(\hat{p}_1 - \hat{p}_2)}{\sqrt{\hat{p}(1-\hat{p})\left(\frac{1}{n_1} + \frac{1}{n_2}\right)}} = \frac{(.1206 - .1026)}{\sqrt{(.1109)(1 - .1109)\left(\frac{1}{1940} + \frac{1}{2261}\right)}} = 1.85$$

5%의 유의수준에서, 기각역은 다음과 같다.

$$z > z_\alpha = z_{.05} = 1.645$$

p-값 $= P(Z > 1.85) = 1 - P(Z < 1.85) = 1 - .9678 = .0322$

EXCEL Workbook

	A	B	C	D	E
1	**z-Test of the Difference Between Two Proportions (Case 1)**				
2					
3		**Sample 1**	**Sample 2**	**z Stat**	**1.85**
4	**Sample proportion**	0.1206	0.1026	**P(Z<=z) one-tail**	**0.0322**
5	**Sample size**	1940	2261	**z Critical one-tail**	**1.6449**
6	**Alpha**	0.05		**P(Z<=z) two-tail**	**0.0639**
7				**z Critical two-tail**	**1.9600**

지시사항

1. 데이터를 두열에 입력하거나 <GSS2010>과 <GSS2018>을 불러들여라. 각 표본에서 빈도를 세기 위해 COUNTIF 함수를 사용하라.
2. Test Statistics Workbook을 열고 z-Test_2 Proportions (Case 1)를 선택하라. 표본비율, 표본크기, α를 입력하거나 복사하라.

해석

검정통계량의 값은 1.85이고 검정의 p-값은 .0322이다. 2018년의 자기고용 근로자 비율은 2010년의 자기고용 근로자 비율보다 작다고 결론내릴 수 있는 충분한 증거가 존재한다.

연습문제

연습문제 13.72~13.74는 통계적 추론의 요소들이 변화할 때 검정통계량과 구간추정치에 어떤 일이 발생하는지 파악하기 위해 만들어진 "what-if" 분석이다. 이 연습문제들은 직접 풀 수 있거나 Excel 스프레드시트를 사용하여 풀 수 있다.

13.72 두 개의 이항분포 모집단으로부터 추출된 임의표본들로부터 다음과 같은 통계량들이 계산되었다.

$\hat{p}_1 = .45$ $n_1 = 100$ $\hat{p}_2 = .40$ $n_2 = 100$

a. 두 모비율이 다르다고 추론할 수 있는지 결정하기 위한 검정의 p-값을 계산하라.

b. 표본크기가 400으로 증가하는 경우 a를 반복하라.

c. 표본크기가 증가할 때 검정의 p-값에 어떤 일이 발생하는지 설명하라.

13.73 다음과 같은 통계량들이 두 개의 임의표본으로부터 계산되었다.

$\hat{p}_1 = .60$ $n_1 = 225$ $\hat{p}_2 = .55$ $n_2 = 225$

a. 두 모비율이 다르다고 추론할 수 있는 증거가 존재하는지 결정하기 위한 검정의 p-값을 계산하라.

b. $\hat{p}_1 = .95$와 $\hat{p}_2 = .90$인 경우 a를 반복하라.

c. 표본비율들의 증가가 p-값에 미치는 효과를 설명하라.

d. $\hat{p}_1 = .10$과 $\hat{p}_2 = .05$인 경우 a를 반복하라.

e. 표본비율들의 감소가 p-값에 미치는 효과를 설명하라.

13.74 두 이항분포 모집단으로부터 추출된 임의표본들로부터 다음과 같은 통계량들이 구해졌다.

$\hat{p}_1 = .18$ $n_1 = 100$ $\hat{p}_2 = .22$ $n_2 = 100$

a. 두 모비율 차이에 대한 90% 신뢰구간을 추정하라.

b. 두 표본비율들이 각각 .48과 .52로 증가하는 경우 a를 반복하라.

c. 표본비율 증가의 효과를 설명하라.

다음의 연습문제들을 풀기 위해 5%의 유의수준과 95%의 신뢰수준을 사용하라.

13.75 많은 가게들은 판매하는 제품들의 보증기간연장을 판매한다. 보증기간연장은 가게 소유주에게 매우 이익이 된다. 누가 이와 같은 보증기간연장을 매입하는지에 관한 정보를 더 많이 알기 위해 최근에 보증기간연장이 가능한 제품을 구매한 한 가게의 고객들로 구성된 임의표본이 추출되었다. 각 응답자는 정상가격 또는 세일가격을 지불하였는지와 보증기간연장을 매입하였는지 보고하였다.

	정상가격	세일가격
표본크기	229	178
보증기간연장을 매입한 고객 수	47	25

정상가격을 지불한 고객들이 보증기간연장을 매입할 가능성이 더 크다고 결론내릴 수 있는가?

13.76 한 기업은 자신의 고객들을 두 가지 방법, 즉 (1) 고객계정이 연체되어 있느냐와 (2) 고객계정이 신규계정(12개월 미만)인가 기존계정인가에 의해서 분류한다. 어느 고객들이 시간을 어기지 않고 지불하는가와 어느 고객들이 연체하는가에 관한 정보를 얻기 위해서 292명의 고객계정으로 구성된 임의표본이 추출되었다. 각 고객계정은 신규계정(12개월 미만)인가 기존계정인가와 고객이 지불하였는가 연체하였는가에 의해서 분류되었다. 그 결과는 다음과 같이 요약되어 있다.

	신규계정	기존계정
표본크기	83	209
연체계정	12	49

신규계정과 기존계정이 연체비율에서 다르다고 추론할 수 있는 충분한 증거가 존재하는가?

13.77 정상체중을 가진 100명과 비만인 100명이 몇 개의 차이니즈 뷔페식당에서 관측되었다. 연구원들은 각각에게 젓가락을 사용했는지, 나이프와 포크를 사용했는지 물었다. 다음과 같은 표가 만들어졌다.

	정상체중인 사람(명)	비만인 사람(명)
젓가락 사용	26	7
나이프와 포크 사용	74	93

차이니즈 뷔페식당을 이용하는 비만인 사람들이 젓가락을 더 적게 사용할 가능성이 있다고 추론할 수 있는 충분한 증거가 존재하는가?

13.78 서베이 방법이 선거구 유권자의 의견을 알아보기 위한 방법으로 전 세계의 정치가들에 의해 널리 사용되고 있다. 6개월 전에 한 정치가에 대한 지지도를 결정하기 위해 서베이가 실시되었다. 표본으로 추출된 1,100명 중에서 56%가 이 정치가를 지지한다고 응답하였다. 이번 달에 800명의 유권자를 대상으로 실시한 서베이에 의하면 46%가 이 정치가를 지지한다고 응답하였다.

a. 5%의 유의수준에서 이 정치가의 인기도가 감소했다고 추론할 수 있는가?

b. 5%의 유의수준에서 이 정치가의 인기도가 5% 이상 감소했다고 추론할 수 있는가?

c. 현재와 6개월 전 사이에 발생한 지지도 감소에 대한 95% 신뢰구간을 추정하라.

13.79 의료장비에 사용되는 복잡한 부품을 생산하기 위해 사용되는 생산과정은 40%대의 불량률을 발생시키고 있다. 최근에 두 개의 혁신적 생산과정이 기존의 생산과정을 대체하기 위해 개발되었다. 생산과정 1이 사용가능성이 더 높은 것으로 보이나 생산과정 2보다 구매하여 운영하는 데 상당히 더 비싸다. 비용에 대한 철저한 분석을 한 후에, 경영진은 생산과정 1의 불량률이 생산과정 2의 불량률보다 8% 이상 적으면 생산과정 1을 채택하기로 결정하였다. 이에 관한 의사결정을 하기 위한 테스트에서 두 개의 생산과정이 각각 300개의 부품을 생산하기 위해 사용되었다. 생산과정 1에 의해 생산된 300개의 부품 중에서 33개가 불량이었던 반면, 생산과정 2에 의해 생산된 300개의 부품 중에서 84개가 불량이었다. 경영진이 의사결정하는 것을 돕기 위한 검정을 수행하라.

생산운영관리분야의 통계학 응용

Ryan McVay/Photodisc/Getty Images

신약 테스트

새로운 제품이 개발되었을 때 여러 가지 방법으로 테스트가 이루어진다. 첫째, 새로운 제품이 잘 기능하는가? 둘째, 새로운 제품이 기존의 제품보다 더 좋은가? 셋째, 고객들이 이익을 발생시킬 수 있는 가격에 새로운 제품을 구매할 것인가? 마지막 질문은 고객 서베이를 실시하거나 필요한 정보를 생산하는 다른 실험들을 통하여 테스트된다. 마케팅 담당자가 이와 같은 실험을 수행한다.

새로운 제품의 개발자, 즉 일반적으로 연구개발 담당자 또는 생산운영관리자가 다른 두 가지 질문을 검토한다. 대상 제품이 새로운 약일 때, 새로운 약을 테스트하기 위한 데이터가 수집되는 특별한 방법들이 존재한다. 표본은 두 그룹으로 분류된다. 한 그룹에게는 새로운 약이 투여되고 다른 그룹에게는 약물을 포함하고 있지 않은 위약(placebo)이 투여된다. 약을 복용하는 사람들 또는 약을 제공하는 의사/과학자가 임의의 개인이 신약을 복용하는지 또는 위약을 복용하는지 알지 못하기 때문에 이와 같은 실험은 종종 "더블 블라인드(double-blind)" 실험이라고 부른다. 통계전문가들은 이와 같은 실험의 결과로 수집되어 저장되는 데이터를 가지고 분석을 한다. 연습문제 13.80~13.84는 이와 같은 형태의 통계학 응용 예제들이다. 연습문제 13.85는 위약의 사용이 불가능한 건강관련 문제를 다룬다.

13.80 감기와 알레르기약은 오랜 기간 동안 존재해왔다. 이와 같은 약들의 한 가지 심각한 부작용은 산업체 근로자들을 위험스럽게 만드는 졸음을 발생시킨다는 것이다. 최근에 졸음을 발생시키지 않는 감기약과 알레르기약이 개발되었다. 이와 같은 제품인 히스마날(Hismanal)을 개발한 제약회사는 히스마날은 최초의 1일 1회 복용 졸음 없는 알레르기약이라고 주장한다. 이 약을 복용하는 경우 졸음이 발생하지 않는지 조사하기 위해 1,604명의 환자는 히스마날을 복용하고 1,109명의 환자는 위약을 복용하는 임상실험이 이루어졌다. 첫 번째 그룹 중의 7.1%가 졸음발생을 보고하였고 두 번째 그룹 중의 6.4%가 졸음발생을 보고하였다. 이 결과로부터 5%의 유의수준에서 히스마날에 대한 제약회사의 주장이 거짓이라고 추론할 수 있는가?

13.81 플라빅스(Plavix)는 혈관성형환자들이 혈액응고를 막기 위해 복용하는 약이다. McMaster University의 한 연구원은 28개국의 482개 병원에 있는 12,562명의 환자들이 참여하는 한 연구를 수행하였다. 모든 환자들은 가벼운 심장마비 또는 심장마비를 발생시킬 수 있는 불안정한 협심증 또는 가슴통증을 수반하는 급성 관상동맥 증후군을 가지고 있었다. 환자들은 두 그룹으로 분할되었다. 그룹 1은 매일 플라빅스를 복용한 반면, 그룹 2는 위약을 복용하였다. 1년 후 플라빅스를 복용한 환자들 중 9.3%가 심장발작 또는 새로운 심장마비를 경험하였거나 심장혈관질환으로 사망하였다. 반면에, 위약을 복용한 환자들 중 11.5%가 심장발작 또는 새로운 심장마비를 경험하였거나 심장혈관질환으로 사망하였다. 플라빅스가 효과가 있다고 추론할 수 있는가?

13.82 잘 알려진 한 연구에서 의사들은 아스피린이 심장마비를 예방하는 데 도움을 준다는 것을 발견하였다. 5년 동안 진행된 이 연구 프로젝트에는 22,000명의 미국의사들(모두 남성)이 참여하였다. 그들 중 절반은 매주 3차례 아스피린 한 알을 복용한 반면, 나머지 절반은 매주 3차례 위약을 복용하였다. 연구원들은 각 참여자를 추적하고 정기적으로 최근 정보를 수집하였다. 아스피린을 복용했던 의사들 중에서 104명이 심장마비를 경험하였던 반면, 위약을 복용했던 의사들 중에서 189명이 심장마비를 경험하였다. 이와 같은 결과가 아스피린이 심장마비의 발생을 감소시키는 데 효과가 있다고 제시

하는지 결정하라.

13.83 연습문제 13.82에서 아스피린을 매일 복용하는 것이 심장마비의 발생확률을 감소시킨다는 것을 보여주는 실험이 설명되었다. 이 연구는 1982년에 수행되었고 그 당시에 의사들의 평균 연령은 50세였다. 이와 같은 실험 이후 수년 동안 의사들의 건강상태가 감시되었다. 감시된 건강상태 중의 하나는 백내장의 발생이었다. 아스피린을 복용한 그룹 중 1,084명에게 백내장이 발생되었고, 위약을 복용한 그룹 중 997명에게 백내장이 발생되었다. 이와 같은 데이터로부터 연구원들은 아스피린이 더 많은 백내장을 발생시킨다고 결론내릴 수 있는가?

13.84 캐나다암학회(Canadian Cancer Society)에 의하면, 21,000명 이상의 여성이 매년 유방암으로 진단받고 5,000명 이상이 사망한다. (미국의 수치는 캐나다의 10배 이상이다.) 일반적으로 수술이 처방의 첫 번째 방법으로 고려된다. 그러나 많은 여성들이 암의 재발을 경험한다. 이와 같은 이유 때문에 많은 여성들에게 타목시펜(Tamoxifen)이 처방된다. 그러나 5년 후에 종양은 타목시펜에 대한 저항력을 가진다. 타목시펜을 대체하기 위해 레트로졸(Letrozole)이라고 부르는 신약이 Novartis Pharmaceuticals 사에 의해 개발되었다. 레트로졸의 효과를 시험하기 위해 캐나다, 미국, 유럽으로부터 5,187명의 유방암 환자들이 참여하는 연구가 수행되었다. 표본에 속하는 환자의 절반은 레트로졸을 복용하였고 나머지 절반은 위약을 복용하였다. 이 연구는 5년 동안 진행될 예정이었다. 그러나 2.5년이 지난 후에 위약을 복용한 132명의 여성과 레트로졸을 복용한 75명의 여성이 유방암 재발을 경험하였다. 이 연구는 *New England Journal of Medicine*에 출간되었다. 이와 같은 결과는 레트로졸이 효과가 있다고 추론할 수 있는 충분한 증거를 제공하는가?

13.85 *British Medical Journal* (January 2004)에 출간된 한 연구는 운동이 심장마비를 경험한 환자들의 수명을 연장시키는 데 도움을 주는가 결정하고자 하였다. 심장마비를 경험한 801명의 환자들로 구성된 임의표본이 추출되었다. 이들 중 395명은 운동훈련을 받았고 나머지 406명은 운동훈련을 받지 않았다. 운동을 한 그룹 중 88명이 사망한 반면, 운동하지 않은 그룹 중 105명이 사망하였다. 연구원들은 운동훈련이 사망률을 감소시킨다고 추론할 수 있는가?

다음의 연습문제들을 풀기 위해서는 컴퓨터와 소프트웨어를 사용하여야 한다. 연습문제에 대한 답은 직접 계산될 수 있다. 표본통계량들을 위해 부록 A를 참조하라. 5%의 유의수준과 95%의 신뢰수준을 사용하라.

13.86 <Xr13-86> 자동차 잡지들은 종종 자동차 모델들을 비교하고 다양한 방법으로 평가한다. 자동차 소유주에게 종종 묻는 질문은 "당신은 동일한 모델을 다시 살 것인가?"이다. 한 자동차 잡지사에서 일하는 한 연구원이 임의표본에 속하는 Lexus 소유주들과 임의표본에 속하는 Acura 소유주들에게 다음번에 신차를 구매할 때, 동일한 차를 다시 살 계획인지 물었다고 하자. 이에 대한 응답(1=예, 0=아니오)이 기록되었다. 이 데이터로부터 연구원들은 두 자동차 소유주

모집단 간에 만족수준의 차이가 존재한다고 추론할 수 있는가?

13.87 <Xr13-87> 마약의 불법사용이 과거 10년 동안 감소하였는가? 정부기관들이 12세 이상의 미국인들을 대상으로 서베이를 실시하였다. 각 사람에게 지난달에 적어도 한 번 이상 마약을 사용했는지 물어보았다. 금년도의 서베이 결과와 10년 전에 실시되었던 서베이 결과가 1=예, 0=아니오의 방식으로 기록되었다. 미국에서 마약의 불법사용이 증가하였는가?

13.88 <Xr13-88> 캐나다의 앨버타에 있는 오일샌드는 2조 배럴의 석유를 포함하고 있는 것으로 추정되었다. 그러나 이러한 오일샌드에 있는 석유를 채굴하는 것은 환경을 손상시킨다. 캐나다인들과 미국인들을 대상으로 시행한 서베이에서 다음과 같은 질문을 하였다. 오일샌드와 관련하여 당신에게 (1) 환경에 대한 우려와 (2) 북미에 대한 안전한 비외국 석유 공급 잠재력 중에서 어느 것이 더 중요한가? 이 데이터로부터 당신은 이 질문에 대한 캐나다인들의 응답과 미국인들의 응답이 서로 다르다고 추론할 수 있는가?

13.89 <Xr13-89> 한 컴퓨터 칩 회사의 생산운영관리자는 기존의 기계를 대체할 새로운 기계를 선택하는 과정에 있다. 기술혁신이 생산과정을 개선시켰지만, 기계들이 불량 칩을 생산하는 것은 매우 일반적인 일이다. 생산운영관리자는 두 기계 중에서 하나를 선택하여야 한다. 기계 A의 비용은 기계 B의 비용보다 수천 달러 높다. 비용분석을 한 후에 기계 A의 불량률이 기계 B의 불량률보다 2% 이상 적으면 기계 A를 선택하기로 결정하였다. 이와 같은 결정을 돕기 위해 두 기계가 각각 200개의 칩을 생산하기 위해 사용되었다. 각 칩이 조사되었고 각 칩이 불량인지(코드=1) 또는 정상인지(코드=0)가 기록되었다. 이 생산운영관리자는 기계 A를 선택하여야 하는가?

13.90 <Xr13-90> 연습문제 9.58에서 언급한 것처럼 대부분의 텔레비전 중계 야구 경기에서 투수가 던진 공이 볼인지 스트라이크인지 보여주는 피칭 추적기를 보여준다. 이것은 심판이 올바른 판정을 내렸는지를 보여준다. 한 야구팬이 경험이 많은 두 명의 심판이 판정한 공으로 구성된 임의표본을 추출하여 검토한다고 하자. 이러한 작업에서 스트라이크 존에 들어가지 않은 공과 타자가 스윙하지 않은 공을 살펴보았다. 이 야구팬은 심판의 판정을 볼 (1) 또는 스트라이크 (2)로 기록하였다. 두 심판 사이에 스트라이크 존에 들어가지 않은 공에 대한 판정의 오류율에 차이가 존재한다는 충분한 증거가 존재하는가?

13.91 <Xr13-91> 연습문제 13.90을 참조하라. 이 야구팬은 스트라이크 존에 들어가고 타자가 스윙하지 않은 공에 대한 판정을 기록하였다. 심판의 판정은 볼(1) 또는 스트라이크(2)로 기록되었다. 이 데이터로부터 두 심판 사이에 스트라이크 존에 들어가는 공에 대한 판정의 오류율에 차이가 존재한다고 추론할 수 있는가?

13.92 <Xr13-92> 2016년 6월에 영국은 유럽연합을 탈퇴할 것인지에 대한 투표를 하였다. 미국의 경우와 마찬가지로 여론조사회사들은 출구조사를 시행하면서 각 응답자가 어떻게 투표하였는지(1=잔류한다, 2=탈퇴한다) 물었고 응답자의 연령 범주(1=18~24, 2=25~49, 3=50~64, 4=65 이상)를 기록하였다.

a. 50세~64세 영국인들과 65세 이상 영국인들의 투표 결과가 다르다고 결론지을 수 있는 충분한 증거가 존재하는가?

b. 18세~24세 영국인들과 25세~49세 영국인들

의 투표 결과가 다르다고 추론할 수 있는가?

13.93 <Xr13-93> 한 Gallup 서베이에서 미국 성인으로 구성된 임의표본를 대상으로 "미국에서 당신은 당신의 삶과 관련하여 당신이 하는 일을 선택할 자유에 만족하는가 만족하지 않는가?" 물었다. 응답은 1=만족한다, 0=만족하지 않는다이다. 금년도 서베이 결과와 5년 전 서베이 결과가 기록되었다. 미국 성인들은 5년 전보다 그들의 삶과 관련하여 그들이 하는 일을 선택할 자유에 덜 만족한다고 추론할 수 있는 충분한 증거가 존재하는가?

마케팅분야의 통계학 응용

Stockbyte/Getty Images

시장분할

제12.4절에서 시장분할이 소개되었고 분할시장의 크기가 어떻게 추정될 수 있는지 설명되었다. 일단 분할시장들이 정의되면 분할시장의 구성원들 간에 한 기업의 제품을 구매하는 행위가 다른가 결정하기 위해 통계기법이 사용될 수 있다.

13.94 <Xr13-94+> 아침식사용 시리얼 시장은 건강과 관련하여 다수의 시장으로 분할되어 있다. 한 회사는 건강을 의식하는 성인들을 하나의 분할시장으로 구별하였다. 이 회사의 마케팅 담당자는 이 분할시장에서 건강의식 분할시장을 목표로 만들어진 Special X 시리얼이 판매될 가능성이 더 큰가 알기 원한다. 성인들을 대상으로 서베이가 실시되었다. 여러 가지의 탐색질문들에 기초하여 각 성인은 건강의식이 있는 성인그룹(코드=1) 또는 건강의식이 없는 성인그룹(코드=2)으로 분류되었다. 또한 각 응답자에게 Special X를 구매할 것인지(1=예, 0=아니오)를 물어보았다. 수집된 데이터가 겹쳐쌓는 방식으로 기록되었다. 이 데이터로부터 건강의식이 있는 성인들이 Special X 시리얼을 구매할 가능성이 더 많다고 추론할 수 있는가?

13.95 <Xr13-95+> Quik Lube는 고객들이 기다리는 동안 자동차 오일교환 서비스를 제공해 주는 회사이다. 이 시장은 다음과 같은 분할시장들로 나누어져 있다.

1. 너무 바빠서 딜러 또는 서비스 센터에서 기다릴 수 없는 근로남성과 근로여성
2. 가정에서 일하는 배우자
3. 은퇴자
4. 기타

자동차 소유자들이 임의표본으로 추출되었다. 각 자동차 소유자는 해당되는 분할시장으로 분류되었고 일반적으로 Quik Lube와 같은 서비스를 사용하는지(1=예, 0=아니오) 보고하였다. 이 데이터는 겹쳐쌓는 방식으로 저장되어 있다.

a. 분할시장 1의 구성원들이 분할시장 4의 구성원들보다 Quik Lube와 같은 서비스를 일반적으로 사용하는지 결정하라.

b. 은퇴자와 가정에서 일하는 배우자 간에 Quik Lube와 같은 서비스를 사용하는 데 차이가 존재한다고 추론할 수 있는가?

13.96 <Xr13-96> 텔레마케터들은 여러 가지 정보출처들로부터 이름과 전화번호를 구한다. 한 특정한 정보출처가 두 번째 정보출처보다 더 좋은지 결정하기 위해 두 개의 정보

출처로부터 이름과 전화번호의 임의표본이 추출되었다. 한 통계전문가는 각 잠재 고객이 구매를 했는지(코드=1) 구매를 하지 않았는지(코드=0)를 기록하였다. 두 개의 정보출처 간에 차이가 존재한다고 추론할 수 있는가?

요약

제13장에서는 통계전문가들이 두 모집단을 비교할 수 있는 다양한 통계기법이 제시되었다. 데이터가 구간데이터이고 관심의 대상이 중심위치의 척도비교일 때 적정한 통계기법의 선택을 위해 고려되어야 하는 요소들이 있다. 표본들이 독립표본일 때 **동분산 공식**(equal-variances formulas) 또는 **이분산 공식**(unequal-variances formulas)이 사용될 수 있다. 표본들이 **짝진표본**(matched pairs)일 때, 단지 한 가지 공식만이 적용된다. 두 모분산에 관한 추론을 하기 위해 사용되는 ***F* 통계량**이 소개되었다. 데이터가 범주데이터일 때, 관심 있는 모수는 두 모비율 차이이다. 두 모비율 차이에 관한 두 가지 검정통계량과 한 가지 구간추정량이 제시되었다. 마지막으로 통계분석결과를 해석하는 데 중요한 개념인 **관측데이터**와 **실험데이터**가 논의되었다.

주요 용어

관측데이터(observational data)
동분산 검정통계량(equal-variance test statistic)
동분산 신뢰구간추정량(equal-variance confidence interval estimator)
분모의 자유도(denominator degrees of freedom)
분자의 자유도(numerator degrees of freedom))
실험데이터(experimental data)
이분산 검정통계량(unequal-variance test statistic)
이분산 신뢰구간추정량(unequal-variance confidence interval estimator)
짝진실험(matched pairs experiment)
차이모집단의 평균(mean of the population of difference)
통합분산추정량(pooled variance estimator)
통합모비율추정량(pooled proportion estimator)

주요 기호

기호	발음	의미
s_p^2	*s*-sub-*p*-squared	통합분산추정량
μ_D	mu-sub-*D* or mu-*D*	짝진데이터 차이의 모평균
$\bar{x}_D$	*X*-bar-sub-*D* or *x*-bar-*D*	짝진데이터 차이의 표본평균
s_D	*s*-sub-*D* or *s*-*D*	짝진데이터 차이의 표본표준편차
n_D	*n*-sub D or *n*-*D*	짝진데이터 차이의 표본크기
$\hat{p}$	*p*-hat	통합비율추정량

주요공식

$\mu_1 - \mu_2$에 관한 동분산 t 검정통계량

$$t = \frac{(\bar{x}_1 - \bar{x}_2) - (\mu_1 - \mu_2)}{\sqrt{s_p^2\left(\frac{1}{n_1} + \frac{1}{n_2}\right)}} \quad \nu = n_1 + n_2 - 2$$

$\mu_1 - \mu_2$에 대한 동분산 구간추정량

$$(\bar{x}_1 - \bar{x}_2) \pm t_{\alpha/2}\sqrt{s_p^2\left(\frac{1}{n_1} + \frac{1}{n_2}\right)} \quad \nu = n_1 + n_2 - 2$$

$\mu_1 - \mu_2$에 관한 이분산 t 검정통계량

$$t = \frac{(\bar{x}_1 - \bar{x}_2) - (\mu_1 - \mu_2)}{\sqrt{\left(\frac{s_1^2}{n_1} + \frac{s_2^2}{n_2}\right)}} \quad \nu = \frac{(s_1^2/n_1 + s_2^2/n_2)^2}{\frac{(s_1^2/n_1)^2}{n_1 - 1} + \frac{(s_2^2/n_2)^2}{n_2 - 1}}$$

$\mu_1 - \mu_2$에 대한 이분산 구간추정량

$$(\bar{x}_1 - \bar{x}_2) \pm t_{\alpha/2}\sqrt{\frac{s_1^2}{n_1} + \frac{s_2^2}{n_2}} \quad \nu = \frac{(s_1^2/n_1 + s_2^2/n_2)^2}{\frac{(s_1^2/n_1)^2}{n_1 - 1} + \frac{(s_2^2/n_2)^2}{n_2 - 1}}$$

μ_D에 관한 t 검정

$$t = \frac{\bar{x}_D - \mu_D}{s_D/\sqrt{n_D}} \quad \nu = n_D - 1$$

μ_D에 대한 구간추정량

$$\bar{x}_D \pm t_{\alpha/2}\frac{s_D}{\sqrt{n_D}} \quad \nu = n_D - 1$$

σ_1^2/σ_2^2에 관한 F 검정통계량

$$F = \frac{s_1^2}{s_2^2} \quad \nu_1 = n_1 - 1 \text{ and } \nu_2 = n_2 - 1$$

σ_1^2/σ_2^2에 대한 구간추정량

$$\text{LCL} = \left(\frac{s_1^2}{s_2^2}\right)\frac{1}{F_{\alpha/2,\nu_1,\nu_2}}$$

$$\text{UCL} = \left(\frac{s_1^2}{s_2^2}\right)F_{\alpha/2,\nu_2,\nu_1}$$

$p_1 - p_2$에 관한 z 검정통계량

$$\text{Case 1:} \quad z = \frac{(\hat{p}_1 - \hat{p}_2)}{\sqrt{\hat{p}(1 - \hat{p})\left(\frac{1}{n_1} + \frac{1}{n_2}\right)}}$$

$$\text{Case 2:} \quad z = \frac{(\hat{p}_1 - \hat{p}_2) - (p_1 - p_2)}{\sqrt{\frac{\hat{p}_1(1 - \hat{p}_1)}{n_1} + \frac{\hat{p}_2(1 - \hat{p}_2)}{n_2}}}$$

$p_1 - p_2$에 대한 구간추정량

$$(\hat{p}_1 - \hat{p}_2) \pm z_{\alpha/2}\sqrt{\frac{\hat{p}_1(1 - \hat{p}_1)}{n_1} + \frac{\hat{p}_2(1 - \hat{p}_2)}{n_2}}$$

연습문제

다음의 연습문제들을 풀기 위해서는 컴퓨터와 소프트웨어를 사용하여야 한다. 5%의 유의수준과 95%의 신뢰수준을 사용하라.

13.97 <Xr13-97> 한 오피스 빌딩 안에 위치하고 있는 한 레스토랑은 고객들을 유인하기 위한 새로운 전략을 채택하기로 결정하였다. 매주 이 레스토랑은 한 신문에 광고를 하고 있다. 이 광고가 얼마나 효과가 있는지 평가하기 위해 이 레스토랑의 소유주는 광고활동을 시작한 후 15주 동안 주간 총매출액과 광고활동 이전 24주 동안 주간 총매출액을 기록하였다. 이 레스토랑의 소유주는 광고활동이 성공적이라고 결론내릴 수 있는가?

13.98 <Xr13-98> 매년 미국의 Bureau of Labor Statistics는 소위 American Time Use Servey를 시행한다. 응답자들에게 24시간 하루 동안에 하는 활동들을 보고하도록 요청한다. 이 서베이 결과는 응답자들이 전형적인 1주에 몇 시간 일하는지 결정하기 위해 사용된다. 정부 부문 근로자들과 민간 부문 근로자들에 대한 결과가 기록되었다. 정부 부문 근로자들이 민간 부문 근로자들보다 더 적게 일한다고 추론할 수 있는 충분한 증거가 존재하는가?

13.99 <Xr13-99> 정기적인 휴가가 당신의 건강에 얼마나 중요한가? 한 연구에서 임의표본으로 추출된 남성들과 여성들에게 얼마나 자주 휴가를 가지는지 물었다. 남성들과 여성들은 두 그룹으로 분류되었다. 그룹 1에 속한 사람들은 심장마비를 겪었고 그룹 2에 속한 사람들은 심장마비를 겪지 않았다. 각 사람이 작년에 가진 휴가일수가 기록되었다. 심장마비를 겪은 남성들과 여성들이 심장마비를 겪지 않은 남성들과 여성들보다 적은 휴가일수를 가진다고 추론할 수 있는가?

13.100 <Xr13-100> 한 제약회사의 연구원들은 최근에 새로운 무처방 수면제를 개발하였다. 그들은 이 약을 복용한 사람이 잠들게 되기까지의 시간을 측정하여 이 약의 효과를 시험해보기로 결정하였다. 예비분석에 의하면 잠드는 데 걸리는 시간이 사람마다 상당히 달랐다. 따라서 그들은 다음과 같은 방식으로 실험을 실시하였다. 정기적으로 불면증에 시달리는 100명의 자원자가 임의표본으로 선택되었다. 각 사람에게 새로 개발된 약이 포함된 1알의 정제 또는 1알의 위약이 주어졌다. (각 사람은 복용한 정제가 위약인지 새로 개발된 약인지 모르며 약이 주어지는 순서는 임의로 결정되었다.) 각 참여자에게 잠이 들 때까지 시간을 측정하는 장치가 부착되었다. 새로 개발된 약이 효과적이라고 결론내릴 수 있는가?

13.101 <Xr13-101> 토론토시는 4개의 일간 신문을 가지고 있는 것을 자랑한다. 경쟁이 치열한 것은 놀라운 일이 아니다. 신문독자들에 관하여 더 많이 알기 위해 한 광고회사는 거리의 신문대에서 신문을 사는 사람들로 구성된 임의표본과 집으로 배달되는 신문을 보는 사람들로 구성된 임의표본을 선택하였다. 각 사람에게 신문을 읽는 데 보내는 시간(분 기준)을 물어보았다. 신문을 읽는 시간이 두 그룹 간에 다르다고 추론할 수 있는가?

13.102 <Xr13-102> 최근에 많은 미국의 주정부들이 의무적으로 좌석벨트를 착용해야 한다는 법을 통과시켰다. 좌석벨트의 사용이 생명을 구하고 심각한 부상을 감소시키는 것으로 알려져 있지만, 좌석벨트 착용법을 준수하는 일이 일반적인 일이 아니다. 좌석벨트의 사용을 증가시키기 위해 한 정부기관이 2년 기간의 연구를 후원하였다. 이 연구의 목적은 좌석벨트의 사용이 작년과 금년 사이에 증가하였다고 추론할 수 있는 충분한 증거가 존재하는지 결정하기 위한 것이었다. 이와 같은 믿음을 검정하기 위해 작년과 금년의 운전자들로 구성된 임의표본들이 추출되었고 운전자들에게 항상 좌석벨트를 착용하는지(2=좌석벨트를 착용한다, 1=좌석벨트를 착용하지 않는다) 물었다. 좌석벨트의 착용이 지난 1년 동안 증가했다고 추론할 수 있는가?

13.103 <Xr13-103> 생계비용의 중요한 구성요소 중 하나는 주택에 지출하는 금액이다. 주택비용에는 (임대인의 경우) 렌트, (주택 소유자의 경우) 모기지 지불금과 재산세, 광열비, 전기요금, 수도요금이 포함된다. 한 경제학자는 주택비용이 어떻게 변화했는지 결정하기 위한 연구를 5년 기간 동안 수행하였다. 그는 5년 전과 금년에 각각 200가구의 임의표본을 추출하였고 주택에 지출하는 금액이 총소득에서 차지하는 %를 기록하였다.

a. 이 경제학자가 총소득의 %로 나타낸 주택비용이 과거 5년 동안 증가하였다고 추론할 수 있는지 결정하기 위한 검정을 수행하라.

b. a에서 사용된 검정의 필요조건을 확인하기 위해 당신이 적정하다고 생각하는 통계기법을 사용하라.

13.104 <Xr13-104> 잡지를 팔기 위한 광고활동을 설계하는 데 있어서 인구통계학적 그룹들 각각이 잡지를 읽는 시간을 아는 것이 중요하다. 한 예비연구에서 40명이 임의로 선택되었다. 각 사람에게 잡지를 읽는 데 주당 얼마의 시간을 보내는지 물었다. 이에 더하여 그들은 성별(1=남성, 2=여성)과 소득수준별(1=낮음, 2=높음)로 분류되었다.

a. 잡지를 읽는 시간이 남성과 여성 간에 차이가 있다고 결론내릴 수 있는 충분한 증거가 존재하는가?

b. 고소득층이 저소득층보다 잡지를 읽는 데 더 많은 시간을 보낸다는 충분한 증거가 존재하는가?

13.105 <Xr13-105> 성별이 MBA 졸업생의 연봉제안에 영향을 미치는지 결정하기 위한 한 연구에서 25쌍의 학생들이 선택되었다. 각 쌍은 평균학점(GPA), 수강과목, 연령, 과거직업경험에 의해 매치된 남학생과 여학생으로 구성되었다. 각 졸업생에게 제안된 최고 연봉(1,000달러 기준)이 기록되었다.

a. 성별이 연봉제안의 한 요인이라고 추론할 수 있는 충분한 증거가 존재하는가?

b. 주어진 실험이 설계된 이유를 논의하라.

c. a의 검정을 위한 필요조건이 충족되는가?

13.106 <Xr13-106> 두 종류의 무늬를 찍어내는 기계 중 어느 것을 구매해야 하는지 결정하기 전에 한 자동차부품회사의 공장장은 각 기계가 생산하는 단위 수를 결정하기 원한다. 두 기계는 비용, 신뢰성, 생산성에서 차이를 가지고 있다. 이 회사의 회계사는 기계 A를 구매하기 위해서는 기계 A가 기계 B보다 시간당 25개 이상의 정상품을 더 많이 생산해야 한다고 계산하였다. 의사결정을 돕기 위해 두 기계가 24시간 동안 작동되었다. 각 기계에 의해 시간당 생산되는 총 단위 수와 불량품의 수가 기록되었다. 이에 대한 데이터는 다음과 같은 방식으로 저장되어 있다: 열 A=기계 A에 의해 생산되는 총 단위 수; 열 B=기계 A에 의해 생산되는 불량품의 수; 열 C=기계 B에 의해 생산되는 총 단위 수; 열 D=기계 B에 의해 생산되는 불량품의 수. 어느 기계를 구매해야 하는지 결정하라.

13.107 연습문제 13.106을 참조하라. 불량률이 두 기계 간에 다르다고 결론내릴 수 있는가?

13.108 <Xr13-108> 직장에 통근하기 위한 자전거 사용의 증가가 많은 도시들로 하여금 자전거 전용도로를 만들게 하였다. 이와 같은 자전거 전용도로는 일반적으로 이전에 보도변 주차가 허용되었던 거리에 주차를 허용하지 않음으로써 만들어진다. 이 거리 상에 있는 상인들은 주차불가조치가 그들의 영업을 어렵게 만들 것이라고 불평한다. 이와 같은 문제를 조사하기 위해 한 대도시의 시장은 1시간 주차 미터기가 있었던 분주한 거리 상에서 하나의 실험을 하기로 결정하였다. 주차 미터기들이 제거되었고 자전거 전용도로가 만들어졌다. 이 도시의 시장은 한 블럭 안에 있는 3개의 사업체(세탁소, 도넛가게, 편의점)에게 자전거 전용도로가 만들어지기 전 2주 동안과 자전거 도로가 만들어진 후 2주 동안 일일 매출액을 기록하게 하였다. 이에 대한 데이터가 다음과 같이 저장되어 있다: 열 A=요일; 열 B=자전거 전용도로를 만들기 전 세탁소의 매출액; 열 C=자전거 전용도로를 만들기 전 도넛가게의 매

출액; 열 D=자전거 전용도로를 만들기 전 편의점의 매출액; 열=E 자전거 전용도로를 만든 후 세탁소의 매출액; 열 F=자전거 전용도로를 만든 후 도넛가게의 매출액; 열 G=자전거 전용도로를 만든 후 편의점의 매출액. 당신은 이 데이터로부터 어떤 결론을 도출할 수 있는가?

13.109 <Xr13-109> 임상우울증(clinical depression)은 여러 가지 다른 질환들과 연결되어 있다. Johns Hopkins University의 과학자들은 심장질환이 이러한 질환들 중 하나인지 결정하기 위한 연구를 수행하였다. 1,190명의 남성의 과대학생 그룹이 40년의 기간 동안 추적되었다. 이들 중에서 132명이 임상우울증을 겪었다. 과학자들은 각 학생에 대하여 그가 심장마비로 사망했는지(코드=1) 사망하지 않았는지(코드=0)를 기록하였다.

a. 임상우울증을 가지고 있는 남성이 심장질환으로 사망할 가능성이 더 크다고 추론할 수 있는가?

b. 만일 a의 대답이 "예"이면, 당신은 이 결과가 우울증이 심장질환의 원인이라는 것을 의미한다고 해석할 수 있는가? 설명하라.

13.110 <Xr13-110> 고혈압은 심장마비의 주요한 원인이다. 의학연구원들은 계속해서 고혈압으로 고통을 겪는 환자들을 처방하는 방법을 찾고 있다. 한 고혈압 전문가는 정기적인 에어로빅 운동은 부작용 없이 약만큼 성공적으로 고혈압을 감소시킬 수 있다고 주장한다. 이와 같은 주장을 검정하기 위해 고혈압을 겪고 있는 50명의 환자가 실험에 참여하기 위해 선택되었다. 60일 동안 표본의 절반은 일주일에 3차례 1시간 동안 운동을 하고 약을 복용하지 않았다. 나머지 절반은 약을 복용하였다. 혈압이 감소한 % 정도가 각 개인별로 기록되었다.

a. 고혈압을 낮추는 데 운동이 약보다 더 효과적이라고 결론내릴 수 있는가?

b. 약과 운동 간의 평균 혈압강하 % 차이에 대한 95% 신뢰구간을 추정하라.

c. a와 b에서 사용된 통계기법의 필요조건이 충족되는지 확인하라.

13.111 <Xr13-111> 대부분의 사람들은 체중을 감소시키기 위해 운동을 한다. 체중을 감소시키는 더 좋은 방법을 결정하기 위해 임의표본으로 추출된 남성과 여성들이 두 그룹으로 분할되었다. 첫 번째 그룹은 일주일에 2차례 심하게 운동을 하였고, 두 번째 그룹은 일주일에 4차례 가볍게 운동을 하였다. 각 개인의 체중감소 정도가 기록되었다. 가볍게 운동하는 사람들이 더 빠르게 체중을 감소시킨다고 추론할 수 있는가?

13.112 <Xr13-112> 연습문제 13.111의 검정결과를 관찰한 후에 한 통계전문가는 다른 실험을 수행하였다. 사람들이 성별, 키, 체중에 의해 매치되었다. 각 짝진 쌍의 한 사람은 일주일에 2차례 심하게 운동을 하였고 다른 사람은 일주일에 4차례 가볍게 운동을 하였다. 체중감소 정도가 기록되었다. 가볍게 운동하는 사람이 심하게 운동하는 사람보다 더 많이 체중이 감소한다고 추론할 수 있는가?

13.113 <Xr13-113> 대부분의 영어를 가르치는 교수들은 학생들이 작문을 잘하지 못한다는 것에 대하여 불평한다. 특히, 그들은 학생들이 종종 질과 양을 혼돈한다는 점을 지적한다. University of Texas에서 이와 같은 주장을 조사하기 위한 연구가 수행되었다. 이 연구에서 학부학생들에게 일본차와 미국차의 비용/편익을 비교하도록 요청하였다. 모든 학생들은 컴퓨터로 그들의 분석을 작성하였다. 일부 학생들이 한 페이지를 채우기 위해 필요한 단어들을 두 번 타이핑할 수 있도록 컴퓨터가 준비되었다. 각 학생이 사용한 단어의 수가 기록되었다. 학

생들은 배분된 공간을 채우는 방식으로 글을 쓴다고 결론내릴 수 있는가?

13.114 <Xr13-114> 많은 작은 소매업자들은 광고전단을 보내어서 이웃들에게 광고한다. 사람들이 광고전단을 가정에 전달하고 전달한 광고전단 수에 의해 보수를 받는다. 각 광고전단 전달자에게 그가 전달할 책임을 가지는 가정이 있는 다수의 거리가 주어진다. 소매업자들이 광고전단 전달자의 성과를 확인하기 위해 사용하는 방법 중 하나는 임의로 가정 일부를 표본으로 추출하고 가정의 주인에게 해당되는 광고전단을 받았는지 물어보는 것이다. 최근에 대학생들이 새로운 전달 서비스 회사를 시작하였다. 그들은 경쟁적인 가격으로 더 좋은 서비스를 제공할 것을 약속하였다. 한 소매업자는 새로 만들어진 회사의 광고전단 전달률이 기존 회사의 광고전단 전달률보다 더 높은지를 알기 원하였다. 이 소매업자는 두 회사가 자기의 광고전단을 전달하도록 하였다. 일부의 가정들을 임의표본으로 추출하였고 각 가정에게 해당되는 광고전단을 받았는지(1=받았다, 0=받지 않았다)를 물어보았다. 이 소매업자는 새로운 회사가 더 좋다고 결론내릴 수 있는가?

13.115 <Xr13-115> 의학전문가들은 감염에 대처하는 데 도움을 받기 위해 비타민과 미네랄 보충제의 사용을 권장한다. Memorial University의 Ranjit Schneider 박사에 의해 수행된 한 연구(Lancet, November 1992에 보고됨)에 65세 이상에 해당되는 96명의 남성과 여성이 참여하였다. 그들 중 절반은 매일 비타민과 미네랄 보충제를 복용한 반면, 나머지 절반은 위약을 복용하였다. 보충제에는 비타민 B-6, B-12, C, D, 티아민(thiamine), 리보플라빈(riboflavin), 니아신(niacin), 칼슘(calcium), 구리(copper), 아이오딘(iodine), 철분(iron), 셀레니움(selenium), 마그네슘(magnesium), 아연(zinc) 등 18개의 비타민과 미네랄 일일 권장량이 포함되어 있다. 비타민 A와 E는 일일 필요량보다 약간 적었다. 보충제에는 평균적인 사람이 하루에 섭취하는 베타-카로틴(beta-carotene) 양의 4배가 포함되어 있다. 감기부터 폐렴에 이르기까지의 감염으로부터 병을 앓게 되는 일수가 각 사람에 대하여 기록되었다. 비타민과 미너럴 보충제를 매일 복용하는 것이 신체의 면역시스템을 강화시킨다고 추론할 수 있는가?

13.116 <Xr13-116> 애틀랜틱 시티 도박위원회(Atlantic City Gaming Commission)의 한 검사관은 한 특정한 블랙잭 딜러가 판돈이 큰 테이블에서 딜링을 할 때 사기를 치고 있을 수 있다고 의심하였다. 그녀의 믿음을 검정하기 위해 그녀는 100달러 상한 테이블과 3,000달러 상한 테이블의 각각에서 500판을 관찰하였다. 그녀는 각 판에 대하여 딜러가 이겼는지(코드=1) 졌는지(코드=0)를 기록하였다. 타이가 발생할 때에는 승자도 패자도 존재하지 않는다. 이 검사관은 이 딜러가 판돈이 더 비싼 테이블에서 사기를 치고 있다고 결론내릴 수 있는가?

13.117 <Xr13-117> 2005년에 Harvard University의 총장인 Larry Summers는 왜 수학과에 여성 교수보다 남성 교수가 더 많은가를 설명하려는 것에 대하여 비판 공세를 받았다. 그는 보다 더 완벽한 성별 균형을 달성하려는 탐색을 영구히 좌절시킬 수 있는 본질적인 차이가 존재하다고 말하였다. Summers 박사의 가설을 기각하기 위한 시도로 다수의 연구원들은 남학생들과 여학생들을 대상으로 대규모의 수학시험을 시행하였다. 그 결과가 기록되었다. 당신이 생각하기에 이 데이터로부터 결론을 도출하기 위해 필요하다고 여겨지는 검정을 수행하라. (주: 이 데이터는 시뮬레이션에 의해 얻은 것이나 실제 결과를 나타낸다.)

13.118 <Xr13-118> 신용점수는 대출을 받은 사람이 대출을 상환할 가능성을 측정하는 척도이다. 신용점수는 또한 경제 상태를 측정하는 척도로 사용될 수 있다. 한 금융애널리스트가 금년의 신용점수들로 구성된 임의표본을 추출하였고 이것을 대침체(Great Recession)를 겪었던 2010년의 신용점수들로 구성된 임의표본과 비교하였다. 금년의 신용점수가 2010년의 신용점수보다 더 높다고 추론할 수 있는가?

13.119 <Xr13-119> 피자 레스토랑에서 고객들은 얼마나 지출하고 고객들의 지출액은 피자 레스토랑들 간 다른가? 한 연구원은 피자헛과 파파존스의 고객들로 구성된 임의표본들을 추출하고 각 레스토랑에서 일 인당 얼마나 지출하는지 묻는 서베이를 수행하였다. 피자헛과 파파존스 간에 일 인당 평균 지출액의 차이가 존재한다고 추론할 수 있는 충분한 증거가 존재하는가?

13.120 <Xr13-120> 연습문제 13.119를 참조하라. 버거킹과 맥도날드에서 일인당 지출액을 비교하는 유사한 프로젝트가 수행되었다. 수집된 데이터로부터 버커킹과 맥도날드 간에 일인당 평균 지출액의 차이가 존재한다고 결론내릴 수 있는가?

13.121 <Xr13-121> 한 연구원은 한 레스토랑에서 2가지 다른 음악을 가지고 실험하였다. 첫 번째 음악은 빠르고 리듬이 강한 음악이고, 두 번째 음악은 부드럽고 마음을 느긋하게 해주는 음악이다. 식사하러 온 고객들로 구성된 임의표본이 추출되었고 음악의 유형, 레스토랑에서 머문 시간, 음료를 사기 위해 지출한 금액이 기록되었다. 부드럽고 마음을 느긋하게 해주는 음악이 연주될 때, 식사하러 온 고객들이 레스토랑에서 더 오래 머물고 음료를 사기 위해 더 많은 금액을 지출한다고 결론내릴 수 있는 충분한 증거가 존재하는가?

13.122 <Xr13-122> 한 텔레비전 프로그램은 한 연구원과 함께 Hardee's 레스토랑의 단장을 수행하였다. 메인 룸은 밝은 전등과 시끄러운 음악을 사용하였다. 한 분리된 룸은 식물, 그림, 간접조명, 흰색 테이블보, 테이블 위에 양초로 장식되었다. 각 룸에서 식사하러 온 고객들이 머문 시간이 기록되었다. 레스토랑이 밝은 전등과 시끄러운 음악을 사용할 때 고객들이 레스토랑에 머무는 시간이 더 짧다고 추론할 수 있는 충분한 증거가 존재하는가?

13.123 <Xr13-123> 연습문제 13.122를 참조하라. 고객들에게 레스토랑을 얼마나 재방문할 가능성이 있는지(1=가능성이 있다, 0=가능성이 없다) 물었다. 레스토랑이 밝은 전등과 시끄러운 음악을 사용할 때 고객들이 레스토랑을 재방문할 가능성이 적다고 추론할 수 있는 충분한 증거가 존재하는가?

13.124 <Xr13-124> 한 캠프 카페테리아에서 10대들에게 길고 홀쭉한 유리잔이나 짧고 널찍한 유리잔이 임의로 주어졌다. 그들은 줄을 서서 원하는 음식을 담고 선택한 음료를 담는다. 줄의 마지막 위치에서 그들의 잔에 담겨져 있는 음료의 양이 기록되었다. 짧고 널찍한 유리잔에 담겨져 있는 음료의 양이 길고 홀쭉한 유리잔에 담겨져 있는 음료의 양보다 더 많다고 추론할 수 있는가?

13.125 <Xr13-125> 영화스튜디오들은 영화시장을 연령으로 분할한다. 영화산업에 특히 중요한 두 분할시장은 10대 시장과 20세~30세 시장이다. 영화시장을 평가하고 영화제작을 돕기 위해 10대 임의표본과 20세~30세 임의표본이 추출되었다. 각 사람에게 작년에 영화관에서 본 영화 편수를 보고하도록 요청하였다. 이 데이터로부터 10대가 20세~30세보다 영화를 더 많이 본다고 추론할 수 있는가?

13.126 <Xr12-92+> 연습문제 12.92에서 실시된 서베이에서 교육성취에 관하여 질문하는 것에 추가하여 응답자들이 앞으로 2년 안에 과목을 수강할 계획을 가지고 있는지(1=예, 0=아니오)를 물어보았다. 고등학교를 마치지 못한 캘리포니아 사람들은 대학의 저녁 프로그램에서 과목을 수강할 가능성이 낮다고 결론내릴 수 있는가?

13.127 <Xm12-06+> 예제 12.6에서 실시된 서베이의 목적은 건강식품을 먹는 데 관심을 가지고 있는 성인분할시장의 크기를 추정하는 것이었다. 이 서베이의 한 내용으로 각 응답자에게 한 달에 아침식사 시리얼에 지출하는 금액을 물었다. 다양한 아침식사 시리얼을 생산하는 한 회사의 마케팅 담당자는 건강식품을 먹는 데 관심을 가지고 있는 분할시장이 다른 분할시장보다 평균적으로 더 많이 지출하는지 알기 원한다. 이 질문에 답하기 위한 검정을 수행하라.

13.128 <Xr12-35+> 연습문제 12.35에서는 사무용품 체인인 OfficeMax가 일부 제품들에 대하여 어떻게 리베이트를 제공하는지가 설명되었다. 연습문제 12.35의 목적은 100 CD-ROM 패키지를 구매한 고객들이 지출하는 총금액을 추정하는 것이었다. 한 임원은 이와 같은 금액을 추정하는 것에 추가하여 임의로 선택된 팩스/복사기(정규가격 89.99달러−제조회사의 리베이트 40달러−OfficeMax 메일 리베이트 10달러)를 구매한 고객들이 OfficeMax에서 지출한 금액을 구하였다. OfficeMax는 팩스/복사기 구매고객들이 CD-ROM 패키지 구매고객보다 더 많이 지출한다고 결론내릴 수 있는가?

13.129 <Xr12-84+> 연습문제 12.84에서 55세~64세 사이에 속하는 교수들이 65세 이전에 은퇴할 계획인가에 대한 응답을 기록하는 것에 추가하여 컨설턴트는 각 교수에게 연봉을 보고하도록 요청하였다. 이 대학의 총장은 조기에 은퇴할 계획을 가지고 있는 55세~64세 사이에 속하는 교수들은 조기에 은퇴할 계획을 가지고 있지 않은 교수들보다 더 높은 연봉을 가지고 있다고 추론할 수 있는가?

13.130 <Xr12-87+> 연습문제 12.87에서 통계전문가는 응답자의 성별도 1=여성, 2=남성의 코드를 사용하여 기록하였다. 크리스마스트리를 선택하는 데 있어서 남성과 여성이 다르다고 추론할 수 있는가?

14

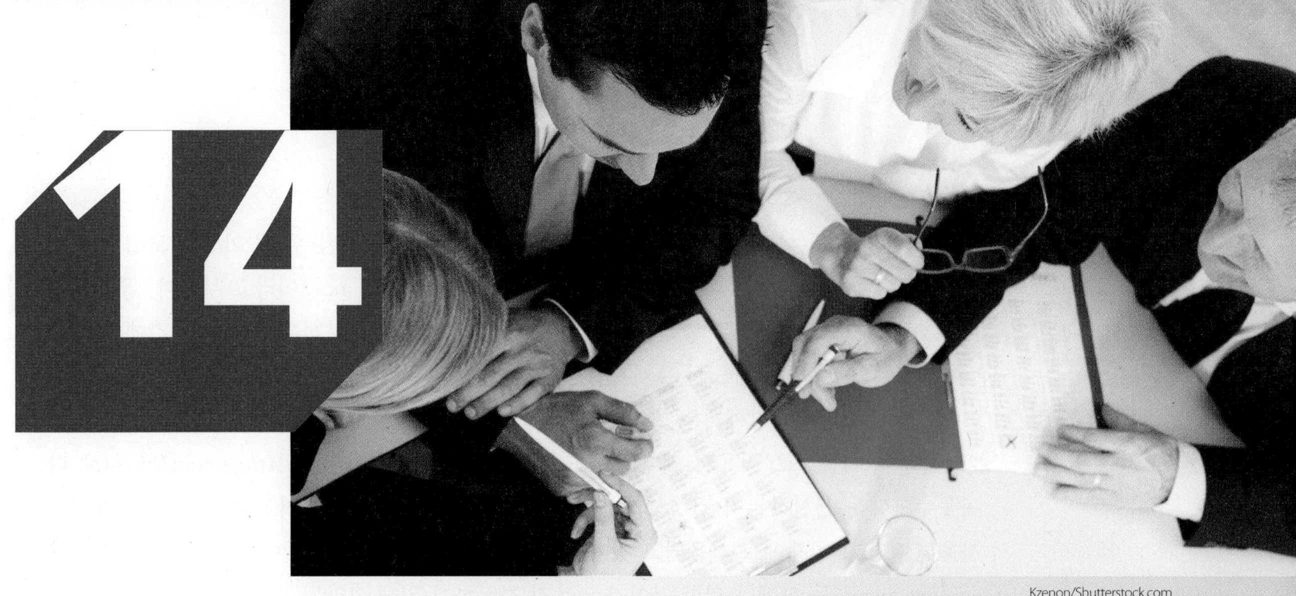

Kzenon/Shutterstock.com

분산분석

Analysis of Variance

이 장의 구성

14.1 일원분산분석
14.2 다중비교검정
14.3 분산분석 실험계획법
14.4 랜덤화블럭(이원) 분산분석
14.5 이인자분산분석

General Social Survey

진보–보수 스펙트럼과 소득

☞ (587페이지에 모범답안이 제시되어 있다.)

DATA GSS2018

미국인들의 정치적 견해는 그들의 소득에 영향을 받는가? 만일 그렇다면, 자신들의 정치적 견해(POLVIEWS)가 다음과 같은 범주에 속한다고 말하는 그룹들 간에 소득이 다를 것이라고 예상할 수 있을 것이다. 정치적 견해를 달리하는 7개 그룹 간에 소득(RINCOME)의 차이가 존재하는지 결정하기 위한 검정을 수행하라.

1 = 극단적 진보
2 = 진보
3 = 약간의 진보
4 = 중간적 입장
5 = 약간의 보수
6 = 보수
7 = 극단적 보수

Maxh Herman/Shutterstock.com

서론

이 장에서 소개되는 기법은 통계전문가들이 구간데이터로 구성된 두 개 이상의 모집단을 비교할 수 있게 해준다. 이 기법은 **분산분석**(analysis of variance)이라고 부른다. 분산분석은 매우 강력하고 일반적으로 널리 사용되는 통계기법이다. 분산분석은 모평균들 간에 차이가 있는지 결정한다. 흥미롭게도 이 통계기법은 표본분산을 분석하여 작동되기 때문에 분산분석이란 이름이 붙여졌다. 이 장에서는 여러 가지 형태의 분산분석 기법이 논의된다.

분산분석이 처음으로 적용된 경우 중 하나가 서로 다른 비료의 처리(treatment)가 서로 다른 곡물수확량을 생산하는지 결정하기 위해 1920년대에 시행되었다. 이와 같은 처음의 실험에서 사용된 용어가 현재에도 사용되고 있다. 실험이 어떤 것이든지 간에 이 실험과정은 **처리평균**(treatment mean)들 간에 유의한 차이가 있는지 결정하기 위해 고안된 것이다.

14.1 일원분산분석

분산분석은 두 개 이상의 모평균 간에 차이가 있는지 결정하는 검정 기법이다. 이 통계기법의 이름은 계산이 수행되는 방법으로부터 유래된 것이다. 즉, 이 통계기법은 모평균들이 차이가 있다고 추론할 수 있는지 결정하기 위해 데이터의 분산을 분석한다. 제13장에서처럼, 실험계획법(experimental design)은 사용할 적정한 통계기법을 선택하는 데 있어서 하나의 결정요인이다. 이 절에서는 표본들이 독립적으로 추출될 때 적용되는 분산분석 기법이 논의된다. 이와 같은 분석기법은 **일원분산분석**(one-way analysis of variance)이라고 부른다. 그림 14.1은 독립적인 표본들이 추출되는 과정을 그린 것이다. 모집단 j ($j=1, 2, \ldots, k$)의 평균과 분산은 각각 μ_j와 σ_j^2으로 표시된다. 모집단의 평균과 분산은 모두 알려져 있지 않다. 각 모집단에서 독립적인 임의표본들이 추출된다. 각 표본으로부터 표본평균 $\bar{x}_j$와 표본분산 s_j^2이 계산된다.

그림 14.1 독립표본들의 표본추출구조

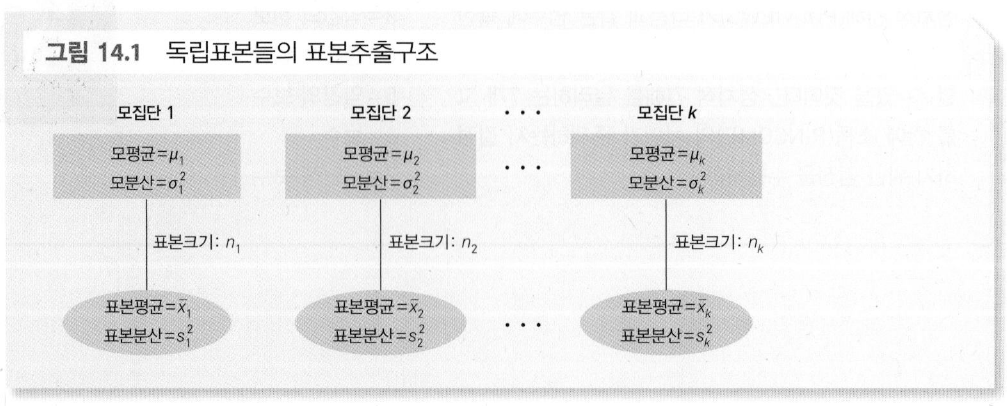

예제 14.1

DATA Xm14-01

고령자의 주식투자금액이 연령대 간에 다른가?

지난 10년 동안 주식브로커들은 비즈니스 방식을 급격하게 바꾸었다. 인터넷 트레이딩이 매우 일반화되었고 온라인 트레이딩은 5달러 정도의 저렴한 비용으로 이루어질 수 있다. 그러나 나이 든 사람들은 젊은 사람들만큼 많이 트레이딩을 하지 않을 수 있다. 한 금융애널리스트는 나이 든 사람들이 주식시장에 더 많이 투자하도록 초대하는 것이 가치 있는 일인지 알기 원하였다. 그러나 이 금융애널리스트는 주식투자에서 서로 다른 연령대들이 존재하는지 알아야 할 필요가 있었다. 이 질문에 답하기 위해, 384명의 미국 고령자로 구성된 임의표본을 추출하고 각자에게 연령대와 주식투자금액(1,000달러)을 보고하도록 요청하였다. 연령대는 65세~69세, 70세~74세, 75세 이상으로 구분되었다. 이러한 데이터 중 일부가 다음과 같이 정리되어 있다. 이러한 데이터로부터 세 연령대 간에 주식투자금액의 차이가 존재하는지 결정할 수 있는가? (*자료*: U.S. Census Bureau)

연령: 65세~69세	연령: 70세~74세	연령: 75세 이상
76.8	86.1	77.7
87.4	105.9	81.5
109.1	58.4	98
51.8	73.5	81.8
⋮	⋮	⋮

해답 데이터가 구간데이터(주식투자금액)이고 문제의 목표는 3개 모집단(연령 범주)을 비교하는 것이다. 분석대상 모수들은 3개의 모평균, 즉 μ_1, μ_2, μ_3이다. 귀무가설은 모평균들 간에 차이가 없다는 것을 나타내기 위해 다음과 같이 설정된다.

$$H_0: \mu_1 = \mu_2 = \mu_3$$

분산분석은 귀무가설이 옳지 않다는 것을 보이기에 충분한 통계적 근거가 존재하는지 결정한다. 따라서 대립가설은 항상 다음과 같이 설정된다.

H_1: 적어도 두 모평균이 다르다.

다음 단계는 검정통계량을 결정하는 것이다. 분산분석을 수행하는 과정은 표 14.1의 기호를 사용하여 쉽게 설명될 수 있다.

X는 **반응변수**(response variable)라고 부르며 X의 값은 **반응**(response)이라고 부른다. 측정하는 단위는 **실험단위**(experimental unit)라고 부른다. 이 예제에서, 반응변수는 주식투자금액이고 실험단위는 표본으로 추출된 고령자이다. 모집단을 분류하는 기준은 **인자**(factor)라고 부른다. 각 모집단은 **수준**(level)이라고 부른다. 예제 14.1의 인자는 연령대이고 3개의 수준이 존재한다. 이 장의 뒷부분에서 모집단들이 두 개의 인자에 의해 분류되는 실험이 논의된다. 이 절에서는 일인자 실험만 논의된다.

표 14.1 일원분산분석을 위한 기호

	처리						
	1	2		j		k
	x_{11}	x_{12}	. . .	x_{1j}	. . .	x_{1k}
	x_{21}	x_{22}	. . .	x_{2j}	. . .	x_{2k}
	⋮	⋮		⋮		⋮
	$x_{n_1 1}$	$x_{n_2 2}$		$x_{n_j j}$		$x_{n_k k}$
표본크기	n_1	n_2		n_j		n_k
표본평균	$\bar{x}_1$	$\bar{x}_2$		$\bar{x}_j$		$\bar{x}_k$

x_{ij} = j번째 모집단으로부터 추출된 표본의 i번째 관측치
n_j = j번째 모집단으로부터 추출된 표본의 관측치 수

$\bar{x}_j$ = j번째 모집단으로부터 추출된 표본의 평균 $= \dfrac{\sum_{i=1}^{n_j} x_{ij}}{n_j}$

$\bar{\bar{x}}$ = 모든 관측치들의 총평균 $= \dfrac{\sum_{j=1}^{k}\sum_{i=1}^{n_j} x_{ij}}{n}$, $n = n_1 + n_2 + \cdots + n_k$, k = 모집단의 수

검정통계량

검정통계량은 다음과 같은 근거에 기초하여 계산된다. 만일 귀무가설이 옳다면, 모평균들이 모두 같을 것이다. 이러한 경우 표본평균들은 서로 가까울 것이라고 예상할 수 있다. 그러나 만일 대립가설이 옳다면, 일부의 표본평균들 간에 큰 차이가 있을 것이다. 표본평균들이 서로 얼마나 가까운가를 측정하는 통계량은 **처리간변동**(between-treatments variation)[그룹간변동(between-groups variation)이라고도 함]이라고 부르며 **처리제곱합**(sum of squares for treatments)을 나타내는 SST로 표시된다.

처리제곱합

$$SST = \sum_{j=1}^{k} n_j(\bar{x}_j - \bar{\bar{x}})^2$$

이 공식으로부터 추론할 수 있는 것처럼, 표본평균들이 서로 가깝다면, 모든 표본평균들은 총평균에 가까울 것이고 SST는 작을 것이다. 실제로 모든 표본평균들이 같을 때 SST는 가장 작은 값인 0과 같다. 즉,

$$\bar{x}_1 = \bar{x}_2 = \cdots = \bar{x}_k$$

이면

$$SST = 0$$

이다. SST의 작은 값은 귀무가설을 지지한다. 이 예제에서 표본평균들과 총평균은 다음과 같이 계산된다.

$$\bar{x}_1 = 76.21$$
$$\bar{x}_2 = 75.14$$
$$\bar{x}_3 = 82.69$$
$$\bar{\bar{x}} = 78.49$$

표본 크기들은 다음과 같다.

$$n_1 = 123$$
$$n_2 = 108$$
$$n_3 = 153$$
$$n = n_1 + n_2 + n_3 = 123 + 108 + 153 = 384$$

따라서 SST의 값은 다음과 같이 계산된다.

$$\begin{aligned} SST &= \sum_{j=1}^{k} n_j(\bar{x}_j - \bar{\bar{x}})^2 \\ &= 123(76.21 - 78.49)^2 + 108(75.14 - 78.49)^2 + 153(82.69 - 78.49)^2 \\ &= 4,550 \end{aligned}$$

만일 표본평균들 간에 큰 차이가 있으면, 적어도 일부 표본평균들은 총평균과 상당히 다를 것이고 SST가 큰 값을 가지게 된다. 따라서 대립가설을 선호하여 귀무가설을 기각하는 것이 합당하다. 다른 모든 통계적 검정에서와 마찬가지로 이 검정에서 중요한 질문은 검정통계량의 값이 귀무가설의 기각을 정당화하기 위해서 얼마나 커야 하는가이다. 이 예제에서 SST=4,550이다. 이 값은 모평균들이 다르다는 것을 제시하기에 충분히 큰가? 이 질문에 대답하기 위해서는 주식투자금액에 얼마만큼의 변동이 존재하는지 알 필요가 있으며 이와 같은 변동은 **오차제곱합**(sum of squares for error, SSE)이라고 표시되는 **처리내변동**[within-treatments variation(그룹내변동(within-groups variation)이라고도 함)]에 의해 측정된다. 처리내변동은 처리들에 의해 발생되지 않는 반응변수의 변동에 대한 척도이다. 이 예제에서 주식투자금액이 고령자의 연령에 따라 다른지 결정하고자 한다. 그러나 반응변수에 영향을 주는 다른 변수들이 존재한다. 소득, 직업, 가구 크기와 같은 변수들이 고령자가 주식에 얼마만큼 투자할 것인지 결정하는 데 중요한 역할을 할 것이라고 예상할 수 있다. 고령자의 연령 이외에 식별 가능 여부에 관계없이 주식투자금액에 영향을 미칠 것으로 예상되는 기타 모든 변수들은 주식투자금액의 변동성 원천이고 이와 같은 부분 전체를 묶어서 오차항이라고 부른다. 이와 같은 변동의 원천은 오차제곱합에 의해 측정된다.

오차제곱합

$$SSE = \sum_{j=1}^{k} \sum_{i=1}^{n_j} (x_{ij} - \bar{x}_j)^2$$

SSE를 다시 정리하면 다음과 같다.

$$SSE = \sum_{i=1}^{n_1} (x_{i1} - \bar{x}_1)^2 + \sum_{i=1}^{n_2} (x_{i2} - \bar{x}_2)^2 + \cdots + \sum_{i=1}^{n_k} (x_{ik} - \bar{x}_k)^2$$

SSE를 구성하는 k개 항의 각각을 검토하면, 각각이 주어진 표본 내의 변동성 척도라는 것을 알 수 있다. 만일 각 항을 n_j-1로 나누면, 각 항의 표본분산이 구해진다. 표본분산을 이용하여 SSE를 다시 정리하면 다음과 같다.

$$SSE = (n_1 - 1)s_1^2 + (n_2 - 1)s_2^2 + \cdots + (n_k - 1)s_k^2$$

s_j^2은 표본 j의 표본분산이다. 따라서 SSE는 k개 표본들의 결합변동 또는 통합변동이다. 이것은 공통모분산(common population variance)의 통합분산추정치(pooled variance estimate: s_p^2로 표시함)를 사용하면서 두 모평균 차이를 검정하고 추정하였던 제13.1절에서 했던 계산의 확장이다. 이와 같은 통계기법을 사용하는 데 요구되는 조건 중의 하나는 모분산들이 같다는 것이다. 이와 같은 조건이 SSE를 사용하기 위해서도 필요하다. 즉, 다음과 같은 조건이 요구된다.

$$\sigma_1^2 = \sigma_2^2 = \cdots = \sigma_k^2$$

이 예제에서 표본분산은 다음과 같이 계산된다.

$$s_1^2 = 787.35$$
$$s_2^2 = 712.47$$
$$s_3^2 = 718.19$$

따라서 SSE는 다음과 같이 계산된다.

$$\begin{aligned} SSE &= (n_1 - 1)s_1^2 + (n_2 - 1)s_2^2 + (n_3 - 1)s_3^2 \\ &= (123 - 1)(787.35) + (108 - 1)(712.47) + (153 - 1)(718.19) \\ &= 281,446 \end{aligned}$$

다음 단계는 **평균제곱**(mean squares)을 계산하는 것이다. **처리평균제곱**(mean square for treatments)은 SST를 (처리의 수−1)로 나누어 계산된다.

처리평균제곱

$$\text{MST} = \frac{\text{SST}}{k-1}$$

오차평균제곱(mean square for error)은 SSE를 (총표본크기(n)−처리의 수)로 나누어 계산된다.

오차평균제곱

$$\text{MSE} = \frac{\text{SSE}}{n-k}$$

마지막으로 검정통계량은 두 평균제곱의 비율로 정의된다.

검정통계량

$$F = \frac{\text{MST}}{\text{MSE}}$$

검정통계량의 표본분포

이와 같이 정의되는 검정통계량은 반응변수가 정규분포를 따르면 $k-1$ 자유도와 $n-k$ 자유도를 가진 F 분포를 따른다. 제8.4절에서 F 분포가 소개되었고 제13.4절에서 두 모분산 비율을 검정하고 추정하기 위해 F 분포가 사용되었다. 제13.4절에서 실제로 F 분포를 적용할 때 귀무가설 하에서 사용되는 검정통계량은 두 표본분산의 비율(s_1^2/s_2^2)이었다. SST와 SSE의 정의를 검토해보면, 당신은 두 척도 모두 이 책에서 사용되는 표본분산을 사용하기 위해 사용된 공식의 분자와 유사한 변동을 측정한다는 것을 발견할 것이다. MST와 MSE를 계산하기 위해 SST와 SSE를 각각 $k-1$과 $n-k$로 나누면, 이것은 실제로 귀무가설이 옳다는 가정 하에서 공통모분산의 불편추정량들을 계산하는 것이다. 따라서 F=MST/MSE는 두 표본분산의 비율이다. 이와 같은 분포에서 자유도는 평균제곱들의 분모들, 즉 $\nu_1=k-1$과 $\nu_2=n-k$이다. 예제 14.1에서 자유도는

$$\nu_1 = k-1 = 3-1 = 2$$
$$\nu_2 = n-k = 384-3 = 381$$

이다. 따라서 예제 14.1에서 F 통계량의 값은 다음과 같이 계산된다.

$$\text{MST} = \frac{SST}{k-1} = \frac{4,550}{2} = 2,275$$

$$\text{MSE} = \frac{SSE}{n-k} = \frac{281,446}{381} = 738.7$$

$$F = \frac{\text{MST}}{\text{MSE}} = \frac{2,275}{738.7} = 3.08$$

기각역과 *p*-값

F **통계량**을 계산하는 목적은 SST의 값이 귀무가설을 기각하기에 충분한 만큼 큰가를 결정하는 데 있다. 당신이 보는 것처럼, SST의 값이 크면 *F*의 값이 클 것이다. 따라서

$$F > F_{\alpha,k-1,n-k}$$

이면 귀무가설이 기각된다. 만일 $\alpha=.05$가 설정되면, 예제 14.1의 기각역은 다음과 같다.

$$F > F_{\alpha,k-1,n-k} = F_{.05,2,381} = 3.019$$(엑셀함수=F.INV.RT 이용)

검정통계량의 값은 $F=3.08$이다. 따라서 주식투자금액은 3개의 연령대 간에 차이가 있다고 추론하기에 충분한 증거가 존재한다.

검정의 *p*-값은

$P(F > 3.08)=.0471$(엑셀함수=F.DIST.RT 이용)

이다. 이 값을 계산하기 위해서는 컴퓨터가 사용되어야 한다.

그림 14.2는 예제 14.1에서 사용되는 표본분포를 그린 것이다.

그림 14.2 예제 14.1의 표본분포

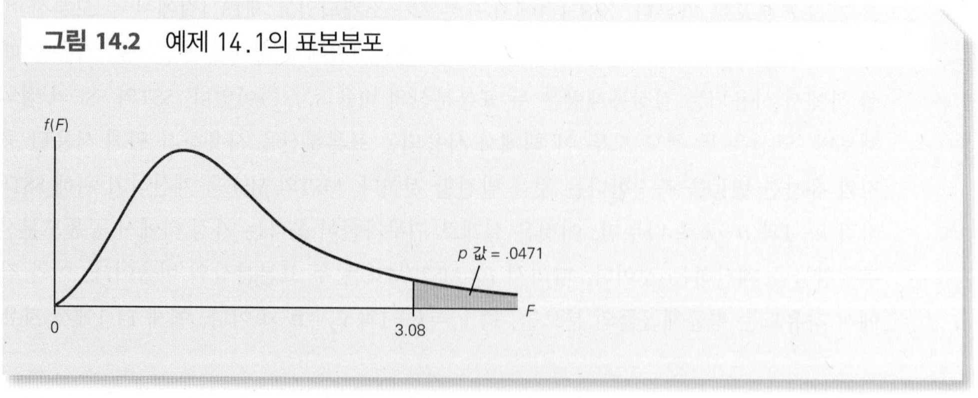

분산분석의 결과는 통상적으로 **분산분석표**(analysis of variance (ANOVA) table)로 정리된다. 표 14.2는 ANOVA 표(ANOVA table)의 일반적인 형태를 보여준다. 표 14.3은 예제 14.1을 위한 ANOVA 표이다.

표 14.2 일원분산분석을 위한 ANOVA 표

변동의 원천	자유도	제곱합	평균제곱	F 통계량
처리(그룹 간)	$k-1$	SST	MST=SST/($k-1$)	F=MST/MSE
오차(그룹 내)	$n-k$	SSE	MSE=SSE/($n-k$)	
합계	$n-1$	TSS(총변동)		

표 14.3 예제 14.1의 ANOVA 표

변동의 원천	자유도	제곱합	평균제곱	F 통계량
처리(그룹 간)	2	4,550	2,275	3.08
오차(그룹 내)	381	281,446	738.7	
합계	383	285,996		

ANOVA 표에서 사용되는 용어는 제곱합을 분해하는 것에 기초하여 만들어진 것이다. 이와 같은 분해는 다음과 같은 식으로부터 도출된다.

$$\sum_{j=1}^{k}\sum_{i=1}^{n_j}(x_{ij}-\bar{\bar{x}})^2=\sum_{j=1}^{k}n_j(\bar{x}_j-\bar{\bar{x}})^2+\sum_{j=1}^{k}\sum_{i=1}^{n_j}(x_{ij}-\bar{x}_j)^2$$

왼쪽에 있는 항은 모든 데이터의 **총변동**(total variation)을 나타낸다. 총변동은 **총제곱합**(total sum of squares, TSS)으로 표시된다. TSS를 (총표본크기−1)로 나누면 (귀무가설이 옳다는 가정 하에서) 표본분산이 구해진다. 오른쪽의 첫 번째 항은 SST이고 두 번째 항은 SSE이다. 당신이 보는 것처럼, 총변동(TSS)은 두 가지의 변동으로 분해된다. 처리간제곱합(SST) 또는 그룹간변동은 처리들 간의 차이에 기인한 변동인 반면, 오차제곱합(SSE) 또는 그룹내변동은 표본들 내의 변동을 측정한다. 앞의 식은 다음과 같이 다시 나타낼 수 있다.

$$\text{TSS}=\text{SST}+\text{SSE}$$

검정통계량은 SST와 SSE의 비교에 기초하고 있다.

제13.3절에서 짝진실험(matched pairs experiment)의 장점과 단점을 논의하면서 통계전문가들은 종종 확률변수의 변동을 감소시키거나 설명하는 방법을 찾는다는 점을 지적하였다. 이 절에서 소개된 분산분석에서, 처리제곱합은 처리들(연령 범주)에 기인한 변동을 설명한다. 오차제곱합은 설명되지 않는 변동을 측정한다. 만일 SST가 총변동의 상당한 부분을 설명한다면, 모평균들은 다르다는 결론이 도출된다. 제14.4절과 제14.5절에서는 분산분석의 실험계획법들, 즉 총변동을 감소시키거나 설명하고자 하는 실험계획법들이 소개된다.

당신은 앞 장들에서 통계기법의 활용을 위해 직접 계산할 필요 없이 컴퓨터와 소프트웨어를 사용하는 것에 대하여 약간 고마워하고 있다면, 컴퓨터가 분산분석을 하는 데 수반되는 매우 시간 소비적이고 지루한 일을 하지 않을 수 있게 해주기 때문에 컴퓨터와 소프트웨어에 대하여 더욱 고마워하게 될 것이다. 다음의 내용은 Excel을 사용하면서 예제 14.1을 푼 결과를 정리한 것이다.

EXCEL Data Analysis

	A	B	C	D	E	F	G
1	Anova: Single Factor						
2							
3	SUMMARY						
4	*Groups*	*Count*	*Sum*	*Average*	*Variance*		
5	Age:65-69	123	9374	76.21	787.3		
6	Age: 70-74	108	8115	75.14	712.5		
7	Age: 75+	153	12,652	82.69	718.2		
8							
9	ANOVA						
10	*Source of Variation*	*SS*	*df*	*MS*	*F*	*P-value*	*F crit*
11	Between Groups	4552	2	2276	3.08	0.0471	3.02
12	Within Groups	281,455	381	738.7			
13							
14	Total	286,007	383				

지시사항

14장의 데이터 세트 대부분은 두 가지 방식, 즉 겹쳐 쌓지 않는 방식(unstacked)과 겹쳐 쌓는 방식(stacked)을 제공한다. 분산분석을 수행하기 위해 해당되는 탭을 클릭하여 데이터의 저장방식을 선택하라.

1. 인접한 열들에 데이터를 입력하거나 <Xm14-01>을 열고 **unstacked** 탭을 클릭하라.
2. **데이터**(Data), **데이터분석**(Data Analysis), **Anova: Single Factor**를 클릭하라.
3. **입력범위**(Input Range) (A1:C154)와 a의 값 (.05)를 입력하라.

해석 검정통계량의 값은 $F=3.08$이고 검정의 p-값은 .0471이다. 이것은 주식투자금액은 적어도 두 연령그룹 간에 다르다고 추론할 수 있는 증거가 존재한다는 것을 의미한다.

이 예제에서 데이터는 관측 가능하다는 점에 주목하라. 통제된 실험이 수행될 수 없다. 통제된 실험을 하기 위해서는 금융애널리스트가 3개의 연령대 각각에 임의로 고령자를 할당해야 한다.

추가적으로 말하면, 데이터가 일원분산분석에서 통제된 실험을 통하여 얻어질 때, 이와 같은 실험계획법은 분산분석의 **완전랜덤화계획법**(completely randomized design)이라고 부른다.

14.1a 필요조건 확인하기

분산분석에서 F 검정을 사용하기 위해서는 확률변수가 동일한 분산을 가지고 정규분포를 따라야 한다는 조건이 충족되어야 한다. 모집단이 정규분포를 따라야 한다는 조건은 각 표본의 히스토그램을 그려봄으로써 쉽게 확인된다. Excel로 그린 그림 14.3의 히스토그램들을 보면, 모집단이 정규분포를 따라야 한다는 조건이 충족되지 않는다고 믿을 이유가 존재하지 않는다는 것을 알 수 있다.

분산의 동일성은 표본표준편차들 또는 표본분산들을 비교하면서 검토된다. Excel 출력물은 표본분산들을 보여준다. 표본분산들이 유사하다면 모분산들이 같다고 가정할 수 있다. 분산의 동일성을 검정하기 위한 통계기법은 Bartlett 검정이다.

그림 14.3 예제 14.1의 히스토그램

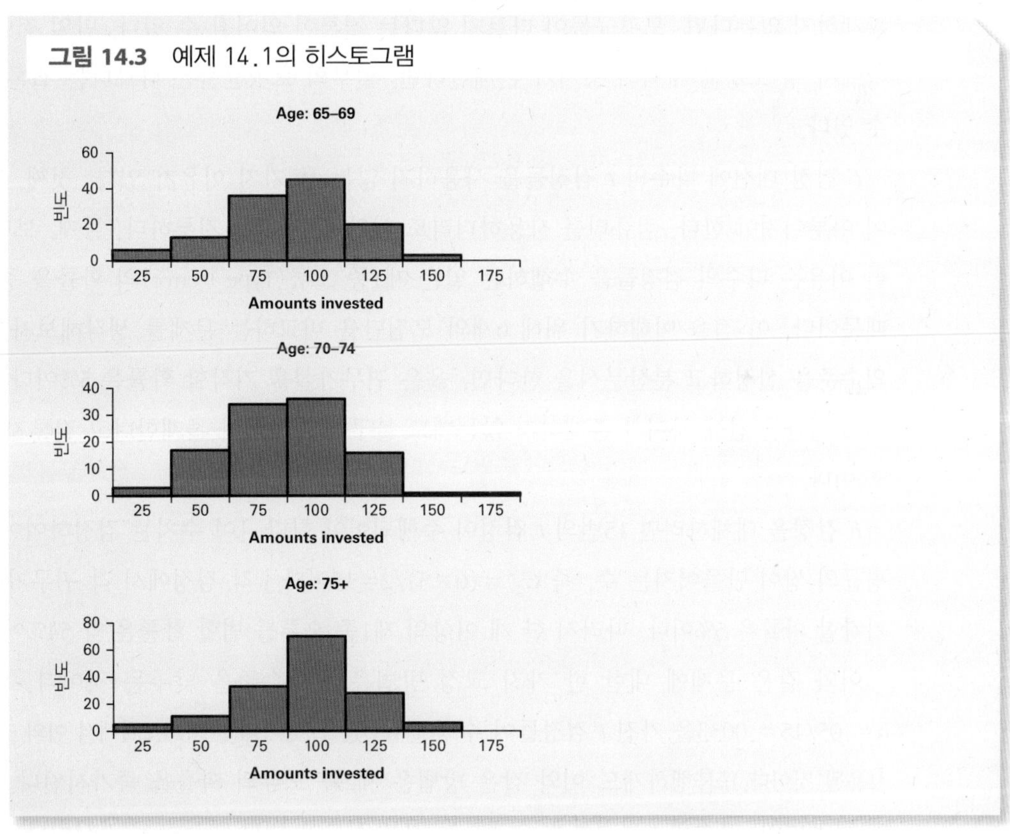

14.1b 필요조건의 위반

만일 데이터가 정규분포를 따르지 않으면, 일원분산분석은 비모수통계기법인 크러스칼-

윌리스 검정(제19.3절 참조)으로 대체될 수 있다. 만일 모분산들이 같지 않다면, 이 문제를 교정하기 위해 여러 가지 방법이 사용될 수 있다. 그러나 이와 같은 교정 방법들은 이 책의 수준을 넘어선다.

14.1c 분산분석 대신에 두 모평균 차이의 *t* 검정이 사용될 수 있는가?

분산분석은 두 개 이상의 모평균 차이에 대한 증거가 존재하는가를 결정한다. $\mu_1 - \mu_2$의 t 검정은 두 모평균 차이에 대한 증거가 존재하는가를 결정한다. 다음과 같은 질문이 제기된다. 분산분석 대신에 t 검정이 사용될 수 있는가? 즉, 분산분석에서처럼 한 번의 검정으로 모든 모평균들을 검정하는 대신, 두 모평균 각 쌍에 대하여 검정하는 것은 어떤가? 예제 14.1에서 $(\mu_1 - \mu_2)$, $(\mu_1 - \mu_3)$, $(\mu_2 - \mu_3)$을 검정하여 각 검정에서 두 모평균 차이의 증거가 존재하지 않는다면, 모평균들이 다르지 않다는 결론이 얻어질 수 있다. 만일 적어도 한 검정에서 두 모평균 차이의 증거가 존재한다면, 일부의 모평균들은 다르다는 결론이 얻어질 수 있다.

F 검정 대신에 다수의 t 검정들을 사용하지 않는 두 가지 이유가 있다. 첫째, 많은 계산이 이루어져야 한다. 컴퓨터를 사용하더라도 이와 같은 일은 지루하다. 둘째, 보다 더 중요한 이유는 다수의 검정들을 수행하는 일은 제1종 오류(Type I error)의 확률을 증가시키기 때문이다. 이 점을 이해하기 위해 6개의 모집단을 비교하는 문제를 생각해보자. 5%의 유의수준을 설정하고 분산분석을 한다면, 옳은 귀무가설을 기각할 확률은 5%이다. 즉, 일부의 모평균들 간에 차이가 존재하지 않는데도 불구하고 차이가 존재한다고 결론지을 확률은 5%이다.

F 검정을 대체하려면 15번의 t 검정이 수행되어야 한다. [이 수치는 검정하여야 할 두 모평균의 쌍이 만들어지는 수, 즉 $C_2^6 = (6 \times 5)/2 = 15$이다.] 각 검정에서 각 귀무가설을 잘못 기각할 확률은 5%이다. 따라서 한 개 이상의 제1종 오류를 범할 확률은 약 54%이다.*

이와 같은 문제에 대한 한 가지 교정 방법은 유의수준을 낮추는 것이다. 이 예에서 $\alpha = .05/15 = .0033$을 가진 t 검정들이 수행될 수 있을 것이다. (제14.2절에서 이와 같은 방법이 사용될 것이다.) 불행하게도 이와 같은 방법은 제2종 오류의 확률을 증가시킨다. 유의수준에 관계없이, 다수의 t 검정들을 수행하는 것은 실수를 범할 확률을 증가시킨다. 따라서 구간데이터로 구성된 두 개 이상의 모평균들을 비교할 때 분산분석이 사용된다.

---

* 적어도 한 개의 제1종 오류를 범할 확률은 $n = 15$와 $p = .05$인 이항분포로부터 계산된다. 따라서

$P(X \geq 1) = 1 - P(X = 0) = 1 - .463 = .537$

t 검정들이 분산분석을 대체할 수 없을 뿐만 아니라 분산분석은 t 검정들을 대체할 수 없다.

14.1d $\mu_1-\mu_2$의 t 검정 대신에 분산분석이 사용될 수 있는가?

분산분석은 두 개 이상의 모집단을 비교할 수 있게 해주는 여러 가지 통계기법들 중의 하나이다. 대부분의 예제와 연습문제는 세 개 이상의 모집단과 관련되어 있다. 그러나 세 개 이상의 모집단을 비교하는 모든 다른 통계기법들과 마찬가지로 분산분석은 두 개의 모집단을 비교하기 위해 사용될 수 있다. 이러한 경우 정확히 두 개의 모집단을 비교하는 통계기법이 왜 필요한가? 특히 분산분석이 두 개 모집단 평균들을 검정하기 위해 사용될 수 있는데도 불구하고 왜 $\mu_1-\mu_2$의 t 검정이 필요한가?

$\mu_1-\mu_2$에 관한 추론을 하기 위해 t 검정이 여전히 필요한 이유를 이해하기 위해, 두 모집단의 평균들이 동일한가에 대한 검정을 하기 위해 분산분석이 사용된다고 하자. 귀무가설과 대립가설은 다음과 같이 설정된다.

H_0: $\mu_1=\mu_2$
H_1: 적어도 두 모평균은 다르다.

물론 대립가설은 $\mu_1 \neq \mu_2$라고 설정된다. 그러나 μ_1이 μ_2보다 큰지(또는 그 반대인지)를 결정하기 원하면, 분산분석은 두 모평균 차이가 존재하는지만을 검정할 수 있게 해주기 때문에 이 경우에 사용될 수 없다. 따라서 한 모평균이 다른 모평균보다 큰지 결정하기 위해 검정하고자 한다면, 동분산 가정 하에서 $\mu_1-\mu_2$의 t 검정이 사용되어야 한다. 더욱이 분산분석은 모분산들이 동일하다는 조건을 요구한다. 만일 모분산들이 동일하지 않다면, 이분산 검정통계량이 사용되어야 한다.

14.1e F 통계량과 t 통계량의 관계

아마도 t 통계량과 F 통계량의 관계를 이해하는 것이 유용할 것이다. 모분산들이 동일하다는 조건 하에서 $\mu_1-\mu_2$에 관한 가설을 검정하기 위한 검정통계량은

$$t=\frac{(\bar{x}_1-\bar{x}_2)-(\mu_1-\mu_2)}{\sqrt{s_p^2\left(\frac{1}{n_1}+\frac{1}{n_2}\right)}}$$

이다. 이와 같은 t 통계량을 제곱하면 F 통계량이 도출된다. 즉, $F=t^2$이다. 이와 같은 사실을 예시하기 위해, 분산분석을 사용하면서 예제 13.1을 다시 풀어보자. 모분산들이 동일하

다고 가정할 수 있기 때문에 검정통계량의 값은

$$t = \frac{(6.63 - 3.72) - 0}{\sqrt{40.42\left(\frac{1}{50} + \frac{1}{50}\right)}} = 2.29$$

이었다. 분산분석을 사용하면 다음의 Excel 출력물에서 보는 것처럼, F 통계량의 값은 $F=$ 5.23이며 이 값은 t 통계량의 제곱($(2.29)^2$)과 같다. 분산분석의 p-값은 .0243이며 t 검정의 p-값인 .0122의 두 배이다. 분산분석은 모집단 평균들이 **다른지** 결정하기 위해 수행하는 검정이다. 만일 예제 13.1이 두 모평균이 다른지 결정하도록 요구하였다면, 양측검정이 수행되어야 하고 이때 t 검정의 p-값은 분산분석의 p-값과 같은 0.0243이 된다.

예제 13.1의 Excel 분산분석 결과

	A	B	C	D	E	F	G
1	Anova: Single Factor						
2							
3	SUMMARY						
4	Groups	Count	Sum	Average	Variance		
5	Direct	50	331.6	6.63	37.49		
6	Broker	50	186.2	3.72	43.34		
7							
8							
9	ANOVA						
10	Source of Variation	SS	df	MS	F	P-value	F crit
11	Between Groups	211.4	1	211.41	5.23	0.0243	3.9381
12	Within Groups	3960.5	98	40.41			
13							
14	Total	4172.0	99				

14.1f 통계개념의 이해를 심화시키기

개념적으로나 수학적으로 말하면, 일원분산분석의 F 검정은 $\mu_1 - \mu_2$의 t 검정을 확장한 것이다. 단순히 두 모평균 차이가 존재하는지 결정하기 원하는 경우에도 분산분석이 사용될 수 있다. 분산분석을 사용하는 장점은 총제곱합이 얼마만큼의 변동이 모집단 간 차이에 기인하는 것인지와 얼마만큼의 변동이 모집단 내 차이에 기인한 것인지로 분해될 수 있다는 것이다. 제13.3절에서 지적한 것처럼, 변동을 설명하는 일은 매우 중요하며 다른 형태의 분산분석 실험계획법과 회귀분석(제16장, 제17장, 제18장)에서 다시 논의될 것이다.

General Social Survey

해답 진보–보수 스펙트럼과 소득

Maxh Herman/Shutterstock.com

선택

변수는 미국 성인의 소득(RINCOME)이고 구간 데이터이다. 문제의 목적은 정치적 견해가 다른 7개 모집단을 비교하는 것이고 실험계획법은 독립표본들이다. 따라서 일원분산분석이 적용된다.

계산

EXCEL Data Analysis

	A	B	C	D	E	F	G
1	Anova: Single Factor						
2	*Groups*	*Count*	*Sum*	*Average*	*Variance*		
3	E. Liberal	67	3,493,750	52,146	2,260,466,192		
4	Liberal	174	9,336,250	53,657	2,271,123,814		
5	S. Liberal	153	7,968,000	52,078	1,944,091,670		
6	Moderate	512	23,135,250	45,186	1,443,884,232		
7	S. Conservative	169	8,400,750	49,709	1,758,947,679		
8	Conservative	192	11,309,750	58,905	2,459,998,444		
9	E. Conservative	58	2,914,750	50,254	1,717,338,797		
10	ANOVA						
11	*Source of Variation*	*SS*	*df*	*MS*	*F*	*P-value*	*F crit*
12	Between Groups	30,332,607,575	6	5,055,434,596	2.73	0.0121	2.11
13	Within Groups	2,438,673,189,312	1318	1,850,283,148			
14	Total	2,469,005,796,887	1324				

해석

검정의 p-값은 .0121이다. 7개의 정치적 견해를 가진 그룹들 간에 소득이 다르다고 추론할 수 있는 충분한 증거가 존재한다.

연습문제

연습문제 14.1~14.3은 표본평균, 표본분산, 표본크기가 변화할 때 검정통계량에 어떤 일이 발생하는지 결정하기 위해 설계된 "what-if 분석"이다. 이 연습문제들은 직접 풀거나 Excel 스프레드시트를 사용하면서 풀 수 있다.

14.1 한 통계전문가는 다음과 같은 통계량들을 계산하였다.

통계량	처리 1	처리 2	처리 3
n	5	5	5
$\bar{x}$	10	15	20
s^2	50	50	50

a. ANOVA 표를 완성하라.

b. 표본크기를 모두 10으로 변화시킨 경우 a를 반복하라.

c. 표본크기가 증가할 때 F 통계량에 어떤 일이 발생하는지 설명하라.

14.2 당신에게 다음과 같은 통계량들이 주어졌다.

통계량	처리 1	처리 2	처리 3
n	4	4	4
$\bar{x}$	20	22	25
s^2	10	10	10

a. ANOVA 표를 완성하라.

b. 표본분산을 모두 25로 변화시킨 경우 a를 반복하라.

c. 표본분산이 증가할 때 F 통계량에 어떤 일이 발생하는지 설명하라.

14.3 다음과 같은 통계량들이 계산되었다.

통계량	처리 1	처리 2	처리 3	처리 4
n	10	14	11	18
$\bar{x}$	30	35	33	40
s^2	10	10	10	10

a. ANOVA 표를 완성하라.

b. 표본평균을 각각 130, 135, 133, 140으로 변화시킨 경우 a를 반복하라.

c. 표본평균이 100만큼 증가할 때 F 통계량에 어떤 일이 발생하는지 설명하라.

14.4 <Xr 14-04> MBA 전공은 받게 되는 취업제안 수에 어떻게 영향을 미치는가? 한 MBA 학생이 재무금융, 마케팅, 일반경영 전공분야 각각에서 임의로 최근 졸업생 4명씩을 표본추출하고 각각에게 받았던 취업제안 수를 물어보았다. 당신은 3개의 MBA 전공들 간에 받게 되는 취업제안 수에 차이가 있다고 5%의 유의수준에서 결론지을 수 있는가?

재무금융	마케팅	일반경영
3	1	8
1	5	5
4	3	4
1	4	6

14.5 <Xr 14-05> 한 소비자기관은 광고된 중량과 제품의 실제 중량 간의 차이에 대하여 우려하였다. 한 예비연구에서, 500 ml의 양을 가지도록 되어 있는 3개의 다른 마가린 브랜드 각각에서 6개 용기에 담겨져 있는 실제 중량이 측정되었다. 500 ml와 실제 중량의 차이가 다음과 같이 정리되어 있다. 이 데이터는 3개의 브랜드 간에 차이가 존재한다고 결론내릴 수 있을 만큼 충분한 증거를 제공하는가? $\alpha = .10$을 사용하라.

브랜드 1	브랜드 2	브랜드 3
1	2	1
3	2	2
3	4	4
0	3	2
1	0	3
0	4	4

14.6 <Xr 14-06> 많은 전문대학 학생과 대학생은 여름방학 동안 아르바이트를 한다. 한 통계학 교수는 서로 다른 학위 프로그램에 있는 학생들이 서로 다른 금액을 버는지 결정하기 원한다. B.A., B.Sc., B.B.A. 프로그램에서 각각 5명의 학생이 임의로 표본추출되었고 각 학생에게 지난 여름방학 동안 얼마를 벌었는지 물었다. 그 결과(1,000달러 기준)가 다음과 같이 정리되어 있다. 이 통계학 교수는 서로 다른 학위

프로그램에 속한 학생들이 여름방학 동안 아르바이트로 버는 금액이 다르다고 5%의 유의수준에서 추론할 수 있는가?

B.A.	B.Sc.	B.B.A.
3.3	3.9	4.0
2.5	5.1	6.2
4.6	3.9	6.3
5.4	6.2	5.9
3.9	4.8	6.4

14.7 <Xr 14-07> 스팸(spam)은 이메일을 사용하여 쉽게 의사소통할 수 있기 위해 지불하는 가격이다. 스팸은 모든 사람들에게 동일하게 영향을 미치는가? 한 예비연구에서 대학교수들, 행정담당자들, 학생들이 임의표본으로 추출되었다. 각 사람에게 정해진 날에 받는 스팸의 수를 세어보도록 요청하였다. 그 결과는 다음과 같다. 대학사회에 있는 세 그룹이 이메일로 받는 스팸의 양이 다르다고 5%의 유의수준에서 추론할 수 있는가?

교수	행정 담당자	학생
7	5	12
4	9	4
0	12	5
3	16	18
18	10	15

14.8 <Xr 14-08> 한 경영과학자는 컴퓨터가 충분한 메모리를 가지고 있는지 판단하는 한 가지 방법은 컴퓨터 사용기간을 알아보는 것이라고 믿는다. 한 예비연구에서 컴퓨터 사용자들로 구성된 임의표본을 추출하고 각 사람에게 컴퓨터 브랜드와 컴퓨터 사용기간(월 기준)을 물어보았다. 브랜드별 응답은 다음에 제시된 것과 같다. 이 데이터는 컴퓨터 브랜드 간 사용기간의 차이가 존재한다고 결론지을 수 있을 만큼 충분한 증거를 제공하는가? (α=.05를 사용하라.)

IBM	Dell	Hewlett Packard	기타
17	8	6	24
10	4	15	12
13	21	8	15

다음의 연습문제들을 풀기 위해서는 컴퓨터와 소프트웨어를 사용하여야 한다. 일부의 답들은 직접 계산될 수 있다. 표본통계량을 알기 위해서는 부록 A를 참조하라. **5%의 유의수준을 사용하라.**

14.9 <Xr 14-09> 전국적인 기준 또는 지역적인 기준이 존재하지 않기 때문에 대학입학허가위원회가 고등학교별 졸업생을 비교하는 것이 어렵다. 대학행정 담당자들은 낮은 학점기준을 가진 고등학교의 80% 평균은 높은 학점기준을 가진 고등학교의 70% 평균과 동등하다는 점에 주목하였다. 더 공정하게 지원서를 비교하기 위해, 한 예비연구가 수행되었다. 전년도에 입학이 허가된 4개 지역의 고등학교 출신들로 각각 구성된 임의표본들이 추출되었다. 추출된 모든 학생들은 70%~80% 사이의 평균을 가지고 경영대학프로그램에 입학하였다. 대학 첫해의 평균 학점이 계산되었다.

a. 대학입학허가 담당자는 4개 고등학교 간에 점수 부여기준이 다르다고 결론지을 수 있는가?
b. a에서 수행된 검정의 필요조건들은 무엇인가?
c. a에서 수행된 검정의 필요조건들이 충족되어 있는가?

14.10 <Xr 14-10> 미국 국세청(Internal Revenue Service: IRS)과 캐나다 국세청(Canada Revenue Service: CRS)에서 근무하는 사람들은 항상 세금신고서의 표현과 양식을 개선하기 위한 방법을 찾는다. 최근에 3가지의 새로운 세금신고

서가 개발되었다. 어느 것이 현재의 양식보다 더 좋은지 결정하기 위해, 120명의 개인에게 실험에 참여하도록 요청하였다. 3개의 새로운 양식과 현재 사용되는 양식 각각을 30명의 다른 사람들이 채우도록 하였다. 각 사람이 주어진 일을 완료하는 데 걸리는 시간(분 기준)이 기록되었다.

a. 이 데이터로부터 어떤 결론이 도출될 수 있는가?
b. a에서 수행된 검정의 필요조건들은 무엇인가?
c. a에서 수행된 검정의 필요조건들이 충족되어 있는가?

14.11 <Xr 14-11> 아동의 능력시험점수는 아동 부모의 교육수준에 의해 영향을 받는가? (능력시험은 사립학교와 공립학교에서 추출된 학생표본에 대하여 시행된다. 능력시험점수는 0점부터 500점의 범위를 가진다.) 이 질문에 대답하기 위해, 9세의 아동으로 구성된 임의표본이 추출되었다. 각 아동의 시험점수와 아동부모의 교육수준이 기록되었다. 아동부모의 교육수준은 고등학교 미만, 고등학교 졸업, 전문대학 졸업, 대학 졸업으로 분류되었다. 아동부모의 교육수준에 따라 아동 시험점수의 차이가 존재한다고 추론할 수 있는가?

14.12 <Xr 14-12> 야외놋쇠램프와 메일박스를 제조하는 한 업자는 조기에 부식되는 것 때문에 많은 불평을 받는다. 이 업자는 문제의 원인이 놋쇠를 코팅하기 위해 사용되는 래커(lacquer)의 품질이 낮기 때문이라는 것을 알았다. 그는 현재의 래커 공급업자를 5명의 가능한 래커 공급업자들 중 하나로 대체하기로 결정하였다. 어느 공급업자가 가장 좋은지 판단하기 위해, 그는 25개씩의 놋쇠 메일박스를 칠하기 위해 5개 래커 각각을 사용하고 125개 메일박스 모두를 야외에 놓았다. 그는 부식의 첫 번째 표시가 관측될 때까지 며칠이 걸리는지 각 메일박스에 대하여 기록하였다.

a. 이 업자가 1%의 유의수준에서 5개 래커 간에 차이가 존재한다고 결론지을 수 있을 만큼 충분한 증거가 존재하는가?
b. a에서 수행된 검정의 필요조건들은 무엇인가?
c. a에서 수행된 검정의 필요조건들이 충족되어 있는가?

14.13 <Xr 14-13> 사업을 확장하려는 대기업은 종종 전기 비용, 재산세, 기타 많은 다른 변수를 포함한 여러 가지 변수를 살펴보면서 지역을 검토한다. 북동부, 중서부, 남부, 서부의 각 지역에서 임의표본이 추출되었다. 제조업체에게 중요한 변수 중 하나는 전기비용이다. 연간 전기비용이 표본에 대해 기록되었다. 이 데이터로부터 네 지역 간에 전기비용의 차이가 존재한다는 결론을 내릴 수 있는가?

14.14 <Xr 14-14> 연습문제 14.13을 참조하라. 가구 이삿짐 업체는 사업을 확장하기 위한 지역을 결정하는 중이다. 이 업체는 북동부, 중서부, 남부, 서부의 네 지역 중에서 결정해야 한다. 한 가지 중요한 통계는 거주자들이 현재의 집에서 보내는 기간이다. 이 업체의 통계전문가는 각 지역에서 주택을 보유하고 있는 주택소유자들로 구성된 임의표본을 추출하고 주택보유기간에 대한 데이터를 수집하였다. 네 지역 간에 주택보유기간이 다르다고 추론할 수 있는 충분한 증거가 존재하는가?

14.15 <Xr 14-15> 물리학, 생물/의학, 수학/통계 프로그램에 입학하는 학생들의 SAT 수학 점수는 거의 같은가? 이러한 질문의 답을 구하기 위해, 한 통계전문가는 세 프로그램 각각에서 임의로 학생 표본을 추출하였다. 세 프로그램 간에 SAT 수학 점수의 차이가 있다는 결론을 내

릴 수 있는 충분한 통계적 증거가 존재하는가?

14.16 <Xr 14-16> 이 장의 서두에서 분산분석이 처음 사용된 것은 1920년대였다고 언급하였다. 분산분석은 비료의 양에 따라 수확량이 달라지는지 결정하기 위해 사용되었다. 한 농업대학에서 일하는 한 과학자가 3가지 다른 종류의 비료를 사용하면서 처음에 했던 실험을 다시 하기로 하였다고 하자. 따라서 그는 20개의 1에이커 토지에 비료 A, 다른 20개의 1에이커 토지에 비료 B, 또 다른 20개의 1에이커 토지에 비료 C를 사용하였다. 수확기 말에 곡물수확량이 기록되었다. 이 과학자는 투입되는 비료의 종류에 따라 곡물수확량의 차이가 있다고 추론할 수 있는가?

14.17 <Xr 14-17> 한 Columbia 대학교수는 한 연구(*Report on Business*, August 1991.)에서 3개 다른 학과의 교수들이 강의하는 동안 단어들 간의 갭을 채우기 위해 1분당 "어" 또는 "아"라고 말하는 횟수를 세었다. 3개 다른 학과의 각 교수가 강의하는 100분 동안 관찰되는 "어" 또는 "아"라고 말하는 횟수가 기록되었다. "어" 또는 "아"를 더 자주 사용할수록 더 지루한 강의가 된다고 가정하면, 일부 학과의 교수들이 다른 학과의 교수들보다 더 지루하게 강의한다고 결론지을 수 있는가?

14.18 <Xr 14-18> 상장회사의 성공수준은 이사들이 지불받는 방식에 영향을 주는가? 상장회사들은 주식수익률을 기준으로 4개의 그룹으로 구분되었다. 이사들의 연간 급여(1,000달러 기준)가 기록되었다. 급여수준은 4개 그룹 간에 다르다고 추론할 수 있는가?

14.19 <Xr 14-19> 시장에는 어리둥절할 정도로 많은 아침 시리얼이 있다. 각 회사는 분할된 시장들이 존재한다는 믿음으로 여러 가지 다른 제품들을 생산한다. 예를 들면, 아동, 다이어트를 의식하는 성인, 건강을 의식하는 성인으로 구성된 시장이 존재한다. 회사들이 생산하는 각 시리얼은 적어도 하나의 목표시장을 가지고 있다. 그러나 소비자들은 시리얼 생산회사가 예측하는 목표시장과 일치하거나 일치하지 않는 의사결정을 한다. 소비자들을 구분하기 위해 25세~65세 사이의 성인들을 대상으로 하는 서베이가 실시되었다. 각 사람에게 어떤 브랜드의 시리얼을 가장 자주 소비하는지뿐만 아니라 연령, 소득, 교육기간에 대한 여러 가지 질문을 하였다. 시리얼 선택은 다음과 같다.

1. Sugar Smacks(아동을 위한 시리얼)
2. Special K(다이어트를 하는 사람들을 위한 시리얼)
3. Fiber One(건강을 의식하는 사람들을 위해 만들어지고 광고된 시리얼)
4. Cheerios(건강과 맛을 결합한 시리얼)

서베이의 결과는 다음과 같은 방식으로 기록되었다.

열 A: 시리얼 선택
열 B: 응답자의 연령
열 C: 연간 가구 소득
열 D: 교육년수

a. 4개 시리얼 소비자들의 연령에 차이가 있는지 결정하라.
b. 4개 시리얼 소비자들의 소득에 차이가 있는지 결정하라.
c. 4개 시리얼 소비자들의 교육수준에 차이가 있는지 결정하라.
d. a~c에서 당신이 발견한 것을 요약하고 4개의 시리얼 소비자 그룹 간의 차이를 설명하는 보고서를 준비하라.

마케팅분야의 통계학 응용

Pavel L Photo and Video/Shutterstock.com

테스트 마케팅

제13장에서 마케팅 믹스의 일부 요소들을 변화시키는 것이 판매량에 어떻게 영향을 미치는지 결정하기 위한 테스트 마케팅이 소개되었다. 연습문제 14.20에서 가격차이의 효과를 발견하기 위해 분산분석기법이 사용된다.

14.20 <Xr 14-20> 새로운 제품들을 생산하는 업자가 한 신제품에 부과할 가격을 결정하지 못하고 있다. 마케팅 담당자는 신제품은 약 10달러로 팔아야 한다는 것을 알고 있지만 9달러나 11달러로 판매된다면 판매량이 크게 변동할 것인지 확신하지 못하고 있다. 가격책정을 위한 실험을 하기 위해, 그녀는 한 버라이어티 가게 체인에 속하는 60개 가게로 구성된 표본에 새로운 제품을 배분하였다. 이와 같은 60개 가게는 모두 유사한 모습을 가진 지역에 위치해 있다. 이 업자는 임의로 신제품을 9달러에 판매할 20개의 가게, 10달러에 판매할 20개의 가게, 11달러에 판매할 20개의 가게를 선택하였다. 시험기간의 종료시점에 판매량이 기록되었다. 이 마케팅 담당자는 어떻게 결론지어야 하는가?

마케팅분야의 통계학 응용

Syda Productions/Shutterstock.com

시장분할

제12.4절에서 시장분할(market segmentation)이 소개되었다. 제13장에서 두 분할된 시장에서 구매행위의 차이가 있는지 결정하기 위해 통계분석을 사용하는 방법이 제시되었다. 연습문제 14.21에서 다수의 분할된 시장들 간에 구매행위의 차이가 있는지 결정하기 위해 분산분석이 적용되어야 한다.

14.21 <Xr 14-21> 연습문제 13.124에서 10대가 20대~30대보다 영화를 더 많이 보는지 결정한 후 10대는 추가적으로 12세~14세, 15세~16세, 17세~19세의 3개 그룹으로 분할되었다. 각 분할된 그룹으로부터 임의표본이 추출되었고 각자가 작년에 본 영화편수가 기록되었다. 이 데이터로부터 마케팅 담당자는 3개로 분할된 10대 그룹 간에 차이가 존재한다고 결론지을 수 있는가?

14.22 <Xr 14-22> 제품공급업체는 항상 고객이 누구인지 아는 것이 중요하다. 미국 노동통계국(BLS)이 침묵 세대(1982~1945년), 베이비 붐 세대(1946~1964년), X 세대(1965~1980년), 밀레니얼 세대(1981~1996년)의 각 세대로 구성된 임의표본을 추출했다. 가구점 체인의 경영자가 광고 캠페인을 결정하는 과정에 있다. 광고 캠페인은 가능한 모든 연령범주를 목표로 해야 하는가, 아니면 하나 또는 둘의 특정 세대에 초점을 맞추어야 하는가? 이러한 질문에 대한 의사결정을 돕기 위해, 서베이를 시행하고 응답자들에게 그들이 속한 세

대와 작년에 가구 구입에 얼마를 지출했는지 물었다. 4세대 간에 가구 구매액의 차이가 있다는 결론을 내릴 수 있는 충분한 증거가 존재하는가?

14.23 <Xr 14-23> 레스토랑 체인점인 Red Lobster, Grand Lux, Outback Steakhouse, Cheesecake Factory, Longhorn의 메뉴 가격은 상당히 비슷하다. 한 경영컨설턴트는 고객당 지출금액에 차이가 있는지 알아야 했다. 각 레스토랑의 고객들로 구성된 임의표본이 추출되었다. 각 레스토랑의 고객당 지출금액이 기록되었다. 이러한 데이터로부터 5개 레스토랑 간에 고객당 지출금액의 차이가 있다는 결론을 내릴 수 있는가?

14.2 다중비교검정

일원분산분석결과로부터 적어도 두 처리평균이 다르다고 결론을 내릴 때, 종종 어떤 처리평균들이 다른지 알아야 할 필요가 있다. 예를 들면, 한 가게 체인 안에서 다른 위치가 다른 평균 판매량을 가지는지 결정하기 위한 실험이 수행되면, 경영자는 어느 위치가 더 높은 판매량을 가지고 있으며 어느 위치가 더 낮은 판매량을 가지는지 결정하는 일에 매우 관심을 가질 것이다. 이와 유사하게, 한 주식브로커는 다수의 뮤추얼 펀드 중 어느 뮤추얼 펀드의 수익률이 다른 뮤추얼 펀드들의 수익률보다 높은지 알기 원하고 텔레비전방송국의 한 임원은 어떤 텔레비전광고가 시청자의 관심을 끌고 어떤 텔레비전광고가 무시되는지 알기 원한다.

어느 모평균이 가장 크거나 가장 작은지 결정하기 위해 해야 할 일은 표본평균들을 조사하고 가장 큰 표본평균 또는 가장 작은 표본평균을 판별하는 일인 것처럼 보이지만, 사실은 그렇지 않다. 이것을 예시하기 위해 5개 처리가 있는 분산분석에서 5개 처리평균들 간에 차이가 존재하고 표본평균들이 다음과 같다고 하자.

$$\bar{x}_1 = 20 \qquad \bar{x}_2 = 19 \qquad \bar{x}_3 = 25 \qquad \bar{x}_4 = 22 \qquad \bar{x}_5 = 17$$

통계전문가는 다음과 같은 결론이 타당한가를 알기 원한다.

1. μ_3는 다른 모평균들보다 크다.

2. μ_3와 μ_4는 다른 모평균들보다 크다.

3. μ_5는 다른 모평균들보다 작다.

4. μ_5와 μ_2는 다른 모평균들보다 작다.

5. μ_3는 다른 모평균들보다 크고 μ_5는 다른 모평균들보다 작다.

주어진 정보로부터 어느 진술이 옳은지 결정하는 일은 불가능하다. 이 일을 하기 위해서는 통계 방법이 필요하다. 이와 같은 분석기법은 **다중비교검정**(multiple comparisons)이라고 부른다.

예제 14.2 자동차 범퍼 수리비용의 비교

DATA Xm14-02

북미 자동차 회사들은 외국 자동차들로부터의 경쟁 때문에 자동차의 품질에 보다 더 관심을 가지게 되었다. 자동차 품질의 한 측면은 사고에 의해 발생된 손상의 수리비용이다. 한 자동차 회사는 다수의 새로운 자동차 범퍼들을 검토하고 있다. 새로운 자동차 범퍼들이 저속충돌에 얼마나 잘 반응하는지 테스트하기 위해 4개의 다른 유형의 자동차 범퍼 각각 10개 범퍼를 중형차에 설치하고 시속 5마일의 속도로 주행하여 벽에 부딪히게 하였다. 각 경우에 발생된 손상의 수리비용이 추정되었다. 이 데이터가 다음과 같이 정리되어 있다.

범퍼 1	범퍼 2	범퍼 3	범퍼 4
610	404	599	272
354	663	426	405
234	521	429	197
399	518	621	363
278	499	426	297
358	374	414	538
379	562	332	181
548	505	460	318
196	375	494	412
444	438	637	499

a. 자동차 범퍼 유형 간에 저속충돌의 반응이 다르다고 5%의 유의수준에서 추론할 수 있는 충분한 증거가 존재하는가?

b. 만일 자동차 범퍼 유형 간에 저속충돌의 반응이 다르다면, 어느 자동차 범퍼 유형들이 다른가?

해답 **선택**

문제의 목적은 4개의 모집단을 비교하는 것이다. 데이터는 구간데이터이고 표본들은 독립이다. 문제를 풀기 위한 정확한 통계기법은 일원분산분석이다. Excel을 이용한 일원분산분석결과는 다음과 같다.

계산

EXCEL Data Analysis

	A	B	C	D	E	F	G
1	Anova: Single Factor						
2							
3	SUMMARY						
4	*Groups*	*Count*	*Sum*	*Average*	*Variance*		
5	Bumper 1	10	3800	380.0	16,924		
6	Bumper 2	10	4859	485.9	8,197		
7	Bumper 3	10	4838	483.8	10,426		
8	Bumper 4	10	3482	348.2	14,049		
9							
10							
11	ANOVA						
12	*Source of Variation*	*SS*	*df*	*MS*	*F*	*P-value*	*F crit*
13	Between Groups	150,884	3	50,295	4.06	0.0139	2.8663
14	Within Groups	446,368	36	12,399			
15							
16	Total	597,252	39				

해석 검정통계량의 값은 $F=4.06$이고 p-값$=.0139$이다. 일부 유형의 범퍼들 간에 차이가 존재한다고 추론할 수 있는 충분한 통계적 증거가 존재한다. 이제 문제는 어느 범퍼들이 다른가이다.

이 문제를 다루는 여러 가지 통계적 추론기법들이 있다. 이 절에서는 어느 모평균들이 다른지 결정할 수 있게 해주는 3가지 방법이 소개된다.

14.2a 피셔의 최소유의차검정

어느 모평균들이 다른지 결정하기 위해 모집단 평균들의 모든 쌍에 대하여 두 모평균 차이에 대한 일련의 t 검정이 수행될 수 있다. 제13장에서 동분산을 가정하는 두 모평균 차이에 대한 t 검정이 소개되었다. 동분산 가정 하의 두 모평균 차이에 대한 검정통계량과 신뢰구간추정량은 각각 다음과 같다.

$$t = \frac{(\bar{x}_1 - \bar{x}_2) - (\mu_1 - \mu_2)}{\sqrt{s_p^2\left(\frac{1}{n_1} + \frac{1}{n_2}\right)}}$$

$$(\bar{x}_1 - \bar{x}_2) \pm t_{\alpha/2}\sqrt{s_p^2\left(\frac{1}{n_1} + \frac{1}{n_2}\right)}$$

이 경우 t 통계량의 자유도는 $\nu=n_1+n_2-2$이다.

s_p^2는 두 모집단의 분산에 대한 불편추정량(unbiased estimator)인 통합분산추정량(pooled variance estimator)이다. (이와 같은 통계기법을 사용하기 위해서는 모분산들이 동일하다는 조건이

필요하다.) 이 절에서는 이와 같은 검정통계량과 구간추정량이 수정된다.

이 장의 앞에서 MSE는 검정하는 모집단들의 공통분산(common variance)에 대한 불편추정량이라는 점을 지적하였다. MSE는 k개 표본들에 포함되어 있는 모든 관측치들에 기초하여 계산된 것이기 때문에 (단지 두 개의 표본에 기초하여 계산된) s_p^2보다 더 좋은 추정량이다. 따라서 앞에서 제시된 검정통계량과 신뢰구간추정량의 공식에서 s_p^2 대신에 MSE로 대체하여 모평균들의 모든 쌍에 대한 추론을 할 수 있다. 자유도도 $\nu=n-k$ [n은 총표본크기(total sample size)이다]로 바뀐다. μ_i와 μ_j가 다른지 결정하기 위한 검정통계량은

$$t=\frac{(\bar{x}_i-\bar{x}_j)-(\mu_i-\mu_j)}{\sqrt{\text{MSE}\left(\frac{1}{n_i}+\frac{1}{n_j}\right)}}$$

이다.

$(\mu_i-\mu_j)$에 대한 신뢰구간추정량은

$$(\bar{x}_i-\bar{x}_j)\pm t_{\alpha/2}\sqrt{\text{MSE}\left(\frac{1}{n_i}+\frac{1}{n_j}\right)}$$

이다. 이 경우의 자유도는 $\nu=n-k$이다.

최소유의차(least significant difference, LSD)는 다음과 같이 정의된다.

$$\text{LSD}=t_{\alpha/2}\sqrt{\text{MSE}\left(\frac{1}{n_i}+\frac{1}{n_j}\right)}$$

모평균들의 각 쌍 간에 차이가 존재하는지 결정하기 위한 간단한 한 가지 방법은 두 표본평균들 간 차이의 절댓값과 LSD를 비교하는 것이다. 만일

$$|\bar{x}_i-\bar{x}_j|>\text{LSD}$$

이면, μ_i와 μ_j가 다르다고 결론짓는다.

만일 모든 k개의 표본크기가 동일하면, LSD는 모평균들의 모든 쌍에 대하여 동일하다. 만일 일부의 표본크기들이 다르면, LSD는 각 조합의 쌍에 대하여 계산되어야 한다.

제14.1절에서 이와 같은 방법은 제1종 오류가 발생할 확률을 증가시키는 단점을 가지고 있다고 주장하였다. 즉, 실제로는 다르지 않는데도 불구하고 일부의 모평균들 간에 차이가 존재한다고 결론지을 가능성이 분산분석보다 더 크다. 제14.1절을 마무리하면서 $k=6$이고 모든 모평균들이 동일하면, 적어도 두 모평균이 다르다고 유의수준 5%에서 잘못 추론할 확률은 약 54%라고 계산하였다. 이 경우에 사용된 5%의 수치는 **비교 제1종 오류율**

(comparisonwise Type I error rate)이라고도 부른다. 적어도 한 번의 제1종 오류를 발생시킬 진짜 확률은 **실험 제1종 오류율**(experimentwise Type I error rate)이라고 부르며 α_E로 표시된다. 실험 제1종 오류율은 다음과 같이 계산된다.

$$\alpha_E = 1 - (1 - \alpha)^C$$

이 경우 C는 비교되는 쌍의 수이다. 즉, $C=k(k-1)/2$이다. 수학자들은

$$\alpha_E \le C\alpha$$

라는 것을 증명하였다. 이것은 적어도 한 번의 제1종 오류를 범할 확률을 α_E보다 크지 않게 하기를 원하면 $\alpha=\alpha_E/C$이어야 한다는 것을 의미한다. 이와 관련된 기법은 **본페로니 조정**(Bonferroni adjustment)이라고 부른다.

14.2b LSD 검정의 본페로니 조정

본페로니 조정은 정해진 실험 제1종 오류율을 모평균들의 쌍 수로 나누어서 이루어진다. 예를 들어, $k=6$이면

$$C = \frac{k(k-1)}{2} = \frac{6(5)}{2} = 15$$

이다. 만일 제1종 오류율을 5%보다 크게 하지 않기를 원하면, 이 확률을 C로 나눈다. 따라서 각 검정에서 사용되는 α의 값은

$$\alpha = \frac{\alpha_E}{C} = \frac{.05}{15} = .0033$$

이다.

피셔의 LSD 검정과 본페로니 조정을 예시하기 위해 예제 14.2를 살펴보자. 4개의 표본평균은 각각 $\bar{x}_1=380.0$, $\bar{x}_2=485.9$, $\bar{x}_3=483.8$, $\bar{x}_4=348.2$이다.

쌍별 절대차이는 다음과 같다.

$$\begin{aligned}
|\bar{x}_1 - \bar{x}_2| &= |380.0 - 485.9| = |-105.9| = 105.9 \\
|\bar{x}_1 - \bar{x}_3| &= |380.0 - 483.8| = |-103.8| = 103.8 \\
|\bar{x}_1 - \bar{x}_4| &= |380.0 - 348.2| = |31.8| = 31.8 \\
|\bar{x}_2 - \bar{x}_3| &= |485.9 - 483.8| = |2.1| = 2.1 \\
|\bar{x}_2 - \bar{x}_4| &= |485.9 - 348.2| = |137.7| = 137.7 \\
|\bar{x}_3 - \bar{x}_4| &= |483.8 - 348.2| = |135.6| = 135.6
\end{aligned}$$

Excel 분석결과로부터 MSE=12,399이고 $v=n-k=40-4=36$이다. $\alpha=.05$에서 LSD 검정을 수행하면, $t_{\alpha/2,n-k}=t_{.025,36}=2.0281$(엑셀 함수 =T.INV 이용)이다. 따라서

$$t_{\alpha/2}\sqrt{\text{MSE}\left(\frac{1}{n_i}+\frac{1}{n_j}\right)}=2.0281\sqrt{12{,}399\left(\frac{1}{10}+\frac{1}{10}\right)}=100.99$$

이다.

4쌍의 표본평균차이 절댓값이 100.99보다 크다는 것을 알 수 있다. 즉, $|\bar{x}_1-\bar{x}_2|=105.9$, $|\bar{x}_1-\bar{x}_3|=103.8$, $|\bar{x}_2-\bar{x}_4|=137.7$, $|\bar{x}_3-\bar{x}_4|=135.6$이다. 따라서 μ_1과 μ_2, μ_1과 μ_3, μ_2와 μ_4, μ_3와 μ_4는 다르다. 다른 두 쌍인 μ_1과 μ_4, μ_2와 μ_3는 다르지 않다.

만일 본페로니 조정을 반영한 LSD 검정을 수행하면, 비교를 위한 쌍의 수는 6 ($C=k(k-1)/2=4(3)/2$)이다. $\alpha=.05/6=.0083$으로 설정된다. 따라서 $t_{\alpha/2,36}=t_{.00415,36}=2.79197$(엑셀 함수=T.INV 이용)이고

$$t_{\alpha/2}\sqrt{\text{MSE}\left(\frac{1}{n_i}+\frac{1}{n_j}\right)}=2.79197\sqrt{12{,}399\left(\frac{1}{10}+\frac{1}{10}\right)}=139.03$$

이다.

이제 모든 표본평균차이의 절댓값이 139.03보다 작기 때문에 어느 모평균 쌍도 다르지 않다.

LSD 검정의 단점은 적어도 한 번의 제1종 오류율을 증가시킨다는 것이다. 본페로니 조정은 이와 같은 문제를 교정한다. 그러나 제1종 오류율과 제2종 오류율은 역의 관계를 가진다는 점을 기억하라. 본페로니 조정에서 더 작은 α의 값을 사용하는 것이 제2종 오류율을 증가시키는 결과를 발생시킨다. 제2종 오류는 모평균들 간에 차이의 절댓값이 존재하는데도 불구하고 이것을 발견하지 못할 때 발생한다. 다음에 논의되는 다중비교검정은 이와 같은 문제를 다룬다.

14.2c 투키의 다중비교검정

더 강력한 검정은 **투키의 다중비교검정**(Tukey's multiple comparison method)이다. 이 기법은 임계값(ω)을 결정하고 임의의 두 표본평균차이 절댓값이 임계값(ω)보다 크면 이 쌍에 해당되는 모집단 평균들은 다르다고 결론짓는다.

투키의 다중비교검정은 스튜던트화 범위(Studentized range)에 기초하여 계산된다. 스튜던트화 범위는 다음과 같은 변수로 정의된다.

$$q = \frac{\bar{x}_{max} - \bar{x}_{min}}{s/\sqrt{n}}$$

$\bar{x}_{max}$과 $\bar{x}_{min}$은 각각 최대 표본평균과 최소 표본평균이다. 모평균들 간에는 차이가 없다고 가정된다. 임계값 ω는 다음과 같이 정의된다.

임계값 ω

$$\omega = q_{\alpha}(k, \nu)\sqrt{\frac{\text{MSE}}{n_g}}$$

k=처리 수
n=관측치 수($n=n_1+n_2+\cdots+n_k$)
ν=MSE($\nu=n-k$)와 관련된 자유도
n_g=k개 표본들 각각의 관측치 수
α=유의수준
$q_{\alpha}(k, \nu)$=스튜던트화 범위의 임계값

이론적으로 말하면, 이 기법은 모든 표본크기가 동일하여야 한다는 조건을 요구한다. 그러나 만일 표본크기들이 다르더라도 적어도 유사하다면, 이 기법이 사용될 수 있다. 앞에서 사용된 n_g의 값은 표본크기들의 **조화평균**(harmonic mean)이다. 즉,

$$n_g = \frac{k}{\frac{1}{n_1} + \frac{1}{n_2} + \cdots + \frac{1}{n_k}}$$

부록 B의 표 7은 α=.01과 α=.05의 경우 각각에 대하여 여러 가지 k와 ν의 조합에 해당되는 $q_{\alpha}(k, \nu)$의 값을 제공한다. 예제 14.2에 투키의 다중비교검정을 적용하면,

$$k = 4$$
$$n_1 = n_2 = n_3 = n_4 = n_g = 10$$
$$\nu = n - k = 40 - 4 = 36$$
$$\text{MSE} = 12{,}399$$
$q_{.05}(4, 36) = 3.809$ (Excel Workbook의 Multiple comparisons 중 Tukey(5%) 이용)

이므로

$$\omega = q_{\alpha}(k, \nu)\sqrt{\frac{\text{MSE}}{n_g}} = (3.809)\sqrt{\frac{12{,}399}{10}} = 134.12$$

이다. 134.12보다 큰 두 개의 절댓값이 존재한다. μ_2와 μ_4, μ_3와 μ_4는 다르다고 결론짓는다. 다른 4개의 쌍들은 다르지 않다.

EXCEL Workbook

LSD Method

	A	B	C	D	E	F	G	H	I
1	LSD Method		Samples	Sample i	Sample j	Sample i	Sample j		
2	Number of treatments	4	(i,j)	Mean	Mean	Size	Size	|Difference|	LSD
3	Degrees of freedom	36	1,2	380.0	485.9	10	10	105.90	100.99
4	MSE	12,399	1,3	380.0	483.8	10	10	103.80	
5	Alpha	0.05	1,4	380.0	348.2	10	10	31.80	
6			2,3	485.9	483.8	10	10	2.10	
7			2,4	485.9	348.2	10	10	137.70	
8			3,4	483.8	348.2	10	10	135.60	

Bonferroni Adjustment to LSD Method

	A	B	C	D	E	F	G	H	I
1	LSD Method		Samples	Sample i	Sample j	Sample i	Sample j		
2	Number of treatments	4	(i,j)	Mean	Mean	Size	Size	|Difference|	LSD
3	Degrees of freedom	36	1,2	380.0	485.9	10	10	105.90	139.03
4	MSE	12,399	1,3	380.0	483.8	10	10	103.80	
5	Alpha	0.0083	1,4	380.0	348.2	10	10	31.80	
6			2,3	485.9	483.8	10	10	2.10	
7			2,4	485.9	348.2	10	10	137.70	
8			3,4	483.8	348.2	10	10	135.60	

Tukey's Method

	A	B	C	D	E	F	G
1	Tukey's Method α = 5%		Samples	Sample i	Sample j		
2	Sample size (Harmonic mean)	10	(i,j)	Mean	Mean	|Difference|	ω
3	Number of treatments	4	1,2	380.0	485.9	105.9	134.12
4	Degrees of freedom	36	1,3	380.0	483.8	103.8	
5	MSE	12,399	1,4	380.0	348.2	31.8	
6			2,3	485.9	483.8	2.1	
7			2,4	485.9	348.2	137.7	
8			3,4	483.8	348.2	135.6	

지시사항

1. 분산분석을 수행하라.
2. **Multiple comparisons** 워크시트를 열고 **LSD**를 클릭하라.
3. 비교하기 원하는 처리들의 표본평균과 표본크기를 입력하라. 처리 수를 셀 B2 (4), 자유도를 셀 B3 (36), MSE의 값을 셀 B4 (12,399), α의 값을 셀 B5 (.05)에 입력하라.
4. 본페로니 조정을 위해서, α를 비교하는 쌍의 수로 나누어라. 이 예제에서 $C=(4\times3)/2=6$이다. .0083을 셀 B5 (=.05/6)에 입력하라.
5. 투키 검정을 위해서, 1%, 5% 또는 10%를 클릭하라. 표본크기를 셀 B2 (10)에 입력하라. 표본크기들이 다르면, 조화평균(=**HARMEAN** ([Input range]))를 계산하고 이 값을 셀 B2에 입력하라. 처리 수를 셀 B3 (4), 자유도를 셀 B4 (36), MSE의 값을 셀 B5 (12,399)를 입력하라.

해석 피셔의 LSD에 대한 본페로니 조정을 사용하면, 어느 쌍의 범퍼도 다르지 않다는 점이 발견된다. (이것은 놀라운 결과가 아니다. 매우 작은 제1종 오류를 범할 확률(.0033)을 사용했기 때문에 제2종 오류를 범할 확률은 커지게 되었다.) 투키 검정은 범퍼 4는 범퍼 2와 범퍼 3 모두와 다르다는 것을 말해준다. 주어진 표본에 의하면, 범퍼 4는 수리비용이 최소인 것으로 나타난다. 범퍼 1과 범퍼 4가 다르다고 결론지을 수 있는 충분한 증거가 존재하기 않기 때문에 범퍼 1이 범퍼 4보다 더 좋은 장점을 가지고 있다면 우리는 범퍼 1을 사용하는 것을 고려할 것이다.

14.2d 다중비교검정법의 선택

불행하게도 모든 유형의 문제에서 가장 잘 작동하는 하나의 기법은 존재하지 않는다. 대부분의 통계학자들은 다음과 같은 가이드라인에 대하여 같은 의견을 가지고 있다.

- 만일 분산분석을 수행하기 전에 2쌍 또는 3쌍의 비교를 원하면, 본페로니 검정을 사용하라. 이것은 만일 한 문제에서 10개의 모집단이 존재하지만 특히 모집단 3과 모집단 7 또는 모집단 5와 모집단 9를 비교하는 것에 관심을 가지고 있으면, $C=2$인 본페로니 검정을 사용하라는 것을 의미한다.
- 만일 모든 가능한 쌍들을 비교하고자 한다면, 투키 검정을 사용하라.
- 피셔의 LSD 검정은 언제 사용하는가? 만일 분석의 목적이 추가적으로 연구하여야 하는 분야를 결정하는 것이라면, 피셔의 LSD 검정을 사용하라.

다시 말하면, 피셔의 LSD 검정 또는 본페로니 조정을 사용하기 위해서는 먼저 분산분석을 수행해야 한다. 투키 검정이 분산분석 대신에 사용될 수 있다.

연습문제

14.24 a. 다음의 문제에서 어떤 모집단 평균들이 다른지 결정하기 위해 $\alpha=.05$에서 피셔의 LSD 검정을 사용하라.

$k=3$, $n_1=10$, $n_2=10$, $n_3=10$
MSE$=700$, $\bar{x}_1=128.7$, $\bar{x}_2=101.4$, $\bar{x}_3=133.7$

b. 본페로니 조정을 사용하면서 a를 반복하라.

c. 투키의 다중비교검정을 사용하면서 a를 반복하라.

14.25 a. 다음에 주어진 통계량들을 사용하면서 어떤 모집단 평균들이 다른지 결정하기 위해 $\alpha=.05$에서 피셔의 LSD 검정을 사용하라.

$k=5$, $n_1=5$, $n_2=5$, $n_3=5$, $n_4=5$, $n_5=5$
MSE$=125$, $\bar{x}_1=227$, $\bar{x}_2=205$, $\bar{x}_3=219$,
$\bar{x}_4=248$, $\bar{x}_5=202$

b. 본페로니 조정을 사용하면서 a를 반복하라.

c. 투키의 다중비교검정을 사용하면서 a를 반복하라.

다른 지시가 없는 경우 5%의 유의수준을 사용하라.

14.26 연습문제 14.5에서 어느 브랜드들이 다른지 결정하기 위해 투키의 검정을 적용하라.

14.27 연습문제 14.6을 참조하라.

a. 어떤 학위들이 다른지 결정하기 위해 피셔의 LSD 검정을 사용하라.(α=.10을 사용하라.)

b. 본페로니 조정을 사용하면서 a를 반복하라.

다음의 연습문제들을 풀기 위해 컴퓨터와 소프트웨어를 사용하여야 한다. 일부의 답들은 직접 계산될 수 있다. 표본통계량을 알기 위해서는 부록 A를 참조하라.

14.28 <Xr 14-09> **a.** 연습문제 14.9에서 어떤 학교들이 다른지 결정하기 위해 본페로니 조정을 반영한 피셔의 LSD 검정을 적용하라.

b. 투키의 검정을 사용하면서 a를 반복하라.

14.29 <Xr 14-10> **a.** 연습문제 14.10에서 어떤 양식들이 다른지 결정하기 위해 투키의 다중비교검정을 적용하라.

b. 본페로니 조정을 적용하면서 a를 반복하라.

14.30 <Xr 14-30> 경찰차, 앰뷸런스, 긴급출동차는 섬광신호를 내도록 되어 있다. 섬광신호의 가장 중요한 특징 중 하나는 섬광시간이다. 시장에 있는 4개의 브랜드 중에서 어떤 브랜드를 사용하여야 하는지 결정하는 데 도움을 주기 위해 한 경찰실험실의 기술자는 각 브랜드에서 10개의 섬광을 임의표본으로 추출하고 섬광시간을 측정하였다. 그 결과가 분 단위로 기록되었다.

a. 섬광시간이 4개 브랜드 간에 차이가 있다고 결론내릴 수 있는가?

b. 어느 섬광 브랜드가 더 좋은지 결정하기 위해 본페로니 조정을 반영한 피셔의 LSD 검정을 적용하라.

c. 투키의 검정을 사용하면서 b를 반복하라.

14.31 <Xr 14-12> 연습문제 14.12를 참조하라.

a. 어떤 래커들이 다른지 결정하기 위해 본페로니 조정을 반영한 피셔의 LSD 검정을 적용하라.

b. 투키의 검정을 적용하면서 a를 반복하라.

14.32 <Xr 14-32> 졸업예정인 한 공대 학생은 어느 회사가 조기 승진과 경력 개발을 위해 가장 좋은 기회를 제공하는지 알아보기 위해 Silicon Valley에 있는 회사들을 서베이하기로 결정하였다. 그는 30개의 소기업(기업규모는 총매출에 기초한 것이다), 30개의 중기업, 30개의 대기업을 서베이하였고 평균적인 엔지니어가 승진할 수 있기까지 걸리는 시간을 결정하였다.

a. 이 공대 학생은 승진의 속도가 3가지 엔지니어링 기업규모 간에 나르나고 결론시을 수 있는가?

b. 만일 차이가 존재한다면, 다음 중 어느 것이 사실인가? 투키의 검정을 사용하라.

(1) 소기업은 중기업과 대기업과는 다르다.
(2) 중기업은 소기업과 대기업과는 다르다.
(3) 대기업은 소기업과 중기업과는 다르다.
(4) 3가지 규모의 기업 모두는 서로 다르다.
(5) 소기업은 대기업과는 다르다.

14.33 <Xr 14-16> **a.** 연습문제 14.16에서 어떤 비료들이 다른지 결정하기 위해 투키의 다중비교검정을 적용하라.

b. 본페로니 조정을 적용하면서 a를 반복하라.

14.34 <Xr 14-34> 젊은 사람들이나 나이 든 사람들이

더 자주 레스토랑에서 외식하는가? 미국 노동통계국(BLS)은 4세대(침묵 세대, 베이비붐 세대, X세대, 밀레니얼 세대) 각각의 임의표본을 추출하고 지난 12개월 동안 레스토랑에서 지출한 금액을 보고하도록 요청하였다.

a. 이 데이터는 4세대 간에 레스토랑에서 지출한 금액의 차이가 있다는 믿음을 지지하는가?

b. 투키의 다중비교검정을 사용하여 4세대 각 쌍 간에 연간 레스토랑 지출금액의 차이가 있다고 결론을 내릴 수 있는 충분한 증거가 존재하는지 결정하라.

14.3 분산분석 실험계획법

제13.3절에서 짝진실험(matched pairs experiment)을 소개하면서 살펴본 것처럼, 실험계획법은 어떤 통계기법이 사용되어야 하는지 결정하는 요인 중의 하나이다. 통계전문가들은 종종 의사결정을 하는 데 도움이 되는 정보를 추출하는 것을 돕기 위한 실험을 설계한다. 제14.1절에서 소개된 일원분산분석은 분산분석을 위한 많은 실험계획법 중 하나일 뿐이다. 각 실험종류에 대하여 수학적 표현 또는 모형을 사용하면서 반응변수의 행태가 설명될 수 있다. 이 장에서 수학적 표현을 사용하지는 않지만 당신이 한 실험계획법과 다른 실험계획법을 구별하는 요소들을 아는 것은 유용한 일이다. 이 절에서는 이와 같은 일부 요소들이 논의되고 이 장의 후반부에서 제시될 두 가지 실험계획법이 소개된다.

14.3a 일인자 실험계획법과 다인자 실험계획법

제14.1절에서 지적한 것처럼, 모집단을 구별하는 기준은 **인자**(factor)라고 부른다. 제14.1절에서 설명한 실험은 한 인자에 기초하여 정의되는 두 개 이상의 모집단을 비교하는 문제이기 때문에 일인자 분산분석이다. **다인자실험**(multifactor experiment)은 모집단을 정의하는 인자가 두 개 이상 존재하는 실험이다. 예제 14.1에서 설명한 실험은 고령자의 연령이라는 1개의 인자를 가지는 일인자 실험계획법이다. 즉, 인자는 고령자의 연령이고 3개의 연령그룹이 이와 같은 인자의 3개 수준이다.

추가적인 분석을 위해 고령자의 성별이 고려된다고 하자. 이 경우에 첫 번째 인자인 고령자의 연령은 3개의 수준을 가지고 두 번째 인자인 고령자의 성별은 2개의 수준을 가지는 이인자 분산분석이 개발될 수 있다. 이인자 실험계획법이 제14.5절에서 논의된다.

14.3b 독립표본과 블럭

제13.3절에서 데이터가 짝진실험으로부터 수집되는 경우에 적용되는 통계기법이 소개되었다. 이와 같은 실험계획법은 표본내변동을 감소시키고 두 모집단 차이를 알아내는 것을 더 쉽게 만든다. 문제의 목적이 두 개 이상의 모집단을 비교하는 것일 때, 짝진실험에 상응하는 실험계획법은 **랜덤화블럭계획법**(randomized block design)이라고 부른다. **블럭**(block)이라는 용어는 각 모집단으로부터 추출되어 짝지어지는 관측치 그룹을 의미한다. 예제 13.4와 예제 13.5에서 재무금융, 마케팅, 회계, 생산운영관리 전공들의 연봉 제안을 비교하기 원한다고 하자. 예제 13.5를 다시 반복하기 위해 블럭들이 25개 GPA 그룹들이고 처리들은 4개 MBA 전공들인 랜덤화 블럭실험이 수행될 것이다.

이와 같은 실험계획법은 처리 간의 차이를 발견하는 것을 보다 더 쉽게 하기 위해 각 처리의 변동을 감소시킨다.

각 처리에 대하여 동일한 대상(사람, 공장, 가게)을 사용하면서 블럭실험을 수행할 수도 있다. 예를 들면, 수면제가 유효한지 결정하기 위해 동일한 그룹에 속하는 사람들에게 3개 브랜드의 수면제를 복용시킬 수 있다. 이와 같은 실험은 **반복측정계획법**(repeated measures design)이라고 부른다. 기술적으로 말하면, 이것은 랜덤화블럭과는 다른 실험계획법이다. 그러나 두 실험계획법 모두의 경우 동일한 방법으로 데이터가 분석된다. 따라서 반복측정계획법은 랜덤화블럭계획법으로 취급될 수 있다.

랜덤화블럭실험은 또한 **이원분산분석**(two-way analysis of variance)이라고도 부른다. 제14.4절에서 이와 같은 종류의 실험을 위한 검정통계량을 계산하기 위해 사용되는 기법이 소개된다.

14.3c 고정효과와 임의효과

일인자의 모든 가능한 수준들을 포함하는 통계기법은 **고정효과 분산분석**(fixed-effect analysis of variance)이라고 부른다. 분석에 포함되는 수준들이 모든 수준들로부터 추출된 임의표본이면, 이와 같은 통계기법은 **임의효과 분산분석**(random-effect analysis of variance)이라고 부른다. 예제 14.2에서 4개의 가능한 범퍼만 존재한다. 따라서 주어진 분석은 고정효과실험이다. 그러나 예제 14.2에서 고려된 4개 범퍼 외에 다른 범퍼들이 존재하면, 주어진 분석은 임의효과실험이다.

다른 예를 들어보자. 한 대형 공장에 있는 기계에 의해 생산되는 단위 수에 차이가 존재하는지 결정하기 위해 이 공장에 있는 50대의 기계 중에서 4대의 기계가 임의로 선택된다. 각 기계에 의해 하루에 생산되는 단위 수가 10일 동안 기록된다. 4대의 기계로 구성된 임의

표본이 선택되었기 때문에 이 실험은 임의효과실험이다.

일부 실험계획법들에서 임의효과와 고정효과 간에 검정통계량을 계산하는 데 차이가 없다. 그러나 제14.5절에서 소개되는 이인자 실험계획법을 포함한 다른 실험계획법들에서는 임의효과와 고정효과 간에 검정통계량을 계산하는 방식이 다르다.

14.4 랜덤화블럭(이원) 분산분석

랜덤화블럭실험을 설계하는 목적은 모평균들 간의 차이를 더 쉽게 발견하기 위해 처리내변동을 감소시키는 데 있다. 일원분산분석에서 총변동은 처리간변동과 처리내변동으로 분해되었다. 즉,

$$\text{TSS} = \text{SST} + \text{SSE}$$

이다.

분산분석의 랜덤화블럭계획법에서, 총변동은 다음과 같이 3개의 변동요인으로 분해된다.

$$\text{TSS} = \text{SST} + \text{SSB} + \text{SSE}$$

블럭제곱합(sum of squares for blocks, SSB)은 블럭간 변동을 측정한다. 블럭과 관련된 변동이 제거될 때, SSE는 감소되고 모평균 차이가 존재하는지 결정하는 것이 더 쉬워진다.

이제부터 통계적 추론을 제시하는 데 있어서 두 가지 방법, 즉 직접 계산하는 방법과 Excel을 사용하여 계산하는 방법으로, 예제를 푸는 방식을 더 이상 따르지 않는다. 랜덤화블럭계획법과 다음 절에서 제시되는 실험계획법을 위한 계산을 하는 데 시간이 많이 걸리기 때문에 문제를 직접 푸는 방식은 더 이상 사용되지 않는다. 따라서 통계량들이 어떻게 계산되는지 논의하면서 관련된 개념들을 계속해서 설명하겠지만 컴퓨터로 문제를 푸는 방식만 사용된다.

당신이 공식들을 이해하는 것을 돕기 위해, 다음과 같은 기호가 사용된다.

$\bar{x}[T]_j = j$번째 처리에 속하는 관측치의 평균($j=1, 2, \ldots, k$)
$\bar{x}[B]_i = i$번째 블럭에 속하는 관측치의 평균($i=1, 2, \ldots, b$)
$b=$블럭의 수

표 14.4는 랜덤화블럭실험계획법에서 사용되는 기호를 요약한 것이다.

표 14.4 랜덤화블럭 분산분석을 위한 기호

	처리				
블럭	1	2		*k*	블럭평균
1	x_{11}	x_{12}	. . .	x_{1k}	$\bar{x}[B]_1$
2	x_{21}	x_{22}	. . .	x_{2k}	$\bar{x}[B]_2$
⋮	⋮	⋮		⋮	⋮
b	x_{b1}	x_{b2}	. . .	x_{bk}	$\bar{x}[B]_b$
처리평균	$\bar{x}[T]_1$	$\bar{x}[T]_2$	. . .	$\bar{x}[T]_k$	

랜덤화블럭계획법에서 TSS와 SST의 정의는 독립표본계획법에서 TSS와 SST의 정의와 같다. 독립표본계획법의 SSE는 랜덤화블럭계획법의 SSB와 SSE의 합과 같다.

랜덤화블럭실험의 제곱합

$$\text{TSS} = \sum_{j=1}^{k}\sum_{i=1}^{b}(x_{ij} - \bar{\bar{x}})^2$$

$$\text{SST} = \sum_{j=1}^{k} b(\bar{x}[T]_j - \bar{\bar{x}})^2$$

$$\text{SSB} = \sum_{i=1}^{b} k(\bar{x}[B]_i - \bar{\bar{x}})^2$$

$$\text{SSE} = \sum_{j=1}^{k}\sum_{i=1}^{b}(x_{ij} - \bar{x}[T]_j - \bar{x}[B]_i + \bar{\bar{x}})^2$$

검정은 제곱합들을 각각의 자유도로 나누어 계산되는 평균제곱을 구함으로써 이루어진다.

랜덤화블럭실험을 위한 평균제곱

$$\text{MST} = \frac{\text{SST}}{k-1}$$

$$\text{MSB} = \frac{\text{SSB}}{b-1}$$

$$\text{MSE} = \frac{\text{SSE}}{n-k-b+1}$$

마지막으로 검정통계량은 다음의 박스에 기술되어 있는 것처럼 평균제곱들의 비율이다.

랜덤화블럭실험을 위한 검정통계량

$$F = \frac{\text{MST}}{\text{MSE}}$$

검정통계량은 자유도가 각각 $v_1 = k-1$과 $v_2 = n-k-b+1$인 F 분포를 따른다.

처리평균들에 관한 검정으로부터 얻어지는 하나의 흥미롭고 때로는 유용한 부산물은 블럭평균들이 차이가 있는지도 검정할 수 있다는 것이다. 이것은 실험이 랜덤화블럭계획법으로 수행되었어야 하는지 결정할 수 있게 해준다. (만일 블럭평균들 간에 차이가 없다면, 랜덤화블럭계획법이 처리평균들 간의 실제 차이를 발견할 가능성이 적다.) 이와 같은 결과는 앞으로 유사한 실험들에서 유용할 수 있다. 블럭평균들에 대한 검정은 검정통계량이 자유도가 각각 $v_1 = b-1$과 $v_2 = n-k-b+1$인 F 분포를 따르는

$$F = \frac{\text{MSB}}{\text{MSE}}$$

라는 점을 제외하고 처리평균들에 대한 검정과 거의 동일하다.

일원분산분석과 마찬가지로, 랜덤화블럭실험에서 생성되는 통계량들은 표 14.5와 같은 일반적인 형태의 ANOVA 표로 정리된다.

표 14.5 랜덤화블럭 분산분석을 위한 ANOVA 표

변동의 원천	자유도	제곱합	평균제곱	*F* 통계량
처리간변동	$k-1$	SST	MST=SST/($k-1$)	F=MST/MSE
블럭간 변동	$b-1$	SSB	MSB=SSB/($b-1$)	F=MSB/MSE
오차(그룹내변동)	$n-k-b+1$	SSE	MSE=SSE/($n-k-b+1$)	
합계	$n-1$	TSS		

예제 14.3 콜레스테롤을 감소시키는 약의 비교

DATA Xm14-03

많은 북미인들은 심장마비를 발생시킬 수 있는 높은 수준의 콜레스테롤 때문에 고통을 겪는다. 280 이상 매우 높은 수준의 콜레스테롤을 가지고 있는 사람들을 위해 의사들은 콜레스테롤 수준을 감소시키는 약을 처방한다. 한 제약회사는 최근에 콜레스테롤 수준을 감소시키는 4가지 약을 개발하였다. 4가지 약의 효과에 차이가 존재하는지 결정하기 위해 하나의 실험이 이루어졌다. 이 제약회사는 콜레

스테롤 수준이 280을 초과하는 각 4명의 남성으로 구성된 25개 그룹을 선택하였다. 각 그룹에서 남성들은 연령과 몸무게 기준으로 매치되었다. 약은 2개월 동안 복용하도록 하였고 콜레스테롤의 감소정도가 기록되었다. 이와 같은 결과로부터 이 제약회사는 4가지 신약 간에 차이가 존재한다고 결론내릴 수 있는가?

그룹	약 1	약 2	약 3	약 4
1	6.6	12.6	2.7	8.7
2	7.1	3.5	2.4	9.3
3	7.5	4.4	6.5	10.0
4	9.9	7.5	16.2	12.6
5	13.8	6.4	8.3	10.6
6	13.9	13.5	5.4	15.4
7	15.9	16.9	15.4	16.3
8	14.3	11.4	17.1	18.9
9	16.0	16.9	7.7	13.7
10	16.3	14.8	16.1	19.4
11	14.6	18.6	9.0	18.5
12	18.7	21.2	24.3	21.1
13	17.3	10.0	9.3	19.3
14	19.6	17.0	19.2	21.9
15	20.7	21.0	18.7	22.1
16	18.4	27.2	18.9	19.4
17	21.5	26.8	7.9	25.4
18	20.4	28.0	23.8	26.5
19	21.9	31.7	8.8	22.2
20	22.5	11.9	26.7	23.5
21	21.5	28.7	25.2	19.6
22	25.2	29.5	27.3	30.1
23	23.0	22.2	17.6	26.6
24	23.7	19.5	25.6	24.5
25	28.4	31.2	26.1	27.4

해답 **선택**

문제의 목적은 4개 모집단을 비교하는 것이고 데이터는 구간데이터이다. 연구원들이 유사한 그룹에 속하는 남성들 각각에 대한 각 약의 콜레스테롤 감소수준을 기록하였기 때문에 이 실험설계는 랜덤화블럭실험이다. 반응변수는 콜레스테롤 감소수준이고, 처리는 4개의 약이며 블럭은 25개의 유사한 그룹이다. 귀무가설과 대립가설은 다음과 같다.

H_0: $\mu_1 = \mu_2 = \mu_3 = \mu_4$

H_1: 적어도 두 모평균이 다르다.

계산

EXCEL Data Analysis

	A	B	C	D	E	F	G
36	ANOVA						
37	*Source of Variation*	*SS*	*df*	*MS*	*F*	*P-value*	*F crit*
38	Rows	3848.66	24	160.36	10.11	9.70E-15	1.6695
39	Columns	195.95	3	65.32	4.12	0.0094	2.7318
40	Error	1142.56	72	15.87			
41							
42	Total	5187.17	99				

출력물에는 블럭 통계량들과 처리 통계량들(이곳에 제시되어 있지 않은 합계, 평균, 분산)과 ANOVA 표가 포함되어 있다. 4가지 약 간에 차이가 존재하는지 결정하기 위한 F 통계량(**Colums**)은 4.12이다. F 통계량의 p-값은 .0094이다. 다른 F 통계량[$=10.11$(p-값$=9.70\times10^{-15}\approx0$)]은 남성으로 구성된 그룹들(**Rows**) 간에 차이가 존재한다는 점을 제시한다.

지시사항

1. 인접한 열들에 데이터를 입력하거나 <Xm14-03>을 열고 **Unstacked** 탭을 클릭하라.
2. **데이터**(Data), **데이터분석**(Data Analysis), **Anova: Two-Factor Without Replication**을 클릭하라.
3. 입력범위(**Input Range**) (A1:E26)을 입력하라. 해당되면 이름표(**Labels**)를 클릭하라. 당신이 Labels를 클릭하면, <Xm14-03>에서처럼 처리와 블럭이 표시된다. α의 값 (.05)를 설정하라.

해석 당신이 실제로는 차이가 존재하지 않는데도 불구하고 차이가 존재한다고 결론지을 때 제1종 오류가 발생한다. 적어도 두 모평균이 다른데도 불구하고 검정이 차이가 없다고 제시할 때 제2종 오류가 발생한다. 두 오류 모두 비용을 발생시킨다. 따라서 5%의 유의수준 기준보다 p-값이 판단기준으로 사용된다. 검정의 p-값=.0094이기 때문에 적어도 두 개의 약이 다르다고 추론할 만큼 충분한 증거가 존재한다는 결론이 얻어진다. 검토해보면 약 2와 약 4를 사용하는 경우 콜레스테롤 감소수준이 가장 크다. 어느 약이 가장 좋으냐를 결정하기 위해서는 추가적인 검정이 이루어져야 한다.

14.4a 필요조건 확인하기

랜덤화블럭 분산분석을 위한 F 검정은 독립표본계획법과 같은 필요조건을 충족시켜야 한다. 즉, 확률변수는 정규분포를 따라야 하고 모분산들은 동일하여야 한다. 여기에 제시되어 있지는 않지만 히스토그램들은 분석결과의 타당성을 지지하는 것으로 보인다. 콜레스테롤의 감소수준은 정규분포를 따르는 것으로 보인다. 모분산의 동일성 조건도 충족되는 것으로 보인다.

14.4b 필요조건의 위반

반응이 정규분포를 따르지 않을 때, 랜덤화블럭 분산분석은 제19.4절에서 소개되는 Friedman 검정(Friedman test)으로 대체될 수 있다.

14.4c 블럭화의 기준

제13.3절에서 짝진실험의 장점과 단점을 열거하였다. 블럭실험의 경우도 동일한 사항이 적용된다. 블럭화의 목적은 실험 단위 간 차이에 의해 발생되는 변동을 감소시키는 것이다. 통계전문가들은 실험 단위들을 동질적인 블럭으로 그룹화함으로써 처리평균들 간 실제 차이를 발견할 가능성을 증가시킨다. 따라서 반응변수에 상당히 영향을 미치는 블럭화의 기준을 찾아야 할 필요가 있다. 예를 들면, 한 통계학 교수가 통계학을 가르치는 4가지 방법 중에서 어느 방법이 가장 좋은지 결정하기 원한다고 하자. 일원배치실험에서, 그는 10명의 학생으로 구성된 4개의 표본을 추출하여 각 표본에 하나의 다른 강의 방법으로 가르치고 학기 말에 학생들에게 점수를 부여하여 강의 방법들 간에 차이가 존재하는지 결정하기 위한 F 검정을 시행할 수 있다. 그러나 각 표본 내의 학생들 간에 매우 큰 차이가 존재할 가능성이 있다. 이와 같은 변동을 감소시키기 위해, 이 통계학 교수는 학생의 통계학 점수와 관련된 변수들을 판별하여야 한다. 예를 들면, 학생의 전반적인 능력, 수학 과목들의 이수상태, 다른 통계학 과목의 수강여부 모두는 통계학 과목의 성과와 관련되어 있다.

실험은 다음과 같은 방식으로 수행될 수 있다. 이 통계학 교수는 통계학 과목을 수강하기 전 평균 학점이 95~100인 4명의 학생을 임의로 선택한다. 이어서 그는 이 학생들을 4개 표본의 하나에 한 명씩 임의로 할당한다. 그는 이와 같은 과정을 평균 학점이 90~95, 85~90, . . . , 50~55인 학생들을 대상으로 반복한다. 최종 학점이 표본 간의 차이가 존재하는지 검정하기 위해 사용된다.

실험 단위와 관련된 특성들이 블럭화를 위한 잠재적인 기준이다. 예를 들면, 실험 단위가 사람이면 연령, 성별, 소득, 경력, 지적수준, 거주지, 몸무게, 키에 의해 블럭화될 수 있다. 실험 단위가 공장이고 시간당 생산되는 단위 수를 측정하는 것이면 근로자의 경험, 공장의 가동 연수, 공급자들의 수준이 블럭화 기준이 될 수 있다.

14.4d 통계개념의 이해를 심화시키기

이미 설명한 것처럼, 랜덤화블럭실험은 제13.3절에서 논의된 짝진실험의 확장이다. 짝진실험에서는 실험 단위 간의 차이에 의해 발생되는 변동의 효과가 제거된다. 그 결과 (독립표본들로부터 계산되는 검정통계량의 표준오차와 비교하여) 표준오차가 감소하고 t 통계량의 값이 증가한다. 랜덤화블럭 분산분석실험에서 SSB는 블럭들 간의 변동을 측정한다. 오차제곱합(그룹내제곱합)은 SSB만큼 감소하고 이것이 처리평균들 간의 차이를 발견하기 더 쉽게 만든다. 이에 더하여 짝진실험에서 수행할 수 없었던 과정인 블럭들 간의 차이가 존재하는지 결정하는 검정이 이루어질 수 있다.

예를 들어, MBA 재무전공자와 MBA 마케팅전공자에게 제공되는 초봉 간의 차이가 존재하는지 결정하는 문제를 검토하였던 예제 13.4와 예제 13.5로 돌아가보자. (실제로 재무전공자가 마케팅전공자보다 더 높은 연봉제안을 받는지 결정하기 위한 검정을 하였다. 그러나 분산분석은 연봉제안에서 단지 재무전공자와 마케팅전공자 간의 차이가 존재하는지만을 검정할 수 있다.) 예제 13.4(독립표본)에서 두 MBA 전공자 간에 차이가 존재한다고 추론할 만큼 충분한 증거가 없었다. 예제 13.5(짝진표본)에서는 두 MBA 전공자 간에 차이가 존재한다고 추론할 만큼 충분한 증거가 있었다. 제13.3절에서 지적한 것처럼, GPA에 의한 매칭은 통계전문가로 하여금 두 MBA 전공자 간의 차이를 더 쉽게 구별할 수 있게 해주었다. 분산분석을 사용하면서 예제 13.4와 예제 13.5를 다시 풀면, 동일한 결론이 얻어진다. Excel 결과물들은 다음과

예제 13.4의 Excel 분산분석 결과

	A	B	C	D	E	F	G
9	ANOVA						
10	*Source of Variation*	*SS*	*df*	*MS*	*F*	*P-value*	*F crit*
11	Between Groups	338,130,013	1	338,130,013	1.09	0.3026	4.0427
12	Within Groups	14,943,884,470	48	311,330,926			
13							
14	Total	15,282,014,483	49				

예제 13.5의 Excel 분산분석 결과

	A	B	C	D	E	F	G
34	ANOVA						
35	*Source of Variation*	*SS*	*df*	*MS*	*F*	*P-value*	*F crit*
36	Rows	21,415,991,654	24	892,332,986	40.39	4.17E-14	1.9838
37	Columns	320,617,035	1	320,617,035	14.51	0.0009	4.2597
38	Error	530,174,605	24	22,090,609			
39							
40	Total	22,266,783,295	49				

같다.

예제 13.4에서 총제곱합(TSS=15,282,014,483)은 두 개의 변동 요인인 SST=338,130,013과 SSE=14,943,884,470으로 분해된다. 예제 13.5에서 TSS(총제곱합)=22,266,783,295, SST(전공의 제곱합)=320,617,035, SSB (GPA의 제곱합)=21,415,991,654, SSE=530,174,605이다. 당신이 보는 것처럼, 처리의 제곱합들은 거의 같다(338,130,013과 320,617,035). 그러나 두 예제에서 오차제곱합들은 다르다. 예제 13.5의 SSE는 예제 13.4의 SSE보다 훨씬 적다. 왜냐하면 랜덤화블럭실험은 동일 전공의 MBA 학생들 간 변동효과를 제거해주기 때문이다. 블럭제곱합(GPA 그룹 제곱합)은 21,415,991,654이고 전공 내에서 연봉제안 간에 얼마만큼의 변동이 존재하는지 측정하는 통계량이다. 이와 같은 변동을 제거한 결과로 SSE가 감소하였다. 따라서 예제 13.5에서 연봉제안은 전공 간에 차이가 있다는 결론이 도출되지만 예제 13.4에서는 동일한 결론이 도출될 만큼의 충분한 증거가 존재하지 않았다.

두 예제 모두에서 t 통계량의 제곱은 F 통계량과 같다는 점에 주목하라. 즉, 예제 13.4에서 $t=1.04$이고 이것을 제곱하면 F 통계량과 같은 1.09이다. 예제 13.5에서 $t=3.81$이고 이것을 제곱하면 처리평균들의 차이를 검정하기 위한 F 통계량인 14.51과 같다. 더욱이 t 검정의 p-값과 F 검정의 p-값도 같다.

연습문제

14.35 다음의 통계량들은 $k=3$과 $b=7$인 랜덤화블럭실험으로부터 계산되었다. $n=21$이다.

SST=100, SSB=50, SSE=25

a. 처리평균들 간의 차이가 있는지 결정하기 위한 검정을 하라. ($\alpha=.05$를 사용하라.)
b. 블럭평균들 간의 차이가 있는지 결정하기 위한 검정을 하라. ($\alpha=.05$를 사용하라.)

14.36 한 랜덤화블럭실험에서 다음의 통계량들이 계산되었다. $n=60$이다.

$k=5$, $b=12$, SST=1500, SSB=1000, TSS=3500

a. 처리평균들 간의 차이가 있는지 결정하기 위한 검정을 하라. ($\alpha=.01$을 사용하라.)
b. 블럭평균들 간의 차이가 있는지 결정하기 위한 검정을 하라. ($\alpha=.01$을 사용하라.)

14.37 $k=4$와 $b=10$인 랜덤화블럭실험에서 수집된 데이터로부터 다음의 통계량들이 계산되었다고 하자. $n=40$이다.

TSS=1210, SST=275, SSB=625

a. 처리평균들 간의 차이가 있는지 결정하기 위한 검정을 하라. ($\alpha=.01$을 사용하라.)
b. 블럭평균들 간의 차이가 있는지 결정하기 위한 검정을 하라. ($\alpha=.01$을 사용하라.)

14.38 한 랜덤화블럭실험에서 다음의 통계량들이 계

산되었다. $n=24$이다.

$k=3,\quad b=8,\quad SST=1500,\quad TSS=3500$

a. SSB=500인 경우 처리평균들 간의 차이가 있는지 결정하기 위해 5%의 유의수준에서 검정하라.

b. SSB=1,000인 경우 a를 반복하라.

c. SSB=1,500인 경우 a를 반복하라.

d. SSB가 증가함에 따라 검정통계량에 어떤 일이 발생하는지 설명하라.

14.39 <Xr14-39> **a.** 한 랜덤화블럭실험으로부터 아래와 같은 데이터가 생성되었다고 가정하면서 TSS, SST, SSB, SSE를 계산하라.

b. 일원배치실험(독립표본실험)으로부터 아래와 같은 데이터가 생성되었다고 가정하면서 TSS, SST, SSE를 계산하라.

c. 두 가지 실험계획법 모두에서 왜 TSS가 같은가?

d. 두 가지 실험계획법 모두에서 왜 SST가 같은가?

e. a의 SSB+ SSE가 왜 b의 SSE와 같은가?

처리		
1	2	3
7	12	8
10	8	9
12	16	13
9	13	6
12	10	11

14.40 <Xr14-40> **a.** 한 랜덤화블럭실험으로부터 아래와 같은 데이터가 생성되었다고 가정하면서 TSS, SST, SSB, SSE를 계산하라.

b. 일원배치실험(독립표본실험)으로부터 아래와 같은 데이터가 생성되었다고 가정하면서 TSS, SST, SSE를 계산하라.

c. 두 가지 실험계획법 모두에서 왜 TSS가 같은가?

d. 두 가지 실험계획법 모두에서 왜 SST가 같은가?

e. a의 SSB+ SSE가 왜 b의 SSE와 같은가?

처리			
1	2	3	4
6	5	4	4
8	5	5	6
7	6	5	6

14.41 <Xr14-41> 한 통계학 교수는 측정오차를 이해하기 위한 실험으로 4명의 학생에게 교수, 한 남학생, 한 여학생의 키를 측정하도록 요청하였다. 정확한 키와 학생들이 측정한 키의 차이(cm 기준)가 아래의 표에 정리되어 있다. 측정대상 간에 오차의 차이가 존재한다고 5%의 유의수준에서 추론할 수 있는가?

	측정오차		
학생	교수	남학생	여학생
1	1.4	1.5	1.3
2	3.1	2.6	2.4
3	2.8	2.1	1.5
4	3.4	3.6	2.9

14.42 <Xr14-42> 식이요법이 얼마나 잘 작동하는가? 한 예비연구에서 몸무게가 50파운드 이상인 20명이 4가지의 식이요법을 비교하기 위한 실험에 참여하였다. 사람들은 연령으로 매치되었다. 가장 나이가 많은 4명은 블럭 1이 되었고, 다음으로 나이가 많은 4명은 블럭 2가 되었다. 이와 같은 방식으로 블럭이 만들어졌다. 식이요법에 의해 감소된 각 사람의 몸무게가 표에 정리되어 있다. 4가지 식이요법 간에 차이가 존재한다고 1%의 유의수준에서 추론할

수 있는가?

블럭	식이요법 1	2	3	4
1	5	2	6	8
2	4	7	8	10
3	6	12	9	2
4	7	11	16	7
5	9	8	15	14

다음의 연습문제들을 풀기 위해서는 컴퓨터와 소프트웨어를 사용하여야 한다. 5%의 유의수준을 사용하라.

14.43 <Xr14-43> 최근에 미국우정청에 대한 신뢰부족 때문에 많은 회사들은 민간신속배달회사를 통하여 모든 우편물을 보낸다. 한 대기업은 우편물 배달 방법으로 사용할 3개의 민간신속배달회사 중에서 하나를 선택하고 있는 중이다. 이와 같은 의사결정을 돕기 위해, 3개의 민간신속배달회사 중 각 회사를 사용하면서 주어진 날의 12개 다른 시점에 특정한 배달처로 편지가 보내지는 실험이 수행되었다. 배달에 필요한 시간(분 기준)이 기록되었다.

a. 배달시간이 3개 민간신속배달회사 간에 차이가 존재한다고 결론내릴 수 있는가?

b. 통계전문가는 정확한 실험계획법을 선택했는가? 설명하라.

14.44 <Xr14-44> 연습문제 14.16을 참조하라. 3가지 종류의 비료 간에 차이가 존재한다는 것을 보이지 못하였음에도 불구하고, 이 과학자는 3가지 종류의 비료 간에 차이가 존재하며 이와 같은 차이는 경작지 간의 변동에 의해 가려졌다고 믿고 있다. 따라서 그는 다른 하나의 실험을 수행하였다. 두 번째 실험에서 그는 전국적으로 흩어져 있는 20개의 3에이커 경작지를 선택하였다. 그는 3에이커 경작지 각각을 3개의 1에이커 경작지로 나누고 각각에 3종류의 비료를 사용하였다. 곡물수확량이 기록되었다.

a. 이 과학자는 3가지 종류의 비료 간에 차이가 존재한다고 추론할 수 있는가?

b. 이와 같은 검정결과는 경작지 간의 변동에 대하여 무엇을 보여주는가?

14.45 <Xr14-45> 한 컴퓨터회사의 인력충원 담당자는 경영학과 졸업생, 인문대학 졸업생, 이과대학 졸업생 간에 판매능력에 차이가 존재하는지 결정하기 원한다. 그녀는 과거 2년 동안 이 회사에서 일한 20명의 경영대학 졸업생들로 구성된 임의표본을 추출하였다. 각 경영대학 졸업생은 유사한 교육 및 경력 경험을 가지고 있는 한 명의 인문대학 졸업생과 한 명의 이과대학 졸업생과 매치되었다. 작년에 각 사람이 번 수수료(1,000달러 기준)가 기록되었다.

a. 인력충원 담당자가 3종류의 학위소지자 간에 판매능력 차이가 존재한다고 결론지을 수 있는 충분한 증거가 존재하는가?

b. 독립표본실험계획법이 더 좋은 선택일 수 있는지 결정하기 위한 검정을 수행하라.

c. a의 검정을 위한 필요조건은 무엇인가?

d. 필요조건이 충족되고 있는가?

14.46 <Xr14-46> 연습문제 14.10에서는 4개의 다른 소득세보고양식을 채우는 데 걸리는 시간을 비교하는 실험이 설명되었다. 이 실험이 다음과 같은 방식으로 다시 시행된다고 하자. 30명의 사람에게 4개의 소득세보고양식 모두를 채우도록 요청한다. 소득세보고양식을 완성하는 데 걸리는 시간(분 기준)이 기록되어 있다.

a. 소득세보고양식을 완성하는 데 걸리는 시간이 4개의 양식 간에 차이가 있다고 추론할 수 있

는 충분한 증거가 있는가?

b. 이 문제에서 이와 같은 실험계획법이 적정한가에 대하여 논평하라.

14.47 <Xr14-47> 골프공 제조업체들은 제품의 성능을 향상시킬 수 있는 방법을 끊임없이 찾고 있다. 한 골프공 제조업체는 일반적으로 슬라이스 공을 치는 하이 핸디캡 골퍼들을 돕기 위한 아이디어를 생각해냈다. (오른손 골퍼에게 슬라이스는 오른쪽으로 휘어지는 공이다.) 이 제조업체는 기존의 공들보다 직선으로 날아가도록 설계된 세 가지 종류의 공들을 생산하였다. 슬라이스 공을 치는 하이 핸디캡 골퍼 20명을 모집하고 드라이버로 각 종류의 공을 사용하여 1타를 치도록 하는 실험이 수행되었다. 그린으로부터 공이 안착된 지점까지의 거리가 측정되었다.

a. 세 가지 종류의 공들 간에 거리의 차이가 있다고 추론할 수 있는 충분한 증거가 존재하는가?

b. 이 데이터가 실험이 수행된 방식에 대해 무엇을 말해주는가?

14.48 <Xr14-48> 환자진료에 보내는 시간이 전문의 간에 차이가 있는가? 이와 같은 질문에 대답하기 위해 한 통계전문가가 연구를 수행하였다. 5명의 전문의의 주당 환자진료시간이 기록되었다. 랜덤화블럭계획법이 사용되었다. 전문의들은 연령에 의해 블럭화되었다.

a. 전문의 간에 환자진료시간의 차이가 존재한다고 추론할 수 있는가?

b. 연령 기준으로 블럭화하는 것이 적정하다고 추론할 수 있는가?

14.49 <Xr14-49> 연습문제 14.9를 참조하라. 다른 연구가 다음과 같은 방법으로 수행되었다. 경영대학에 입학허가된 각 고등학교 출신의 학생들이 그들의 고등학교 평점 기준으로 매치되었다. 대학 1차년도의 평점이 기록되었다. 이 대학입학허가 담당관은 4개 고등학교 간에 평가 기준의 차이가 존재한다고 추론할 수 있는가?

14.5 이인자분산분석

제14.1절에서 일인자실험(single-factor experiment)으로부터 데이터가 생성되는 문제들이 논의되었다. 예제 14.1에서 처리들은 3개의 연령그룹이었다. 따라서 일인자의 3개 수준이 존재하였다. 이 절에서는 실험이 두 개의 인자에 의해 특징지어지는 문제가 논의된다. 이와 같은 데이터 수집과정을 나타내기 위해 사용되는 일반적인 용어는 **인자실험**(factorial experiment; 요인실험이라고도 한다)이다. 이 책에서는 두 개 인자가 존재하는 문제만을 다루지만 인자실험에서는 두 개 이상의 인자가 반응변수에 미치는 효과가 검토될 수 있다. 각 인자의 수준이 서로 다른지 결정하기 위해 분산분석이 사용될 수 있다.

고정효과를 위한 분석기법만이 제시된다. 이것은 인자들의 모든 수준이 실험에 포함되는 문제가 논의된다는 것을 의미한다. 랜덤화블럭계획법의 경우와 마찬가지로 이와 같은 종류의 실험에서 요구되는 검정통계량을 계산하는 일은 매우 시간소비적이다. 따라서 이 절에서는 검정통계량을 계산하기 위해 Excel이 사용된다.

예제 14.4 교육수준별 생애 직업 수의 비교, PART 1

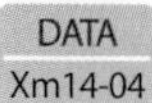

DATA Xm14-04

한 국가 경제의 건강도에 대한 하나의 척도는 얼마나 신속하게 일자리를 만들어 내느냐 하는 것이다. 이와 같은 문제와 관련된 하나의 내용이 개인들이 가지는 직업의 수이다. 재직기간에 관한 연구의 한 부분으로 37세~45세 사이에 있는 미국인들에게 생애 동안 얼마나 많은 직업을 가졌는지 물어보는 서베이가 이루어졌다. 성별과 교육수준도 기록되었다. 교육수준의 범주는 다음과 같다.

- 고등학교 중퇴 이하(E1)
- 고등학교 졸업(E2)
- 학사학위 미취득(E3)
- 적어도 1개의 학사학위 취득(E4)

성별과 교육수준의 8개 범주 각각에 대한 데이터가 다음과 같이 정리되어 있다. 성별과 교육수준 간에 직업 수의 차이가 존재한다고 추론할 수 있는가?

남성/E1	남성/E2	남성/E3	남성/E4	여성/E1	여성/E2	여성/E3	여성/E4
10	12	15	8	7	7	5	7
9	11	8	9	13	12	13	9
12	9	7	5	14	6	12	3
16	14	7	11	6	15	3	7
14	12	7	13	11	10	13	9
17	16	9	8	14	13	11	6
13	10	14	7	13	9	15	10
9	10	15	11	11	15	5	15
11	5	11	10	14	12	9	4
15	11	13	8	12	13	8	11

해답 **선택**

이 문제를 일원분산분석으로 취급하면서 시작하도록 하자. 8개의 처리들이 존재한다는 점에 주목하라. 그러나 처리들은 2개의 인자에 의해 정의된다. 첫 번째 인자는 2개의 수준을 가지고 있는 성별이다. 두 번째 인자는 4개의 수준을 가지고 있는 교육수준이다.

제14.1절에서 했던 것과 같은 방법으로 이 문제를 풀어 나갈 수 있다. 다음과 같은 가설들이 검정된다.

H_0 : $\mu_1=\mu_2=\mu_3=\mu_4=\mu_5=\mu_6=\mu_7=\mu_8$

H_1 : 적어도 두 모평균이 다르다.

계산

EXCEL Data Analysis

	A	B	C	D	E	F	G
1	Anova: Single Factor						
15	ANOVA						
16	*Source of Variation*	*SS*	*df*	*MS*	*F*	*P-value*	*F crit*
17	Between Groups	153.35	7	21.91	2.17	0.0467	2.14
18	Within Groups	726.2	72	10.09			
19							
20	Total	879.55	79				

해석 검정통계량의 값은 $F=2.17$이고 p-값은 .0467이다. 8개의 처리들 간에 직업 수의 차이가 존재한다는 결론이 얻어진다.

이와 같은 통계분석결과는 많은 질문을 제기한다. 예를 들면, 직업 수의 차이가 남성과 여성의 성별차이에 의해 발생된다고 결론지을 수 있는가? 또는 직업 수의 차이가 교육수준의 차이에 의해 발생되는가? 또는 많은 직업 수 또는 적은 직업 수의 결과를 발생시키는 성별과 교육수준의 **상호작용**(interactions)이라고 부르는 조합유형들이 존재하는가? 이와 같은 질문들과 관련된 검정이 어떻게 이루어지는지 살펴보기 위해 몇 가지 용어를 이해할 필요가 있다.

완전인자실험(complete factorial experiment)은 인자들의 수준들 간 모든 가능한 조합에 대한 데이터가 수집되는 실험이다. 이것은 예제 14.4에서처럼 모든 8가지 조합에 대한 직업 수가 측정되었다는 것을 의미한다. 이 실험은 완전 2×4 인자실험이라고 부른다.

일반적으로 인자들 중의 하나는 인자 A(임의로 선택된다)라고 부른다. 인자 A의 수준 수는 a로 표시된다. 다른 하나의 인자는 인자 B라고 부르고 이 인자의 수준 수는 b로 표시된다. 이 용어는 예제 14.4의 데이터가 다른 형태로 제시될 때 더 분명해진다. 표 14.6은 완전인자실험의 다른 이름인 **이원분류**배치법을 보여준다. 각 조합의 관측치 수는 **반복**(replicate)이라고 부른다. 반복의 수는 r로 표시된다. 이 책에서는 반복의 수가 각 처리에서 동일한 문제들만이 논의된다. 이와 같은 계획법은 **균형계획법**(balanced design)이라고 부른다.

따라서 처리의 수가 ab이고 각 처리는 r의 반복을 가지고 있는 완전인자실험이 사용된다. 예제 14.4에서 $a=2$, $b=4$, $r=10$이다. 따라서 8개의 처리 각각에 10개의 관측치가 있다.

ANOVA 표를 살펴보면 TSS=879.55, SST=153.35, SSE=726.20이다. 처리들에 의해 발생된 변동은 SST에 의해 측정된다. 차이가 인자 A, 인자 B, 또는 두 인자 간의 상호작용에 기인한 것인지 결정하기 위해서 SST를 3개의 원천으로 분해할 필요가 있다. 이들이 SS(A), SS(B), SS(AB)이다.

표 14.6 예제 14.4를 위한 이원분류

	남성	여성
고등학교 중퇴 이하(E1)	10	7
	9	13
	12	14
	16	6
	14	11
	17	14
	13	13
	9	11
	11	14
	15	12
고등학교 졸업(E2)	12	7
	11	12
	9	6
	14	15
	12	10
	16	13
	10	9
	10	15
	5	12
	11	13
학사학위 미취득(E3)	15	5
	8	13
	7	12
	7	3
	7	13
	9	11
	14	15
	15	5
	11	9
	13	8
적어도 1개의 학사학위 취득(E4)	8	7
	9	9
	5	3
	11	7
	13	9
	8	6
	7	10
	11	15
	10	4
	8	11

14.5a 인자 A 제곱합(SS(A)), 인자 B 제곱합(SS(B)), 상호작용 제곱합(SS(AB))의 계산

당신이 공식들을 이해하는 것을 돕기 위해, 다음과 같은 기호가 사용된다.

x_{ijk} = ij번째 처리에 속하는 k번째 반응

$\bar{x}[\mathrm{AB}]_{ij}$ = ij번째 처리에 속하는 반응변수의 평균(인자 A의 수준이 i이고 인자 B의 수준이 j일 때 처리의 평균)

$\bar{x}[\mathrm{A}]_i$ = 인자 A의 수준이 i일 때 관측치들의 평균

$\bar{x}[\mathrm{B}]_j$ = 인자 B의 수준이 j일 때 관측치들의 평균

$\bar{\bar{x}}$ = 모든 관측치들의 평균

a = 인자 A의 수준 수

b = 인자 B의 수준 수

r = 반복의 수

이와 같은 기호에서 $\bar{x}[\mathrm{AB}]_{11}$은 인자 A의 수준 1과 인자 B의 수준 1에 해당되는 반응평균이다. 인자 A의 수준 1의 반응평균은 $\bar{x}[\mathrm{A}]_1$이다. 인자 B의 수준 1의 반응평균은 $\bar{x}[\mathrm{B}]_1$이다.

표 14.7은 이원분산분석을 위한 기호를 정리한 것이다.

제곱합들은 다음과 같이 정의된다.

이인자 분산분석의 제곱합

$$\mathrm{TSS} = \sum_{i=1}^{a}\sum_{j=1}^{b}\sum_{k=1}^{r}(x_{ijk} - \bar{\bar{x}})^2$$

$$\mathrm{SS(A)} = rb\sum_{i=1}^{a}(\bar{x}[\mathrm{A}]_i - \bar{\bar{x}})^2$$

$$\mathrm{SS(B)} = ra\sum_{j=1}^{b}(\bar{x}[\mathrm{B}]_j - \bar{\bar{x}})^2$$

$$\mathrm{SS(AB)} = r\sum_{i=1}^{a}\sum_{j=1}^{b}(\bar{x}[\mathrm{AB}]_{ij} - \bar{x}[\mathrm{A}]_i - \bar{x}[\mathrm{B}]_j + \bar{\bar{x}})^2$$

$$\mathrm{SSE} = \sum_{i=1}^{a}\sum_{j=1}^{b}\sum_{k=1}^{r}(x_{ijk} - \bar{x}[\mathrm{AB}]_{ij})^2$$

SS(A)를 계산하기 위해서는 인자 A의 수준평균 $\bar{x}[\mathrm{A}]_i$와 총평균 $\bar{\bar{x}}$ 간 차이의 제곱합을 계산하여야 한다. 인자 B의 제곱합인 SS(B)도 유사하게 정의된다. 상호작용 제곱합 SS(AB)는 각 처리(수준 A의 한 수준과 인자 B의 한 수준의 조합으로 구성되는 처리)의 평균에서

표 14.7 이인자 분산분석을 위한 기호

인자 B	인자 A							
	1		2		. . .	a		
1	x_{111} x_{112} ⋮ x_{11r}	$\bar{x}[AB]_{11}$	x_{211} x_{212} ⋮ x_{21r}	$\bar{x}[AB]_{21}$		x_{a11} x_{a12} ⋮ x_{a1r}	$\bar{x}[AB]_{a1}$	$\bar{x}[B]_1$
2	x_{121} x_{122} ⋮ x_{12r}	$\bar{x}[AB]_{12}$	x_{221} x_{222} ⋮ x_{22r}	$\bar{x}[AB]_{22}$		x_{a21} x_{a22} ⋮ x_{a2r}	$\bar{x}[AB]_{a2}$	$\bar{x}[B]_2$
⋮								
b	x_{1b1} x_{1b2} ⋮ x_{1br}	$\bar{x}[AB]_{1b}$	x_{2b1} x_{2b2} ⋮ x_{2br}	$\bar{x}[AB]_{2b}$		x_{ab1} x_{ab2} ⋮ x_{abr}	$\bar{x}[AB]_{ab}$	$\bar{x}[B]_b$
	$\bar{x}[A]_1$		$\bar{x}[A]_2$			$\bar{x}[A]_a$		$\bar{\bar{x}}$

인자 A의 수준평균과 인자 B의 수준평균을 빼고 총평균을 더한 다음 이 값을 제곱하고 합하여 계산된다. 오차제곱합 SSE는 관측치에서 처리평균을 빼고 이 값을 제곱하고 합하여 계산된다.

각 가능성을 검정하기 위해, 제14.1절에서 수행된 검정과 유사한 다수의 F 검정들이 수행된다. 그림 14.4는 F 검정들을 위해 총제곱합을 분해한 것을 보여준다. 이 그림에 일원분산분석에서 사용된 총제곱합의 분해가 포함되어 있다. 일원분산분석을 통하여 처리평균들 간에 차이가 존재한다고 추론할 수 있을 때, SST를 3가지 변동요인으로 분해함으로써 추가분석이 이루어질 수 있다. 첫 번째 변동요인은 SS(A)로 표시되어 있는 인자 A의 제곱합이다. SS(A)는 인자 A의 수준간 변동을 측정하고 SS(A)의 자유도는 $a-1$이다. 두 번째 변동요인은 인자 B의 수준간 변동이고 SS(B)의 자유도는 $b-1$이다. SS(B)는 인자 B의 수준간 변동이다. 상호작용 제곱합은 SS(AB)로 표시된다. SS(AB)는 인자 A와 인자 B의 조합 간 변동을 측정하고 SS(AB)의 자유도는 $(a-1)\times(b-1)$이다. 오차제곱합은 SSE이고 이것의 자유도는 $n-ab$이다. (n은 총표본크기이고 이 실험에서 $n=abr$이다.) 앞의 실험에서처럼 SSE는 처리내변동(그룹내변동)이다.

그림 14.4 일인자 분산분석과 이인자 분산분석의 총제곱합(TSS) 분해

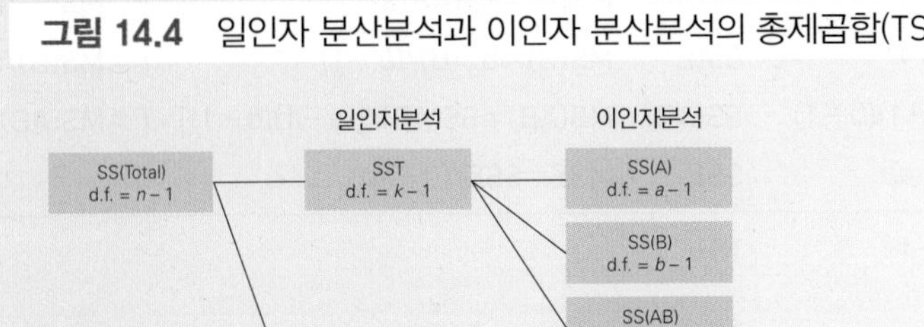

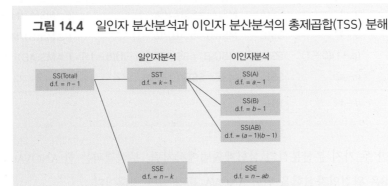

이인자 분산분석에서 수행되는 *F* 검정

- **인자 A의 수준들 간 차이에 대한 검정**

  H_0: 인자 A의 a개 수준들의 모평균들은 같다.
  H_1: 적어도 두 모평균은 다르다.

  검정통계량: $F=\dfrac{\text{MS(A)}}{\text{MSE}}$

- **인자 B의 수준들 간 차이에 대한 검정**

  H_0: 인자 B의 b개 수준들의 모평균들은 같다.
  H_1: 적어도 두 모평균은 다르다.

  검정통계량: $F=\dfrac{\text{MS(B)}}{\text{MSE}}$

- **인자 A와 인자 B의 상호작용에 대한 검정**

  H_0: 인자 A와 인자 B는 평균 반응에 영향을 주기 위해 상호작용을 하지 않는다.
  H_1: 인자 A와 인자 B는 평균 반응에 영향을 주기 위해 상호작용을 한다.

  검정통계량: $F=\dfrac{\text{MS(AB)}}{\text{MSE}}$

- **필요조건**
  1. 반응의 확률분포는 정규분포이다.
  2. 각 처리의 모분산은 동일하다.
  3. 표본들은 독립이다.

표 14.8 이인자실험을 위한 ANOVA 표

변동의 원천	자유도	제곱합	평균제곱	F 통계량
인자 A	$a-1$	SS(A)	MS(A)=SS(A)/($a-1$)	F=MS(A)/MSE
인자 B	$b-1$	SS(B)	MS(B)=SS(B)/($b-1$)	F=MS(B)/MSE
상호작용	$(a-1)(b-1)$	SS(AB)	MS(AB)=SS(AB)/[$(a-1)(b-1)$]	F=MS(AB)/MSE
오차	$n-ab$	SSE	MSE=SSE/($n-ab$)	
합계	$n-1$	TSS		

앞에서 논의한 두 가지 분산분석의 실험계획법에서처럼, 분석결과는 한 ANOVA 표로 요약된다. 표 14.8은 완전인자실험을 위한 ANOVA 표의 일반 형태이다.

예제 14.4의 데이터를 사용하면서 이인자 분산분석기법을 예시하도록 하자. 모든 계산은 Excel에 의해 이루어진다.

계산

EXCEL Data Analysis

	A	B	C	D	E	F	G
1	Anova: Two-Factor with Replication						
2							
3	SUMMARY	Male	Female	Total			
4	*Less than HS*						
5	Count	10	10	20			
6	Sum	126	115	241			
7	Average	12.6	11.5	12.1			
8	Variance	8.27	8.28	8.16			
9							
10	*High School*						
11	Count	10	10	20			
12	Sum	110	112	222			
13	Average	11.0	11.2	11.1			
14	Variance	8.67	9.73	8.73			
15							
16	*Less than Bachelor's*						
17	Count	10	10	20			
18	Sum	106	94	200			
19	Average	10.6	9.4	10.0			
20	Variance	11.6	16.49	13.68			
21							
22	*Bachelor's or more*						
23	Count	10	10	20			
24	Sum	90	81	171			
25	Average	9.0	8.1	8.6			
26	Variance	5.33	12.32	8.58			
27							
28	*Total*						
29	Count	40	40				
30	Sum	432	402				
31	Average	10.8	10.1				
32	Variance	9.50	12.77				
33							
34	ANOVA						
35	*Source of Variation*	*SS*	*df*	*MS*	*F*	*P-value*	*F crit*
36	Sample	135.85	3	45.28	4.49	0.0060	2.7318
37	Columns	11.25	1	11.25	1.12	0.2944	3.9739
38	Interaction	6.25	3	2.08	0.21	0.8915	2.7318
39	Within	726.20	72	10.09			
40							
41	Total	879.55	79				

ANOVA 표에서 **Sample**은 인자 B(교육수준)를 나타내고 **Columns**는 인자 A(성별)를 나타낸다. 따라서 MS(B)=45.28, MS(A)=11.25, MS(AB)=2.08, MSE=10.09이다. F 통계량의 값은 각각 4.49(교육수준), 1.12(성별), .21(상호작용)이다.

지시사항

1. 데이터를 입력하거나 <Xm14-04a>를 열어 데이터를 불러들여라.
2. **데이터**(Data), **데이터분석**(Data Analysis), **Anova: Two-Factor with Replication**을 클릭하라.
3. **입력범위**(Input Range) (A1:C41)을 입력하라. **표본당 행수**(Rows per Sample) 박스에 반복의 수 (10)을 입력하라.
4. α의 값 (.05)를 입력하라.

14.5b 남성과 여성 간의 직업 수 차이에 대한 검정

H_0: 인자 A의 2개 수준들의 모평균은 같다.

H_1: 적어도 두 모평균은 다르다.

검정통계량: $F=\dfrac{\text{MS(A)}}{\text{MSE}}$

검정통계량의 값: 컴퓨터 결과물을 보면 MS(A)=11.25, MSE=10.09이다. 따라서 $F=11.25/10.09=1.12$(p-값=.2944)이다.

5%의 유의수준에서 남성과 여성 간에 직업 수의 차이가 있다고 추론할 수 있는 증거가 존재하지 않는다.

14.5c 교육수준들 간의 직업 수 차이에 대한 검정

H_0: 인자 B의 4개 수준들의 모평균은 같다.

H_1: 적어도 두 모평균은 다르다.

검정통계량: $F=\dfrac{\text{MS(B)}}{\text{MSE}}$

검정통계량의 값: 컴퓨터 결과물을 보면 MS(B)=45.28, MSE=10.09이다. 따라서 $F=45.28/10.09=4.49$(p-값=.0060)이다.

5%의 유의수준에서 교육수준들 간에 직업 수의 차이가 있다고 추론할 수 있는 충분한 증거가 존재한다.

14.5d 인자 A와 인자 B의 상호작용에 대한 검정

H_0: 인자 A와 인자 B는 평균 직업 수에 영향을 주기 위해 상호작용하지 않는다.
H_1: 인자 A와 인자 B는 평균 직업 수에 영향을 주기 위해 상호작용한다.

검정통계량: $F=\frac{\text{MS(AB)}}{\text{MSE}}$

검정통계량의 값: 컴퓨터 결과물을 보면 MS(AB)=2.08, MSE=10.09이다. 따라서 F=2.08/ 10.09=.21(p-값=.8915)이다.

5%의 유의수준에서 성별과 교육수준 간의 상호작용이 존재한다고 결론지을 충분한 증거가 존재하지 않는다.

해석 그림 14.5는 8개의 처리들 각각에 대한 평균 반응을 그린 그래프이다. 당신이 보는 것처럼, 남성과 여성 간에 작은 (유의하지 않은) 차이가 존재한다. 서로 다른 교육수준을 가지고 있는 남성과 여성 간에 유의한 차이가 존재한다. 마지막으로 성별과 교육수준 간의 상호작용은 존재하지 않는다.

그림 14.5 예제 14.4의 평균 반응

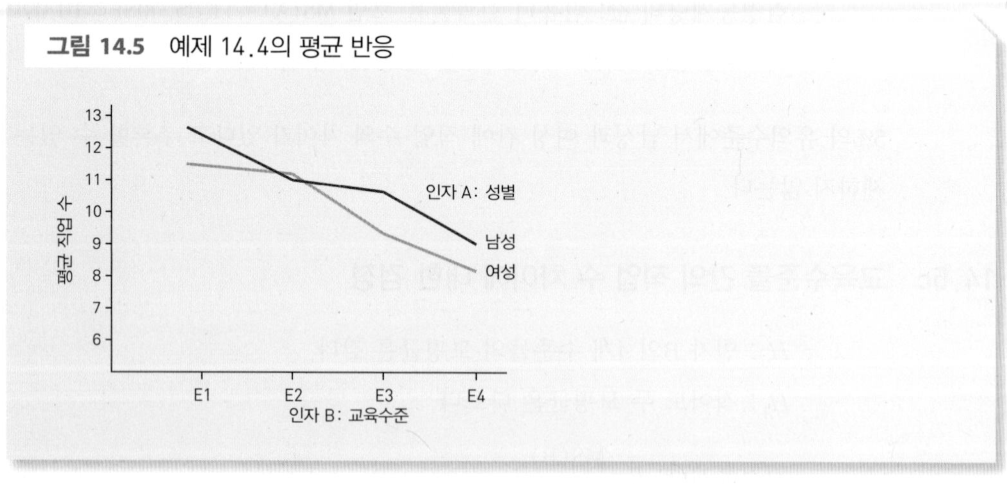

14.5e 상호작용은 무엇인가?

예제 14.5

교육수준별 생애 직업 수의 비교, PART 2

DATA Xm14-05

상호작용을 더 충분하게 이해하기 위해 고등학교를 졸업하지 못한 남성들(처리 1)과 관련된 표본을 변화시켰다. 처리 1의 처음 표본에 있는 수치로부터 6을 빼어서 구해진 새로운 처리 1의 표본은 다음과 같다.

4 3 6 10 8 11 7 3 5 9

새로운 데이터가 <Xm14-05>에 저장되어 있다. 처리 1의 표본평균은 6.6이다. Excel에 의한 새로운 데이터를 이용한 이원분산분석결과는 다음과 같다.

해답

EXCEL Data Analysis

	A	B	C	D	E	F	G
35	ANOVA						
36	*Source of Variation*	*SS*	*df*	*MS*	*F*	*P-value*	*F crit*
37	Sample	75.85	3	25.28	2.51	0.0657	2.7318
38	Columns	11.25	1	11.25	1.12	0.2944	3.9739
39	Interaction	120.25	3	40.08	3.97	0.0112	2.7318
40	Within	726.20	72	10.09			
41							
42	Total	933.55	79				

해석 이 예제에서 5%의 유의수준에서 남성과 여성 간과 교육수준들 간에 차이가 존재한다고 추론할 수 있는 충분한 증거가 존재하지 않는다. 그러나 성별과 교육수준 간에 상호작용이 존재한다고 결론을 내릴 수 있는 충분한 증거가 존재한다.

8개 처리 각각의 평균은 다음과 같다.

	남성	여성
E1	6.6	11.5
E2	11.0	11.2
E3	10.6	9.4
E4	9.0	8.1

그림 14.6은 처리평균들을 그래프로 그린 것이다.

그림 14.6 예제 14.5의 평균 반응

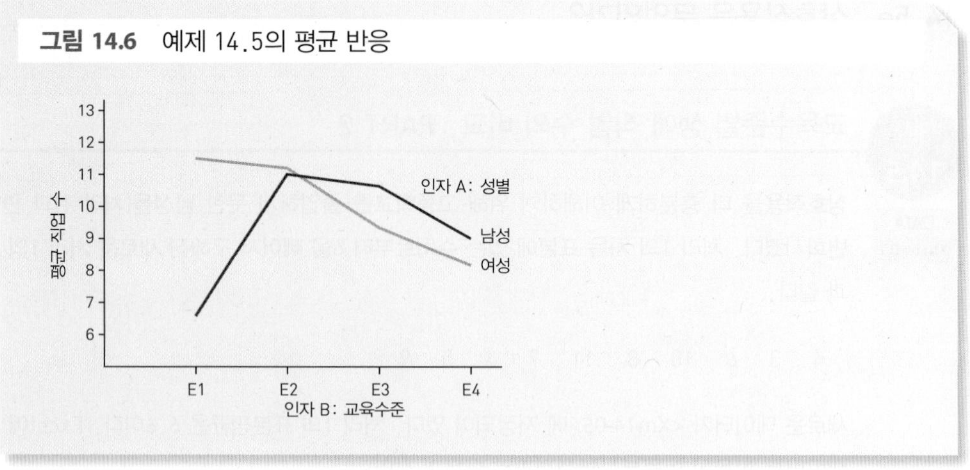

그림 14.5와 그림 14.6을 비교해보라. 그림 14.5에서 남성과 여성의 평균 반응들을 연결한 선들은 매우 유사하다. 특히 두 선은 거의 평행하다. 그러나 그림 14.6에서 두 선은 더 이상 거의 평행하지 않다. 처리 1의 평균 반응은 더 적고 두 선의 패턴도 다르다. 그 이유가 무엇이든지 간에 고등학교를 졸업하지 못한(E1) 남성들은 더 적은 수의 직업을 가진다.

14.5f 완전인자실험을 위한 분산분석 수행하기

예제 14.4에서 8개 처리 간에 차이가 존재하는지 결정하기 위해 일원분산분석이 수행되었다. 이와 같은 분석은 처리평균들이 다를 때 당신이 이와 같은 차이를 발생시키는 원인을 분석할 필요가 있다는 것을 보여주기 위해 주로 교육적인 이유로 수행되었다. 그러나 실제로 완전인자실험에서 (일부의 통계전문가들은 이와 같은 "2단계 분석전략"을 선호하지만) 이와 같은 일원분산분석은 일반적으로 수행되지 않는다. 당신은 직접 이인자분산분석을 하기를 권고한다.

예제 14.4의 두 가지 버전에서 각 인자에 대한 검정을 수행한 후에 상호작용에 대한 검정이 수행되었다.

그러나 만일 상호작용의 증거가 존재하면, 인자들에 대한 검정은 부적절할 수 있다. 인자 A의 수준들 간과 인자 B의 수준들 간에 차이가 존재할 수 있거나 존재하지 않을 수 있다. 따라서 F 검정의 순서를 바꾸어서 시행한다.

> **이인자 분산분석에서 검정의 순서**
>
> 먼저 상호작용에 대한 검정을 수행하라. 상호작용이 존재한다고 추론할 수 있는 충분한 증거가 존재하면, 각 인자에 대한 검정을 수행하지 않는다.
>
> 상호작용이 존재한다고 추론할 수 있는 충분한 증거가 존재하지 않으면, 인자 A와 인자 B에 대한 *F*-검정을 수행한다.

14.5g 통계개념의 이해를 심화시키기

당신은 이인자실험과 랜덤화블럭실험 간에 유사한 점들이 존재한다는 것을 발견했을 수 있다. 실제로 반복의 수가 1일 때, 두 실험에서의 계산은 동일하다. 이것은 다음과 같은 질문을 제기한다. 다인자실험의 한 인자와 랜덤화블럭실험의 한 블럭의 차이는 무엇인가? 일반적으로 두 실험계획법의 차이는 이인자모형에서는 관심의 대상이 인자들이 반응변수에 미치는 영향에 있는 반면에, 랜덤화블럭실험에서 이루어지는 블럭화는 그룹내변동을 감소시키기 위해 이루어진다는 데 있다. 블럭을 정의하는 기준은 항상 실험 단위의 특성들이다. 따라서 실험 단위의 특성을 나타내는 요인들은 다인자실험에서는 인자로 취급되지 않으나 랜덤화블럭실험에서는 블럭으로 취급된다.

연습문제

14.50 이인자분산분석이 $a=3$, $b=4$, $r=20$을 가지고 수행되었다. 다음과 같은 제곱합들이 계산되었다.

TSS=42,450, SS(A)=1,560, SS(B)=2,880, SS(AB)=7,605

1%의 유의수준에서 인자 A의 수준과 인자 B의 수준 간 차이와 인자 A와 인자 B 간 상호작용이 존재하는지 결정하기 위해 당신이 필요하다고 생각하는 검정을 수행하라.

14.51 한 통계전문가는 이인자분산분석을 $a=4$, $b=3$, $r=8$을 가지고 수행하였다. 제곱합들이 다음과 같이 정리되어 있다.

TSS=9,420, SS(A)=203, SS(B)=859, SS(AB)=513

a. 인자 A와 인자 B가 상호작용하는지 결정하기 위해 5%의 유의수준에서 검정하라.

b. 인자 A의 수준들 간에 차이가 존재하는지 결정하기 위해 5%의 유의수준에서 검정하라.

c. 인자 B의 수준들 간에 차이가 존재하는지 결정하기 위해 5%의 유의수준에서 검정하라.

14.52 <Xr14-52> 다음의 데이터는 반복의 수=3을 가지고 있는 2×2 인자실험으로부터 생성되었다.

	인자 B	
인자 A	1	2
1	6	12
	9	10
	7	11
2	9	15
	10	14
	5	10

a. 인자 A와 인자 B가 상호작용하는지 결정하기 위해 5%의 유의수준에서 검정하라.

b. 인자 A의 수준들 간에 차이가 존재하는지 결정하기 위해 5%의 유의수준에서 검정하라.

c. 인자 B의 수준들 간에 차이가 존재하는지 결정하기 위해 5%의 유의수준에서 검정하라.

14.53 <Xr14-53> 다음의 데이터는 반복의 수=4를 가지고 있는 2×3 인자실험으로부터 생성되었다.

	인자 B	
인자 A	1	2
1	23	20
	18	17
	17	16
	20	19
2	27	29
	23	23
	21	27
	28	25
3	23	27
	21	19
	24	20
	16	22

a. 인자 A와 인자 B가 상호작용하는지 결정하기 위해 5%의 유의수준에서 검정하라.

b. 인자 A의 수준들 간에 차이가 존재하는지 결정하기 위해 5%의 유의수준에서 검정하라.

c. 인자 B의 수준들 간에 차이가 존재하는지 결정하기 위해 5%의 유의수준에서 검정하라.

14.54 <Xr14-54> 예제 14.4를 참조하라. 남성의 수치 각각에 2를 더하여 데이터를 수정하였다. 이와 같이 수정된 데이터는 당신에게 무엇을 말해 주는가?

14.55 <Xr14-55> 예제 14.4를 참조하라. 처리 8의 수치로부터 4를 빼서 데이터를 수정하였다. 이와 같이 수정된 데이터는 당신에게 무엇을 말해 주는가?

다음 연습문제들을 풀기 위해 컴퓨터와 소프트웨어를 사용하여야 한다. 5%의 유의수준을 사용하라.

14.56 <Xr14-56> 연습문제 14.10을 참조하라. 주어진 실험이 다음과 같은 방식으로 다시 이루어진다고 하자. 30명의 납세자가 4개의 소득세 보고양식 중 하나를 채운다. 그러나 각 그룹에 속한 30명의 납세자 중에서 10명의 납세자는 최저소득구분에 속하고, 10명의 납세자는 그 다음 소득구분에 속하며 나머지 10명의 납세자는 최고소득구분에 속한다. 소득세보고양식을 완성하는 데 필요한 시간이 기록되어 있다.

열 A: 그룹번호

열 B: 양식 1을 완성하는 데 걸리는 시간(처음 10개의 행=저소득구분, 다음 10개의 행=다음 소득구분, 마지막 10개 행=최고소득구분)

열 C: 양식 2를 완성하는 데 걸리는 시간(열 2의 경우와 같은 방식)

열 D: 양식 3을 완성하는 데 걸리는 시간(열 2의 경우와 같은 방식)

열 E: 양식 4를 완성하는 데 걸리는 시간(열 2의 경우와 같은 방식)

a. 이 실험에서 처리(treatments)는 몇 개인가?

b. 몇 개의 인자가 있는가? 인자들은 무엇인가?

c. 각 인자의 수준들은 무엇인가?

d. 두 인자 간 상호작용이 존재한다는 증거가 있

는가?

e. 4개의 소득세보고양식 간에 차이가 있다고 결론내릴 수 있는가?

f. 서로 다른 소득구분에 속하는 납세자들이 소득세보고양식을 완성하는 데 걸리는 시간이 서로 다르다고 결론내릴 수 있는가?

14.57 <Xr14-57> 합성세제 제조회사들은 그들 제품의 효력에 대한 주장을 한다. 한 소비자보호기관은 자기 제품이 모든 수온에서 "가장 흰색"을 만든다는 각 제조회사의 주장을 가장 잘 팔리는 5가지의 합성세제 브랜드를 대상으로 검정하기로 결정하였다. 실험이 다음과 같은 방법으로 수행되었다. 150장의 흰색 천을 동일하게 얼룩지게 하였다. 30장의 흰색 천이 각 브랜드의 합성세제를 사용하여 세탁되었으며 이 중에서 10장은 차가운 물로, 10장은 따뜻한 물로, 10장은 뜨거운 물로 세탁되었다. 세탁한 후에 각 천의 "흰색" 점수가 레이저 장비로 측정되었다.

열 A: 수온 코드

열 B: 합성세제 1의 점수(처음 10행=차가운 물, 중간 10행=따뜻한 물, 마지막 10행=뜨거운 물)

열 C: 합성세제 2의 점수(열 B의 경우와 같은 방식)

열 D: 합성세제 3의 점수(열 B의 경우와 같은 방식)

열 E: 합성세제 4의 점수(열 B의 경우와 같은 방식)

열 F: 합성세제 5의 점수(열 B의 경우와 같은 방식)

a. 이 실험에서 인자들은 무엇인가?

b. 반응변수는 무엇인가?

c. 각 인자의 수준들을 구별하라.

d. 5가지 합성세제 간에 점수 차이, 3가지 수온 간에 차이, 합성세제와 수온 간의 상호작용이 존재한다고 추론할 수 있는 충분한 통계적 증거가 있는지 결정하기 위한 통계분석을 수행하라.

14.58 <Xr14-58> 두통은 가장 일반적으로 발생되지만 가장 이해가 이루어지지 않은 질병 중의 하나이다. 대부분의 사람들은 한 달에 여러 번 두통을 겪는다. 일반적으로 의사의 처방 없이 팔리는 약을 복용하는 것으로 사람들은 두통을 없앨 수 있다. 그러나 상당한 비율의 사람들에게 두통은 몸을 쇠약하게 하고 그들의 삶을 거의 견딜 수 없게 만든다. 이와 같은 많은 사람들은 마약성 진정제, 최면, 바이오피드백(biofeedback), 침을 포함하여 광범위하게 가능한 처방들을 찾지만 두통을 치료하는 데 거의 성공을 하지 못한다. 과거 수년 동안에 한 유망한 새로운 처방이 개발되었다. 간단히 말하면, 이 처방은 (목의 뒷부분에 위치한) 후두부 신경에 국부마취를 위한 일련의 주사를 투여하는 것이다. 현재의 처방은 4주 동안 일주일에 한 번 주사를 투여하도록 하는 것이다. 그러나 다른 처방법이 더 좋을 수 있다는 제안이 제시되었다. 이 처방은 4번의 주사를 하루 걸러 한 번의 주사를 투여하는 것이다. 이에 더하여 일부 의사들은 주사의 효력을 증가시킬 수 있는 약들을 겸용할 것을 추천한다. 이 문제를 분석하기 위해 한 실험이 수행되었다. 이 실험에서 두 가지 주사투여 방법 간에 차이가 있는지와 4가지 투약겸용 방법 간에 차이가 있는지가 검토되었다. 주사투여 방법과 약복용 방법 간의 상호작용 가능성 때문에 완전인자실험이 선택되었다. 각 주사투여와 약복용 결합방안마다 5명의 두통환자가 임의로 선택되었다. 40명의 환자가

처방되었고 각 환자에게 두통의 빈도, 두통의 시간, 처방 전과 최종 주사투여 후 30일 동안의 두통강도를 보고하도록 요청하였다. 0부터 100까지의 범위를 가지는 지수가 각 환자를 대상으로 만들어졌다. 0은 두통이 없다는 것을 의미하고 100은 최악의 두통을 의미한다. 각 환자의 두통지수 개선 정도가 기록되었고 다음의 표와 같이 정리되었다. (음의 값은 악화되는 상황을 나타낸다.)(저자는 이 예제를 기술하는 데 도움을 준 Dr. Lorne Greenspan에게 감사한다.)

두통지수의 개선 정도

	약복용 방법			
주사투여 방법	**1**	**2**	**3**	**4**
매주 1회 주사	17	24	14	10
(4주)	6	15	9	−1
	10	10	12	0
	12	16	0	3
	14	14	6	−1
매 2일 1회 주사	18	−2	20	−2
(4일)	9	0	16	7
	17	17	12	10
	21	2	17	6
	15	6	18	7

a. 이 실험에서 인자들은 무엇인가?

b. 반응변수는 무엇인가?

c. 각 인자의 수준들을 구별하라.

d. 데이터를 분석하고 두 가지 주사투여 방법 간의 두통지수 개선 차이, 4가지의 약 복용 방법 간의 두통지수 개선 차이, 주사투여 방법과 약 복용 방법 간의 상호작용이 존재하는지 결정하기 위해 당신이 필요하다고 여겨지는 검정을 수행하라.

14.59 <Xr14-59> 대부분의 대학교수들은 그들의 학생들이 강의시간에 적극적으로 참여하기를 선호한다. 이상적인 강의 방법은 강의시간을 더 흥미롭고 유용하게 만들기 위해 학생들은 교수에게 질문을 하고 교수의 질문에 답하는 것이다. 많은 교수들은 그들의 학생들이 강의시간에 참여하는 것을 권장하는 방법을 찾는다. 북부 뉴욕주에 있는 한 커뮤니티 칼리지의 한 통계학 교수는 학생참여에 영향을 미치는 수많은 외부적인 인자들이 존재한다고 믿는다. 그는 하루 중의 강의시간과 좌석 배치가 이와 같은 두 가지 인자라고 믿는다. 따라서 그는 다음과 같은 실험을 수행하였다. 각각이 약 60명으로 구성된 6개 강의가 한 학기에 이루어지도록 하였다. 이 중에서 두 개 강의는 오전 9시에 진행되고, 두 개 강의는 오후 1시에 진행되며 두 개 강의는 오후 4시에 진행되도록 하였다. 3가지 시간대 각각에서 한 강의는 좌석이 10개씩 행으로 정리되어 있는 강의실에 배정되었고 다른 강의는 학생들이 교수의 얼굴을 대면할 뿐만 아니라 다른 학생들도 대면하는 U자 모습으로 만들어진 강의실에 배정되었다. 6개 강의 각각에서 5일 동안에 걸쳐 학생 참여도가 학생들이 질문하고 질문에 답하는 수로 측정되었다. 이와 같은 데이터가 다음 표에 정리되어 있다.

	강의시간		
강의실 구조	**오전 9시**	**오후 1시**	**오후 4시**
일렬 구조	10	9	7
	7	12	12
	9	12	9
	6	14	20
	8	8	7
U자 구조	15	4	7
	18	4	4
	11	7	9
	13	4	8
	13	6	7

a. 이 실험에서 인자의 수는 얼마인가? 인자는 무엇인가?

b. 반응변수는 무엇인가?

c. 각 인자의 수준들을 구별하라.

d. 이 통계학 교수는 이와 같은 데이터로부터 어떤 결론을 도출할 수 있는가?

요약

분산분석(analysis of variance)은 데이터가 구간데이터일 때 모집단들 간의 차이를 검정할 수 있게 해준다. 3가지의 다른 실험계획법에 의한 분석이 이 장에서 제시되었다. 첫 번째 실험계획법인 **일원분산분석**(one-way analysis of variance)은 일인자의 수준들에 의해 모집단들을 정의한다. 두 번째 실험계획법도 일인자에 기초하여 처리들을 정의한다. 그러나 **랜덤화블럭계획법**(randomized block design)은 매칭실험 또는 블록실험의 결과들을 관측하여 수집된 데이터를 사용한다. 세 번째 실험계획법은 처리가 두 가지 인자의 수준들 조합으로 정의되는 **이인자실험**(two-factor experiment)이다. 모든 분산분석은 총 제곱합을 변동성의 원천으로 분해하는 것에 기초하여 이루어진다. 총 제곱합의 분해로부터 평균제곱과 *F*-통계량이 계산된다.

추가적으로 일원분산분석에서 어떤 모평균들이 다른지 결정할 수 있게 해주는 3가지의 **다중비교검정법**(multiple comparison methods)이 소개되었다.

주요 용어

고정효과 분산분석(fixed-effect analysis of variance)
다인자실험(multifactor experiment)
다중비교검정(multiple comparisons)
랜덤화블럭계획법(randomized block design)
반복(replicate)
반복측정계획법(repeated measures design)
반응(response)
반응변수(response variable)
본페로니 조정(Bonferroni adjustment)
분산분석(analysis of variance)
블럭제곱합(sum of squares for blocks, SSB)
상호작용(interactions)
수준(level)
실험단위(experimental unit)
오차제곱합(sum of squares for error, SSE)
오차평균제곱(mean square for error)
완전랜덤화계획법(completely randomized design)
완전인자실험(complete factorial experiment)
이원분산분석(two-way analysis of variance)
임의효과 분산분석(random-effect analysis of variance)
인자(factor)
인자실험(factorial experiment)
일원분산분석(one-way analysis of variance)
처리간변동(between-treatments variation)
처리내변동(within-treatments variation)
처리제곱합(sum of squares for treatments, SST)
처리평균(treatment mean)
처리평균제곱(mean square for treatments)
최소유의차(least significance difference)
총변동(total variation)
총제곱합(total sum of squares, TSS)
투키의 다중비교검정(Tukey's multiple comparison method)
평균제곱(mean squares)
ANOVA 표(ANOVA table)

주요 기호

기호	발음	의미
$\bar{\bar{x}}$	x-double-bar	총평균
q		스튜던트화 범위
ω	omega	투키의 다중비교검정의 임계값
$q_{\alpha}(k, \nu)$	q-sub-alpha-k-nu	스튜던트화 범위의 임계값
n_g		k개 표본들 각각의 관측치 수
$\bar{x}[T]_j$	x-bar-T-sub-j	j번째 처리의 평균
$\bar{x}[B]_i$	x-bar-B-sub-i	i번째 블럭의 평균
$\bar{x}[AB]_{ij}$	x-bar-A-B-sub-i-j	ij번째 처리의 평균
$\bar{x}[A]_i$	x-bar-A-sub-i	인자 A의 수준이 i일 때 관측치의 평균
$\bar{x}[B]_j$	x-bar-B-sub-j	인자 B의 수준이 j일 때 관측치의 평균

주요공식

일원분산분석

$$\text{SST} = \sum_{j=1}^{k} n_j(\bar{x}_j - \bar{\bar{x}})^2$$

$$\text{SSE} = \sum_{j=1}^{k} \sum_{i=1}^{n_j} (x_{ij} - \bar{x}_j)^2$$

$$\text{MST} = \frac{\text{SST}}{k-1}$$

$$\text{MSE} = \frac{\text{SSE}}{n-k}$$

$$F = \frac{\text{MST}}{\text{MSE}}$$

최소유의차 비교검정

$$\text{LSD} = t_{\alpha/2}\sqrt{\text{MSE}\left(\frac{1}{n_i} + \frac{1}{n_j}\right)}$$

투키의 다중비교검정

$$\omega = q_{\alpha}(k, \nu)\sqrt{\frac{\text{MSE}}{n_g}}$$

이원분산분석(랜덤화블럭실험계획법)

$$\text{TSS} = \sum_{j=1}^{k} \sum_{i=1}^{b} (x_{ij} - \bar{\bar{x}})^2$$

$$\text{SST} = \sum_{j=1}^{k} b(\bar{x}[T]_j - \bar{\bar{x}})^2$$

$$\text{SSB} = \sum_{i=1}^{k} k(\bar{x}[B]_i - \bar{\bar{x}})^2$$

$$\text{SSE} = \sum_{j=1}^{k} \sum_{i=1}^{b} (x_{ij} - \bar{x}[T]_j - \bar{x}[B]_i + \bar{\bar{x}})^2$$

$$\text{MST} = \frac{\text{SST}}{k-1}$$

$$\text{MSB} = \frac{\text{SSB}}{b-1}$$

$$\text{MSE} = \frac{\text{SSE}}{n-k-b+1}$$

$$F = \frac{\text{MST}}{\text{MSE}}$$

$$F = \frac{\text{MSB}}{\text{MSE}}$$

이인자실험

$$TSS = \sum_{i=1}^{a}\sum_{j=1}^{b}\sum_{k=1}^{r}(x_{ijk} - \bar{\bar{x}})^2$$

$$SS(A) = rb\sum_{i=1}^{a}(\bar{x}[A]_i - \bar{\bar{x}})^2$$

$$SS(B) = ra\sum_{j=1}^{b}(\bar{x}[B]_j - \bar{\bar{x}})^2$$

$$SS(AB) = r\sum_{i=1}^{a}\sum_{j=1}^{b}(\bar{x}[AB]_{ij} - \bar{x}[A]_i - \bar{x}[B]_j + \bar{\bar{x}})^2$$

$$SSE = \sum_{i=1}^{a}\sum_{j=1}^{b}\sum_{k=1}^{r}(x_{ijk} - \bar{x}[AB]_{ij})^2$$

$$MS(A) = \frac{SS(A)}{a-1}$$

$$MS(B) = \frac{SS(B)}{b-1}$$

$$MS(AB) = \frac{SS(AB)}{(a-1)(b-1)}$$

$$MSE = \frac{SSE}{n-ab}$$

$$F = \frac{MS(A)}{MSE}$$

$$F = \frac{MS(B)}{MSE}$$

$$F = \frac{MS(AB)}{MSE}$$

연습문제

다음의 연습문제들을 풀기 위해서는 컴퓨터와 소프트웨어를 사용하여야 한다. **5%의 유의수준을 사용하라.**

14.60 <Xr14-60> 매년 작업 중에 발생되는 근로자 부상 때문에 수십억 달러가 사용된다. 부상당한 근로자들이 신속하게 회복될 수 있으면 이와 같은 비용은 감소될 수 있다. 근로자들이 일에 복귀하는 데 걸리는 시간을 분석하기 위해 일반적인 손목 골절로 고생한 35세~45세 사이의 남성 블루컬러 근로자들의 표본이 추출되었다. 연구원들은 개인의 정신적 조건과 신체적 조건이 회복시간에 영향을 준다고 믿는다. 각 사람에게 완성할 질문지가 주어졌고 그가 낙관적인 경향을 가지고 있는지 비관적인 경향을 가지고 있는지 측정하였다. 그들의 신체적 조건도 평가되었고 매우 양호, 평균, 불량으로 분류되었다. 각 개인을 대상으로 손목 골절이 완전히 정상기능하기까지 걸린 일수가 측정되었다. 이와 같은 데이터가 다음과 같은 방식으로 기록되었다.

열 B: 낙관주의자의 회복시간(행 1~10=신체조건이 매우 양호, 행 11~20=신체조건이 평균, 행 21~30=신체조건이 불량)

열 C: 비관주의자의 회복시간(열 2의 경우와 동일)

a. 이 실험에서 인자는 무엇인가? 각 인자의 수준은 무엇인가?

b. 회복시간에서 낙관주의자와 비관주의자는 다르다고 결론지을 수 있는가?

c. 신체조건이 회복시간에 영향을 준다고 결론지을 수 있는가?

14.61 <Xr14-61> 고등학교 학생들이 전공을 정하는 것을 돕기 위해, PayScale사는 다양한 프로그램의 졸업생들을 대상으로 서베이를 시행한다. 이러한 서베이에서, 다음과 같은 4개의 학위 프로그램(초등교육, 인적자원개발, 사회복지, 특수교육)의 졸업생들에게 그들의 분야에서 적어도 10년 일한 후에 그들의 연봉이 얼마인지 물었다. 4개의 학위 간 연봉 차이가 존재

한다고 추론할 수 있는가?

14.62 <Xr14-62> 새로운 주택재산세 부과방식은 5개의 행정구역으로 구성되어 있는 한 대도시에서 민감한 정치 쟁점이 되었다. 현재 재산세는 1950년으로 거슬러 올라가는 평가시스템에 기초하고 있다. 이 시스템은 신규 주택이 오래된 주택보다 더 높은 가치로 평가되는 경향을 가지기 때문에 수많은 불평등을 발생시켰다. 주택의 시장가치에 기초한 새로운 시스템이 제안되었다. 이 제안에 반대하는 사람들은 일부 행정구역의 주민들은 평균적으로 상당히 더 많은 세금을 지불해야 하는 반면, 다른 행정구역의 주민들은 더 적게 세금을 지불해야 할 것이라고 주장한다. 이와 같은 쟁점을 검토하는 한 연구에서 각 행정구역에 속한 일부 주택들에 대하여 두 가지 시스템 모두가 평가되었다. 각 경우에 가치의 % 증가율(가치의 % 감소율은 가치의 하락을 의미한다)이 기록되었다.

a. 새로운 평가시스템이 5개 행정구역에 미치는 효과에 차이가 있다고 결론지을 수 있는가?

b. 만일 차이가 존재한다면, 어느 행정구역들이 다른가? 투키의 다중비교검정을 사용하라.

c. 당신의 결론이 타당하기 위한 필요조건은 무엇인가?

d. 필요조건이 충족되어 있는가?

14.63 <Xr14-63> 학생신문의 편집인은 신문 레이아웃의 중요한 변화를 시도하는 과정에 있다. 그는 또한 사용되는 문자 형태를 변화시키는 것을 고려하고 있다. 그는 그의 의사결정을 돕기 위해 한 실험을 수행하였다. 20명의 개인들에게 각 페이지가 다른 문자로 인쇄된 4개의 신문 페이지를 읽도록 요청하였다. 만일 읽는 속도가 다르면, 가장 빠르게 읽혀지는 문자가 사용될 것이다. 그러나 만일 편집인이 이와 같은 차이가 존재한다고 결론을 내릴 수 있는 충분한 증거가 없다면, 현재의 문자가 계속 사용될 것이다. 한 페이지를 완전히 읽는 데 걸리는 시간(초 단위)이 기록되었다. 편집인은 어떻게 해야 하는가?

14.64 <Xr14-64> 아동 제품을 마케팅하는 데 있어서 아동들의 관심을 끄는 텔레비전광고를 하는 것이 매우 중요하다. 한 마케팅 리서치 회사에 의해 고용된 한 심리학자는 제품의 형태에 따라 광고를 보는 아동들 간에 관심시간의 차이가 존재하는지 결정하기 원한다. 10세 이하의 150명의 아동이 실험을 위해 선택되었다. 50명의 아동은 새로운 컴퓨터 게임의 60초짜리 광고를 시청했고, 50명의 아동은 아침 시리얼의 광고를 시청했으며 50명의 아동은 아동 의류의 광고를 시청했다. 아동들의 관심시간(초 단위)이 측정되고 기록되었다. 데이터는 광고되는 3가지 제품 간에 관심시간의 차이가 존재한다고 결론지을 수 있는 충분한 증거를 제공하는가?

14.65 <Xr14-65> 연습문제 14.64의 실험을 다시 생각해보면서, 이 심리학자는 아동의 연령이 관심시간에 영향을 줄 수 있다고 결정하였다. 따라서 실험이 다음과 같은 방식으로 다시 이루어졌다. 3명의 10세 아동, 3명의 9세 아동, 3명의 8세 아동, 3명의 7세 아동, 3명의 6세 아동, 3명의 5세 아동, 3명의 4세 아동이 임의로 광고들 중 하나를 시청하도록 할당되었고 그들의 관심시간이 측정되었다. 이 실험의 결과는 광고되는 제품의 종류가 아동의 관심을 끄는 데 차이가 존재한다고 제시하는가?

14.66 <Xr14-66> 판매원이 사람들이 어떤 상품을 어떻게 쇼핑하는지에 대하여 아는 것은 중요하다. 한 신차 판매원이 자동차 고객의 연령과 성별은 자동차에 대한 가격제안을 하는 방식에 영향을 준다고 믿는다고 하자. 그는 35,000달러짜리 Ford Taurus에 대한 남성과 여성 고객 그룹들의 최초 가격제안을 기록하였다. 이

판매원은 고객의 성별 이외에 고객의 연령도 기록하였다. 각 고객이 최초에 제안한 가격이 매도가격보다 낮은 금액의 정도가 다음과 같은 방식을 사용하면서 기록되었다. 열 B는 30세 이하 그룹의 데이터를 포함하고 있다. 첫 25행은 여성 고객의 데이터이고 마지막 25행은 남성 고객의 데이터이다. 열 C와 열 D는 각각 30세~45세 그룹의 데이터와 45세 초과 고객 그룹의 데이터를 저장하고 있다. 이 데이터로부터 어떤 결론이 얻어질 수 있는가?

14.67 <Xr14-67> 이 페이지를 읽는 많은 사람들은 아마도 완전언어방법(whole-language method)을 사용하면서 독서 방법을 배웠을 것이다. 이와 같은 전략에 의하면 자연스럽고 효과적인 독서 방법은 문맥 속에 있는 모든 단어들에 노출되도록 하는 것이다. 학생들은 전에 보았던 단어들을 인식하면서 독서 방법을 배운다. 과거 세대에 이와 같은 방법은 북미 전역에서 지배적인 강의전략이었다. 이 방법은 아이들에게 단어를 만들기 위해 알파벳들을 소리내어 읽도록 가르쳤던 음성학을 대체하였다. 완전언어방법에 대한 연구가 거의 이루어지지 못하였고 완전언어방법은 심각하게 비판받았다. 한 최근 연구가 어느 방법이 사용되어야 하는지에 관한 질문을 해결하였을 수 있다. University of Houston의 한 교육심리학자는 미국과학발전협회(American Association for the Advancement of Science)에서 한 실험을 설명하였다. 실험대상은 Houston의 학교들에 다니는 375명의 가난한 저성취 1년차 학생들이었다. 이 학생들을 3개의 그룹으로 나누었다. 한 그룹은 완전언어방법에 의해 교육을 받았다. 두 번째 그룹은 완전음성학 전략을 사용하면서 교육을 받았다. 세 번째 그룹은 혼합음성학 기법을 사용하면서 교육을 받았다. 학기말에 학생들에게 50개의 단어 리스트에서 단어들을 읽도록 요청하였다. 각 아동이 읽을 수 있는 단어의 수가 기록되었다.

a. 3가지 교육 방법의 효과 간에 차이가 존재한다고 추론할 수 있는가?

b. 차이가 존재한다면, 어떤 방법이 최선인지 판별하라.

14.68 <Xr14-68> 출산 전에 음악을 들은 신생아들이 그렇지 않은 신생아들보다 더 똑똑한가? 만일 그렇다면, 어떤 종류의 음악이 가장 좋은가? University of Wisconsin의 연구원들은 쥐를 가지고 실험을 하였다. 연구원들은 임신한 쥐들로 구성된 임의표본을 선택하였고 이 표본을 3개의 그룹으로 나누었다. 한 그룹에게 모차르트 음악을 들려주었고, 두 번째 그룹에게 백색잡음(음악적인 요소가 없는 소리)을 들려주었으며 세 번째 그룹에게 Philip Glass 음악(매우 단순한 음악)을 들려주었다. 이어서 연구자들은 음식을 찾기 위해 미로를 달리도록 어린 쥐들을 훈련시켰다. 어린 쥐들이 미로를 달리는 것을 완료하는 데 걸리는 시간이 모든 3개의 그룹에 대하여 측정되었다.

a. 이 데이터로부터 3개 그룹 간에 차이가 존재한다고 추론할 수 있는가?

b. 만일 차이가 존재한다면, 어느 그룹이 가장 뛰어난지 결정하라.

14.69 <Xr14-69> 수업료의 인상은 일부 학생들이 졸업 시에 많은 부채를 가지게 만들었다. 이와 같은 쟁점을 검토하기 위해 최근 졸업생들로 구성된 임의표본이 선택되었고 각 졸업생에게 학생대출(student loans)을 받았는지와 만일 받았다면 졸업 시에 부채가 얼마였는지 보고하도록 요청하였다. 부채를 가졌다고 보고한 각 졸업생에게 졸업 시에 받은 학위가 B.A, B.Sc., B.B.A, 기타인지도 물었다. 부채수준이 4개의 학위 간에 다르다고 결론지을 수 있는가?

14.70 <Xr14-70> 연구결과들에 의하면 싱글남성 투

자자는 가장 높은 위험을 선택하는 경향을 가지는 반면에, 기혼여성 투자자는 보수적인 경향을 가진다. 이와 같은 사실은 다음과 같은 질문을 제기한다. 싱글남성, 기혼남성, 싱글여성, 기혼여성의 위험조정수익률이 기록되었다. 4개의 투자자 그룹 간에 차이가 존재한다고 추론할 수 있는가?

14.71 <Xr14-71> 실제로 모든 레스토랑들은 주말 저녁에 3번의 "착석"을 가지고자 한다. 3번의 착석은 각 테이블에 3번의 다른 고객들이 앉는다는 것을 의미한다. 분명히 디저트와 커피를 먹기 위해 오래 머무는 그룹은 한 번의 착석과 레스토랑의 이윤을 잃게 할 수 있다. 어떤 종류의 그룹이 오래 머무는 경향을 가지고 있는지 결정하기 위해, 150개 그룹의 임의표본이 추출되었다. 각 그룹에 대하여 구성원 수와 레스토랑에 머무는 시간이 다음과 같은 방식으로 기록되었다.

열 A: 2명 그룹이 레스토랑에 머무는 시간
열 B: 3명 그룹이 레스토랑에 머무는 시간
열 C: 4명 그룹이 레스토랑에 머무는 시간
열 D: 4명을 초과하는 그룹이 레스토랑에 머무는 시간

이 데이터로부터 레스토랑에 머무는 시간은 일행의 크기에 의해 결정된다고 추론할 수 있는가?

14.72 <Xr14-72> 주가는 어느 날 크게 하락한 후 다음 날 다시 상승하는가, 다음 날에도 계속해서 하락하는가? 이 질문에 대답하기 위해 한 경제학자는 Toronto Stock Index의 일일 변화율로 구성된 임의표본을 검토하였다. 그는 % 변화율을 기록하였다. 그는 하락하는 경우를 다음과 같이 분류하였다.

0.5% 미만 하락
0.5%~1.5% 하락
1.5%~2.5% 하락
2.5% 초과 하락

그는 표본에 포함된 일들의 각 일의 다음 날에 발생한 % 손실을 기록하였다. 이와 같은 데이터는 전날에 손실이 발생한 경우 TSI에 발생한 변화율이 그룹들 간에 차이가 존재한다고 추론할 수 있게 해주는가? (이 연습문제는 온타리오주의 Paris 근처에 있는 컨설팅 회사인 Left Bank Economics의 경제학자인 Tim Whitehead가 수행한 연구에 기초하여 만들어진 것이다.)

14.73 <Xr14-73> 주식시장 투자자들은 항상 "성배(Holy Grail)", 즉 시장이 저점에서 벗어났거나 최고의 수준을 달성했다고 말해 주는 신호를 찾고자 한다. 여러 가지의 지표들이 존재한다. 하나의 지표는 Gerald Appel에 의해 개발된 매수 신호이다. 그는 NYSE 지수의 주간 종가와 10주 이동평균의 차이가 −4.0포인트 이상일 때 저점에 도달했다고 믿었다. 다른 하나의 저점 지표는 주식시장지수의 선 차트에서 어떤 패턴을 찾아내는 것에 기초한 것이다. 한 금융애널리스트는 하나의 실험을 하기 위해 임의로 100주간을 선택하였다. 각 주에 그는 Appel 매수, 차트 매수, 신호 없음이 존재하는지 결정하였다. 각 주의 판단형태에 대하여 그는 다음 4주간 동안의 % 변화율을 기록하였다. 두 개의 매수 지표가 유용하지 않다고 추론할 수 있는가?

14.74 <Xr14-74> 수백만 명의 북미인들은 직장에 가고 돌아오는 데 하루에 수 시간을 보낸다. 시간의 낭비를 제쳐두고 이러한 교통과의 전쟁에 따른 다른 부정적 효과가 존재하는가? Statistics Canada에 의해 수행된 한 연구가 이러한 이슈에 대한 해답을 제시해 줄 수 있다. 임의표본으로 추출된 성인들을 대상으로 서베이가 시행되었다. 여러 가지 질문들 중에서 수면시간과 출퇴근 시간이 각각 얼마인지 물었

다. 출퇴근 시간의 범주는 1분~30분까지, 31분~60분, 60분 초과이다. 수면시간이 출퇴근 시간의 범주 간에 다르다고 추론할 수 있는 충분한 증거가 존재하는가?

14.75 <Xr14-75> 임의표본을 구성하고 있는 500명의 10대들이 3개 그룹(13세~14세, 15세~17세, 18세~19세)으로 분류되었다. 각 10대에게 각자가 가지고 있는 Facebook 친구 수를 기록하도록 요청했다. 3개의 10대 그룹 간에 Facebook 친구 수가 차이가 있다고 추론할 수 있는 충분한 증거가 존재하는가?

14.76 <Xr14-76> 학위를 가지고 있는 25세~34세 사람들은 1984년 이후 어떻게 금전적으로 성공할 수 있었는가? 이러한 질문에 답하기 위해 Pew Research Center는 20년 전, 10년 전, 금년에 서베이를 실시하고 3가지 다른 학위를 가지고 있는 졸업생들의 월간 소득을 기록했다. 소득은 2020년 달러로 전환되었다.

a. 3개의 연도 간 전문학위나 박사학위를 가진 25세~34세 사람들의 소득이 다르다고 추론할 수 있는 충분한 증거가 존재하는가?

b. 필요조건들은 무엇인가?

c. 필요조건들이 충족되는지 설명하라.

14.77 <Xr14-77> 연습문제 14.76을 참조하라. 이와 유사한 연구가 학사학위들에 대해 수행되었다.

a. 3개의 연도 간 학사학위를 가진 25세~34세 사람들의 소득이 다르다고 추론할 수 있는 충분한 증거가 존재하는가?

b. 필요조건들이 충족되는지 설명하라.

14.78 <Xr14-78> 연습문제 14.76을 참조하라. 이와 유사한 연구에서는 고등학교 졸업만 한 25세~34세 사람들이 가장인 가구의 월간 소득이 기록되었다. 소득은 2020년 달러로 전환되었다.

a. 3개의 연도 간 고등학교 졸업만 한 25세~34세 사람들이 가장인 가구의 소득이 다르다고 추론할 수 있는 충분한 증거가 존재하는가?

b. 필요조건들이 충족되는지 설명하라.

14.79 <Xr14-79> 한 주택이 매물로 등재된 요일이 판매가 완료되는 데까지 걸리는 시간과 판매가격에 영향을 미치는가? 경제학자들은 이러한 질문에 답하기 위한 한 연구를 수행하였다. 한 주요 도시에서 판매된 주택으로 구성된 임의표본이 연구대상이었다. 등재시점의 요일과 등재시점과 판매시점 간 걸리는 일수가 기록되었다. 판매가 이루어질 때까지 걸리는 일수의 차이가 7일 사이라고 결론지을 수 있는 충분한 증거가 존재하는가?

14.80 <Xr14-80> 자동차 보험 회사들은 보험료를 결정하기 위해 통계를 사용한다. 보험료는 사고의 위험과 비용에 비례한다. 한 경제학자가 전년도에 운전한 마일 수, 운전자의 연령, 운전자의 성별을 살펴보는 연구를 수행했다고 하자. 연령 범주는 16세~25세, 26세~45세, 46세~64세, 65세 이상이다. 실험 설계에 의해 각 연령 범주-성별 조합에 20개의 관측치가 있었다.

a. 남성 운전자와 여성 운전자의 운전하는 마일 수가 다르다고 결론을 내릴 수 있는 충분한 증거가 존재하는가?

b. 연령 범주 간에 운전하는 마일 수의 차이가 있다고 추론할 수 있는가?

다음의 연습문제들은 이 책의 앞에서 제시된 3개의 연습문제들과 관련된 데이터 파일을 사용한다.

14.81 <Xr12-93+> 연습문제 12.93에서 JC Penney 백화점 체인의 마케팅 담당자는 개인 및 가족 가치에 기초하여 여성의류시장을 분할하였다. 분할된 시장은 보수적인 시장, 전통적인 시장, 현대적인 시장이다. 이와 같은 분류는 질문지에 기초하여 이루어졌다는 것을 기억하라. 분할시장을 구별하는 것에 더하여 질문지를 통하여

표본에 포함되어 있는 각 여성들에게 가구 소득(1,000달러 기준)을 보고하도록 요청하였다. 이 데이터로부터 가구 소득이 3개의 분할시장 간에 차이가 존재한다고 추론할 수 있는가?

14.82 <Xr13-20+> 연습문제 13.20은 25세 이하의 젊은 남성과 여성이 연간 운전하는 거리가 다른가를 결정하는 문제를 다룬다. 이 데이터에 각 사람이 과거 2년 동안에 발생시킨 사고의 수가 포함되어 있다. 이에 대한 응답은 0, 1, 2 이상이다. 이 데이터로부터 운전거리가 사고의 수가 다른 운전자들 간에 다르다고 추론할 수 있는가?

14.83 <Xr13-95+> 연습문제 13.95의 목적은 다양한 시장분할이 Quik Lube 서비스를 사용할 가능성을 높게 만드는가를 결정하는 것이었다. 이 데이터에는 자동차의 연령(월 기준)도 포함되어 있다. 이 데이터는 자동차의 연령이 4개의 분할된 시장 간에 차이가 존재한다고 결론내릴 수 있게 하는가?

사례분석 14.1 야구심판: 스트라이크 존이 변화하면, 점수도 변화하는가?*

DATA C14-01

텔레비전으로 경기를 보는 야구팬들은 항상 피칭 추적기라고 부르는 것을 볼 수 있다. 피칭 추적기를 통해 시청자들은 심판이 정확한 판정을 하는지 알 수 있다. 메이저리그야구(MLB) 룰 북의 룰 2.00에 의하면, 스트라이크 존은 "상한이 어깨 윗부분과 유니폼 바지 윗부분 사이의 중간 지점에 있는 수평선이고, 하한은 무릎 아래의 움푹 들어간 곳에 있는 수평선 사이에 있는 홈 플레이트 위의 영역"으로 정의되고 "투수가 던진 공을 향해 스윙할 준비가 되어 있는 타자의 자세"에 따라 결정된다.

많은 팬들에게, 어떤 심판들은 다른 심판들보다 더 큰 스트라이크 존을 가지고 있는 것처럼 보인다. 즉, 그들은 투수가 던진 공이 실제로 스트라이크 존에 있지 않을 때 이 공을 스트라이크라고 판정한다. 스트라이크 존이 크면 타자가 불리하기 때문에 득점이 줄어들 가능성이 높다. 우리는 이것을 불평등 스트라이크 존 이론(Unequal Strike Zone Theory)이라고 부른다. 이 이론에 의하면, 일부 심판들은 일상적으로 스트라이크 존을 확대하여 점수를 낮추다. 다행히도, 이 이론은 검정할 수 있다. 2015년 시즌의 모든 경기에 대해 홈 플레이트 심판, 원정팀 득점, 홈팀 득점, 총 득점 수가 기록되었다. 불평등 스트라이크 존 이론을 검정하라. 경기당 총 득점 수가 91명의 홈 플레이트 심판들 간에 다르다고 추론할 수 있는 충분한 증거가 존재하는지 결정하기 위한 분석을 수행하라.

* 저자는 사례분석 14.1을 위한 데이터를 수집해 준 Mr. Stacey Albom에게 감사한다.

사례분석 14.2 아동의 귓병에 대한 3가지 처방법의 비교*

DATA C14-02

급성중이염(acute otitis media)은 일반적인 아동질환이다. 급성중이염을 처방하는 여러 가지 방법들이 존재한다. 가장 좋은 방법을 결정하는 데 도움을 주기 위해 연구원들은 한 실험을 수행하였다. 재발하는 급성중이염을 가지고 있는 10개월부터 2세까지의 180명 아동이 60명의 아동으로 구성된 3개의 그룹으로 분할되었다. 첫 번째 그룹에게는 외과적으로 아데노이드(adenoid)를 제거하는 처방이 이루어졌다. 두 번째 그룹에게는 설파퍼레이졸(sulfafurazole) 약을 사용하는 처방이 이루어졌고 세 번째 그룹에게는 위약(placebo) 처방이 이루어졌다. 각 아동은 2년 동안 관찰되었고 이 기간 동안 급성중이염의 모든 증상과 발현 상황이 기록되었다. 데이터는 다음과 같은 방식으로 기록되었다.

열 1: ID 번호
열 2: 그룹번호

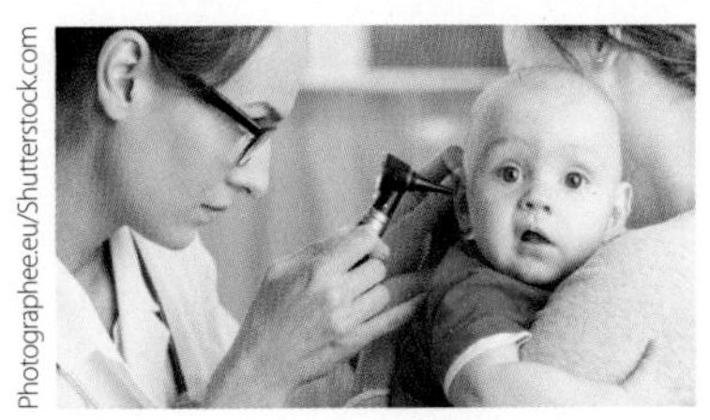
Photographee.eu/Shutterstock.com

열 3: 증상발현 수
열 4: 감염 때문에 의사를 방문한 횟수
열 5: 처방 수
열 6: 호흡기 감염증상이 발생한 일수

a. 증상발현 수, 의사방문횟수, 처방 수, 호흡기 감염증상이 발생한 일수가 3개 그룹 간에 차이가 존재하는가?

b. 당신이 설파퍼레이졸 약을 만드는 회사를 위해 일한다고 가정하자. 회사의 임원들에게 제출하기 위한 당신의 분석결과를 논의하는 보고서를 작성하라.

---

* *British Medical Journal*, February 2004 참조.

age fotostock/SuperStock

15 카이제곱검정

Chi-Squared Tests

이 장의 구성

15.1 카이제곱 적합도 검정

15.2 분할표 카이제곱검정

15.3 범주데이터에 대한 검정 요약

15.4 정규분포에 대한 카이제곱검정

General Social Survey

미국 남성과 여성의 정치적 성향은 다른가?

☞ (658페이지에 모범답안이 제시되어 있다.)

DATA GSS2018

미국 남성과 여성의 정치적 성향은 다른가? General Social Survey에서 "개인이 가질 수 있는 정치적 성향이 극단적 진보에서 극단적 보수까지 7점 척도로 다음과 같이 제시된다. 당신의 정치적 성향은 7점 척도 중 어디에 속하는가?"하고 질문하였다.

1. 극단적 진보
2. 진보
3. 약간의 진보
4. 중도적 성향
5. 약간의 보수
6. 보수
7. 극단적 보수

iStock Photo/EyeJoy

응답자는 성별(SEX) (1 = 남성, 2 = 여성)로도 식별된다. 미국 남성과 여성의 정치적 견해(POLVIEWS)가 다르다는 충분한 증거가 존재하는가?

서론

이 책의 앞부분에서 데이터가 범주데이터일 때 사용되는 다양한 통계기법들을 살펴보았다. 제2장에서 범주데이터를 나타내기 위한 두 가지의 그래프 기법인 막대 그래프와 파이차트가 소개되었다. 이어서 제2장에서 분할표와 막대그래프를 사용하여 두 범주데이터 간의 관계를 나타내는 방법도 살펴보았다. 그러나 이러한 기법들은 표본 또는 모집단을 나타내는 데이터를 단순히 기술하는 것이다. 이 장에서는 범주데이터와 관련된 유사한 문제가 논의되나 범주데이터로 구성된 표본데이터로부터 모집단에 관한 추론을 하기 위한 통계기법이 사용된다.

이 장에서는 범주데이터와 관련되는 두 가지의 통계기법이 논의된다. 첫 번째 통계기법은 이항실험(binomial experiment)의 일반형태인 **다항실험**(multinomial experiment)에 의해 생성되는 데이터에 적용되는 **적합도 검정**(goodness-of-fit test)이다. 두 번째 통계기법은 범주데이터로 구성된 한 모집단의 두 가지 분류가 통계적으로 독립인지 결정하기 위해 **분할표**(contingency table)에 정리된 데이터를 사용한다. 이 검정은 두 개 이상 모집단을 비교하는 검정으로도 해석될 수 있다. 이러한 두 가지 검정에서 사용되는 검정통계량의 표본분포는 제8장에서 소개된 카이제곱분포이다.

15.1 카이제곱 적합도 검정

이 절에서는 범주데이터로 구성된 한 모집단의 특성을 나타내기 위한 또 하나의 검정이 소개된다. 이와 같은 첫 번째 검정은 모비율에 관한 가설검정을 하기 위해 사용된 통계기법이 논의되었던 제12.3절에서 소개되었다. 이 경우 범주데이터는 성공 또는 실패로 나타내어지는 단지 두 가지 가능한 값 중 하나를 가질 수 있었다. 이와 관련된 검정은 모집단 전체에서 차지하는 성공의 비율에 관한 가설검정이다. 이와 관련된 데이터를 생성하는 실험은 **이항실험**(binomial experiment)이라고 부른다. 이 절에서는 한 시행에서 두 개 이상의 가능한 결과들이 존재하는 **다항실험**(multinomial experiment)이 소개된다.

다항실험

다항실험은 다음과 같은 특성을 가지는 실험이다.

1. 실험은 고정된 n번의 시행으로 구성되어 있다.
2. 각 시행의 결과는 소위 셀(cell)이라고 부르는 k개 범주 중 하나로 분류된다.
3. 각 시행에서 셀 i가 발생할 확률 p_i는 일정하며 $p_1 + p_2 + . . . + p_k = 1$이다.
4. 실험의 각 시행은 다른 시행들과 독립이다.

$k=2$일 때 다항실험은 이항실험이 된다. 이항실험에서 성공과 실패의 수를 세어본 것처럼, 다항실험에서 k개 셀의 각각에 속하는 결과의 수를 세어본다. 이와 같은 방법으로 일련의 관측빈도 $f_1, f_2, \ldots, f_k$가 구해진다. f_i, $i=1, 2, \ldots, k$는 셀 i에 속하는 결과의 관측빈도이다. 다항실험은 n번의 시행으로 구성되어 있고 각 시행에서 발생하는 결과는 하나의 셀에 속하여야 하기 때문에,

$$f_1+f_2+\cdots+f_k=n$$

이 된다.

이항실험에서 모비율 p에 관한 추론을 하기 위해 성공의 수 x (표본비율 $\hat{p}$은 x/n로 계산된다)가 사용된 것처럼, 셀 확률에 관한 추론을 하기 위해 관측빈도가 사용된다. 표준적인 추론과정 순서에 따라 논의가 이루어진다. 가설들이 설정되고 검정통계량과 검정통계량의 표본분포가 개발된다. 다음의 예제를 가지고 이와 같은 과정을 살펴보도록 하자.

예제 15.1 시장점유율에 대한 검정

회사 A는 직물연화제(fabric softener) 시장에서 자신의 시장점유율을 유지할 뿐만 아니라 가능한 한 시장점유율을 증가시키기 위해 최근에 공격적인 광고활동을 전개하였다. 공격적인 광고활동을 전개하기 전에 회사 A의 시장점유율은 45%이고 회사 B의 시장점유율은 40%였다. 다른 경쟁회사들은 나머지 15%의 시장점유율을 가지고 있었다. 이와 같은 시장점유율이 공격적인 광고활동 후에 변화하였는지 결정하기 위해 한 마케팅 분석가는 200명의 직물연화제 고객으로 구성된 임의표본을 대상으로 선호조사를 하였다. 200명의 고객 중에서 102명은 회사 A의 제품을 선호하였고, 82명은 회사 B의 제품을 선호하였으며 나머지 16명은 경쟁회사들 중 한 회사의 제품을 선호하였다. 이 마케팅 분석가는 고객의 선호가 공격적인 광고활동 후에 변화했다고 5%의 유의수준에서 추론할 수 있는가?

해답 문제의 모집단은 직물연화제 고객들의 브랜드 선호로 구성되어 있다. 각 응답자는 3가지 가능한 답, 즉 제품 A, 제품 B, 기타 제품 중 하나를 선택하기 때문에 구해진 데이터는 범주데이터이다. 만일 두 가지 범주만 존재하거나 한 회사 고객의 비율만이 관심대상이면, 한 회사의 고객을 성공으로 표시하고 다른 회사들의 고객을 실패로 표시할 수 있기 때문에 분석을 위한 통계기법은 p에 대한 z 검정이다. 그러나 이 예제에서는 3가지 범주 모두의 비율이 관심대상이다. 이와 같은 실험은 다항실험이고 주어진 문제를 분석하기 위한 통계기법은 **카이제곱 적합도 검정**(chi-squared goodness-of-fit test)이다.

시장점유율들이 변화하였는지 알기 원하기 때문에 광고활동 이전의 시장점유율들이 귀무가설로 설정된다.

$$H_0: p_1=.45,\ p_2=.40,\ p_3=.15$$

대립가설은 시장점유율들이 변화했는가에 대한 대답과 관련되어 있다. 따라서 대립가설은 다음과 같이 설정된다.

H_1: 적어도 하나의 p_i가 과거의 값과 동일하지 않다.

15.1a 검정통계량

만일 귀무가설이 옳으면 브랜드 A, 브랜드 B, 기타 브랜드를 선택하는 고객의 수는 평균적으로 각각 200과 귀무가설에 규정된 비율을 곱한 것이 될 것으로 예상된다. 즉,

$$e_1 = 200(.45) = 90$$
$$e_2 = 200(.40) = 80$$
$$e_3 = 200(.15) = 30$$

이다. 귀무가설이 옳으면 일반적으로 각 셀의 **기대빈도**(expected frequency)는 $e_i = np_i$이다. 이 식은 제7.4절에서 소개된 이항확률변수의 기대치 공식으로부터 도출된다.

그림 15.1은 관측빈도와 기대빈도를 비교하여 보여주는 막대그래프(Excel를 이용하여 그린 그래프)이다.

그림 15.1 예제 15.1의 막대그래프

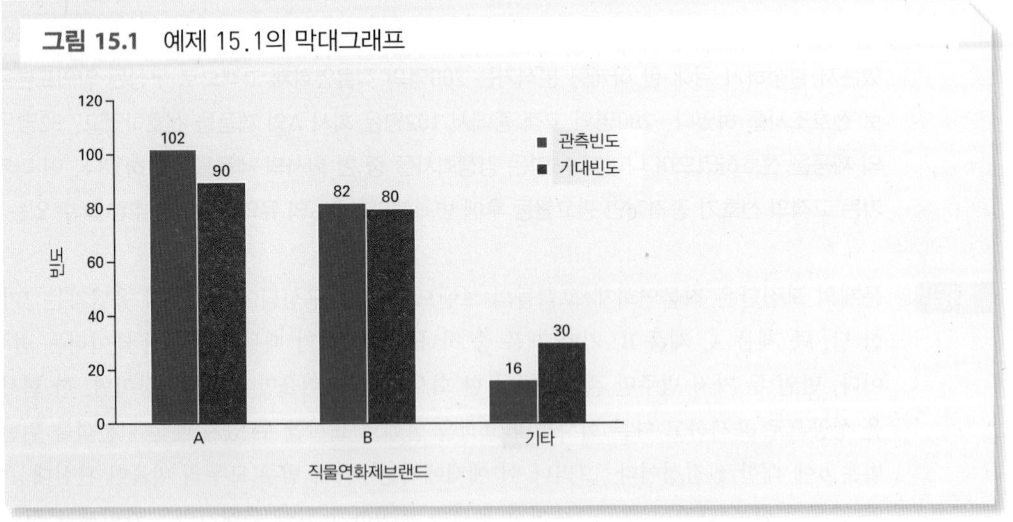

만일 기대빈도 e_i와 **관측빈도**(observed frequency) f_i가 매우 다르면, 귀무가설이 옳지 않다고 결론짓고 귀무가설을 기각한다. 그러나 만일 기대빈도와 관측빈도가 유사하면, 귀무가설은 기각되지 않는다. 다음의 박스에 정의되어 있는 검정통계량은 기대빈도와 관측빈도의 유사성을 측정한다.

카이제곱 적합도 검정통계량

$$\chi^2 = \sum_{i=1}^{k} \frac{(f_i - e_i)^2}{e_i}$$

카이제곱 적합도 검정통계량의 표본분포는 표본크기가 크면 근사적으로 자유도가 $v=k-1$인 카이제곱분포를 따른다. 이 분포에 대한 필요조건은 뒷부분에서 논의할 것이다. (카이제곱분포는 제8.4절에서 소개되었다.)

다음의 표는 카이제곱 적합도 검정통계량을 계산하는 방법을 보여준다. 따라서 예제 15.1의 경우 χ^2의 값은 8.18이다. 통상적인 방법처럼 기각역을 설정하거나 p-값을 결정하고 이 검정통계량의 값을 판단한다.

회사	관측빈도 f_i	기대빈도 e_i	(f_i-e_i)	$\frac{(f_i-e_i)^2}{e_i}$
A	102	90	12	1.60
B	82	80	2	0.05
기타	16	30	−14	6.53
합계	200	200		$\chi^2=8.18$

귀무가설이 옳을 때, 관측빈도와 기대빈도는 유사하여야 하고 검정통계량의 값은 작을 것이다. 따라서 검정통계량이 작으면, 귀무가설이 기각되지 않는다. 만일 귀무가설이 옳지 않으면, 일부의 관측빈도와 기대빈도는 다르고 검정통계량은 클 것이다. 따라서 χ^2이 $\chi^2_{\alpha,\,k-1}$보다 클 때 귀무가설이 기각된다. 즉, 기각역은

$$\chi^2 > \chi^2_{\alpha,\,k-1}$$

이다. 예제 15.1에서 $k=3$이다. 따라서 기각역은

$$\chi^2 > \chi^2_{\alpha,\,k-1} = \chi^2_{.05,2} = 5.99$$

이다. 검정통계량의 값은 $\chi^2=8.18$이기 때문에, 귀무가설이 기각된다. 검정의 p-값은

$$p\text{-값} = P(\chi^2 > 8.18)$$

이다.

불행하게도 부록 B의 표 5를 사용하면서 (내삽법에 의한 근사 이외에) p-값을 계산할 수 없다. p-값은 Excel을 사용하여 구할 수 있다. 그림 15.2는 검정통계량의 표본분포, 기각역, p-값을 그린 것이다.

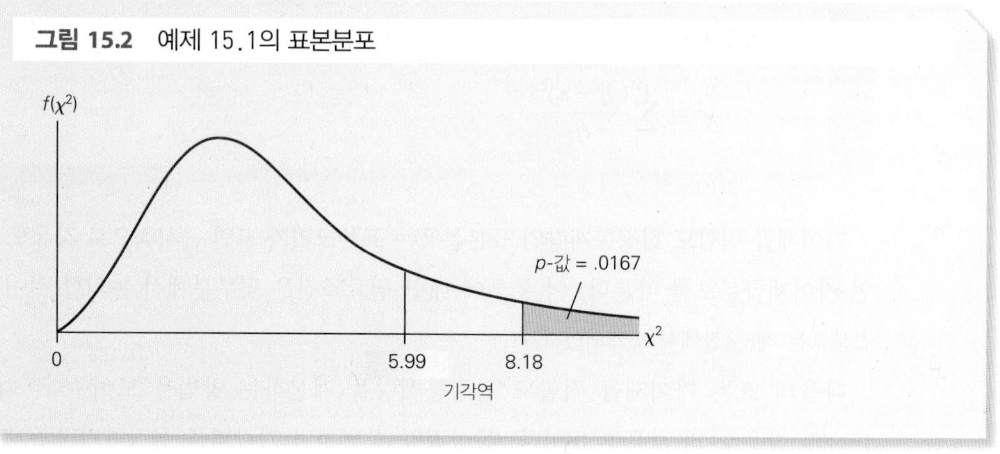

그림 15.2 예제 15.1의 표본분포

EXCEL Function

다음에 제시된 지시사항을 수행하여 구한 검정의 p-값은 .0167이다.

	A	B
1	**Observed**	**Expected**
2	102	90
3	82	80
4	16	30
5		0.0167

지시사항

1. 한 열에 관측치와 다른 열에 기대치를 입력하라. (만일 당신이 원하면, 귀무가설에 규정된 셀 확률을 입력하고 Excel을 이용하여 셀 확률과 표본크기를 곱하여 기대치로 전환시킬 수 있다.)
2. 임의의 빈 셀을 활성화시키고 다음과 같이 입력하라.

   =CHITEST([Actual_range], [Expected_range])

   range는 실제치와 기대치를 포함하고 있는 셀의 범위이다. 열의 이름을 포함하고 있는 셀들은 제외시켜라. 즉 =CHITEST(A2:A4, B2:B4)를 입력하라.

   만일 범주를 나타내는 응답으로 구성되어 있는 원 데이터를 가지고 있다면, 먼저 COUNTIF 함수를 사용하여 각 범주의 빈도를 구해야만 한다.

해석 5%의 유의수준에서 공격적인 광고활동이 실행된 후에 시장점유율들이 변화하였다고 추론하기에 충분한 증거가 존재한다. 만일 표본추출이 적정하게 이루어졌다면, 이와 같은 결론에 대하여 매우 확신할 수 있다. 이 통계기법은 한 가지의 필요조건을 가진다(15.1b절 참조).

15.1b 필요조건

앞에서 정의된 검정통계량의 실제 표본분포는 이산확률분포이나 표본크기가 크면 카이제곱분포에 의해 근사될 수 있다. 여기서 요구되는 필요조건은 표본비율의 표본분포에서 이항분포를 근사시키기 위해 정규분포를 사용하였을 때 부과된 필요조건과 유사하다. 이항분포의 정규분포에 의한 근사에서 np와 $n(1-p)$가 5 이상이어야 한다는 조건이 필요하였다. 이와 유사한 조건이 카이제곱 검정통계량에도 부과된다. 즉, 표본크기는 각 셀의 기대치가 5 이상이 되도록 충분히 커야 한다. 필요한 경우에 이와 같은 조건을 충족시키기 위해 셀들이 통합되어야 한다.

연습문제

연습문제 15.1~15.6은 통계적 추론의 요소들이 변화할 때 적합도 검정통계량에 어떤 일이 발생하는지 보이기 위한 "what-if 분석"이다. 연습문제들은 직접 풀거나 Excel의 CHITEST를 사용하여 풀 수 있다.

15.1 $n=300$ 시행과 $k=5$ 셀을 가진 다항실험을 생각해보자. 이 실험으로 구해진 관측빈도와 검정하여야 하는 귀무가설은 다음과 같다.

H_0: $p_1=.1$, $p_2=.2$, $p_3=.3$, $p_4=.2$, $p_5=.2$

1%의 유의수준에서 가설을 검정하라.

셀	1	2	3	4	5
관측빈도	24	64	84	72	56

15.2 다음과 같은 관측빈도를 가진 경우 연습문제 15.1을 반복하라.

셀	1	2	3	4	5
관측빈도	12	32	42	36	28

15.3 다음과 같은 관측빈도를 가진 경우 연습문제 15.1을 반복하라.

셀	1	2	3	4	5
관측빈도	6	16	21	18	14

15.4 연습문제 15.1~15.3의 결과를 검토하라. 표본크기 감소의 효과는 무엇인가?

15.5 $n=150$ 시행과 $k=4$ 셀을 가진 다항실험을 생각해보자. 이 실험으로 구해진 관측빈도와 검정하여야 하는 귀무가설은 다음과 같다.

H_0: $p_1=.3$, $p_2=.3$, $p_3=.2$, $p_4=.2$

셀	1	2	3	4
관측빈도	38	50	38	24

$\alpha=.05$를 사용하면서 가설을 검정하라.

15.6 다항실험의 시행 수가 두 배가 되고($n=300$) 관측빈도가 두 배 높아졌다고 가정하면서 연습문제 15.5의 가설을 검정하라.

셀	1	2	3	4
관측빈도	76	100	76	48

다음의 연습문제들을 풀기 위해서는 컴퓨터와 소프트웨어를 사용하여야 한다. 연습문제들의 답은 직접 계산해서 구할 수 있다. 직접 계산하기 위해 필요한 표본통계량들을 위해 부록 A를 참조하라. 5%의 유의수준을 사용하라.

15.7 <Xr15-07> $k=5$를 가진 다항실험의 결과가 기록되었다. 각 결과는 1~5의 번호로 구별된다. 결과들의 비율이 다르다고 추론할 수 있는 충분한 증거가 존재하는지 검정하라.

15.8 <Xr15-08> $k=4$를 가진 다항실험이 수행되었다. 각 결과가 1, 2, 3, 4의 정수로 저장되어 있고 서베이의 결과가 기록되었다. 다음의 가설을 검정하라.

H_0: $p_1=.15,\ p_2=.40,\ p_3=.35,\ p_4=.10$

H_1: 적어도 하나의 p_i는 귀무가설에 규정된 값과 같지 않다.

15.9 <Xr15-09> 하나의 주사위가 균형 있게 만들어져 있는지 결정하기 위해 600회 던져졌다. 이 주사위가 균형 있게 만들어져 있지 않다고 결론지을 수 있는 충분한 증거가 존재하는가?

15.10 <Xr15-10> 한 경제학 교수가 부여한 학점은 A가 5%, B가 25%, C가 40%, D가 25%, F가 5%인 대칭분포를 가지고 있는 것으로 알려져 있다. 금년에 이 교수가 부여한 150개 학점 표본이 추출되었고 각각의 학점(1=A, 2=B, 3=C, 4=D, 5=F)이 기록되었다. 금년도의 학점은 과거의 학점과 다르게 분포되어 있다고 추론할 수 있는 충분한 증거가 존재하는가?

15.11 <Xr15-11> Pat Statsdud는 선다형 시험(multiple-choice exam)을 보려고 하지만 전혀 아는 것이 없다. Pat은 5개 선택답안 중 하나를 추측해서 정하려고 한다. Pat은 전에 치루어진 이 교수의 시험 중 하나를 정확한 답이 마크되어있는 상태로 받았다. 정확한 답이 1=(a), 2=(b), 3=(c), 4=(d), 5=(e)의 형식으로 기록되었다. 이 교수가 5개 선택답안의 정확한 답을 임의로 분포시키지 않는지 Pat이 결정하는 것을 도와라. 만일 이것이 사실이라면, Pat의 전략에 어떻게 영향을 주는가?

15.12 <Xr15-12> 재무 담당자는 신용으로 구매한 고객이 청구금액을 지불하는 속도에 대하여 관심을 가지고 있다. 재무 담당자는 (매출채권이라고 부르는) 미지불청구금액이 미지불상태에 머물러 있는 평균 일수를 계산하는 것에 더하여 종종 미지불기간구조를 살펴본다. 미지불기간구조는 청구가 이루어진 후에 미지불상태가 유지되는 기간에 따라 미지불 매출채권을 분류하고 각 분류에 속하는 매출채권의 비율을 기록한 것이다. 한 대기업은 과거 5년 동안의 미지불기간구조를 구하였다. 이 결과가 다음의 표에 정리되어 있다. 그러나 과거 수개월 동안 경기가 침체하였다. 이 기업은 경기침체가 미지불기간구조에 영향을 미쳤는지 알기 원한다. 250개의 매출채권으로 구성된 임의표본이 추출되었고 각 매출채권은 다음과 같이 분류되었다.

1=0~14일 이하 미지불
2=15일~29일 미지불
3=30일~59일 미지불
4=60일 이상 미지불

미지불 일수	과거 5년 동안의 매출채권 비율
0~14	.72
15~29	.15
30~59	.10
60 이상	.03

미지불기간구조가 변화하였는지 결정하라.

15.13 <Xr15-13> 한 카운티의 자동차 면허기록에 의하면, 자동차의 15%는 초소형(1), 25%는 소형(2), 40%는 중형(3)이고, 나머지는 각종 다른 스타일과 모델(4)이다. 이 카운티에서 면허를 받은 자동차들이 포함된 사고들로 구성된 임의표본이 추출되었다. 자동차의 종류가 괄호 안에 있는 코드를 사용하면서 기록되었다. 특정한 크기의 자동차가 사고의 기대비율보다 높은 비율로 포함되어 있다고 추론할 수 있는가?

15.14 <Xr15-14> 3개 정당이 경쟁한 작년의 한 선거에서 정당 A는 투표의 31%를 얻었고, 정당 B는 투표의 51%를 얻었으며 정당 C는 나머지 투표율을 얻었다. 1,200명의 투표자를 대상으로 실시한 서베이에서 각 투표자에게 다음 선거에서 지지투표할 정당을 물었다. 이와 같은 결과가 1=정당 A, 2=정당 B, 3=정당 C의 방식으로 기록되었다. 투표지지율이 선거 이후에 변화했다고 추론할 수 있는가?

15.15 <Xr15-15> 피칭 추적기는 텔레비전으로 중개되는 경기를 관전하는 야구 팬들이 심판이 정확한 판정을 했는지 알 수 있게 해준다. 한 시즌 전체에 모든 피칭한 공들을 추적한 후에 다음과 같은 확률이 기록되었다.

1. 피칭한 공이 스트라이크 존에 들어갔으나 심판이 볼로 판정했다. 5.28%
2. 피칭한 공이 스트라이크 존에 들어갔고 심판이 스트라이크로 판정했다. 34.72%
3. 피칭한 공이 스트라이크 존을 벗어났고 심판이 볼로 판정했다. 51.00%
4. 피칭한 공이 스트라이크 존을 벗어났으나 심판이 스트라이크로 판정했다. 9.00%

한 새로운 심판이 방금 심판 일을 시작했고 피칭 추적기가 이러한 코드를 사용하면서 각 결과를 기록했다. 이 심판의 판정이 위의 결과와 다르다고 추론할 수 있는 증거가 존재하는가?

15.16 <Xr15-16> 연습문제 15.15를 참조하라. 한 시즌 전체에 모든 피칭한 공들을 추적한 후에 다음과 같은 확률이 기록되었다.

1. 피칭한 공이 스트라이크 존에 들어갔다. 40.0%
2. 피칭한 공이 상방 왼쪽으로 스트라이크 존을 벗어났다. 14.4%
3. 피칭한 공이 하방 왼쪽으로 스트라이크 존을 벗어났다. 17.8%
4. 피칭한 공이 상방 오른쪽으로 스트라이크 존을 벗어났다. 9.5%
5. 피칭한 공이 하방 오른쪽으로 스트라이크 존을 벗어났다. 18.3%

한 루키 투수가 그의 첫 번째 경기를 시작했고 피칭한 공의 결과가 코드를 사용하여 기록되었다. 이 투수가 모든 다른 투수들과 다르다고 결론지을 수 있는 충분한 증거가 존재하는가?

15.17 <Xr15-17> 한 나이 든 투수는 2005년~2018년의 오랜 경력기간 동안 그의 피칭 분포를 다음과 같이 기록하였다.

1. 패스트 볼	52%
2. 커브 볼	19%
3. 슬라이더	15%
4. 체인지업	14%

그러나 그는 2019년에 힘줄을 고치기 위한 수술을 했고 2020년에 처음 5경기 동안 그가 피칭한 공들이 코드를 사용하면서 기록되었다. 그의 피칭 분포가 변화했다고 결론지을 수 있는 증거가 존재하는가?

마케팅분야의 통계학 응용

George Dolgikh/Shutterstock.com

시장분할

시장분할은 제12.4절에서 소개되었다. 통계기법이 분할시장의 크기를 추정하기 위해 사용되었다. 제13장과 제14장에서 제품과 서비스의 구매에서 분할시장들 간에 차이가 있는지 결정하기 위해 통계기법들이 적용되었다. 연습문제 15.18에서 당신은 분할시장의 상대크기가 변화하였는지 결정하기 위해 카이제곱 적합도 검정을 적용하여야 한다.

15.18 <Xr12-92+> 한 통계전문가가 캘리포니아주 성인들의 교육수준에 기초하여 분할시장의 크기를 추정하였던 연습문제 12.92를 참조하라. 10년 전의 센서스 수치는 교육수준과 캘리포니아주 성인 비율이 다음과 같다는 것을 보여준다고 하자.

교육수준	비율
1. 고등학교를 졸업하지 못하였다.	.23
2. 고등학교만을 졸업하였다.	.40
3. 전문대학 또는 대학을 잠시 다녔다.	.15
4. 전문대학 또는 대학을 졸업하였다.	.22

이와 같은 비율들이 변화하였는지 결정하라.

15.2 분할표 카이제곱검정

제2장에서 두 범주변수 간의 관계를 그래프로 그리는 첫 단계로 **교차분류표**(cross-classification table)가 사용되었다. 이때 분석의 목적은 두 변수가 관련되어 있는지 결정하는 것이었다. 이 절에서는 이와 같은 기법이 통계적 추론으로 확장된다. 다른 하나의 카이제곱검정이 소개된다. 이 카이제곱검정은 두 가지의 목적을 충족시키기 위해 고안되었다. **분할표 카이제곱검정**(chi-squared test of a contingency table)은 두 범주변수가 관련되어 있고 두 개 이상 범주변수 모집단 간에 차이가 존재한다고 추론할 만큼 충분한 증거가 있는지 결정하기 위해 사용된다. 두 가지 목적을 달성하기 위해서는 두 가지 다른 기준에 따라서 항목들을 분류하여야 한다. 이와 같은 작업이 어떻게 이루어지는지 알아보기 위해 다음의 예제를 살펴보자.

예제 15.2

DATA Xm15-02

학부학위와 MBA 전공의 관계

MBA 프로그램은 코스를 만드는 문제에 직면한다. MBA 프로그램의 선택 과목과 전공에 대한 수요는 매년 변화한다. 어느 한 해에 학생들은 마케팅 코스를 원하고 다른 해에 회계 또는 재무금융코스가 압도적인 선호대상이다. 경영대학원장은 필사적으로 한 통계학 교수에게 도움을 청하였다. 이 통계학 교수는 학생들의 학문적 배경이 크게 변화할 뿐만 아니라 학부학위가 MBA 전공의 선택에 영향을 준다고 믿는다. 그는 분석의 출발단계로 작년의 MBA 학생들로 구성된 임의표본을 추출하였고 선택된 MBA 학생들의 학부학위와 MBA 프로그램 전공을 기록하였다. 학부학위는 BA, BEng, BBA, 기타였다. MBA 학생들이 선택할 수 있는 3개의 전공은 회계, 재무금융, 마케팅이다. 이와 같은 결과가 아래와 같은 분할표(contingency table)라고 부르는 표로 요약되었다. 이 통계학 교수는 학부학위가 MBA 전공의 선택에 영향을 준다고 결론지을 수 있는가?

	MBA 전공			
학부학위	회계	재무금융	마케팅	합계
BA	31	13	16	60
BEng	8	16	7	31
BBA	12	10	17	39
기타	10	5	7	22
합계	61	44	47	152

해답 이 문제를 푸는 한 가지 방법은 분할표에 의해 제시된 두 변수를 고려하는 것이다. 두 변수는 학부학위와 MBA 전공이다. 두 변수는 모두 범주변수이다. 학부학위는 BA, BEng, BBA, 기타이고 MBA 전공은 회계, 재무금융, 마케팅이다. 문제의 목적은 두 변수 간의 관계를 분석하는 것이다. 특히 한 변수가 다른 변수와 관련되어 있는지 알기 원한다.

이 문제를 다루는 다른 한 가지 방법은 BA 학위자, BEng 학위자, BBA 학위자, 기타 학위자 간에 차이가 존재하는지 결정하는 것이다. 즉, 각 학부 학위자는 하나의 분리된 모집단으로 취급된다. 각 모집단은 3개의 MBA 전공을 가질 수 있다. 여기서 문제의 목적은 4개의 모집단을 비교하는 것이다. (각 MBA 전공을 하나의 분리된 모집단으로 취급하고 학부학위를 확률변수의 값으로 취급하여 이 문제를 풀 수도 있다.)

당신이 곧 발견하게 되는 것처럼, 두 가지 목적은 동일한 검정을 통하여 달성된다. 따라서 두 가지 목적이 동시에 다루어진다.

귀무가설은 두 변수 간에 관계가 없다고 설정된다. 귀무가설은 다음과 같이 표현된다.

H_0: 두 변수는 독립이다.

대립가설은 한 변수가 다른 변수에 영향을 준다고 규정하고 다음과 같이 표현된다.

H_1: 두 변수는 종속이다.

15.2a 그래프 기법

그림 15.3은 두 개의 범주변수 간의 관계를 나타내기 위해 제2장에서 소개된 그래프 기법을 사용한 것이다.

그림 15.3 예제 15.2의 막대그래프

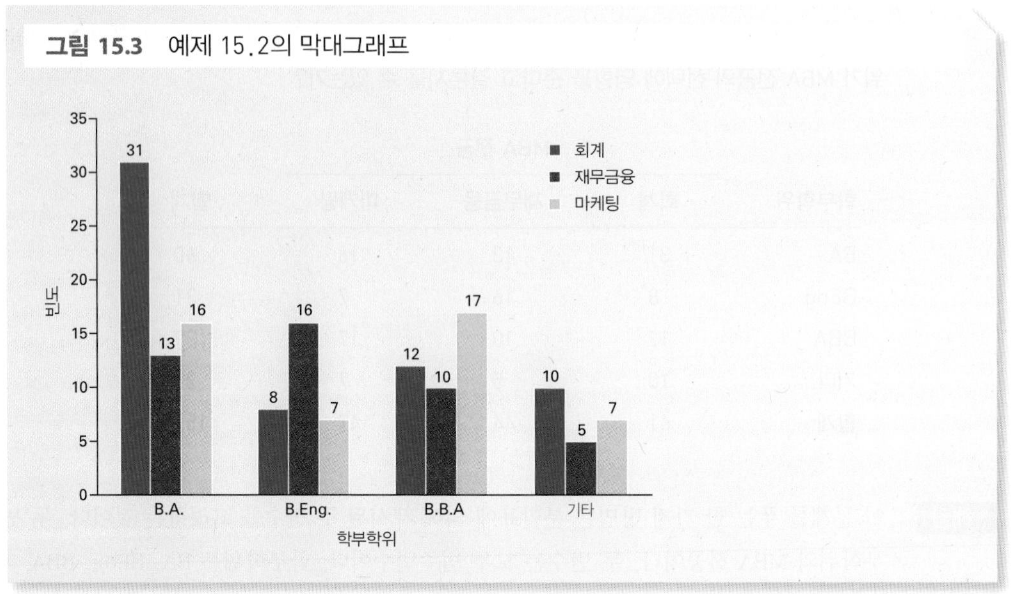

막대그래프는 표본으로부터 구해진 데이터를 그림으로 나타낸 것이다. 표본에서 두 범주변수 간의 관계가 존재하는 것으로 보인다. 그러나 MBA 학생들로 구성된 모집단에 관한 추론을 하기 위해서는 추론기법을 적용할 필요가 있다.

15.2b 검정통계량

검정통계량은 적합도 검정에서 비율들을 검정하기 위해 사용된 검정통계량과 동일하다. 즉, 검정통계량은

$$\chi^2 = \sum_{i=1}^{k} \frac{(f_i - e_i)^2}{e_i}$$

이다. 여기서 k는 분할표의 셀 수이다. 당신은 적합도 검정에서 설정된 귀무가설과 분할표 카이제곱검정에서 설정된 귀무가설을 비교해보면 큰 차이를 발견할 것이다. 적합도 검정에서 귀무가설은 확률 p_i의 값들을 열거한다. 분할표 카이제곱검정의 귀무가설은 단지 두 변수는 독립이라고 나타낸다. 그러나 검정통계량의 값을 계산하기 위해, 필요한 기대빈도 e_i를 계산하기 위한 확률이 필요하다. (분할표에 있는 수치는 관측빈도 f_i이다.) 다음과 같은 질

문이 즉각적으로 제기된다. 어디서 필요한 확률을 구할 수 있는가? 이 질문에 대한 대답은 필요한 확률은 귀무가설이 옳다는 가정 하에서 데이터로부터 구해져야 한다는 것이다.

제6장에서 두 사건 A와 B가 독립이면, 결합확률 P(A and B)는 P(A)와 P(B)의 곱과 같다는 것을 배웠다. 즉,

$$P(\text{A and B}) = P(\text{A}) \times P(\text{B})$$

예제 15.2에서 사건들은 두 명목변수 각각이 가질 수 있는 값들이다. 불행하게도 A와 B의 확률을 가지고 있지 않다. 그러나 이와 같은 확률들은 데이터로부터 추정될 수 있다. 상대빈도를 사용하면서 MBA 전공에 대한 추정확률을 다음과 같이 계산할 수 있다.

$$P(\text{회계}) = \frac{61}{152} = .401$$

$$P(\text{재무금융}) = \frac{44}{152} = .289$$

$$P(\text{마케팅}) = \frac{47}{152} = .309$$

이와 유사하게 상대빈도를 사용하면서 학부학위에 대한 추정확률을 다음과 같이 계산할 수 있다.

$$P(\text{BA}) = \frac{60}{152} = .395$$

$$P(\text{BEng}) = \frac{31}{152} = .204$$

$$P(\text{BBA}) = \frac{39}{152} = .257$$

$$P(\text{기타}) = \frac{22}{152} = .145$$

이제 귀무가설이 옳다고 가정하면서 MBA 전공 추정확률과 학부학위 추정확률을 곱하여 추정결합확률을 계산할 수 있다. 각 셀의 기대빈도는 각 셀의 추정결합확률과 표본크기(n =152)를 곱하여 구하여진다. 이와 같은 결과가 아래의 **분할표**(contingency table)에 정리되어 있다. *Contingency*라는 단어는 각 셀의 기대빈도가 귀무가설이 옳다(두 변수가 독립이다)는 가정에 의거하여 조건부로 계산된다는 의미에서 사용된 것이다.

학부학위	MBA 전공 회계	재무금융	마케팅	합계
BA	$152\times\frac{60}{152}\times\frac{61}{152}=24.08$	$152\times\frac{60}{152}\times\frac{44}{152}=17.37$	$152\times\frac{60}{152}\times\frac{47}{152}=18.55$	60
BEng	$152\times\frac{31}{152}\times\frac{61}{152}=12.44$	$152\times\frac{31}{152}\times\frac{44}{152}=8.97$	$152\times\frac{31}{152}\times\frac{47}{152}=9.59$	31
BBA	$152\times\frac{39}{152}\times\frac{61}{152}=15.65$	$152\times\frac{39}{152}\times\frac{44}{152}=11.29$	$152\times\frac{39}{152}\times\frac{47}{152}=12.06$	39
기타	$152\times\frac{22}{152}\times\frac{61}{152}=8.83$	$152\times\frac{22}{152}\times\frac{44}{152}=6.37$	$152\times\frac{22}{152}\times\frac{47}{152}=6.80$	22
합계	61	44	47	152

당신이 보는 것처럼, 각 셀의 기대빈도는 행의 합과 열의 합을 곱하고 이것을 표본크기로 나누어 계산된다. 예를 들면, BA와 회계를 나타내는 셀의 기대빈도는 다음과 같이 계산된다.

$$152\times\frac{60}{152}\times\frac{61}{152}=\frac{60\times 61}{152}=24.08$$

다른 모든 셀의 기대빈도도 동일한 방식으로 계산될 수 있다.

분할표의 기대빈도

행 i와 열 j의 기대빈도는 다음과 같다.

$$e_{ij}=\frac{\text{행 } i\text{의 합계}\times\text{열 } j\text{의 합계}}{\text{표본크기}}$$

셀의 기대빈도는 다음 표의 괄호 안에 제시되어 있다. 적합도 검정의 경우에서처럼, 셀의 기대빈도는 5의 규칙(rule of 5)을 충족시켜야 한다.

학부학위	MBA 전공 회계	재무금융	마케팅
BA	31(24.08)	13(17.37)	16(18.55)
BEng	8(12.44)	16(8.97)	7(9.59)
BBA	12(15.65)	10(11.29)	17(12.06)
기타	10(8.83)	5(6.37)	7(6.80)

이제 검정통계량의 값이 다음과 같이 계산된다.

$$\chi^2 = \sum_{i=1}^{k} \frac{(f_i - e_i)^2}{e_i} = \frac{(31-24.08)^2}{24.08} + \frac{(13-17.37)^2}{17.37} + \frac{(16-18.55)^2}{18.55}$$
$$+ \frac{(8-12.44)^2}{12.44} + \frac{(16-8.97)^2}{8.97} + \frac{(7-9.59)^2}{9.59} + \frac{(12-15.65)^2}{15.65}$$
$$+ \frac{(10-11.29)^2}{11.29} + \frac{(17-12.06)^2}{12.06} + \frac{(10-8.83)^2}{8.83} + \frac{(5-6.37)^2}{6.37}$$
$$+ \frac{(7-6.80)^2}{6.80} = 14.70$$

행을 나타내는 하첨자와 열을 나타내는 하첨자인 두 개의 하첨자를 사용해야 하나 검정 통계량의 공식에 있는 한 개의 하첨자가 계속 사용된다는 점에 주목하라. 각 셀에 대하여 관측빈도와 기대빈도의 차이를 제곱하고 기대빈도로 나눈다는 것은 명료하다. 수학적으로 정확한 기호를 사용하는 것이 반드시 불필요한 복잡성을 해결해주는 것은 아니다.

15.2c 기각역과 p-값

기각역을 구하기 위해서는 카이제곱 통계량과 관련된 자유도를 알아야 한다. r개의 행과 c개의 열을 가진 분할표를 위한 자유도는 $v=(r-1)(c-1)$이다. 이 예제의 경우, 자유도는 $v=(r-1)(c-1)=(4-1)(3-1)=6$이다.

만일 5%의 유의수준이 설정되면, 기각역은

$$\chi^2 > \chi^2_{\alpha,v} = \chi^2_{.05,6} = 12.6$$

이다.

$\chi^2 = 14.70$이기 때문에 귀무가설은 기각되고 학부학위와 MBA 전공이 관련되어 있다는 증거가 존재한다는 결론이 얻어진다.

검정의 p-값은

$$P(\chi^2 > 14.70)$$

이다. 불행하게도 p-값을 직접 계산할 수 없다. (엑셀 함수=CHISQ.DIST.RT를 이용하면 $P(\chi^2 > 14.70) = 0.227$)

컴퓨터 사용

Excel을 사용하면서 빈도가 이미 계산되어 있는 분할표 또는 원래 데이터로부터 카이제곱 통계량을 계산할 수 있다. 각각의 컴퓨터 출력물은 거의 동일하다.

Do It Yourself Excel

	A	B	C	D	E	F
1	Degree	MBA Major >	1	2	3	
2	1		31	13	16	60
3	2		8	16	7	31
4	3		12	10	17	39
5	4		10	5	7	22
6			61	44	47	152
7						
8			24.08	17.37	18.55	
9			12.44	8.97	9.59	
10			15.65	11.29	12.06	
11			8.83	6.37	6.80	
12						
13			1.99	1.10	0.35	
14			1.59	5.50	0.70	
15			0.85	0.15	2.02	
16			0.16	0.29	0.01	
17						14.70
18						0.0227

지시사항(원래 데이터)

이러한 통계기법을 위해서 당신은 스스로 스프레드시트를 만들어야 한다. 우리는 이것을 Do It Yourself Excel이라고 부른다. 예제 15.2를 풀기 위한 지시사항을 제시하면서 이러한 연습문제를 풀기 위한 스프레드시트를 만드는 방법이 제시된다.

1. 교차 분할표를 만들기 위해 **Pivot Table**을 사용하라.
2. 행의 합계, 열의 합계, 모든 셀들의 합계를 계산하라. 예를 들면, 열 1의 합계를 계산하기 위해 셀 C6에 =**SUM(C2:C5)**를 입력하라.
3. 기대치를 계산하라. 예를 들면, 첫 번째 셀의 기대치를 계산하기 위해서 =**C$6*$F2/$F$6**을 입력하라. 모든 기대치들을 계산하기 위해 주어진 열들과 행들로 끌어 내려라.
4. 카이제곱 통계량을 계산하라. C13에서 시작하고 =**((C2-C8)^2)/C8**을 입력하라. 주어진 열들과 행들로 끌어 내려라.
5. 카이제곱 통계량을 계산하라. =**SUM(C13:E16)**
6. **CHISQ.DIST.RT**를 사용하면서 p-값을 계산하라. **CHISQ.DIST.RT** 함수에 카이제곱통계량의 값(14.70)과 자유도(6)를 입력하라. =**CHISQ.DIST.RT(F17,6)**

다음과 같은 코드를 사용하면서 작성된 원래 데이터를 포함하는 Xm15-02가 만들어져 있다.

열 1(학부학위)	열 2(MBA 전공)
1=BA	1=마케팅
2=BEng	2=재무금융
3=BBA	3=회계
4=기타	

XLSTAT

	B	C	D	E	F	G
10	Contingency table (Degree \ MBA Major):					
11						
12	Degree \ MBA Major	1	2	3		
13	1	31	13	16		
14	2	8	16	7		
15	3	12	10	17		
16	4	10	5	7		
17						
18	Test of independence between the rows and the columns (Degree \ MBA Major):					
19						
20	Chi-square (Observed value)	14.70				
21	Chi-square (Critical value)	12.59				
22	DF	6				
23	p-value	0.0227				
24	alpha	0.05				

지시사항(원래 데이터)

1. 두 열에 데이터를 입력하거나 <Xm15-02>를 불러들여라.
2. XLSTAT, Correlation/Association tests, Tests on contingency tables (Chi-square ...)를 클릭하라.
3. Row variable(s) (A1:A153)과 Column variable(s) (B1:B153)을 입력하라. Data Format: Qualitative variables를 선택하라.
4. Options를 클릭하고 Chi-square test를 체크하라.
5. Outputs를 클릭하고 Contingency table을 체크하라.

해석 학부학위와 MBA 전공은 관련되어 있다고 추론할 수 있는 강력한 증거가 존재한다. 이것은 경영대학 원장이 각 학부학위별로 MBA 학생의 수를 세어봄으로써 선택과목의 수를 예측할 수 있다는 것을 의미한다. BA 학위자는 회계를 선호하고 BEng 학위자는 재무금융을 선호하며, BBA 학위자는 마케팅을 선호하고 기타 학위자는 특별한 선호를 가지고 있지 않다고 예측할 수 있다.

만일 귀무가설이 옳으면, 학부학위와 MBA 전공은 서로 독립이다. 이것은 한 MBA 학생이 BA, BEng, BBA, 기타 학위를 취득했느냐가 MBA 전공을 선택하는 데 영향을 주지 않는다는 것을 의미한다. 따라서 4개의 학부학위 각각을 가진 졸업생들 간에 MBA 전공을 선택하는 데 차이가 존재하지 않는다. 만일 대립가설이 옳으면, 학부학위는 MBA 전공선택에 영향을 미친다. 따라서 4개의 학부학위 각각을 가진 졸업생들 간에 MBA 전공을 선택하는 데 차이가 존재한다.

15.2d 5의 법칙

앞 절에서 카이제곱분포가 표본분포의 적정한 근사분포가 되기 위해서는 기대빈도가 적어도 5보다 커야 한다고 지적하였다. 한 개 이상의 셀이 5 미만의 기대빈도를 가지는 분할표의 경우 5의 법칙을 충족시키기 위해 행이나 열을 통합할 필요가 있다.

15.2e 데이터 포맷

예제 15.2에서 데이터는 두 열, 즉 첫 번째 범주변수의 값을 포함하고 있는 첫 번째 열과 두 번째 범주변수의 값을 포함하고 있는 두 번째 열에 저장되어 있다. 이 데이터는 다른 방식으로 저장될 수 있다. 예제 15.2의 경우에 각 MBA 전공별로 하나의 열에 데이터가 저장되는 형태로 세 개의 열에 데이터가 저장될 수도 있다. 각 열에는 학부 학위를 나타내는 코드가 포함된다. 또 다른 방법으로는 각 학부 학위별로 하나의 열에 데이터가 저장되는 형태로 4개의 열에 데이터가 저장될 수 있다. 각 열에는 MBA 전공을 나타내는 코드가 포함된다. 어느 경우이든, 각 코드 값의 수를 세어야 하고 이러한 빈도를 사용하여 분할표를 작성해야 한다. 이러한 방법을 사용하여 이 장의 서두 예제에 대한 해답을 구해보도록 하자.

General Social Survey

해답 해답 미국 남성과 여성의 정치적 성향은 다른가?

iStock Photo/EyeJoy

선택

문제의 목적은 남성과 여성의 정치적 성향을 비교하는 것이다. 변수는 그 값이 극단적 진보로부터 극단적 보수까지 7점을 가지기 때문에 범주변수이다. 달리 해석하면, 문제의 목적은 두 범주변수, 즉 SEX와 POLVIEWS 간의 관계를 분석하는 것이다. 어느 경우이든, 적절한 기법은 분할표 카이제곱검정이다. 귀무가설과 대립가설은 다음과 같이 설정된다.

H_0: 두 변수는 독립이다.
H_1: 두 변수는 종속이다.

계산

Do It Yourself Excel

	A	B	C	D	E	F	G	H	I
1		E. Liberal	Liberal	S. Liberal	Moderate	S. Conservative	Conservative	E. Conservative	Total
2	Male	57	115	126	365	131	172	47	1013
3	Female	65	163	130	490	152	182	52	1234
4	Total	122	278	256	855	283	354	99	2247
5									
6	Expected	55.00	125.33	115.41	385.45	127.58	159.59	44.63	
7	Values	67.00	152.67	140.59	469.55	155.42	194.41	54.37	
8									
9		0.073	0.851	0.972	1.085	0.092	0.965	0.126	
10		0.060	0.699	0.798	0.891	0.075	0.792	0.103	
11									7.58
12									0.2705

해석

검정의 p-값은 .2705이다. 두 변수가 종속이라고 추론할 수 있는 충분한 증거가 존재하지 않는다. 따라서 남성과 여성의 정치적 성향이 다르다고 결론내릴 수 있는 충분한 증거가 존재하지 않는다.

연습문제

15.19 다음의 분할표를 사용하면서 두 분류 L과 M이 독립인지 결정하기 위한 검정을 수행하라. (α=.05를 사용하라.)

	M_1	M_2
L_1	28	68
L_2	56	36

15.20 다음의 분할표를 사용하면서 연습문제 15.19를 반복하라.

	M_1	M_2
L_1	14	34
L_2	28	18

15.21 다음의 분할표를 사용하면서 연습문제 15.19를 반복하라.

	M_1	M_2
L_1	7	17
L_2	14	9

15.22 연습문제 15.19~15.21의 결과를 검토하라. 표본크기 감소의 효과는 무엇인가?

15.23 다음의 분할표에 있는 데이터를 사용하면서 두 분류 R과 C가 독립인지 결정하기 위한 검정을 수행하라. (α=.10을 사용하라.)

	C_1	C_2	C_3
R_1	40	32	48
R_2	30	48	52

5%의 유의수준을 사용하라.

15.24 한 회사의 연금플랜 수탁자는 이 회사 종업원들로 구성된 임의표본을 추출하고 제안된 연금플랜의 수정안에 대한 의견을 수집하였다. 응답결과가 다음과 같은 분할표로 제시되었다. 3개의 종업원 그룹 간에 응답이 다르다고 추론할 수 있는 충분한 증거가 존재하는가?

응답	블루칼라 근로자	화이트칼라 근로자	경영자
찬성	67	32	11
반대	63	18	9

15.25 셔츠를 제조하는 한 회사의 생산운영관리자는 3개의 일일 근무조 간에 기술의 질적 차이가 존재하는지 결정하기 원한다. 그는 최근에 만들어진 600개의 셔츠를 임의로 선택하고 세심하게 조사하였다. 각 셔츠는 완전 또는 결함으로 분류되었고 이 셔츠를 생산한 근무조도 기록되었다. 다음의 표는 각 셀에 속하는 셔츠의 수를 정리한 것이다. 이 데이터는 3개의 근무조 간에 기술의 질적 차이가 존재한다고 추론할 수 있는 충분한 증거를 제공하는가?

	근무조		
셔츠상태	1	2	3
완전	240	191	139
결함	10	9	11

15.26 최근의 전국선거에서 대두된 쟁점 중의 하나(많은 미래의 선거에서 대두될 가능성이 있는 쟁점 중의 하나)는 침체된 경제를 다루는 방법이다. 특히 정부는 지출을 삭감하고 세금을 인상시킬 뿐만 아니라 화폐발행을 통하여 경기를 부양해야 하는가, 이와 같은 처방들의 어느 것도 하지 말고 재정적자를 증가시켜야 하는가? 대부분의 쟁점들처럼, 정치가들은 어느 부류의 유권자들이 이와 같은 선택대안들을 지지하는가를 알 필요가 있다. 임의표본으로 추출된 1,000명의 미국인에게 어느 선택대안과 어느 정당을 지지하는지 물어보았다. 정당에 관한 질문에 대한 가능한 응답은 민주당, 공화당, (다양한 정치적 신념을 포함하는) 인디펜던트이었다. 서베이의 응답이 다음의 표에 정리되어 있다. 이 데이터는 지지정당이 경제정책의 선택대안 지지에 영향을 준다고 결론지을 수 있게 하는가?

	정당		
경제정책대안	민주당	공화당	인디펜던트
지출삭감	101	282	61
세금인상	38	67	25
경기부양	131	88	31
적자증가	61	90	25

15.27 Montreal에 본부를 두고 있는 잘 알려진 컨설팅 회사인 Econetics Research Corporation은 응답에 대한 인센티브가 서베이로부터 회수되는 질문지의 비율에 어떻게 영향을 줄 수 있는지 검정하기 원한다. 응답의 인센티브를 포함시키는 것이 중요할 수 있다는 믿음으로, 이 회사는 서베이 응답자에게 1,000개의 질문지를 보내면서 200명에게는 서베이 결과에 대한 요약을 보내줄 것을 약속하였고, 300명에게는 20명을 추첨하여 선물을 줄 것이라고 말했으며 나머지 500명에게는 아무런 인센티브 없이 질문지를 보냈다. 보낸 1,000개의 질문지 중에서 서베이 결과의 요약을 보내겠다는 약속을 했던 80개의 질문지, 선물을 줄 것이라고 말했

던 100개의 질문지, 아무런 인센티브 없이 보냈던 120개의 질문지가 회수되었다. 질문지의 회수율이 3가지 인센티브 간에 다르다고 추론할 수 있는 충분한 증거가 존재하는가?

다음의 연습문제들을 풀기 위해서는 컴퓨터와 소프트웨어를 사용하여야 한다. 연습문제의 답은 직접 계산해서 구할 수 있다. 직접 계산하기 위해 필요한 표본통계량들을 위해 부록 A를 참조하라. 5%의 유의수준을 사용하라.

15.28 <Xm02-04> (예제 2.4 참조) 북미의 한 도시에는 4개의 경쟁 신문, 즉 *Globe and Mail* (*G&M*), *Post*, *Star*, *Sun*이 있다. 광고 활동을 설계하기 위해 신문의 광고관리자는 신문시장 중 어느 분할시장이 자신의 신문을 구독하는지 알아야 한다. 구독신문과 직업 간의 관계를 분석하기 위해 한 서베이가 수행되었다. 표본에 포함된 신문구독자들에게 어느 신문을 구독하는지(*Globe and Mail* (1), *Post* (2), *Star* (3), *Sun* (4))를 보고하고 직업이 무엇인지(블루칼라근로자 (1), 화이트칼라근로자 (2), 전문직종사자 (3))를 답변하도록 요청하였다. 직업과 구독신문 간의 관계가 존재한다고 추론할 수 있는가?

15.29 <Xr15-29> 실제 부작용을 결정하기 위해 제약회사들은 종종 그들이 생산하는 약의 부작용과 위약의 부작용을 비교하는 연구를 수행한다. 이러한 한 연구는 새로운 감기약의 부작용을 검토하였다. 임의표본을 구성하는 250명에게 새로운 감기약이 주어졌고 다른 250명에게 새로운 감기약과 모습이 같은 위약이 주어졌다. 응답은 다음과 같은 코드(1=두통, 2=졸림, 3=소화불량, 4=부작용 없음)를 사용하면서 기록되었다. 이 데이터는 새로운 감기약과 위약 간 부작용이 다르다고 추론할 수 있는 충분한 증거를 제공하는가?

15.30 <Xr15-30> 한 금융애널리스트는 새로운 시장을 찾고 있으나 어떤 시장을 목표로 해야 하는지 확신하지 못하였다. 그는 더 많은 정보를 얻기 위해 베이비붐 세대(1946년~1964년생), X세대(1965년~1980년생), 밀레니얼 세대(1981년~1996년생)에 대한 서베이를 실시하였다. 각자에게 주식을 소유하고 있는지 물었다(예=1, 아니오=0). 그는 3세대 간에 주식소유에 차이가 있다고 추론할 수 있는가?

15.31 <Xr15-31> 과거 10년 동안 많은 흡연자들은 담배를 끊으려고 시도하였다. 불행하게도 니코틴은 매우 중독성이 강하다. 흡연자들은 담배 끊는 것을 돕기 위해 수많은 방법들을 사용한다. 이와 같은 방법에는 니코틴 패치, 최면, 다양한 형태의 치료요법이 포함되어 있다. Addiction Research Council의 한 연구원은 왜 일부 흡연자는 성공적으로 담배를 끊는 반면, 다른 흡연자는 담배를 끊으려고 하나 실패하는지 결정하기 원하였다. 그는 담배를 끊을 계획인 1,000명을 대상으로 서베이를 실시하였다. 그는 그들의 교육수준과 그들이 1년 후에도 흡연을 계속했는지 물었다. 교육수준은 다음과 같은 방식으로 기록되었다.

1=고등학교를 졸업하지 않았다.
2=고등학교 졸업
3=대학 또는 전문대학 졸업
4=대학원 학위 보유

계속적으로 담배를 피우는 사람은 1로, 담배를 끊은 사람은 2로 기록되었다. 흡연자의 교육수준이 담배를 끊을 것인지 결정하는 한 요인이라고 추론할 수 있는가?

15.32 <Xr15-32> 텔레비전 뉴스 시청자들의 연령이 높은 경향이 있고 연령이 높은 사람들은 다양한 병으로 고통을 받기 때문에, 제약회사 광고는 종종 3개 텔레비전방송국(ABC, CBS,

NBC)의 전국뉴스시간에 이루어진다. 이와 같은 광고가 얼마나 유효한가를 결정하기 위해 한 서베이가 이루어졌다. 50세 이상의 성인들에게 그들의 주요 뉴스원이 무엇인지에 대하여 질문하였다. 이 질문에 대한 응답은 다음과 같이 이루어졌다.

1. ABC 뉴스 2. CBS 뉴스 3. NBC 뉴스
4. 신문 5. 라디오 6. 기타

또한 각 사람에게 가슴앓이로 고통을 받는지 묻고 가슴앓이로 고통을 당한다면 어떤 치료를 받는지 물었다. 이에 대한 대답은 다음과 같이 기록되었다.

1. 가슴앓이로 고통을 받지 않고 있다.
2. 가슴앓이로 고통을 받고 있으나 치료를 받지 않고 있다.
3. 가슴앓이로 고통을 받고 있고 일반약(Tums, Gavoscol,... 등)을 복용한다.
4. 가슴앓이로 고통을 받고 있고 처방약(Nexim, ... 등)을 복용한다.

성인의 뉴스원과 가슴앓이 상태 간의 관계가 존재하는가?

15.33 <Xr02-44> (연습문제 2.44 참조) WLU 경영대학원의 부학장이 자신의 MBA 프로그램 지원자의 수준을 높이는 방법을 찾고 있었다. 특히 그녀는 지원자의 학부학위가 WLU와 MBA 프로그램을 가지고 있는 3개의 인근대학교 간에 다른지를 알기 원하였다. 그녀는 WLU MBA 프로그램 지원자 100명과 다른 3개 대학교 각각의 MBA 프로그램 지원자 100명씩을 표본으로 추출하였다. 그녀는 대학교 코드(1, 2, 3, 4)와 학부학위(1=BA, 2=BEng, 3=BBA, 4=기타)를 기록하였다. 이 데이터는 학부학위와 각 지원자가 지원하는 대학교 간의 관계가 존재한다고 추론할 수 있는 충분한 증거를 제공하는가?

15.34 <Xr15-34> 한 경영경제통계학 교과서 출판사는 시장을 면밀하게 분석한 후에 응용통계학을 가르치는 일반적인 방식에 의해 3개의 시장으로 나누었다. 3개의 시장은 (1) 직접 계산을 하지 않고 컴퓨터와 통계소프트웨어를 사용하는 시장, (2) 개념을 전통적인 방식으로 가르치고 직접 문제의 해를 구하는 시장, (3) 결과의 도출과 증명을 강조하면서 수학적으로 접근하는 시장이다. 이 출판사는 시장이 강사의 교육배경에 따라 분할될 수 있는지 알기 원하였다. 따라서 이 출판사의 통계학담당 편집인은 195명의 경영경제통계학 교수에게 강의하는 방식과 다음 중의 어느 것이 그들의 최고 학위를 나타내는지 보고하도록 요청하였다.

1. 경영학(MBA 또는 PhD)
2. 경제학
3. 수학 또는 공학
4. 기타

이 경영경제통계학 교과서 편집인은 3개의 강의방식 간에 교수의 학위종류가 다르다고 추론할 수 있는가? 만일 그렇다면, 이 편집인은 이 정보를 어떻게 사용할 수 있는가?

15.35 <Xr15-35> 한 골프공 제조업체의 경영자는 골프선수들이 사용하는 공의 브랜드를 어떻게 선택하는지에 대해 더 알기 원하였다. 특히 이 업체는 남녀 선수 간의 차이에 대해서도 궁금해 하였다. 남자 선수 200명과 여자 선수 200명의 임의표본을 추출하였다. 각자에게 어떤 브랜드의 골프공을 선호하는지 물었다(1=Callaway, 2=TaylorMade, 3=Titleist, 4=기타). 남자 선수와 여자 선수가 선호하는 브랜드가 다르다고 결론내릴 수 있는 충분한 증거가 존재하는가?

15.3 범주데이터에 대한 검정 요약

지금까지 데이터가 범주데이터일 때 사용되는 4개의 검정이 소개되었다. 이들 4개의 검정은 다음과 같다.

- p에 대한 z 검정(제12.3절)
- p_1-p_2에 대한 z 검정(제13.5절)
- 카이제곱 적합도 검정(제15.1절)
- 분할표 카이제곱검정(제15.2절)

이와 같은 기법들을 적용하는 과정에서 한 번에 한 가지 기법에 집중하고 각 기법이 다루는 문제의 종류에 초점을 맞추는 것이 필요하다. 이 절에서는 당신이 정확한 방법을 선택할 수 있도록 범주데이터에 관한 검정들을 요약한다.

데이터가 범주데이터일 때 사용되는 기법을 판별하는 두 가지의 중요한 요소가 있다. 물론 첫 번째 요소는 문제의 목적이다. 두 번째 요소는 범주변수가 가질 수 있는 범주의 수이다. 표 15.1은 정확한 기법을 선택하는 것을 돕기 위한 지침을 제공한다.

정확히 두 개의 범주를 가지고 있는 범주데이터의 모집단을 설명할 때 두 가지 기법 중 하나가 사용될 수 있다는 점에 주목하라. p에 대한 z 검정 또는 카이제곱 적합도 검정이 사용될 수 있다. 두 개의 범주만 존재하면, 다항실험은 실제로 이항실험(가능한 결과 중 하나는 성공으로 표시되고 다른 결과는 실패로 표시된다)이기 때문에 이와 같은 두 가지 검정은 동일하게 된다. 수리통계학자들은 p의 검정을 위한 검정통계량인 z의 값을 제곱하면 χ^2 통계량이 구해진다는 것을 증명하였다. 즉, $z^2=\chi^2$이다. 따라서 모비율에 대한 양측검정(two-tail test)을 수행하기 원하면 이 두 가지 기법 중 하나가 사용될 수 있다. 그러나 카이제곱 적합

표 15.1 범주데이터를 위한 통계기법

문제의 목적	범주의 수	통계기법
한 모집단을 대상으로 한다.	2	p에 대한 z 검정 또는 카이제곱 적합도 검정
한 모집단을 대상으로 한다.	2 초과	카이제곱 적합도 검정
두 모집단을 비교한다.	2	p_1-p_2에 대한 z 검정, 분할표 카이제곱검정
두 모집단을 비교한다.	2 초과	분할표 카이제곱검정
두 개 이상의 모집단을 비교한다.	2 이상	분할표 카이제곱검정
두 변수의 관계를 분석한다.	2 이상	분할표 카이제곱검정

도 검정은 p_1과 p_2가 사전에 규정된 값과 동일하지 않은지 결정하기 위해 사용될 수 있다. 따라서 모비율에 대한 단측검정(one-tail test)을 수행하기 위해서는 p에 대한 z 검정을 사용해야 한다. (이 문제는 제14장에서 논의되었다. 제14장에서 두 모평균이 다른지 결정하기 위한 검정을 수행하기 위해 $\mu_1 - \mu_2$에 대한 t 검정 또는 분산분석이 사용될 수 있다는 점이 지적되었다.)

두 가지 범주를 가지는 범주데이터로 구성된 두 모집단의 차이를 검정할 때도 $p_1 - p_2$에 대한 z 검정 또는 분할표 카이제곱검정 중 하나가 사용될 수 있다. $p_1 - p_2$에 대한 양측검정을 수행하기 위해서는 이 중에서 어느 하나의 기법이 사용될 수 있다. (z 검정의 값을 제곱하면 χ^2 통계량의 값이 구해진다.) 그러나 단측검정은 $p_1 - p_2$에 대한 z 검정에 의해 수행되어야 한다. 표 15.1의 나머지 부분도 매우 분명하다. 두 개 이상의 범주가 존재할 때 두 모집단을 비교하기 원하면 분할표 카이제곱검정이 사용되어야 한다는 점에 주목하라.

그림 15.4는 이 책에서 소개된 범주데이터를 다루는 검정들을 다른 방식으로 요약한 것이다. 검정들은 두 개의 그룹으로 나누어진다. 두 개의 그룹은 한 모집단에 관한 가설을 검정하는 검정들과 두 개 이상 모집단 간의 차이 또는 독립성을 검정하는 검정들이다. 첫 번째 그룹에서는 다항실험의 카이제곱검정으로 대체될 수 있는 p에 대한 z 검정이 존재한다. 범주가 두 개 이상일 때 카이제곱 적합도 검정이 사용된다.

두 모비율의 차이를 검정하기 위해서는 $p_1 - p_2$에 대한 z 검정이 적용된다. 그 대신 분할표 카이제곱검정이 다양한 다른 문제들에 적용될 수 있다.

이것이 두 모집단 비율 간의 차이에 관한 추론을 하기 위한 데이터 포맷과 어떻게 다른지 살펴보라. z 검정과 $p_1 - p_2$의 추정량을 계산하기 위해 데이터는 두 개의 열에 저장되어야 한다. 이 경우 첫 번째 열은 첫 번째 표본을 위한 코드들을 포함하고 두 번째 열은 두 번째 표본을 위한 코드들을 포함한다. 필요하다면 당신은 데이터를 쌓지 않는 형식으로 정리하여야 할 수도 있다.

그림 15.4 범주데이터에 대한 검정

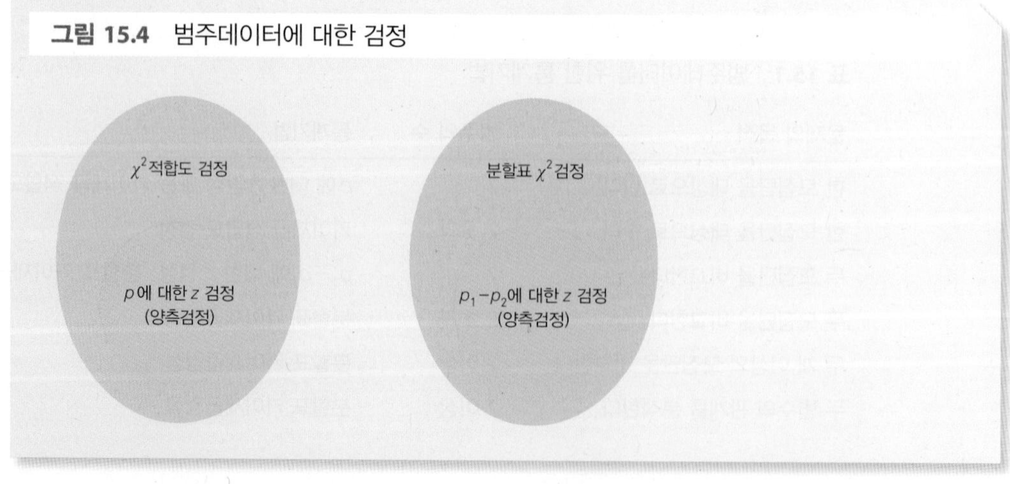

15.3a 통계개념의 이해를 심화시키기

표 15.1과 그림 15.4는 범주데이터를 다루는 방법을 요약하고 있다. 범주데이터의 경우 각 범주의 빈도가 계산되고 이와 같은 빈도들이 검정통계량을 계산하기 위해 사용된다. z 통계량을 계산하기 위해 비율이 계산되고 이와 같은 빈도들이 χ^2 통계량을 계산하기 위해 사용된다. 표준정규확률변수의 제곱은 카이제곱확률변수이기 때문에, 두 모집단의 차이에 대한 검정을 하기 위해 두 통계량 중 어느 하나가 사용될 수 있다. 따라서 이 책의 문제에서 범주데이터에 직면할 때 적정한 기법을 선택하는 가장 논리적인 출발점은 z 통계량 또는 χ^2 통계량 중 어느 하나일 것이다. 그러나 당신은 범주데이터에 적용될 수 있는 이 책에서 소개되지 않은 다른 기법들이 존재한다는 것을 알아야 한다.

15.4 정규분포에 대한 카이제곱검정

제15.1절에서 소개된 적합도 검정은 다른 방법으로 사용될 수 있다. 데이터가 어떤 확률분포로부터 추출되었는지 결정하기 위한 검정이 수행될 수 있다. 적합도 검정 기법은 정규분포에 대한 검정에서 가장 일반적으로 사용된다.

제15.1절에 있는 예제들과 연습문제들에서 귀무가설에 규정되어 있는 확률들은 질문으로부터 도출되었다. 예제 15.1에서 p_1, p_2, p_3는 광고활동 이전의 시장점유율이었다. 정규분포(또는 임의의 다른 확률분포)에 대한 검정을 하기 위해서는 확률들이 가정된 확률분포를 사용하면서 먼저 계산되어야 한다. 이와 같은 점을 예시하기 위해 Student t 분포를 사용하면서 폐기되는 신문의 평균 중량을 검정하였던 예제 12.1을 생각해보자. 이 기법의 필요조건은 데이터가 정규분포를 따라야 한다는 것이다. 표본에 포함되어 있는 148개의 관측치가 정규분포로부터 추출되었는지 결정하기 위해서 정규분포를 가정하면서 이론적 확률들이 계산되어야 한다. 이렇게 하기 위해 먼저 표본평균과 표본표준편차를 계산하여야 한다. $\bar{x}=2.18$이고 $s=.981$이다. 다음으로 임의의 구간들에 대한 확률을 계산한다. 예를 들면, 다음의 구간들에 대한 확률을 계산한다.

구간 1: $X \le .709$

구간 2: $.709 < X \le 1.69$

구간 3: $1.69 < X \le 2.67$

구간 4: $2.67 < X \le 3.65$

구간 5: $X > 3.65$

이와 같이 구간들을 선택한 이유에 대해서는 뒷부분에서 논의할 것이다.

정규분포와 μ와 σ의 추정량으로 각각 $\bar{x}=2.18$과 $s=.981$을 사용하면서 구간들에 대한 확률이 다음과 같이 계산된다.

$$P(X \le .709) = P\left(\frac{X-\mu}{\sigma} \le \frac{.709-2.18}{.981}\right) = P(Z \le -1.5) = .0668$$

$$P(.709 < X \le 1.69) = P\left(\frac{.709-2.18}{.981} < \frac{X-\mu}{\sigma} \le \frac{1.69-2.18}{.981}\right)$$

$$= P(-1.5 < Z \le -.5) = .2417$$

$$P(1.69 < X \le 2.67) = P\left(\frac{1.69-2.18}{.981} < \frac{X-\mu}{\sigma} \le \frac{2.67-2.18}{.981}\right)$$

$$= P(-.5 < Z \le .5) = .3829$$

$$P(2.67 < X \le 3.65) = P\left(\frac{2.67-2.18}{.981} < \frac{X-\mu}{\sigma} \le \frac{3.65-2.18}{.981}\right)$$

$$= P(.5 < Z \le 1.5) = .2417$$

$$P(X > 3.65) = P\left(\frac{X-\mu}{\sigma} > \frac{3.65-2.18}{.981}\right) = P(Z > 1.5) = .0668$$

정규분포에 대한 검정은 다음과 같은 가설을 검정하는 것이다.

H_0: $p_1=.0668$, $p_2=.2417$, $p_3=.3829$, $p_4=.2417$, $p_5=.0668$
H_1: 적어도 두 개의 비율이 규정된 값과 다르다.

카이제곱 통계량의 자유도는 (구간의 수−1−추정 모수의 수)라는 점을 제외하고 제 15.1절에서 했던 것처럼 검정이 이루어진다. (모평균 μ와 모표준편차 σ가 추정되었다.) 따라서 이 경우에 자유도는 5−1−2=2이다.

기대빈도들은 다음과 같다.

$$e_1 = np_1 = 148(.0668) = 9.89$$
$$e_2 = np_2 = 148(.2417) = 35.78$$
$$e_3 = np_3 = 148(.3829) = 56.67$$
$$e_4 = np_4 = 148(.2417) = 35.78$$
$$e_5 = np_5 = 148(.0668) = 9.89$$

관측빈도들은 각 구간에 속하는 관측치의 수를 세어서 결정된다. 따라서 관측빈도들은 다음과 같다.

$f_1 = 10$
$f_2 = 36$
$f_3 = 54$
$f_4 = 39$
$f_5 = 9$

카이제곱 통계량은 다음과 같이 계산된다.

$$\chi^2 = \sum_{i=1}^{k} \frac{(f_i - e_i)^2}{e_i} = \frac{(10 - 9.89)^2}{9.89} + \frac{(36 - 35.78)^2}{35.78} + \frac{(54 - 56.67)^2}{56.67} + \frac{(39 - 35.78)^2}{35.78} + \frac{(9 - 9.89)^2}{9.89} = .50$$

기각역은

$$\chi^2 > \chi^2_{\alpha,k-3} = \chi^2_{.05,2} = 5.99$$

이다. 이 데이터가 정규분포를 따르지 않는다고 결론지을 수 있는 충분한 증거가 존재하지 않는다.

Do It Yourself Excel

예제 12.1의 데이터가 정규분포로부터 추출되었는지에 대한 검정은 다음과 같이 수행될 수 있다.

	A	B	C	D
1	0.0668	9.89	10	0.001
2	0.2417	35.77	36	0.001
3	0.3829	56.67	54	0.126
4	0.2417	35.77	39	0.291
5	0.0668	9.89	9	0.079
6			**SUM**	**0.499**
7			**CHIDIST**	**0.7791**
8			**P-Value**	**0.2209**

지시사항

1. 열 A에 확률을 계산하라. 열 B에 기대빈도를 계산하기 위해 열 A의 확률과 표본크기를 곱하라. 열 C에 관측빈도를 입력하라.
2. 열 D의 행 1에 =((C1-B1)^2)/C1을 입력하라. 이것을 열 D 전체에 끌어내려라. 이렇게 계산된 값들의 합을 구하라. 이것이 검정통계량의 값이다.

3. 자유도가 2 (=k−1−데이터부터 추정되는 모수의 수=5−1−2)인 카이제곱 확률변수가 검정통계량의 값보다 클 확률을 계산하라. 셀 D7에 =CHISQ.DIST.RT(D6,2)를 입력하라. 이것이 검정의 p-값이다.

15.4a 계급구간

실제적으로 당신은 원하는 임의의 구간들을 사용할 수 있다. 여기서는 정규확률의 계산을 용이하게 하기 위한 구간들이 선택되었다. 구간의 수는 모든 기대빈도가 적어도 5 이상이어야 한다는 5의 법칙을 충족시키도록 선택되었다. 자유도는 $k-3$이기 때문에 구간의 최소 수는 $k=4$이다.

15.4b 정규분포에 대한 카이제곱검정결과의 해석

주어진 예에서 폐기되는 신문의 중량이 정규분포를 따르지 않는다는 결론을 내릴 수 있는 충분한 증거가 존재하지 않는다. 그러나 비정규분포의 증거가 발견되었다면, 이것이 반드시 예제 12.1에서 수행된 t 검정을 무효화시키는 것은 아니다. 제12장에서 지적한 것처럼, 모평균에 대한 t 검정은 강건성을 가지고 있는 기법이다. 이것은 분석되는 변수가 극심하게 비정규분포를 따르고 표본크기가 작을 때에만 t 검정의 결론은 의심스럽다는 것을 의미한다. 여기서 문제는 만일 표본크기가 크고 분석되는 변수가 정규분포로부터 약간 이탈한 것이면 정규분포에 대한 카이제곱검정은 많은 경우에 분석되는 변수는 정규분포를 따르지 않는다는 결론을 내린다. 그러나 만일 분석되는 변수가 상당한 정도 비정규분포를 따르더라도 표본크기가 크면, t 검정은 여전히 유효하다. 분석되는 변수가 정규분포를 따르지 않는지 알아야 할 필요가 있는 상황이 존재하지만, 구간데이터에 적용되는 거의 모든 통계기법의 필요조건인 정규분포조건이 충족되는지 결정하기 위한 방법은 히스토그램을 그리고, 종 모양으로부터 크게 이탈하는지 살펴보는 것이다. 이와 같은 방법은 구간데이터가 비정규분포를 따를 때 사용되는 비모수기법을 소개하는 제19장에서 활용된다.

연습문제

15.36 100개의 관측치로 구성된 임의표본이 한 모집단으로부터 추출되었다고 하자. 표본평균과 표본표준편차를 계산한 후에 각 관측치는 표준화되었고 다음의 각 구간에 속한 관측치의

수가 세어졌다. 이 데이터가 정규모집단으로부터 추출되지 않았다고 5%의 유의수준에서 추론할 수 있는가?

구간	빈도
$Z \le -1.5$	10
$-1.5 < Z \le -0.5$	18
$-0.5 < Z \le 0.5$	48
$0.5 < Z \le 1.5$	16
$Z > 1.5$	8

15.37 50개 관측치로 구성된 임의표본은 다음과 같은 표준화 구간들에 대한 빈도를 생성하였다.

구간	빈도
$Z \le -1$	6
$-1 < Z \le 0$	27
$0 < Z \le 1$	14
$Z > 1$	3

이 데이터는 정규분포를 따르지 않는다고 추론할 수 있는가? ($\alpha = .10$을 사용하라.)

다음의 연습문제들을 풀기 위해서는 컴퓨터와 소프트웨어를 사용하여야 한다. 1%의 유의수준을 사용하라.

15.38 <Xr12-31> 연습문제 12.31을 참조하라. 파트타임 일을 하는 시간이 정규분포를 따르지 않는지 결정하기 위한 검정을 하라. 만일 비정규분포의 증거가 존재하면, t 검정은 무효인가?

15.39 <Xr12-37> 연습문제 12.37의 t 검정은 처방비용이 정규분포를 따라야 한다는 조건을 요구한다. 필요조건이 충족되지 않는지 결정하기 위한 검정을 하라. 만일 필요조건이 충족되지 않는다고 결론을 내릴 수 있는 충분한 증거가 존재하면, 이것이 t 검정은 무효라는 것을 제시하는가?

15.40 <Xr13-23> 연습문제 13.23에서 당신은 두 모평균 차이에 대한 검정을 해야 한다. 이러한 검정을 위한 필요조건은 무엇이고 필요조건이 충족되지 않는다고 추론할 수 있는 충분한 증거가 존재하는가?

제 15.4절에서 정규분포에 대한 검정방법이 소개되었다. 그러나 동일한 과정이 임의의 다른 확률분포에 대한 검정을 수행하기 위해 사용될 수 있다. 간단히 검정대상이 되는 확률분포와 관련된 확률들을 계산하라. 이렇게 계산된 확률들이 귀무가설로 설정되고 기대빈도와 검정통계량을 계산하기 위해 사용된다.

15.41 <Xr15-41> 한 과학자는 아이의 성별이 남아일 확률이 0.5이고 여아일 확률이 0.5인 이항확률변수라고 믿는다. 이러한 믿음을 검정하기 위해, 이 과학자는 자녀가 5명인 200가족을 임의표본으로 추출하고 남아의 수를 기록하였다. 자녀가 5명인 가족에서 남아의 수는 p = 0.5인 이항확률변수가 아니라고 추론할 수 있는가? (힌트: n = 5와 p = 0.5인 이항분포를 사용하여 X = 0, 1, 2, 3, 4, 5의 확률을 구하라.)

15.42 X의 값과 관측빈도가 다음과 같이 관측되었다.

X	0	1	2	3
관측빈도	208	215	65	12

한 통계학자는 이 데이터가 이항분포로부터 생성되었다고 믿으나 모수 p의 값은 모른다.

a. 모수 p를 추정하기 위한 방법은 무엇인가?
b. 이 데이터가 이항분포로부터 생성되지 않았다고 추론할 수 있는 충분한 증거가 존재하는지 결정하기 위한 검정을 하라.

요약

이 장에서는 3가지의 통계기법이 소개되었다. 첫 번째 기법은 두 개 이상의 범주를 가진 범주데이터로 구성된 한 모집단의 특성을 나타내기 위해 적용되는 **카이제곱 적합도 검정**(chi-squared goodness-of-fit test)이다. 두 번째 기법은 **분할표 카이제곱검정**(chi-squared test of a contingency table)이다. 이 검정은 두 범주변수의 관계를 분석하거나 범주데이터로 구성된 두 개 이상의 모집단을 비교하기 위해 사용된다. 마지막 기법은 **정규분포에 대한 검정**(test for normality)이다.

주요 용어

관측빈도(observed frequency)
교차분류표(cross-classification table)
기대빈도(expected frequency)
다항실험(multinomial experiment)
분할표(contingency table)
분할표 카이제곱검정(chi-squared test of a contingency table)
카이제곱 적합도 검정(chi-squared goodness-of-fit test)

주요 기호

기호	발음	의미
f_i	f-sub-i	i번째 범주의 빈도
e_i	e-sub-i	i번째 범주의 기대빈도
χ^2	Chi-squared	검정통계량

주요공식

검정통계량의 공식

$$\chi^2 = \sum_{i=1}^{k} \frac{(f_i - e_i)^2}{e_i}$$

연습문제

5%의 유의수준을 사용하라.

15.43 종업원의 결근은 미국회사들에게 연간 1,000억 달러 이상의 비용을 발생시키는 것으로 추정되었다. 종업원의 결근에 따른 비용이 증가하는 문제를 다루기 위한 첫 단계로 한 대기업의 인사부서는 362명의 결근자 표본에 속한 개인들이 과거 수개월 동안 결근한 주중 일수를 기록하였다. 이 데이터는 결근이 주중의 다른 요일보다 특정 요일에 더 많다고 제시하는가?

요일	월요일	화요일	수요일	목요일	금요일
결근자 수	87	62	71	68	74

15.44 연습문제 15.43에서 인사부서는 다음의 표에서 보는 것처럼 결근자들이 근무했던 근무조에 따라 결근자들을 분류하면서 조사를 계속했다고 하자. 종업원이 결근하는 요일과 종업원이 일하는 근무조의 관계가 있다는 충분한 증거가 존재하는가?

요일	월요일	화요일	수요일	목요일	금요일
낮	52	28	37	31	33
저녁	35	34	34	37	41

15.45 한 경영행동분석가는 작업현장의 남성/여성 감독구조와 종업원의 직무만족수준의 관계를 연구하였다. 최근의 서베이 결과가 다음의 표에 제시되어 있다. 직무만족수준은 책임자/종업원 성별관계에 의해 결정된다고 추론할 수 있는 충분한 증거가 존재하는가?

	책임자/종업원			
직무만족 수준	여성/남성	여성/남성	남성/남성	남성/여성
만족	21	25	54	71
중립	39	49	50	38
불만족	31	48	10	11

다음의 연습문제들을 풀기 위해서는 컴퓨터와 소프트웨어를 사용하여야 한다. 표본통계량이 필요하면 부록 A를 참조하라. 5%의 유의수준을 사용하라.

15.46 <Xr15-46> 스트레스는 기업과 정부가 연간 수십억 달러의 비용을 지불해야 하는 심각한 질병이다. 따라서 스트레스의 원인을 알아내고 가능한 치유법을 결정하는 것이 중요하다. 스트레스의 원인이 일반적인지 국가마다 다른지 아는 것이 도움이 될 것이다. 한 서베이에서 미국과 캐나다 성인들에게 그들의 삶에서 스트레스의 주요 원인은 무엇인지 보고하도록 요청하였다. 이에 대한 응답은 다음과 같은 범주로 정리되었다.

1. 일 2. 재무 3. 건강 4. 가족 5. 기타

데이터는 스트레스 원천 코드와 1=미국인, 2=캐나다인 코드를 사용하면서 기록되었다. 이 데이터는 미국인과 캐나다인 간에 스트레스 원인이 다르다고 결론지을 수 있는 충분한 증거를 제시하는가?

15.47 <Xr15-47> 3,000명 이상의 미국인이 매일 담배를 끊는다. 니코틴은 가장 중독성이 있는 약 중의 하나이기 때문에 담배를 끊는 일은 어렵고 좌절을 겪는 일이다. 일반적으로 담배를 끊는 일에 성공하기 전에 갑자기 담배 피우는 것을 중지하기, 니코틴 패치, 최면, 그룹치료모임을 포함하여 담배를 끊기 위한 여러 가지의 시도가 이루어진다. 이와 같은 방법들이 어떻게 다른가를 결정하기 위한 실험에서, 담배를 끊기로 결정한 흡연자들로 구성된 임의표본이 선택되었다. 각 흡연자는 위에서 언급한 방법들 중의 하나를 선택하였다. 1년 후에 응답자들은 담배를 끊었는지(1=예, 2=아니오)와 어느 방법을 사용했는지(1=갑자기 중단, 2=니코틴 패치, 3=최면, 4=그룹치료모임)를 보고하였다. 담배를 끊는 데 4가지 방법이 다르다고 결론내릴 수 있는 충분한 증거가 존재하는가?

15.48 <Xr15-48> 신문시장의 특성을 정확히 파악하려고 하는 한 신문발행인은 신문을 읽는 방식이 독자의 교육수준과 관련되어 있는지 궁금하게 여겼다. 한 서베이에서 성인 독자들에게 신문의 어느 섹션을 먼저 읽는지 묻는 동시에 그들의 최종 교육수준을 보고하도록 요청하였다. 이와 같은 데이터가 기록되었다(열 1=먼저 읽는 신문의 섹션; 1=전면, 2=스포츠, 3

=사설, 4=기타; 열 2=교육수준; 1=고등학교를 졸업하지 않았다, 2=고등학교 졸업, 3=대학 또는 전문대학 졸업, 4=대학원 학위자). 이 데이터는 교육수준이 신문을 읽는 방식에 영향을 주는지에 관하여 이 신문편집인에게 무엇을 말해 주는가?

15.49 <Xr15-49> 매주 Florida Lottery는 1과 49 사이에서 6개의 숫자를 뽑는다. 복권티켓구매자는 자연히 어떤 숫자들이 다른 숫자들보다 더 자주 뽑히는지에 관심을 가진다. 복권구매자들을 돕기 위해 *Sun-Sentinel*은 과거 52주 동안에 49개 숫자 중 각 숫자가 뽑힌 수를 게재하였다. 숫자와 뽑힌 수가 기록되었다.

a. 만일 숫자들이 일양분포로부터 추출된다면, 각 숫자의 기대빈도는 얼마인가?

b. 이 데이터가 일양분포로부터 생성되지 않았다고 추론할 수 있는가?

15.50 <Xr15-50> 의료비용이 높기 때문에 질병을 피하는 방법을 찾고자 하는 연구가 환영받는다. 예전에 수행된 연구는 스트레스가 면역시스템에 영향을 미친다는 것을 말해준다. Pittsburgh에 있는 Carnegie Mellon Hospital의 두 과학자는 114명의 건강한 성인에게 그들의 사교범위에 대하여 물었다. 그들에게 적어도 2주에 한 번 접촉한 모든 그룹, 즉 가족, 동료, 이웃, 친구, 종교 그룹, 지역사회 그룹을 열거하도록 물었다. 응답자들은 또한 지난해 동안 겪은 좋지 않은 일, 예를 들면 친구 또는 친척의 죽음, 이혼, 직장관련 문제를 보고하였다. 응답자들은 4개의 그룹으로 분류되었다.

그룹 1: 매우 사교적이고 스트레스가 높다.
그룹 2: 매우 사교적이지 못하고 스트레스가 높다.
그룹 3: 매우 사교적이고 스트레스가 높지 않다.
그룹 4: 매우 사교적이지 못하고 스트레스가 높지 않다.

이에 더하여 각 사람이 다음 12주 동안에 감기에 걸렸는지가 기록되었다(1=감기에 걸림, 2=감기에 걸리지 않음). 감기 걸리는 일이 4개의 그룹 간에 차이가 존재한다고 추론할 수 있는가?

다음의 연습문제들은 이 책의 앞에서 살펴본 예제들과 연습문제들과 관련된 데이터 파일들을 사용한다.

15.51 <Xr12-84+> 연습문제 12.84는 65세 이전에 은퇴하기를 원하는 교수들 때문에 더욱 악화될 가능성이 있는 교수의 급격한 부족에 대한 문제를 설명하였다. 한 서베이에서 임의표본으로 추출된 교수들에게 65세 이전에 은퇴하려고 하는지 물었다. 응답은 "아니오" (1)와 "예" (2)이다. 이에 더하여 이 서베이에서 교수가 속한 전공분야(1=인문, 2=과학, 3=경영, 4=공학, 5=기타)를 물었다. 이 데이터는 교수가 65세 이전에 은퇴하기를 원하는가와 그가 속한 전공은 관련되어 있다고 추론할 수 있는 충분한 증거를 제공하는가?

15.52 <Xr12-87+> 연습문제 12.87을 참조하라. 응답자들에게 실제 나무(1) 또는 인공 나무(2)를 원하는지 물었다. 또한 연령 범주(1=18세~39세, 2=40세~64세, 3=65세 이상)도 기록되었다. 3개 연령 범주 간에 크리스마스트리를 선택하는 데 차이가 있다고 추론할 수 있는 충분한 증거가 존재하는가?

15.53 <Xm12-05+> 예제 12.5는 투표자에게 민주당 대통령 후보와 공화당 대통령 후보 중 어느 후보를 지지하였는지 묻는 출구여론조사를 설명하였다. 또한 서베이 수행자들은 성별(1=여성, 2=남성), 교육수준(1=고등학교를 졸업하지 않았다, 2=고등학교 졸업, 3=전문대학 또는 대학 졸업, 4=대학원 학위), 소득수준(1=25,000달러 미만, 2=25,000달러 이상~50,000달러 미만, 3=50,000달러 이상~75,000달러 미만, 4=75,000달러 이상)을

기록하였다.

a. 투표와 성별이 관련되어 있다고 추론할 수 있는 충분한 증거가 존재하는가?

b. 이 데이터로부터 투표와 교육수준이 관련되어 있다고 결론지을 수 있는가?

c. 투표와 소득수준은 관련되어 있다고 추론할 수 있는가?

15.54 <Xr13-94+> 연습문제 13.94는 성인을 대상으로 실시한 서베이를 설명하였다. 이 서베이에 포함되어 있는 여러 가지 심층적인 질문들에 기초하여 각 성인이 건강의식이 있는 그룹(코드=1) 또는 건강의식이 없는 그룹(코드=2)에 속하는지와 Special X를 구매하였는지(1=아니오, 2=예)에 의해 분류되었다. 이에 더하여 각 성인의 교육수준(1=고등학교를 졸업하지 않았다, 2=고등학교 졸업, 3=전문대학 또는 대학 졸업, 4=대학원 학위)이 기록되었다.

a. 이 데이터로부터 건강의식이 있는 그룹과 건강의식이 없는 그룹 간에 교육수준의 차이가 있다고 결론지을 수 있는가?

b. 4개의 교육수준 그룹과 Special X의 구매여부 간의 관계가 존재한다고 추론할 수 있는가?

15.55 <Xr12-88+> 연습문제 12.88은 텔레비전방송국 뉴스의 50세 이상 시청자들이 뉴스시간대에 광고되는 처방약 중 하나에 관하여 의사들에게 물어보는지 알아보기 위한 한 연구를 설명하였다. 이에 대한 응답(1=아니오, 2=예)이 기록되었다. 또한 그들이 통상 3개의 텔레비전방송국(1=ABC, 2=CBS, 3=NBC) 중에서 어느 방송국을 시청하는지도 기록되었다. 3개의 텔레비전방송국 간에 응답의 차이가 존재한다고 결론지을 수 있는가?

마케팅분야의 통계학 응용

Pressmaster/Shutterstock.com

시장분할

제12.4절, 제13장, 제14장에서 마케팅 담당자가 분할시장의 크기를 추정하고 분할시장들 간에 차이가 존재하는지 결정하기 위해 통계분석을 어떻게 사용하는지 설명하였다.

다음의 연습문제들에서 주어진 범주변수와 관련하여 분할시장들이 다른지를 결정하기 위해 분할표 카이제곱검정을 사용하라.

15.56 <Xr12-93+> 연습문제 12.93은 JC Penney에 의해 정의된 시장분할을 설명하였다. 서베이 대상이었던 여성들을 분류하였던 질문지에서 각 여성이 집 밖에서 일하는지 물었다. 이에 대한 응답은 다음과 같았다.

1. 아니오
2. 파트타임 일
3. 풀타임 일

이 데이터와 분할시장(1=보수적인 시장, 2=전통적인 시장, 3=현대적인 시장)이 기록되었다. 이 데이터로부터 3개의 분할시장 간에 고용상태에 차이가 존재한다고 추론할 수 있는가?

15.57 <Xr12-93+> 연습문제 12.93을 참조하라. 또한 서베이 대상인 여성들에게 가치를 정의하기 위해 무엇을 가장 가치 있는 특성으로 여기는지 물었다. 응답은 다음과 같다.

1. 가격
2. 품질
3. 패션

이와 같은 응답들과 분할시장(1=보수적인 시장, 2=전통적인 시장, 3=현대적인 시장)이 기록되었다. 이 데이터로부터 3개의 분할시장 간에 가치의 정의에 차이가 존재한다고 추론할 수 있는가?

15.58 <Xm12-06> 예제 12.6을 참조하라. 한 식품회사는 아침 시리얼 시장을 분할하는 데 분할변수로 건강과 다이어트 의식을 사용한다. 아침 시리얼 시장이 4개의 분할시장으로 분류되었다.

1. 건강식품을 먹는 데 관심을 가진다.
2. 주로 몸무게에 대하여 관심을 가진다.
3. 질병 때문에 건강에 관심을 가진다.
4. 관심없다.

한 서베이가 시행되었고 각 사람에게 얼마나 자주 건강한 아침식사(시리얼과 (또는) 과일)를 하는지 물었다. 이에 대한 응답은 다음과 같다.

1. 결코 하지 않는다.
2. 가끔 한다.
3. 종종 한다.
4. 항상 한다.

각 응답자의 응답과 분할시장이 기록되었다. 분할시장들 간에 건강한 아침식사 빈도에 차이가 존재한다고 추론할 수 있는가?

AshDesign/Shutterstock.com

16 단순선형회귀분석과 상관관계분석

Simple Linear Regression and Correlation

이 장의 구성

16.1 모형

16.2 회귀계수의 추정

16.3 오차변수의 필요조건

16.4 선형회귀모형의 평가

16.5 선형회귀모형의 활용

16.6 회귀모형의 진단 1

General Social Survey

교육년수와 소득은 어떻게 관련되어 있는가?

☞ (709페이지에 모범답안이 제시되어 있다.)

DATA GSS2018

당신은 아마도 경영학이나 경제학을 공부하는 학부 학생일 것이다. 당신의 계획은 졸업을 하고 좋은 일자리를 얻어서 높은 연봉을 받는 것이다. 당신은 아마도 더 많이 교육을 받으면 더 좋은 일자리를 구할 수 있고 더 높은 연봉을 받을 것이라고 가정했을 것이다. 이러한 가정이 맞는가? 다행스럽게도 General Social Survey는 교육수준과 소득이 관련되어 있는지와 만일 교육년수와 소득이 관련되어 있다면, 추가적인 1년의 교육의 가치는 얼마인지 결정하는 데 도움을 주는 두 변수(교육년수(EDUC)와 소득(RINCOME))를 기록하였다.

Jupiterimages/Comstock Images/Getty Images

서론

회귀분석(regression analysis)은 다른 변수들에 기초하여 한 변수의 값을 예측하기 위해 사용된다. 당신이 쉽게 이해할 수 있는 것처럼, 거의 모든 회사들과 정부기관들은 제품 수요, 이자율, 인플레이션율, 원자재 가격, 노동비용과 같은 변수들을 예측하기 때문에 이와 같은 통계기법이 가장 일반적으로 사용될 수 있다.

이 통계기법에는 **종속변수**(dependent variable)라고 부르는 예측되는 변수와 통계전문가들이 종속변수와 관련되어 있다고 믿는 변수들의 관계를 나타내는 수학적 모형을 개발하는 일이 포함되어 있다. 종속변수는 Y로 표시되는 반면, 관련되는 변수는 **독립변수**(independent variable)라고 부르며 $X_1, X_2, . . . , X_k$(k는 독립변수의 수이다)로 표시된다.

만일 두 변수 간의 관계가 존재하는지 결정하는 데에만 관심을 가지고 있다면, 이미 소개된 통계기법인 상관분석이 사용될 수 있다. 제3장에서는 두 구간변수 간의 관계를 나타내기 위한 그래프 기법인 산포도가 제시되었다. 제4장에서는 상관계수와 공분산이 소개되었다.

회귀분석은 많은 새로운 통계기법들과 개념들을 포함하고 있기 때문에, 이에 대한 논의를 3개의 장으로 나누어 전개한다. 이 장에서는 두 변수 간의 관계를 결정할 수 있는 통계기법이 제시된다. 제17장에서는 두 개 이상의 독립변수들과 종속변수 간의 관계로 논의가 확장된다. 제18장에서는 회귀모형이 어떻게 정형화되는지가 논의된다.

회귀분석이 사용되는 3가지의 예를 살펴보자.

예 1: 한 특정한 아동용 아침식사 시리얼 브랜드를 책임지고 있는 제품관리자는 내년 동안 이 시리얼의 수요를 예측하기 원한다. 그녀와 그녀의 직원들은 회귀분석을 사용하기 위해 이 시리얼의 매출액에 영향을 미칠 수 있는 다음과 같은 변수들을 정리하였다.

- 제품의 가격
- 5세~12세 아동의 수(목표시장)
- 경쟁회사 제품들의 가격
- 광고의 효과(광고 노출도)
- 금년도 연간 매출액
- 과거 연도들의 연간 매출액

예 2: 한 금 투기자는 금의 대량 구매를 고려하고 있다. 그는 회귀분석을 사용하면서 지금부터 2년 후(계획기간) 금 가격을 예측하기 원한다. 그는 회귀분석을 준비하면서 다음과 같은 독립변수 리스트를 정리하였다.

- 이자율
- 인플레이션율
- 석유가격
- 보석용 금에 대한 수요
- 산업용 및 상업용 금에 대한 수요

- 다우존스산업평균지수(Dow Jones Industrial Average)

예 3: 한 부동산 업자는 주택의 판매가격을 더 정확하게 예측하기 원한다. 그녀는 다음의 변수들이 주택가격에 영향을 미친다고 믿는다.

- 주택의 크기
- 침실의 수
- 주택의 전면
- 주택의 상태
- 주택의 위치

이와 같은 예들 각각에서 회귀분석을 사용하는 중요한 목적은 예측이다. 그럼에도 불구하고 변수들 간의 관계를 분석하는 것은 경영의사결정에서 매우 유용할 수 있다. 예를 들면, 첫 번째 예에서 제품관리자는 가격의 가능한 변화에 관한 의사결정이 이루어질 수 있도록 가격이 제품수요에 어떻게 관련되어 있는지 알기 원할 수 있다.

회귀분석이 왜 수행되느냐에 관계없이, 회귀분석의 다음 단계는 종속변수와 독립변수들 간에 존재하는 관계를 정확하게 나타내는 수학식 또는 모형을 개발하는 것이다. 이 단계는 다음 절에서 설명된다. 이 장과 제17장의 계속되는 절들에서 모형이 얼마나 실제의 데이터를 적합하게 나타내느냐 평가하고 검정하는 데 상당한 시간을 보낼 것이다. 추정된 회귀모형이 만족스러울 때에만 종속변수의 값을 추정하고 예측하기 위해 이 모형을 사용할 수 있다.

16.1 모형

종속변수와 독립변수들 간의 관계를 나타내는 수학식을 개발하는 일은 매우 복잡할 수 있다. 왜냐하면 종속변수와 각 독립변수의 관계에 대한 특성에 관하여 어느 정도의 이해가 필요하기 때문이다. 제안될 수 있는 수학적 모형의 수는 실제로 무한개일 수 있다. 제4장에서는 다음과 같은 관계가 제시되었다.

이윤=(단위가격－단위변동비용)×판매단위 수－고정비용

당신은 재무분야에서 다음과 같은 관계를 만날 수 있다.

$F=P(1+i)^n$, F=투자의 미래가치,
P=원금 또는 현재가치, i=기간당 이자율, n=기간 수

이와 같은 모형들은 모두 **확정적 모형**(deterministic model)의 예이다. 이와 같은 이름은 독립변수들의 값으로부터 식의 왼쪽에 있는 종속변수의 값이 결정될 수 있기 때문에 붙여졌다. 우리가 관심을 가지고 있는 많은 실제적인 적용에서 확정적 모형은 비현실적이다. 예를 들면, 주택의 크기에만 기초하여 주택의 판매가격을 결정할 수 있다고 믿는 것이 합리적인가? 의심할 여지 없이 주택의 크기는 주택의 가격에 영향을 미치지만 많은 다른 변수들(이 중에서 일부 변수들은 측정할 수 없다)도 주택가격에 영향을 미친다. 대부분의 실제 모형에서 포함되어야 하는 것은 현실적인 상황의 한 부분을 구성하고 있는 임의성(randomness)이다. 이와 같은 임의성을 포함하고 있는 모형은 **확률적 모형**(probabilistic model)이라고 부른다.

확률적 모형을 만들기 위해, 모형화하기 원하는 관계를 근사적으로 나타내는 확정적 모형으로부터 시작해보자. 이어서 이와 같은 확정적 모형에 확정적 요소의 임의오차(random error)를 측정하는 항을 첨가한다.

예 3에서 부동산업자가 새로운 주택을 짓는 비용이 ft^2당 약 100달러이고 대부분의 토지가 약 100,000달러에 판매된다는 것을 알고 있다고 하자. 이에 따라 주택의 판매가격은 근사적으로 다음과 같은 식으로 나타낼 수 있을 것이다.

$$y = 100,000 + 100x$$

y =주택의 판매가격이고, $x = \text{ft}^2$ 기준으로 나타낸 주택의 크기이다. 따라서 2,000 ft^2 주택의 판매가격은 다음과 같이 300,000달러로 추정된다.

$$y = 100,000 + 100(2,000) = 300,000$$

그러나 주택의 판매가격이 정확히 300,000달러일 가능성은 거의 없다. 주택의 판매가격은 실제로 200,000달러~400,000달러의 범위에 속할 수 있다. 달리 말하면, 확정적 모형은 실제로 적정하지 않다. 이와 같은 상황을 적절하게 나타내기 위해서는 다음과 같은 확률적 모형이 사용되어야 한다.

$$y = 100,000 + 100x + \varepsilon$$

ε(그리스 문자 *epsilon*)은 **오차변수**(error variable)[**임의항**(random term) 또는 **오차항**(error term)이라고도 부름]를 나타낸다. 오차변수는 실제의 주택가격과 주택크기에 기초하여 계산된 추정가격의 차이를 나타낸다. 따라서 오차변수는 확정적 모형에 포함되지 않은 측정 가능하거나 측정 불가능한 모든 변수들의 영향을 나타낸다. ε의 값은 x가 일정하더라도 주택마다 다르다. 즉, 정확히 동일한 크기의 주택들도 위치의 차이, 침실과 화장실의 수, 기타 변수

들의 차이 때문에 다른 가격에 판매된다.

회귀분석에 관한 3개의 장에서는 확률적 모형만이 사용된다. 이 장에서는 한 개의 독립변수를 가지고 있는 직선모형만이 논의된다. 이와 같은 모형은 **일차식 선형모형**(first-order linear model) 또는 **단순선형회귀모형**(simple linear regression model)이라고 부른다.*

> **단순선형회귀모형**
>
> $y = \beta_0 + \beta_1 x + \varepsilon$
>
> y = 종속변수
>
> x = 독립변수
>
> β_0 = y-절편
>
> β_1 = 직선의 기울기
>
> ε = 오차변수

단순선형회귀모형을 사용하여 다루고자 하는 문제의 목적은 구간데이터를 가지는 두 변수 x와 y의 관계를 분석하는 것이다. x와 y의 관계를 정의하기 위해 회귀계수 β_0와 β_1의 값을 알아야 한다. 그러나 회귀계수 β_0와 β_1은 모수이고 거의 언제나 알려져 있지 않다. 다음 절에서는 이와 같은 모수들이 어떻게 추정되는지에 대한 논의가 이루어진다.

16.2 회귀계수의 추정

모수 β_0와 β_1은 이 책에서 모든 다른 모수를 추정하기 위해 사용된 방법과 유사한 방법으로 추정된다. 관심대상이 되는 모집단으로부터 임의표본이 추출되고 필요한 표본통계량이 계산된다. 그러나 β_0와 β_1은 직선의 계수들이기 때문에, β_0와 β_1의 추정량들은 표본데이터를 통과하는 직선에 기초하여 구해진다. 이 직선은 표본데이터 점들에 가장 가깝다는 점에서 "최량"(best)의 직선이다. 이러한 최량의 직선은 **최소자승선**(least squares line)이라고 부르며 미적분을 사용하여 도출된다. 다음의 식이 이러한 직선을 나타낸다고 하자.

$$\hat{y} = b_0 + b_1 x$$

---

* **선형**(linear)이라는 용어는 두 가지 방식으로 사용된다. 선형회귀(linear regression)에서 "선형"이라는 용어는 모형의 형태를 지칭한다. 이 모형의 형태에서 항들은 회귀계수 β_0와 β_1의 선형결합(linear combination)을 구성한다. 따라서 예를 들면, 모형 $y = \beta_0 + \beta_1 x^2 + \varepsilon$은 회귀계수들의 선형결합인 반면, $y = \beta_0 + \beta_1^2 x + \varepsilon$은 회귀계수들의 선형결합이 아니다. 단순선형회귀모형 $y = \beta_0 + \beta_1 x + \varepsilon$은 종속변수와 한 개의 독립변수 간의 직선관계 또는 선형관계를 나타낸다. 이 책에서는 선형회귀기법만을 사용한다. 따라서 이 책에서 **선형**(linear)이라는 용어를 사용할 때 이것은 변수들 간의 직선관계를 나타낸다.

b_0는 y-절편이고, b_1은 기울기이며 $\hat{y}$은 y의 예측치이다. 제4장에서 표본의 점과 직선 간의 차이를 제곱하여 합한 값을 최소화하는 직선을 구하는 **최소자승법**(least squares method)이 소개되었다. 즉, b_0와 b_1은

$$\sum_{i=1}^{n}(y_i - \hat{y}_i)^2$$

이 최소화되도록 계산된다. 달리 말하면, $\hat{y}$의 값들은 평균적으로 y의 관측값들에 가장 가깝다. b_0와 b_1은 제4장에서 제시되었던 것과 동일하게 다음과 같은 공식에 의해 계산된다. 미적분을 사용하여 이러한 공식이 어떻게 도출되는지는 [참고] 부분을 참조하기 바란다.

최소자승선의 계수

$$b_1 = \frac{s_{xy}}{s_x^2}$$

$$b_0 = \bar{y} - b_1\bar{x}$$

$$s_{xy} = \frac{\sum_{i=1}^{n}(x_i - \bar{x})(y_i - \bar{y})}{n-1}$$

$$s_x^2 = \frac{\sum_{i=1}^{n}(x_i - \bar{x})^2}{n-1}$$

$$\bar{x} = \frac{\sum_{i=1}^{n}x_i}{n}$$

$$\bar{y} = \frac{\sum_{i=1}^{n}y_i}{n}$$

참고

최소자승선의 계수 b_0와 b_1을 구하기 위해서는 $\sum_{i=1}^{n}(y_i - \hat{y}_i)^2 = \sum_{i=1}^{n}(y_i - b_0 - b_1x_i)^2$을 b_0와 b_1에 대하여 각각 편미분하고 이 값을 0으로 놓은 다음과 같은 식을 구한다.

$$\sum_{i=1}^{n}y_i = nb_0 + b_1\sum_{i=1}^{n}x_i$$

$$\sum_{i=1}^{n}x_iy_i = b_0\sum_{i=1}^{n}x_i + b_1\sum_{i=1}^{n}x_i^2$$

이와 같은 두 연립방정식을 풀면 최소자승선의 계수 b_0와 b_1이 다음과 같이 구해진다.

$$b_1 = \frac{n\sum_{i=1}^{n} x_i y_i - \sum_{i=1}^{n} x_i \sum_{i=1}^{n} y_i}{n\sum_{i=1}^{n} x_i^2 - (\sum_{i=1}^{n} x_i)^2} = \frac{\sum_{i=1}^{n} x_i y_i - n\bar{x}\bar{y}}{\sum_{i=1}^{n} x_i^2 - n\bar{x}^2} = \frac{s_{xy}}{s_x^2}$$

$$b_0 = \bar{y} - b_1 x$$

제4장에서는 표본분산과 표본공분산을 계산하기 위한 간편공식이 제시되었다. 이 식들을 사용하면 최소자승선의 기울기계수를 직접 계산할 수 있는 간편한 방법이 다음과 같이 도출된다.

b_1을 계산하기 위한 간편공식

$$b_1 = \frac{s_{xy}}{s_x^2}$$

$$s_{xy} = \frac{1}{n-1}\left[\sum_{i=1}^{n} x_i y_i - \frac{\sum_{i=1}^{n} x_i \sum_{i=1}^{n} y_i}{n}\right]$$

$$s_x^2 = \frac{1}{n-1}\left[\sum_{i=1}^{n} x_i^2 - \frac{\left(\sum_{i=1}^{n} x_i\right)^2}{n}\right]$$

통계학자들은 b_0와 b_1은 각각 β_0와 β_1의 불편추정량이라는 것을 증명하였다.

b_0와 b_1을 구하기 위한 계산은 간단하지만, 이러한 작업은 시간이 걸리는 일이기 때문에 최소자승선(회귀선)을 직접 계산하지는 않는다. 그러나 예제 16.1을 통하여 표본크기가 매우 적은 표본을 대상으로 직접 계산하는 과정을 예시해보기로 하자.

예제 16.1 근무년수와 연간 보너스는 어떻게 관련되어 있는가?

DATA Xm16-01

임의로 선택된 6명의 종업원에게 지불된 연간 보너스(1,000달러 기준)와 그들의 근무년수가 다음과 같이 정리되어 있다. 이 두 변수의 직선관계를 분석하라.

근무년수, *x*	1	2	3	4	5	6
연간 보너스, *y*	6	1	9	5	17	12

해답 간편공식을 사용하기 위해 4개의 합계를 계산할 필요가 있다. 계산기를 이용하여 4개의 합계를 계산하면 다음과 같다.

$$\sum_{i=1}^{n} x_i = 21$$

$$\sum_{i=1} y_i = 50$$

$$\sum_{i=1} x_i y_i = 212$$

$$\sum_{i=1} x_i^2 = 91$$

x와 y의 표본공분산과 x의 표본분산은 각각 다음과 같이 계산된다.

$$s_{xy} = \frac{1}{n-1}\left[\sum_{i=1}^{n} x_i y_i - \frac{\sum_{i=1}^{n} x_i \sum_{i=1}^{n} y_i}{n}\right] = \frac{1}{6-1}\left[212 - \frac{(21)(50)}{6}\right] = 7.4$$

$$s_x^2 = \frac{1}{n-1}\left[\sum_{i=1}^{n} x_i^2 - \frac{\left(\sum_{i=1}^{n} x_i\right)^2}{n}\right] = \frac{1}{6-1}\left[91 - \frac{(21)^2}{6}\right] = 3.5$$

표본기울기계수는 다음과 같이 계산된다.

$$b_1 = \frac{s_{xy}}{s_x^2} = \frac{7.4}{3.5} = 2.114$$

y-절편은 다음과 같이 계산된다.

$$\bar{x} = \frac{\sum x_i}{n} = \frac{21}{6} = 3.5$$

$$\bar{y} = \frac{\sum y_i}{n} = \frac{50}{6} = 8.333$$

$$b_0 = \bar{y} - b_1\bar{x} = 8.333 - (2.114)(3.5) = .934$$

따라서 최소자승선은 다음과 같이 추정된다.

$$\hat{y} = .934 + 2.114x$$

그림 16.1은 추정된 최소자승선을 그린 것이다. 당신이 보는 것처럼, 최소자승선은 데이터를 비교적 잘 추정한다. 최소편차제곱합(minimized sum of squared deviations)의 값을 계산해봄으로써 최소자승선이 데이터를 얼마나 잘 추정하는지 측정할 수 있다. 실제 데이터 포인트와 최소자승선 간의 편차는 **잔차**(residual)라고 부르며 e_i로 표시된다. 즉,

그림 16.1 예제 16.1의 산포도와 최소자승선

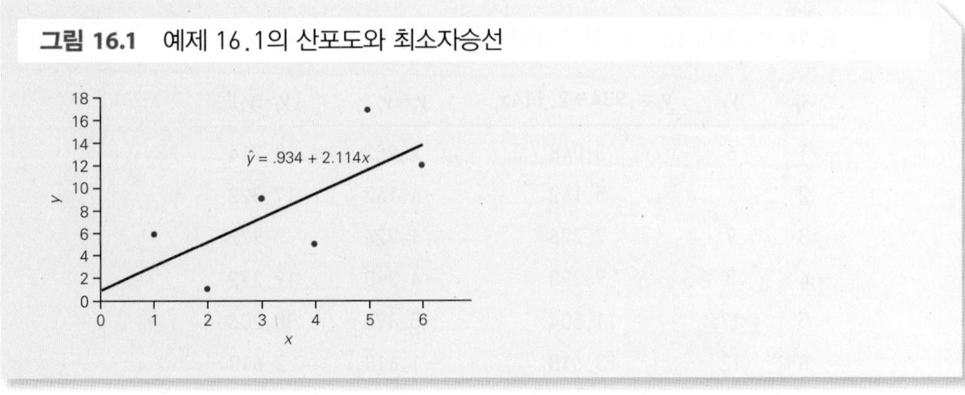

$$e_i = y_i - \hat{y}_i$$

잔차들은 오차변수의 관측치들이다. 따라서 최소편차제곱합은 **오차제곱합**(sum of squares for error)이라고 부르며 SSE로 표시된다.

이 예제에서 잔차의 크기가 그림 16.2에 표시되어 있다. 최소자승선의 식에 x_i의 값을 대입하여 $\hat{y}_i$이 계산된다는 점에 주목하라. 잔차는 y_i의 관측치와 $\hat{y}_i$의 추정치 또는 예측치 간의 차이이다. 표 16.1은 이와 같은 잔차가 어떻게 계산되는지 보여준다.

따라서 SSE=81.104이다. 최소자승선 이외의 다른 직선은 81.104보다 적은 편차제곱합을 제공하지 못한다. 이와 같은 의미에서 최소자승선이 주어진 데이터를 가장 잘 추정한다. 오차제곱합은 선형모형이 주어진 데이터를 얼마나 잘 추정하는지 평가하는 다른 통계량들의 기초가 되기 때문에 하나의 중요한 통계량이다.

그림 16.2 예제 16.1의 잔차 크기

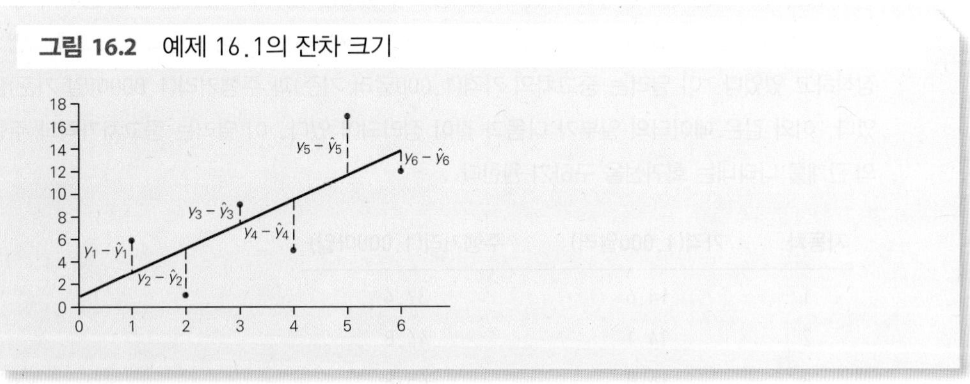

표 16.1 예제 16.1의 잔차 계산

x_i	y_i	$\hat{y}_i = .934 + 2.114x_i$	$y_i - \hat{y}_i$	$(y_i - \hat{y}_i)^2$
1	6	3.048	2.952	8.714
2	1	5.162	−4.162	17.322
3	9	7.276	1.724	2.972
4	5	9.390	−4.390	19.272
5	17	11.504	5.496	30.206
6	12	13.618	−1.618	2.618
				$\sum(y_i - \hat{y}_i)^2 = 81.104$

예제 16.2

DATA Xm16-02[+]

Toyota Camry 중고차의 주행거리와 가격, PART 1

북미 전체의 자동차 딜러들은 고객이 새 자동차를 구매할 때 가져오는 중고차의 가격을 결정하는 데 도움을 얻기 위해 "Blue Book"을 사용한다. 월간으로 출판되는 Blue Book에는 기본 자동차 모델들의 중고차 가격이 정리되어 있다. Blue Book은 중고차의 상태와 선택사항 특성에 따라 각 자동차 모델의 다양한 가격들을 제시한다. 중고차의 가격은 많은 중고차 딜러들의 중고차 공급원인 최근 중고차 경매에서 지불된 평균 가격에 기초하여 결정된다. 그러나 중고차 구매자에게 하나의 중요한 요소가 중고차의 주행거리라는 사실에도 불구하고 Blue Book은 주행거리에 의해 결정되는 가치를 제시하지 않는다. 이 문제를 조사하기 위해, 한 중고차 딜러는 임의로 지난 달 동안 중고차 경매에서 판매된 100대의 3년된 Toyota Camry를 선택하였다. 각 자동차는 최상의 상태였고 표준적인 장비들을 장착하고 있었다. 이 딜러는 중고차의 가격(1,000달러 기준)과 주행거리(1,000마일 기준)를 기록하였다. 이와 같은 데이터의 일부가 다음과 같이 정리되어 있다. 이 딜러는 중고차가격과 주행거리 간의 관계를 나타내는 회귀선을 구하기 원한다.

자동차	가격(1,000달러)	주행거리(1,000마일)
1	14.6	37.4
2	14.1	44.8
3	14.0	45.8
⋮	⋮	⋮
98	14.5	33.2
99	14.7	39.2
100	14.3	36.4

해답 **선택**

문제의 목적이 두 구간변수 간의 관계를 분석하는 것이라는 점에 주목하라. 주행거리는 판매가격에 영향을 미친다고 믿기 때문에, 주행거리를 독립변수로 선택하고 x라고 표시하며 판매가격을 종속변수로 선택하고 y라고 표시한다.

계산

직접계산

정리된 데이터로부터 다음과 같은 합계들이 계산된다.

$$\sum_{i=1}^{n} x_i = 3,601.1$$

$$\sum_{i=1}^{n} y_i = 1,484.1$$

$$\sum_{i=1}^{n} x_i y_i = 53,155.93$$

$$\sum_{i=1}^{n} x_i^2 = 133,986.59$$

이어서 x와 y의 표본공분산과 독립변수 x의 표본분산을 계산한다.

$$s_{xy} = \frac{1}{n-1}\left[\sum_{i=1}^{n} x_i y_i - \frac{\sum_{i=1}^{n} x_i \sum_{i=1}^{n} y_i}{n}\right]$$

$$= \frac{1}{100-1}\left[53,155.93 - \frac{(3,601.1)(1,484.1)}{100}\right] = -2.909$$

$$s_x^2 = \frac{1}{n-1}\left[\sum_{i=1}^{n} x_i^2 - \frac{\left(\sum_{i=1}^{n} x_i\right)^2}{n}\right]$$

$$= \frac{1}{100-1}\left[133,986.59 - \frac{(3,601.1)^2}{100}\right] = 43.509$$

따라서 표본기울기계수는 다음과 같이 계산된다.

$$b_1 = \frac{s_{xy}}{s_x^2} = \frac{-2.909}{43.509} = -.0669$$

y-절편은 다음과 같이 계산된다.

$$\bar{x} = \frac{\sum x_i}{n} = \frac{3,601.1}{100} = 36.011$$

$$\bar{y} = \frac{\sum y_i}{n} = \frac{1,484.1}{100} = 14.841$$

$$b_0 = \bar{y} - b_1\bar{x} = 14.841 - (-.0669)(36.011) = 17.25$$

따라서 최소자승선(또는 회귀선)은 다음과 같이 추정된다.

$$\hat{y} = 17.250 - 0.0669x$$

EXCEL Data Analysis

	A	B	C	D	E	F	G
1	SUMMARY OUTPUT						
2							
3	*Regression Statistics*						
4	Multiple R	0.8052					
5	R Square	0.6483					
6	Adjusted R Square	0.6447					
7	Standard Error	0.3265					
8	Observations	100					
9							
10	ANOVA						
11		*df*	*SS*	*MS*	*F*	*Significance F*	
12	Regression	1	19.26	19.26	180.64	5.75E-24	
13	Residual	98	10.45	0.11			
14	Total	99	29.70				
15							
16		*Coefficients*	*Standard Error*	*t Stat*	*P-value*	*Lower 95%*	*Upper 95%*
17	Intercept	17.25	0.182	94.73	3.57E-98	16.89	17.61
18	Odometer	−0.0669	0.0050	−13.44	5.75E-24	−0.0767	−0.0570

지시사항

1. 첫 번째 열에 종속변수, 두 번째 열에 독립변수를 입력하거나 <Xm16-02>를 불러들여라.
2. **데이터**(Data), **데이터분석**(Data Analysis), **회귀분석**(Regression)을 클릭하라.
3. ***Y*축 입력범위**(Input *Y* Range) (A1:A101)과 ***X*축 입력범위**(Input *X* Range) (B1:B101)을 입력하라.

산포도를 그리기 위해서는 제3장에서 제시된 지시사항을 따르라.

해석 기울기계수 b_1은 -0.0669이다. 이것은 각 추가적인 1,000마일의 주행거리에 대하여 가격은 평균적으로 66.9달러 감소한다는 것을 의미한다. 더 간단히 말하면, 기울기계수는 각 추가적인 1마일의 주행거리에 대하여 가격은 평균적으로 6.69센트 감소한다는 것을 의미한다.

y-절편은 $b_0 = 17.25$이다. 기술적으로 말하면 y-절편은 회귀선과 y축이 만나는 점이다. 이것은 $x = 0$일 때(말하자면, 자동차가 전혀 주행하지 않았을 때) 판매가격은 17,250달러라는 것을 의미한다. 따라서 이 수치를 주행되지 않은 자동차의 판매가격이라고 해석할 유혹을 받는다. 그러나 이 경우에 y-절편은 아무런 의미가 없다. 표본에는 주행거리가 0마일인 자동차가 포함되어 있지 않기 때문에, b_0를 해석할 기반을 가지고 있지 않다. 앞에서 언급한 것처럼 x의 표본값 범위를 크게 벗어나는 x의 값에 해당되는 $\hat{y}$의 값을 결정할 수 없다. 이 예제에서 x의 최솟값과 최댓값은 각각 19.1과 49.2이다. $x = 0$은 이 구간에 속하지 않기 때문에, 우리는 $x = 0$일 때 $\hat{y}$의 값을 안전하게 해석할 수 없다.

회귀계수의 해석은 100개의 관측치로 구성되는 표본에 대해서만 적합하다는 점을 명심하는 것이 중요하다. 모집단에 관한 정보를 추론하기 위해서는 다음에 설명되는 통계적 추론 기법들이 필요하다.

다음의 절들에서 이 문제와 회귀분석과 관련된 통계량들을 소개하기 위해 컴퓨터 결과물이 자세히 논의될 것이다.

연습문제

16.1 *Regression*이라는 용어는 자녀의 키와 부모의 키 간의 관계를 분석하면서 Sir Francis Galton에 의해 1885년에 처음 사용되었다. 그는 "한 남성의 각 특성은 그의 혈족 남성과 공유하지만 평균적으로 더 적은 정도로 공유한다"는 "일반적 회귀의 법칙(law of universal regression)"을 공식화하였다. (분명히 사람들은 1885년에 이와 같이 말하였다.) 1903년에 두 통계학자인 K. Pearson과 A. Lee는 Galton의 법칙을 조사하기 위해 아버지/아들로 구성된 1,078쌍을 임의표본으로 추출하였다. ("On the Laws of Inheritance in Man, I. Inheritance of Physical Characteristics," *Biometrika* 2: 457~462) 그들의 표본으로부터 결정된 회귀선은 다음과 같았다.

아들의 키=33.73+.516×아버지의 키

a. 회귀계수들을 해석하라.

b. 이 회귀선은 당신에게 키가 큰 아버지를 가진 아들의 키에 대하여 무엇을 말해 주는가?

c. 이 회귀선은 당신에게 키가 작은 아버지를 가진 아들의 키에 대하여 무엇을 말해 주는가?

16.2 <Xr16-02> 광고와 매출액의 관계를 분석하기 위해 한 가구점의 소유자는 표본으로 선택된 12개월 동안 월간 광고비(1,000달러 기준)와 매출액(100만 달러 기준)을 기록하였다. 이에 대한 데이터는 다음과 같이 정리되어 있다.

광고비	23	46	60	54	28	33
매출액	9.6	11.3	12.8	9.8	8.9	12.5

광고비	25	31	36	88	90	99
매출액	12.0	11.4	12.6	13.7	14.4	15.9

a. 산포도(scatter diagram)를 그려라. 광고비와 매출액은 선형관계를 가지고 있는가?

b. 최소자승선을 계산하고 회귀계수들을 해석하라.

16.3 <Xr16-03> 신규주택착공건 수가 모기지 이자율에 의해 어떻게 영향을 받는지 결정하기 위해 한 경제학자는 과거 10년 동안 한 대형 카운티의 평균 모기지 이자율과 신규주택착공건 수를 기록하였다. 이에 대한 데이터가 다음과 같이 정리되어 있다.

모기지 이자율	8.5	7.8	7.6	7.5	8.0
신규주택착공건 수	115	111	185	201	206

모기지 이자율	8.4	8.8	8.9	8.5	8.0
신규주택착공건 수	167	155	117	133	150

a. 회귀선을 구하라.

b. 회귀선의 계수들은 당신에게 모기지 이자율과 신규주택착공건 수 간의 관계에 관하여 무엇을 말해 주는가?

16.4 <Xr16-04> 텔레비전 비판자들은 텔레비전에 나타나는 모든 폭력이 아동들에게 미치는 해로운 영향에 대하여 언급한다. 그러나 다른 문제들도 있을 수 있다. 텔레비전 시청은 또한 운동량을 감소시키고 체중의 증가를 야기시킬 수 있다. 15명의 10세 아동들이 표본으로 추출되었다. 과다체중으로 여겨지는 각 아동의 파운드 수가 기록되었다(음의 수치는 해당되는 아동이 과소체중인 상태라는 것을 나타낸다). 이에 더하여 주당 텔레비전 시청시간도 기록되었다. 이에 대한 데이터가 다음과 같이 정리되어 있다.

텔레비전 시청시간	42	34	25	35	37	38	31	33
과다체중	18	6	0	−1	13	14	7	7

텔레비전 시청시간	19	29	38	28	29	36	18
과다체중	−9	8	8	5	3	14	−7

a. 산포도를 그려라.

b. 회귀선을 구하고 회귀계수들이 당신에게 텔레비전 시청시간과 과다체중 간의 관계에 관하여 무엇을 말해 주는가?

16.5 <Xr16-05> Yankees Stadium의 구내매점 경영자는 얼마나 많은 맥주를 구입해야 하는지 결정하는 데 도움을 얻기 위해 기온이 맥주판매에 어떻게 영향을 미치는지 알기 원하였다. 이에 따라 그녀는 10게임의 표본을 추출하였고 판매된 맥주의 수와 게임 중간시점의 기온을 기록하였다.

기온	80	68	78	79	87
맥주의 수	20,533	1,439	13,829	21,286	30,985

기온	74	86	92	77	84
맥주의 수	17,187	30,240	37,596	9,610	28,742

a. 회귀선의 계수들을 계산하라.

b. 회귀계수들을 해석하라.

다음의 연습문제들은 회귀분석이 현실문제들을 풀기 위해 어떻게 사용되는지 살펴볼 수 있도록 하기 위해서 만들어졌다. 따라서 대부분의 연습문제는 매우 많은 관측치를 가지고 있다. 대부분의 학생들은 컴퓨터와 통계소프트웨어를 사용하면서 다음의 연습문제들을 풀어야 한다. 그러나 컴퓨터와 통계소프트웨어가 없는 학생들이 직접 계산을 할 수 있도록 필요한 표본평균, 표본분산, 공분산이 계산되어 있다. (부록 A 참조.)

16.6 <Xr16-06+> 텔레비전의 초기년도들에서 대부분의 광고시간은 60초로 길었다. 그러나 현재 광고시간은 자유롭게 선택될 수 있다. 가능한 한 많은 시청자들이 호감을 가지는 방식으로 해당 제품을 기억하고 궁극적으로 구매하도록 만든다는 광고의 목적은 동일하게 유지되고 있다. 광고시간이 광고에 대한 사람들의 기억과 어떻게 관계되어 있는지 결정하기 위한 한 실험에서 임의로 선택된 60명의 사람들에게 1시간짜리 텔레비전 프로그램을 시청하도록 요청하였다. 이 프로그램의 중간에 한 치약 브랜드의 광고가 이루어졌다. 일부 시청자들은 20초간 지속된 광고를 시청하였고 다른 시청자들은 24초간, 28초간, . . . , 60초간 지속된 광고를 시청하였다. 광고의 핵심 내용은 동일하였다. 텔레비전 프로그램이 끝난 후에, 각 사람에게 광고제품에 관하여 얼마만큼 기억하는지 측정하기 위한 시험이 실시되었다. 광고시간과 시험점수(30점 만점)가 기록되었다.

a. 선형모형이 적정한지 결정하기 위해 데이터의 산포도를 그려라.

b. 최소자승선을 구하라.

c. 회귀계수들을 해석하라.

16.7 <Xr16-07> 일반적으로 작은 마을과 도시의 땅값은 대도시의 땅값보다 낮다. 따라서 작은 마

을과 도시의 부동산 가치와 재산세도 더 낮다. 이러한 문제를 조사하기 위해, 한 부동산 업자는 부동산 소유자들로 구성된 임의표본을 추출하고 그들에게 최근 재산세와 그들이 살고 있는 도시의 크기를 보고하도록 요청하였다. 최소자승선을 추정하고 회귀계수들이 제공하는 정보를 설명하라.

16.8 <Xr16-08> 플로리다 콘도미니엄은 많은 북미인들에게 인기 있는 겨울 휴가처이다. 최근에 플로리다 콘도미니엄의 가격이 지속적으로 상승하였다. 한 부동산 중개인은 동일한 빌딩에 있는 유사한 크기의 아파트 가격이 왜 다른지 알기 원하였다. 하나의 가능한 대답은 아파트의 층이다. 아파트의 층이 높을수록 아파트의 판매가격이 더 높을 수 있다. 그는 최근에 판매된 동일한 위치에 있는 여러 개 빌딩의 1,200 ft^2 콘도미니엄 가격(1,000달러 기준)과 콘도미니엄의 층수를 기록하였다.

a. 회귀선을 구하라.

b. 회귀계수들은 당신에게 콘도미니엄의 판매가격과 콘도미니엄의 층수 간의 관계에 관하여 무엇을 말해 주는가?

16.9 <Xr16-09> 2020년에 미국은 국가 전체를 대상으로 하는 센서스를 시행하였다. 이 센서스는 우편으로 완성된다. 질문들을 이해되도록 만드는 데 도움을 주기 위해서, 질문들이 보내지기 전에 임의표본을 구성하는 미국인들은 질문지를 받아본다. 이러한 과정을 통한 분석의 일부분으로, 임의표본을 구성하는 미국인들이 질문지를 완성하는 데 걸리는 시간과 그들의 연령이 기록되었다. 질문지를 완성하기 위해 걸리는 시간과 질문들에 답하는 개인의 연령 간 관계를 분석하기 위해 최소자승법을 사용하라. 회귀계수들은 두 변수 간의 관계에 대하여 당신에게 무엇을 말해 주는가?

16.10 <Xr16-10> 미국에서 화재손실은 수십억 달러에 이르고 화재손실의 대부분은 보험으로 처리된다. 소방차가 화재현장에 도달하는 데 걸리는 시간이 중요하다. 이것은 다음과 같은 질문을 제기한다. 보험에 가입되어 있는 주택이 소방서에 가까우면 보험회사는 보험료를 낮추어야 하는가? 의사결정을 돕기 위해 한 연구가 수행되었고 화재의 수가 조사되었다. 소방서로부터 떨어진 거리와 화재손실률이 기록되었다. 최소자승선을 구하고 회귀계수들을 해석하라.

16.11 <Xr16-11+> 상업용 부동산에 전문성을 가지고 있는 한 부동산업자는 아파트 빌딩의 가능한 판매가격을 판단하는 더 정확한 방법을 원했다. 첫 번째 노력으로 그녀는 최근에 판매된 아파트 빌딩의 가격(1,000달러 기준)과 아파트 빌딩의 ft^2 수를 기록하였다.

a. 회귀선을 계산하라.

b. 회귀계수들은 당신에게 아파트 빌딩의 가격과 면적 간의 관계에 관하여 무엇을 말해 주는가?

16.12 <Xr16-12> 정부의 한 경제학자는 현재 사용하는 것보다 더 좋은 빈곤의 척도를 만들려 하고 있다. 정보를 얻기 위해, 그는 연간 가구소득(1,000달러 기준)과 임의표본으로 추출된 가구들의 주당 식품에 지출하는 금액을 기록하였다. 회귀선을 구하고 회귀계수들을 해석하라.

16.13 <Xr16-13+> 한 경제학자는 사무실 임대료(종속변수)와 공실률(vacancy rates) 간의 관계를 조사하기 원하였다. 따라서 그는 30개의 도시에서 월간 사무실 임대료와 공실률의 임의표본을 추출하였다.

a. 회귀선을 구하라.

b. 회귀계수들을 해석하라.

16.14 <Xr16-14+> 미국에는 등록된 수백만 대의 보트가 있다. 자동차의 경우와 마찬가지로 활발하게 거래되는 중고보트 시장이 존재한다. 많은 보트들은 은행으로부터 자금을 조달하여 구매된다. 따라서 은행들이 보트의 가격을 정확하게 추정하는 것이 중요하다. 보트의 가격에 영향을 미치는 변수들 중의 하나는 엔진이 사용된 시간이다. 엔진이 사용된 시간이 보트의 가격에 미치는 효과를 결정하기 위해 한 금융분석가는 임의표본으로 추출된 가장 인기 있는 보트 중의 하나인 2015 24-피트 Sea Ray 크루이저의 가격(1,000달러 기준)과 엔진이 사용된 시간을 기록하였다. 최소자승선을 구하고 회귀계수들이 당신에게 무엇을 말해 주는지 설명하라.

16.15 <Xr16-15> 담배는 알려진 흡연의 장기적인 효과 외에도 감기와 같은 단기적인 질병의 원인인가? 이 질문에 대답하기 위해, 흡연자들로 구성된 임의표본이 추출되었다. 각자에게 지난해 하루 평균 흡연한 담배의 수와 감기로 인한 결근일 수를 보고하도록 요청하였다.

a. 회귀선을 구하라.

b. 회귀계수들은 흡연하는 담배의 수와 감기로 인한 결근일 수 간의 관계에 대해 무엇을 말해 주는가?

16.16 <Xr16-16> 작은 마을에 사는 것과 큰 도시에 사는 것이 소득에 영향을 미치는가? 이 질문에 답하기 위해 미국인들로 구성된 임의표본이 추출되었고 각 응답자의 세후 소득과 그가 살고 있는 도시의 크기가 기록되었다. 최소자승법을 사용하여 회귀선의 계수들을 계산하라. y-절편과 기울기 계수는 어떤 정보를 제공하는가?

16.17 <Xr03-46> (연습문제 3.46 참조) 가구가 사용하는 에너지의 양에 영향을 미치는 요인들을 알아 보기 위해 200개의 가구가 분석되었다. 각 가구에 대하여 가족의 수와 사용된 전력량이 측정되었다. 회귀선을 구하고 그 결과를 해석하라.

16.18 <Xr03-48> (연습문제 3.48 참조) 사업 분야에 대한 관측자들이 가지고 있는 일반적인 믿음 중 하나는 키가 큰 사람이 키가 작은 사람보다 더 많은 돈을 번다는 것이다. University of Pittsburgh에서 수행된 한 연구에서 모두 약 30세인 250명의 MBA 졸업생들에 대하여 서베이하고 그들의 키(인치 기준)와 연간 소득(1,000달러 기준)을 보고하도록 요청하였다. 회귀선을 구하라. 회귀계수는 당신에게 무엇을 말해 주는가?

인적자원관리분야의 통계학 응용

Jack Hollingsworth/Brand X Pictures/Getty Images

근로자 유지시키기

인적자원관리 담당자는 조직 내에서 다양한 업무에 대하여 책임을 지고 있다. 인적자원관리 담당자는 어느 지원자들이 고용대상자로 가장 적정한가를 결정하면서 신규근로자를 채용하는 일과 결근과 근로자 이직을 포함한 인력을 감시하는 다양한 일들에 관여한다. 많은 기업에게 근로자 이직은 비용이 많이 드는 문제이다. 첫째, 자격이 있는 근로자를 채용하고 모집하는 비용이 존재한다. 기업은 채용분야를 광고해야 하고 지원자들을 적정하게 평가하여야 한다. 둘째, 특히 기술분야의 경우 신규 종업원을 훈련시키는 비용이 높을 수 있다. 셋째, 신규 종업원들은 종종 경험이 많은 종업원들만큼 생산적이지 못하고 효율적이지 못하다. 따라서 최고의 근로자들을 채용하고 유지시키는 것이 기업의 관심사이다. 인사관리 담당자가 구할 수 있는 정보가 유용할 가능성이 있다.

16.19 <Xr16-19> 한 텔레마케팅 회사의 인적자원관리 담당자는 자기 회사 텔레마케터들의 급속한 이직에 관하여 우려하고 있다. 많은 텔레마케터들은 이직하기까지 매우 장기간 일하지 않는 것으로 보인다. 상대적으로 낮은 급여, 일에 대한 개인적인 부적합성, 낮은 진급확률을 포함하여 많은 이유들이 존재한다. 신규 근로자들의 고용과 훈련에 따른 비용이 높기 때문에 인적자원관리 담당자는 근로자의 이직에 영향을 주는 요인들을 조사하기로 결정하였다. 그는 임의표본으로 추출된 작년에 이직한 근로자들의 근로경력을 검토하였고 이직하기 전 근무기간(주수 기준)과 처음 고용되었을 때의 연령을 기록하였다.

a. 근무기간과 연령이 어떻게 관계되어 있는지 구하기 위해 회귀분석을 사용하라.

b. 회귀계수들이 당신에게 무엇을 말해 주는지 간략하게 논의하라.

16.3 오차변수의 필요조건

앞 절에서 선형회귀모형의 계수들을 추정하기 위해 최소자승법이 사용되었다. 이 모형의 중요한 부분 중 하나는 오차변수 ε이다. 다음 절에서는 종속변수와 독립변수들 간의 관계가 존재하는지 결정하기 위한 추론 방법이 제시될 것이다. 그 후에 추정과 예측을 위해 회귀식이 사용될 것이다. 그러나 이와 같은 추론 방법들이 타당하기 위해서는 오차변수의 확률분포에 관한 4가지 필요조건이 충족되어야 한다.

오차변수의 필요조건

1. 오차변수 ε의 확률분포는 정규분포이다.
2. 오차변수 ε의 기대치는 0이다. 즉, $E(\varepsilon|x)=0$이다.
3. 오차변수 ε의 표준편차는 σ_ε이다. σ_ε은 x의 값에 관계없이 일정한 상수이다.
4. 임의의 특정한 y의 값과 관련되어 있는 오차변수 ε의 값은 다른 y의 값과 관련되어 있는 오차변수 ε과 독립이다.

필요조건 1, 2, 3은 다른 방식으로 해석될 수 있다. x의 각 값에 대하여 y는 평균이

$$E(y|x)=\beta_0+\beta_1 x$$

이고 표준편차가 σ_ε인 정규분포를 따른다. y의 기대치는 x의 값에 의해 결정된다는 점에 주목하라. 그러나 y의 표준편차는 x의 모든 값에 대하여 상수이기 때문에 x의 값에 영향을 받지 않는다. 그림 16.3은 이와 같은 상황을 그린 것이다. x의 각 값에 대하여 $E(y|x)$는 변화하지만 y의 확률분포 모습은 동일하다는 점에 주목하라. 즉, x의 각 값에 대하여 y는 동일한 표준편차를 가진 정규분포를 따른다.

그림 16.3 x가 주어진 경우 y의 확률분포

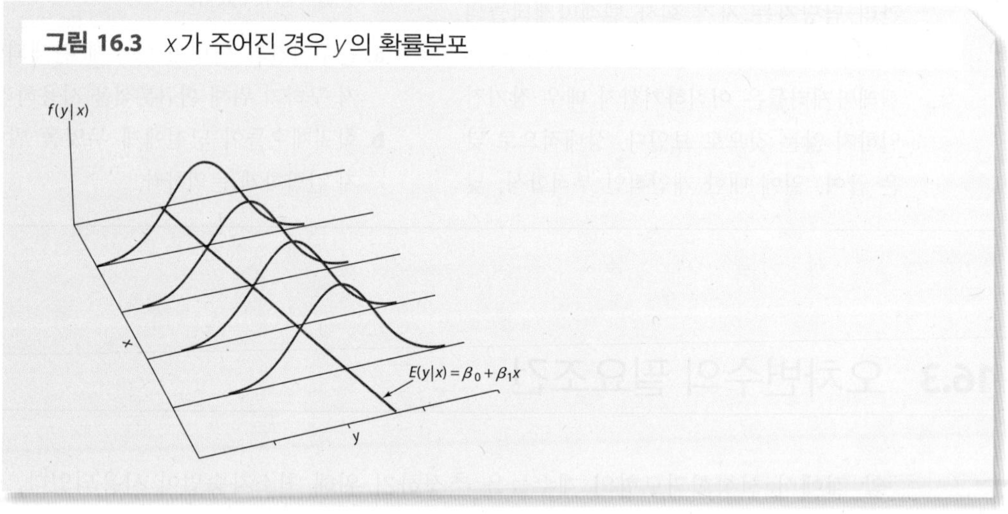

제16.6절에서는 이와 같은 필요조건들의 위반이 회귀분석에 어떻게 영향을 미치며 필요조건들의 위반은 어떻게 파악되는지가 논의된다.

16.3a 관측데이터와 실험데이터

제5장과 제13장에서 관측데이터와 실험데이터의 차이를 설명하였다. 통계전문가들은 종종 분석결과를 관측데이터를 가지고 분석하는 경우보다 더 명료하게 해석할 수 있도록 통제된 실험을 설계한다. 예제 16.2에서 사용된 데이터는 관측데이터의 예이다. 이 예제에서는 단순히 임의로 선택된 100대 자동차의 주행거리와 경매판매가격이 관측되었다.

당신은 연습문제 16.6에서 통제된 실험을 통하여 수집되는 실험데이터를 볼 수 있다. 텔레비전 광고의 시간이 광고제품에 대한 시청자의 기억에 미치는 효과를 결정하기 위해, 통계전문가는 60명의 텔레비전 시청자들에게 광고시간이 서로 다른 광고를 보게 하고 이 광고에 대한 기억을 시험하였다. 각 시청자에게 시간길이가 다른 광고를 시청하도록 임의로

할당되었다. x의 값은 20초~60초 범위를 가지고 있었으며 통계전문가에 의해 실험의 한 부분으로 설정되었다. x의 각 값에 대하여 기억력 시험점수는 일정한 분산을 가지고 있는 정규분포를 따르는 것으로 가정된다.

예제 16.2의 실험과 연습문제 16.6의 실험의 차이는 다음과 같이 요약될 수 있다. 예제 16.2에서 주행거리와 경매판매가격 모두는 확률변수이다. 각 가능한 주행거리에 대하여 주행거리의 선형함수이며 평균과 일정한 크기의 분산을 가지는 정규분포를 따르는 경매판매가격의 모집단이 존재한다고 가정된다. 연습문제 16.6에서 광고시간은 확률변수가 아니나 통계전문가가 선택하는 여러 가지의 값들을 가진다. 각 광고시간에 대하여 기억력 시험점수는 일정한 분산을 가진 정규분포를 따른다는 조건이 필요하다.

회귀분석은 관측실험 또는 통제실험으로부터 생성되는 데이터에 적용될 수 있다. 두 경우 모두에서 문제의 목적은 독립변수가 종속변수에 어떻게 관계되어 있는지 결정하는 것이다. 그러나 관측데이터는 다른 방법으로 분석될 수 있다. 데이터가 관측데이터일 때 두 변수 모두는 확률변수이다. 한 변수가 독립변수이고 다른 변수가 종속변수라고 규정할 필요가 없다. 단순히 두 변수가 관련되어 있는가를 결정할 수 있다. 두 변수는 이변량 정규분포를 따른다는 조건이 필요하다. (제7.2절에서 두 변수의 결합확률을 보여주는 이변량 확률분포(bivariate distribution)가 소개되었다.) 이변량 정규분포가 그림 16.4에 그려져 있다. 당신이 보는 것처럼, 이변량 정규분포는 3차원의 종 모양 곡선을 가진다. 3차원은 변수 x, 변수 y, 결합 밀도함수 $f(x, y)$이다.

제16.4절에서는 x와 y 모두가 확률변수이고 x와 y가 이변량 정규분포를 따를 때 사용되는 통계기법이 논의된다. 제19장에서 정규분포의 조건이 충족되지 않을 때 사용되는 통계기법이 소개된다.

그림 16.4 이변량 정규분포

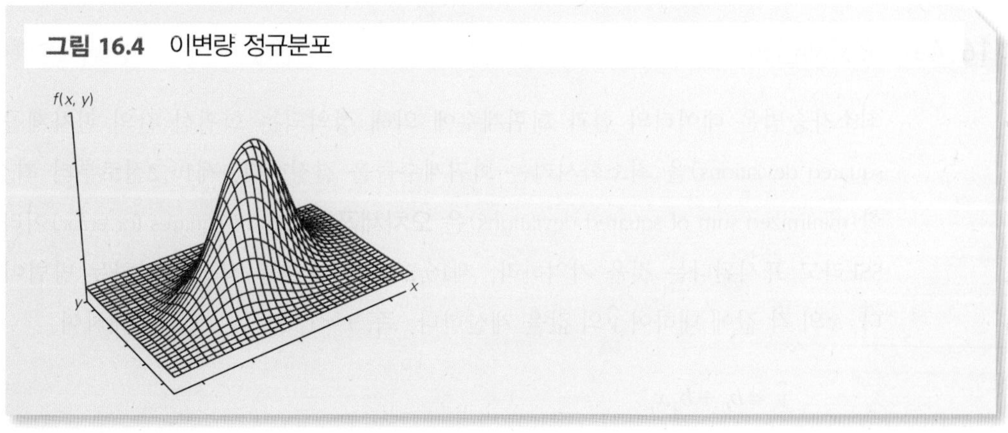

연습문제

16.20 연습문제 16.6에서 필요조건들은 무엇을 의미하는지 설명하라. 만일 필요조건들이 충족되면, 당신은 기억력 시험점수의 확률분포에 관하여 무엇을 말할 수 있는가?

16.21 연습문제 16.9의 필요조건들은 무엇인가? 이와 같은 필요조건들은 합리적인 것으로 보이는가?

16.22 연습문제 16.14에서 필요조건들이 충족된다고 가정하면, 이것이 당신에게 중고보트 가격의 확률분포에 관하여 무엇을 말해 주는가?

16.4 선형회귀모형의 평가

최소자승법은 최량의 직선을 제공한다. 그러나 실제로 두 변수 간에 관계가 존재하지 않을 수 있거나 비선형관계가 존재할 수 있다. 만일 그렇다면, 직선모형은 비실용적일 수 있다. 따라서 선형모형이 데이터를 얼마나 잘 나타내고 있는지 평가하는 것이 중요하다. 만일 선형모형의 적합도가 불량하면 선형모형을 버리고 다른 모형을 찾아야 한다.

여러 가지 방법이 선형모형을 평가하기 위해 사용된다. 이 절에서는 선형모형이 사용되어야 하느냐를 결정하기 위한 두 개의 통계량과 한 개의 검정 기법이 제시된다. 두 개의 통계량은 **추정치의 표준오차**(standard error of estimate)와 결정계수(coefficient of determination)이고 한 개의 검정 기법은 기울기의 t 검정(t test of the slope)이다. 이와 같은 방법은 모두 오차제곱합(sum of squares for error)에 기초하고 있다.

16.4a 오차제곱합

최소자승법은 데이터의 점과 회귀계수에 의해 정의되는 회귀선 간의 편차제곱합(sum of squared deviations)을 최소화시키는 회귀계수들을 결정한다. 제16.2절로부터 최소편차제곱합(minimized sum of squared deviations)은 **오차제곱합**(sum of squares for error)이라고 부르고 SSE라고 표시된다는 것을 기억하라. 제16.2절에서 SSE를 직접 계산하는 방법이 제시되었다. x의 각 값에 대하여 $\hat{y}$의 값을 계산한다. 즉, $i=1, 2, . . . , n$에 대하여

$$\hat{y}_i = b_0 + b_1 x_i$$

를 계산한다. 이어서 각 데이터 점에 대하여 y의 실제값과 $\hat{y}$의 차이, 즉 잔차(residual)를 계산한다. 각 잔차를 제곱하고 이 값들을 합한다. 표 16.1은 예제 16.1에 해당되는 이와 같은 계산을 보여준다. 직접 SSE를 계산하기 위해서는 상당한 계산이 필요하다. 다행히도 표본분산들과 표본공분산을 사용하여 SSE를 계산하는 간편한 방법이 존재한다.

SSE를 계산하기 위한 간편계산 방법

$$\text{SSE} = \sum (y_i - \hat{y}_i)^2 = (n-1)\left(s_y^2 - \frac{s_{xy}^2}{s_x^2}\right)$$

s_y^2은 종속변수의 표본분산이다.

16.4b 추정치의 표준오차

제16.3절에서 오차변수 ε은 평균이 0이고 표준편차가 σ_ε인 정규분포를 따른다는 점을 지적하였다. 만일 σ_ε이 크면, 일부의 오차변수들이 클 것이고 이것은 모형의 적합도가 불량하다는 것을 의미한다. 만일 σ_ε이 작으면, 오차변수들이 평균(0)에 가깝게 있는 경향을 가지며, 모형의 적합도는 양호하다. 따라서 선형모형을 사용하는 것이 적정한가를 측정하기 위해 σ_ε이 사용될 수 있다. 불행하게도 σ_ε은 모수이고 대부분의 모수처럼 알려져 있지 않다. 그러나 σ_ε은 데이터로부터 추정될 수 있다. σ_ε의 추정치는 SSE에 기초하여 구해진다. 오차변수의 분산 σ_ε^2에 대한 불편추정량은

$$s_\varepsilon^2 = \frac{\text{SSE}}{n-2}$$

이다. s_ε^2의 제곱근은 **추정치의 표준오차**(standard error of estimate)라고 부른다.

추정치의 표준오차

$$s_\varepsilon = \sqrt{\frac{\text{SSE}}{n-2}}$$

예제 16.3 Toyota Camry 중고차의 주행거리와 가격, PART 2

예제 16.2를 위한 추정치의 표준오차를 구하고 이 추정치가 당신에게 선형모형의 적합도에 대하여 무엇을 말해 주는지 설명하라.

해답 **계산**

직접계산

추정치의 표준오차를 계산하기 위해 표본분산들과 표본공분산을 사용하여 SSE를 계산하여야 한다. 표본공분산과 x의 표본분산은 이미 계산되어 있다. 표본공분산과 x의 표본분산은 각각 −2.909와 43.509이다. 간편계산공식을 사용하면 y의 표본분산과 SSE는 다음과 같이 계산된다.

$$s_y^2 = \frac{1}{n-1}\left[\sum_{i=1}^{n} y_i^2 - \frac{\left(\sum_{i=1}^{n} y_i\right)^2}{n}\right]$$

$$= \frac{1}{100-1}\left[22{,}055.23 - \frac{(1{,}484.1)^2}{100}\right]$$

$$= .3000$$

$$\text{SSE} = (n-1)\left(s_y^2 - \frac{s_{xy}^2}{s_x^2}\right)$$

$$= (100-1)\left(.3000 - \frac{(-2.909)^2}{43.509}\right)$$

$$= 10.445$$

따라서 추정치의 표준오차는 다음과 같다.

$$s_\varepsilon = \sqrt{\frac{\text{SSE}}{n-2}} = \sqrt{\frac{10.445}{98}} = .3265$$

EXCEL Data Analysis

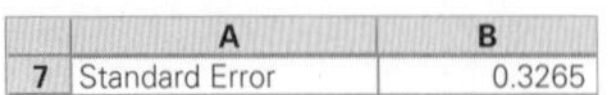

	A	B
7	Standard Error	0.3265

EXCEL 결과물 중 위에 있는 부분은 예제 16.2에 있는 EXCEL 결과물로부터 복사한 것이다.

해석 s_ε이 가질 수 있는 최솟값은 0이다. SSE=0일 때, 즉 모든 데이터 점들이 회귀선 상에 있을 때 s_ε=0이다. 따라서 s_ε이 작을 때 모형의 적합도는 양호하고 선형모형은 유효한 분석도구이자 예측도구가 될 수 있다. 만일 s_ε이 크면, 선형모형은 불량한 모형이고 통계전문가는 이 모형을 개선하거나 버려야 한다.

종속변수 y의 값들 또는 y의 표본평균 $\bar{y}$와 비교하면서 s_ε의 값을 판단한다. 이 예제에서 $s_\varepsilon = .3265$이고 $\bar{y} = 14.841$이기 때문에 추정치의 표준오차는 작다고 판단할 수 있다. 그러나 사전에 정의된 s_ε의 상한값이 존재하지 않기 때문에 이와 같은 방법으로 모형을 평가하는 것은 어려운 일이다. 일반적으로 말하면, 추정치의 표준오차는 모형의 타당성에 대한 절대 척도로 사용될 수 없다.

그럼에도 불구하고, s_ε는 모형들을 비교하는 데 유용하다. 만일 통계전문가가 여러 개의 모형들 중에서 하나의 모형을 선택해야 한다면, s_ε의 값이 가장 작은 모형이 일반적으로 선택되어야 한다. 당신이 알게 되겠지만, s_ε는 또한 회귀분석과 관련된 다른 기법들에서 중요한 통계량이다.

16.4c 기울기의 t검정

선형회귀모형을 평가하는 방법을 이해하기 위해 전혀 선형관계를 가지고 있지 않은 두 변수들에 대하여 회귀분석 기법을 적용할 때 발생되는 결과를 생각해보자. 모집단 전체가 그림 16.5에서 보는 산포도와 같은 경우 회귀선을 그려보자. 회귀선은 수평선이고 이것은 x의 값과 관계없이 동일한 $\hat{y}$값이 추정되기 때문에 y의 값이 x의 값과 선형관계를 가지고 있지 않다는 것을 의미한다. 수평선은 0의 기울기, 즉 $\beta_1 = 0$을 가진다.

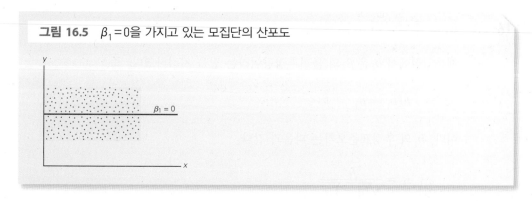

그림 16.5 $\beta_1 = 0$을 가지고 있는 모집단의 산포도

모집단 전체를 결코 조사할 수 없기 때문에 모수들은 알려져 있지 않다. 그러나 표본기울기 b_1을 사용하여 모집단기울기 β_1에 관한 추론을 할 수 있다.

β_1에 관한 가설을 검정하는 과정은 임의의 다른 모수를 검정하는 과정과 동일하다. β_1에 관한 가설을 설정하는 일부터 시작하자. 귀무가설은 두 변수 간에 선형관계가 존재하지 않는다고 규정한다. 따라서 귀무가설은 다음과 같이 설정된다.

$$H_0: \beta_1 = 0$$

만일 귀무가설이 옳으면, 이것이 반드시 두 변수 간에 아무런 관계가 없다는 것을 의미하는 것은 아니라는 점에 주목해야 한다. 예를 들면, $\beta_1=0$이라 하더라도 그림 16.6에 나타낸 것과 같은 이차식 관계(quadratic relationship)가 존재할 수 있다.

그림 16.6 이차식 관계

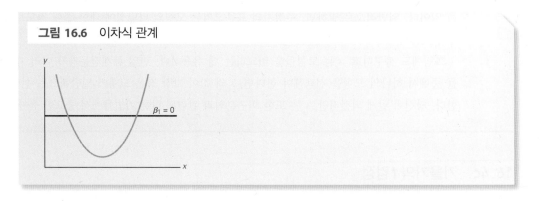

β_1에 대한 단측검정과 양측검정을 수행할 수 있다. 대부분의 경우 두 변수 간에 선형관계가 존재한다고 추론할 수 있는 충분한 증거가 존재하는지 결정하기 위한 양측검정이 수행된다.* 이 경우 대립가설은 다음과 같이 설정된다.

$$H_1: \beta_1 \neq 0$$

16.4d β_1의 추정량과 표본분포

제16.2절에서 b_1은 β_1의 불편추정량이라는 점을 지적하였다. 즉,

$$E(b_1)=\beta_1$$

이다. b_1의 추정표준오차는 다음과 같다.

$$s_{b_1} = \frac{s_\varepsilon}{\sqrt{(n-1)s_x^2}}$$

s_ε은 추정치의 표준오차이고 s_x^2은 독립변수 x의 표본분산이다. 만일 제16.3절에서 논의한 필요조건들이 충족되면, t 통계량

$$t = \frac{b_1 - \beta_1}{s_{b_1}}$$

의 표본분포는 자유도가 $\nu=n-2$인 Student t 분포이다. 표본크기가 증가할 때와 독립변수 x의 표본분산이 증가할 때 b_1의 표준오차는 감소한다.

---

* 만일 대립가설이 옳으면, 두 변수 간에 선형관계가 존재하거나 직선으로 근사될 수 있는 비선형관계가 존재할 수 있다.

참고

필요조건들이 충족되는 경우, 확률변수 b_1은 $E(b_1)=\beta_1$이고

$\sqrt{V(b_1)} = \dfrac{\sigma_\varepsilon}{\sqrt{\sum(x_i - \bar{x})^2}} = \dfrac{\sigma_\varepsilon}{\sqrt{(n-1)s_x^2}}$인 정규분포를 따른다. 따라서

$s_{b_1} = \sqrt{\hat{V}(b_1)} = \dfrac{s_\varepsilon}{\sqrt{(n-1)s_x^2}}$이면, $\dfrac{b_1 - \beta_1}{s_{b_1}}$은 자유도가 $\nu=n-2$인 Student t 분포를 따른다.

따라서 기울기(β_1)에 대한 검정통계량과 신뢰구간추정량은 다음과 같다.

β_1에 대한 검정통계량

$$t = \frac{b_1 - \beta_1}{s_{b_1}} \qquad \nu = n - 2$$

β_1에 대한 신뢰구간추정량

$$b_1 \pm t_{\alpha/2} s_{b_1} \qquad \nu = n - 2$$

예제 16.4 Toyota Camry 중고차의 주행거리와 가격은 선형관계를 가지고 있는가? 기울기계수에 대한 검정

예제 16.2에서 3년차 Toyota Camry 중고차의 경매가격과 주행거리 간에 선형관계가 존재한다고 추론할 수 있는 충분한 증거가 존재하는지 검정하라. 5%의 유의수준을 사용하라.

해답 다음과 같은 가설을 검정한다.

H_0: $\beta_1 = 0$
H_1: $\beta_1 \neq 0$

만일 귀무가설이 옳으면, 선형관계가 존재하지 않는다. 만일 대립가설이 옳으면, 선형관계가 존재한다.

계산

직접계산

검정통계량의 값을 계산하기 위해서는 b_1과 s_{b_1}이 필요하다. 예제 16.2로부터

$$b_1 = -.0669$$

이고

$$s_x^2 = 43.509$$

이다. 따라서

$$s_{b_1} = \frac{s_\varepsilon}{\sqrt{(n-1)s_x^2}} = \frac{.3265}{\sqrt{(99)(43.509)}} = .00497$$

이다. 검정통계량의 값은 다음과 같이 계산된다.

$$t = \frac{b_1 - \beta_1}{s_{b_1}} = \frac{-.0669 - 0}{.00497} = -13.44$$

기각역은 다음과 같이 설정된다.

$t < -t_{\alpha/2,\nu} = -t_{.025,98} = -1.9845$ (엑셀 함수 =T.INV 이용) 또는

$t > t_{\alpha/2,\nu} = t_{.025,98} = 1.9845$

EXCEL Data Analysis

	A	B	C	D	E	F	G
16		Coefficients	Standard Error	t Stat	P-value	Lower 95%	Upper 95%
17	Intercept	17.25	0.182	94.73	3.57E-98	16.89	17.61
18	Odometer	−0.0669	0.0050	−13.44	5.75E-24	−0.0767	−0.0570

해석 검정통계량의 값은 $t = -13.44$이고 검정의 p-값은 0이다. Excel은 p-값이 매우 작을 때 특별한 기호를 사용한다. 이 예제에서 Excel의 p-값은 5.75×10^{-24}으로 거의 0이다. 선형관계가 존재한다고 추론할 수 있는 압도적인 증거가 존재한다. 이것이 의미하는 것은 주행거리는 자동차의 경매판매가격에 영향을 미칠 수 있다는 것이다.

y-절편을 해석할 때처럼, 여기서 도출된 결론은 독립변수의 값이 가지는 범위 상에서만 타당하다. 즉, 주행거리가 19,100마일과 49,200마일 사이(표본에 포함되어 있는 x의 최솟값과 최댓값 사이)에 있는 3년차 Toyota Camry 중고차의 경매가격과 주행거리 간에 선형관계가 존재한다고 추론할 수 있다. 이와 같은 주행거리범위 밖에 존재하는 관측치가 존재하지 않기 때문에, 두 변수가 이와 같은 주행거리범위 밖에서 서로 관련되어 있는지조차도 모른다.

EXCEL 결과물에는 β_0에 관한 검정결과도 포함되어 있다는 점에 주목하라. 그러나 이미 지적한 것처럼 y-절편의 값에 대한 해석이 잘못된 결론을 유도할 수 있다. 따라서 일반적으로 β_0에

대한 검정은 무시된다.

또한 기울기계수를 추정함으로써 두 변수 간의 관계에 대한 정보를 얻을 수 있다. 이 예제에서 β_1에 대한 95% 신뢰구간추정치는 다음과 같이 계산된다.

$$b_1 \pm t_{\alpha/2} s_{b_1} = -.0669 \pm 1.9845(.00497) = -.0669 \pm .0099$$

기울기계수는 $-.0768$과 $-.0570$ 사이에 속하는 것으로 추정된다. EXCEL 결과물은 y-절편 계수와 기울기계수에 대한 95% 신뢰구간추정치를 제공해준다.

16.4e 단측검정

만일 양의 선형관계 또는 음의 선형관계에 대한 검정을 하기 원하면, 단측검정이 수행된다. 예제 16.2에서 주행거리와 경매판매가격 간에 음의 선형관계가 존재하는지 알기 원한다고 하자. 이 경우 가설들은 다음과 같이 설정된다.

$$H_0 : \beta_1 = 0$$
$$H_1 : \beta_1 < 0$$

검정통계량의 값은 예제 16.4에서 계산된 것과 정확히 같다. 그러나 이 경우 검정의 p-값은 양측검정을 위한 p-값을 2로 나눈 것이 된다. 예제 16.4에서 구한 Excel의 p-값을 사용하면, 단측검정의 p-값은 $(5.75 \times 10^{-24})/2 = 2.875 \times 10^{-24}$로 거의 0이다.

16.4f 결정계수

β_1에 대한 검정은 선형관계가 존재한다고 추론할 수 있는 충분한 증거가 존재하는지에 대한 질문만을 다룬다. 그러나 많은 경우에 특히 여러 개의 다른 모형들을 비교할 때 선형관계의 강도를 측정하는 것이 유용하다. 이와 같은 기능을 수행하는 통계량이 R^2으로 표시되는 **결정계수**(coefficient of determination)이다.

통계전문가들은 종종 결정계수를 "R-square"라고 부른다. 제4장에서 결정계수가 소개되었고 결정계수는 종속변수의 변동 중 독립변수의 변동에 의해 설명되는 비율에 대한 척도라는 점을 지적하였다. 그러나 제4장에서 결정계수가 이와 같이 해석되는 이유를 설명하지 않았다.

결정계수

$$R^2 = \frac{s_{xy}^2}{s_x^2 s_y^2}$$

약간의 수학적 조작을 하면 결정계수는 다음과 같이 나타낼 수 있다.

$$R^2 = 1 - \frac{\text{SSE}}{\sum (y_i - \bar{y})^2}$$

결정계수를 해석하는 방법에 관하여 더 많이 배우기 위해 예제 16.1을 다시 생각해보자. 제14장에서 총제곱합(TSS)을 두 개의 변동요인으로 분해하였다. 여기에서 동일한 분해가 이루어진다. 먼저 $(y_i - \bar{y})$에 $\hat{y}_i$을 더하고 빼면 다음과 같은 식이 구해진다.

$$(y_i - \bar{y}) = (y_i - \bar{y}) + \hat{y}_i - \hat{y}_i$$

이 식을 재정리하면 y_i와 $\bar{y}$의 편차는 다음과 같이 두 부분으로 분해될 수 있다.

$$(y_i - \bar{y}) = (y_i - \hat{y}_i) + (\hat{y}_i - \bar{y})$$

그림 16.7은 $i=5$인 경우에 이와 같은 관계를 그림으로 나타낸 것이다.

그림 16.7 $y_i - \bar{y}$의 분해

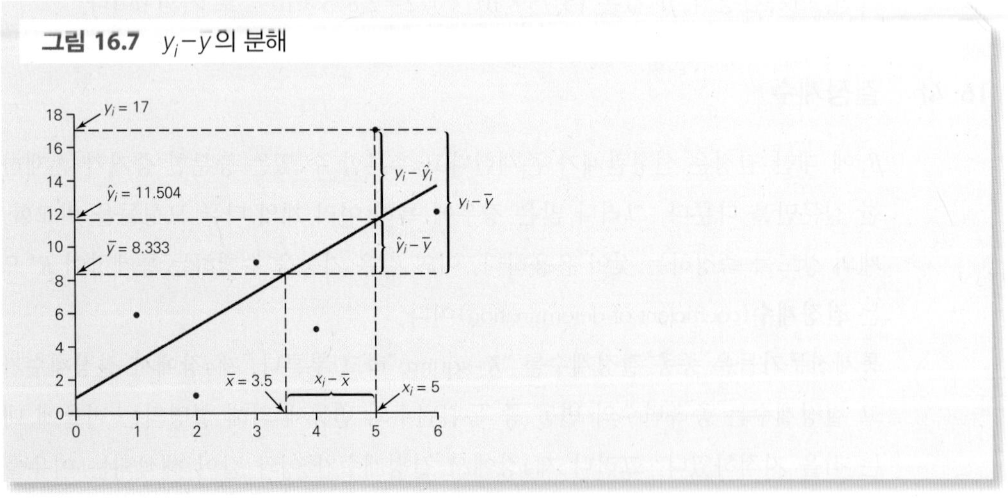

이제 y의 값이 왜 서로 다른가를 생각해보자. 그림 16.7에서 보는 것처럼 y_i와 $\bar{y}$ 차이의 일부인 $\hat{y}_i$와 $\bar{y}$의 차이는 x_i와 $\bar{x}$의 차이에 의해 설명된다. 즉, y 변동의 일부는 x의 변동으로 설명된다. 그러나 y_i와 $\bar{y}$ 차이의 다른 일부는 y_i와 $\hat{y}_i$의 차이를 나타낸다. 이 차이는 잔차이다. 따라서 이 부분은 x의 변동에 의해 **설명되지 않는** 부분이라고 부른다.

$(y_i-\bar{y})=(y_i-\hat{y}_i)+(\hat{y}_i-\bar{y})$의 양변을 제곱하고 모든 표본데이터에 대하여 합하면, 다음과 같은 식이 구해진다.

$$\sum(y_i-\bar{y})^2=\sum(y_i-\hat{y}_i)^2+\sum(\hat{y}_i-\bar{y})^2$$

이 식의 왼쪽에 있는 항은 종속변수 y의 변동에 대한 척도이다. 이 식의 오른쪽 첫 번째 항은 SSE로 표시되는 오차제곱합(sum of squares for error)이고, 두 번째 항은 SSR로 표시되는 회귀제곱합(sum of squares for regression)이다. 이 식을 다음과 같이 다시 쓸 수 있다.

y의 변동 = SSE + SSR

분산분석에서 했던 것처럼 y의 변동(총변동)은 두 부분, 즉 설명되지 않는 y의 변동부분을 측정하는 SSE와 독립변수 x의 변동에 의해 설명되는 y의 변동부분을 측정하는 SSR로 분해된다. 이와 같은 관계를 R^2의 정의에 포함시키면 다음과 같은 결과가 얻어진다.

결정계수

$$R^2=1-\frac{\text{SSE}}{\sum(y_i-\bar{y})^2}=\frac{\sum(y_i-\bar{y})^2-\text{SSE}}{\sum(y_i-\bar{y})^2}=$$

따라서 R^2은 y의 변동 중에서 x의 변동에 의해 설명되는 비율을 측정한다.

예제 16.5 Toyota Camry 중고차의 주행거리와 가격 간 선형관계의 강도 측정하기

예제 16.2에서 결정계수를 구하고 이 통계량이 당신에게 회귀모형에 관하여 무엇을 말해 주는지 설명하라.

해답 **계산**

직접계산

결정계수를 구하기 위해 필요한 모든 요소들은 이미 계산되었다. 예제 16.2에서 다음과 같은 통계량들이 계산되었다.

$s_{xy}=-2.909$

$s_x^2=43.509$

$s_y^2=.3000$

따라서 R^2은 다음과 같이 계산된다.

$$R^2 = \frac{s_{xy}^2}{s_x^2 s_y^2} = \frac{(-2.909)^2}{(43.509)(.3000)} = .6483$$

EXCEL Data Analysis

	A	B
5	R Square	0.6483

EXCEL 결과물에는 **자유도 조정 결정계수**(coefficient of determination adjusted for degrees of freedom)인 조정 결정계수(adjusted R square)가 제시되어 있다. 조정결정계수에 대한 정의와 이에 대한 설명은 제17장에서 이루어진다.

해석 R^2의 값은 .6483이다. 이 통계량은 3년차 Toyota Camry 중고차 경매판매가격 변동의 64.83%는 주행거리의 변동에 의해 설명된다는 것을 말해준다. 나머지 35.17%는 설명되지 않는다. 검정통계량의 값과는 달리, 결정계수는 결론을 도출해줄 수 있게 하는 임계값을 가지지 않는다. 일반적으로 R^2의 값이 클수록 선형모형은 데이터를 더 잘 적합시킨다. β_1에 관한 t 검정으로부터 선형관계가 존재한다는 것을 이미 알고 있다. 결정계수는 단지 이와 같은 선형관계의 강도에 대한 척도이다. 당신이 다음 장에서 알 수 있는 것처럼, 모형의 개선이 이루어지면 R^2의 값은 증가한다.

16.4g EXCEL 결과물의 나머지 부분에 대한 이해

예제 16.2에 있는 EXCEL 결과물의 중간부분은 R^2의 값에 대한 해석과 관련되어 있다. SSR의 값과 SSE의 값이 제14장에서 소개된 표와 유사한 분산분석표의 형태로 제시되어 있다. 이 표의 일반적인 형태가 표 16.2에 제시되어 있다. ANOVA 표에서 수행되는 F 검정은 제17장에서 설명된다.

표 16.2 단순선형회귀모형의 ANOVA 표

변동의 원천	자유도	제곱합	평균제곱	F 통계량
회귀	1	SSR	MSR=SSR/1	F=MSR/MSE
오차	$n-2$	SSE	MSE=SSE/($n-2$)	
총변동	$n-1$	y의 변동		

* Excel은 두 번째 변동의 원천을 "잔차"(Residual)라고 부른다.

16.4h 통계개념에 대한 이해를 심화시키기

다시 한번 설명되는 변동이라는 개념에 접하게 되었다. 이 개념은 실험 단위 간 변동을 감소시키기 위해 설계된 짝진실험이 소개되었던 제13장에서 처음 논의되었다. 이 개념은 분산분석에서 확장되었고 분산분석에서 총변동은 실험계획법에 따라 두 개 이상의 요인들로 분해되었다. 이제 회귀분석에서 종속변수가 독립변수와 어떻게 관련되어 있는지 측정하기 위해 이 개념이 사용된다. 종속변수의 변동이 독립변수에 의해 설명되는 변동과 설명되지 않는 변동으로 분해된다. 설명되는 변동이 클수록 모형은 더 좋다. 결정계수는 종종 모형의 설명력에 대한 척도가 된다.

16.4i 원인과 결과의 관계

선형관계의 증거가 존재한다는 회귀분석의 결과를 해석할 때 많은 학생들은 공통의 실수를 한다. 학생들은 독립변수의 변화가 종속변수의 변화를 발생시킨다고 생각한다. 여기서 강조하여야 하는 점은 통계학의 분석만으로 인과관계를 추론할 수 없다는 점이다. 종속변수의 변화원인은 합리적인 이론적 관계에 의해 정당화되어야 한다. 예를 들면, 통계검정에 의해 사람이 흡연을 많이 할수록 폐암에 걸릴 확률이 더 높아진다는 가설이 기각되지 않았다고 하자. 그러나 이 분석이 흡연이 폐암의 원인이라는 것을 증명한 것은 아니다. 이 분석은 다만 흡연과 폐암은 어느 정도 관련되어 있다는 점을 제시한다. 의학적인 연구에 의해 흡연과 폐암의 관계가 규명될 때에만 과학자들은 확신을 가지고 흡연이 폐암의 원인이라고 선언할 수 있다.

다른 예로서, 주행거리와 중고차경매가격이 선형관계를 가진다는 것을 보여준 예제 16.2를 생각해보자. 주행거리를 감소시키는 것이 중고차경매가격을 상승시킬 것이라고 결론짓는 것이 합리적인 것 같지만, 이와 같은 결론은 전적으로 옳지 않을 수 있다. 중고차 가격은 중고차의 전반적인 상태에 의해 결정되고 중고차의 주행거리가 길수록 일반적으로 중고차의 상태가 더 나빠진다는 것은 이론적으로 가능한 일이다. 이와 같은 결론의 타당성이 성립하기 위해서는 다른 분석이 필요하다.

설명되는 변동(explained variation)과 **모형의 설명력**(explanatory power of the model)이라는 용어를 사용하는 데 신중하여야 한다. **설명되는**(explained)이라는 단어가 **원인이 되는**(caused)을 의미하는 것으로 해석하지 마라. 결정계수는 x의 변동에 의해 설명되는 y의 변동의 비율을 측정한다. 회귀분석은 단지 통계적 관계가 존재한다는 것만을 보일 수 있다. 회귀분석을 통하여 한 변수가 다른 변수의 원인이 된다고 추론할 수 없다.

16.4j 상관계수의 검정

제4장에서 소개된 **피어슨 상관계수**(Pearson coefficient of correlation)는 두 변수 간 선형관계의 강도를 측정하기 위해 사용된다. 그러나 상관계수는 다른 방식으로 유용하게 사용될 수 있다. 상관계수는 두 변수 간 선형관계를 검정하기 위해서도 사용될 수 있다.

독립변수가 종속변수와 **어떻게** 관련되어 있는지 결정하는 것에 대하여 관심이 있을 때, 선형회귀모형이 추정되고 검정된다. 기울기계수에 관한 t 검정은 선형관계가 실제로 존재하는지 결정할 수 있게 해준다. 제16.3절에서 지적한 것처럼, 이와 같은 통계검정에서 x의 각 값에 대하여 y값의 모집단은 분산이 일정한 상수인 정규분포를 따른다는 조건이 요구된다.

많은 경우에 우리는 선형관계의 형태가 아니라 선형관계가 존재하는지만을 결정하는 데 관심을 가질 수 있다. 데이터가 관측데이터이고 두 변수가 이변량 정규분포를 따를 때(제16.3절 참조), 상관계수는 선형관계의 존재여부를 검정하기 위해 사용될 수 있다.

제4장에서 지적한 것처럼, 모상관계수(population coefficient of correlation)는 ρ(그리스문자 *rho*)로 표시된다. ρ는 거의 언제나 알려져 있지 않은 모수이기 때문에 표본데이터로부터 추정되어야 한다. 표본상관계수(sample coefficient of correlation)는 다음과 같이 정의된다는 것을 기억하라.

표본상관계수

$$r = \frac{s_{xy}}{s_x s_y}$$

두 변수 간에 선형관계가 존재하지 않을 때, $\rho=0$이다. $\rho=0$이라고 추론할 수 있는지 결정하기 위해서 다음과 같은 가설들을 검정한다.

$$H_0: \rho=0$$
$$H_1: \rho\neq 0$$

검정통계량은 다음과 같이 정의된다.

$\rho=0$을 검정하기 위한 검정통계량

$$t = r\sqrt{\frac{n-2}{1-r^2}}$$

는 두 변수가 이변량 정규분포를 따르면 자유도가 $\nu=n-2$인 Student t 분포를 따른다.

예제 16.6 Toyota Camry 중고차의 주행거리와 가격은 선형관계를 가지고 있는가? 상관계수의 검정

예제 16.2에서 주행거리와 경매판매가격이 선형관계를 가지는가를 결정하기 위해 상관계수에 관한 t 검정을 수행하라. 두 변수는 이변량 정규분포를 따른다고 가정하라.

해답 **계산**

직접계산

검정되어야 하는 가설들은 다음과 같이 설정된다.

$H_0: \rho=0$

$H_1: \rho \neq 0$

예제 16.2와 예제 16.5로부터 $s_{xy}=-2.909$, $s_x^2=43.509$, $s_y^2=.3000$이다. 따라서

$$s_x = \sqrt{43.509} = 6.596$$
$$s_y = \sqrt{.3000} = .5477$$

이다. 표본상관계수는 다음과 같이 계산된다.

$$r = \frac{s_{xy}}{s_x s_y} = \frac{-2.909}{(6.596)(.5477)} = -.8052$$

검정통계량의 값은 다음과 같다.

$$t = r\sqrt{\frac{n-2}{1-r^2}} = -.8052\sqrt{\frac{100-2}{1-(-.8052)^2}} = -13.44$$

검정통계량의 값은 예제 16.4에서 기울기계수에 대한 t 검정의 값과 같다. 두 경우 모두 검정통계량의 표본분포가 자유도가 98인 Student t 분포를 따르기 때문에, p-값과 결론도 동일하다.

EXCEL Workbook

	A	B	C	D
1	t-Test of Correlation Coefficient			
2				
3	Sample correlation	−0.8052	t Stat	−13.44
4	Sample size	100	P(T<=t) one-tail	2.85E-24
5	Alpha	0.05	t Critical one-tail	1.6604
6			P(T<=t) two-tail	5.71E-24
7			t Critical two-tail	1.9842

지시사항

1. 상관계수를 계산하라.
2. Test Statistics Workbook을 열고 t-Test_Correlation을 클릭하라.
3. 상관계수, 표본크기, α의 값을 입력하라.

XLSTAT

	B	C	D	E	F	G	H
8	Correlation matrix (Pearson):						
9							
10	Variables	Price	Odometer				
11	Price	1	**-0.8052**				
12	Odometer	**-0.8052**	1				
13	*Values in bold are different from 0 with a significance level alpha=0.05*						
14							
15	p-values (Pearson):						
16							
17	Variables	Price	Odometer				
18	Price	0	**<0.0001**				
19	Odometer	**<0.0001**	0				

지시사항

1. 두 열에 데이터를 입력하거나 <Xm16-02>를 불러들여라.
2. XLSTAT, Correlation/Association tests, Correlation tests를 클릭하라.
3. Observational/variables table 박스에서 input range (A1:B101)을 입력하라. Type of correlation으로 Pearson을 설정하라.
4. Options를 클릭하고 Correlation과 *p*-values를 체크하라.

해석 예제 16.6의 ρ에 관한 t 검정과 예제 16.4의 β_1에 관한 t 검정으로부터 동일한 분석결과가 도출된다. 두 검정은 모두 선형관계의 증거가 존재하는가를 결정하기 위해 수행되기 때문에 이것은 놀라운 일이 아니다. 어느 검정을 사용할 것이냐에 대한 의사결정은 실험의 종류와 통계분석으로부터 파악하고자 하는 정보에 기초하여 이루어진다. 만일 두 변수 간의 선형관계가 존재하는지가 관심의 대상이거나 연습문제 16.6에서처럼 독립변수의 값들을 통제하는 실험을 수행하면, β_1에 관한 t 검정이 적용되어야 한다. 만일 이변량 정규분포를 따르는 두 확률변수가 선형의 관계를 가지고 있느냐가 관심 대상이면, ρ에 관한 t 검정이 적용되어야 한다.

기울기 β_1에 관한 t 검정의 경우에서처럼, ρ에 관한 t 검정을 사용하여 단측검정도 수행할 수 있다. 즉, ρ에 관한 t 검정을 사용하여 양의 선형관계 또는 음의 선형관계에 대한 검정도 수행할 수 있다.

General Social Survey

해답 교육년수와 소득은 어떻게 관련되어 있는가?

선택

Jupiterimages/Comstock Images/Getty Images

문제의 목적은 두 변수 간의 관계를 분석하는 것이다. 교육수준이 소득에 어떻게 영향을 미치는지 알기 원하기 때문에, 독립변수는 교육년수(EDUC)이고 종속변수는 소득(RINCOME)이다.

계산

EXCEL Data Analysis

	A	B	C	D	E	F	G
1	SUMMARY OUTPUT						
2	*Regression Statistics*						
3	Multiple R	0.3616					
4	R Square	0.1308					
5	Adjusted R Square	0.1301					
6	Standard Error	40,137					
7	Observations	1362					
8	ANOVA						
9		*df*	*SS*	*MS*	*F*	*Significance F*	
10	Regression	1	329,638,067,644	329,638,067,644	204.62	2.42E-43	
11	Residual	1360	2,190,944,055,383	1,610,988,276			
12	Total	1361	2,520,582,123,027				
13		*Coefficients*	*Standard Error*	*t Stat*	*P-value*	*Lower 95%*	*Upper 95%*
14	Intercept	-27,442	5,501	-4.99	6.88E-07	-38,233	-16,650
15	EDUC	5458	381.58	14.30	2.42E-43	4,710	6,207

해석

회귀식은 $\hat{y} = -27,442 + 5458x$이다. 기울기계수는 평균적으로 각 추가적인 1년의 교육은 소득을 5,458달러 증가시킨다는 점을 말해준다. 절편은 명백히 의미가 없다. 두 변수 간에 선형관계가 존재하는지 결정하기 위한 검정을 해보자.

$H_0: \beta_1 = 0$

$H_1: \beta_1 \neq 0$

검정통계량의 값은 $t = 14.30$이고 검정의 p-값은 2.42×10^{-43}, 즉 실제로 0이다. 결정계수는 $R^2 = .1308$이고 이것은 소득 변동의 13.08%는 교육년수의 변동에 의해 설명되고 나머지 86.92%는 설명되지 않는다는 것을 의미한다.

16.4k 필요조건이 충족되지 않는 경우 상관계수의 검정

두 변수가 이변량 정규분포를 따르지 않을 때, ρ에 대한 t 검정은 제19장에서 논의되는 비모수통계기법인 스피어만 순위상관계수(Spearman rank correlation coefficient)에 의한 검정으로 대체될 수 있다.

연습문제

모든 가설검정에서 5%의 유의수준을 사용하고 모든 추정치에서 95%의 신뢰수준을 사용하라.

16.23 당신은 다음과 같은 데이터를 가지고 있다고 하자.

x	1	3	4	6	9	8	10
y	1	8	15	33	75	70	95

a. 산포도를 그려라. x와 y의 관계가 존재하는 것으로 보이는가?

b. x와 y의 선형관계에 대한 증거가 존재하는지 검정하라.

16.24 당신은 다음과 같은 데이터를 가지고 있다고 하자.

x	3	5	2	6	1	4
y	25	110	9	250	3	71

a. 산포도를 그려라. x와 y의 관계가 존재하는 것으로 보이는가?

b. x와 y의 선형관계에 대한 증거가 존재하는지 검정하라.

16.25 연습문제 16.2를 참조하라.

a. 추정치의 표준오차를 구하라.

b. 광고비와 매출액 간에 선형관계의 증거가 존재하는가?

c. β_1에 대한 95% 신뢰구간을 추정하라.

d. 결정계수를 계산하고 이 값을 해석하라.

e. a~d에서 당신이 배운 것을 간략하게 요약하라.

16.26 연습문제 16.3을 참조하라. 결정계수를 계산하고 신규주택착공건 수와 모기지 이자율 간에 선형관계가 존재하는지 결정하기 위한 검정을 수행하라.

16.27 연습문제 16.4를 참조하라. 텔레비전 시청시간과 아동의 과다체중 간에 선형관계의 증거가 존재하는가?

16.28 연습문제 16.5를 참조하라. 기온과 Yankees Stadium에서 판매되는 매주 수 간에 음의 선형관계가 존재하는지 결정하라.

다음의 연습문제들을 풀기 위해서는 컴퓨터와 소프트웨어를 사용하여야 한다. 연습문제들에 대한 답을 직접 계산할 수도 있다. 표본통계량들을 위해서는 부록 A를 참조하라.

16.29 연습문제 16.6을 참조하라.

a. y-절편의 값 b_0를 구하라. 이 값은 기억력 시험점수와 광고시간 간 선형관계에 대해 무엇을 말해주는가?

b. 기울기계수의 값 b_1은 얼마인가? 이 값을 해석하라.

c. 상관계수와 결정계수를 구하라. 각 계수를 해석하라.

d. 기억력 시험점수와 광고시간 간 선형관계가

있다고 결론내릴 수 있는 충분한 증거가 존재하는지 결정하기 위한 검정을 수행하라.

16.30 연습문제 16.7을 참조하라.

a. 재산세와 도시의 크기 간 선형관계가 있다고 추론할 수 있는 충분한 증거가 존재하는가?

b. 결정계수를 구하라. 결정계수의 값은 당신에게 재산세와 도시의 크기 간 관계에 대해 어떤 정보를 제공하는지 설명하라.

16.31 연습문제 16.8을 참조하라.

a. 데이터는 콘도미니엄의 판매가격과 콘도미니엄의 층수 간 양의 선형관계가 있다고 추론할 수 있는 충분한 증거를 제공하는가?

b. 결정계수를 구하고 결정계수의 값을 해석하라.

16.32 연습문제 16.9를 참조하라. 연령과 질문지를 완성하는 데 걸리는 시간 간 선형관계가 있다고 추론할 수 있는 충분한 증거가 존재하는가?

16.33 연습문제 16.10을 참조하라.

a. 소방서로부터 떨어져 있는 거리와 화재손실률 간 선형관계가 있다는 증거가 존재하는지 결정하기 위한 검정을 수행하라.

b. 소방서로부터 떨어져 있는 거리가 추가적으로 1마일 증가하는 경우 화재손실률의 한계 증가에 대한 신뢰구간추정치를 계산하라.

c. 결정계수를 구하라. 이 통계량은 당신에게 소방서로부터 떨어져 있는 거리와 화재손실률 간 관계에 대해 무엇을 말해주는가?

16.34 연습문제 16.11을 참조하라.

a. 아파트 빌딩의 크기와 판매가격 간 선형관계가 있다고 결론내릴 수 있는 충분한 증거가 존재하는가?

b. 결정계수를 구하고 결정계수의 값이 당신에게 아파트 빌딩의 크기와 판매가격에 대해 무엇을 말해주는지 논의하라.

16.35 연습문제 16.12를 참조하라. 이 경제학자는 가구소득과 식품비 지출액 간 선형관계에 대한 충분한 증거가 존재한다고 결론내릴 수 있는가?

16.36 연습문제 16.13을 참조하라.

a. 공실률이 추가적으로 1% 포인트 증가하는 경우 발생되는 임대료 감소에 대한 신뢰구간 추정치를 계산하라.

b. 상관계수와 결정계수를 구하고 각 통계량이 당신에게 무엇을 말해주는지 설명하라.

16.37 연습문제 16.14를 참조하라. 엔진 사용시간이 증가함에 따라 가격이 평균적으로 감소한다고 추론할 수 있는 충분한 증거가 존재하는가?

16.38 연습문제 16.15를 참조하라.

a. 회귀계수 b_0와 b_1을 해석하라.

b. 흡연하는 담배 수와 감기로 인한 결근일 수 간 선형관계에 대한 충분한 증거가 존재하는가?

16.39 연습문제 16.16을 참조하라. y-절편과 기울기 계수는 당신에게 도시의 크기와 세후 소득 간 선형관계에 대해 무엇을 말해주는가?

16.40 연습문제 16.17을 참조하라.

a. 전력량과 가족의 수 간 선형관계가 있다고 추론할 수 있는 충분한 증거가 존재하는가?

b. 상관계수와 결정계수를 구하라. 이 통계량들은 어떤 정보를 제공해주는가?

16.41 연습문제 16.18을 참조하라.

a. y-절편을 해석하라.

b. 키와 소득 간 양의 선형관계가 있다고 추론할 수 있는 충분한 증거가 존재하는가?

16.42 연습문제 16.19를 참조하라. 나이 든 근로자들이 더 짧은 근무기간을 가진다고 추론할 수 있는 충분한 증거가 존재하는가?

16.43 <Xr16-43> 교육을 더 많이 받은 사람들이 인터넷 뉴스를 보거나 읽는 데 더 많은 시간을 사용하는가? 이 질문에 답하기 위해 한 통계전문가는 임의표본을 구성하는 사람들에게 교육받은 연수와 하루에 인터넷 뉴스를 보거나 읽는 데 사용하는 시간을 묻는 서베이를 수행했다.

a. 두 변수 간에 선형관계가 존재한다고 추론할 수 있는 충분한 증거가 존재하는지 결정하라.

b. 두 변수 간에 선형관계가 존재하면, 추가적인 교육년수 1년이 증가함에 따라 인터넷 뉴스를 보거나 읽는 데 사용하는 시간의 한계 증가에 대한 95% 신뢰구간을 추정하라.

16.44 <Xr16-44> 대부분의 미국 대통령 선거에서 투표율은 종종 50% 주위로 매우 낮다. 정치 분야에서 일하는 사람들은 누가 투표할 것인지 예측할 수 있기 원한다. 따라서 어떤 변수들이 투표할 의사와 관련되어 있는지 아는 것이 중요하다. 한 정치 여론조사회사는 선거 3개월 전에 등록 유권자들로 구성된 임의표본을 추출하였다. 각 응답자에게 다음과 같은 질문을 하였다. "당신의 투표할 의사나 투표하지 않을 의사가 얼마나 분명한가?" 그 결과는 1=분명히 투표하지 않을 것이다, 2, 3, 4, 5, 6, 7, 8, 9, 10=분명히 투표할 것이다와 같이 기록되었다. 또한 응답자의 연령도 기록되었다. 연령과 투표할 의사 간 선형관계가 있다고 추론할 수 있는 충분한 증거가 존재하는가?

16.45 <Xr16-45> 텔레비전 전국 뉴스가 노인들에게 만연한 병에 사용되는 약을 설명하는 광고를 다루고 있다. 분명히, 주요 텔레비전 방송국들은 노인들은 전국 뉴스를 시청하는 경향이 있다고 믿는다. 한 제약회사의 마케팅 담당자는 60세 이상 노인들로 구성된 임의표본에 대한 서베이를 수행했고 그들의 연령과 일주일에 전국 뉴스를 시청하는 일수를 기록하였다.

a. 연령과 전국 뉴스를 시청하는 일수 간에 선형관계가 있다고 결론지을 수 있는 충분한 증거가 존재하는지 결정하기 위한 검정을 수행하라.

b. 결정계수를 계산하고 이것이 당신에게 무엇을 말해주는지 간략히 설명하라.

16.5 선형회귀모형의 활용

제16.4절에서 제시된 기법들을 사용하면서 선형모형이 얼마나 잘 데이터를 적합시키는지 평가할 수 있다. 만일 선형모형이 데이터를 만족스럽게 적합시키면, 이 모형은 종속변수의 값을 예측하고 추정하기 위해 사용될 수 있다. 예제 16.2에서 중고차 딜러는 주행거리가 40,000마일을 가지고 있는 3년차 Toyota Camry의 판매가격을 예측하기 원한다고 하자. 회귀식을 사용하면, $x = 40$인 경우 $\hat{y}$의 값이 다음과 같이 구해진다.

$$\hat{y} = 17.250 - .0669x = 17.250 - 0.0669(40) = 14.574$$

이 값은 **점 예측치**(point prediction)라고 부른다. $\hat{y}$은 $x=40$일 때 y의 점추정치 또는 예측치이다. 따라서 이 딜러는 이 중고차가 14,574달러에 판매될 것이라고 예측한다.

그러나 점 예측치는 진정한 판매가격(true selling price)과 얼마나 가까운지에 관한 아무런 정보도 제공하지 못한다. 이와 같은 정보를 발견하기 위해서는 구간 예측치가 사용되어야 한다. 실제로 두 가지의 구간이 구간 예측치로 사용될 수 있다. 두 가지 구간은 특정한 y값에 대한 예측구간(prediction interval of a particular value of y)과 y의 기대치에 대한 신뢰구간 추정량(confidence interval estimator of the expected value of y)이다.

16.5a 주어진 x의 값에 상응하는 y의 값에 대한 예측구간

첫 번째 예측구간은 독립변수가 x_g일 때 종속변수의 값을 예측하기 원할 때 사용된다. 이 구간은 종종 **예측구간**(prediction interval)이라고 부르고 다음과 같이 계산된다.

y값에 대한 예측구간

x_g는 주어진 x의 값이고 $\hat{y}=b_0+b_1x_g$이면, y값에 대한 예측구간은 다음과 같다.

$$\hat{y} \pm t_{\alpha/2,n-2}s_\varepsilon\sqrt{1+\frac{1}{n}+\frac{(x_g-\bar{x})^2}{(n-1)s_x^2}}$$

참고

추정된 회귀식은 $\hat{y}_i=b_0+b_1x_i$이다. 이때 실제의 관측치는 $y_i=\beta_0+\beta_1x_i+\varepsilon_i$이다. $x=x_g$일 때 y의 값을 예측하는 문제를 생각해보자. 추정된 회귀식을 이용하여 y의 값을 예측하면 $\hat{y}_g=b_0+b_1x_g$이다. 이와 같은 예측치 $\hat{y}_g$는 실제의 관측치 $y_g=\beta_0+\beta_1x_g+\varepsilon_g$와 다를 수 있다. 이 경우의 예측오차(prediction error)는 $E_g=\hat{y}_g-y_g=(b_0-\beta_0)+(b_1-\beta_1)x_g-\varepsilon_g$로 나타낼 수 있다.

예측오차는 다음과 같은 특성을 가진다.

$$E(E_g)=0$$

$$V(E_g)=\sigma_\varepsilon^2\left[1+\frac{1}{n}+\frac{(x_g-\bar{x})^2}{\sum(x_i-\bar{x})^2}\right]$$

$V(E_g)$는 분산과 공분산의 법칙을 적용하면 쉽게 구해진다. 오차변수의 분산 σ_ε^2은 알려져 있지 않기 때문에 이것의 표본추정치인 추정치의 분산 s_ε^2으로 대체된다. 이 경우 예측오차의 분산에 대한 추정치는 다음과 같이 나타낼 수 있다.

$$\hat{V}(E_g) = s_g^2 = s_\varepsilon^2\left[1 + \frac{1}{n} + \frac{(x_g - \bar{x})^2}{\sum(x_i - \bar{x})^2}\right]$$

따라서 필요조건들이 충족되는 경우 $\frac{E_g - E(E_g)}{\sqrt{\hat{V}(E_g)}} = \frac{E_g}{s_g} = \frac{\hat{y}_g - y_g}{s_g}$는 자유도가 $v=n-2$인 Student t 분포를 따른다.

16.5b 주어진 x의 값에 상응하는 y의 기대치에 대한 신뢰구간

제16.3절에서 설명된 필요조건들은 주어진 x의 값에 대하여 평균이

$$E(y|x)=\beta_0+\beta_1 x$$

인 y 값의 모집단이 존재한다는 것을 제시한다.

주어진 x에 대하여 y의 평균(기대치)을 추정하기 위해 다음과 같은 구간이 사용된다.

y의 기대치에 대한 신뢰구간추정량

x_g는 주어진 x의 값이고 $\hat{y}=b_0+b_1x_g$이면, y의 기대치에 대한 신뢰구간추정량은 다음과 같다.

$$\hat{y} \pm t_{\alpha/2,n-2}s_\varepsilon\sqrt{\frac{1}{n} + \frac{(x_g - \bar{x})^2}{(n-1)s_x^2}}$$

예측구간의 공식과는 달리, 이 공식은 제곱근 부호 안에 "1"을 포함하지 않는다. 따라서 동일하게 주어진 x의 값과 신뢰수준 하에서 **y의 기대치에 대한 신뢰구간추정량**은 y의 예측구간보다 더 좁다. 이것은 개별 값을 예측할 때와 비교하여 기대치를 예측할 때 오차가 더 적게 존재하기 때문이다.

참고

추정된 회귀식은 $\hat{y}_i = b_0 + b_1 x_i$이다. 이때 실제의 관측치는 $y_i = \beta_0 + \beta_1 x_i + \varepsilon_i$이다. $x = x_g$일 때 $E(y_g | x_g)$의 값을 예측하는 문제를 생각해보자. 추정된 회귀식을 이용하여 y의 값을 예측하면 $\hat{y}_g = b_0 + b_1 x_g$이다. 이와 같은 예측치 $\hat{y}_g$는 y_g의 기대치 $E(y_g | x_g) = \beta_0 + \beta_1 x_g$와 다를 수 있다. 이 경우의 예측오차(prediction error)는 $E_g = \hat{y}_g - E(y_g | x_g) = (b_0 - \beta_0) + (b_1 - \beta_1) x_g$로 나타낼 수 있다.

예측오차는 다음과 같은 특성을 가진다.

$$E(E_g) = 0$$

$$V(E_g) = \sigma_\varepsilon^2 \left[\frac{1}{n} + \frac{(x_g - \bar{x})^2}{\sum (x_i - \bar{x})^2} \right]$$

$V(E_g)$는 분산과 공분산의 법칙을 적용하면 쉽게 구해진다. 오차변수의 분산 σ_ε^2은 알려져 있지 않기 때문에 이것의 표본추정치인 추정치의 분산 s_ε^2으로 대체된다. 이 경우 예측오차의 분산에 대한 추정치는 다음과 같이 나타낼 수 있다.

$$\hat{V}(E_g) = s_g^2 = s_\varepsilon^2 \left[\frac{1}{n} + \frac{(x_g - \bar{x})^2}{\sum (x_i - \bar{x})^2} \right]$$

따라서 필요조건들이 충족되는 경우 $\dfrac{E_g - E(E_g)}{\sqrt{\hat{V}(E_g)}} = \dfrac{E_g}{s_g} = \dfrac{\hat{y}_g - E(y_g | x_g)}{s_g}$는 자유도가 $v = n - 2$인 Student t 분포를 따른다.

예제 16.7 Toyota Camry 중고차의 가격 예측과 평균 가격 예측

a. 한 중고차 딜러는 표준적인 장비들을 장착하고 있고 주행거리가 40,000마일($x_g = 40$)인 3년차 Toyota Camry 중고차를 매입응찰하려고 한다. 매입호가를 얼마로 해야 하는지 결정하기 위해 그는 판매가격을 예측할 필요가 있다.

b. a에서 언급된 중고차 딜러는 렌트카 회사에 의해 공급되는 여러 대의 3년차 Toyota Camry 중고차에 매입응찰할 기회를 가지고 있다. 이 렌트카 회사는 표준적인 장비들을 장착하고 있는 250대의 3년차 Toyota Camry 중고차를 가지고 있다. 이와 같은 모든 3년차 Toyota Camry는 모두 40,000마일의 주행거리($x_g = 40$)를 가지고 있다. 이 중고차 딜러는 모든 3년차 Toyota Camry 중고차의 평균 판매가격에 대한 추정치를 구하기 원한다.

해답 **선택**

a. 중고차 딜러는 한 중고차의 판매가격을 예측하기 원한다. 따라서 그는 다음과 같은 예측구간을 사용해야 한다.

$$\hat{y} \pm t_{\alpha/2,n-2} s_\varepsilon \sqrt{1 + \frac{1}{n} + \frac{(x_g - \bar{x})^2}{(n-1)s_x^2}}$$

b. 중고차 딜러는 많은 3년차 Toyota Camry 중고차들의 평균가격을 예측하기 원한다. 따라서 그는 다음과 같은 기대치에 대한 신뢰구간추정량을 계산할 필요가 있다.

$$\hat{y} \pm t_{\alpha/2,n-2} s_\varepsilon \sqrt{\frac{1}{n} + \frac{(x_g - \bar{x})^2}{(n-1)s_x^2}}$$

기술적으로 말하면, 이 공식은 무한히 큰 모집단에 대하여 사용된다. 주어진 문제는 앞에서 설명한 표준적인 장비들을 장착하고 있고 주행거리가 40,000마일인 모든 3년차 Toyota Camry 중고차들의 평균 판매가격을 구하고자 하는 문제로 해석될 수 있다. b의 중요한 요소는 동일한 특성을 가지고 있는 많은 3년차 Toyota Camry 중고차들의 평균 가격을 추정하는 것이다. 임의로 95%의 신뢰수준이 선택되었다.

계산

직접계산

다음과 같은 앞에서 계산된 통계량들이 사용된다.

$$\hat{y} = 17.250 - .0669(40) = 14.574$$

$$s_\varepsilon = .3265$$

$$s_x^2 = 43.509$$

$$\bar{x} = 36.011$$

부록 B의 표 4로부터 $t_{.025,98}$값은 근사적으로 다음과 같이 구해진다.

$t_{\alpha/2} = t_{.025,98} = 1.984$ (엑셀함수=T.INV 이용)

a. y값에 대한 95%의 예측구간은 다음과 같다.

$$\hat{y} \pm t_{\alpha/2,n-2} s_\varepsilon \sqrt{1 + \frac{1}{n} + \frac{(x_g - \bar{x})^2}{(n-1)s_x^2}}$$

$$= 14.574 \pm 1.984 \times .3265 \sqrt{1 + \frac{1}{100} + \frac{(40 - 36.011)^2}{(100-1)(43.509)}}$$

$$= 14.574 \pm 0.652$$

예측구간의 하한값과 상한값은 각각 13,922달러와 15,226달러이다.

b. y의 평균가격에 대한 95%의 신뢰구간추정치는 다음과 같다.

$$\hat{y} \pm t_{\alpha/2,n-2}s_\varepsilon\sqrt{\frac{1}{n}+\frac{(x_g-\bar{x})^2}{(n-1)s_x^2}}$$

$$= 14.574 \pm 1.984 \times .3265\sqrt{\frac{1}{100}+\frac{(40-36.011)^2}{(100-1)(43.509)}}$$

$$= 14.574 \pm 0.076$$

y의 기대치에 대한 신뢰구간추정치의 하한값과 상한값은 각각 14,498달러와 14,650달러이다.

EXCEL Workbook

	A	B	C	D	E
1	**Predict & Estimate of y**				
2					
3	**Sample mean of x**	36.011	**Confidence Interval Estimate**		
4	**Sample variance of x**	43.509	**14.57**	±	**0.076**
5	**Sample size**	100	**Lower confidence limit**		**14.498**
6	**Regression coefficients**		**Upper confidence limit**		**14.650**
7	**Intercept**	17.25			
8	**Slope**	-0.0669	**Prediction Interval**		
9	**SSE**	10.45	**14.57**	±	**0.652**
10	**Confidence level**	0.95	**Lower prediction limit**		**13.922**
11	**Given value of x**	40	**Upper prediction limit**		**15.227**

지시사항

1. 독립변수 X의 표본평균과 표본분산을 계산하라.
2. 회귀분석을 수행하라.
3. **Estimators Workbook**을 열고 **Prediction**을 클릭하라.
4. X의 표본평균과 표본분산, 표본크기, 회귀계수 b_0와 b_1, SSE, 신뢰수준, X의 주어진 값을 입력하라.

XLSTAT

	B	C	D	E	F	G	H	I	J
41	Equation of the model (Price):								
42									
43	Price = 17.24873-0.06686*Odometer								
44									
45									
46	Predictions for the new observations (Price):								
47									
48	Observation	Odometer	Pred(Price)	Std. dev. on pred. (Mean)	Lower bound 95% (Mean)	Upper bound 95% (Mean)	Std. dev. on pred. (Observation)	Lower bound 95% (Observation)	Upper bound 95% (Observation)
49	PredObs1	40.000	14.574	0.038	14.498	14.650	0.329	13.922	15.227

지시사항

1. 임의의 비어있는 셀에 X의 주어진 값 (40)을 입력하라.

2. 두 열에 데이터를 입력하거나 <Xm16-02>를 불러들여라.
3. **XLSTAT, Modeling data, Linear regression**을 클릭하라.
4. **Quantitative** 박스에서 input range of Y (A1:A101)을 입력하라. **X Explanatory variables Quantitative** 박스에서 input range of X (B1:B101)을 입력하라. (이 단계에서 회귀분석의 결과를 보려면 **Output**를 클릭하고 **Analysis of variance**를 체크하라.)
5. **Options**를 클릭하고 **Confidence interval (%)** (95)를 설정하라.
6. **Prediction**을 클릭하라. **X Explanatory variables Quantitative** 박스에서 X의 주어진 값이 있는 셀을 입력하라.

해석 주행거리가 40,000마일인 3년차 Toyota Camry 중고차는 13,922달러와 15,226달러 사이의 가격으로 판매될 것이라고 예측된다. 3년차 Toyota Camry 중고차 모집단의 평균 판매가격은 14,498달러와 14,650달러 사이에 속하는 것으로 추정된다. 한 중고차의 판매가격을 예측하는 것이 모든 유사한 중고차들의 평균 판매가격을 추정하는 것보다 더 어렵기 때문에, 예측구간이 기대치에 대한 구간추정치보다 더 넓다.

16.5c 주어진 x의 값이 구간 예측에 미치는 효과

x의 값들에 대하여 두 구간을 계산하면 그림 16.8에 있는 그래프가 구해진다. 두 구간이 모두 곡선으로 그려져 있다는 점에 주목하라. 이와 같이 두 구간이 모두 곡선으로 그려진 것은 주어진 x의 값이 $\bar{x}$로부터 멀리 떨어질수록 추정오차가 더 커지게 되기 때문이다. 이와 같은 추정오차의 부분은 예측구간과 기대치에 대한 구간추정치 모두에 나타나는

$$\frac{(x_g - \bar{x})^2}{(n-1)s_x^2}$$

에 의해 측정된다.

그림 16.8 구간추정치와 예측구간

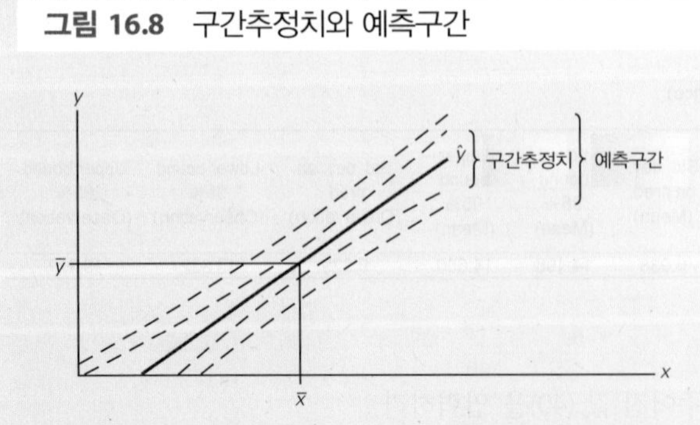

연습문제

16.46 y의 값을 예측하는 것과 y의 기대치를 예측하는 것의 차이를 간략히 설명하라.

16.47 동일한 독립변수(x) 값이 주어진 경우, 예측구간(종속변수 y에 대한 예측구간)이 항상 추정구간(종속변수 y의 기대치에 대한 예측구간)보다 더 넓은가? 간략히 설명하라.

16.48 광고비가 80,000달러일 때 90%의 신뢰수준에서 매출액을 예측하기 위해 연습문제 16.2의 회귀식을 사용하라.

16.49 연습문제 16.3에서 모기지 이자율이 7%일 때 평균 월간 신규주택착공건 수를 90%의 신뢰수준에서 추정하라.

16.50 연습문제 16.4를 참조하라.

a. 주당 35시간 텔레비전을 시청하는 아동의 과다체중에 대한 90%의 신뢰구간을 예측하라.

b. 주당 35시간 텔레비전을 시청하는 아동들의 평균 과다체중에 대한 90%의 신뢰구간을 예측하라.

16.51 연습문제 16.5를 참조하라. 기온이 화씨 75도일 때 판매되는 맥주의 수에 대한 90%의 신뢰구간을 예측하라.

다음의 연습문제들을 풀기 위해서는 컴퓨터와 소프트웨어를 사용하여야 한다. 연습문제에 대한 답을 직접 계산할 수도 있다. 필요한 표본통계량들을 위해 부록 A를 참조하라. 95%의 신뢰수준을 사용하라.

16.52 연습문제 16.6을 참조하라.

a. 30초짜리 광고를 시청한 시청자의 기억력 시험점수에 대한 95%의 신뢰구간을 추정하라.

b. 30초짜리 광고를 시청한 시청자들의 평균 기억력 시험점수에 대한 95%의 신뢰구간을 추정하라.

16.53 연습문제 16.7을 참조하라. 인구가 500,000명인 도시에 있는 주택의 재산세에 대한 예측구간을 계산하라.

16.54 연습문제 16.8을 참조하라. 15층에 있는 1,200 ft^2 콘도미니엄의 판매가격에 대한 예측구간을 구하라.

16.55 연습문제 16.9를 참조하라. 40세인 미국인들이 센서스 질문지를 완성하는 데 걸리는 평균 시간에 대한 신뢰구간추정치를 계산하라.

16.56 연습문제 16.10을 참조하라. 가장 가까운 소방서로부터 8마일 떨어져 있는 주택의 화재손실률에 대한 예측구간을 계산하라.

16.57 연습문제 16.11을 참조하라. 60,000 ft^2인 아파트 빌딩들의 평균 가격에 대한 신뢰구간 예측치를 계산하라.

16.58 연습문제 16.12를 참조하라. 가구소득이 60,000달러인 가족의 식품비 지출액에 대한 예측구간을 계산하라.

16.59 연습문제 16.13을 참조하라. 공실률이 8% 일 때 월간 사무실 임대료에 대한 예측구간을 구하라.

16.60 연습문제 16.14를 참조하라. 최소자승선을 사용하여 가격의 개별 값과 기대치를 예측해서는 안 되는 이유를 설명하라.

16.61 연습문제 16.15를 참조하라. 하루에 평균 40개의 담배를 흡연하는 개인들의 결근일 수에 대한 예측구간을 구하라.

16.62 연습문제 16.16을 참조하라. 인구가 1,000,000명인 도시에 사는 거주자들의 평균 세후소득에 대한 신뢰구간추정치를 계산하라.

16.63 연습문제 16.17을 참조하라. 가족 수가 4명인 가구들의 평균 전력소비량에 대한 신뢰구간을 추정하라.

16.64 연습문제 16.18을 참조하라. 키가 6′2″ (74인치)인 사람들의 평균 연간 소득에 대한 신뢰구간을 계산하라.

16.65 연습문제 16.19를 참조하라. 이 회사가 22세 텔레마케터를 방금 고용하였다. 이 텔레마케터가 이 회사에서 얼마나 근무할 것인지 예측하라.

16.6 회귀모형의 진단 1

제16.3절에서는 회귀분석의 타당성을 위한 오차변수의 필요조건들이 설명되었다. 간단히 말하면, 오차변수는 일정한 분산을 가진 정규분포를 따라야 하고 오차변수들은 서로 독립이어야 한다. 이 절에서는 이와 같은 필요조건의 위반여부를 진단하는 방법이 논의된다. 이에 더하여 예외적으로 크거나 작은 관측치들을 다루는 방법이 논의된다. 또한 관측치들이 기록될 때 오류가 발생하였는지 조사하여야 한다.

16.6a 잔차분석

대부분의 필요조건 위반사항들은 제16.4절에서 논의한 잔차를 조사해봄으로써 진단될 수 있다. 대부분의 컴퓨터 패키지는 당신이 잔차의 값을 구할 수 있고 잔차에 대한 다양한 그래프 기법과 통계기법을 적용할 수 있게 해준다.

또한 표준잔차(standardized residual)가 계산될 수 있다. 평균을 빼고 표준편차로 나누어서 모든 변수들을 표준화하는 것과 동일한 방법으로 잔차가 표준화될 수 있다. 잔차의 평균은 0이고 표준편차 σ_ε은 알려져 있지 않기 때문에 추정되어야 한다. σ_ε에 대한 가장 간단한 추정치는 추정치의 표준오차 s_ε이다. 따라서 잔차 $e_i = y_i - \hat{y}_i$는 다음과 같이 표준화된다.

$$\text{점 } i\text{의 표준잔차} = \frac{e_i}{s_\varepsilon}$$

EXCEL Data Analysis

EXCEL은 잔차를 잔차의 표준편차로 나누어서 표준잔차를 계산한다. (추정치의 표준오차와 잔차의 표준편차의 차이는 전자의 공식에서 분모는 $n-2$인 반면, 후자의 공식에서 분모는 $n-1$이라는 점이다.)

예제 16.2에 해당되는 잔차계산결과의 일부(처음 5개 관측치와 마지막 5개 관측치)는 다음과 같다.

	A	B	C	D
1	RESIDUAL OUTPUT			
2				
3	*Observation*	*Predicted Price*	*Residuals*	*Standard Residuals*
4	1	14.748	−0.148	−0.456
5	2	14.253	−0.153	−0.472
6	3	14.186	−0.186	−0.574
7	4	15.183	0.417	1.285
8	5	15.129	0.471	1.449
9				
10				
11				
12	95	15.149	−0.049	−0.152
13	96	14.828	−0.028	−0.087
14	97	14.962	−0.362	−1.115
15	98	15.029	−0.529	−1.628
16	99	14.628	0.072	0.222
17	100	14.815	−0.515	−1.585

지시사항

예제 16.2에 제시되어 있는 지시사항들을 따르라. **확인**(OK)을 클릭하기 전에 **잔차**(Residuals)와 **표준잔차**(Standardized Residuals)를 선택하라. 예측치(predicted values), 잔차(residuals), 표준잔차(standardized residuals)가 결과물로 출력된다.

잔차의 분석으로부터 오차변수가 비정규분포(nonnormal distribution)를 따르는지, 오차변수의 분산이 일정한지, 오차변수들이 독립인지 결정할 수 있다. 먼저 오차변수가 비정규분포를 따르는지에 관한 문제부터 논의를 시작해보자.

16.6b 비정규분포

잔차의 히스토그램을 그려서 오차변수가 정규분포를 따르는지 확인할 수 있다. 그림 16.9는 Excel을 이용하여 예제 16.2에서 구한 잔차의 히스토그램을 그린 것이다. 당신이 보는 것처럼, 히스토그램은 종 모양으로 그려져 있어 오차변수가 정규분포를 따른다고 믿을 수 있다.

그림 16.9 예제 16.2에서 구한 잔차의 히스토그램

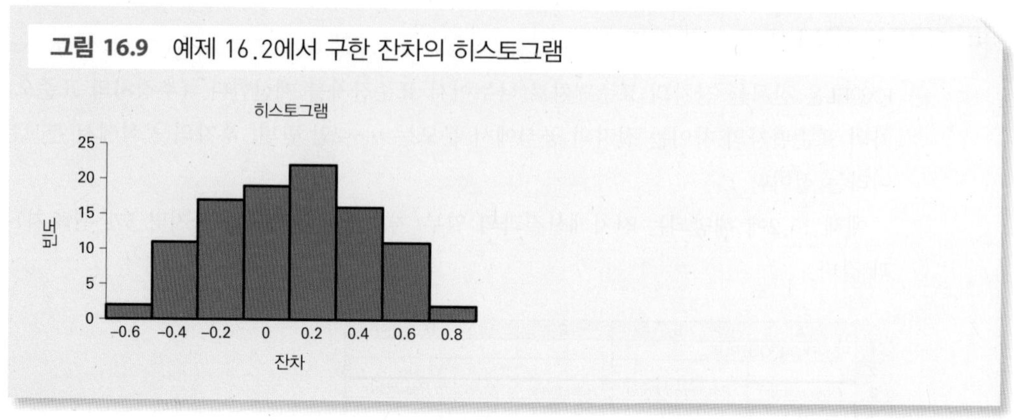

16.6c 이분산

오차변수의 분산 σ_ε^2은 상수여야 한다. 이와 같은 필요조건이 위반되는 상태는 **이분산**(heteroscedasticity)이라고 부른다. (당신은 이와 같은 용어를 사용하여 친구들과 친척들에게 깊은 인상을 줄 수 있다. 한편, 필요조건이 충족되는 상태는 **동분산**(homoscedasticity)이라고 부른다.) 이분산을 진단하는 한 가지 방법은 y의 예측치들에 대하여 잔차들을 그려보는 것이다. 이 그림에서 그려진 점들의 분산이 변화하는지 살펴본다. 그림 16.10은 이와 같은 상황을 보여준다. 이 그림에서 σ_ε^2은 $\hat{y}$이 작을 때 작고 $\hat{y}$이 클 때 크다는 것을 알 수 있다. 물론 많은 다른 패턴을 보여주는 그림들도 이분산의 존재여부를 파악하기 위해 사용될 수 있다.

그림 16.10 이분산을 보여주는 잔차의 그림

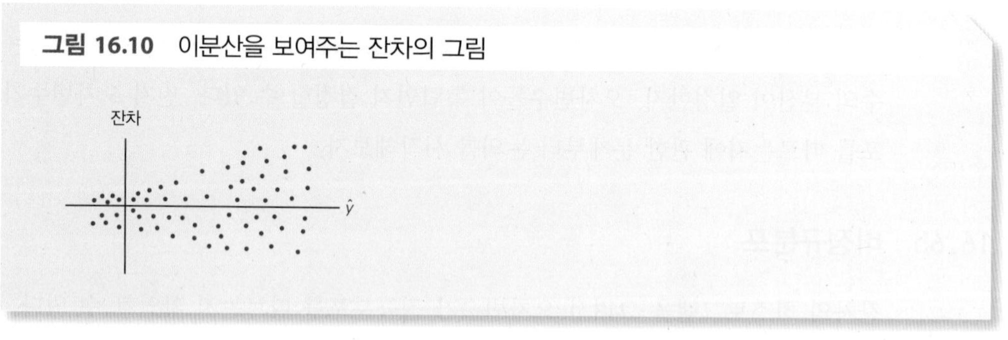

그림 16.11은 σ_ε^2이 일정한 경우를 그린 것이다. 이 경우에는 잔차의 변동성 변화가 존재하지 않는다.

그림 16.11 동분산을 보여주는 잔차의 그림

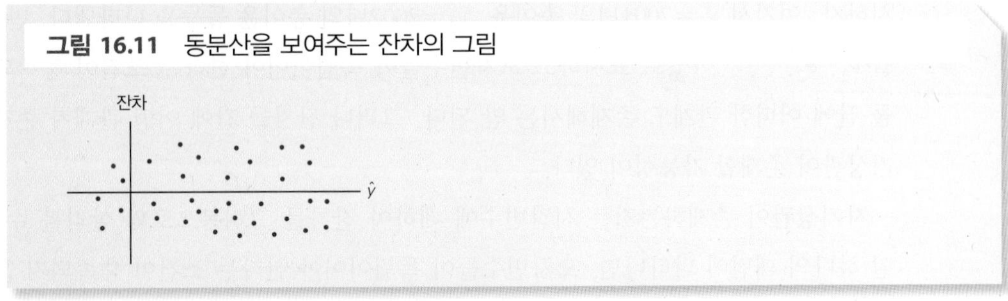

예제 16.2의 경우, 잔차와 y의 예측치를 EXCEL을 이용하여 그린 산포도가 그림 16.12에 제시되어 있다. 그림 16.12에서 보는 것처럼 이분산의 징후가 존재하지 않는다.

그림 16.12 예제 16.2의 경우 예측치와 잔차의 그림

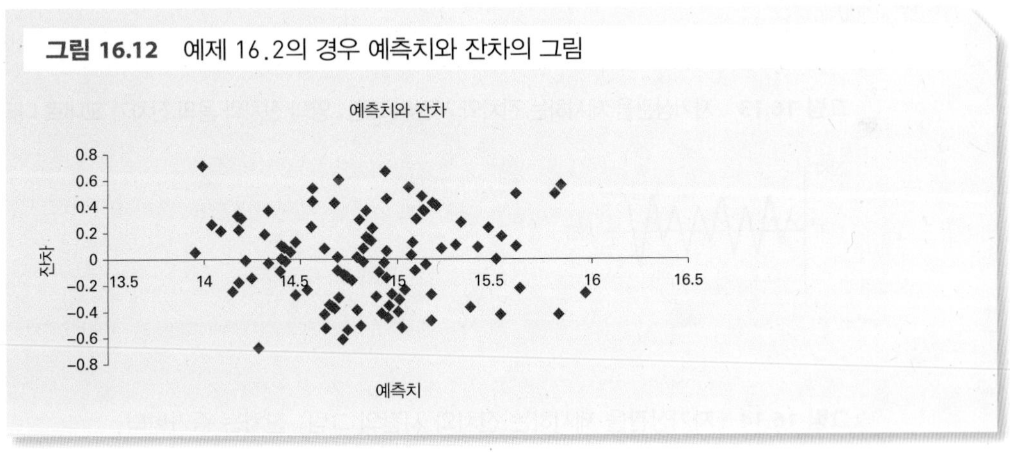

16.6d 오차변수의 비독립성

제3장에서는 횡단면 데이터(cross-sectional data)와 시계열 데이터(time-series data)의 차이를 간략히 설명하였다. 횡단면 데이터는 거의 동시점에 구해지는 관측치들인 반면, 시계열 데이터는 연속적인 시점들에서 구해지는 관측치들이다. 예제 16.2의 데이터는 모든 가격과 주행거리가 동시점에 구해지기 때문에 횡단면 데이터이다. 매주 또는 매년 자동차들의 경매가격을 관측하여 구해지는 관측치들은 시계열 데이터가 된다.

오차변수의 필요조건 4는 오차변수의 값들이 독립이라는 것이다. 데이터가 시계열 데이터일 때, 오차변수의 값들은 종종 상관관계를 가진다. 동태적으로 상관관계를 가지는 오차변수들은 **자기상관**(autocorrelation) 또는 **계열상관**(serial correlation)을 가진다고 말한다. 예를 들면, 연간 총이윤과 한 독립변수 간의 관계를 분석하기 위해 2001년~2020년 동안의 연간 총이윤에 관한 데이터가 사용된다고 하자. y의 관측치들을 $y_1, y_2, \ldots, y_{20}$으로 표

시하자. 여기서 y_1=2001년의 총이윤, y_2=2002년의 총이윤 등등을 나타낸다. 만일 잔차들을 e_1, e_2, . . . , e_{20}로 표시하고 오차변수들이 독립이어야 한다는 조건이 충족되면, 잔차들 간에 어떠한 관계도 존재해서는 안 된다. 그러나 잔차들 간에 어떤 관계가 존재하면, 자기상관이 존재할 가능성이 있다.

자기상관이 존재하는지는 시간변수에 대하여 잔차를 그려봄으로써 살펴볼 수 있다. 만일 하나의 패턴이 나타나면, 오차변수들이 독립이어야 한다는 조건이 충족되지 않을 수 있다. 그림 16.13(양의 잔차와 음의 잔차가 교대로 나타난다)과 그림 16.14(잔차가 증가한다)는 자기상관을 제시하는 패턴을 보여준다. 그림 16.15는 아무런 패턴을 보여주지 않는다(잔차는 주어진 기간 동안 임의로 분포되어 있는 것으로 보인다). 즉, 그림 16.15는 오차변수들이 독립적이라는 것을 제시해준다.

그림 16.13 자기상관을 제시하는 잔차와 시간의 그림: 양의 잔차와 음의 잔차가 교대로 나타난다.

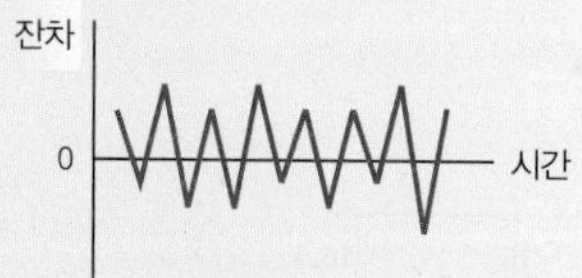

그림 16.14 자기상관을 제시하는 잔차와 시간의 그림: 잔차는 증가한다

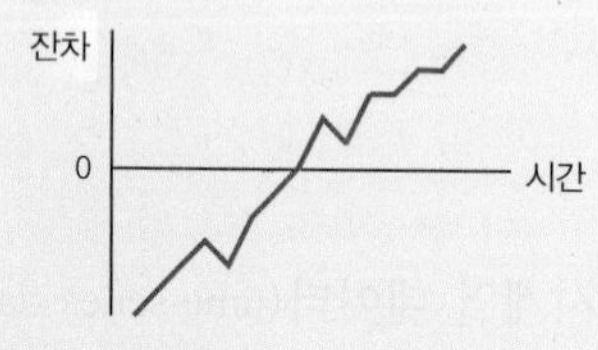

그림 16.15 오차변수들의 독립성을 제시하는 잔차와 시간의 그림

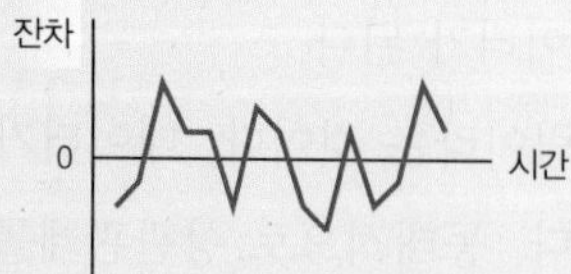

제17장에서는 제1계 자기상관(first-order autocorrelation)이 존재하는지 결정하기 위해 사용되는 통계적 검정인 더빈-왓슨 검정(Durbin-Watson test)이 소개된다.

16.6e 이상치

이상치(outlier)는 예외적으로 작거나 큰 관측치이다. 주행거리의 범위가 19,100마일과 49,200마일이었던 예제 16.2의 경우를 생각해보자. 만일 주행거리가 5,000마일인 관측치가 관찰되었다면, 이 점은 이상치로 판별된다. 어느 관측치가 이상치가 되는 다양한 가능성들을 조사할 필요가 있다.

1. 관측치의 값을 기록하는 데서 오류가 존재했을 수 있다. 이와 같은 오류를 발견하기 위해서는 문제가 되는 점 또는 점들을 확인하여야 한다. 예제 16.2에서 실수가 발생했는지 결정하기 위해 자동차의 주행기록계기를 확인할 수 있다. 만일 실수가 있었다면, 회귀분석을 하기 전에 실수를 교정하여야 한다.

2. 이상치와 같은 점이 표본에 포함되어서는 안 된다. 종종 관측치들은 표본에 속하지 않는 실험 단위로부터 선택된다. 주행거리가 5,000마일인 자동차가 실제로 3년 된 차인지 조사한다. 주행기록계기가 뒤로 돌아갔을 가능성을 조사한다. 어느 경우이든 이상치는 회귀분석 이전에 제거되어야 한다.

3. 표본에 속하고 적정하게 기록된 관측치가 예외적으로 크거나 작은 값을 가질 수 있다. 이 경우에 이상치에 대하여 할 수 있는 일은 더 이상 없다. 이상치가 타당한 관측치인지 판단하여야 한다.

이상치는 산포도로부터 식별될 수 있다. 그림 16.16은 한 개의 이상치를 가지고 있는 산포도를 그린 것이다. 통계전문가는 이 관측치가 정확하게 기록되었는지와 실험 단위가 표본에 포함된 것인지 확인하여야 한다.

표준잔차도도 이상치를 구별하는 데 도움을 줄 수 있다. 표준잔차의 절댓값이 큰 경우는 철저하게 이에 해당되는 관측치를 조사하여야 한다.

그림 16.16 한 개의 이상치가 존재하는 산포도

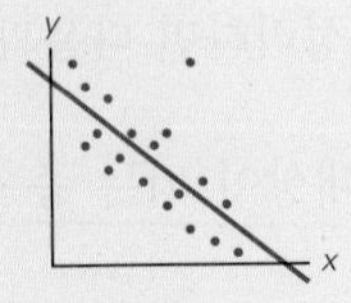

16.6f 영향치

회귀분석에서 종종 하나 또는 하나 이상의 관측치들이 통계량들에 큰 영향을 미친다. 그림 16.17은 이와 같은 한 개의 관측치와 도출된 최소자승선을 그린 것이다. 만일 이 점이 표본에 포함되어 있지 않았다면, 그림 16.18에 있는 최소자승선이 도출되었을 수도 있다. 분명히 이와 같은 한 점은 결과에 엄청난 영향을 미치고 있다. 영향치들은 산포도에 의해 판별될 수 있다. 또한 이 점은 이상치일 수 있기 때문에 철저하게 조사되어야 한다.

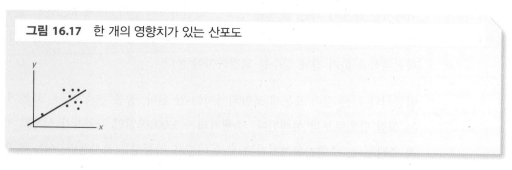

그림 16.17 한 개의 영향치가 있는 산포도

그림 16.18 영향치가 없는 경우의 산포도

16.6g 회귀모형의 진단순서

이 장에서 제시된 내용의 순서는 교육목적을 달성하기 위해 마련된 것이다. 이에 따라 회귀모형의 적합도를 평가하기 위한 최소자승법, 상관계수, 회귀식을 활용한 예측과 추정, 회귀모형의 진단에 관한 논의가 제시되었다. 실제의 적용에서는 회귀모형의 진단이 먼저 이루어져야 한다. 선형회귀모형의 평가와 회귀식을 활용한 예측과 추정보다 먼저 필요조건들이 충족되는지 조사하여야 한다. 회귀분석과정을 단계별로 정리하면 다음과 같다.

1. 이론적 기초를 가지고 있는 모형을 개발하라. 즉, 관심 대상이 되는 종속변수와 선형관계를 가지고 있는 것으로 여겨지는 독립변수를 찾아라.

2. 두 변수들에 대한 데이터를 수집하라. 이상적으로는 통제된 실험을 수행하라. 만일 통제된 실험이 불가능하면, 관측데이터를 수집하라.

3. 선형모형이 적합한지 결정하기 위해 산포도를 그려라. 가능한 이상치들을 판별하라.

4. 회귀식을 구하라.

5. 잔차를 계산하고 필요조건들을 확인하라.

- 오차변수가 정규분포를 따르는가?
- 오차변수의 분산이 일정한가?
- 오차변수들은 독립인가?
- 이상치와 영향치를 확인하라.

6. 선형회귀모형의 적합도를 평가하라.

- 추정치의 표준오차를 계산하라.
- 선형관계가 존재하는지 검정하라. (β_1 또는 ρ에 대한 검정)
- 결정계수를 계산하라.

7. 만일 선형회귀모형이 데이터를 비교적 잘 설명하면, 종속변수의 값과 종속변수의 기대치를 예측하기 위해 회귀식을 사용하라.

연습문제

16.66 당신은 다음과 같은 6개의 점을 가지고 있다.

x	−5	−2	0	3	4	7
y	15	9	7	6	4	1

a. 회귀식을 구하라.
b. y의 예측치를 구하기 위해 회귀식을 사용하라.
c. 잔차를 계산하기 위해 y의 예측치와 실제치를 사용하라.
d. 표준잔차를 계산하라.
e. 이상치를 식별하라.

16.67 연습문제 16.2를 참조하라. 잔차와 y의 예측치를 계산하라.

16.68 연습문제 16.3에서 잔차와 y의 예측치를 계산하라.

16.69 연습문제 16.4를 참조하라.

a. 잔차를 계산하라.
b. y의 예측치를 계산하라.
c. 잔차(수직축)와 y의 예측치(수평축)를 그림으로 나타내라.
d. 잔차의 히스트그램을 그려라. 이 히스토그램은 당신에게 오차변수에 대해 무엇을 말해주는가?

16.70 연습문제 16.5를 위해 잔차와 y의 예측치를 계산하고 그림으로 나타내라.

다음의 연습문제들을 풀기 위해서는 컴퓨터와 소프트웨어를 사용하여야 한다.

16.71 연습문제 16.6을 참조하라.

a. 잔차와 표준잔차를 계산하라.
b. 잔차의 히스토그램을 그려라. 오차변수들은 정규분포를 따르는가? 설명하라.
c. 이상치를 판별하라.
d. 잔차와 y의 예측치를 그림으로 나타내라. 이분산이 문제인 것 같은가? 설명하라.

16.72 연습문제 16.7을 참조하라.

a. 오차변수들은 정규분포를 따르는가? 설명하라.
b. 이분산이 문제인가? 설명하라.

16.73 연습문제 16.8에서 필요조건들이 충족되고 있는가?

16.74 연습문제 16.9를 참조하라.

a. 잔차와 표준잔차를 구하라.
b. 잔차의 히스토그램을 그려라. 오차변수는 정규분포를 따르는가? 설명하라.
c. 이상치를 판별하라.
d. 잔차와 y의 예측치를 그림으로 나타내라. 이분산이 문제인가? 설명하라.

16.75 연습문제 16.10을 참조하라. 필요조건들이 충족되는가?

16.76 연습문제 16.11을 참조하라.

a. 잔차와 표준잔차를 구하라.
b. 잔차의 히스토그램을 그려라. 오차변수들은 정규분포를 따르는가? 설명하라.
c. 이상치를 판별하라.
d. 잔차와 y의 예측치를 그림으로 나타내라. 이분산이 문제인가? 설명하라.

16.77 연습문제 16.12의 필요조건들을 확인하라.

16.78 연습문제 16.13을 참조하라. 필요조건들이 충족되는가?

16.79 연습문제 16.14를 참조하라.

a. 잔차와 표준잔차를 구하라.
b. 잔차의 히스토그램을 그려라. 오차변수가 정규분포를 따르는 것으로 보이는가? 설명하라.
c. 이상치를 식별하라.
d. 잔차와 y의 예측치를 그려라. 이분산 문제가 존재하는 것으로 보이는가? 설명하라.

16.80 연습문제 16.15의 필요조건들이 충족되는가?

16.81 연습문제 16.18의 필요조건들이 충족되는지 확인하라.

요약

단순선형회귀분석(simple linear regression)과 **상관분석**(correlation)은 두 구간변수 간의 관계를 분석하기 위한 통계기법이다. 회귀분석은 두 변수가 선형관계를 가지고 있다고 가정한다. **최소자승법**(least squares method)은 회귀선의 **절편**(intercept)과 **기울기**(slope)에 대한 추정치를 결정한다. 선형모형이 얼마나 잘 데이터를 적합시키는지 평가하는 데 상당한 노력이 요구된다. 오차변수의 표준편차에 대한 추정치인 **추정치의 표준오차**(standard error of estimate)가 계산된다. 선형관계에 대한 충분한 증거가 존재하는지 결정하기 위해서 **기울기에 대한 검정**이 이루어진다. 선형관계의 강도는 **결정계수**(coefficient of determination)로 측정된다. 추정된 모형이 좋은 적합도를 가지면 종속변수의 값을 예측하고 기대치를 추정하기 위해 사용될 수 있다. 이변량 정규분포를 따르는 두 변수 간의 관계를 측정하고 검정하기 위해 **피어슨 상관계수**(Pearson correlation coefficient)가 사용될 수 있다. 마지막으로 필요조건들의 위반여부를 진단하는 방법에 대한 논의가 이루어졌다.

주요 용어

결정계수(coefficient of determination)
계열상관(serial correlation)
단순선형회귀모형(simple linear regression model)
독립변수(independent variable)
동분산(homoscedasticity)
예측구간(prediction interval)
오차변수(error variable)
오차제곱합(sum of squares for error)
이분산(heteroscedasticity)
이상치(outlier)
일차식 선형모형(first-order linear model)
자기상관(autocorrelation)
잔차(residuals)
종속변수(dependent variable)
최소자승법(least squares method)
추정치의 표준오차(standard error of estimate)
피어슨 상관계수(Pearson coefficient of correlation)
확률적 모형(probabilistic model)
확정적 모형(deterministic model)
회귀분석(regression analysis)
y의 기대치에 대한 신뢰구간추정량(confidence interval estimator of the expected value of y)

주요 기호

기호	발음	의미
β_0	Beta-sub-zero or beta-zero	y 절편 계수
β_1	Beta-sub-one or beta-one	기울기계수
ε	Epsilon	오차변수
$\hat{y}$	y-hat	y의 회귀선 추정치 또는 계산치
b_0	b-sub-zero or b-zero	표본 y 절편 계수
b_1	b-sub-one or b-one	표본기울기계수
σ_ε	Sigma-sub-epsilon or sigma-epsilon	오차변수의 표준편차
s_ε	s-sub-epsilon or s-epsilon	추정치의 표준오차
s_{b_1}	s-sub-b-sub-one or s-b-one	b_1의 표준오차
R^2	R-squared	결정계수
x_g	x-sub-g or x-g	주어진 x의 값
ρ	Rho	피어슨 상관계수
r		표본상관계수
e_i	e-sub-i or e-i	i번째 관측치의 잔차

주요공식

표본기울기

$$b_1 = \frac{s_{xy}}{s_x^2}$$

표본 y 절편

$$b_0 = \bar{y} - b_1\bar{x}$$

오차제곱합

$$\text{SSE} = \sum_{i=1}^{n}(y_i - \hat{y}_i)^2$$

추정치의 표준오차

$$s_\varepsilon = \sqrt{\frac{\text{SSE}}{n-2}}$$

기울기에 대한 검정통계량

$$t = \frac{b_1 - \beta_1}{s_{b_1}}$$

b_1의 표준오차

$$s_{b_1} = \frac{s_\varepsilon}{\sqrt{(n-1)s_x^2}}$$

결정계수

$$R^2 = \frac{s_{xy}^2}{s_x^2 s_y^2} = 1 - \frac{\text{SSE}}{\sum(y_i - \bar{y})^2}$$

예측구간

$$\hat{y} \pm t_{\alpha/2,n-2}s_\varepsilon\sqrt{1 + \frac{1}{n} + \frac{(x_g - \bar{x})^2}{(n-1)s_x^2}}$$

y의 기대치에 대한 신뢰구간추정량

$$\hat{y} \pm t_{\alpha/2,n-2}s_\varepsilon\sqrt{\frac{1}{n} + \frac{(x_g - \bar{x})^2}{(n-1)s_x^2}}$$

표본상관계수

$$r = \frac{s_{xy}}{s_x s_y}$$

$\rho=0$을 검정하기 위한 검정통계량

$$t = r\sqrt{\frac{n-2}{1-r^2}}$$

연습문제

다음의 연습문제들을 풀기 위해서는 컴퓨터와 소프트웨어를 사용하여야 한다. 모든 가설검정을 5%의 유의수준에서 수행하라.

16.82 <Xr16-82> Colonial Furniture의 경영자는 주간 광고비 지출을 검토하고 있다. 과거 6개월 동안 이 가게의 모든 광고들이 지역신문에 게재되었다. 주당 광고의 수는 1회와 7회 사이에서 변하였다. 이 가게의 판매 담당자는 매주 이 가게에 들어오는 고객의 수를 기록하였다. 과거 26주 동안 주당 광고의 수와 고객의 수가 기록되었다.

a. 표본회귀선을 구하라.
b. 회귀계수들을 해석하라.
c. 이 회사의 경영자는 광고의 수가 많을수록 고객의 수가 많다고 추론할 수 있는가?
d. 결정계수를 구하고 해석하라.
e. 당신의 생각에 Colonial Furniture가 신문에 주당 5회 광고를 게재하는 경우 이 가게에 들어

오는 고객의 수를 예측하기 위해 회귀식을 사용할 수 있는가? 만일 그렇다면 95%의 예측구간을 구하라. 만일 그렇지 않다면 그 이유를 설명하라.

16.83 <Xr16-83> 자동차 의자(car seat)를 생산하는 한 회사의 사장은 기계고장의 수와 비용에 대하여 우려하고 있다. 문제는 기계들이 낡았고 매우 믿을 수 없게 되었다는 것이다. 그러나 기계들을 교체하는 비용은 매우 높기 때문에 이 회사의 사장은 이와 같은 비용이 현재와 같은 경기침체상태에서 회수될 수 있을지에 대하여 확신하지 못하고 있다. 기계교체에 관한 의사결정을 돕기 위해 그는 지난 한 달 동안 20대 용접기계의 월간 수리비용과 연령(월 기준)에 관한 데이터를 수집하였다.

a. 표본회귀선을 구하라.

b. 회귀계수들을 해석하라.

c. 결정계수를 구하고 이 통계량이 당신에게 무엇을 말해 주는지 논의하라.

d. 기계의 연령과 월간 수리비용 간 선형관계가 있는지 결정하기 위한 검정을 수행하라.

e. 단순선형회귀모형의 적합도가 이 회사의 사장이 120개월이 된 한 용접기계의 월간 수리비용을 예측할 수 있을 정도로 충분히 좋은가? 만일 그렇다면 95%의 예측구간을 구하라. 만일 그렇지 않다면 그 이유를 설명하라.

16.84 <Xr16-84> 일부 텔레비전 비판자들은 텔레비전에서 방영되는 폭력물이 사회의 폭력에 기여한다고 불평한다. 다른 비판자들은 텔레비전은 아동비만의 수준을 높이는 데 기여한다고 지적한다. 우리는 여기에 금융문제도 추가하여야 한다. 한 사회학자는 자주 텔레비전을 시청하는 사람들은 많은 광고들에 접하게 되고, 그 결과로 더 많이 사게 되며 궁극적으로 그들의 부채가 증가한다고 이론화하였다. 이와 같은 믿음을 검정하기 위해 430가족이 표본으로 추출되었다. 각 가족에 대하여 총부채와 주당 텔레비전 시청시간이 기록되었다. 이 사회학자의 이론을 검정하기 위한 통계분석을 수행하라.

16.85 <Xr16-85> Unites States Federal Trade Commission은 매년 흡연자의 건강을 위험스럽게 하는 물질인 타르와 니코틴의 수준에 기초하여 담배 브랜드들에 대한 등급판정을 한다. 이에 더하여, 이 위원회는 심장에 심각하게 영향을 미치는 담배가 탈 때 발생하는 부산물인 일산화탄소의 양도 고려한다. 25개의 담배 브랜드가 임의표본으로 추출되었다.

a. 타르 수준과 니코틴 수준은 선형관계를 가지고 있는가?

b. 타르 수준과 일산화탄소 수준은 선형관계를 가지고 있는가?

16.86 <Xr16-86> 뮤추얼 펀드는 분산투자를 통해 위험을 최소화시킨다. 특별한 투자 유형에 전문화되어 있는 뮤추얼 펀드들이 존재한다. 예를 들면, TD Precious Metal Mutual Fund는 금광회사들의 주식을 매입한다. 이 뮤추얼 펀드의 가치는 금 가격뿐만 아니라 뮤추얼 펀드가 투자하는 회사들과 관련된 요인들에 의해 결정된다. 이 뮤추얼 펀드의 가치와 금 가격 간의 관계를 조사하기 위해, 한 MBA 학생은 28일의 기간 동안 일일 뮤추얼 펀드 가격과 일일 금 가격에 관한 데이터를 수집하였다. 이 데이터로부터 이 뮤추얼 펀드의 가치와 금 가격 간 양의 선형관계가 존재한다고 추론할 수 있는가?

16.87 <Xr03-51> (연습문제 3.51 참조) 팝콘, 소프트드링크, 캔디의 판매는 영화관의 이윤에 매우 크게 기여한다. 한 영화관 경영자는 영화상영시간 간격이 길수록 매점의 매출액이 증가한다고 추측하였다. 더 많은 정보를 얻기 위해서 그는 한 실험을 수행하였다. 1개월 동안 그

는 영화상영시간 간격을 변화시키면서 매점의 매출액을 계산하였다. 영화상영시간 간격이 증가하면 매점의 매출액도 증가한다고 결론내릴 수 있는가?

16.88 <Xr16-88+> 컴퓨터 데이트 알선 서비스 회사는 일반적으로 키, 몸무게, 소득과 같은 다양한 정보를 요구한다. 한 컴퓨터 데이트 알선 서비스 회사는 집게손가락의 길이를 요구하였다. 이러한 요구를 하는 유일하게 그럴듯한 이유는 집게손가락의 길이는 키에 대한 대리변수 역할을 하기 때문이다. 여성들은 종종 남성들이 그들의 키에 대하여 거짓말하는 것에 대하여 불평하였다. 만일 키와 집게손가락 길이 간에 강한 관계가 존재한다면, 이러한 정보는 키에 대하여 거짓 주장을 교정하기 위해 사용될 수 있다. 두 변수 간의 관계를 검정하기 위해서, 연구원들은 121명의 학생들을 대상으로 키와 집게 손가락의 길이(cm 단위)에 대한 데이터를 수집했다.

a. 두 변수 간의 관계를 그래프로 그려라.

b. 키와 집게손가락의 길이는 선형관계를 가지고 있다고 추론할 수 있는 충분한 증거가 존재하는가?

(저자는 이 문제와 데이터를 제공해준 Howard Waner에게 감사한다.)

16.89 <Xr12-31+> 연습문제 12.31을 위해 기록된 데이터에 추가하여 파트타임 일을 하는 학생들의 총평균학점(GPA)이 기록되었다. 파트타임 일을 하는 시간과 GPA 간에 선형관계가 존재하는지 결정하라.

사례분석 16.1 상실된 수입에 대한 보험 보상*

DATA C16-01

1990년 7월에 조지아주 애틀랜타에서 한 록앤롤(rock-and-roll) 박물관이 개관되었다. 이 박물관은 다양한 가게들이 늘어서 있는 한 대도시의 블럭에 위치하였다. 1992년 7월 말경에 이 블럭에 있는 한 가게에서 시작된 화재가 이 박물관을 포함하여 전체 블럭을 불태웠다. 다행스럽게도 이 박물관은 상실된 수입뿐만 아니라 재건축비용을 감당할 수 있는 보험금을 받았다. 일반적으로 보험회사는 보상받는 회사가 과거에 얼마나 잘 운영되었는가에 기초하여 지불금을 결정한다. 그러나 이 박물관의 소유주들은 박물관의 수입이 증가하고 있었고, 따라서 그들의 보험계약 하에서 보다 더 많은 금액을 받을 자격이 있다고 주장하였다. 이와 같은 주장은 여러 가지 탈것들과 다른 재미있는 놀이기구들을 가지고 가까운 곳에 개관된 한 놀이공원의 수입과 관람객 수에 기초한 것이었다. 이 놀이공원은 1991년 12월에 개관되었다. 이 두 시설은 1991년의 마지막 4주와 1992년의 처음 28주(발생한 화재가 이 박물관을 파괴시켰던 시점까지) 동안 공동으로 운영되고 있었다. 1995년 4월에 이 박물관은 처음보다 상당히 더 많은 시설물들을 가지고 재개관되었다.

1991년 12월부터 1995년 10월까지의 기간 동안 두 시설의 관람객 수가 열 1(박물관)과 열 2(놀이공원)에 정리되어 있다. 박물관이 폐쇄되었던 기간 동안 이 데이터는 박물관의 관람객 수를 0으로 표시하였다.

박물관의 소유주들은 1992년 29번째 주부터 1995년 16번째 주까지 주간 관람객 수는 가장 최근 데이터(1995년 17번째 주부터 42번째 주까지의 데이터)를 사용하면서 추정되어야 한다고 주장하였으나, 보험회사는 관람객의 추정치는 두 시설이 동시에 운영되던 기간, 즉 처음의 박물관보다 더 많은 시설물을 가지고 새로운 박물관이 재개관되기 전의 기간인 1991년의 4주와 1992년의 28주 동안의 데이터에 기초하여 구해져야 한다고 주장하였다.

Kobby Dagan/Shutterstock.com

a. 보험회사의 주장에 기초하여 단순회귀모형의 계수들을 추정하라. 즉, 회귀계수들을 추정하기 위해 1991년의 마지막 4주와 1992년의 처음 28주 동안 관람객의 수를 사용하라. 그리고 박물관이 폐쇄되어 있을 때 박물관의 주당 관람객 수에 대한 점 예측치를 계산하기 위해 이 모형을 사용하라. 총 관람객 수에 대한 예측치를 계산하라.

b. 박물관의 주장을 사용하면서 a를 반복하라. 즉, 회귀계수를 추정하기 위해 1995년 재개관 이후의 관람객 수를 사용하고 이 모형을 사용하여 박물관이 폐쇄되었을 때 주당 관람객 수를 예측하라. 화재 때문에 상실된 총 관람객 수를 계산하라.

c. 보험회사에 제출하기 위해 이와 같은 분석을 논의하는 보고서를 작성하고 보험회사가 박물관에 얼마나 보상하여야 하는지에 관한 당신의 권고사항을 보고서에 포함시켜라.

---

* 이 사례분석과 데이터는 실제의 경우이다. 이름들은 익명성을 보장하기 위해서 변경되었다. 저자는 이 문제와 데이터를 제공해준 데 대하여 Dr. Kevin Leonard에게 감사한다.

Comstock Images/Getty Images

다중회귀분석

Multiple Regression

이 장의 구성

17.1 다중선형회귀모형과 필요조건
17.2 회귀계수의 추정과 다중선형회귀모형의 평가
17.3 회귀모형의 진단 2
17.4 회귀모형의 진단 3(시계열)

General Social Survey

어떤 변수들이 소득에 영향을 미치는가?-I

☞ (738페이지에 모범답안이 제시되어 있다.)

DATA GSS2018 제16장 서두 예제에서, General Social Survey를 사용하면서 소득과 교육년수가 선형관계를 가지고 있다는 것을 보였다. 이것은 다음과 같은 질문을 제기한다. 어떤 다른 변수들이 소득에 영향을 미치는가? 이 질문에 대답하기 위해서는 1개 이상의 독립변수들을 포함시키기 위해 제16장에서 사용한 단순선형회귀분석 기법을 확장할 필요가 있다.

General Social Survey에 포함되어 있는 모든 관련 변수들을 정리하면 다음과 같다.

연령(AGE)
응답자, 배우자, 아버지, 어머니의 교육년수 (EDUC, SPEDUC, PAEDUC, MAEDUC)
응답자와 배우자의 주당 근로 시간(HRS1, SPHRS1)
돈을 버는 가족 수 (EARNRS)
자녀 수(CHILDS)
첫 자녀 출산 시 연령 (AGEKDBRN)
하루에 텔레비전을 시청하는 시간(TVHOURS)
“정부는 부유층과 빈곤층 간 소득차이를 감소시켜야 하는가?”라는 질문에 대한 점수(EQWLTH)
“정부는 가난한 사람들의 생활수준을 개선시켜야 하는가?”라는 질문에 대한 점수(HELPPOOR)

Mundoview/Shutterstock.com

"정부는 국가의 문제를 해결하기 위해 더 일해야 하는가, 덜 일해야 하는가?"라는 질문에 대한 점수(HELPNOT)
"의사진단비용과 병원비용의 지불을 돕는 것이 정부의 책임인가?"라는 질문에 대한 점수(HELPSICK)

목표는 당신이 소득(RINCOME)에 영향을 미친다고 생각하는 모든 변수들을 포함하는 회귀분석을 수행하는 것이다.

서론

제16장에서는 한 구간변수(종속변수 y)가 다른 구간변수(독립변수 x)와 어떻게 관련되어 있는지 분석하기 위해 단순선형회귀모형이 사용되었다. 단지 한 개의 독립변수를 사용하는 것으로 한정한 것은 회귀분석을 소개하는 것을 간편하게 하기 위한 필요성 때문이었다. 단지 한 개의 독립변수만을 가지고 있는 모형이 의도적으로 사용되는 경우가 많이 존재하지만(예를 들면, 제4.6절 참조), 일반적으로 종속변수에 영향을 미치는 것으로 여겨지는 다수의 독립변수들이 포함되는 것이 선호된다. 임의로 독립변수의 수를 제한하는 것은 회귀모형의 유용성을 제한하는 결과를 초래한다.

이 장에서는 다수의 독립변수들이 회귀모형에 포함된다. 그렇게 함으로써 단순선형회귀모형보다 데이터를 더 잘 적합시키는 모형들이 개발될 수 있다. 먼저 다중선형회귀모형을 설명하고 필요조건들을 정리한다. 이어서 컴퓨터를 사용하여 필요한 통계량들을 구하고 이와 같은 통계량들을 사용하여 모형의 적합도를 평가하며 필요조건의 위반여부를 진단한다. 회귀계수를 해석하고 종속변수의 값을 예측하며 종속변수의 기대치를 추정한다.

17.1 다중선형회귀모형과 필요조건

이제 k개의 독립변수들이 종속변수와 잠재적으로 관련되어 있다고 가정하자. 따라서 회귀모형은 다음과 같은 식으로 제시된다.

$$y = \beta_0 + \beta_1 x_1 + \beta_2 x_2 + \ldots + \beta_k x_k + \varepsilon$$

y는 종속변수, $x_1, x_2, \ldots, x_k$는 독립변수들, $\beta_0, \beta_1, \ldots, \beta_k$는 회귀계수들, ε은 오차변수이다. 독립변수는 실제로는 다른 변수의 함수일 수 있다. 예를 들면, 독립변수들의 일부는 다음과 같이 정의될 수 있다.

$$x_2 = x_1^2$$
$$x_5 = x_3 x_4$$
$$x_7 = \log(x_6)$$

제18장에서는 이와 같은 함수들이 어떤 상황에서 어떻게 회귀분석에서 사용될 수 있는지 논의된다.

추가적인 독립변수들이 포함되었다 할지라도 y의 예측치와 y의 실제치 간의 편차는 여전히 발생하기 때문에 오차변수가 회귀모형에 포함된다. 회귀모형에 두 개 이상의 독립변수가 존재할 때 회귀식의 그래프는 직선이 아니라 **반응표면**(response surface)으로 나타난다. 그림 17.1은 $k=2$인 경우 반응표면의 산포도를 그린 것이다. $k=2$일 때 회귀식은 평면(plane)으로 나타난다. 물론 k가 2보다 클 때 나타나는 반응표면은 단지 상상할 수 있을 뿐이고 그래프로 나타낼 수 없다.

그림 17.1 $k=2$인 경우의 산포도와 반응표면

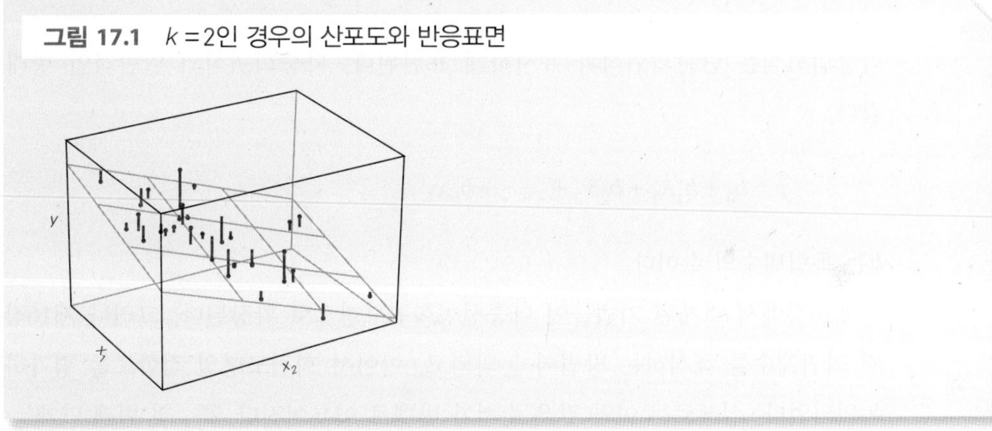

회귀분석의 중요한 부분은 회귀모형이 데이터를 얼마나 잘 적합시키는지 평가하는 다수의 통계기법들로 구성되어 있다. 이와 같은 통계기법들은 제16장에서 소개된 다음과 같은 조건들을 요구한다.

오차변수의 필요조건

1. 오차변수 ε의 확률분포는 정규분포이다.
2. 오차변수의 평균은 0이다.
3. 오차변수의 표준편차는 상수인 σ_ε이다.
4. 오차변수들은 독립이다.

제16.6절에서 필요조건들이 충족되지 않는 경우를 파악하는 방법들이 논의되었다. 이와 동일한 방법들이 다중선형회귀모형에서 필요조건들의 위반여부를 파악하는 데 사용될 수 있다.

이제 제16장에서 했던 것과 같은 방법으로 논의를 전개하자. 회귀모형의 계수들이 어떻게 추정되고 회귀모형의 적합도가 어떻게 평가되는지가 논의된다. 그러나 제16장과 제17장 간에 하나의 중요한 차이점이 존재한다. 제16장에서는 학생들이 직접 계산할 수 있는 가능성이 허용되었다. 다중선형회귀모형은 매우 많은 계산을 필요로 하기 때문에 컴퓨터 없이는 분석을 실제로 수행할 수 없다. 이 장에서 이루어지는 모든 분석은 Excel에 의해 수행된다. 따라서 Excel로부터 제시되는 결과물을 해석하는 일이 당신이 해야 할 일이다.

17.2 회귀계수의 추정과 다중선형회귀모형의 평가

다중회귀식은 단순회귀식과 유사하게 표현된다. 다중회귀식의 일반적인 형태는 다음과 같다.

$$\hat{y} = b_0 + b_1x_1 + b_2x_2 + \ldots + b_kx_k$$

k는 독립변수의 수이다.

제16장에서 소개된 기법들이 다중선형회귀모형으로 확장된다. 그러나 제16장에서는 먼저 회귀계수를 해석하는 방법이 논의되고, 이어서 회귀모형의 적합도를 평가하는 방법이 논의되었다. 실제로는 이와 같은 순서가 반대로 이루어진다. 즉, 첫 번째 단계는 모형이 얼마나 데이터를 잘 적합시키는지 결정하는 것이다. 만일 회귀모형의 적합도가 양호하지 못하면, 이 모형의 회귀계수에 대한 추가적인 분석이 이루어질 이유가 없다. 이때 우선적으로 더 중요한 일은 모형을 개선시키는 일이다. 제18장에서는 모형정형화가 논의된다. 이 장에서는 회귀분석이 어떻게 수행되는지 제시된다.

다중회귀분석 과정이 이 장의 서두 예제를 통하여 제시된다.

17.2a 단계 1: 종속변수와 관계가 있다고 생각되는 독립변수들을 선택하라

2018년의 General Social Survey로부터 선택된 소득변수와 관계가 있다고 생각되는 변수들과 각 변수가 선택된 이유는 다음과 같다.

- 연령(AGE): 대부분 사람들의 경우, 연령이 증가하면서 소득은 증가한다.
- 교육년수(EDUC): 이미 교육년수는 소득과 선형관계를 가지고 있다는 것을 보였다(제16장 서두 예제).
- 주당 근로시간(HRS1): 분명히, 근로시간이 더 많으면 소득이 더 많다.
- 배우자의 주당 근로시간(SPHRS1): 만일 한 배우자가 더 많이 일하고 더 많이 벌면, 다른 배우자는 더 적게 일하고 더 적게 벌 수 있다. 회귀모형에 SPHRS1을 포함하면 이 변수에 결측치가 많아 표본크기가 줄어드는 문제가 발생한다. 실제로 표본크기는 약 67% 감소한다. 따라서 이 변수를 독립변수에서 제외하기로 결정하였다.
- 돈을 버는 가족 수(EARNRS): 만일 더 많은 가족들이 소득을 벌면, 응답자가 더 열심히 일할 압력을 더 적게 받을 수 있다.
- 자녀 수(CHILDS): 많은 자녀는 부모들이 더 열심히 일하여 더 많이 벌도록 권장할 수 있다.

당신은 사용할 수 있는 모든 구간변수들을 포함시키지 않는 것에 대하여 의아해 할 수 있다. 여기에는 3가지 이유가 있다.

첫째, 분석의 목적은 가정하고 있는 모형이 타당한가와 모형에 포함되어 있는 독립변수들이 종속변수와 선형관계를 가지고 있는가를 결정하는 것이다. 달리 말하면, 독립변수들을 검토해서 이론적으로 종속변수에 영향을 미치는 독립변수들만 포함시켜야 한다.

둘째, 많은 수의 독립변수들을 포함시키면, 제1종 오류 확률이 증가한다. 예를 들면, 어느 변수도 종속변수와 관련되어 있지 않은 100개의 독립변수들이 포함되면, 100개의 독립변수들 중 5개 변수가 종속변수와 선형관계를 가지고 있다고 결론내릴 수 있다. 이것이 제14장에서 논의한 문제이다.

셋째, 소위 다중공선성(multicollinearity) 문제(제17.3절에서 논의됨) 때문에, 1개 이상의 독립변수들이 실제로 종속변수와 선형관계를 가지고 있음에도 불구하고, 모든 독립변수들이 종속변수와 선형관계를 가지고 있지 않다고 결론내릴 수 있다.

17.2b 단계 2: 회귀계수들과 기타 통계량들을 계산하기 위해서 컴퓨터를 사용하라

Excel을 이용한 회귀분석결과는 다음과 같다.

EXCEL Data Analysis

	A	B	C	D	E	F	G
1	SUMMARY OUTPUT						
2	*Regression Statistics*						
3	Multiple R	0.5269					
4	R Square	0.2776					
5	Adjusted R Square	0.2745					
6	Standard Error	36,608					
7	Observations	1171					
8	ANOVA						
9		*df*	*SS*	*MS*	*F*	*Significance F*	
10	Regression	5	599,889,787,700	119,977,957,540	89.53	8.66E-80	
11	Residual	1165	1,561,230,558,586	1,340,112,067			
12	Total	1170	2,161,120,346,285				
13							
14		*Coefficients*	*Standard Error*	*t Stat*	*P-value*	*Lower 95%*	*Upper 95%*
15	Intercept	-100,340	7633.4911	-13.14	6.70E-37	-115,317	-85,363
16	AGE	671.1	84.5	7.94	4.79E-15	505.2	836.9
17	EDUC	5604	386.7	14.49	7.00E-44	4845.1	6362.4
18	HRS1	948.7	75.1	12.64	2.13E-34	801.4	1096.0
19	EARNRS	1289	1330.3	0.969	0.3327	-1320.8	3899.2
20	CHILDS	718.8	760.7	0.945	0.3449	-773.7	2211.4

지시사항

1. <GSS2018>을 열어서 독립변수들을 인접한 열들에 정리하라. 임의의 열에 빈 공간이 있는 행들은 제외시켜라(<Xm17-00>을 불러들여라.).
2. Data, Data Analysis, Regression을 클릭하라.
3. Input Y Range(B1:B1172), Input X Range(C1:G1172), α의 값(.05)을 입력하라.

해석 추정된 회귀식은 다음과 같다.

$$\hat{y}\text{ (RINCOME)} = -100{,}340 + 671.1\text{ AGE} + 5604\text{ EDUC} + 948.7\text{ HRS1} + 1289\text{ EARNRS} + 718.8\text{ CHILDS}$$

17.2c 단계 3: 모형의 평가

추정된 회귀모형은 3가지 방법, 즉 추정치의 표준오차, 결정계수, 분산분석의 F 검정에 의해 평가된다.

17.2d 추정치의 표준오차

σ_ε는 오차변수 ε의 표준편차이고 σ_ε는 모수이기 때문에 s_ε에 의해 추정된다는 점을 기억하라. 다중회귀분석에서 추정치의 표준오차는 다음과 같이 정의된다.

추정치의 표준오차

$$s_{\varepsilon} = \sqrt{\frac{\text{SSE}}{n-k-1}}$$

n은 표본크기이고 k는 모형에 있는 독립변수의 수이다.

제16장에서 지적한 것처럼, Excel은 추정치의 표준오차를 다음과 같이 보고한다.

EXCEL Data Analysis

	A	B
7	Standard Error	36,608

해석 종속변수의 값과 특히 y의 표본평균과 비교하여 상대적인 추정치의 표준오차 크기를 판단한다는 점을 기억하라. 이 예제에서 $\bar{y}=51,913$이다. 추정치의 표준오차는 매우 큰 것으로 보인다.

17.2e 결정계수

제16장으로부터 결정계수는 다음과 같이 정의된다는 것을 기억하라.

$$R^2 = 1 - \frac{\text{SSE}}{\sum(y_i - \bar{y})^2}$$

EXCEL Data Analysis

	A	B
5	R Square	0.2776

해석 이것은 소득의 변동의 27.76%는 5개의 독립변수의 변동에 의해 설명되고 나머지 72.24%는 설명되지 않는다는 것을 의미한다.

Excel은 표본크기와 독립변수의 수를 고려한 **자유도 조정 결정계수**(coefficient of determination adjusted for degrees of freedom)라고 부르는 조정 R^2(Adjusted R Square)을 보고한다는 점을 주목하라. 이 통계량이 유용한 이유는 만일 독립변수의 수 k가 표본크기에 비해 상대적으로 크면, 조정되지 않은 R^2의 값은 비현실적으로 클 수 있다. 이 점을 이해하기 위해, 만일 단순선형회귀모형에서 표본크기가 2이면 어떤 일이 발생할 것인지 생각해보자. 회귀선은 데이터를 완벽하게 적합시킬 것이다. 이에 따라 사실은 선형관계가 존재하지 않을 수 있는 경우에도 $R^2=1$이 된다. 이와 같은 허위의 결과가 만들어지는 것을 피하기 위해 조정 R^2이 계산된다. 조정 R^2의 공식은 다음과 같다.

자유도 조정 결정계수(조정 R^2)

$$\text{조정 } R^2 = 1 - \frac{\text{SSE}/(n-k-1)}{\sum(y_i - \bar{y})^2/(n-1)} = 1 - \frac{\text{MSE}}{s_y^2}$$

만일 n이 k보다 상당히 크면, 실제 R^2의 값과 조정 R^2의 값은 유사할 것이다. 그러나 만일 SSE가 0과 상당히 다르고 k가 n과 비교하여 상당히 크면, R^2의 값과 조정 R^2의 값은 상당히 다를 것이다. 만일 이와 같은 차이가 존재하면, 분석자들은 결정계수를 해석하는 데 내재되어 있는 잠재적 문제점에 유의하여야 한다. 주어진 예제에서 조정 결정계수는 0.2745이다. 이것은 결정계수가 어떻게 측정되느냐에 관계없이 회귀모형의 적합도는 매우 양호하지 않다는 점을 제시한다.

17.2f 회귀모형의 타당성 검정

단순선형회귀모형에서는 독립변수와 종속변수 간에 선형관계가 존재한다고 결론을 내릴 수 있는 충분한 증거가 존재하는지 결정하기 위해 기울기계수를 검정하였다. 그러나 단순선형회귀모형에서는 하나의 독립변수만이 존재하기 때문에 회귀모형이 타당한지 결정하기 위해 t 검정이 사용되었다. 두 개 이상의 독립변수들이 존재할 때 회귀모형의 전반적인 타당성을 검정하기 위해서는 다른 방법이 필요하다. 이와 같은 방법은 제14장에서 소개된 분산분석의 한 형태이다.

회귀모형의 타당성을 검정하기 위해 가설들은 다음과 같이 설정된다.

H_0: $\beta_1 = \beta_2 = \cdots = \beta_k = 0$
H_1: 적어도 하나의 β_i는 0이 아니다.

만일 귀무가설이 옳으면, 독립변수들 $x_1, x_2, \ldots, x_k$ 중 어느 변수도 y와 선형관계를 가지지 않으며, 따라서 회귀모형은 타당하지 않다. 만일 적어도 하나의 β_i가 0이 아니면, 회귀모형은 약간의 타당성을 가진다.

제16장에서 결정계수가 소개되었을 때, 종속변수의 변동($\sum(y_i - \bar{y})^2$)은 두 부분, 즉 설명되는 변동(SSR)과 설명되지 않는 변동(SSE)으로 분해될 수 있다는 점을 지적하였다. 즉,

$$y\text{의 변동} = \text{SSR} + \text{SSE}$$

이다. 더욱이, 만일 SSR이 SSE에 비해 상대적으로 크면, 결정계수는 클 것이고 이것은 회귀모형이 양호하다는 점을 제시한다. 다른 한편, 만일 SSE가 크면 y의 변동(TSS) 대부분이 설명되지 않는다. 따라서 이것은 회귀모형이 데이터를 양호하게 적합시키지 못하며 이에 따라 타당성을 가지지 못한다는 점을 제시한다.

검정통계량은 두 개 이상의 모평균 동등성을 검정하였던 제14.1절에서 제시된 검정통계량과 동일하다. 적어도 한 개의 회귀계수가 0이 아니라고 추론할 수 있도록 SSR이 SSE와 비교하여 상대적으로 큰지 판단하기 위해 두 개의 평균제곱(mean squares) 비율이 계산된다. (평균제곱은 제곱합을 자유도로 나누어서 구해진다는 점과 기초가 되는 모집단들이 정규분포를 따르면 두 평균제곱비율은 F 분포를 따른다는 점을 기억하라.) 검정통계량의 계산은 분산분석표로 정리된다. 이와 같은 분산분석표의 일반적인 형태가 표 17.1에 제시되어 있다. Excel 분산분석표도 아래에 제시되어 있다.

표 17.1 회귀분석을 위한 분산분석표

변동의 원천	자유도	제곱합	평균제곱	F 통계량
회귀	k	SSR	MSR=SSR/k	F=MSR/MSE
오차	$n-k-1$	SSE	MSE=SSE/$(n-k-1)$	
합계	$n-1$	$\sum(y_i-\bar{y})^2$		

EXCEL Data Analysis

	A	B	C	D	E	F
10	ANOVA					
11		*df*	*SS*	*MS*	*F*	*Significance F*
12	Regression	5	599,889,787,700	119,977,957,540	89.53	8.66E-80
13	Residual	1165	1,561,230,558,586	1,340,112,067		
14	Total	1170	2,161,120,346,285			

F의 값이 크다는 것은 y의 총변동 대부분이 회귀식에 의해 설명되고 이에 따라 회귀모형이 타당하는 것을 의미한다. F의 값이 작다는 것은 y의 변동 대부분이 설명되지 않는다는 것을 의미한다. 기각역을 통하여 F의 값이 귀무가설을 기각하기에 충분할 만큼 큰지 결정할 수 있다. 이와 같은 검정을 위한 기각역은 다음과 같다.

$$F > F_{\alpha,k,n-k-1}$$

예제 17.1에서 $\alpha=.05$일 때 기각역은 다음과 같다.

$$F > F_{\alpha,k,n-k-1} = F_{.05,5,1165} = 2.218$$ (엑셀 함수 =F.INV.RT 이용)

당신이 Excel 결과물에서 보는 것처럼, $F = 89.53$이다. Excel 결과물에는 검정의 p-값도 제시되어 있다. 검정의 p-값=0이다. 회귀모형이 타당하다고 추론할 수 있는 상당한 증거가 존재한다.

각 평가척도는 다른 측면을 제시하지만, 모든 평가척도는 오차제곱합 SSE에 기초하고 있기 때문에 회귀모형이 데이터를 얼마나 잘 적합시키는지에 대하여는 일치된 평가를 제시한다. 추정치의 표준오차는

$$s_\varepsilon = \sqrt{\frac{\text{SSE}}{n-k-1}}$$

이고, 결정계수는

$$R^2 = 1 - \frac{\text{SSE}}{\sum(y_i - \bar{y})^2}$$

이다. 반응표면이 모든 관측점들을 포함하고 있을 때 SSE=0이다. 따라서 $s_\varepsilon = 0$이고 $R^2 = 1$이다.

만일 회귀모형이 데이터를 양호하게 적합시키지 못하면, SSE는 커질 것이고[SSE의 최댓값은 $\sum(y_i - \bar{y})^2$이다] s_ε도 커질 것이며[SSE는 $\sum(y_i - \bar{y})^2$에 가까워질 것이기 때문에] R^2은 0에 가까워질 것이다.

F 통계량도 SSE에 의존한다. 특히

$$F = \frac{\left(\sum(y_i - \bar{y})^2 - \text{SSE}\right)/k}{\text{SSE}/(n-k-1)}$$

이고, SSE=0일 때

$$F = \frac{\sum(y_i - \bar{y})^2/k}{0/(n-k-1)}$$

는 무한히 커진다. SSE가 클 때, SSE는 $\sum(y_i - \bar{y})^2$에 가까워지고 F는 매우 작아진다.

s_ε, R^2, F의 관계가 표 17.2에 요약되어 있다.

회귀모형이 데이터를 양호하게 적합시키고 필요조건들이 충족되면, 개별 회귀계수들을 해석하고 검정할 수 있으며 예측하고 추정하기 위해 회귀식이 사용될 수 있다.

표 17.2 s_ε, R^2, F의 관계

SSE	s_ε	R^2	F	모형의 평가
0	0	1	∞	완전
작다	작다	1에 가깝다	크다	양호
크다	크다	0에 가깝다	작다	불량
$\sum(y_i-\bar{y})^2$	$\sqrt{\dfrac{\sum(y_i-\bar{y})^2}{n-k-1}}$*	0	0	무용

* n이 크고 k가 작을 때, s_ε은 근사적으로 y의 표준편차와 같다.

17.2g 회귀계수의 해석

추정회귀계수 $b_1, b_2, \ldots, b_k$는 표본에서 각 독립변수와 종속변수 간의 관계를 나타낸다. 모집단에 관한 결론을 도출하기 위해서는 다음에 설명하는 추론 방법을 사용할 필요가 있다. 주어진 예제에서 표본은 1,171개의 관측치로 구성되어 있다. 모집단은 모든 미국성인들로 구성되어 있다.

절편 절편은 $b_0=-100{,}340$이다. 이것은 모든 독립변수들이 0일 때 평균 소득이다. 제16장에서 살펴본 것처럼, 특히 0이 모든 독립변수들의 값 범위로부터 벗어나 있다면(주어진 예제의 경우처럼), 이 값을 해석하는 것은 종종 잘못된 해석을 초래할 수 있다.

연령 소득과 연령 간의 관계는 $b_1=671.1$에 의해 설명된다. 이 수치로부터 이 모형에 포함되어 있는 다른 독립변수들이 일정하다는 가정하에서 연령이 1년 추가되면, 소득은 평균적으로 671.10달러 증가한다는 것을 알 수 있다.

교육년수 회귀계수 $b_2=5{,}604$는 다른 독립변수들이 일정하다는 가정하에서 추가적으로 교육년수가 1년 증가하면, 소득은 평균적으로 5,604달러 증가한다는 점을 제시한다.

주당 근로시간 주당 근로시간과 소득 간의 관계는 $b_3=948.7$에 의해 제시된다. 이 수치는 표본에 포함되어 있는 다른 독립변수들이 일정하다는 가정하에서 주당 근로시간이 1시간 추가되면, 연간 소득은 평균적으로 948.70달러 증가한다고 해석된다.

돈을 버는 가족 수 이 데이터 세트에서, 연간 소득과 돈을 버는 가족 수 간의 관계는 $b_4=1{,}289$에 의해 설명된다. 이 수치는 다른 독립변수들이 일정하다는 가정하에서 돈을 버는 가족의 수가 추가적으로 1명 증가하면, 연간 소득은 평균적으로 1,289달러 증가한다는 것을 말해준다.

자녀 수 연간 소득과 자녀 수 간의 관계는 $b_5=718.8$에 의해 설명된다. 이 수치는 자녀의 수가 추가적으로 1명 증가하면, 연간 소득은 718.8달러 증가한다는 것을 말해준다.

17.2h 회귀계수의 검정

제16장에서는 단순선형회귀모형에서 x와 y가 선형관계를 가진다고 추론할 수 있는 충분한 증거가 존재하는지 결정하기 위한 검정 방법이 설명되었다. 이 경우 귀무가설과 대립가설은 다음과 같이 설정되었다.

$$H_0: \beta_1 = 0$$
$$H_1: \beta_1 \neq 0$$

이 경우 검정통계량은 자유도가 $v=n-2$인 Student t 분포를 따르는

$$t = \frac{b_1 - \beta_1}{s_{b_1}}$$

이었다.

다중선형회귀모형에서는 두 개 이상의 독립변수들이 존재한다. 다른 독립변수들이 모형에 포함되어 있을 때 각 독립변수와 종속변수 간에 선형관계가 존재한다는 충분한 증거가 존재하는지 결정하기 위한 검정을 수행할 수 있다.

회귀계수의 검정

$$H_0: \beta_i = 0$$
$$H_1: \beta_i \neq 0$$

$i=1, 2, \ldots, k$에 대한 검정통계량

$$t = \frac{b_i - \beta_i}{s_{b_i}}$$

는 자유도가 $v=n-k-1$인 Student t 분포를 따른다.

서두 예제의 다중선형회귀모형에 있는 회귀계수들 각각에 대하여 검정해보도록 하자. 이와 같은 검정들은 이 책에서 수행된 모든 다른 검정들과 같은 방법으로 수행된다. 귀무가설과 대립가설이 설정되고, 검정통계량이 선택되며 컴퓨터를 사용하여 검정통계량의 값과 p-값이 계산된다. 각 독립변수에 대하여 다음과 같은 가설들을 검정한다. $i=1, 2, 3, 4,$

5에 대하여

$$H_0: \beta_i = 0$$
$$H_1: \beta_i \neq 0$$

서두 예제의 Excel 결과물을 참조하라. 이 결과물에는 β_i에 대한 t 검정과 p-값이 포함되어 있다. 이와 같은 검정들의 결과는 2018년 미국성인들로 구성된 전체 모집단에 해당된다. 이와 같은 검정들의 결과는 다른 독립변수들이 모형에 포함되어 있을 때 결정된 것이라는 것을 이해하는 것이 중요하다. 만일 해당되는 독립변수 하나를 포함하는 단순선형회귀분석을 수행한다면, 검정통계량들의 값이 다르고 다른 결론이 도출될 가능성이 높다.

β_1(연령의 계수)에 대한 검정

검정통계량의 값: $t=7.94$ p-값$=4.79\times10^{-15}\approx0$

β_2(교육년수의 계수)에 대한 검정

검정통계량의 값: $t=14.49$ p-값$=7.00\times10^{-44}\approx0$

β_3(주당 근로시간의 계수)에 대한 검정

검정통계량의 값: $t=12.64$ p-값$=2.13\times10^{-34}\approx0$

β_4(돈을 버는 가족 수의 계수)에 대한 검정

검정통계량의 값: $t=0.969$ p-값$=0.3327$

β_5(자녀 수의 계수)에 대한 검정

검정통계량의 값: $t=0.945$ p-값$=0.34499$

5%의 유의수준에서 다음과 같은 변수들 각각은 소득과 선형관계를 가지고 있다고 추론할 수 있는 충분한 증거가 존재한다.

- 연령
- 교육년수
- 주당 근로시간

5%의 유의수준에서 다음과 같은 변수들 각각은 소득과 선형관계를 가지고 있다고 추론할 수 있는 충분한 증거가 존재하지 않는다.

- 돈을 버는 가족 수
- 자녀 수

이것은 소득과 이러한 2개 독립변수 간에 선형관계가 존재한다는 증거가 없다는 것을 의미할 수 있다. 그러나 이것은 또한 두 독립변수들 간의 선형관계가 존재한다는 것을 의미할 수 있다. 소위 **다중공선성**(multicollinearity) 문제 때문에 일부의 β_i에 대한 t-검정이 선형관계가 존재하지 않는다는 것을 보여줄 수 있다. 제17.3절에서 다중공선성에 대한 논의가 이루어질 것이다.

17.2i 회귀분석결과 해석에 관한 유의사항

회귀분석의 결과를 해석할 때는 신중하여야 한다. 한 모형에서는 한 특정한 독립변수가 종속변수와 선형관계를 가진다고 결론내릴 수 있는 충분한 증거가 존재하지만, 다른 모형에서는 이와 같은 선형관계가 존재하지 않는다고 결론내릴 수 있는 충분한 증거가 존재한다는 상반된 결과를 발견할 수 있다. 따라서 한 특정한 t 검정이 유의하지 않을 때, 한 특정한 독립변수와 종속변수는 **이 모형에서**(in this model)는 선형관계를 가진다고 추론할 수 있는 충분한 증거가 존재하지 않는다고 말한다. 이것은 다른 모형에서는 다른 결론이 도출될 수 있다는 것을 의미한다.

이에 더하여 만일 필요조건들 중에서 하나 또는 하나 이상이 위반되면, 분석결과는 타당하지 않을 수 있다. 제17.3절에서는 통계전문기들이 모형의 필요조건들을 검토할 수 있는 기법들이 소개된다. 또한 독립변수들의 관측치 범위를 크게 벗어난 경우를 외삽하는 것은 위험한 일이라는 것을 기억하여야 한다.

17.2j t 검정들과 분산분석

개별회귀계수들에 대한 t 검정들로부터 $\beta_i \neq 0$ $(i=1, 2, \ldots, k)$인지, 즉 x_i와 y 간에 선형관계가 존재하는지 결정할 수 있다. 각 독립변수에 대한 t 검정이 존재한다. 따라서 컴퓨터는 자동적으로 k개의 t 검정들을 수행한다. (컴퓨터는 실제로는 일반적으로 무시하는 절편 β_0에 대한 t 검정을 포함하여 $k+1$개 t 검정을 수행한다.) 분산분석의 형태를 가지는 F 검정은 이와 같은 t 검정들을 하나의 검정으로 결합시킨다. 달리 말하면, 모든 β_i들 중에서 적어도 하나가 0이 아닌지 결정하기 위해 한 번에 모든 β_i들에 대하여 검정한다. 다음과 같은 질문이 자연스럽게 제기된다. F 검정이 t 검정들의 결합에 불과하다면 왜 수행되어야 하는가? 이와 같은 문제는 이미 다루었다는 것을 기억하라. 제14장에서 분산분석은 두 모평균 차이에 대한 일련의 t 검정들에 의해 대체될 수 있다는 점을 지적하였다. 그러나 이렇게 함으로써 제

1종 오류가 발생할 확률은 증가한다. 이것은 각 독립변수와 종속변수 간에 선형관계가 존재하지 않을 때에도 다수의 t 검정들은 일부의 검정들이 유의하다는 것을 보여줄 가능성을 가진다는 것을 의미한다. 따라서 당신은 적어도 하나의 β_i가 0이 아니기 때문에 회귀모형이 타당하다고 잘못 결론을 내릴 수 있다. 다른 한편, F 검정은 단지 한 번만 수행된다. 한 번의 검정에서 제1종 오류가 발생할 확률은 α이기 때문에, 회귀모형이 타당하다고 잘못 결론을 내릴 수 있는 가능성은 다수의 t 검정들의 경우보다 F 검정의 경우에 훨씬 적다.

F 검정이 다수의 t 검정들보다 우월한 다른 이유가 존재한다. **다중공선성**의 문제 때문에 t 검정들은 일부 독립변수들이 실제로는 종속변수와 선형관계가 존재하는데도 불구하고 선형관계가 없다고 제시할 수 있다. 다중공선성의 문제는 F 검정에 영향을 미치지 않으며 데이터를 잘 적합시키는 모형을 개발할 수 있게 해준다. 다중공선성은 제17.3절에서 논의된다.

17.2k 단순선형회귀모형에서의 *F* 검정과 *t* 검정

단순선형회귀모형의 타당성을 검정하기 위해 F 검정이 사용될 수 있다. 그러나 이와 같은 검정은 β_1에 대한 t 검정과 동일하다. 단순선형회귀모형에서 β_1에 대한 t 검정은 독립변수가 종속변수와 선형관계를 가지고 있는지 말해준다. 그러나 단지 하나의 독립변수만이 존재하기 때문에 β_1에 대한 t 검정도 F 검정의 목적인 회귀모형이 타당한지 말해준다.

β_1에 대한 t 검정과 F 검정 간의 관계는 수학적으로 설명될 수 있다. 통계학자들은 자유도가 v인 t 통계량을 제곱하면 자유도가 각각 1과 v인 F 통계량이 된다는 것을 증명할 수 있다. (이와 같은 관계는 제14장에서 간략히 논의되었다.) 예제 16.2를 생각해보자. 이 예제에서 β_1에 대한 t 검정은 자유도가 98이고, t 검정통계량의 값은 -13.44였고 p-값은 5.75×10^{-24}이었다. Excel 결과물에는 분산분석이 포함되어 있다. 이때 $F=180.64$였고 p-값은 5.75×10^{-24}이었다. t 통계량의 제곱은 $t^2=(-13.44)^2=180.63$이다. (두 값의 차이는 반올림에 따른 오차이다.) F 통계량의 자유도는 각각 1과 98이라는 점에 주목하라. 따라서 단순선형회귀모형의 타당성을 검정하기 위해 두 검정 중 어느 검정도 사용될 수 있다.

17.2l 회귀식의 사용

단순선형회귀식의 경우처럼, 다중선형회귀식은 두 가지 방법으로 사용될 수 있다. 다중선형회귀식을 사용하여 y의 특정한 값에 대한 예측구간과 y의 기대치에 대한 신뢰구간추정치를 구할 수 있다. 다중선형회귀분석과 관련된 다른 계산들과 같이 컴퓨터가 이와 같은 일을 수행한다.

주어진 예제에서 교육년수가 12년이고, 주당 40시간 일하고, 돈을 버는 가족 수가 2명이고, 2명의 자녀를 가지고 있는 50세 미국 남성의 소득을 예측해보도록 하자.

> **참고**
>
> **y의 예측구간과 y의 기대치에 대한 신뢰구간 예측을 위한 간단한 방법**
>
> 다중선형회귀모형 $y=\beta_0+\beta_1x_1+\cdots+\beta_kx_k+\varepsilon$에 대한 회귀식이 $\hat{y}=b_0+b_1x_1+\cdots+b_kx_k$라고 하자. 이제 $x_1=x_{10}$, $x_2=x_{20}$, $\cdots$, $x_k=x_{k_0}$일 때 y에 대한 예측구간과 $E(y)$에 대한 신뢰구간은 다음과 같이 구해진다.
>
> (1) $\hat{y}_0=b_0+b_1x_{10}+\cdots+b_kx_{k_0}$은 $E(y|x_{10},\ \cdots,\ x_{k_0})=\beta_0+\beta_1x_{10}+\cdots+\beta_kx_{k_0}$의 점 추정치이다. $\hat{y}_0$와 $\hat{y}_0$의 표준오차 $s_e(\hat{y}_0)$을 동시에 구하기 위해 다음과 같은 수정된 다중선형회귀모형 $y=\alpha_0+\alpha_1(x_1-x_{10})+\cdots+\alpha_k(x_k-x_{k_0})+\varepsilon=\alpha_0+\alpha_1x_1^*+\cdots+\alpha_kx_k^*+\varepsilon$을 추정한다. 수정된 다중선형회귀모형에 대한 회귀식 $\hat{y}=a_0+a_1x_1^*+\cdots+\alpha_kx_k^*$에서 절편의 추정치와 절편추정치의 표준오차가 각각 $\hat{y}_0$와 $s_e(\hat{y}_0)$이다. 수정된 다중선형회귀모형에 대한 회귀식에서 추정치의 표준오차를 s_e라고 하자.
>
> (2) $x_1=x_{10}$, $\cdots$, $x_k=x_{k_0}$일 때 $100(1-\alpha)\%$의 신뢰수준에서 y에 대한 예측구간과 $E(y)$에 대한 $100(1-\alpha)\%$ 신뢰구간은 다음과 같이 구해진다.
>
> y에 대한 예측구간: $\hat{y}_0\pm t_{\alpha/2,n-k-1}\sqrt{(s_e(\hat{y}_0))^2+s_e^2}$
>
> y의 기대치에 대한 신뢰구간: $\hat{y}_0\pm t_{\alpha/2,n-k-1}s_e(\hat{y}_0)$

AGE=50, EDUC=12, HRS1=40, EARNRS=2, CHILDS=2일 때 $y=\alpha_0+\alpha_1(\text{AGE}-50)+\alpha_2(\text{EDUC}-12)+\alpha_3(\text{HRS1}-40)+\alpha_4(\text{EARNRS}-2)+\alpha_5(\text{CHILDS}-2)+\varepsilon$을 EXCEL을 이용하여 추정한 결과는 다음과 같다.

2							
3	회귀분석 통계량						
4	다중 상관계수	0.5269					
5	결정계수	0.2776					
6	조정된 결정계수	0.2745					
7	표준오차	36607.5411					
8	관측수	1171					
9							
10	분산 분석						
11		자유도	제곱합	제곱평균	F 비	유의한 F	
12	회귀	5	599889787699.6250	119977957539.9250	89.5283	0.0000	
13	잔차	1165	1561230558585.6000	1340112067.4555			
14	계	1170	2161120346285.2200				
15							
16		계수	표준 오차	t 통계량	P-값	하위 95%	상위 95%
17	Y 절편	42423.8539	1486.5181	28.5391	2.9E-136	39507.3019	45340.4059
18	AGE-50	671.0585	84.5329	7.9384	4.79E-15	505.2047	836.9122
19	EDUC-12	5603.7366	386.6796	14.4919	7E-44	4845.0702	6362.4030
20	HRS1-40	948.7478	75.0771	12.6370	2.13E-34	801.4462	1096.0493
21	EARNRS-2	1289.1905	1330.2839	0.9691	0.3327	-1320.8295	3899.2106
22	CHILDS-2	718.8115	760.7241	0.9449	0.3449	-773.7309	2211.3538
23							

EXCEL의 결과물로부터 $\hat{y}_0=42,423.8539$, $s_e(\hat{y}_0)=1,486.5181$, $s_e=36,607.5411$이고 $t_{\alpha/2,n-k-1}=t_{.025,1171-5-1}=t_{.025,1165}=1.9620$(엑셀함수=T.INV 이용)이다. 따라서 95%의 신뢰수준에서

y에 대한 예측구간과 $E(y)$에 대한 신뢰구간 추정치는 다음과 같이 구해진다.

$$y\text{에 대한 예측구간: } \hat{y}_0 \pm t_{\alpha/2, n-k-1}\sqrt{(s_e(\hat{y}_0))^2 + s_e^2}$$
$$= 42,423.8539 \pm (1.9620)\sqrt{(1,486.5181)^2 + (36,607.5411)^2}$$
$$= 42,423.8539 \pm 71,883.1872$$

$$y\text{의 기대치에 대한 신뢰구간: } \hat{y}_0 \pm t_{\alpha/2, n-k-1} s_e(\hat{y}_0)$$
$$= 42,423.8539 \pm (1.9620)(1,486.5181)$$
$$= 42,423.8539 \pm 2,916.5485$$

소득(y)의 예측구간은 −29,459달러와 114,307달러 사이이다. 이 구간은 매우 넓어서 유용하지 못하다. 이러한 결과가 나타난 것은 모형의 적합도가 양호하지 못하기 때문이다. 따라서 예측구간이 유용하기 위해서는 회귀모형이 데이터를 보다 더 양호하게 적합시킬 수 있도록 정형화되어야 할 필요가 있다. 기대소득($E(y)$)의 신뢰구간 추정치는 39,507달러와 45,340달러 사이이다.

연습문제

다음의 연습문제들을 풀기 위해서는 컴퓨터와 통계 소프트웨어를 사용하여야 한다. 연습문제 17.1~17.4는 직접 풀 수도 있다. 표본통계량들을 위해 부록 A를 참조하라. 5%의 유의수준을 사용하라.

17.1 <Xr17-01> 여름 별장에 전문화되어 있는 한 부동산 개발업자는 호수 인근에 있는 큰 땅을 매입하는 것을 고려하고 있다. 이 땅의 현재 소유자는 이미 이 땅을 다수의 건물부지로 분할하였고 일부의 나무들을 벌목하여 이 땅들을 준비하였다. 이 부동산 개발업자는 각 땅의 가치를 예측하기 원한다. 과거의 경험에 의하면, 각 땅의 가격에 영향을 미치는 가장 중요한 요인들은 땅의 크기, 잘 발육된 나무의 수, 호수까지의 거리이다. 주변지역으로부터 최근에 판매된 60곳의 땅에 대한 관련 데이터가 수집되었다.

a. 회귀식을 추정하라.

b. 추정치의 표준오차는 얼마인가? 이 값을 해석하라.

c. 결정계수는 얼마인가? 이 통계량은 당신에게 무엇을 말해 주는가?

d. 자유도 조정결정계수는 얼마인가? 이 값은 왜 결정계수와 다른가? 이 값은 당신에게 회귀모형에 관하여 무엇을 말해 주는가?

e. 회귀모형의 타당성을 검정하라. 검정의 p-값은 당신에게 무엇을 말해 주는가?

f. 회귀계수들 각각을 해석하라.

g. 각 독립변수가 이 모형에 있는 땅의 가격과 선형관계를 가지고 있는지 결정하기 위한 검정을 하라.

17.2 <Xr17-02> 플로리다주 팜 비치 카운티의 도서관 시스템은 12개의 도서관을 가지고 있다. 경영진은 새 도서관을 어디에 만들 것인지 결정하는 과정에 있다. 대상 위치로는 55세 이상이 주로 거주하는 커뮤니티 또는 자녀가 있는 젊은 가족이 위치한 여러 장소를 고려하고 있다. 도서관 고객에 대해 더 이해하기 위해, 지난 12개월 동안 적어도 한 권의 책을 빌린 사람들로 구성된 임의표본이 추출되었다. 빌린 책의 수, 책을 빌린 사람의 연령, 가장 가까운 도서관까지의 거리(마일)가 기록되었다. 다중회귀분석을 수행하라.

a. 나이 든 플로리다 사람들이 젊은 사람들보다 더 많은 책을 빌린다는 충분한 증거가 존재하는가?

b. 도서관까지의 거리가 빌리는 책의 수를 결정하는 요소라고 추론할 수 있는가?

17.3 <Xr17-03> 건식벽체(drywall)를 제조하는 한 회사의 사장은 이 제품에 대한 수요에 영향을 주는 변수들을 분석하기 원한다. 건식벽체는 주택과 사무실의 벽을 건축하기 위해 사용된다. 따라서 이 회사의 사장은 종속변수가 건식벽체(4×8판 100장 기준)의 월간 매출액이고 독립변수들이

이 회사가 있는 지역에서 건축이 허가된 빌딩 수
5년 기간 모기지 이자율(% 포인트 기준)
아파트의 공실률(% 포인트 기준)
사무실 빌딩의 공실률(% 포인트 기준)

인 회귀모형을 개발하기로 결정하였다. 다중선형회귀모형을 추정하기 위해 과거 2년 동안의 월간 관측치들이 기록되었다.

a. 다중회귀분석에 사용하는 데이터를 분석하라.

b. 추정치의 표준오차는 얼마인가? 당신은 회귀모형의 적합도를 평가하기 위해 이 통계량을 사용할 수 있는가? 만일 그렇다면, 어떻게 사용할 수 있는가?

c. 결정계수는 얼마인가? 이 통계량은 당신에게 회귀모형에 관하여 무엇을 말해 주는가?

d. 회귀모형의 타당성을 검정하라.

e. 각 회귀계수를 해석하라.

f. 각 독립변수가 이 회귀모형에서 건식벽체 매출액과 선형관계를 가지고 있는지 결정하기 위한 검정을 수행하라.

17.4 <Xr17-04> Baltimore Orioles 야구팀의 단장은 어느 마이너 리그 선수들을 선발할 것인지 결정하는 과정에 있다. 그는 그의 팀은 홈런타자가 필요하고 한 선수가 칠 홈런 수를 예측하는 방법을 찾기를 원한다는 것을 알고 있다. 치밀한 통계학자이기도 한 그는 선수들로 구성된 임의표본을 추출하였고 각 선수가 메이저 리그 선수로서 처음 2년 동안에 친 홈런 수, 마이너 리그 선수로서 마지막 1년 동안에 친 홈런 수, 연령, 프로야구 경기의 연수를 기록하였다.

a. 회귀모형을 개발하라. 통계량들을 구하기 위해 소프트웨어를 사용하라.

b. 각 회귀계수를 해석하라.

c. 회귀모형이 얼마나 잘 데이터를 적합시키는가?

d. 회귀모형의 타당성을 검정하라.

e. 각 독립변수가 이 회귀모형에 포함되어야 하는가?

17.5 <Xr17-05> 한 대학의 입학허가담당 직원은 학생에게 입학허가를 부여하는 공식적인 시스템을 개발하려 하고 있다. 고등학교 학점과 SAT 점수와 같은 대학에서의 성공을 결정하는 요인들이 표준적인 변수들에 포함되어야 한다고 알려져 있다. 또한 과외활동에 참여한 학생들이 과외활동에 참여하지 않은 학생들보다 성

공할 가능성이 더 크다고 믿어진다. 이와 같은 이슈를 조사하기 위해 100명의 4년차 학생들이 임의표본으로 추출되었고 다음과 같은 변수들이 기록되었다.

대학에서 처음 3년 동안의 GPA (0~12 범위를 가짐)
고등학교의 GPA (0~12 범위를 가짐)
SAT 점수(400~1600 범위를 가짐)
고등학교 마지막 연도에 조직된 과외활동에 주당 참여한 평균 시간 수

a. 입학허가담당 직원이 학생에게 입학허가를 부여하여야 하는지 결정하는 데 도움을 주는 모형을 개발하고 필요한 통계량들을 구하기 위해 컴퓨터를 사용하라.
b. 결정계수는 얼마인가? 이 값을 해석하라.
c. 회귀모형의 타당성을 검정하라.
d. 각 독립변수가 종속변수와 선형관계를 가지는지 결정하기 위한 검정을 수행하라.

17.6 <Xr17-06> 하드웨어 점포체인의 마케팅 담당자는 이 체인이 사용한 3가지 종류의 광고효과에 관하여 더 많은 정보가 필요했다. 이 체인이 사용한 3가지 광고는 지역직접메일(세일과 특정 제품을 설명하는 광고전단지가 한 점포의 주변지역에 있는 가정으로 배포된다), 신문광고, 지역텔레비전광고이다. 어떤 종류의 광고가 가장 효과적인가를 결정하기 위해 마케팅 담당자는 임의로 선택한 100개의 점포로부터 주간 데이터를 수집하였다. 각 점포에 대하여 다음과 같은 변수들이 기록되었다.

주간 총매출액
주간 직접메일 비용
주간 신문광고 비용
주간 텔레비전광고 비용

모든 변수들은 1,000달러 기준으로 기록되었다.

a. 회귀식을 구하라.
b. 결정계수와 자유도 조정결정계수는 얼마인가? 이와 같은 통계량들은 당신에게 회귀식에 관하여 무엇을 말해 주는가?
c. 추정치의 표준오차는 당신에게 회귀모형에 관하여 무엇을 말해 주는가?
d. 회귀모형의 타당성을 검정하라.
e. 어떤 독립변수들이 이 회귀모형에서 주간 총매출액과 선형관계를 가지는가? 설명하라.
f. 한 지역점포의 주간 직접메일 비용이 800달러, 주간 신문광고 비용이 1,200달러, 주간 텔레비전광고 비용이 2,000달러일 때, 이 지역점포의 다음 주 총매출액을 95%의 신뢰수준에서 예측하라.
g. 주간 직접메일 비용이 800달러, 주간 신문광고 비용이 1,200달러, 주간 텔레비전광고 비용이 2,000달러인 모든 점포들의 주간 평균 총매출액을 95%의 신뢰수준에서 추정하라.
h. f와 g에서 구한 두 구간의 차이에 대하여 논의하라.

17.7 <Xr17-07> 세계의 많은 도시들에서 쓰레기는 점차 문제가 되고 있다. 많은 북미 도시들에서 실제로 쓰레기를 매립할 공간이 소진되었다. 한 미국 대도시에 대하여 자문하는 한 컨설턴트는 쓰레기 문제에 관한 데이터를 수집하기로 결정하였다. 그녀는 임의의 주택 표본을 선택하고 다음과 같은 데이터를 수집하였다.

Y = 주당 쓰레기의 양(파운드)
X_1 = 주택의 크기(ft^2)
X_2 = 자녀의 수
X_3 = 낮 동안에 통상 집에 있는 성인의 수

a. 회귀분석을 수행하라.
b. 회귀모형은 타당하다고 추론할 수 있는 충분한 증거가 존재하는가?
c. 각 회귀계수의 추정치를 해석하라.

d. 각 독립변수가 종속변수와 선형관계를 가지고 있는지 검정하라.

17.8 <Xr17-08> 한 대형 카운티에 있는 교육위원회는 자신의 관할에 속하는 학교들의 평균 수학 시험점수를 분석하고 있다. 모든 학교의 수학 시험점수를 향상시키기 위해, 이 교육위원회는 카운티 전체에 걸쳐 40개 학교의 임의표본을 추출하였고 각 학교에 대하여 작년 평균 수학시험점수, 적어도 1개 대학에서 수학 학사 학위를 가지고 있는 수학교사의 비율, 평균 연령, 수학교사들의 평균 연간 소득(1,000달러 기준)에 관한 데이터를 수집하였다.

a. 회귀분석을 수행하라.
b. 회귀모형은 타당하다고 추론할 수 있는가?
c. 회귀계수들을 해석하고 검정하라.

17.9 <Xr17-9+> 생명보험회사들은 그들의 고객들이 얼마나 오래 살 것인지 예측하는 일에 예민하게 관심을 가지고 있다. 왜냐하면 그들의 보험료와 수익성은 이와 같은 수치에 의해 결정되기 때문이다. 한 보험회사에 근무하는 한 보험회계사는 최근에 사망한 100명의 남성 고객에 관한 데이터를 수집하였다. 그는 고객 사망 시의 연령, 그의 어머니 사망 시의 연령, 그의 아버지 사망 시의 연령, 그의 할머니들 사망 시의 평균 연령, 그의 할아버지들 사망 시의 평균 연령을 기록하였다.

a. 이와 같은 데이터를 사용하여 다중회귀분석을 수행하라.
b. 회귀모형은 타당하다고 추론할 수 있는 충분한 증거가 존재하는가?
c. 회귀계수들을 해석하고 검정하라.

17.10 <Xr17-10> 대학생들은 종종 대학이 교수들이 연구하는 데는 보상을 하지만 교육하는 데는 보상하지 않는다고 불평하고, 이와 같은 상황에서 교수들은 연구결과를 출간하는 일에 더 많은 시간과 에너지를 투입하고 강의에는 더 적은 시간과 에너지를 투입한다고 주장한다. 교수들은 연구와 교육은 동행하는 것이라고 반박한다. 즉, 교수들은 더 많은 연구는 더 좋은 교사를 만든다고 반박한다. 한 대학의 학생회는 이와 같은 쟁점을 조사하기로 결정하였다. 다수의 캠퍼스를 가지고 있는 한 대학에 고용되어 있는 50명의 경제학 교수가 임의표본으로 추출되었다. 학생회는 교수의 연봉, 평균 강의평가결과(10점 기준), 발간한 학술논문의 총 수를 기록하였다. 완전한 회귀분석(회귀식 추정, 회귀모형의 평가, 분석결과에 대한 보고서 작성)을 수행하라.

17.11 <Xr17-11+> 한 카탈로그 점포체인의 성공을 결정하는 중요한 요인 중의 하나는 고객들이 구매하기 원하는 제품의 확보 가능성이다. 만일 한 점포의 제품판매가 매진되면, 이 점포의 고객들에 대한 미래의 판매가 이루어질 가능성이 낮아진다. 따라서 배달트럭들은 중앙 창고로부터 정기적으로 점포들에게 제품들을 재공급한다. 한 체인 운영에 관하여 분석하면서 관리책임자는 배달트럭으로부터 제품을 내리는 데 걸리는 시간과 관련되어 있는 요인들을 결정하기 원하였다. 임의로 선택된 한 점포에 대한 50회의 배달이 관측되었다. 배달트럭으로부터 제품을 내리는 데 걸리는 시간(분 기준)과 박스들의 총중량(100파운드 기준)이 기록되었다.

a. 다중회귀식을 구하라.
b. 회귀모형은 데이터를 얼마나 잘 적합시키는가? 설명하라.
c. 회귀계수들을 해석하고 검정하라.

17.12 <Xr17-12> 복권은 정부의 중요한 수입원이 되었다. 그러나 많은 사람들은 복권이 가난한 사

람들과 교육받지 못한 사람들에 대한 세금이라는 이유로 비판하였다. 이와 같은 쟁점을 조사하기 위해 임의표본으로 추출된 100명의 성인에게 복권 티켓에 얼마만큼 지출하는지 묻고 여러 가지 사회경제학적 변수들에 관하여 질문하였다. 이 연구의 목적은 다음과 같은 믿음들을 검정하고자 하는 것이다.

1. 상대적으로 교육을 받지 못한 사람들이 교육을 받은 사람들보다 복권에 더 많이 지출한다.
2. 나이 든 사람들이 젊은 사람들보다 더 많은 복권 티켓을 구매한다.
3. 자녀가 많은 사람들이 자녀가 적은 사람들보다 복권에 더 많이 지출한다.
4. 상대적으로 가난한 사람들이 상대적으로 부유한 사람들보다 복권에 그들 소득 중 더 많은 비율을 지출한다.

다음과 같이 데이터가 기록되었다.

총 가구소득에서 차지하는 비율로 나타낸 복권 티켓에 대한 지출 금액
교육년수
연령
자녀의 수
개인소득(1,000달러 기준)

a. 다중회귀식을 구하라

b. 회귀모형의 타당성을 결정하기 위한 검정을 수행하라.

c. 각 믿음에 대하여 검정하라. 당신은 어떠한 결론을 도출할 수 있는가?

17.13 <Xr17-13+> 한 대형 대학의 MBA 프로그램은 매우 즐거운 문제, 즉 지원자가 너무 많은 문제에 직면해 있다. 현재의 입학허가정책은 학생들에게 최소 3년의 직업경력과 평균 B학점 이상의 학부학위취득을 요구하고 있다. 3년 전까지 이 대학의 경영대학원은 이와 같은 조건들이 충족된 지원자들에게만 입학허가를 부여하였다. 그러나 이 대학의 MBA 프로그램은 최근에 2년 프로그램(4학기 프로그램)으로부터 1년 프로그램(3학기 프로그램)으로 전환되었기 때문에 지원자들의 수가 상당히 증가하였다. 통계학 과목을 가르치는 경영대학원장은 지원자가 MBA 프로그램에서 얼마나 잘 해낼 것인지 보다 더 정확하게 예측하는 방법을 개발하여 입학허가기준을 상향조정하기 원하고 있다. 그녀는 MBA 프로그램에서의 성공을 결정하는 주요 요인들은 다음과 같다고 믿는다.

학부평균학점(GPA)
GMAT 점수
직장경력년수

그녀는 MBA프로그램을 졸업한 학생들을 임의표본으로 추출하였고 앞에서 정리한 3변수뿐만 아니라 MBA 프로그램에서 취득한 GPA (MBA GPA)를 기록하였다.

a. 다중선형회귀모형을 개발하라.

b. 모형이 타당하다고 추론할 수 있는 충분한 증거가 존재하는가?

c. 어떤 독립변수가 MBA GPA와 선형관계를 가지고 있는지 결정하기 위한 검정을 수행하라.

17.14 <Xr17-14> Spring Lake Golf Club은 캐나다 온타리오주 Stouffville에 위치해 있다. 이 골프장은 회원이 연간 1,000달러와 18홀 라운드당 50달러를 내는 프라이빗 코스이다. 현재의 수수료 구조를 변경할 것인가를 결정하기 위해 100명의 회원으로 구성된 임의표본이 추출되었다. 각 회원에게 지난 30일 동안의 라운드 수, 연령, 핸디캡을 보고하도록 하였다.

a. 회귀식을 결정하라.

b. 나이 든 골퍼들이 젊은 골퍼들보다 더 많은 라운드를 경기한다고 추론할 수 있는 충분한 증거가 존재하는가?

c. 데이터로부터 경기력이 더 나은 골퍼(낮은 핸디캡 골퍼)들이 높은 핸디캡 골퍼들보다 더 많은 라운드를 경기한다고 추론할 수 있는가?

생산운영관리분야의 통계학 응용

Ken Wolter/Shutterstock.com

입지분석

입지분석(location analysis)은 생산운영관리의 한 가지 기능이다. 공장, 창고, 소매할인점의 입지를 결정하는 일은 어느 조직에게나 중요한 의사결정이다. 수많은 변수들이 이와 같은 의사결정에서 고려되어야 한다. 예를 들면, 생산공장은 원자재와 부품공급자, 숙련노동자, 고객에 대한 수송에 가깝게 위치해야 한다. 소매할인점은 잠재고객의 유형과 수를 고려해야 한다. 다음의 연습문제에서는 수익창출이 가능한 모텔의 입지를 발견하기 위한 회귀분석의 적용이 이루어진다.

17.15 <Xr17-15> La Quinta Motor Inn은 미국 전역에 걸쳐 있는 중간 정도 가격의 모텔체인이다. 이 모텔의 목표시장은 자주 여행하는 비즈니스 여행자들이다. 이 모텔체인은 최근에 새로운 모텔들을 신축하여 시장점유율을 증가시키기 위한 활동을 시작하였다. 이 체인의 경영진은 새로운 모텔들을 위한 입지를 선택하는 데 어려움이 있다는 것을 알고 있다. 더욱이 적정한 정보 없이 의사결정을 하는 것은 종종 잘못된 결정으로 나타난다. 따라서 이 체인의 경영진은 임의로 선택된 La Quinta에 속하는 100개의 모텔에 관한 데이터를 수집하였다. 그 목적은 어느 입지가 가장 수익성이 있는지 예측하기 위한 것이었다.

La Quinta는 수익성을 측정하기 위해 이윤, 감가상각, 이자지출의 합계를 총수입으로 나눈 비율인 **운영수익비율**(operating margin)을 사용하였다. (룸점유율이 종종 모텔경영의 성공을 측정하는 척도이지만, 이 회사의 통계전문가들은 룸점유율이 특히 경제적 혼란기에는 너무 불안정하다고 결론지었다.) 운영수익비율이 높을수록, 모텔경영의 성공 가능성은 더 커진다. La Quinta는 운영수익비율이 50% 이상인 모텔을 수익성이 있는 모텔로 정의하고 운영수익비율이 30% 미만인 모텔을 수익성이 없는 모텔로 정의한다. La Quinta는 많은 경험 있는 경영자들과 논의한 후에 경쟁 정도, 시장인지도, 수요창출변수, 인구통계학적 특성, 물리적 특성과 같은 범주들 각각에서 한 개 또는 두 개의 독립변수를 선택하기로 결정하였다. 이 회사의 통계전문가들은 경쟁 정도를 La Quinta Motor Inn으로부터 3마일 이내에 있는 모텔과 호텔의 객실 수로 측정하였다. 시장인지도는 가장 가까운 경쟁 모텔까지의 거리에 의해 측정되었다. 고객 특성을 나타내는 두 변수가 선택되었다. 이러한 두 변수는 주변 지역사회에 있는 사무실 공간의 면적과 대학 및 전문대학 등록학생 수이다. 이러한 두 변수는 모두 경제활동의 척도이다. 지역사회의 특성을 나타내는 변수는 가구소득의 중앙값이다. 마지막으로 입지의 물리적 특성에 대한 척도로는 La Quinta Motor Inn으로부터 다운타운 중심부까지의 거리가 선택되었다. 이와 같은 데이터가 다음과 같은 방식을 사용하면서 저장되어 있다.

열 A: y = 운영수익비율(%)
열 B: x_1 = La Quinta Inn의 3마일 이내에 있는 모텔과 호텔의 객실 총 수
열 C: x_2 = 가장 가까운 경쟁 호텔 또는 모텔까지의 거리(마일 기준)
열 D: x_3 = 주변 지역에 있는 사무실 공간의 면적(1,000 ft^2 기준)
열 E: x_4 = 주변 대학과 전문대학 등록학생 수(1,000명 기준)
열 F: x_5 = 주변 지역사회의 가구소득 중앙값(1,000달러 기준)
열 G: x_6 = 다운타운 중심부까지의 거리(마일 기준)

a. 회귀모형을 개발하라.
b. 모형이 적정하다고 추론할 수 있는 충분한 증거가 존재하는지 결정하기 위한 검정을 수행하라.
c. 기울기 계수들 각각을 검정하라.
d. 회귀계수추정치들을 해석하라.
e. 다음과 같은 특성을 가지고 있는 입지의 운영수익비율을 95%의 신뢰수준 하에서 예측하라. 3마일 이내에 있는 모텔과 호텔의 객실 총 수는 3,815개이고, 가장 가까운 경쟁 호텔 또는 모텔까지의 거리는 .9마일이고, 사무실 공간의 면적은 476,000이고 대학과 전문대학 등록학생 수는 24,500명이고, 주변 지역사회의 가구소득 중앙값은 35,000달러이며 다운타운 중심부까지의 거리는 11.2마일이다.

17.3 회귀모형의 진단 2

제16.6절에서는 필요조건들이 충족되지 않는지 파악하는 방법이 논의되었다. 동일한 기법들이 다중선형회귀모형에서 문제를 진단하기 위해 사용될 수 있다. 제16장에서 설명한 진단 방법을 간략히 요약하면 다음과 같다.

잔차를 계산하고 다음 사항들을 확인하라:

1. **오차변수는 비정규분포를 따르는가?** 잔차의 히스토그램을 그려라.
2. **오차변수의 분산은 일정한가?** 잔차와 y의 예측치를 그림으로 그려라.
3. **오차변수들은 독립인가?** 잔차와 시간변수를 그림으로 그려라.
4. **부정확한 관측치들이 존재하거나 목표 모집단에 속하지 않는 관측치들이 존재하는가?** 이상치와 영향치의 정확성에 대하여 이중으로 확인하라.

만일 오차변수가 비정규분포를 따르거나 오차변수의 분산이 일정하지 않으면, 이에 대

한 여러 가지 교정 방법이 시도될 수 있다. 이와 같은 교정 방법들에 대한 논의는 이 책의 수준을 넘어선다.

이상치와 영향치는 문제가 되는 데이터의 정확성을 조사함으로써 확인된다.

시계열의 비독립성은 종종 잔차와 시간변수를 그림으로 그려보고 자기상관의 증거를 찾아봄으로써 파악될 수 있다. 제17.4절에서 자기상관의 한 형태를 검정하는 더빈-왓슨 검정 (Durbin-Watson test)이 소개된다. 오차변수들의 비독립성을 교정하는 방법이 제시된다.

다중선형회귀모형에만 적용되는 또 하나의 문제가 존재한다. **다중공선성**(multicollinearity)은 독립변수들이 높은 상관관계를 가지는 상황이다. 다중공선성은 회귀계수에 대한 t 검정을 왜곡시키고 임의의 독립변수가 종속변수와 선형관계를 가지고 있는지 결정하는 일을 어렵게 만든다. 또한 다중공선성은 회귀계수들의 해석을 어렵게 한다. 이제 다중공선성과 다중공선성의 교정 방법에 대하여 살펴보도록 하자.

17.3a 다중공선성

다중공선성(multicollinearity)은 독립변수들이 서로 상관관계를 가질 때 존재하는 상황이다. 다중공선성의 부정적 효과는 상관관계를 가지고 있는 독립변수들의 추정회귀계수들은 큰 표본오차를 가지는 경향이 있다는 것이다. 다중공선성은 두 가지의 결과를 발생시킨다. 첫째, 회귀계수의 분산이 크기 때문에 표본회귀계수는 실제의 모수로부터 멀리 떨어질 수 있다. 따라서 통계량과 모수가 서로 반대되는 부호를 가질 수 있는 가능성이 있다. 둘째, 회귀계수들을 검정할 때, t 통계량의 값이 작아지고 이에 따라 영향을 받는 독립변수와 종속변수 간에 선형관계가 존재하지 않는다는 추론이 얻어질 수 있다. 일부의 경우에 이와 같은 추론은 잘못된 것일 수 있다. 다행스럽게도 다중공선성은 분산분석형태의 F 검정에는 영향을 미치지 않는다.

다중공선성 문제를 예시하기 위해, GSS 2012를 사용하는 경우를 사용하도록 하자. 이 장의 서두 예제와 유사한 회귀분석을 수행하면 다음과 같은 Excel 결과가 구해진다.

	A	B	C	D	E
1		Coefficients	Standard Error	t Stat	P-value
2	Intercept	−79,060	15,407	−5.13	4.89E-07
3	AGE	484	159	3.04	0.0025
4	EDUC	5,296	579	9.15	5.76E-18
5	HRS1	888	129	6.90	2.60E-11
6	SPHRS1	-226	137	−1.65	0.0997
7	EARNRS	3,054	2,509	1.22	0.2244
8	CHILDS	−1,736	1,425	−1.22	0.2241

자녀 수는 5%의 유의수준에서 통계적으로 유의하지 않다(p-값=.2241)는 점에 주목하라. 그러나, 소득과 자녀 수 간 상관계수를 검정하면 상관계수는 통계적으로 유의하다. 상관계수의 t-검정에 대한 Excel 결과는 다음과 같다.

	A	B	C	D
1	t-Test of Correlation Coefficient			
2				
3	Sample correlation	−0.1425	t Stat	−2.65
4	Sample size	341	P(T<=t) one-tail	0.0042
5	Alpha	0.05	t Critical one-tail	1.6493
6			P(T<=t) two-tail	0.0084
7			t Critical two-tail	1.9670

자녀 수의 회귀계수에 대한 다중회귀모형 t-검정과 소득과 자녀 수 간 상관계수에 대한 t-검정 간에 명백한 모순을 어떻게 설명할 수 있는가? 그 대답은 다중공선성의 존재이다.

소득을 버는 가족 수와 자녀 수 간 상관계수는 상대적으로 높다. 소득을 버는 가족 수와 자녀 수 간 상관계수에 대한 t-검정 결과는 다음과 같다. 소득을 버는 가족들이 자녀들일 가능성이 있기 때문에 이러한 결과는 놀라운 일이 아니다.

	A	B	C	D
1	t-Test of Correlation Coefficient			
2				
3	Sample correlation	0.1539	t Stat	2.87
4	Sample size	341	P(T<=t) one-tail	0.0022
5	Alpha	0.05	t Critical one-tail	1.6493
6			P(T<=t) two-tail	0.0044
7			t Critical two-tail	1.9670

이러한 다중공선성 문제가 자녀 수가 소득과 선형관계를 가지고 있음에도 불구하고 소득과 통계적으로 유의하지 않은 관계를 가지도록 t-검정 결과에 영향을 미쳤다.

다중공선성에 의해 발생되는 또 다른 문제는 회귀계수의 해석문제이다. 독립변수의 회귀계수는 모든 다른 독립변수들이 일정한 경우 해당되는 독립변수가 1단위만큼 증가할 때 종속변수가 변화하는 정도를 측정하는 것으로 해석된다. 독립변수들이 높은 상관관계를 가지고 있을 때 이와 같은 해석은 불가능할 수 있다. 왜냐하면 해당되는 독립변수가 1단위만큼 증가할 때 다른 독립변수들 모두 또는 일부도 변화할 것이기 때문이다.

이것은 통계전문가들에게 두 가지의 중요한 질문을 제기한다. 이 두 가지 질문은 첫째 다중공선성의 문제를 어떻게 파악할 수 있는가와 둘째 다중공선성의 문제를 어떻게 피하거나 교정할 수 있는가이다.

다중공선성은 실제로 모든 다중선형회귀모형에서 존재한다. 실제로 완전히 상관관계를 가지지 않는 두 변수를 발견한다는 것은 매우 어려운 일이다. 그러나 두 개 또는 두 개 이상의 독립변수들이 높은 상관계수를 가질 때에만 문제가 심각할 수 있다. 불행하게도 두 독립변수 간의 상관계수가 문제를 발생시킬 만큼 충분히 큰 경우를 제시하는 임계값은 존재하지 않는다. 문제를 더욱 복잡하게 하는 것은 다중공선성은 다수 독립변수들의 결합이 다른 독립변수 또는 다른 독립변수들의 결합과 상관관계를 가질 때에도 발생한다는 것이다. 따라서 모든 상관계수들을 알고 있다고 하더라도 다중공선성 문제가 심각하다고 결정하는 일은 매우 어려운 일일 수 있다. 다중공선성 문제가 존재한다는 것을 제시해주는 하나의 좋은 지표는 F 통계량은 크지만 t 통계량들이 작은 경우이다.

다중공선성의 영향을 최소화하는 것이 종종 다중공선성을 교정하는 것보다 더 쉽다. 통계전문가들은 서로 독립인 독립변수들을 회귀모형에 포함시키도록 해야 한다.

연습문제

다음의 연습문제들을 풀기 위해서는 컴퓨터와 소프트웨어를 사용하여야 한다.

17.16 연습문제 17.1의 회귀분석에서 잔차와 예측치를 계산하라.

a. 오차변수의 정규분포조건이 위반되어 있는가? 설명하라.

b. 오차변수의 분산이 일정한가? 설명하라.

17.17 연습문제 17.1에 있는 독립변수들 각 쌍의 상관계수를 계산하라. 이 통계량들은 당신에게 독립변수들과 회귀계수들에 대한 t 검정들에 관하여 무엇을 말해 주는가?

17.18 연습문제 17.2를 참조하라.

a. 잔차와 예측치를 구하라.

b. 오차변수의 정규분포조건이 위반되어 있는 것으로 보이는가? 설명하라.

c. 오차변수의 분산은 일정한가? 설명하라.

17.19 연습문제 17.3의 회귀분석에서 잔차와 예측치를 계산하라.

a. 오차변수는 정규분포를 따르지 않는 것으로 보이는가?

b. 오차변수의 분산은 일정한가?

c. 다중공선성이 문제인가?

17.20 연습문제 17.4를 참조하라. 독립변수들 간 상관계수를 구하라.

a. 이와 같은 상관계수들은 당신에게 독립변수들에 관하여 무엇을 말해 주는가?

b. 이와 같은 상관계수들은 회귀계수들에 대한 t 검정들에 관하여 무엇을 말해 주는가?

17.21 연습문제 17.5에서 필요조건들이 충족되는가?

17.22 연습문제 17.6을 참조하라.

a. 어느 필요조건이 위반되어 있는지 결정하기 위해 잔차분석을 수행하라.

b. 다중공선성이 문제인 것으로 보이는가?

c. 정확성을 위해 확인하여야 하는 관측치들을 판별하라.

17.23 연습문제 17.7의 회귀분석에서 필요조건들이 충족되는가?

17.24 연습문제 17.8에서 필요조건들이 충족되는지 결정하라.

17.25 연습문제 17.9를 참조하라. 잔차와 예측치를 계산하라.

a. 오차변수의 정규분포조건이 충족되는가?

b. 오차변수의 분산이 일정한가?

c. 다중공선성이 문제인가?

17.26 연습문제 17.10에서 사용된 회귀모형의 필요조건들이 위반되는지 결정하라.

17.27 연습문제 17.11에서 필요조건들이 충족되는지 결정하라.

17.28 연습문제 17.12를 참조하라.

a. 필요조건들이 충족되는가?

b. 다중공선성이 문제인가? 만일 그렇다면, 그것이 초래하는 결과를 설명하라.

17.29 연습문제 17.13을 참조하라. 필요조건들이 충족되는가?

17.4 회귀모형의 진단 3(시계열)

제16장에서 일반적으로 데이터가 일정한 시간기간 동안 순차적으로 수집된 데이터인 시계열(time series) 데이터일 때 오차변수들이 독립인지 확인하여야 한다는 점을 지적하였다. 제16.7절에서는 오차변수들의 독립 조건이 위반되어 있는지 결정하기 위한 그래프 방법이 설명되었다. 이 방법은 잔차와 시간변수를 그림으로 그리고, 잔차의 패턴을 찾아보는 것이다. 이 절에서는 이러한 논의를 확장하여 오차변수들의 자기상관을 파악하기 위한 **더빈-왓슨 검정**(Durbin-Watson test)이 논의된다.

17.4a 더빈-왓슨 검정

더빈-왓슨 검정은 인접한 오차변수들인 ε_t와 ε_{t-1} 간에 **제1계 자기상관**(first-order autocorrelation)이 존재하는지, 즉 $\varepsilon_t = \phi\varepsilon_{t-1} + u_t$, $t=1, 2, . . . , n$(시간변수), $-1<\phi<1$의 관계가 존재하는지 결정하는 검정이다. 더빈-왓슨 통계량은 다음과 같이 정의된다.

$$d = \frac{\sum_{t=2}^{n}(e_t - e_{t-1})^2}{\sum_{t=1}^{n} e_t^2}$$

d 값의 범위는 $0 \le d \le 4$이다. d의 작은 값($d<2$)은 양의 제1계 자기상관(positive first-order autocorrelation)을 제시하고 d의 큰 값($d>2$)은 음의 제1계 자기상관(negative first-order autocorrelation)을 제시한다. 일반적으로 양의 제1계 자기상관은 경영 및 경제 시계열에서 많이 발생한다. 양의 제1계 자기상관은 인접한 잔차들이 유사한 경향을 가질 때 발생한다. 이 경우에 $(e_i - e_{i-1})^2$이 작은 값을 가지며 이에 따라 d의 작은 값이 구해진다. 음의 제1계 자기상관은 인접한 잔차들이 크게 다를 때 발생한다. 예를 들면, 양의 잔차와 음의 잔차가 반복해서 나타나면, $(e_i - e_{i-1})^2$은 큰 값을 가질 것이고, 따라서 d는 2보다 크게 된다. 그림 17.2와 그림 17.3은 양의 제1계 자기상관을 그린 것인 반면, 그림 17.4는 음의 제1계 자기상관을 그린 것이다. 그림 17.2에서 첫 번째 잔차는 작은 값이고 두 번째 잔차도 작은 값이지만 이와 같은 추이가 계속된다는 점을 살펴보라. 그림 17.3에서 첫 번째 잔차는 크고 일반적으로 연속적인 잔차들은 감소한다. 그림 17.4에서 첫 번째 잔차는 양의 값이고 이어서 음의 잔차가 나타난다. 나머지 잔차들도 일부의 예외는 있지만 이와 같은 패턴을 따른다. 인접한 잔차들은 매우 다르다.

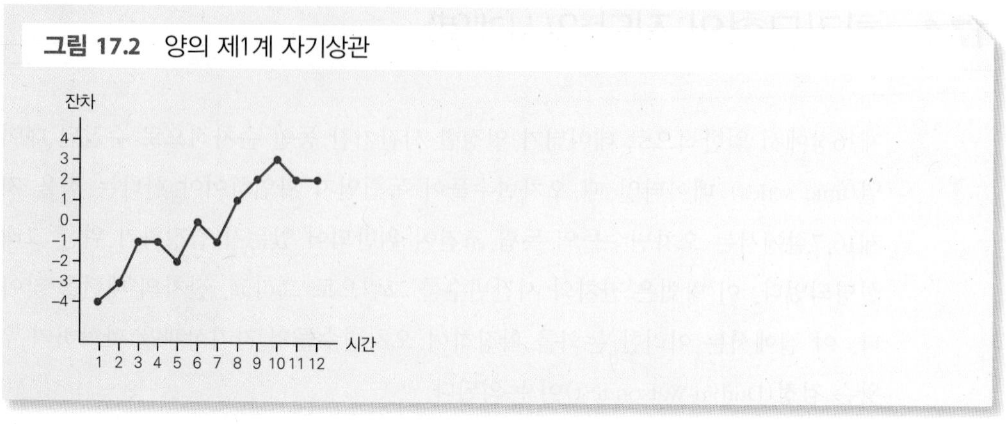

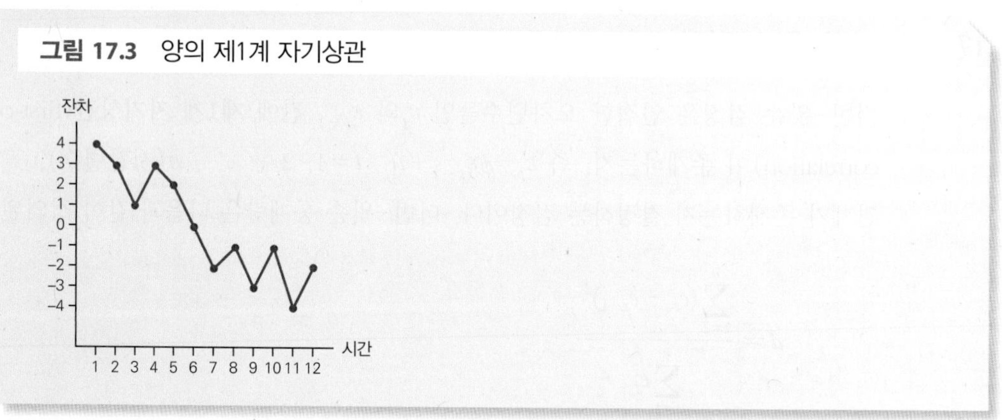

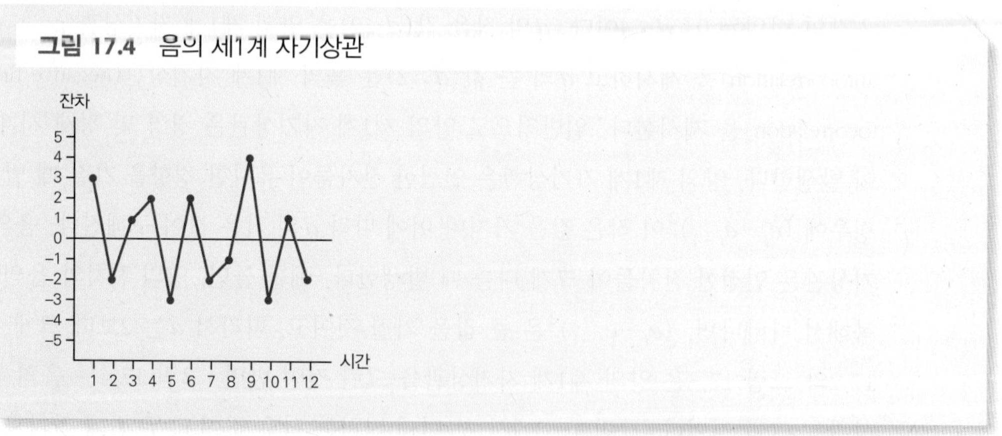

부록 B의 표 8은 양의 제1계 자기상관에 대한 검정을 수행할 수 있도록 $\alpha=.01$ 또는 $\alpha=.05$에 대하여 다양한 n과 k의 값에 해당되는 d_L과 d_U의 값을 제공한다.

의사결정은 다음과 같이 이루어진다. 만일 $d<d_L$이면, 양의 제1계 자기상관이 존재한다는 충분한 증거가 제시된다는 결론이 얻어진다. 만일 $d>d_U$이면, 양의 제1계 자기상관이 존재한다는 충분한 증거가 제시되지 않는다는 결론이 얻어진다. 만일 $d_L \le d \le d_U$이면, 검정은 결론을 제시하지 못한다. 검정이 결론을 제시하지 못할 때 취하여야 할 조치는 결론을 제시하는 결정이 이루어질 수 있을 때까지 더 많은 데이터를 가지고 검정을 계속하는 것이다.

예를 들면, $n=20$, $k=3$, $\alpha=.05$인 경우에 양의 제1계 자기상관을 검정하기 위해 다음과 같은 가설들에 대한 검정이 이루어진다.

H_0: 제1계 자기상관이 존재하지 않는다.
H_1: 양의 제1계 자기상관이 존재한다.

의사결정은 다음과 같이 이루어진다.

- 만일 $d<d_L=1.00$이면, 대립가설을 선호하고 귀무가설을 기각하라.
- 만일 $d>d_U=1.68$이면, 귀무가설을 기각하지 마라.
- 만일 $1.00 \leq d \leq 1.68$이면, 검정은 결론을 제시하지 못한다.

음의 제1계 자기상관을 검정하기 위해서는 임계값을 변화시킨다. 만일 $d>4-d_L$이면, 음의 제1계 자기상관이 존재한다는 결론이 얻어진다. 만일 $d<4-d_U$이면, 음의 제1계 자기상관이 존재하지 않는다는 결론이 얻어진다. 만일 $4-d_U \leq d \leq 4-d_L$이면, 검정은 결론을 제시하지 못한다.

또한 두 개의 단측 검정을 결합함으로써 제1계 자기상관에 대한 검정을 수행할 수 있다. 만일 $d<d_L$ 또는 $d>4-d_L$이면, 제1계 자기상관이 존재한다고 결론짓는다. 만일

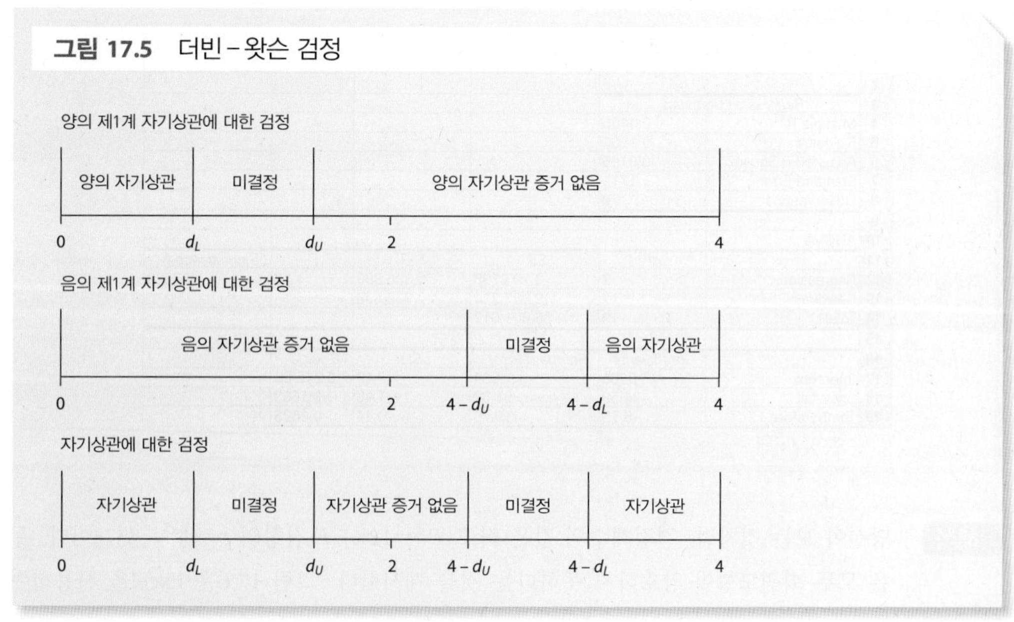

그림 17.5 더빈-왓슨 검정

$d_U \le d \le 4-d_U$이면, 제1계 자기상관이 존재하지 않는다고 결론짓는다. 만일 $d_L \le d \le d_U$ 또는 $4-d_U \le d \le 4-d_L$이면, 검정은 결론을 제시하지 못한다. α가 단측 유의수준이므로 검정의 유의수준은 2α가 된다. 그림 17.5는 d 값의 범위와 각 구간의 결론을 나타낸 것이다.

시계열 데이터의 경우에 회귀모형의 진단을 위해 더빈–왓슨 검정이 추가적으로 수행된다. 달리 말하면, 오차변수가 일정한 분산을 가지는 정규분포를 따르는지 결정한다. 이상치들과 영향치들이 식별된다. 이어서 더빈–왓슨 검정이 수행된다.

예제 17.1 크리스마스 주간의 스키 리프트 매출

DATA Xm17-01

크리스마스 주간은 대부분의 스키 리조트에게 중요한 기간이다. 많은 학생들과 성인들은 그들이 하는 일들로부터 자유롭기 때문에 좋아하는 소일거리인 스키타기에 빠져서 수일간을 보낼 수 있다. 스키 리조트 총수입의 큰 부분은 이 기간 동안 벌어들이게 된다. 버몬트(Vermont)주에 있는 한 스키 리조트는 기후가 스키 리프트 티켓 매출에 미치는 효과를 결정하기 원하였다. 이 스키 리조트의 경영자는 과거 20년 동안 크리스마스 주간 동안 판매된 스키 리프트 티켓의 수(y), 인치 기준으로 측정된 총강설량(x_1), 화씨 기준으로 측정된 평균 온도(x_2)에 관한 데이터를 수집하였다. 다중선형회귀모형을 개발하고 필요조건들의 위반여부를 진단하라.

해답 다중선형회귀모형은 다음과 같다.

$$y = \beta_0 + \beta_1 x_1 + \beta_2 x_2 + \varepsilon$$

EXCEL Data Analysis

	A	B	C	D	E	F
1	SUMMARY OUTPUT					
2						
3	*Regression Statistics*					
4	Multiple R	0.3465				
5	R Square	0.1200				
6	Adjusted R Square	0.0165				
7	Standard Error	1712				
8	Observations	20				
9						
10	ANOVA					
11		*df*	*SS*	*MS*	*F*	*Significance F*
12	Regression	2	6,793,798	3,396,899	1.16	0.3373
13	Residual	17	49,807,214	2,929,836		
14	Total	19	56,601,012			
15						
16		*Coefficients*	*Standard Error*	*t Stat*	*P-value*	
17	Intercept	8308	904	9.19	5.24E-08	
18	Snowfall	74.59	51.57	1.45	0.1663	
19	Temperature	−8.75	19.70	−0.44	0.6625	

해석 당신이 보는 것처럼, 결정계수의 값은 작고($R^2=12\%$) F 검정의 p-값은 .3373이다. 두 통계량은 모두 회귀모형이 양호하지 못하다는 것을 제시한다. 그림 17.6은 Excel을 사용하여 잔차의

히스토그램을 그린 것이고 그림 17.7은 y의 예측치와 잔차를 그린 것이다. 관측치들이 시계열 데이터라는 점을 감안하여 그림 17.8은 잔차와 시간변수(연도)를 그린 것이다.

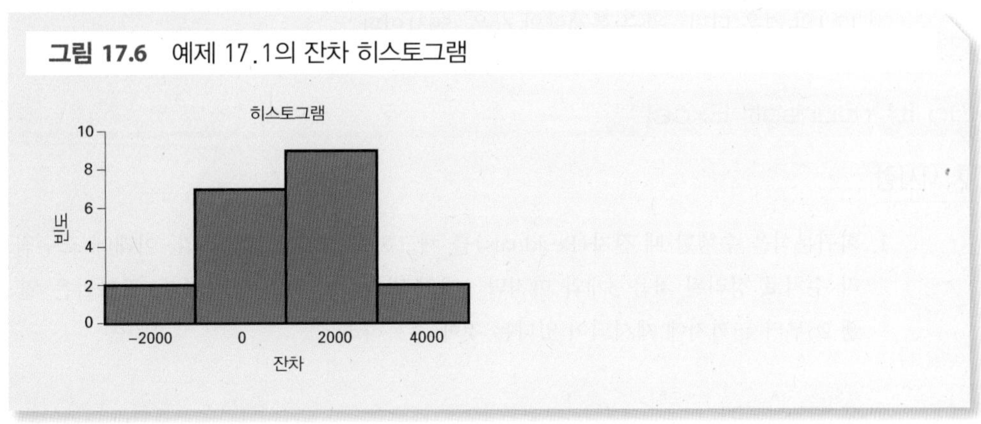

그림 17.6 예제 17.1의 잔차 히스토그램

이 히스토그램은 오차변수가 정규분포를 따른다는 것을 보여준다.

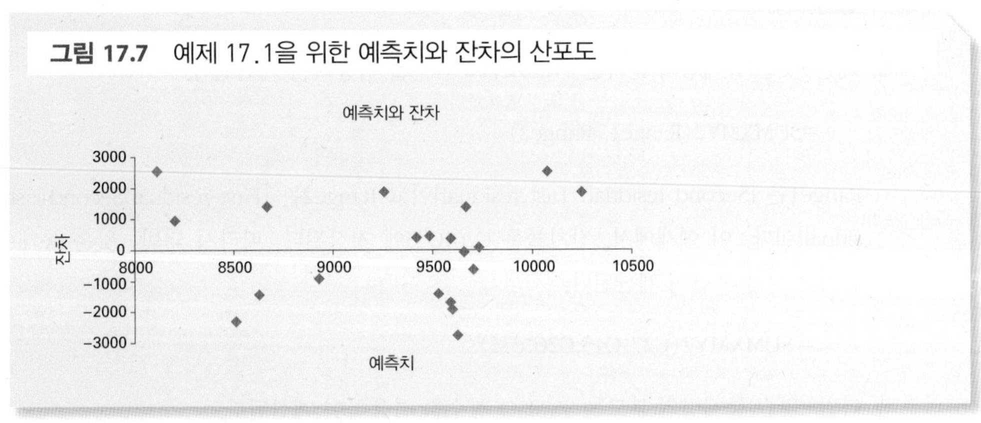

그림 17.7 예제 17.1을 위한 예측치와 잔차의 산포도

이 산포도에서 이분산이 존재한다는 증거가 제시되지 않는다.

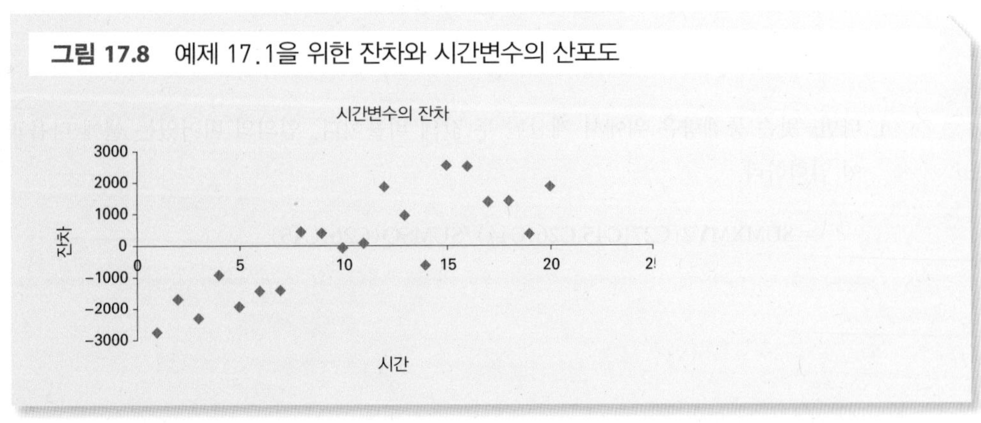

그림 17.8 예제 17.1을 위한 잔차와 시간변수의 산포도

이 그림은 심각한 한 가지 문제가 존재한다는 것을 보여준다. 인접한 잔차의 값들 간에 강한 상관관계가 존재하고 이것은 오차변수들이 독립이라는 필요조건이 충족되지 않는다는 것을 제시한다. 이와 같은 진단을 확인하기 위해 Excel을 이용하여 더빈 – 왓슨 통계량을 계산해보자. 예제 17.1의 경우 더빈 – 왓슨 통계량의 값은 .5931이다.

Do It Yourself Excel

지시사항

1. 회귀분석을 수행할 때 **잔차**(Residuals)를 체크하여 잔차를 계산하라. 아래에 소수점 1자리 수치로 정리된 처음 3개와 마지막 3개의 잔차들이 제시되어 있다. 잔차들은 열 C의 행 26부터 45까지에 제시되어 있다는 것에 주목하라.

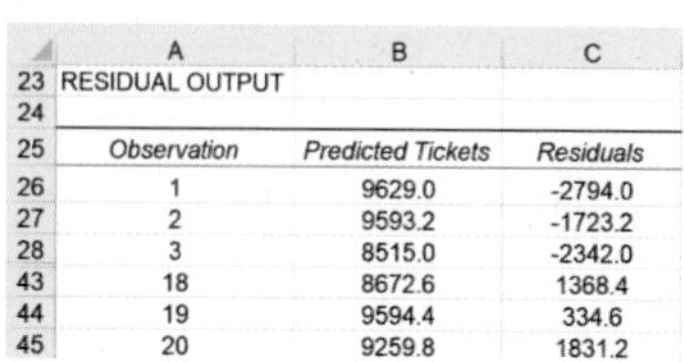

	A	B	C
23	RESIDUAL OUTPUT		
24			
25	Observation	Predicted Tickets	Residuals
26	1	9629.0	-2794.0
27	2	9593.2	-1723.2
28	3	8515.0	-2342.0
43	18	8672.6	1368.4
44	19	9594.4	334.6
45	20	9259.8	1831.2

2. 더빈–왓슨 통계량의 분자는 **SUMXNY2** 함수를 사용하여 계산된다.

   =SUMXMY2(Range1, Range2)

   Range1은 [Second residual: Last residual]이고 Range2는 [First residual:Second-last residual]이다. 이 예제에서, 잔차들은 C26:C45에 저장된다. 따라서 더빈 – 왓슨 통계량의 분자는 다음과 같이 계산된다.

   =SUMXMY2(C27:C45,C26:c44)

3. 더빈–왓슨 통계량의 분모는 SUMSQ 함수를 사용하여 계산된다.

   =SUMSQ(Range of residuals)

   이 예제에서 임의의 비어있는 셀에 다음과 같이 입력한다.

   =SUMSQ(C26:C45)

4. 더빈–왓슨 통계량은 위에서 계산된 두 값의 비율이다. 임의의 비어있는 셀에 다음과 같이 입력하라.

   =SUMXMY2(C27:C45,C26:C44)/SUMSQ(C26:C45)

제1계 자기상관에 대한 더빈-왓슨 검정을 위한 임계값들은 $n=20$과 $k=2$(회귀모형에 두 개의 독립변수가 존재한다)에 의해 구해진다. $\alpha=.05$에서 양의 제1계 자기상관에 대한 검정을 수행하기 원하면, 부록 B의 표 8(a)에서 구한 $d_L=1.10$과 $d_U=1.54$가 사용된다.

귀무가설과 대립가설은 다음과 같이 설정된다.

H_0: 제1계 자기상관이 존재하지 않는다.
H_1: 양의 제1계 자기상관이 존재한다.

기각역은 $d<d_L=1.10$이다. $d=.5931$이기 때문에 귀무가설은 기각되고 양의 제1계 자기상관이 존재한다고 추론할 수 있는 충분한 증거가 존재한다고 결론을 내린다.

자기상관은 일반적으로 회귀모형이 종속변수에 시간순위효과를 가지는 독립변수를 포함할 필요가 있다는 것을 제시한다. 가장 간단한 시간순위효과를 가지는 독립변수는 시간을 직접 나타내는 변수이다. 예시하면, 데이터가 수집된 연도들에 대해 1부터 양의 정수를 부여할 수 있다. 따라서 이와 같은 독립변수를 x_3라고 하면, $x_3=1, 2, \ldots, 20$이 된다. 이와 같은 독립변수를 포함한 새로운 회귀모형은 다음과 같이 설정된다.

$$y=\beta_0+\beta_1x_1+\beta_2x_2+\beta_3x_3+\varepsilon$$

EXCEL Data Analysis

	A	B	C	D	E	F
1	SUMMARY OUTPUT					
2						
3	*Regression Statistics*					
4	Multiple R	0.8608				
5	R Square	0.7410				
6	Adjusted R Square	0.6924				
7	Standard Error	957				
8	Observations	20				
9						
10	ANOVA					
11		*df*	*SS*	*MS*	*F*	*Significance F*
12	Regression	3	41,940,217	13,980,072	15.26	0.0001
13	Residual	16	14,660,795	916,300		
14	Total	19	56,601,012			
15						
16		*Coefficients*	*Standard Error*	*t Stat*	*P-value*	
17	Intercept	5966	631.3	9.45	6.00E-08	
18	Snowfall	70.18	28.85	2.43	0.0271	
19	Temperature	−9.23	11.02	−0.84	0.4145	
20	Time	230.0	37.13	6.19	1.29E-05	

앞에서 했던 것처럼 Excel을 사용하여 잔차를 계산하고 회귀모형을 진단한다. 회귀모형의 진단결과는 그림 17.9~그림 17.11에 제시되어 있다.

그림 17.9 예제 17.1에서 시간변수를 포함한 회귀모형의 잔차의 히스토그램

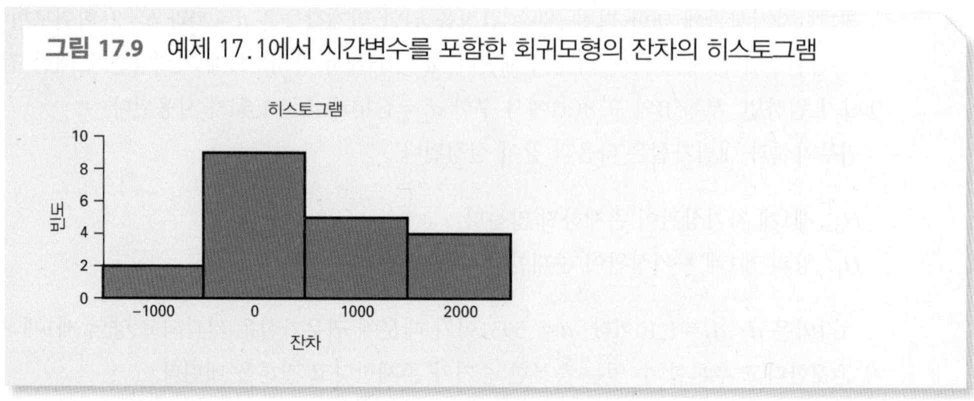

이 히스토그램은 오차변수가 정규분포를 따른다는 것을 보여준다.

그림 17.10 예제 17.1에서 시간변수를 포함한 회귀모형의 예측치와 잔차

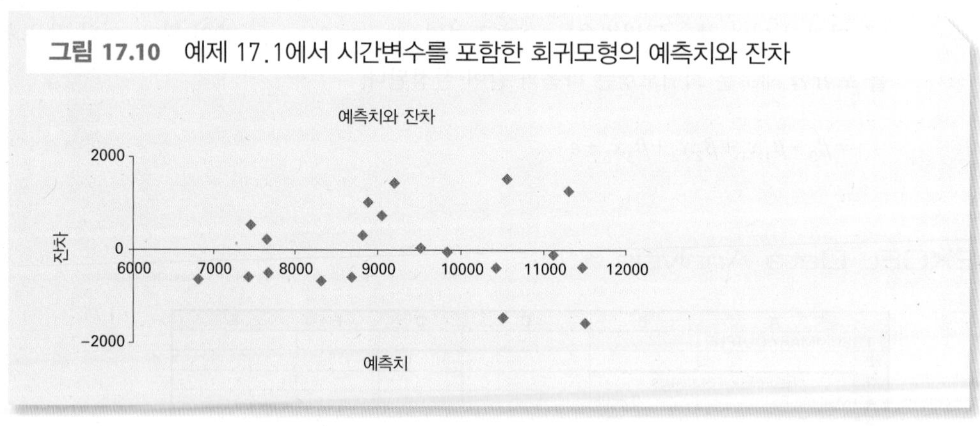

오차변수의 분산은 일정한 것으로 보인다.

그림 17.11 예제 17.1에서 시간변수를 포함한 회귀모형의 시간과 잔차

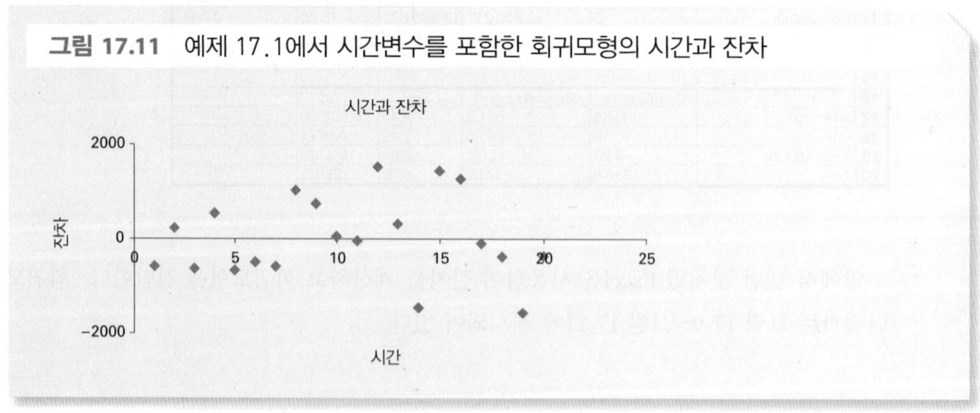

자기상관의 증거가 존재하지 않는다. 이와 같은 진단을 확인하기 위해 계산된 더빈-왓슨 통계량의 값은 1.885이다.

부록 B의 표 8(a)에서 더빈-왓슨 검정의 임계값을 구할 수 있다. $k=3$과 $n=20$인 경우, $d_L=1.00$이고 $d_U=1.68$이다. $d=1.885>1.68$이므로 양의 제1계 자기상관이 존재한다고 추론할 수 있는 충분한 증거가 제시되지 않는다고 결론내릴 수 있다.

회귀모형이 극적으로 개선되었다는 점에 주목하라. F 검정은 이와 같은 회귀모형이 타당하다는 것을 말해준다. t 검정들은 강설량과 시간변수가 유의하게 스키 리프트 티켓 매출과 선형관계를 가지고 있다는 것을 말해준다. 이와 같은 정보는 스키 리조트를 광고하는 데 유용할 수 있다. 예를 들면, 최근에 눈이 내렸다면, 이 스키 리조트는 광고에서 이 점을 강조할 수 있다. 만일 눈이 내리지 않았다면, 이 스키 리조트는 눈 제조설비를 강조하는 광고를 할 수 있다.

17.4b 통계학 개념의 이해를 심화시키기

추가된 시간변수가 스키 리프트 티켓 판매의 변동 중 상당부분을 설명한 점에 주목하라. 즉, 스키 리조트는 과거 20년 동안 상대적으로 안정된 매출증가를 경험하였다. 이와 같은 변수가 회귀모형에 포함된 경우, 강설량 변수는 리프트 티켓 판매의 나머지 변동 중 일부를 설명할 수 있었기 때문에 통계적으로 유의하게 되었다. 시간변수가 없는 경우 강설량 변수와 온도 변수는 리프트 티켓 판매의 변동 중 상당부분을 설명할 수 없었다. 잔차와 시간의 그래프와 더빈-왓슨 검정은 문제를 찾아내고 교정할 수 있게 해준다. 자기상관 문제를 해결하기 위해, 강설량 변수를 스키 리프트 티켓 매출을 결정하는 하나의 중요한 변수로 포함시킴으로써 회귀모형이 개선되었다. 이와 같은 결과는 매우 일반적으로 발생하는 일이다. 필요조건의 위반을 교정하는 것이 종종 회귀모형을 개선시킨다.

연습문제

17.30 $d=1.10$, $n=25$, $k=3$일 때 양의 제1계 자기상관이 존재하는지 결정하기 위해 5%의 유의수준에서 더빈-왓슨 검정을 수행하라.

17.31 $d=2.85$, $n=50$, $k=5$일 때 음의 제1계 자기상관이 존재하는지 1%의 유의수준에서 결정하라.

17.32 다음과 같은 정보가 주어진 경우, 제1계 자기상관이 존재하는지 결정하기 위한 더빈-왓슨 검정을 수행하라.

$n=25$, $k=5$, $\alpha=.10$, $d=.90$

17.33 $\alpha=.05$에서 다음의 가설들을 검정하라.

H_0: 제1계 자기상관이 존재하지 않는다.
H_1: 양의 제1계 자기상관이 존재한다.
$n=50$, $k=2$, $d=1.38$

17.34 $\alpha=.02$에서 다음의 가설들을 검정하라.

H_0: 제1계 자기상관이 존재하지 않는다.
H_1: 제1계 자기상관이 존재한다.

$n=90,\ k=5,\ d=1.60$

17.35 $\alpha=.05$에서 다음의 가설들을 검정하라.

H_0: 제1계 자기상관이 존재하지 않는다.
H_1: 음의 제1계 자기상관이 존재한다.
$n=33,\ k=4,\ d=2.25$

다음의 연습문제들을 풀기 위해서는 컴퓨터와 소프트웨어를 사용하여야 한다.

17.36 <Xr17-36> y, x_1, x_2의 관측치들이 100개의 연속적인 시점 동안에 수집되었다.

a. 회귀분석을 수행하라.
b. 잔차와 시간의 산포도를 그려라. 그림을 설명하라.
c. 더빈-왓슨 검정을 수행하라. 자기상관의 증거가 존재하는가? $\alpha=0.01$을 사용하라.
d. 만일 c에서 자기상관의 증거가 존재하면, 이 문제를 교정하기 위한 대안의 회귀모형을 제안하라. 컴퓨터를 사용하여 제안된 회귀모형과 관련된 통계량들을 구하라.
e. 제안된 회귀모형에 대하여 b와 c를 반복하라. 두 회귀모형을 비교하라.

17.37 <Xr17-37> 한 회사 제품의 주간 매출액(y)과 주요 경쟁회사 제품의 주간 매출액(x)이 1년 기간 동안에 대하여 기록되었다.

a. 회귀분석을 수행하라.
b. 잔차와 시간의 산포도를 그려라. 자기상관이 존재하는 것으로 보이는가?
c. 더빈-왓슨 검정을 수행하라. 자기상관의 증거가 존재하는가? $\alpha=0.01$을 사용하라.
d. 만일 c에서 자기상관의 증거가 존재하면, 이 문제를 치유하기 위한 대안의 회귀모형을 제안하라. 컴퓨터를 사용하여 제안된 회귀모형과 관련된 통계량들을 구하라.
e. 제안된 회귀모형에 대하여 b와 c를 반복하라. 두 회귀모형을 비교하라.

17.38 연습문제 17.3을 참조하라. 양의 제1계 자기상관이 존재한다는 충분한 증거가 있는가?

17.39 <Xr17-39> 미네아폴리스에 있는 한 타이어 가게의 경영자는 재고비용이 높은 것에 대하여 우려하고 있다. 현재의 재고정책은 10월 말경인 겨울시즌의 시작시점에 전체 겨울기간 동안 판매할 것으로 예상되는 모든 스노우 타이어를 재고로 비축하여 두는 것이다. 이 경영자는 타이어 공급자가 10월부터 다음 해 2월까지 정기적으로 스노우 타이어를 인도하도록 함으로써 재고비용을 감소시킬 수 있다. 그러나 그는 궁극적으로 매출을 상실하게 만드는 재고부족상태를 피하기 위해 주간 매출을 예측할 수 있어야 한다. 예측모형을 개발하기 위해, 그는 작년 겨울기간 동안 각 주에 판매한 스노우 타이어의 수와 인치 기준으로 측정된 강설량을 기록하였다.

a. 회귀모형을 개발하고 관련된 통계량을 구하기 위해 소프트웨어 패키지를 사용하라.
b. 필요조건들이 충족되는지 결정하기 위한 완전한 진단분석을 수행하라.
c. 만일 하나 또는 하나 이상의 필요조건들이 충족되지 않으면, 주어진 문제를 교정하도록 하라.
d. 새로운 회귀모형이 데이터를 얼마나 잘 적합시키는지 평가하기 위해 당신이 원하는 기법들을 사용하라.
e. 각 회귀계수를 해석하고 검정하라.

요약

다중회귀모형(multiple regression model)은 제16장에서 소개된 단순선형회귀모형을 확장한 것이다. 통계 개념과 기법은 단순선형회귀모형에서 제시된 것과 유사하다. 회귀모형은 3가지 방법, 즉 추정치의 표준오차, 결정계수(자유도 조정결정계수), 분산분석 형태의 F 검정에 의해 평가된다. 각 독립변수가 종속변수와 선형관계를 가지고 있는지 결정하기 위해서는 회귀계수에 대한 t 검정이 사용될 수 있다. 제16장에서 했던 것처럼, 필요조건들의 충족여부를 진단하고 기타 문제들을 파악하는 방법이 제시되었다. **다중공선성**(multicollinearity)의 개념이 소개되었고 다중공선성의 영향과 교정 방법이 제시되었다. 마지막으로 오차변수의 **제1계 자기상관**(first-order autocorrelation)의 존재여부를 결정하기 위한 **더빈-왓슨 검정**(Durbin-Watson test)이 제시되었다.

주요 용어

다중공선성(multicollinearity)
더빈-왓슨 검정(Durbin-Watson test)
반응표면(response surface)
자유도 조정 결정계수(coefficient of determination adjusted for degrees of freedom)
제1계 자기상관(first-order autocorrelation)

주요 기호

기호	발음	의미
β_1	Beta-sub-*i* or beta-*i*	*i*번째 독립변수의 계수
b_1	*b*-sub-*i* or *b*-*i*	*i*번째 표본회귀계수

주요공식

추정치의 표준오차

$$s_\varepsilon = \sqrt{\frac{\text{SSE}}{n-k-1}}$$

β_i에 대한 검정통계량

$$t = \frac{b_i - \beta_i}{s_{b_i}}$$

결정계수

$$R^2 = \frac{s_{xy}^2}{s_x^2 s_y^2} = 1 - \frac{\text{SSE}}{\sum (y_i - \bar{y})^2}$$

조정결정계수

$$\text{조정 } R^2 = 1 - \frac{\text{SSE}/(n-k-1)}{\sum (y_i - \bar{y})^2/(n-1)}$$

오차평균제곱

$$\text{MSE} = \frac{\text{SSE}}{k}$$

회귀평균제곱

$$\text{MSR} = \frac{\text{SSR}}{n-k-1}$$

F 통계량

$$F = \frac{\text{MSR}}{\text{MSE}}$$

더빈-왓슨 통계량

$$d = \frac{\sum_{i=2}^{n} (e_i - e_{i-1})^2}{\sum_{i=1}^{n} e_i^2}$$

사례분석 17.1 뮤추얼 펀드 매니저에 대한 분석-PART 1*

DATA C17-01

수천 개의 뮤추얼 펀드가 존재한다. 이들 뮤추얼 펀드에 관한 많은 자료들이 존재한다. 신문들은 정기적으로 각 뮤추얼 펀드의 가치를 보도하고, 뮤추얼 펀드 회사들과 중개회사들은 활발하게 뮤추얼 펀드를 광고하며 뮤추얼 펀드에 관한 책들이 많이 존재한다. 많은 뮤추얼 펀드 광고들은 과거의 성과가 좋았기 때문에 광고자의 뮤추얼 펀드에 투자해야 한다고 말한다. 불행하게도 과거의 좋은 성과가 미래의 예측지표가 된다고 추론할 수 있는 증거가 존재하지 않는다. 그러나 뮤추얼 펀드 매니저들을 조사함으로써 유용한 정보를 얻을 수 있다. 여러 명의 연구자가 이와 같은 문제를 연구하였다. 한 연구에서 2,029개 뮤추얼 펀드의 성과에 관한 데이터가 수집되었다.

각 뮤추얼 펀드의 성과는 뮤추얼 펀드의 수익률과 기준 수익률의 차이를 의미하는 위험조정 초과수익률(risk-adjusted excess return)에 의해 측정되었다. 기준 수익률은 무위험이자율을 포함하여 다양한 변수들에 기초하여 측정된다.

뮤추얼 펀드 매니저를 설명하는 4가지 변수, 즉 연령, 재직기간(뮤추얼 펀드 매니저가 펀드관리를 한 기간), 펀드 매니저가 MBA 학위를 가지고 있느냐의 여부(1=예, 0=아니오), 펀드 매니저가 받은 교육의 질을 측정하는 척도(펀드 매니저가 학부학위를 받은 대학 학생들의 평균 SAT 점수)가 존재한다.

JohnKwan/Shutterstock.com

데이터 분석을 수행하라. 펀드 매니저 출신대학의 평균 SAT 점수, MBA 학위의 취득여부, 연령, 재직기간이 뮤추얼 펀드의 성과와 어떻게 관계되어 있는지 논의하라.

---

* Judith Chevalier and Glenn Ellison, "Are Some Mutual Fund Managers Better Than Others? Cross-Sectional Patterns in Behavior and Performance," Working Paper 5852, National Bureau of Economic Research 참조.

사례분석 17.2 뮤추얼 펀드 매니저에 대한 분석-PART 2

DATA C17-02a C17-02b

펀드 매니저의 특성과 펀드 성과 간의 관계를 분석하는 데 추가하여 연구자들은 동일한 특성들이 펀드의 행태와도 관련되어 있는지 결정하기 원하였다. 특히 그들은 펀드의 위험과 펀드 관리비 비율(Management Expense Ratio: MER)이 펀드 매니저의 연령, 재직기간, 펀드 매니저가 졸업한 대학생들의 평균 SAT 점수, MBA 학위 취득여부와 관련되어 있는지 알기 원하였다.

제4.6절에서 주식의 베타에 의해 주식의 체계적 위험을 측정하는 시장모형이 소개되었다. 한 포트폴리오의 베타는 이 포트폴리오를 구성하는 주식 베타들의 평균이다. 〈C17-02a〉에는 〈C17-01〉에 있는 것과 동일한 펀드 매니저의 특성들이 저장되어 있다. 그러나 첫 번째 열에는 뮤추얼 펀드의 베타가 포함되어 있다.

RTimages/Shutterstock.com

펀드 관리비 비율(MER)을 분석하기 위해 펀드의 크기에 대한 척도가 포함되었다. 펀드 자산(100만 달러 기준)의 로그값이 MER과 함께 기록되었다. 이와 같은 데이터는 〈C17-02b〉에 저장되어 있다.

두 데이터 세트를 분석하고 당신의 분석결과를 설명하는 간단한 보고서를 작성하라.

Zastolskiy Victor/Shutterstock.com

회귀모형의 정형화

Model Building

이 장의 구성

18.1 다항식 회귀모형

18.2 범주독립변수(지시변수)가 있는 회귀모형

18.3 인적자원관리분야의 통계학 응용: 임금형평성

18.4 회귀모형의 정형화 요약

General Social Survey

어떤 변수들이 소득에 영향을 미치는가?-II

☞ (789페이지에 모범답안이 제시되어 있다.)

DATA GSS2018*

제17장 서두 예제에서, 소득은 연령, 교육년수, 주당 근로시간에 의해 영향을 받는다는 것을 발견하였다. 소득이 성별과 인종에 의해서도 영향을 받는지 결정하라.

Tyler Olson/Shutterstock.com

서론

제16장과 제17장에서는 회귀분석의 기법과 개념이 소개되었다. 회귀모형이 어떻게 개발되고 해석되며 평가되는가와 필요조건들의 위반여부가 어떻게 진단되는가가 논의되었다. 그러나 회귀분석에서 더 논의하여야 할 내용이 있다. 이 장에서는 회귀분석이 왜 통계학에서 가장 강력하고 일반적으로 사용되는 기법들 중 하나인지가 예시된다. 회귀분석은 통계전문가들이 종속변수와 독립변수들 간의 관계를 현실적으로 나타내는 수학적 모형을 사용할 수 있게 해준다.

제18.1절에서는 종속변수와 독립변수들 간의 관계가 선형이 아닌 회귀모형들이 소개된다. 제18.2절에서는 범주독립변수를 사용할 수 있게 해주는 지시변수(indicator variable)가 소개된다. 제18.3절에서는 인적자원관리분야의 통계학 응용으로 임금형평성에 대한 설명이 이루어지고 회귀분석을 위해 범주독립변수들이 사용된다. 마지막으로 제18.4절에서는 회귀모형을 정형화하는 데 있어서 회귀분석을 적정하게 사용하는 방법이 논의된다.

18.1 다항식 회귀모형

제17장에서는 다음과 같이 정형화되는 다중선형회귀모형이 소개되었다.

$$y=\beta_0+\beta_1x_1+\beta_2x_2+...+\beta_kx_k+\varepsilon$$

회귀모형에 x_1, x_2, ... , x_k가 포함된 것은 이들 변수들 각각이 종속변수과 선형관계를 가지고 있다고 믿기 때문이다. 이 절에서는 독립변수들이 소수 예측변수들의 함수일 수 있는 회귀모형들이 논의된다. 이와 같은 모형의 가장 간단한 형태가 다음의 박스에 제시되어 있다.

하나의 예측변수를 가지고 있는 다항식 회귀모형(polynomial model)

$$y=\beta_0+\beta_1x+\beta_2x^2+...+\beta_px^p+\varepsilon$$

기술적으로 말하면, 이 모형은 p개의 독립변수들을 가지고 있는 다중회귀모형이다. 그러나 모든 독립변수들은 **예측변수**(predictor variable)라고 부르는 단 하나의 변수 x에 기초하고 있다. 즉, $x_1=x$, $x_2=x^2$, ... , $x_p=x^p$이다. 이 모형에서 p는 식의 **차수**(order)이다. 다음에서 논의하는 이유 때문에 차수가 3보다 큰 모형은 거의 사용되지 않는다. $p=1$, 2, 3의 각 상황에 대하여 살펴보도록 하자.

18.1a 1차식 모형

$p=1$일 때, 제16장에서 소개된 단순선형회귀모형이 설정된다. 또한 이 모형은 **제1차 다항식 회귀모형**(first-order polynomial model)이라고도 부른다.

$$y=\beta_0+\beta_1 x+\varepsilon$$

이와 같은 모형은 통계전문가가 x의 값이 가지는 범위에서 종속변수와 독립변수들 간에 직선의 관계가 존재한다고 믿을 때 선택된다.

18.1b 2차식 모형

$p=2$일 때, 다음과 같은 다항식 회귀모형이 설정된다.

$$y=\beta_0+\beta_1 x+\beta_2 x^2+\varepsilon$$

x와 y의 관계를 나타내는 그래프는 그림 18.1과 그림 18.2에서 보는 것과 같은 포물선 모습을 가진다. 계수 β_0은 반응표면이 y-축과 만나는 절편을 나타낸다. β_1과 β_2의 부호는 포물선의 위치를 통제한다. 만일 $\beta_1=0$이면, 포물선은 대칭이고 $x=0$ 주위에서 중심을 가진다. 만일 β_1과 β_2가 동일한 부호를 가지면, 포물선은 왼쪽으로 이동한다. 만일 β_1과 β_2가 반대의 부호를 가지면, 포물선은 오른쪽으로 이동한다. 계수 β_2는 곡률(curvature)을 나타낸다. 만일 $\beta_2=0$이면, 곡률이 존재하지 않는다. 만일 β_2가 음이면, 그래프는 그림 18.1의 경우처럼 위로 볼록이다. 만일 β_2가 양이면, 그래프는 그림 18.2의 경우처럼 아래로 볼록이다. β_2의 절댓값이 클수록, 그림 18.3에서 보는 것처럼 곡률이 더 커진다.

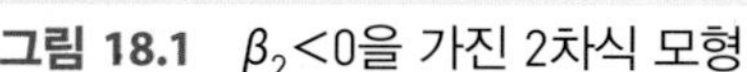

그림 18.1 $\beta_2<0$을 가진 2차식 모형

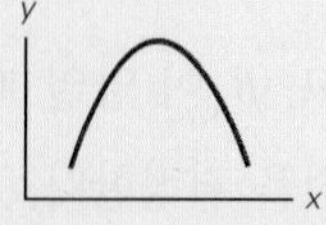

그림 18.2 $\beta_2>0$을 가진 2차식 모형

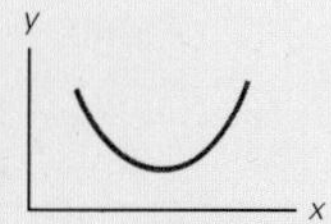

그림 18.3 다양한 β_2의 값을 가진 2차식 모형

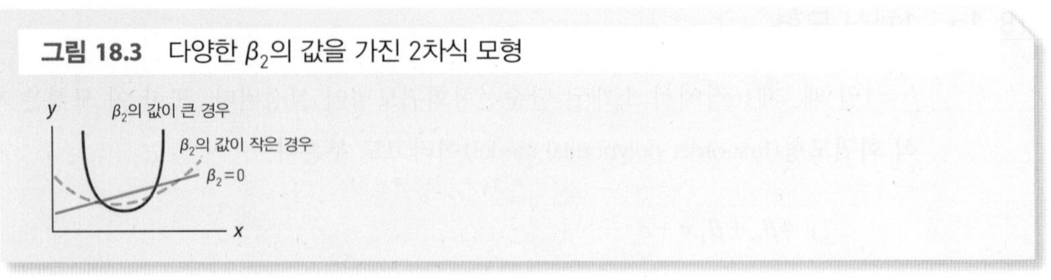

18.1c 3차식 모형

$p=3$일 때, 다음과 같은 3차식 모형이 설정된다.

$$y=\beta_0+\beta_1 x+\beta_2 x^2+\beta_3 x^3+\varepsilon$$

그림 18.4와 그림 18.5는 곡률이 두 번 변화할 수 있는 3차식 모형을 그린 것이다.

그림 18.4 $\beta_3<0$을 가진 3차식 모형

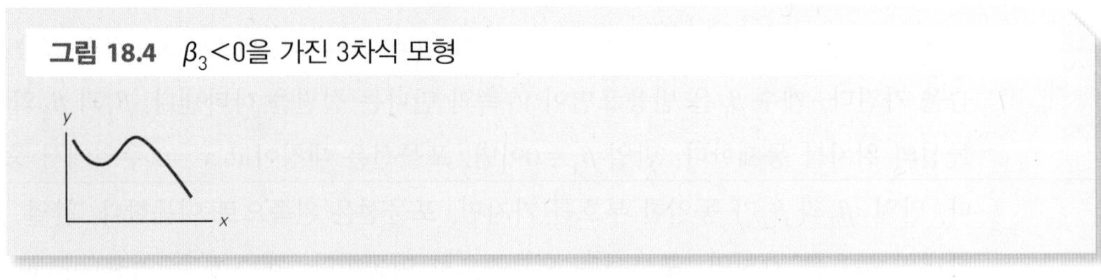

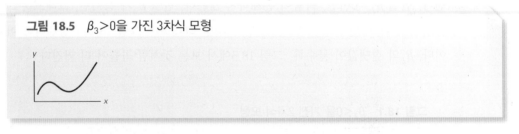

그림 18.5 $\beta_3>0$을 가진 3차식 모형

당신이 보는 것처럼, β_3이 음일 때 x의 범위에서 y가 감소하고, β_3이 양일 때 y는 증가한다. 다른 계수들은 곡률변화의 위치와 곡선이 y-축과 만나는 점을 결정한다.

이와 같은 모형이 현실적으로 적용되는 경우는 매우 드물다. 통계전문가는 한 번 이상의 곡률역전이 발생하는 문제들을 결코 만나지 않는다. 이와 같은 이유로 차수가 큰 모형에 대해서는 논의하지 않는다.

18.1d 두 개의 예측변수를 가진 다항식 회귀모형

만일 두 개의 예측변수가 종속변수에 영향을 미친다고 믿는다면, 다음과 같은 다항식 모형

들 중의 하나가 사용될 수 있다. 이 모형의 일반적인 형태는 좀 부담스럽기 때문에 여기서는 제시되지 않는다. 그 대신 몇 개의 특정한 예에 대하여 논의하도록 하자.

18.1e 두 개의 예측변수를 가진 1차식 모형

두 개의 예측변수를 가진 1차식 모형은 다음과 같이 설정된다.

$$y=\beta_0+\beta_1 x_1+\beta_2 x_2+\varepsilon$$

통계전문가가 평균적으로 y가 x_1과 x_2의 각각과 선형관계를 가지고 있고 두 예측변수가 상호작용하지 않는다고 믿을 때 이와 같은 모형이 사용된다. (제14장에서 상호작용이 소개되었다는 것을 기억하라.) 이것은 한 예측변수가 y에 미치는 효과는 다른 예측변수의 값과 독립이라는 것을 의미한다. 예를 들면, 두 개의 예측변수를 가진 1차식 모형의 표본회귀식이 다음과 같다고 하자.

$$\hat{y}=5+3x_1+4x_2$$

만일 $x_2=1$, 2, 3인 경우 y와 x_1의 관계를 검토해보면, 다음과 같은 식들이 구해진다.

x_2	$\hat{y}=5+3x_1+4x_2$
1	$\hat{y}=9+3x_1$
2	$\hat{y}=13+3x_1$
3	$\hat{y}=17+3x_1$

3개 식의 유일한 차이점은 절편이다. (그림 18.6 참조.) x_1의 계수는 같다. 이것은 x_2가 어떤 값을 가지든지 x_1이 y에 미치는 효과는 동일하다는 것을 의미한다. (이 경우 또한 x_1이 어떤 값을 가지든지 x_2가 y에 미치는 효과는 동일하다는 것도 보일 수 있다.) 그림 18.6에서 보는 것처럼, 상호작용이 없는 두 개의 예측변수를 가진 1차식 모형은 서로 평행인 직선들을 생성한다.

그림 18.6 상호작용이 없는 경우 두 개의 독립변수를 가진 1차식 모형

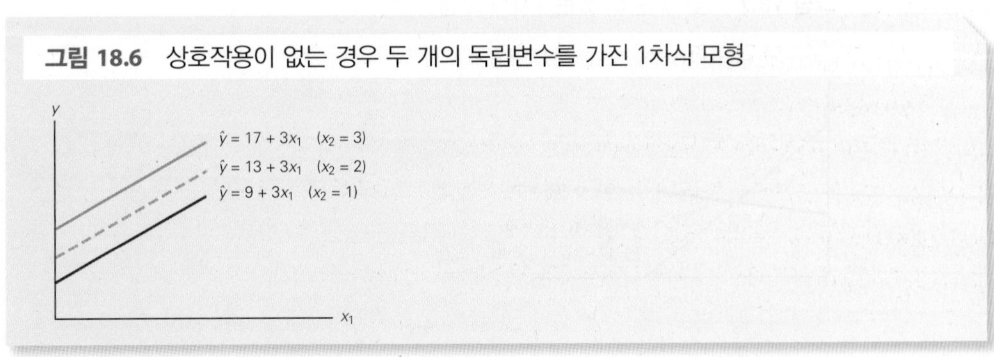

한 예측변수가 y에 미치는 효과가 다른 예측변수에 의해 영향을 받는다고 생각하는 통계전문가는 다음에 설명되는 모형을 사용할 수 있다.

18.1f 두 개의 예측변수와 상호작용을 가지고 있는 1차식 모형

상호작용(interaction)은 x_1이 y에 미치는 효과가 x_2의 값에 의해 영향을 받는다는 것을 의미한다. (또한 이것은 x_2가 y에 미치는 효과가 x_1의 값에 의해 영향을 받는다는 것을 의미한다.)

상호작용이 있는 1차식 모형

$$y=\beta_0+\beta_1x_1+\beta_2x_2+\beta_3x_1x_2+\varepsilon$$

표본회귀식이 다음과 같다고 하자.

$$\hat{y}=5+3x_1+4x_2-2x_1x_2$$

만일 $x_2=1$, 2, 3인 경우 y와 x_1의 관계를 검토해보면, 다음과 같은 식들이 생성된다.

x_2	$\hat{y}=5+3x_1+4x_2-2x_1x_2$
1	$\hat{y}=9+x_1$
2	$\hat{y}=13-x_1$
3	$\hat{y}=17-3x_1$

당신이 보는 것처럼, 절편이 다를 뿐만 아니라 x_1의 계수도 다르다. 분명히 x_1이 y에 미치는 효과는 x_2의 값에 의해 영향을 받는다. 그림 18.7은 이와 같은 식들을 그린 것이다. 직선들은 분명히 평행이 아니다.

그림 18.7 상호작용이 있는 1차식 모형

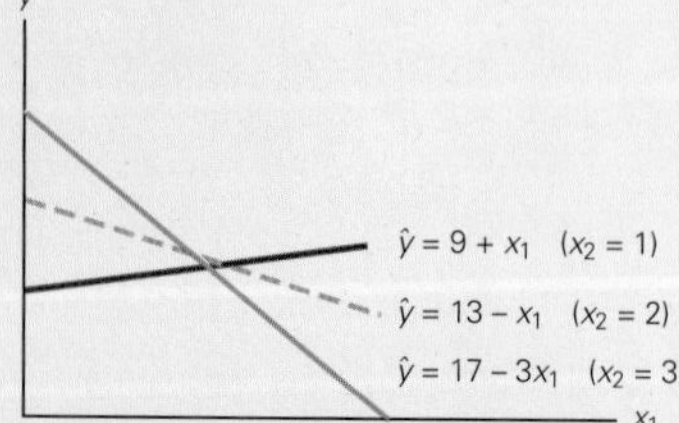

18.1g 두 개의 예측변수와 상호작용을 가지고 있는 2차식 모형

y와 x_1, x_2 각각 간에 **이차식 관계**가 존재하고 예측변수들이 상호작용한다고 믿는 통계전문가는 다음과 같은 **2차식 모형**을 사용할 수 있다.

상호작용이 있는 2차식 모형

$$y=\beta_0+\beta_1x_1+\beta_2x_2+\beta_3x_1^2+\beta_4x_2^2+\beta_5x_1x_2+\varepsilon$$

그림 18.8과 그림 18.9는 각각 상호작용이 없는 2차식 모형과 상호작용이 있는 2차식 모형을 그린 것이다.

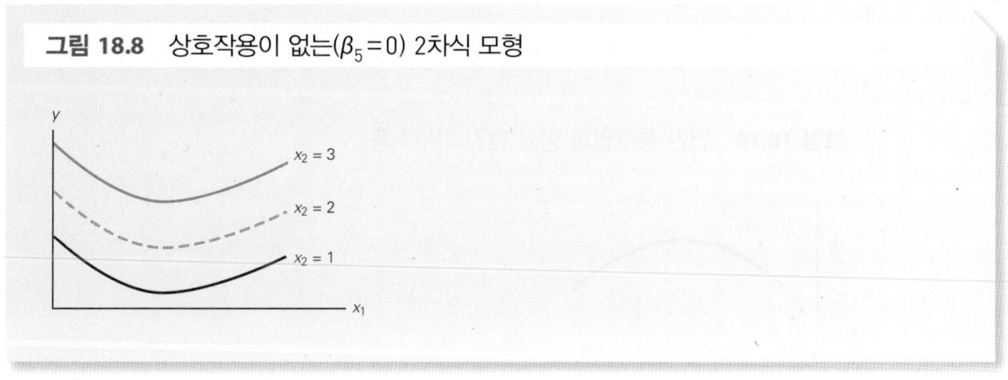

그림 18.8 상호작용이 없는($\beta_5=0$) 2차식 모형

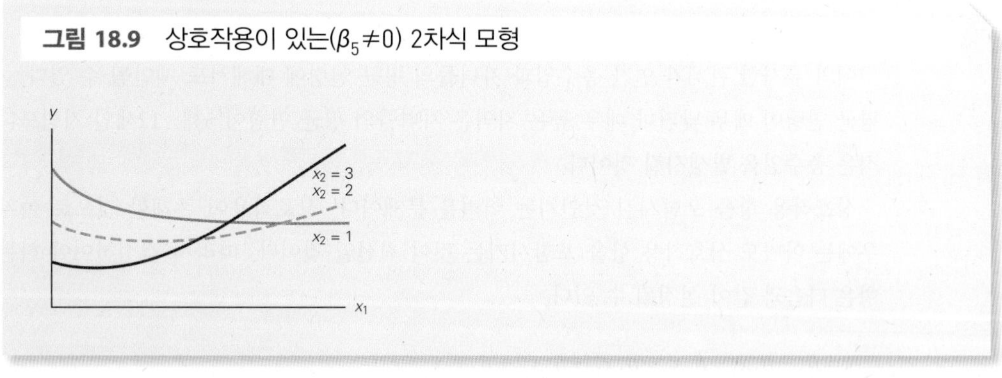

그림 18.9 상호작용이 있는($\beta_5\neq0$) 2차식 모형

소개된 여러 가지 다른 모형들 중에서 어느 모형을 사용하여야 하는지 어떻게 알 수 있는가? 포함된 변수들에 대한 지식에 기초하여 모형이 선정되고 제시된 통계기법들을 사용하면서 모형을 검정한다.

예제 18.1 패스트푸드 레스토랑의 입지 선택, PART 1

McDonald's와 Wendy's와 같은 패스트푸드 레스토랑 체인은 일반적으로 새로운 레스토랑 입지를 찾는 데 많은 요소들을 고려한다. 패스트푸드 레스토랑 체인을 위해 일하는 한 분석가가 수익성이 있는 새로운 입지를 판별하는 데 도움을 주는 회귀모형을 개발하도록 요청받았다고 하자. 이 분석가는 이와 같은 레스토랑의 주요 시장은 중간소득계층의 성인들과 특히 5세와 12세 사이에 있는 자녀들이라는 것을 알고 있다. 이 분석가는 어떤 모형을 제안하여야 하는가?

해답 종속변수는 총수입(gross revenue) 또는 순수익(net profit)이다. 예측변수로는 레스토랑 주변 지역의 평균 연간 가구소득과 자녀들의 평균 연령이 고려될 수 있다. 종속변수와 각 예측변수 간의 관계는 아마도 2차식 곡선을 가지고 있을 가능성이 있다. 즉, 상대적으로 가난한 가구의 구성원들이나 부유한 가구의 구성원들은 이와 같은 레스토랑에서 먹을 가능성이 낮다. 대부분 중간소득계층 고객들이 이와 같은 레스토랑을 이용한다. 그림 18.10은 가설로 설정될 수 있는 레스토랑의 연간 총수입과 평균 연간 가구소득 간의 관계를 그린 것이다.

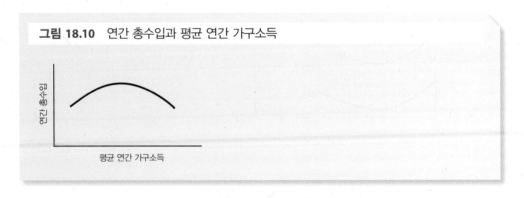

그림 18.10 연간 총수입과 평균 연간 가구소득

이와 유사한 관계가 연간 총수입과 자녀들의 평균 연령에 대해서도 제안될 수 있다. 자녀들의 평균 연령이 매우 낮거나 매우 높은 지역은 자녀들의 평균 연령이 5세~12세인 지역보다 아마도 적은 총수입을 발생시킬 것이다.

상호작용 항을 포함시킬 것인지는 어려운 문제이다. 상호작용이 존재할 것으로 여겨지는 경우에는 아마도 상호작용 항을 포함시키는 것이 최선일 것이다. 따라서 검정하여야 하는 회귀모형은 다음과 같이 설정될 수 있다.

$$y=\beta_0+\beta_1x_1+\beta_2x_2+\beta_3x_1^2+\beta_4x_2^2+\beta_5x_1x_2+\varepsilon$$

y = 연간 총수입

x_1 = 주변지역의 평균 연간 가구소득

x_2 = 주변지역 자녀들의 평균 연령

예제 18.2

DATA Xm18-02

패스트푸드 레스토랑의 입지 선택, PART 2

상호작용이 있는 2차식 모형이 적정한지 결정하기 위해, 예제 18.1의 분석가는 임의로 25개 지역을 선택하였다. 각 지역에는 약 5,000가구가 있고 자기 회사의 레스토랑 하나와 3개의 경쟁 패스트푸드 레스토랑이 있다. 전년도의 연간 총수입, 평균 연간 가구소득, 자녀들의 평균 연령이 기록되었다. 이와 같은 데이터의 일부가 다음에 정리되어 있다. (데이터 파일에는 x_1^2, x_2^2, x_1x_2가 포함되어 있다.) 이와 같은 데이터로부터 어떤 결론이 도출될 수 있는가?

지역	연간 총수입 y(1,000달러)	평균 연간 가구소득 x_1(1,000달러)	자녀들의 평균 연령 x_2
1	$1,128	$23.5	10.5
2	1,005	17.6	7.2
3	1,212	26.3	7.6
⋮	⋮	⋮	⋮
25	950	17.8	6.1

해답 Excel을 사용하면 다음과 같은 회귀분석결과가 구해진다.

EXCEL Data Analysis

	A	B	C	D	E	F
1	SUMMARY OUTPUT					
2						
3	*Regression Statistics*					
4	Multiple R	0.9521				
5	R Square	0.9065				
6	Adjusted R Square	0.8819				
7	Standard Error	44.70				
8	Observations	25				
9						
10	ANOVA					
11		*df*	*SS*	*MS*	*F*	*Significance F*
12	Regression	5	368,140	73,628	36.86	3.86E-09
13	Residual	19	37,956	1,998		
14	Total	24	406,096			
15						
16		*Coefficients*	*Standard Error*	*t Stat*	*P-value*	
17	Intercept	−1134.0	320.0	−3.54	0.0022	
18	Income	173.20	28.20	6.14	6.66E-06	
19	Age	23.55	32.23	0.73	0.4739	
20	Income sq	−3.726	0.542	−6.87	1.48E-06	
21	Age sq	−3.869	1.179	−3.28	0.0039	
22	(Income)(Age)	1.967	0.944	2.08	0.0509	

해석 컴퓨터 결과물을 보면, 결정계수(R^2)는 90.65%이고 이것은 회귀모형이 데이터를 매우 잘 적합시킨다는 것을 말해준다. F 통계량의 값은 36.86이고 검정의 p-값은 거의 0이다. 이것은 회귀모형이 타당하다는 것을 확인해준다.

이와 같은 형태의 회귀모형에서 회귀계수들에 대한 t 검정들을 해석하는 데 유의하여야 한다. 각 변수는 자기 자신의 제곱과 상관관계를 가지고 있을 것이고 상호작용변수는 그것을 구성하고 있는 두 변수들과 상관관계를 가지고 있을 것이라는 것은 놀라운 일이 아니다. 따라서 다중공선성 문제가 일부의 회귀계수들에 대한 t 검정들을 왜곡시키고 일부의 독립변수들이 회귀모형으로부터 제거되어야 한다는 것을 보여준다. 실제로 예제 18.2의 경우에 다중공선성의 문제가 존재하는 것으로 보인다. 그러나 대부분의 경우 분석의 목적이 종속변수를 예측하는 것이기 때문에, 다중공선성 문제는 회귀모형의 적합도 또는 예측력에 영향을 미치지 않는다.

연습문제

18.1 다음 식들 각각에 대하여 $x_2=1, 2, 3$인 경우에 y와 x_1의 그래프를 그려라.

a. $y=1+2x_1+4x_2$

b. $y=1+2x_1+4x_2-x_1x_2$

18.2 다음 식들 각각에 대하여 $x_2=2, 4, 5$인 경우에 y와 x_1의 그래프를 그려라.

a. $y=0.5+1x_1-0.7x_2-1.2x_1^2+1.5x_2^2$

b. $y=0.5+1x_1-0.7x_2-1.2x_1^2+1.5x_2^2+2x_1x_2$

다음의 연습문제들을 풀기 위해서는 컴퓨터와 소프트웨어를 사용하여야 한다. 모든 검정에서 5%의 유의수준을 사용하라.

18.3 <Xr18-03> 한 슈퍼마켓 체인의 총책임자는 한 제품의 판매량은 제품이 선반에 진열하기 위해 할당된 공간의 크기에 의해 영향을 받는다고 믿는다. 만일 그의 믿음이 옳다면, 이것은 더 많은 수익을 창출하는 제품들에 더 많은 선반의 공간을 할당할 수 있다는 것을 제시하기 때문에 매우 중요한 의미를 가진다. 총책임자는 판매량은 공간면적이 증가하면서 어느 점까지만 증가할 가능성이 있다는 것을 알고 있다. 이 점을 넘어서면, 판매량은 어느 수준으로 유지되든지 또는 고객들이 매우 넓은 공간에 걸쳐 진열되어 있는 것에 실망하기 때문에 감소할 가능성이 있다. 그의 믿음을 검정하기 위해 그는 자신의 슈퍼마켓 체인에 속하는 25개 가게에서 일주일 동안 판매되는 합성세제(detergent)의 박스 수를 기록하였다. 각 가게에 대하여 그는 합성세제에 할당된 선반 공간면적(인치로 측정된 선반의 길이로 나타냄)을 기록하였다.

a. 회귀모형을 나타내는 식을 표기하라.

b. 이 회귀모형이 얼마나 잘 데이터를 적합시키는지 논의하라.

경제학분야의 통계학 응용

Dustin Dennis/Shutterstock.com

수요곡선

수요의 법칙은 다른 것들이 일정하다면 한 제품 또는 서비스의 가격이 높을수록 수요량은 더 적어진다는 것이다. 수요량과 가격의 관계는 수요곡선(demand curve)이라고 부른다. 일반적으로 이와 같은 수요곡선은 2차식으로 모형화된다. 수요곡선을 추정하기 위해 여러 가지의 다른 가격에서 수요량이 측정되고 이어서 이 모형의 계수들을 계산하기 위한 회귀분석이 사용된다.

18.4 <Xr18-04> 메뉴가 햄버거와 치킨샌드위치 중심으로 구성되어 있는 한 패스트푸드 레스토랑 체인이 메뉴에 생선샌드위치를 추가하려 하고 있다. 생선샌드위치의 수요와 적정한 가격이 얼마인지에 관하여 임원들 간에 상당한 논쟁이 있었다. 최근에 고용된 한 경제학 졸업생은 수요곡선이 가격과 수요량의 관계에 관하여 상당히 많은 것을 알려줄 것이라는 것을 알았다. 임원들은 한 실험을 수행하기로 결정하였다. 임의표본으로 20개의 레스토랑이 추출되었다. 이들 레스토랑들은 매출액과 주위 지역의 인구 통계학적 특성이 거의 동일하였다. 각 레스토랑에서 생선샌드위치가 다른 가격에 판매되었다. 7일 동안에 판매된 생선샌드위치의 수와 가격이 기록되었다. 1차식 모형과 2차식 모형이 제안되었다.

a. 각 모형의 식을 표기하라.
b. 각 모형의 회귀계수들과 다른 통계량들을 추정하기 위해 회귀분석을 수행하라.
c. 어느 모형이 데이터를 더 잘 적합시키는가? 설명하라.

생산운영관리분야의 통계학 응용

Image Source/Getty Image

학습곡선

생산운영관리분야에서 잘 정립된 현상 중의 하나는 새로운 근로자들이 그들의 직무를 수행하는 것을 얼마나 신속하게 배우는지 나타내는 학습곡선(learning curve)이다. 많은 수학적 모형들이 근무기간과 생산성의 관계를 나타내기 위해 사용된다. 회귀분석을 통하여 생산운영관리 담당자는 적정한 모형을 선택할 수 있고 근로자들이 언제 최고의 생산성 수준을 달성하는지 예측하기 위해 이 모형을 사용할 수 있다.

18.5 <Xr18-05> 새로운 일을 시작하는 사람은 항상 새로운 일에 완전히 적응하기 위해 일정한 시간을 가져야 한다. 조립라인에서와 같이 반복적인 일을 하는 상황에서 상당한 생산성 증가는 수일 안에 발생할 수 있다. 이와 같은 현상을 연구하기 위한 한 실험에서 컴퓨터 안에 있는 한 전자부품을 설치하기 위해 새로운 근로자에게 필요한 평균시간이 일을 시작한 후 처음 10일 동안 측정되었다. 이러한 데이터가 다음과 같이 정리되어 있다.

일자	1	2	3	4	5	6	7	8	9	10
평균시간 (분 기준)	40	41	36	38	33	32	30	32	29	30

1차식 모형과 2차식 모형이 제안되었다.

a. 각 모형의 식을 표기하라.
b. 두 모형 모두를 분석하라. 두 모형이 타당한지 결정하라.
c. 어느 모형이 데이터를 더 잘 적합시키는가? 설명하라.

18.6 <Xr17-13+> 연습문제 17.13을 참조하라. 경영대학원장은 MBA 프로그램 GPA와 학부 GPA, GMAT 점수, 근무년수 간의 관계를 설명하기 위해 개발되었던 회귀모형을 개선시키기 원하였다. 이 경영대학원장은 이제 학부 GPA와 GMAT 점수 간에 상호작용효과가 존재할 수 있다고 믿는다.

a. 이와 같은 회귀모형을 나타내는 식을 표기하라.
b. 회귀분석과 관련된 통계량들을 구하기 위해 컴퓨터를 사용하라. 당신이 필요하다고 여겨지는 통계량들을 사용하여 회귀모형의 적합도를 평가하라. 회귀모형은 타당한가?
c. 당신의 분석결과를 원래의 예제에서 얻은 분석결과와 비교하라.

18.7 <Xr18-07> 한 메이저 리그 야구 스타디움에 있는 식품판매점의 경영자는 판매할 식품의 정확한 양을 준비하기 위해서 24시간 전에 게임의 관람객 수를 예측할 수 있기를 원하였다. 그는 두 가지의 가장 중요한 요인은 홈팀의 승률과 방문팀의 승률이라고 믿었다. 그의 믿음을 조사하기 위해, 그는 임의로 선택된 40개의 게임에 대하여 관람객 수, 홈팀의 승률, 방문팀의 승률에 관한 데이터를 수집하였다.

a. 상호작용이 있는 1차식 모형을 사용하면서 회귀분석을 수행하라.
b. 이와 같은 결과들은 당신의 모형이 타당하다고 시사하는가? 설명하라.

18.8 <Xr18-08> 남부 프랑스의 Riviera에 있는 한 대형 호텔의 경영자는 피크시즌 동안 월간 공실률(%)을 예측하기 원하였다. 그녀는 상당히 길게 정리되어 있는 잠재변수들을 검토한 후에 공실률과 가장 밀접하게 관련되어 있다고 여겨지는 두 변수로 평균 일일 기온과 미국 달러 기준의 통화가치를 선택하였다. 그녀는 25개월 동안에 해당되는 데이터를 수집하였다.

a. 상호작용이 있는 1차식 모형을 사용하면서 회귀분석을 수행하라.
b. 상호작용이 있는 2차식 모형을 사용하면서 회귀분석을 수행하라.
c. 어느 모형의 적합도가 더 좋은가? 설명하라.

18.9 <Xr18-09> 내셔널 하키 리그(National Hockey League)에 속하는 한 팀의 코치와 감독은 어떤 종류의 선수들을 선발해야 하는지 결정하려 하고 있다. 그들의 의사결정을 돕기 위해, 그들은 어느 변수들이 그들의 팀이 얻은 골의 수와 상대팀들이 얻은 골의 수 간의 차이와 가장 밀접하게 관련되어 있는지 알 필요가 있었다. (양의 골 차이는 그들의 팀이 승리하였다는 것을 의미하고 음의 골 차이는 그들의 팀이 패배하였다는 것을 의미한다.) 그들은 약간의 검토를 한 후에 두 개의 중요한 변수들이 존재한다고 결정하였다. 이들 두 변수는 페이스 오프에서 이기는 비율과 페널티 시간의 차이(분 기준)이다. 후자의 변수는 그들의 팀에게 부과되는 페널티 시간과 상대팀에 부과되는 페널티 시간의 차이이다. 100게임에 대하여 데이터가 기록되었다.

a. 상호작용이 있는 1차식 모형을 사용하면서 회귀분석을 수행하라.
b. 회귀모형은 타당한가?
c. 상호작용 항이 포함되어야 하는가?

18.10 <Xr18-10> 한 화학공장의 생산관리자는 온도와 압력이 이 공장에서 생산되는 특정한 화학제품의 생산량에 미치는 역할을 결정하기 원한다. 과거의 경험으로부터 그는 압력이 일정하게 유지될 때 온도가 더 낮거나 더 높은 경우 생산량이 감소한다고 믿는다. 온도가 일정하게 유지될 때, 압력이 더 높거나 더 낮은 경

우 생산량이 증가한다. 생산량이 압력과 온도의 다양한 조합에 의해 어떻게 영향을 받는지는 알려져 있지 않다. 그는 압력과 온도가 변화할 수 있도록 허용된 상태에서 생산된 80다발의 화학제품을 관측하였다.

a. 어느 모형이 사용되어야 하는가? 설명하라.

b. 당신이 a에서 정형화한 모형을 사용하면서 회귀분석을 수행하라.

c. 이 모형이 얼마나 잘 데이터를 적합시키는지 평가하라.

18.11 <Xr18-11> 자동차 디자이너들은 수년 동안 연비를 개선하는 방법을 실험해 왔다. 이 연구에서 중요한 요소는 자동차의 속도가 연료를 얼마나 빨리 연소시키는지에 영향을 미치는 가이다. 가장 적은 양의 휘발유로 가장 멀리 주행하는 것이 목표인 경쟁에서 저속과 고속이 비효율적이라는 것을 알아내었다. 자동차 디자이너들은 어떤 자동차의 속도가 가스를 가장 효율적으로 연소시키는지 알기 원한다. 한 실험에서 50대의 동일한 자동차를 다른 속도로 주행하면서 연비가 측정되었다.

a. 당신이 적정하다고 생각하는 회귀모형의 식을 표기하라.

b. 회귀분석을 수행하라.

c. 이 모형이 얼마나 잘 데이터를 적합시키는가?

18.12 <Xr18-12> 특정한 고속도로 구간에서 발생하는 교통사고의 수는 그 구간에서 달리는 차량의 수와 이러한 차량들이 주행하는 속도와 관련되어 있는 것으로 여겨진다. 한 도시의 시장은 (가능한 경우) 시가 교통사고를 줄일 수 있는 새로운 속도 법규를 도입할 수 있도록 이러한 데이터를 통계적으로 검토하기 위해 카운티 보안관에게 지난 몇 년 동안의 통계를 제공해줄 것을 요청하기로 결정하였다. 교통사고의 수를 종속변수로 사용하면서, 한 고속도로 구간을 통과하는 차량의 수와 평균 속도(시간당 마일 기준)에 대한 데이터가 수집되었다. 임의로 선정된 60일 동안의 관측치가 기록되었다.

a. 이 시장은 어떤 모형을 사용하여야 하는가? 설명하라.

b. 상호작용이 있는 1차식 모형을 사용하면서 회귀분석을 수행하라.

c. 이 모형은 타당한가?

18.13 연습문제 18.12를 참조하라.

a. 상호작용이 있는 2차식 모형을 추정하라.

b. 이 모형이 교통사고의 수를 예측하는 데 타당하다고 추론할 수 있는 충분한 증거가 존재하는가?

18.2 범주독립변수(지시변수)가 있는 회귀모형

회귀분석이 소개되었을 때 모든 변수들은 구간변수여야 한다고 지적하였다. 그러나 많은 현실적인 경우에 한 개 이상의 독립변수들은 범주변수이다. 예를 들면, 예제 16.2에서 중고차 딜러가 자동차의 컬러가 중고차의 경매가격을 결정하는 한 요인이라고 믿는다고 하

자. 컬러는 분명히 범주변수이다. 만일 가능한 컬러 각각에 숫자를 부여하면, 이와 같은 숫자들은 완전히 임의로 부여된 것이고 이에 따라 회귀모형에서 이와 같은 숫자들을 사용하는 것은 일반적으로 의미가 없는 일이다. 예를 들면, 이 중고차 딜러는 가장 인기 있는 컬러인 흰색과 은색이 다른 컬러들보다 가격 차이를 발생시킬 가능성이 크다고 믿는다고 하자. 따라서 그는 흰색 자동차에 1의 값, 은색 자동차에 2의 값, 모든 다른 컬러들에 3의 값을 부여하였다. 주행거리와 컬러를 독립변수들로 사용하면서 다중회귀분석을 수행하면 다음과 같은 회귀식이 얻어진다. (〈Xm16-02+〉는 회귀분석에 필요한 데이터를 포함하고 있다.)

$$\hat{y}=17.342-.0671x_1-.0434x_2$$

변수 x_2를 포함시킨 점을 제외하고, 이 회귀식은 단순선형회귀모형에서 구해진 회귀식($\hat{y}=17.25-.0669x$)과 매우 유사하다. 컬러의 t 검정(t 통계량$=-1.11$과 p-값$=.2694$)은 컬러를 나타내는 변수는 가격과 선형관계를 가지고 있지 않다는 것을 보여준다. 이와 같은 결과에 대하여 두 가지 설명이 가능하다. 첫째, 컬러와 가격 간의 선형관계가 존재하지 않는다. 둘째, 컬러는 자동차의 가격을 결정하는 요인이나 딜러가 컬러에 코드를 부여한 방식이 이것을 파악해내는 것을 불가능하게 만들었다. 즉, 딜러는 범주변수인 컬러를 구간변수로 처리하였다. 회귀분석에서 왜 범주변수가 사용될 수 없는지 좀 더 이해하기 위해 컬러의 회귀계수를 해석해보라. 이것은 범주변수의 표본평균을 해석하려는 것과 유사하다. 이와 같은 일은 쓸데없는 일이다. 회귀분석에 범주변수를 포함시키는 것은 가능하다. 이와 같은 일은 **지시변수**(indicator variable)를 사용하여 이루어진다.

지시변수(indicator variable)(또는 **더미변수**(dummy variable)라고도 부른다)는 두 개의 값(일반적으로 0과 1) 중 하나를 가질 수 있는 변수이다. 이때 하나의 값은 어떤 상황이 성립한다는 것을 나타내고 다른 하나의 값은 어떤 상황이 성립되지 않는다는 것을 나타낸다. 위의 예시에서 자동차의 컬러를 나타내는 두 개의 지시변수 I_1과 I_2가 도입될 수 있다.

$$I_1=\begin{cases}1 & \text{컬러가 흰색이면}\\ 0 & \text{컬러가 흰색이 아니면}\end{cases}$$

$$I_2=\begin{cases}1 & \text{컬러가 은색이면}\\ 0 & \text{컬러가 은색이 아니면}\end{cases}$$

3가지 범주를 나타내기 위해서는 두 개의 지시변수가 필요하다는 점에 주목하라. 흰색의 자동차는 $I_1=1$과 $I_2=0$에 의해 나타내어진다. 은색의 자동차는 $I_1=0$과 $I_2=1$에 의해 나타내어진다. 다른 컬러의 자동차는 흰색도 아니고 은색도 아니기 때문에 $I_1=0$과 $I_2=0$으로 나타내어진다. 자동차가 두 가지 컬러를 가지고 있지 않는 한 $I_1=1$과 $I_2=1$인 경우는 발생하지 않는다.

이와 같이 두 개의 지시변수를 사용하는 효과는 3가지 컬러 각각에 하나의 회귀식을 가지도록 3개의 회귀식을 만들어 낸다는 것이다. 당신이 발견하겠지만, 자동차의 컬러가 중고차의 경매가격에 어떻게 관련되어 있는지 결정하기 위해 두 개의 지시변수를 가지고 있는 회귀모형이 사용될 수 있다.

일반적으로 m가지의 범주를 가지는 범주변수를 나타내기 위해서는 $m-1$개의 지시변수가 필요하다. $I_1=I_2=\cdots=I_{m-1}=0$에 의해서 나타내어지는 마지막 범주는 **생략된 범주**(omitted category)라고 부른다.

18.2a 지시변수의 회귀계수에 대한 해석과 검정

〈Xm16-02a〉의 열 3과 열 4에는 I_1과 I_2의 값이 각각 저장되어 있다. 주행거리 x, I_1, I_2를 사용하면서 다중회귀분석이 수행되었다.

EXCEL Data Analysis

	A	B	C	D	E	F
1	SUMMARY OUTPUT					
2						
3	Regression Statistics					
4	Multiple R	0.8371				
5	R Square	0.7008				
6	Adjusted R Square	0.6914				
7	Standard Error	0.3043				
8	Observations	100				
9						
10	ANOVA					
11		df	SS	MS	F	Significance F
12	Regression	3	20.81	6.94	74.95	4.65E-25
13	Residual	96	8.89	0.0926		
14	Total	99	29.70			
15						
16		Coefficients	Standard Error	t Stat	P-value	
17	Intercept	16.837	0.197	85.42	2.28E-92	
18	Odometer	−0.0591	0.0051	−11.67	4.04E-20	
19	I-1	0.0911	0.0729	1.25	0.2143	
20	I-2	0.3304	0.0816	4.05	0.0001	

해석 회귀식은 다음과 같이 추정된다.

$$\hat{y}=16.837-.0591x+.0911I_1+.3304I_2$$

절편과 주행거리의 회귀계수는 일반적인 방식으로 해석된다. 절편($b_0=16.837$)은 이 문제의 관점에서 의미가 없다. 주행거리의 회귀계수($b_1=-.0591$)는 추가적인 주행거리 1마일당 중고차의 경매가격은 평균적으로 5.91센트만큼 감소한다는 것을 제시한다. 이제 나머지 두 개의 회귀계수 $b_2=.0911$과 $b_3=.3304$를 살펴보도록 하자. 다중회귀분석에서 회귀계수는 다른 변수들이 일정하다는 가정 하에서 해석된다는 점을 기억하라. 이 예제에서 I_1의 회귀계수는 다음과 같이 해석된다.

주어진 표본에서 흰색 Toyota Camry는 주행거리가 동일한 경우 다른 컬러를 가진 Toyota Camry보다 평균적으로 91.10달러만큼 더 높게 판매된다. 은색 Toyota Camry는 주행거리가 동일한 경우 다른 컬러를 가진 Toyota Camry보다 평균적으로 330.40달러만큼 더 높게 판매된다. 두 경우 모두 다른 컬러(흰색도 아니고 은색도 아닌 컬러)의 Toyota Camry와 비교한 이유는 다른 컬러의 Toyota Camry는 $I_1 = I_2 = 0$으로 표시되기 때문이다. 따라서 다른 컬러의 Toyota Camry에 해당되는 회귀식은 다음과 같다.

$$\hat{y} = 16.837 - .0591x + .0911(0) + .3304(0)$$
$$\hat{y} = 16.837 - .0591x$$

흰색 Toyota Camry의 경우($I_1 = 1,\ I_2 = 0$), 회귀식은 다음과 같다.

$$\hat{y} = 16.837 - .0591x + .0911(1) + .3304(0)$$
$$\hat{y} = 16.928 - .0591x$$

마지막으로 은색 Toyota Camry의 경우($I_1 = 0,\ I_2 = 1$), 회귀식은 다음과 같다.

$$\hat{y} = 16.837 - .0591x + .0911(0) + .3304(1)$$
$$\hat{y} = 17.167 - .0591x$$

그림 18.11은 3가지의 다른 컬러 범주를 가진 Toyota Camry에 해당되는 가격과 주행거리의 관계를 그래프로 그린 것이다. 3개의 선이 동일한 기울기인 .0591을 가지고 평행이지만 다른 절편을 가진다는 점에 주목하라.

그림 18.11 3가지 컬러에 해당되는 가격과 주행거리의 관계

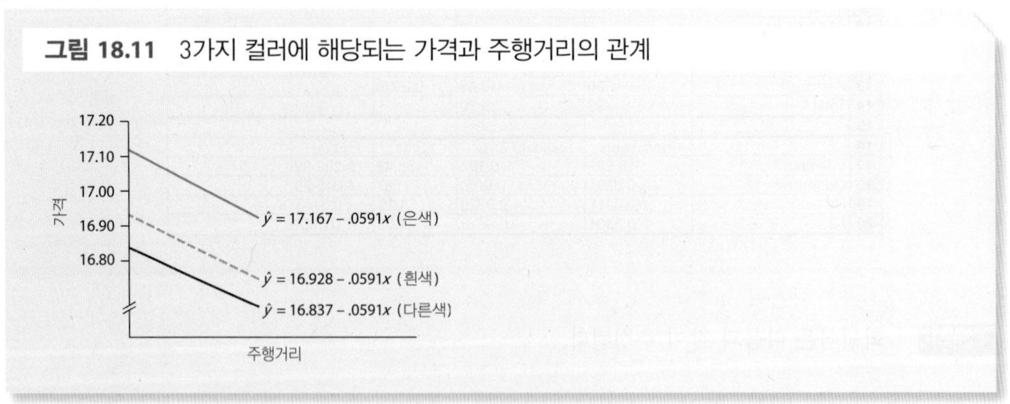

I_1과 I_2의 회귀계수에 대한 t 검정이 수행될 수 있다. 그러나 지시변수 I_1과 I_2는 서로 다른 그룹(3가지의 컬러 범주)을 나타내기 때문에 t 검정으로부터 유사한 3년차 Toyota Camry 전체 모집단에

있는 3가지 그룹 간 경매판매가격의 차이에 관한 추론을 할 수 있다.

I_1의 회귀계수인 β_2에 대한 검정은 다음과 같이 수행된다.

H_0: $\beta_2 = 0$
H_1: $\beta_2 \neq 0$

검정통계량: $t = 1.25$ p-값$=.2143$

동일한 주행거리를 가지고 있는 3년차 흰색 Toyota Camry 모집단이 생략된 컬러 범주에 속하는 3년차 Toyota Camry와 다른 판매가격을 가지고 있다고 추론할 수 있는 충분한 증거가 존재하지 않는다.

은색 컬러의 Toyota Camry가 다른 컬러의 Toyota Camry와 다른 가격으로 판매되는지 결정하기 위한 검정은 다음과 같이 수행된다.

H_0: $\beta_3 = 0$
H_1: $\beta_3 \neq 0$

검정통계량: $t = 4.05$ p-값$=.0001$

동일한 주행거리를 가지고 있는 경우 모든 3년차 은색 컬러의 Toyota Camry와 생략된 컬러의 Toyota Camry 간에 경매판매가격에 차이가 존재한다고 결론을 내릴 수 있다.

General Social Survey

해답 어떤 변수들이 소득에 영향을 미치는가?-II

Tyler Olson/Shutterstock.com

다중회귀모형에 성별과 인종을 나타내는 범주변수들을 포함시키기 위해서는 성별과 인종을 나타내기 위한 지수변수들을 만들어야 한다. 첫 번째 지시변수는 성별을 나타내기 위한 것이다.

$$I_1 = \begin{cases} 1 & \text{남성이면} \\ 0 & \text{여성이면} \end{cases}$$

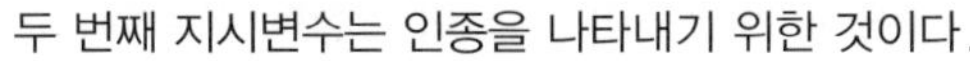
두 번째 지시변수는 인종을 나타내기 위한 것이다.

$$I_2 = \begin{cases} 1 & \text{백인이면} \\ 0 & \text{그렇지 않으면} \end{cases}$$

$$I_3 = \begin{cases} 1 & \text{흑인이면} \\ 0 & \text{그렇지 않으면} \end{cases}$$

EXCEL Data Analysis

	A	B	C	D	E	F	G
1	SUMMARY OUTPUT						
3	*Regression Statistics*						
4	Multiple R	0.5537					
5	R Square	0.3066					
6	Adjusted R Square	0.3030					
7	Standard Error	35,880					
8	Observations	1171					
10	ANOVA						
11		*df*	*SS*	*MS*	*F*	*Significance F*	
12	Regression	6	662,592,419,138	110,432,069,856	85.78	4.59E-89	
13	Residual	1164	1,498,527,927,147	1,287,395,126			
14	Total	1170	2,161,120,346,285				
16		*Coefficients*	*Standard Error*	*t Stat*	*P-value*	*Lower 95%*	*Upper 95%*
17	Intercept	-100,260	7307	-13.72	7.92E-40	-114,596	-85924
18	I-1	14,091	2171	6.49	1.27E-10	9831	18351
19	I-2	4556	3287	1.39	0.1660	-1893	11006
20	I-3	-2286	4007	-0.571	0.5684	-10147	5575
21	AGE	646.0	77.4	8.35	1.93E-16	494.2	797.8
22	EDUC	5589	379.8	14.72	4.41E-45	4844	6334
23	HRS1	828.6	75.7	10.94	1.33E-26	680.1	977.2

해석

회귀모형은 약간 개선되었다. 결정계수는 .2776으로부터 .3066으로 증가했고 추정치의 표준오차는 36,608로부터 35,880으로 감소했다.

I_1 변수의 계수는 14,901이고 이것은 이 표본에서 다른 독립변수들이 일정할 때 남성은 여성보다 평균적으로 14,901달러 더 번다는 것을 말해준다. 이 회귀계수가 표본회귀계수가 아니라 모회귀계수라고 가정하라. 기타 독립변수들(인종, 연령, 교육년수, 주당 근로시간, 자녀 수, 돈을 버는 가족 수) 기준으로 같은 남성 모집단과 여성 모집단을 생각해보라. 이러한 상황에서 소득을 비교할 때, 남성은 여성보다 평균적으로 14,091달러 더 번다.

이 계수의 t 검정통계량 값은 $t=6.49$이고 검정의 p-값은 0이다. 이것으로부터 기타 독립변수들이 일정한 경우 2018년에 미국에서 남성과 여성의 평균 임금은 다르다는 충분한 증거가 존재한다고 결론내릴 수 있다.

I_2 변수의 계수는 4,556이다. 이 수치는 이 표본에서 백인이 기타 독립변수들이 일정한 경우 백인도 아니고 흑인도 아닌 다른 범주의 인종보다 평균적으로 4,556달러 더 많이 번다는 것을 의미한다. 그러나 이 계수의 t 검정통계량 값은 $t=1.39$이고 검정의 p-값은 .1660이다. 백인 모집단의 평균 소득이 백인도 아니고 흑인도 아닌 다른 범주의 인종 모집단의 평균 소득과 다르다고 추론할 수 있는 충분한 증거가 존재하지 않는다.

I_3 변수의 계수는 −2,286이다. 이 수치는 이 표본에서 흑인이 기타 독립변수들이 일정한 경우 흑인은 백인도 아니고 흑인도 아닌 다른 범주의 인종보다 평균적으로 2,286달러 더 적게 번다는 것을 의미한다. 이 계수의 t 검정통계량 값은 $t=-.571$이고 검정의 p-값은 .5684이다. 2018년에 흑인 모집단의 평균 소득이 백인도 아니고 흑인도 아닌 다른 범주의 인종 모집단의 평균 소득과 다르다고 추론할 수 있는 충분한 증거가 존재하지 않는다.

2개의 지시변수가 통계적으로 유의하지 않기 때문에 이 모형은 제17장의 모형보다 약간만 더 좋다는 점에 주목하라.

연습문제

18.14 5가지의 범주를 가지고 있는 한 개의 범주독립 변수를 나타내기 위해서 몇 개의 지시변수가 만들어져야 하는가?

18.15 다음과 같은 범주변수를 나타내기 위한 지시 변수들을 만들어라.

a. 종교(카톨릭, 프로테스탄트, 기타)
b. 근무조(8:00 A.M.~4:00 P.M., 4:00 P.M.~12:00 자정, 12:00 자정~8: 00 A.M.)
c. 감독(Jack Jones, Mary Brown, George Fosse, Elaine Smith)

18.16 컴퓨터 사용에 관한 한 연구에서 많은 회사들이 어떤 마이크로컴퓨터를 사용하는지에 대한 서베이가 실시되었다. 다음과 같은 지시변수들이 만들어졌다.

$$I_1 = \begin{cases} 1 \text{ IBM이면} \\ 0 \text{ IBM이 아니면} \end{cases} \qquad I_2 = \begin{cases} 1 \text{ Apple이면} \\ 0 \text{ Apple이 아니면} \end{cases}$$

다음의 I_1 값과 I_2 값의 각 쌍은 어떤 컴퓨터를 나타내는가?

a. $I_1=0$; $I_2=1$
b. $I_1=1$; $I_2=0$
c. $I_1=0$; $I_2=0$

다음의 연습문제들을 풀기 위해서는 컴퓨터와 소프트웨어를 사용하여야 한다. 모든 검정에서 5%의 유의 수준을 사용하라.

18.17 <Xr17-13+> 연습문제 17.13을 참조하라. 최초 연구의 결과를 검토한 후에, 경영대학원장은 한 중요한 변수, 즉 학부학위의 종류를 생략했을 수 있다는 것을 알게 되었다. 그녀는 임의표본에 속하는 학생들의 학부학위를 다음과 같은 코드를 사용하여 기록하였다.

1=BA
2=BBA(유사한 경영학사 학위 포함)
3=BEng 또는 BSc
4=기타(학부학위 미취득의 경우 포함)

이 데이터는 원래의 데이터에 포함되었다. 경영대학원장은 학부학위가 학생이 MBA 프로그램에서 얼마나 좋은 성과를 낼 것인지 결정하는 한 요인이라고 결론내릴 수 있는가?

18.18 <Xr16-08+> 연습문제 16.8을 참조하라. 부동산 중개인은 플로리다 콘도미니엄의 가격이 층수(floor) 이외에 다른 변수들에 의해 영향을 받는다는 것을 알게 되었다. 이에 따라 이 부동산 중개인은 임의로 선정된 50개 콘도미니엄의 목록으로 돌아가 대대적인 개보수 작업을 거쳤는지 여부를 파악하였다. 개보수 작업의 범주(Renovated)는 (1) 10년 이상 전에 개보수 작업을 하였거나 단 한 번도 개보수 작업을 하지 않은 경우, (2) 3년 전 이내에 개보수 작업을 한 경우, (3) 3년 전 이상과 10년 전 이내에 개보수 작업을 한 경우이다.

a. Floor와 Renovated를 독립변수로 사용하는 다중회귀분석을 수행하라. 회귀분석 결과를 설명하라.
b. Renovated 변수를 대체할 지시변수들을 만들고 Floor와 두 개 지시변수를 독립변수로 사용하는 다중회귀분석을 다시 수행하라.
c. 이 모형이 타당하다고 결론내릴 수 있는 충분한 증거가 존재하는가?
d. 회귀계수들을 해석하라.
e. 독립변수들이 가격과 선형관계를 가진다고 추론할 수 있는 충분한 증거가 존재하는가?
f. 결정계수를 구하고 결정계수가 당신에게 무엇을 말해주는지 설명하라.

18.19 <Xr17-09+> 연습문제 17.09를 참조하라. 부모

와 조부모의 수명에 기초하여 남성의 수명을 예측하기 위한 다중회귀분석이 수행되었다. 이와 같은 데이터에 추가하여 보험회계사는 남성이 흡연자인지(1=예, 0=아니오)도 기록하였다고 하자.

a. 회귀모형에 필요한 통계량을 구하기 위한 회귀분석을 수행하라.

b. 흡연과 수명은 관련되어 있는가? 설명하라.

18.20 <Xr18-20> 한 오락공원의 경영자는 얼마만큼의 식품을 주문해야 하는지와 얼마나 많은 놀이기구 운영자들을 고용해야 하는지에 관한 더 정확한 계획을 수립하기 위해 일일 입장객 수를 예측할 수 있기 원한다. 이에 관한 검토를 한 후에 그는 다음과 같은 3가지 요인이 중요하다고 결정하였다.

어제의 관람객 수
주중 또는 주말
날씨예측

그는 이어서 40일을 임의표본으로 추출하였다. 그는 각 일마나 입장객 수, 전날의 입장객 수, 요일, 날씨예측을 기록하였다. 첫 번째 독립변수는 구간변수이나 나머지 두 개의 독립변수는 범주변수이다. 따라서 그는 다음과 같이 지시변수들을 만들었다.

$$I_1 = \begin{cases} 1 & \text{주말이면} \\ 0 & \text{주말이 아니면} \end{cases}$$

$$I_2 = \begin{cases} 1 & \text{대체로 맑음이라고 예측되면} \\ 0 & \text{대체로 맑음이라고 예측되지 않으면} \end{cases}$$

$$I_3 = \begin{cases} 1 & \text{비가 온다고 예측되면} \\ 0 & \text{비가 온다고 예측되지 않으면} \end{cases}$$

a. 회귀분석을 수행하라.

b. 회귀모형은 타당한가? 설명하라.

c. 날씨가 입장객 수를 결정하는 요인이라고 결론내릴 수 있는가?

d. 분석결과는 주말 입장객 수가 평균적으로 주중 입장객 수보다 많다는 충분한 증거를 제공하는가?

18.21 <Xr16-06+> 한 통계전문가가 광고시간과 광고제품에 대한 시청자의 기억력 간의 관계를 분석하였던 연습문제 16.6을 참조하라. 그러나 주어진 실험에서 광고시간의 길이뿐만 아니라 광고의 종류도 다르다. 3가지 종류의 광고, 즉 (1) 유머스러운 광고, (2) 뮤지컬스타일 광고, (3) 진지한 광고가 있다. 기억력 시험점수, 광고시간, 광고종류(괄호 안에 있는 코드 사용)가 기록되었다.

a. 데이터 파일에 제공된 코드를 사용하면서 회귀분석을 수행하라.

b. 기억력 시험점수는 광고종류와 관련되어 있다고 추론할 수 있는가?

c. 광고종류를 나타내는 지시변수들을 만들고 지시변수들을 포함하는 회귀분석을 수행하라.

d. 두 번째 회귀모형을 사용하면서 b를 반복하라.

e. b와 d 간에 차이가 발생하는 이유를 논의하라.

18.22 <Xr17-11+> 트럭으로부터 제품을 내리는 데 걸리는 시간을 분석하였던 연습문제 17.11을 참조하라. 경영자는 다른 변수인 하루 중의 시간도 제품을 내리는 데 걸리는 시간에 영향을 미칠 수 있다는 것을 알았다. 그는 하루 중의 시간을 다음과 같은 코드를 사용하여 기록하였다: 1=아침, 2=이른 오후, 3=늦은 오후.

a. 하루 중의 시간을 나타내는 코드를 사용하면서 회귀분석을 수행하라.

b. 하루 중의 시간을 나타내는 지시변수들을 만들어라. 이와 같은 새로운 지시변수들을 포함하는 회귀분석을 수행하라.

c. 어느 회귀모형의 적합도가 더 좋은가? 설명하라.

d. 하루 중의 시간이 제품을 내리는 데 걸리는 시간과 관련되어 있는가?

18.23 <Xr18-23> 수익을 내는 은행들은 대출신청 건에 대하여 좋은 의사결정을 하는 은행들이다. **신용평점**(credit scoring)은 대출신청 건에 대한 은행들의 의사결정을 돕기 위한 통계기법이다. 그러나 많은 지점들은 신용평점에 근거한 권고를 거부하는 반면, 일부 은행들은 신용평점 기법을 사용하지 않는다. 대출의사결정에 영향을 주는 요인들을 결정하기 위해, 한 통계전문가는 100개 은행을 대상으로 서베이를 실시하였고 부실대출(완전히 상환되지 않는 대출)의 비율(%), 평균 대출규모, 신용평점의 사용여부, 신용평점이 사용되는 경우 신용평점에 기초한 권고가 10% 이상 기각되는지의 여부를 기록하였다. 이와 같은 서베이 결과가 다음과 같은 방식으로 저장되어 있다: 열 1(정상대출의 비율(%)), 열 2(평균 대출규모), 열 3 (1=신용평점카드를 사용하지 않음, 2=신용평점카드가 10% 이상 기각됨, 3=신용평점카드가 10% 미만 기각됨).

a. 주어진 코드들을 나타내는 지시변수들을 만들어라.

b. 회귀분석을 수행하라.

c. 회귀모형은 데이터를 얼마나 잘 적합시키는가?

d. 회귀계수들을 해석하고 검정하라. 이것이 당신에게 무엇을 말해 주는가?

18.24 <Xr18-24> 단순선형회귀모형이 용접기계고장과 기계연령 간의 관계를 분석하기 위해 사용되었던 연습문제 16.83을 참조하라. 이와 같은 분석은 회사의 경영진에게 매우 유용하기 때문에 회사의 경영진은 다른 기계들을 포함시키면서 회귀모형을 확장하기로 결정하였다. 두 가지의 다른 기계에 대한 데이터가 수집되었다. 원래의 데이터뿐만 아니라 새롭게 수집된 데이터가 다음과 같은 방식으로 기록되었다.

열 1: 수리비용
열 2: 기계연령
열 3: 기계(1=용접기계, 2=선반, 3=압인기계)

a. 다중선형회귀모형을 정형화하고 회귀식을 구하라.

b. 회귀계수들을 해석하라.

c. 용접기계가 다른 기계들보다 수리하는 데 비용이 더 많이 든다고 결론내릴 수 있는가?

18.25 <Xr18-25> 한 야구팬은 아메리칸 리그 팀들에 관한 데이터를 신문으로부터 수집하고 있다. 그는 각 팀의 승률을 평균 타율, 평균 타점, 팀이 지난 12개월 동안 감독을 해고하였는지 나타내는 지시변수(1=해고함, 0=해고하지 않음)의 함수로 설명하기 원한다. 과거 5번의 시즌 동안에 걸쳐 임의로 선택된 50개 팀에 대한 데이터가 기록되었다.

a. 상호작용이 없는 1차식 모형을 사용하면서 회귀분석을 수행하라.

b. 이 데이터는 지난 12개월 동안 감독을 해고한 팀이 감독을 해고하지 않은 팀보다 더 적게 승리한다는 충분한 증거를 제공하는가?

18.26 <Xr18-26> 수영장을 관리하는 일은 물을 깨끗하게 하고 상대적으로 세균이 없도록 유지시키기 위해 필요한 염소(chlorine) 때문에 비용이 많이 든다. 수영장의 관리비용을 감소시키기 위해 모두 야외 수영장을 가지고 있는 한 호텔 체인은 얼마만큼 염소가 필요한지 결정하는 요인들을 분석하기로 결정하였다. 이 호텔 체인은 한 화학자에게 이에 대한 분석을 수행하도록 요청하였다. 수영장의 염소가 소진되는 속도는 수온(수온이 높을수록 염소는 더

빠르게 소진된다), 물의 산성도를 측정하는 척도인 pH 수준(pH는 0~14의 값을 가지며 0은 매우 높은 산성을 나타내고 14는 매우 높은 알칼리성을 나타낸다. 7.5 주위의 물이 최소의 염소를 소진한다), 날씨(맑은 날이 염소를 많이 소진한다)에 의존하는 것으로 믿어진다. 이 화학자는 다음과 같은 실험을 수행하였다. 8시간의 낮 동안 염소 소진의 비율이 다양한 pH 수준, 수온, 날씨의 조건 하에서 기록되었다. 이와 같은 데이터가 다음과 같은 방식으로 기록되었다.

열 A: 8시간 동안 염소 소진의 비율
열 B: 수온(화씨 기준)
열 C: pH 수준
열 D: 1=흐림, 2=맑음, 3=기타

a. 당신이 제안하는 회귀모형의 식을 표기하라.
b. 회귀모형의 계수들을 추정하기 위한 회귀분석을 수행하라.
c. 이 모형이 타당한지 검정하라.
d. 수온이 높을수록 염소가 더 빠르게 소진된다고 추론할 수 있는가?
e. 염소의 소진과 pH 수준 간 관계에 대한 믿음이 옳다고 추론할 수 있는 증거가 존재하는가?
f. 날씨가 염소의 소진을 결정하는 한 요인이라고 추론할 수 있는가?

인적자원관리분야의 통계학 응용

iStockphoto.com/terex

성과측정

근로자의 성과에 관한 대부분의 측면은 인적자원/인사관리부서의 일에 속한다. 하나의 중요한 성과척도는 근로자의 출근기록이다. 인사 담당자는 어떤 요인들이 근로자로 하여금 정상적인 경우보다 더 자주 결근하게 만드는지 알아야 할 필요가 있다. 이와 같은 정보는 경영자가 누가 우선적으로 고용되어야 하는지 결정할 수 있게 해준다. 일단 근로자가 고용되면, 경영자는 근로자의 태도와 성과에 영향을 줄 수 있다.

18.27 <Xr18-27> 근로자의 결근은 대부분의 국가들에서 심각한 고용문제이다. 근로자의 결근이 잠재적 생산량을 10% 이상 감소시키는 것으로 추정된다. 2명의 경제학자가 이 문제에 관하여 더 많이 알기 위한 연구프로젝트를 시작하였다. 그들은 임의로 1년 기간 동안 진행되는 연구에 참여할 100개의 조직체를 선택하였다. 각 조직체에 대하여 그들은 근로자당 평균 결근일수와 결근에 영향을 준다고 생각되는 변수들을 기록하였다. 다음과 같은 데이터가 기록되었다.

열 A: 근로자당 평균 결근일수
열 B: 평균 근로자 임금
열 C: 파트타임 근로자의 비율(%)
열 D: 노조가입 근로자의 비율(%)
열 E: 근무조에 의한 작업 가능 여부(1=예, 0=아니오)
열 F: 노사관계(1=양호함, 0=양호하지 않음)

a. 회귀분석을 수행하라.
b. 근무조에 의한 작업 가능이 결근과 관련되어 있다고 추론할 수 있는가?
c. 노사관계가 좋은 조직에서 결근이 더 적다고 추론할 수 있는 충분한 증거가 존재하는가?

18.3 인적자원관리분야의 통계학 응용: 임금형평성

북미의 역사에서 인종과 성차별의 많은 예들이 있다. 지난 30년 동안 차별적 관행을 제거하고 과거의 잘못을 바로잡으려는 많은 노력이 있었다. 이와 같은 노력 중의 하나는 근로자들이 지급받는 방식에서의 차별을 교정하려고 시도한 프로그램인 임금형평성(pay equity)이다. 이 절의 목적은 임금형평성의 문제와 관련된 통계적 요소를 설명하는 것이다.

두 가지 임금형평성의 형태가 존재한다. 첫 번째 형태는 "동일노동 동일임금(equal pay for equal work)"이다. 이것은 상대적으로 자명한 것으로, 만일 두 사람이 비슷한 자질과 능력을 가지고 동일한 일을 한다면, 두 사람에게 동일한 임금이 지급되어야 한다는 것이다. 많은 사법관할지역에서 "동일노동 동일임금"을 위반하는 것은 불법이다. 두 번째 형태는 "동일가치 동일임금(equal pay for work of equal value)"이다. 이와 같은 형태는 자질과 작업조건에 대한 주관적인 척도를 사용하는 문제를 포함하여 여러 가지 이유로 논란이 분분하다.

임금형평성의 문제를 분석하는 데 회귀분석이 활발하게 사용되고 있다. 그러나 동일노동 동일임금의 경우에 사용되는 방법은 동일가치 동일임금의 경우에 사용되는 방법과 다르다. 다음의 예제는 전자의 경우에 통계분석이 어떻게 사용될 수 있는지 보여준다.

예제 18.3 동일노동 동일임금에 대한 검정

DATA Xm18-03

수천 명의 근로자를 고용하고 있는 한 대기업은 여성 매니저를 차별한다는 이유로 고소당하였다. 이와 같은 고소는 100명의 매니저로 구성된 임의표본에 기초하여 이루어졌다. 여성 매니저 38명의 평균 연봉은 76,189달러였던 반면, 남성 매니저 62명의 평균 연봉은 97,832달러였다. 한 통계분석은 두 평균 연봉차이에 대한 t 검정의 p-값은 1% 미만이어서 남성 매니저가 여성 매니저보다 더 많이 지급받는다는 압도적인 증거가 존재한다는 것을 보여주였다. 이 회사의 사장은 회사가 엄격한 동일노동 동일임금의 정책을 가지고 있다는 점과 두 그룹의 연봉차이는 다른 변수들에 기인한 것일 수 있다는 점을 지적하였다. 따라서 그는 표본에 속해 있는 100명의 매니저 각각에 대하여 교육년수와 근무년수를 기록하였다. 또한 각각의 연봉과 성별(0=여성, 1=남성)이 기록되었다. 이 회사의 사장은 회귀분석이 이 문제에 대하여 약간의 이해를 증진시킬 것인지 알기 원하였다.

해답 연봉을 종속변수로 사용하면서 다중회귀분석이 수행되었고 그 결과가 다음과 같이 제시되었다.

EXCEL Data Analysis

	A	B	C	D	E	F
1	SUMMARY OUTPUT					
2						
3	*Regression Statistics*					
4	Multiple R	0.8326				
5	R Square	0.6932				
6	Adjusted R Square	0.6836				
7	Standard Error	16,274				
8	Observations	100				
9						
10	ANOVA					
11		*df*	*SS*	*MS*	*F*	*Significance F*
12	Regression	3	57,434,095,083	19,144,698,361	72.29	1.55E-24
13	Residual	96	25,424,794,888	264,841,613		
14	Total	99	82,858,889,971			
15						
16		*Coefficients*	*Standard Error*	*t Stat*	*P-value*	
17	Intercept	−5835	16083	−0.36	0.7175	
18	Education	2119	1018	2.08	0.0401	
19	Experience	4099	317	12.92	9.89E-23	
20	Gender	1851	3703	0.50	0.6183	

해석 회귀모형은 데이터를 매우 잘 적합시키고 있다. 결정계수는 .6932이고 이것은 이 회사의 사장에게 연봉 변동의 69.32%는 회귀식에 의해 설명된다는 것을 말해준다. F 통계량은 72.29이고 F 검정의 p-값은 0이다. 회귀모형이 타당하다고 추론할 수 있는 압도적인 증거가 존재한다.

연봉과 교육년수, 근무년수, 성별 각각 간에 선형관계의 증거가 존재하는지 결정하기 위한 t 검정들의 p-값은 각각 .0401, 0, .6183이다. 교육년수와 근무년수는 연봉과 선형관계를 가지고 있다. 그러나 성별의 회귀계수에 대한 t 검정의 결과에 의하면 동일한 교육년수와 근무년수를 가지고 있는 여성 매니저와 남성 매니저 간에 연봉차이가 있다는 증거는 존재하지 않는다. 즉, 평균적으로 이 회사의 여성 매니저들은 남성 매니저들보다 교육년수와 근무년수가 적고 이와 같은 이유 때문에 더 낮은 평균 연봉을 받는다. 회귀분석을 수행하기 전에 계산해 본 남성 매니저와 여성 매니저 간의 표본 평균 연봉차이는 97,832달러−76,189달러=21,643달러였다. 주어진 표본에서 교육년수와 근무년수의 효과를 제거한 후 남성 매니저와 여성 매니저의 표본 평균 연봉차이는 통계적으로 유의하지 않은 수준인 1,851달러로 감소되었다.

18.3a 동일가치 동일임금에 관한 회귀분석

동일가치 동일임금에 관한 문제를 분석하는 일은 훨씬 더 어렵다. 이 문제는 일반적으로 여성 중심의 일과 남성 중심의 일과 관련되어 있다. 여성 중심의 일은 일반적으로 여성에 의해 이루어지는 일(예를 들면, 비서)을 말하고 남성 중심의 일은 일반적으로 남성들에 의해 이루어지는 일(예를 들면, 시설관리근로자)을 말한다. 여성 그룹은 남성 중심의 일들이 임금을 더 높게 지급받는다고 주장한다. 여기서의 문제는 남성들이 수행하는 일과 동일한 일을 하는 여성들이 더 낮게 지급받는다는 것이 아니다. 그 대신 문제는 여성의 일들이 과소하게 가치를 평가받고 있다는 것이다. 따라서 직무를 평가할 필요가 있다.

다수의 사법관할지역은 동일가치 동일임금을 요구하는 법을 제정하였다. 이와 같은 한 사법관할지역은 캐나다의 매니토바(Manitoba)주이다. 매니토바 임금형평법(Manitoba Pay Equity Act)은 매니토바주의 공무원, 병원, 대학에서 의무적으로 적용된다. 이 법에서 성별 중심 직종은 동일한 성이 적어도 70%이고 최소 10명 근로자를 가지고 있는 직종이다. 이 법이 타당하기 위해서는 이와 같은 모든 직종에서 여성 중심의 일이 남성 중심의 일과 비교하여 과소하게 가치를 평가받고 있고 더 적게 지급받는다고 평가되어야 한다.

회귀분석이 사용되지만, 예제 18.3에서 설명된 기법과 이 경우에 사용되는 기법 간에는 중요한 차이가 있다. 다수의 관련된 변수들이 급료에 어떻게 영향을 주느냐를 설명하는 회귀모형을 추정하는 대신 직무평가시스템(job evaluation system)을 개발할 필요가 있다. 이 시스템은 각 직무에 점수를 부여하는 데 사용된다. 이어서 이와 같이 부여된 점수는 종속변수가 급여수준인 회귀모형에서 하나의 독립변수로 사용된다. 회귀분석은 여러 가지 방법으로 수행될 수 있다. 단순선형회귀식은 남성 중심의 일들을 사용하면서 추정될 수 있다. 이와 같이 추정된 회귀계수들은 "정확한" 여성 중심의 일에 대한 급여수준을 계산하기 위해 사용된다. "정확한" 급여수준과 실제로 받는 급여수준의 차이는 과소지급의 정도를 나타낸다. 이와는 달리 남성 중심의 일과 여성 중심의 일 모두를 포함한 회귀분석이 사용될 수 있다. 여기에는 성별을 나타내는 지시변수가 포함된다. 이와 같은 지시변수의 회귀계수 값은 남성 중심의 일과 여성 중심의 일 간의 급여수준차이를 나타낸다. 다음의 예제는 후자 형태의 분석 기법을 예시하기 위해 매니토바 임금형평법의 내용을 설명하고 이 법이 어떻게 집행되어야 하는지 설명하는 매니토바 임금형평법 매뉴얼로부터 채택되었다.

예제 18.4 동일가치 동일임금에 대한 검정

한 대학에서 총 8개의 직무가 성별 중심의 일로 판별되어 있다. 여성 중심의 직무는 비서, 청소원, 서점 근로자, 카페테리아 근로자이다. 남성 중심의 직무는 정원사, 안전경비원, 시설관리원, 기술자이다. 여성 중심의 직무가 과소하게 가치를 평가받고 있고 급여가 과소하게 지급되는지와 그 정도가 얼마인지 결정하기 위한 분석을 수행하라.

해답 직무별 시간당 급여수준은 다음과 같다.

직무	시간당 급여(달러 기준)	직무	시간당 급여(달러 기준)
시설관리원	13.55	청소원	11.85
안전경비원	15.65	비서	14.75
정원사	13.80	서점 근로자	18.90
기술자	19.90	카페테리아 근로자	13.30

약간의 검토가 이루어진 후에 다음과 같은 요인들이 직무평가시스템을 위해 선택되었다.

- 지식과 훈련
- 책임성
- 정신적 노력
- 육체적 노력
- 근무조건

각 요인에 대하여 중요성을 반영하는 가중치가 부여되었다. 가중치들은 각각 25%, 23%, 22%, 15%, 15%이다.

각 직무에 대한 점수는 5가지 요인 각각에 대하여 1~10 사이의 값을 부여한 값과 가중치를 곱하여 결정되었다. 총점수가 작은 값을 가질수록 요구조건이 더 적거나 근로조건이 더 좋다는 것을 나타낸다.

남성 중심의 직무는 다음과 같이 평가된다.

요인	가중치	시설관리원	안전경비원	정원사	기술자
지식과 훈련	.25	1	2	3	9
책임성	.23	2	7	1	7
정신적 노력	.22	2	3	1	8
육체적 노력	.15	7	1	6	4
근로조건	.15	7	4	8	1
총점수		3.25	3.52	3.30	6.37

당신이 보는 것처럼, 시설관리원과 정원사에게 부여된 점수는 상대적으로 지식과 훈련, 정신적 노력에 대한 요구가 적고 육체적 노력과 열악한 근무조건에 대한 요구가 높다는 것을 반영한다. 다른 한편으로, 기술자는 훌륭한 근로조건을 가지고 있으나 높은 수준의 지식과 훈련을 필요로 한다.

여성 중심의 직무는 다음과 같이 평가된다.

요인	가중치	청소원	비서	서점근로자	카페테리아 근로자
지식과 훈련	.25	1	6	4	2
책임성	.23	2	7	7	2
정신적 노력	.22	2	6	7	2
육체적 노력	.15	7	3	2	5
근로조건	.15	5	1	1	6
총점수		2.95	5.03	4.60	3.05

남성 중심의 직무와 마찬가지로 여성 중심 직무의 점수는 직무가 요구하는 필요조건들과 일에 대한 주관적 평가에 기초한 것이다.

이와 같이 구해진 점수와 지시변수가 종속변수가 급여수준인 회귀분석에서 독립변수로 사용되었다. 다음의 데이터가 회귀분석에서 사용되었다.

요인	시간당 급여	점수	성별
시설관리원	13.55	3.25	1
안전경비원	15.65	3.52	1
정원사	13.80	3.30	1
기술자	19.90	6.37	1
청소원	11.85	2.95	0
비서	14.75	5.03	0
서점근로자	18.90	4.60	0
카페테리아 근로자	13.30	3.05	0

여기서

$$성별=\begin{cases}1 & \text{남성 중심의 직무이면}\\ 0 & \text{여성 중심의 직무이면}\end{cases}$$

이다. 회귀분석의 결과는 다음과 같다.

EXCEL Data Analysis

	A	B	C	D	E	F
1	SUMMARY OUTPUT					
2						
3	*Regression Statistics*					
4	Multiple R	0.8515				
5	R Square	0.7251				
6	Adjusted R Square	0.6152				
7	Standard Error	1.75				
8	Observations	8				
9						
10	ANOVA					
11		*df*	*SS*	*MS*	*F*	*Significance F*
12	Regression	2	40.39	20.19	6.59	0.0396
13	Residual	5	15.31	3.06		
14	Total	7	55.70			
15						
16		*Coefficients*	*Standard Error*	*t Stat*	*P-value*	
17	Intercept	7.15	2.31	3.10	0.0270	
18	Score	1.93	0.547	3.54	0.0166	
19	Gender	0.633	1.242	0.51	0.6318	

해석 8개의 관측치는 전체 모집단으로부터 추출되었기 때문에 일반적인 통계적 추론이 적용될 수 없다. 그 대신 관심있는 회귀계수에 대해서만 약간의 해석이 이루어질 수 있다. 남성 중심의 직무가 각 직무의 가치를 조정한 후에 여성 중심의 직무보다 평균적으로 .63만큼 더 많이 지급받는다. 만일 이와 같은 회귀분석의 타당성을 수용한다면, 여성 중심의 직무에 종사하는 근로자들은 그들의 급여를 시간당 63센트만큼 증가시켜야 할 필요가 있다고 결론내릴 수 있다.

연습문제

다음의 연습문제들을 풀기 위해서는 컴퓨터와 소프트웨어를 사용하여야 한다.

18.28 <Xr18-28> 남성과 여성의 임금형평성은 북미에서 여러 해 동안 지속적인 갈등을 야기시킨 문제이다. 한 통계전문가가 남성 교수와 여성 교수 간의 연봉차이에 영향을 주는 요인들을 조사하고 있다고 하자. 그는 다음과 같은 변수들이 교수의 연봉에 영향을 준다고 믿는다.

첫 번째 학위 이후의 연수

$$\text{최고 학위} = \begin{cases} 1 & \text{최고 학위가 Ph.D.이면} \\ 0 & \text{최고 학위가 Ph.D.가 아니면} \end{cases}$$

강의평가의 평균 점수
심사위원이 있는 학술저널에 출판한 논문의 수

$$\text{성별} = \begin{cases} 1 & \text{교수가 남성이면} \\ 0 & \text{교수가 여성이면} \end{cases}$$

100명의 대학교수가 임의표본으로 추출되었고 다음과 같은 데이터가 기록되었다.

열 A: 연봉
열 B: 첫 번째 학위 이후의 연수
열 C: 최고 학위
열 D: 강의평가의 평균 점수
열 E: 출판한 논문의 수
열 F: 성별

a. 이 통계전문가는 회귀모형이 타당하다고 결론내릴 수 있는가?

b. 이 통계전문가는 5%의 유의수준에서 성차별이 존재한다고 결론내릴 수 있는가?

Excel 스프레드시트인 Pay Equity (Excel Workbooks 폴더에 저장되어 있음)는 예제 18.4에서 설명된 분석을 수행하기 위해 만들어졌다. 직무, 급여, 직무점수, 지시변수의 값이 스프레드시트의 아랫부분에 있다. 이와 같은 데이터는 회귀분석에서 투입물로 사용된다. Excel 워크시트는 요인점수 또는 가중치의 변화가 자동적으로 아랫부분에 있는 직무점수를 변화시키도록 만들어져 있다.

18.29 예제 18.4를 다시 풀어라. 지식과 훈련의 가중치를 15%로 바꾸고 근무조건의 가중치를 25%로 바꾸어라. 이와 같은 변화가 결론에 어떠한 영향을 미치는가? 분석결과가 왜 예측 가능한지 간략히 설명하라.

18.30 각 요인과 가중치에 당신 자신의 값을 부여하면서 예제 18.4를 다시 풀어라. 당신은 어떤 결론을 얻었는가?

18.31 요인의 값과 가중치가 어떻게 최종결과에 영향을 미치는지 논의하라. 이와 같은 통계분석의 강점과 약점을 설명하라.

18.4 회귀모형의 정형화 요약

지금까지 여러 가지의 회귀모형들이 소개되었다. 당신은 이제 지시변수를 사용하는 방법과 다양한 비선형관계를 나타내는 방법들을 알게 되었다. 이 절에서는 통계전문가들이 회귀모형을 어떻게 정형화하는지가 설명된다.

회귀분석은 한 개 또는 한 개 이상의 예측변수가 종속변수와 어떻게 관련되어 있는지 결정하거나 종속변수의 값을 예측하고 종속변수의 기대치를 추정하기 위해 사용된다. 분석과정은 두 가지 목적 간에 차이가 있지만 많은 유사성을 가지고 있다.

다음은 회귀모형을 정형화하는 데 사용되는 과정을 요약한 것이다.

18.4a 회귀모형의 정형화 과정

1. **종속변수를 선택하라** 당신이 분석하거나 예측하기 원하는 변수를 분명하게 정의하라. 예를 들면, 당신이 매출을 예측하기 원하면, 매출을 나타내는 변수가 판매단위수, 총수입, 또는 순수익인지 결정하라. 추가적으로 주간 수치, 월간 수치, 또는 연간 수치를 예측하여야 하는지 결정하라.

2. **잠재적 예측변수들을 나열하라** 종속변수에 관한 당신의 지식을 사용하면서 종속변수와 관련되어 있을 수 있는 예측변수들을 정리하라. 회귀모형에 인과관계를 설정할 수는 없지만 종속변수의 변화를 발생시키는 예측변수들이 포함되어야 한다. 다중공선성에 의해 발생되는 문제와 데이터를 수집하고 저장하며 가공하는 비용을 명심하라. 주요변수들만을 선택하라. 만족스러운 모형을 구성하는 최소의 독립변수들을 사용하는 것이 최선이다.

3. **잠재적 회귀모형들을 위해 필요한 관측치들을 수집하라** 일반적인 법칙에 의하면 회귀식에 사용되는 각 독립변수는 최소 6개의 관측치를 가져야 한다.

4. **다수의 가능한 회귀모형들을 선택하라** 다시 한번 회귀모형을 정형화하기 위해 종속변수와 예측변수들에 관한 당신의 지식을 사용하라. 예를 들면, 당신이 한 개의 예측변수가 종속변수에 영향을 미친다고 믿고 있으나 예측변수와 종속변수 간의 관계가 가지는 형태에 대하여 확신하지 못하면, 상호작용이 존재하거나 존재하지 않는 1차식 모형들과 2차식 모형들을 구축하라. 예측변수들과 종속변수 간의 관계를 발견하기 위해 종속변수와 각 예측변수의 산포도를 그려보는 것이 도움이 될 수 있다.

5. **회귀모형들을 추정하기 위해 통계소프트웨어를 사용하라** 어떤 변수들이 회귀모형에 포함되어야 하는지 결정하기 위해 앞에서 설명된 변수선택 방법들을 사용하라. 만일 분석의 목적이 어떤 예측변수들이 종속변수와 관련되어 있는지 결정하는 것이면, 다중공선성이 문제가 되지 않는다는 것을 확인할 필요가 있다. 만일 다중공선성이 문제이면, 독립변수들의 수를 감소시키도록 하라.

6. **필요조건들이 충족되는지 결정하라** 만일 필요조건들이 충족되지 않으면, 문제를 교정하기 위한 조치를 취하라. 당신은 선택하여야 할 다수의 "동등한" 모형들을 가지고 있을 수 있다.

7. **최선의 회귀모형을 선택하기 위해 당신의 판단과 통계분석의 결과를 사용하라** 이 과정이 가장 어려운 부분일 수 있다. 데이터를 가장 잘 적합시키는 모형이 선택될 수 있다. 그러나 다른 모형이 더 좋은 예측모형이 될 수 있다. 또 다른 모형은 더 적은 변수들을 가지고 있어서 작업하기가 더 쉬운 모형일 수 있다. 회귀분석의 경험이 도움이 될 수 있다. 다른 통계학 과목을 수강하는 것이 당신에게 최선의 전략이 될 수도 있다.

요약

이 장은 제16장부터 시작한 회귀분석에 관한 논의를 마무리하는 장이다. 다른 변수들에 기초하여 한 변수의 값을 예측하기 위한 여러 가지 모형이 제시되었다. 한 개와 두 개의 독립변수를 가지고 있는 **다항식 회귀모형**(polynomial model)이 소개되었다. **지시변수**(indicator variable)가 어떻게 범주변수를 사용할 수 있게 해주는지가 논의되었고 지시변수들이 임금형평성에 관한 논의에서 어떻게 사용되는지가 설명되었다. 마지막으로 통계학자들이 어떻게 회귀모형을 정형화하는지에 관한 내용이 정리되었다.

주요 용어

다항식 회귀모형(polynomial model)
더미변수(dummy variable)
상호작용(interaction)
생략된 범주(omitted category)
예측변수(predictor variable)
지시변수(indicator variable)
차수(order)

주요 기호

기호	발음	의미
I_i	*I*-sub-*i* or *I*-*i*	지시변수

19

iStockphoto.com/clu

비모수통계학

Nonparametric Statistics

이 장의 구성

19.1 월콕슨 순위합 검정

19.2 부호검정과 윌콕슨 부호 순위합 검정

19.3 크러스칼–월리스 검정과 프리드만 검정

19.4 스피어만 순위상관계수

General Social Survey

민주당지지자, 무소속지지자, 공화당지지자 간에 주당 신문을 읽는 시간이 다른가?

☞ (841페이지에 모범답안이 제시되어 있다.)

DATA GSS2018

정치가 진전되는 방식 때문에, 대통령 선거유세는 적어도 실제 선거 2년 전에 시작된다. 물론 2년마다 하원위원 선거가 있다. 이것은 정치가 전국적으로 신문에 나타나는 정규적인 뉴스의 한 부분이라는 것을 의미한다. 정치 분야에서 유권자들이 어디서 정보를 얻는가 아는 것이 중요하다. 역사적으로 보면, 거의 모든 신문들이 어느 후보를 지지해야 할 것인지 권고하기 때문에 신문은 선거 유세에서 매우 중요하다. 이것은 다음과 같은 질문을 제기한다. 3그룹의 지지자들(PARTYID3: 1=민주당지지자, 2=무소속지지자, 3=공화당지지자)이 같은 빈도로 신문을 읽는가? 2018년 General Social Survey에서 물어본 질문들 중 하나는 "당신은 얼마나 자주 신문을 읽는가(NEWS: 1=매일, 2=주당 2~6번 정도, 3=주당 1번, 4=주당 1번 미만)?"였다. 이 질문에 답하기 위한 적정한 통계기법을 소개한 후에, 이 질문에 대한 답이 제시될 것이다.

Kiyoshi Ota/Getty Images

서론

지금까지 데이터가 구간데이터 또는 범주데이터일 때 사용되는 통계기법들이 제시되었다. 이 장에서는 서열데이터를 다루는 통계기법이 소개된다. 두 모집단을 비교하는 세 가지 기법, 두 개 이상의 모집단을 비교하기 위해 사용되는 두 가지 기법, 두 변수 간의 관계를 분석하기 위한 한 가지 기법이 소개된다. 구간데이터를 가지고 있는 두 개 이상의 모집단을 비교할 때, 당신이 살펴본 것처럼 두 모평균 차이가 측정된다. 그러나 제2장에서 논의한 것처럼 데이터가 서열데이터일 때 모평균은 적정한 중심위치의 척도가 아니다. 따라서 이 장에서 소개되는 기법들을 사용하여 두 모평균 차이를 검정할 수 없다. 그 대신 특정한 모수를 선택하지 않고 모집단들에 대한 특성이 검정된다. 이러한 이유로 이와 같은 통계기법들은 **비모수 기법**(nonparametric techniques)이라고 부른다. 모평균들이 다른지 검정하는 대신에 **모집단들의 위치**(population locations)가 다른지가 검정된다.

비모수 기법들은 서열데이터를 검정하기 위해 창안되었지만 다른 분야에도 적용된다. 제13.1절, 제13.3절, 제14장에서 설명된 통계적 검정들은 모집단들이 정규분포를 따라야 한다는 조건을 요구한다. 만일 데이터가 매우 극단적인 비정규분포를 따르면, t 검정과 F 검정은 타당하지 않다. 다행스럽게도 이러한 경우에 비모수 기법들이 사용될 수 있다. 이와 같은 이유로 비모수 기법들은 종종 **분포자유 통계학**(distribution-free statistics)이라고도 부른다. 이 장에서 제시되는 기법들은 데이터가 구간데이터이고 정규분포의 필요조건이 충족되지 않을 때 사용될 수 있다. 이와 같은 상황에서 구간데이터는 서열데이터인 것처럼 취급된다. 이러한 이유로 데이터가 구간데이터이고 모평균이 적정한 중심위치의 척도일 때조차도 모집단 위치가 검정될 수 있다.

그림 19.1은 두 모집단의 위치가 동일할 때 두 모집단의 분포를 그린 것이다. 분포의 모습에 관하여 아무것도 알지 못하기 때문에 두 모집단 분포가 비정규분포를 따르는 것으로 나타낸 점에 주목하라. 그림 19.2는 모집단 1의 위치가 모집단 2의 위치의 오른쪽에 있을 때의 상황을 그린 것이다. 그림 19.3에서는 모집단 1의 위치가 모집단 2의 위치의 왼쪽에 있다.

그림 19.1 모집단들의 위치가 동일하다

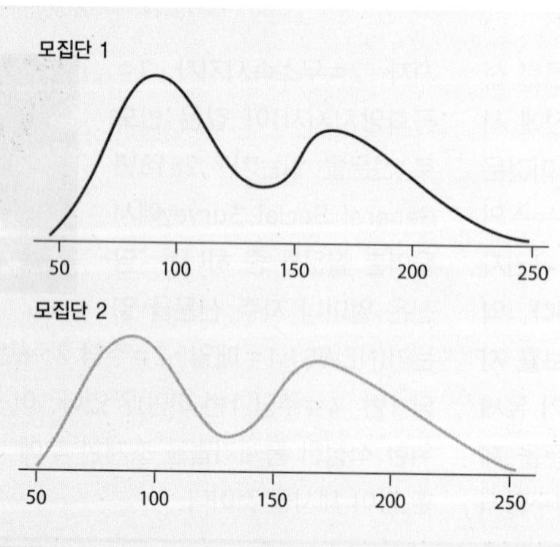

그림 19.2 모집단 1의 위치가 모집단 2의 위치의 오른쪽에 있다

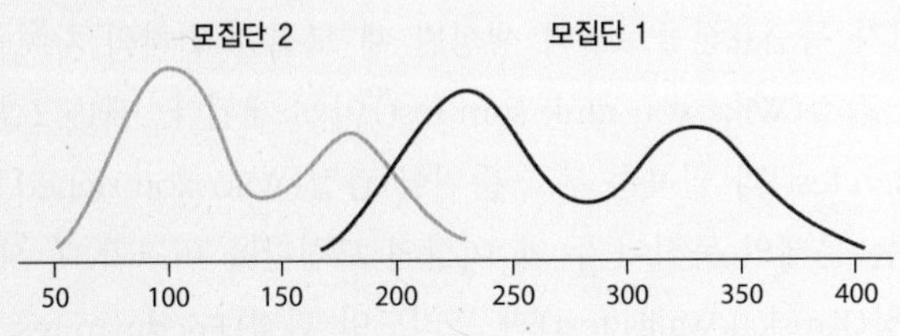

그림 19.3 모집단 1의 위치가 모집단 2의 위치의 왼쪽에 있다

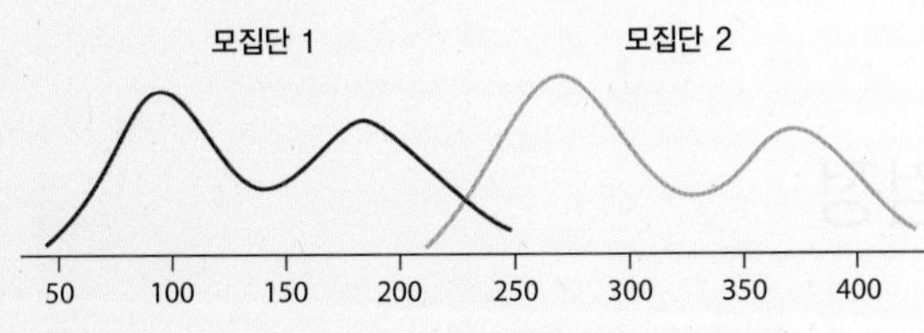

문제의 목적이 두 모집단의 위치를 비교하는 것일 때, 귀무가설은 다음과 같이 설정된다.

H_0: 두 모집단의 위치는 동일하다.

대립가설은 다음의 3가지 형태 중 어느 하나로 설정된다.

1. 만일 두 모집단 위치의 차이가 존재한다고 추론할 수 있는 충분한 증거가 존재하는지 알기 원하면, 대립가설은 다음과 같이 설정된다.

   H_1: 모집단 1의 위치는 모집단 2의 위치와 다르다.

2. 만일 모집단 1의 확률변수가 모집단 2의 확률변수보다 일반적으로 크다고 결론내릴 수 있는지 알기 원하면(그림 19.2 참조), 대립가설은 다음과 같이 설정된다.

   H_1: 모집단 1의 위치는 모집단 2의 위치의 오른쪽에 있다.

3. 만일 모집단 1의 확률변수가 모집단 2의 확률변수보다 일반적으로 작다고 결론내릴 수 있는지 알기 원하면(그림 19.3 참조), 대립가설은 다음과 같이 설정된다.

   H_1: 모집단 1의 위치는 모집단 2의 위치의 왼쪽에 있다.

당신이 살펴보겠지만, 비모수검정은 계산의 중심부분으로 순위구조를 사용한다. 실제로 이 절에서는 이와 같은 계산과정이 소개된다. 제4장에서 중심위치의 척도로서 중앙값(median)이 소개되었다. 중앙값은 관측치들을 순서대로 늘어놓고 중간에 있는 관측치를 선택함으로써 계산

된다. 따라서 서열데이터의 중심위치에 대한 적정한 척도는 순위로부터 얻어지는 통계량인 중앙값이다.

다음 절에서는 데이터가 독립표본들로부터 생성될 때 모집단 위치의 차이를 검정하기 위해 사용되는 윌콕슨 순위합 검정(Wilcoxon rank sum test)이 소개된다. 제19.2절에서는 짝진실험에 적용되는 부호검정(sign test)과 윌콕슨 부호 순위합 검정(Wilcoxon signed rank sum test)이 소개된다. 제19.3절에서는 문제의 목적이 두 개 이상의 모집단을 비교할 때 사용되는 통계기법인 크러스칼-월리스 검정(Kruskal-Wallis test)과 프리드만 검정(Friedman test)이 소개된다. 제19.4절에서는 두 변수 간의 관계를 분석하는 스피어만 순위상관계수(Spearman rank correlation coefficient)가 소개된다.

19.1 윌콕슨 순위합 검정

이 절에서 소개되는 검정은 다음과 같은 특성을 가지는 문제들을 다룬다.

1. 문제의 목적이 두 모집단을 비교하는 것이다.
2. 두 모평균 차이$(\mu_1 - \mu_2)$에 대한 동분산 t 검정을 수행하기 위해 필요한 정규분포조건이 충족되지 않고 데이터가 서열데이터 또는 구간데이터이다.
3. 표본들이 독립이다.

독립표본들에 대한 **윌콕슨 순위합 검정**(Wilcoxon rank sum test)을 위한 검정통계량을 계산하는 방법을 예시하기 위해 다음의 예제를 살펴보도록 하자.

예제 19.1 윌콕슨 순위합 검정

두 모집단으로부터 다음과 같은 관측치들이 추출된 경우 5%의 유의수준에서 모집단 1의 위치가 모집단 2의 위치의 왼쪽에 있다고 결론내릴 수 있는지 결정하기 원한다고 하자.

표본 1: 22 23 20

표본 2: 18 27 26

다음과 같은 가설들이 검정된다.

H_0: 두 모집단의 위치는 동일하다.

H_1: 모집단 1의 위치는 모집단 2의 위치의 왼쪽에 있다.

검정통계량

첫 번째 단계는 최소 관측치에 순위 1을 부여하고 최대 관측치에 순위 6을 부여하면서 모든 6개 관측치들의 순위를 결정하는 것이다.

표본 1	순위	표본 2	순위
22	3	18	1
23	4	27	6
20	2	26	5
	$T_1=9$		$T_2=12$

18은 최솟값이어서 순위 1이고 20은 두 번째 작은 값이어서 순위 2이다. 최댓값인 27에 대하여 순위 6이 부여될 때까지 이와 같은 과정이 계속된다. 관측치의 값이 같은 경우에는 동일한 관측치들의 순위를 평균한다. 두 번째 단계는 각 표본의 순위합을 계산하는 것이다. 표본 1의 순위합은 T_1으로 표시되고 9이다. 표본 2의 순위합은 T_2로 표시되고 12이다. (T_1+T_2는 1부터 6까지의 정수 합인 21과 같아야 한다.) 각 순위합이 검정통계량으로 사용될 수 있다. 임의로 T_1을 검정통계량으로 선택하고 이것을 T로 표시하자. 이 예제에서 검정통계량의 값은 $T=T_1=9$이다.

검정통계량의 표본분포

T의 값이 작다는 것은 값이 작은 대부분의 관측치들이 표본 1에 있고 값이 큰 대부분의 관측치들이 표본 2에 있다는 것을 말해준다. 이것은 모집단 1의 위치가 모집단 2의 위치의 왼쪽에 있다는 것을 제시한다. 따라서 이 경우가 그런 경우라고 통계적으로 결론을 내릴 수 있기 위해서는 T가 작다는 것을 보일 필요가 있다. "작다"의 정의는 T의 표본분포로부터 결정된다. 제9.1절에서 표본평균의 표본분포를 도출할 때 했던 것처럼, T의 가능한 모든 값들을 나열함으로써 T의 표본분포가 도출될 수 있다. 표 19.1은 표본크기가 3인 두 표본이 가질 수 있는 모든 가능한 순위조합을 보여준다.

만일 귀무가설이 옳고 두 모집단 위치가 동일하면, 각각의 가능한 순위조합이 발생할 가능성은 동일하다. 각 표본에서 20개의 서로 다른 가능한 순위조합이 존재하기 때문에 T의 각 값은 1/20의 동일한 확률을 가진다. 6의 값이 한 가지 경우, 7의 값이 한 가지 경우, 8의 값이 두 가지 경우 등등이 나타난다는 점에 주목하라. 표 19.2는 T의 값과 이에 해당되는 확률을 정리한 것이고 그림 19.4는 이와 같은 표본분포를 그린 것이다.

표 19.1 표본크기가 3인 두 표본의 모든 가능한 순위조합과 순위합

표본 1의 순위조합	순위합	표본 2의 순위조합	순위합
1, 2, 3	6	4, 5, 6	15
1, 2, 4	7	3, 5, 6	14
1, 2, 5	8	3, 4, 6	13
1, 2, 6	9	3, 4, 5	12
1, 3, 4	8	2, 5, 6	13
1, 3, 5	9	2, 4, 6	12
1, 3, 6	10	2, 4, 5	11
1, 4, 5	10	2, 3, 6	11
1, 4, 6	11	2, 3, 5	10
1, 5, 6	12	2, 3, 4	9
2, 3, 4	9	1, 5, 6	12
2, 3, 5	10	1, 4, 6	11
2, 3, 6	11	1, 4, 5	10
2, 4, 5	11	1, 3, 6	10
2, 4, 6	12	1, 3, 5	9
2, 5, 6	13	1, 3, 4	8
3, 4, 5	12	1, 2, 6	9
3, 4, 6	13	1, 2, 5	8
3, 5, 6	14	1, 2, 4	7
4, 5, 6	15	1, 2, 3	6

표 19.2 표본크기가 3인 두 표본이 있는 경우 T의 표본분포

T	$P(T)$
6	1/20
7	1/20
8	2/20
9	3/20
10	3/20
11	3/20
12	3/20
13	2/20
14	1/20
15	1/20
합계	1

그림 19.4 표본크기가 3인 경우 T의 표본분포

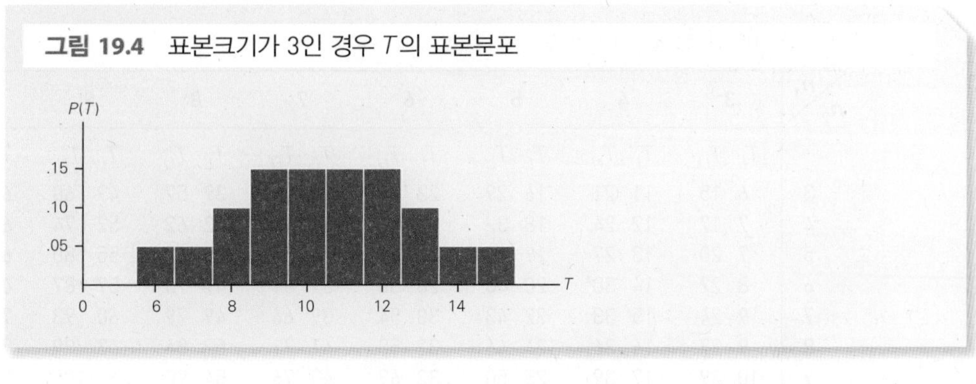

T의 표본분포에서 보면 $P(T \le 6) = P(T = 6) = 1/20 = .05$이다. 5%의 유의수준에서 귀무가설을 기각할 수 있기에 충분히 작은 검정통계량 T의 값을 결정하기 원하기 때문에 기각역은 $T \le 6$으로 설정된다. 예제 19.1에서 $T = 9$이기 때문에 귀무가설을 기각할 수 없다.

통계학자들은 다양한 표본크기의 조합에 해당되는 T의 표본분포를 생성하였다. T의 표본분포에 적용되는 임계값들이 부록 B의 표 9에 제공되어 있고 표 19.3으로 복제되어 있다. 표 19.3은 각 표본크기가 3~10 사이에 해당되는 T_L과 T_U의 값을 제공해준다(n_1은 표본 1의 크기이고 n_2는 표본 2의 크기이다). 표 19.3의 (a)에 있는 T_L과 T_U의 값은 다음과 같은 의미를 가진다.

$$P(T \le T_L) = P(T \ge T_U) = .025$$

표 19.3의 (b)에 있는 T_L과 T_U의 값은 다음과 같은 의미를 가진다.

$$P(T \le T_L) = P(T \ge T_U) = .05$$

표 19.3 윌콕슨 순위합 검정의 임계값

(a) $\alpha = .025$ 단측; $\alpha = .05$ 양측

n_2 \ n_1	3		4		5		6		7		8		9		10	
	T_L	T_U	T_L	T_U	T_L	T_U	T_L	T_U	T_L	T_U	T_L	T_U	T_L	T_U	T_L	T_U
4	6	18	11	25	17	33	23	43	31	53	40	64	50	76	61	89
5	6	21	12	28	18	37	25	47	33	58	42	70	52	83	64	96
6	7	23	12	32	19	41	26	52	35	63	44	76	55	89	66	104
7	7	26	13	35	20	45	28	56	37	68	47	81	58	95	70	110
8	8	28	14	38	21	49	29	61	39	73	49	87	60	102	73	117
9	8	31	15	41	22	53	31	65	41	78	51	93	63	108	76	124
10	9	33	16	44	24	56	32	70	43	83	54	98	66	114	79	131

(계속)

(b) α=.05 단측; α=.10 양측

n_2 \ n_1	3		4		5		6		7		8		9		10	
	T_L	T_U	T_L	T_U	T_L	T_U	T_L	T_U	T_L	T_U	T_L	T_U	T_L	T_U	T_L	T_U
3	6	15	11	21	16	29	23	37	31	46	39	57	49	68	60	80
4	7	17	12	24	18	32	25	41	33	51	42	62	52	74	63	87
5	7	20	13	27	19	36	26	46	35	56	45	67	55	80	66	94
6	8	22	14	30	20	40	28	50	37	61	47	73	57	87	69	101
7	9	24	15	33	22	43	30	54	39	66	49	79	60	93	73	107
8	9	27	16	36	24	46	32	58	41	71	52	84	63	99	76	114
9	10	29	17	39	25	50	33	63	43	76	54	90	66	105	79	121
10	22	31	18	42	26	54	35	67	46	80	57	95	69	111	83	127

자료 F. Wilcoxon and R.A. Wilcox, Some Rapid Approximate Statistical Procedures, 1964 참조. American Cyanamid Company의 허가에 의한 재사용.

표 19.3의 (a)는 α=.05를 가진 양측검정 또는 α=.025를 가진 단측검정에서 사용된다. 표 19.3의 (b)는 α=.10을 가진 양측검정 또는 α=.05를 가진 단측검정에서 사용된다. α의 다른 값들에 대한 임계값들이 제공되어 있지 않기 때문에 이 책에서 α는 주어진 값들로 제한된다.

다른 표본크기에 대한 검정통계량의 표본분포를 도출하는 것은 가능하지만 이와 같은 과정은 매우 지루할 수 있다. 다행스럽게도 이와 같은 과정은 불필요하다. 통계학자들은 표본크기가 10보다 클 때 검정통계량 T는 근사적으로 평균이

$$E(T) = \frac{n_1(n_1 + n_2 + 1)}{2}$$

이고, 표준편차가

$$\sigma_T = \sqrt{\frac{n_1 n_2(n_1 + n_2 + 1)}{12}}$$

인 정규분포를 따른다는 것을 증명하였다. 따라서 표준화된 검정통계량은 다음과 같다.

$$z = \frac{T - E(T)}{\sigma_T}$$

진통제의 효과 비교

DATA Xm19-02

한 제약회사는 새로운 진통제를 출시할 계획을 가지고 있다. 새로운 진통제의 효과를 결정하기 위한 예비실험을 위해 30명이 임의로 선택되었다. 이 중에서 15명에게는 새로운 진통제가 주어졌고 나머지 15명에게는 아스피린이 주어졌다. 30명 모두에게 두통 또는 가벼운 통증이 발생할 때 주어진 약을 복용하고 다음 중 어느 것이 가장 정확하게 복용한 약의 효과를 나타내는지 제시하도록 요청하였다.

5 = 극히 효과적이다.
4 = 매우 효과적이다.
3 = 어느 정도 효과적이다.
2 = 약간 효과적이다.
1 = 전혀 효과가 없다.

응답이 다음과 같이 코드를 사용하면서 정리되었다. 5%의 유의수준에서 새로운 진통제가 아스피린보다 더 효과적인 것으로 인지된다고 결론내릴 수 있는가?

새로운 진통제: 3, 5, 4, 3, 2, 5, 1, 4, 5, 3, 3, 5, 5, 5, 4
아스피린: 4, 1, 3, 2, 4, 1, 3, 4, 2, 2, 2, 4, 3, 4, 5

해답

선택

문제의 목적은 두 모집단을 비교하는 것, 즉 새로운 진통제와 아스피린의 효과를 비교하는 것이다. 코드의 순위를 제외하고 응답을 기록하기 위해 사용한 수치는 임의로 선택된 것이기 때문에 주어진 데이터는 서열데이터이다. 마지막으로 표본들은 독립이다. 이와 같은 요인들은 적정한 통계기법이 윌콕슨 순위합 검정이라는 것을 말해준다. 새로운 진통제의 효과점수는 표본 1로 표시하고 아스피린의 효과점수는 표본 2로 표시하자. 새로운 진통제가 아스피린보다 더 효과적인지 알기 원하기 때문에 대립가설은 다음과 같이 설정된다.

H_1: 모집단 1의 위치는 모집단 2의 위치보다 오른쪽에 있다.

이에 따라 귀무가설은 다음과 같이 설정된다.

H_0: 두 모집단의 위치는 동일하다.

계산

직접계산

만일 대립가설이 옳으면, 모집단 1의 위치는 모집단 2의 위치의 오른쪽에 있을 것이다. 이 경우에 T와 z의 값은 클 것이다. 우리가 해야 할 일은 z가 대립가설을 선호하여 귀무가설을 기각할 수 있을 만큼 충분히 큰가를 결정하는 것이다. 따라서 5%의 유의수준에서 기각역은

$$z > z_\alpha = z_{.05} = 1.645$$

이다. 이제 모든 관측치들의 순위를 정하고 검정통계량을 계산한다.

새로운 진통제	순위	아스피린	순위
3	12	4	19.5
5	27	1	2
4	19.5	3	12
3	12	2	6
2	6	4	19.5
5	27	1	2
1	2	3	12
4	19.5	4	19.5
5	27	2	6
3	12	2	6
3	12	2	6
5	27	4	19.5
5	27	3	12
5	27	4	19.5
4	19.5	5	27
	$T_1 = 276.5$		$T_2 = 188.5$

1의 값을 가지는 관측치가 3개 있다는 점에 주목하라. 이와 같은 3개의 값은 동순위이지만 실제로 순위 1, 2, 3을 가진다고 간주하여 그 평균인 2의 값이 순위 값으로 부여된다. 2의 값을 가지는 관측치가 5개 있다. 이와 같은 5개의 값은 동순위이지만 실제로 순위 4, 5, 6, 7, 8을 가진다고 간주하여 그 평균인 6의 값이 순위 값으로 부여된다. 모든 관측치들에 대하여 순위가 부여될 때까지 이와 같은 과정이 계속된다. 순위합은 $T_1 = 276.5$와 $T_2 = 188.5$이다. 표준화되지 않은 검정통계량은 $T = T_1 = 276.5$이다. 표준화된 검정통계량의 값을 구하기 위한 $E(T)$와 σ_T의 값은 다음과 같이 계산된다.

$$E(T) = \frac{n_1(n_1 + n_2 + 1)}{2} = \frac{15(31)}{2} = 232.5$$

$$\sigma_T = \sqrt{\frac{n_1 n_2(n_1 + n_2 + 1)}{12}} = \sqrt{\frac{(15)(15)(31)}{12}} = 24.1$$

따라서 표준화된 검정통계량은 다음과 같이 계산된다.

$$z = \frac{T - E(T)}{\sigma_T} = \frac{276.5 - 232.5}{24.1} = 1.83$$

검정의 p-값은 다음과 같이 계산된다.

$$p\text{-값} = P(Z > 1.83) = 1 - .9664 = .0336$$

Do It Yourself Excel

	A	B	C	D
1	New Painkiller	Aspirin	Rank: New Painkiller	Rank: Aspririn
2	3	4	12	19.5
3	5	1	27	2
4	4	3	19.5	12
5	3	2	12	6
6	2	4	6	19.5
7	5	1	27	2
8	1	3	2	12
9	4	4	19.5	19.5
10	5	2	27	6
11	3	2	12	6
12	3	2	12	6
13	5	4	27	19.5
14	5	3	27	12
15	5	4	27	19.5
16	4	5	19.5	27
17			276.5	188.5

Excel Workbook

	A	B	C	D
1	Wilcoxon Rank Sum Test			
2	Sample 1 Size	15	z Stat	1.83
3	Sample 2 Size	15	P(Z<=z) one-tail	0.0336
4	Test Statistic T	276.5	z Critical one-tail	1.6449
5	Expected Value	232.50	P(Z<=z) two-tail	0.0680
6	Standard Deviation	24.11	z Critical two-tail	1.9600
7	Alpha	0.05		

지시사항

1. 두 열에 데이터를 입력하거나 <Xm19-02>를 불러들여라.
2. 엑셀 함수 RANK.AVG를 사용하면서 각 관측치의 순위를 계산하라. 당신이 순위를 계산하는 수, 데이터의 범위, 순위부여의 순서를 설정하라. 이 예제에서 셀 C2에 다음과 같이 입력하라.

   =RANK.AVG(A2,$A$2:$B$16,1)

   이 함수는 셀 A2에 있는 수의 순위를 계산한다. 데이터의 범위는 $A$2:$B$16이고 "1"은 순위의 순서는 가장 최솟값부터 가장 최댓값으로 부여하라는 것을 지시한다. 1개 값 이상이 동일한 순위이면, 평균 순위가 부여된다. 각 값의 순위가 결정된 후에 순위합을 계산하라. T 통계량은 표본 1의 순위합이고 이 예제에서 $T_1 = 276.5$이다.
3. z 통계량과 p-값을 계산하기 위해, Nonparametric Techniques workbook을 열고 Wilcoxon Rank Sum Test를 선택하라. 표본크기, 검정통계량 T, α의 값을 입력하라.

해석 검정통계량의 값은 z=1.83이고 p-값=.0336이다. 새로운 진통제가 아스피린보다 더 효과적이라고 추론할 수 있는 충분한 증거가 존재한다.

겹쳐 쌓은 데이터를 위한 Excel 지시사항

겹쳐 쌓은 데이터는 변수의 관측치들이 한 열에 정리되어 있고 해당되는 관측치가 속해있는 표본을 나타내는 코드가 두 번째 열에 있는 데이터 포맷이다. 예를 들면, 관측치가 A1:A30에 있고 코드(말하자면, 1과 2)가 B1:B30에 있다고 하자. 셀 C1에 다음과 같이 입력하라.

=**RANK.AVG(A1,A$1:A$30,1)**

이것을 끌어내려 열 C를 채워라. 순위합을 계산하기 위해, 임의의 비어있는 셀에 다음과 같이 입력하라.

=**SUMIF(B1:B30,"1",C1:C30)**

이 함수는 열 B에 해당되는 값이 코드 1인 열 C에 있는 값의 합을 계산한다. 코드 2에 대해 동일한 작업을 반복하라.

이 장의 서두에서 지적한 것처럼 윌콕슨 순위합 검정은 데이터가 서열데이터 또는 구간데이터일 때 두 모집단을 비교하기 위해 사용된다. 예제 19.2는 데이터가 서열데이터일 때 윌콕슨 순위합 검정을 사용하는 방법을 예시해준다. 다음 예제는 데이터가 구간데이터일 때 윌콕슨 순위합 검정을 사용하는 방법을 보여준다.

예제 19.3

DATA Xm19-03

근로자 유지시키기

새로운 종업원을 고용하여 훈련시키는 비용이 높기 때문에 고용주는 매우 자질이 있는 종업원들을 유지시키기 원한다. 고용프로그램을 개발하기 위해서 한 대형 회사의 인적자원관리자는 경영학 전공 대학 졸업생과 경영학 이외 전공 대학 졸업생이 다른 직업을 수락하기 위해 회사를 떠나기 전까지 얼마나 오랜 기간 동안 회사를 위해 근무하는가를 비교하기 원하였다. 이 관리자는 5년 전에 고용되었던 25명의 경영학 전공 대학 졸업생과 20명의 경영학 이외 전공 대학 졸업생을 임의표본으로 선택하였다. 각자가 회사를 위해 일했던 개월 수가 기록되었다. (회사를 떠나지 않은 사람들은 60개월 동안 일한 것으로 기록되었다.) 이에 관한 데이터가 다음과 같이 정리되어 있다. 인적자원관리자는 5%의 유의수준에서 경영학 전공 대학 졸업생과 경영학 이외 전공 대학 졸업생 간에 고용기간의 차이가 존재한다고 결론내릴 수 있는가?

경영학 전공 졸업생													경영학 이외 전공 졸업생										
60	11	18	19	5	25	60	7	8	17	37	4	8	25	60	22	24	23	36	39	15	35	16	28
28	27	11	60	25	5	13	22	11	17	9	4		9	60	29	16	22	60	17	60	32		

해답 **선택**

문제의 목적은 데이터가 구간데이터인 두 모집단을 비교하는 것이다. 표본들은 독립이다. 따라서 적정한 모수 통계기법은 $\mu_1 - \mu_2$에 대한 t 검정이다. 이와 같은 검정을 수행하기 위해서는 모집단들이 정규분포를 따라야 한다. 그러나 표본들을 이용하여 히스토그램들을 그려보면(그림 19.5와 그림 19.6 참조), 분명히 이와 같은 조건이 충족되지 않는다. 따라서 이 경우에 사용되어야 하는 적정한 통계기법은 윌콕슨 순위합 검정이다. 귀무가설과 대립가설은 다음과 같이 설정된다.

H_0: 두 모집단의 위치는 동일하다.

H_1: 모집단 1(경영학 전공 졸업생)의 위치는 모집단 2(경영학 이외 전공 졸업생)의 위치와 다르다.

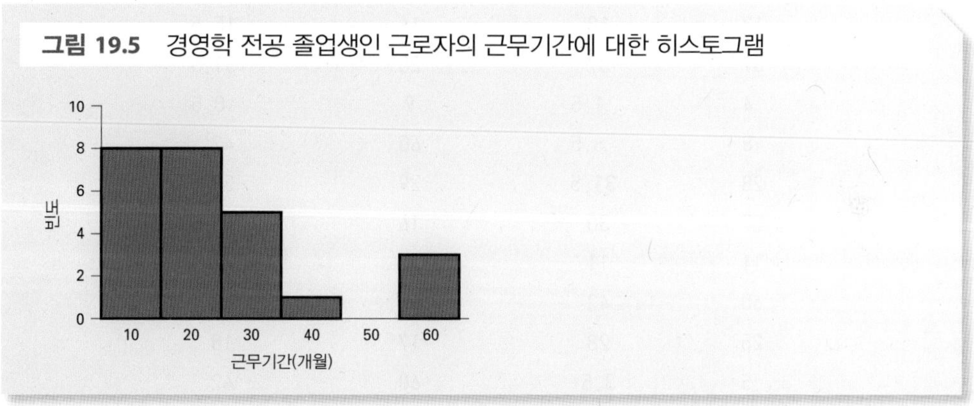

그림 19.5 경영학 전공 졸업생인 근로자의 근무기간에 대한 히스토그램

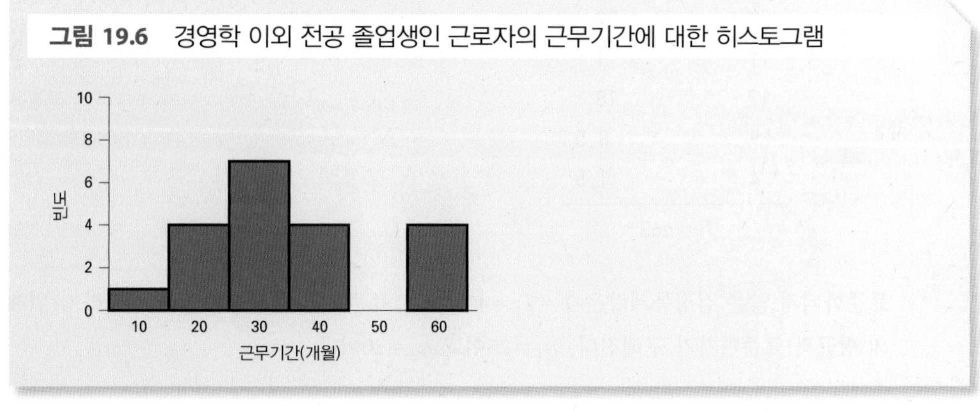

그림 19.6 경영학 이외 전공 졸업생인 근로자의 근무기간에 대한 히스토그램

계산

직접계산

5%의 유의수준에서 기각역은 다음과 같이 설정된다.

$$z < -z_{\alpha/2} = -z_{.025} = -1.96 \quad \text{또는} \quad z > z_{\alpha/2} = z_{.025} = 1.96$$

다음과 같은 방법으로 검정통계량의 값이 계산된다.

경영학 전공 졸업생	순위	경영학 이외 전공 졸업생	순위
60	42	25	28
11	11	60	42
18	20	22	23
19	21	24	26
5	3.5	23	25
25	28	36	36
60	42	39	38
7	5	15	14
8	6.5	35	35
17	18	16	15.5
37	37	28	31.5
4	1.5	9	8.5
8	6.5	60	42
28	31.5	29	33
27	30	16	15.5
11	11	22	23
60	42	60	42
25	28	17	18
5	3.5	60	42
13	13	32	34
22	23	$T_2=572$	
11	11		
17	18		
9	8.5		
4	1.5		
$T_1=463$			

표준화되지 않은 검정통계량은 $T=T_1=463$이다. 표준화된 검정통계량을 계산하기 위해 먼저 T의 평균과 표준편차가 구해진다. $n_1=25$이고 $n_2=20$이다.

$$E(T) = \frac{n_1(n_1 + n_2 + 1)}{2} = \frac{25(46)}{2} = 575$$

$$\sigma_T = \sqrt{\frac{n_1 n_2(n_1 + n_2 + 1)}{12}} = \sqrt{\frac{(25)(20)(46)}{12}} = 43.8$$

표준화된 검정통계량과 검정의 p-값은 다음과 같다.

$$z = \frac{T - E(T)}{\sigma_T} = \frac{463 - 575}{43.8} = -2.56$$

p-값 $= 2P(Z < -2.56) = 2(1 - .9948) = .0104$ (엑셀함수=NORM.S.DIST를 이용하면 .0105)

Do It Yourself Excel

엑셀의 RANK.AVG 함수를 사용하여 T_1=463을 계산하라. **Nonparametric Techniques workbook**을 열고 **Wilcoxon Rank Sum Test**를 선택하라. 표본크기, 검정통계량 T, α의 값을 입력하라.

Excel Workbook

	A	B	C	D
1	Wilcoxon Rank Sum Test			
2	Sample 1 Size	25	z Stat	-2.56
3	Sample 2 Size	20	P(Z<=z) one-tail	0.0053
4	Test Statistic T	463	z Critical one-tail	1.6449
5	Expected Value	575.00	P(Z<=z) two-tail	0.0105
6	Standard Deviation	43.78	z Critical two-tail	1.9600
7	Alpha	0.05		

해석 검정통계량의 값은 $z=-2.56$이고 검정의 p-값=.0105이다. 경영학 전공 졸업생과 경영학 이외 전공 졸업생의 근무기간이 다르다고 결론내릴 수 있는 충분한 증거가 존재한다.

19.1a 필요조건

윌콕슨 순위합 검정(이 장에서 제시된 다른 비모수 검정들과 마찬가지로)은 실제로 모집단 **분포들**이 동일한지 검정한다. 이것은 윌콕슨 순위합 검정은 모집단들이 동일위치에 있는지뿐만 아니라 동일분산(분산)과 동일모습(분포)을 검정한다는 것을 의미한다. 불행하게도 이것은 귀무가설의 기각이 반드시 모집단 위치의 차이를 나타내지 않을 수 있다는 것을 의미한다. 그 대신 귀무가설의 기각이 분포의 모습 또는 분산의 차이에 기인한 것일 수 있다. 이와 같은 문제를 피하기 위해서는 윌콕슨 순위합 검정에서 두 확률분포가 위치를 제외하고 동일하다는 조건이 요구된다. 이와 같은 필요조건은 다음의 세 절에서 소개되는 검정들(부호검정, 윌콕슨 부호 순위합 검정, 크러스칼-윌리스 검정, 프리드만 검정)에 대해서도 충족되어야 한다.

그림 19.5와 그림 19.6에 있는 두 히스토그램은 모두 양봉을 가지고 있다. 두 히스토그램 간에 차이가 있지만, 윌콕슨 순위합 검정을 사용하기 위한 필요조건이 근로자 유지시키기에 관한 예제에서 대체로 충족되는 것으로 보인다.

19.1b 통계개념에 대한 이해를 심화시키기

비모수 기법을 적용할 때 처음의 데이터를 사용하면서 필요한 계산을 하지 않는다. 그 대신 순위에 대해서만 계산이 이루어진다. (순위합을 구하고 의사결정을 하기 위해 순위합이 사용된다.) 따라서 원래 데이터의 실제 확률분포에 대해서는 관심을 가지지 않고(따라서 **분포 자유 기법**(distribution-free technique)이라는 이름이 붙여졌다) 가설을 설정하는 데에 모수를 사용하지 않는다(따라서 **비모수 기법**(nonparametric technique)이라는 이름이 붙여졌다). 가설에서 모수를 사용하지 않는 다른 기법들도 존재한다. 이와 같은 개념을 가지는 기법에 대해서도 **비모수**(nonparametric)라는 용어가 사용된다.

연습문제

연습문제 19.1~19.2는 통계적 추론의 요소들이 변화할 때 검정통계량과 p-값에 어떤 일이 발생할 것인지 살펴보기 위한 "what-if 분석" 문제이다. 이와 같은 연습문제들은 직접 풀거나 Excel 스프레드시트를 사용하여 풀 수 있다.

19.1 **a.** 다음과 같은 통계량들이 주어진 경우, 모집단들의 위치가 다른지 결정하기 위한 검정통계량의 값을 계산하라.

$T_1 = 250$ $n_1 = 15$
$T_2 = 215$ $n_2 = 15$

b. $T_1 = 275$, $T_2 = 190$인 경우 a를 반복하라.

c. T_1이 275로 증가하는 것이 검정통계량에 미치는 영향을 설명하라.

19.2 **a.** 다음과 같은 통계량들을 사용하면서 모집단 1의 위치가 모집단 2의 위치의 오른쪽에 있는지 5%의 유의수준에서 검정하라.

$T_1 = 1,205$ $n_1 = 30$
$T_2 = 1,280$ $n_2 = 40$

b. $T_1 = 1,065$인 경우 a를 반복하라.

c. T_1이 1,065로 감소한 것이 검정통계량과 p-값에 미치는 영향을 논의하라.

19.3 <Xr19-03> 모집단 1의 위치가 모집단 2의 위

치의 왼쪽에 있는지 결정하기 위해 다음과 같은 데이터를 사용하면서 윌콕슨 순위합 검정을 수행하라. (α=.05를 사용하라.)

표본 1: 75 60 73 66 81
표본 2: 90 72 103 82 78

19.4 <Xr19-04> 다음과 같은 데이터를 사용하면서 두 모집단의 위치가 다른지 결정하기 위한 윌콕슨 순위합 검정을 수행하라. (10%의 유의수준을 사용하라.)

표본 1: 15 7 22 20 32 18 26 17 23 30
표본 2: 8 27 17 25 20 16 21 17 10 18

연습문제 19.5~19.16을 풀기 위해서는 컴퓨터와 소프트웨어를 사용하여야 한다. 5%의 유의수준에서 가설검정을 수행하라.

19.5 **a.** <Xr19-05a> 새로운 맥주에 대한 시음시험에서 25명은 새로운 맥주에 대하여 등급을 부여하고 나머지 25명은 시장에 있는 선두 브랜드 맥주에 대하여 등급을 부여하였다. 부여할 수 있는 등급은 불량, 보통, 양호, 매우 양호, 탁월이다. 새로운 맥주와 선두 브랜드 맥주에 대한 응답이 1−2−3−4−5의 코드를 사용하여 저장되어 있다. 새로운 맥주에 대하여 선두 브랜드 맥주보다 더 높지 않은 등급이 부여된다고 추론할 수 있는가?

b. <Xr19-05b> 3=불량, 8=보통, 22=양호, 37=매우 양호, 55=탁월이 되도록 응답의 코드가 재부여되었다. 새로운 맥주에 대하여 선두 브랜드 맥주보다 더 높지 않은 등급이 부여된다고 추론할 수 있는가?

c. 이와 같은 연습문제들은 서열데이터에 관하여 당신에게 무엇을 말해 주는가?

19.6 **a.** <Xr19-06a> 한 항공사에 대한 만족도 등급이 비즈니스 클래스와 이코노미 클래스 간에 차이가 있는지 결정하기 위해 서베이가 실시되었다. 두 클래스를 탑승한 승객들 중에서 임의표본이 추출되었고 각 승객은 다음과 같은 답변을 사용하면서 서비스의 질에 대한 만족도를 평가하도록 요청받았다.

매우 만족
상당히 만족
어느 정도 만족
만족하지 않거나 불만족하지 않음
어느 정도 불만족
상당히 불만족
매우 불만족

7−6−5−4−3−2−1의 코드시스템을 사용하여 응답의 결과가 기록되었다. 비즈니스 클래스와 이코노미 클래스는 서비스의 만족도에서 차이가 있다고 추론할 수 있는가?

b. <Xr19-06b> 88−67−39−36−25−21−18의 값을 사용하여 응답의 코드가 재부여되었다. 비즈니스 클래스와 이코노미 클래스는 서비스의 만족도에서 차이가 있다고 추론할 수 있는가?

c. 응답코드를 변화시키는 것의 효과는 무엇인가? 왜 이와 같은 일이 예상되는가?

19.7 **a.** <Xr19-07> 예제 19.2를 참조하라. 응답에 대한 코드가 다음과 같이 부여되었다.

100=극히 효과적이다.
60=매우 효과적이다.
40=어느 정도 효과적이다.
35=약간 효과적이다.
10=전혀 효과가 없다.

새로운 진통제가 아스피린보다 더 효과적이라고 추론할 수 있는지 결정하라.

b. 예제 19.2의 결과와 a의 결과는 왜 동일한가?

19.8 <Xr19-08> 통계학 교수들을 대상으로 실시한 서베이에서 그들에게 비모수 기법을 가르치는 중요성에 대하여 평가하도록 요청하였다. 가능한 응답들은 다음과 같다.

매우 중요함
상당히 중요함
어느 정도 중요함
매우 중요하지 않음
전혀 중요하지 않음

통계학 교수들은 수학과 교수 또는 다른 학과 교수로 분류되었다. 응답들은 각각 5, 4, 3, 2, 1의 코드로 기록되었다. 수학과 교수가 다른 학과 교수보다 비모수 기법이 더 중요하다고 평가한다고 추론할 수 있는가?

19.9 <Xr19-09> 최근에 의료보험을 제공하는 보험회사들은 근로자의 건강을 개선하기로 약속한 회사들에게 할인을 해주고 있다. 이와 같은 보험정책이 합당한지 결정하기 위해 한 대형보험회사의 관리 담당자는 회사의 점심시간 운동프로그램에 정기적으로 참여하는 30명의 근로자와 운동프로그램에 참석하지 않는 30명의 근로자를 대상으로 한 연구를 수행하였다. 그는 2년 동안 각 근로자의 총의료비용을 관측하였다. 그는 점심시간 운동프로그램을 제공하는 회사들에게 보험료 할인을 해주어야 한다고 결론내릴 수 있는가?

19.10 <Xr19-10> 여권신장기관들은 종종 평등성의 척도로서 두 직업 가정의 경우 누가 가사를 하는지에 관한 문제를 사용한다. 한 연구가 수행되었고 두 직업을 가지고 있는 125가정이 추출되었다. 부인들에게 전주에 몇 시간의 가사노동을 했는지 물었다. 이에 대한 응답결과가 다른 두 직업 가정의 표본을 가지고 작년에 실시되었던 서베이의 응답결과와 함께 기록되었다. 여성들이 작년보다 금년에 가사노동을 덜 한다고 결론내릴 수 있는가?

19.11 <Xr19-11> 우주프로그램에 대한 미국대중의 지지는 우주프로그램의 지속적 수행과 우주항공산업의 재무건전성에 있어서 중요하다. 작년에 Gallup에 의해 수행된 한 여론조사에서 임의표본으로 추출된 100명의 미국인에게 "우주프로그램에 지출되는 금액이 증가되어야 하는가 현재의 수준에서 유지되어야 하는가(3), 감소되어야 하는가(2), 중단되어야 하는가(1)?" 물어보았다. 이와 같은 서베이가 금년에도 실시되었다. 응답결과가 괄호 안에 있는 수치를 사용하면서 기록되었다. 우주프로그램에 대한 대중의 지지가 금년과 작년 사이에 감소되었다고 결론내릴 수 있는가?

19.12 <Xr19-12> 일부의 약들은 환자의 성별에 따라 미치는 부작용이 다르다. 한 강력한 페니실린 대체약을 복용할 때 발생되는 부작용이 남성 또는 여성에게 더 심각한지 결정하기 위한 연구를 위해 50명의 남성과 50명의 여성에게 이 약이 주어졌다. 각자에게 4점(4=극히 아픔, 3=어느 정도 아픔, 2=지나치지 않을 정도로 아픔, 1=전혀 아프지 않음) 기준으로 위통증(stomach upset)을 평가하도록 요청하였다. 이 약으로부터 겪는 위통증의 정도가 남성과 여성 간에 차이가 있다고 결론내릴 수 있는가?

19.13 <Xr19-13> 유아식품회사인 Tastee Inc.의 사장은 자기 회사의 제품을 먹는 갓난아이들의 몸무게가 더 빠르게 증가하기 때문에 자기 회사의 제품은 대표적인 경쟁회사의 제품보다 더 우수하다고 주장한다. 한 실험을 위해 40명의 건강한 신생아가 임의로 선택되었다. 2개월 동안 15명의 신생아에게는 Tastee의 유아식품을

먹였고 나머지 25명의 신생아에게는 경쟁회사의 유아식품을 먹였다. 각 신생아의 몸무게 증가분(온스 기준)이 기록되었다. 만일 몸무게 증가분이 기준으로 사용된다면, Tastee 유아식품이 실제로 더 우수하다고 결론내릴 수 있는가? 이 연습문제는 데이터만을 제외하고 연습문제 13.17과 동일하다.

19.14 <Xr19-14> 여성들이 옷을 입는 방식이 다른 여성들이 그들을 판단하는 방식에 영향을 주는가? 이와 같은 질문이 Ohio State University의 한 연구원에 의해 연구되었다. 이 실험은 여성들에게 두 여성이 얼마나 전문가처럼 보이는가를 묻는 것으로 구성되었다. 한 여성은 사이즈 6의 옷을 입었고 다른 여성은 사이즈 14의 옷을 입었다. 이 연구원은 20명의 여성에게는 사이즈 6의 옷을 입은 여성을 평가하도록 요청하고 다른 20명의 여성에게는 사이즈 14의 옷을 입은 여성을 평가하도록 요청하였다. 평가결과는 다음과 같이 정리되었다.

4=매우 전문가처럼 보인다.
3=어느 정도 전문가처럼 보인다.
2=매우 전문가처럼 보이지 않는다.
1=전혀 전문가처럼 보이지 않는다.

수집된 데이터는 여성들이 사이즈 14의 옷을 입은 여성보다 사이즈 6의 옷을 입은 여성이 더 전문가처럼 보인다고 추론할 수 있는 충분한 증거를 제공하는가?

19.15 <Xr19-15> 초라한 모습을 가진 말린 프런(prune)의 이미지는 아주 좋지 않다. 말린 프런은 변비를 피하기 위해 노인들이 사용하는 제품으로 인식되어 있다. 그러나 실제로 말린 프런은 영양가가 높고 맛이 좋다. 말린 프런의 이미지를 개선시키기 위해 이 제품을 생산하는 한 회사는 말린 프런의 이름을 건플럼(dried plum)으로 변경한 효과를 알아보기로 결정하였다. 그 효과를 평가하기 위해 임의표본으로 추출된 쇼핑객들에게 그들이 건플럼 제품을 구매할 가능성에 대하여 물었다. 표본에 속한 쇼핑객들의 절반에게는 내용물이 말린 프런이라고 표시한 패키지를 보여주었고, 나머지 절반의 쇼핑객들에게는 내용물이 건플럼이라고 표시한 패키지를 보여주었다. 응답은 다음과 같은 방식으로 기록되었다.

1=구매할 가능성이 매우 없다.
2=구매할 가능성이 약간 없다.
3=구매할 가능성이 약간 있다.
4=구매할 가능성이 매우 있다.

주어진 데이터로부터 프런의 이름을 건플럼으로 변경한 것이 쇼핑객들이 이 제품을 구매할 가능성을 증가시켰다고 추론할 수 있는가?

19.16 <Xr13-36+> 연습문제 13.36을 참조하라. 응답자들에게 두 개의 다른 병에 들어있는 동일한 와인을 맛보도록 요청하였다. 첫 번째 병은 코르크 마개를 사용하였고 두 번째 병은 금속나사 마개를 사용하였다. 응답자들에게 와인을 맛보고 아래의 범주를 사용하여 평가하도록 요청하였다.

1=불량
2=보통
3=양호
4=매우 양호
5=우수

이러한 데이터는 금속나사 마개를 사용한 와인이 코르크 마개를 사용한 와인보다 맛이 더 떨어진다고 추론할 수 있는 충분한 증거를 제공하는가?

19.2 부호검정과 윌콕슨 부호 순위합 검정

제19.1절에서는 데이터가 서열데이터 또는 (비정규분포를 따르는) 구간데이터이고 독립적으로 추출되는 두 모집단을 비교하는 비모수 기법이 논의되었다. 이 절에서는 문제의 목적과 데이터의 종류는 제19.1절에서와 같으나 짝진실험으로부터 생성되는 데이터가 사용된다. 앞에서 이와 같은 종류의 실험이 다루어졌다. 제13.3절에서는 모수를 μ_D로 나타내면서 짝진 차이의 모평균에 대한 논의가 이루어졌다. 이 절에서는 다음과 같은 특성을 가지고 있는 문제의 가설을 검정하는 두 가지 비모수 기법이 소개된다.

1. 문제의 목적은 두 모집단을 비교하는 것이다.
2. 데이터는 서열데이터 또는 구간데이터이다(모수검정을 수행하기 위해 필요한 모집단의 정규분포조건이 충족되지 않는 경우).
3. 표본들이 짝진표본이다.

짝진실험으로부터 잠재적 정보를 추출하기 위해서는 짝진 차이가 만들어져야 한다. 짝진표본을 대상으로 t 검정을 수행하여 μ_D에 대한 추정을 할 때 했던 것을 기억하라. 짝진 차이의 평균과 표준편차를 계산하였고 검정통계량과 신뢰구간추정량을 구하였다. 여기서 제시되는 두 가지 비모수 기법의 첫 단계에서도 각 관측 쌍의 차이가 계산된다. 그러나 데이터가 서열데이터이면 서열을 나타내는 값들의 차이는 아무런 의미가 없기 때문에 이와 같은 차이를 대상으로 어떤 계산도 수행할 수 없다.

이와 같은 점을 이해하기 위해 한 제품 또는 한 서비스를 평가하는 사람들의 응답에 관한 두 모집단을 비교하는 문제를 생각해보자. 응답들은 “우수”, “보통”, “양호”, “불량”이다. 순위가 유지되는 한 각 응답에 대하여 수치가 어느 방식으로든 부여될 수 있다. 가장 간단한 방식은 4−3−2−1이다. 그러나 66−38−25−11(순위를 유지시키는 임의로 선택된 수치시스템)과 같은 임의의 다른 수치시스템도 동일하게 타당하다. 이제 하나의 짝진표본에서 표본 1의 응답이 “우수”이고 표본 2의 응답이 “양호”라고 하자. 4−3−2−1의 시스템에서 짝진표본의 차이는 4−3=1이다. 66−38−25−11의 시스템에서 짝진표본의 차이는 66−38=28이다. 만일 이와 같은 차이가 실제의 수치로 취급되면, 어떤 수치시스템이 사용되었느냐에 따라서 서로 다른 결과가 도출될 가능성이 있다. 따라서 실제의 차이를 이용하는 어떠한 방법도 사용될 수 없다. 그러나 짝진표본 차이의 부호가 사용될 수 있다. 실제로 데이터가 서열데이터일 때 짝진표본 차이의 부호를 사용하는 것이 유일하게 타당한 방법이다. 달리 말하면, 어떤 수치시스템이 사용되느냐에 관계없이 ”우수”는 “양호”보다 더 좋다는 것이 알려져 있다. 4−3−2−1의 시스템에서 "우수"와 "양호"의 차이는 +1이다. 66−38−25−11의 시스템에서 "우수"와 "양호"의 차이는 +28이다. 만일 수치의 크기를 무시하고 부호만을 고려하면, 두 가지 수치시스템은 정확히 동일한 결과를 발생시킨다.

당신이 곧 알게 되는 것처럼, 부호검정은 이와 같은 차이의 부호만을 사용한다. 이것이 이와 같은 검정을 **부호검정**(sign test)이라고 부르는 이유이다.

그러나 데이터가 구간데이터일 때 표본 차이는 실제적인 의미를 가진다. 데이터가 구간데이터일 때 부호검정이 사용될 수 있지만 이러한 경우 잠재적으로 유용한 정보의 손실이 발생한다. 예를 들면, 두 짝진 중고차 판매원 간의 매출 차이가 25대라는 것을 아는 것이 단순히 첫 번째 판매원이 두 번째 판매원보다 더 많이 자동차를 판다는 것보다 더 많은 정보를 제공한다. 따라서 데이터가 구간데이터이고 정규분포를 따르지 않을 때 차이의 부호뿐만 아니라 차이의 크기를 고려하는 **윌콕슨 부호 순위합 검정**(Wilcoxon signed rank sum test)이 사용된다.

19.2a 부호검정

부호검정은 다음과 같은 상황에서 사용된다.

1. 문제의 목적은 두 모집단을 비교하는 것이다.
2. 데이터는 서열데이터이다.
3. 실험계획법은 짝진실험이다.

19.2b 부호검정을 위한 검정통계량과 표본분포

부호검정은 매우 간단하다. 각 짝진표본에 대하여 표본 1의 관측치와 표본 2의 관련된 관측치 간의 차이를 계산한다. 이어서 양의 차이를 가진 수와 음의 차이를 가진 수를 세어본다. 만일 귀무가설이 옳으면, 양의 차이를 가진 수는 음의 차이를 가진 수와 대략적으로 같을 것으로 예상된다. 달리 표현하면, 양의 차이를 가진 수와 음의 차이를 가진 수는 각각 총표본크기의 절반과 대략적으로 같아야 할 것으로 예상된다. 어느 하나의 수가 너무 많거나 너무 적으면, 귀무가설이 기각된다. 어느 하나의 수가 너무 많거나 너무 적다는 것을 결정하는 기준은 검정통계량의 표본분포로부터 결정된다. 임의로 검정통계량을 양의 차이를 가진 수로 선택하고 x라고 표시하자. 검정통계량 x는 이항확률변수이고 귀무가설하에서 이항비율은 $p=.5$이다. 따라서 부호검정은 제12.3절에서 소개된 p에 대한 z 검정과 같다.

제7.4절과 제9.2절로부터 x는 이항분포를 따르고, n이 충분히 큰 경우 근사적으로 평균이 $\mu = np$이고 표준편차가 $\sqrt{np(1-p)}$인 정규분포를 따른다는 것을 기억하라. 따라서 표준화된 검정통계량은 다음과 같다.

$$z = \frac{x - np}{\sqrt{np(1-p)}}$$

귀무가설 H_0: 두 모집단의 위치가 동일하다를 검정하는 것은 H_0: $p = .5$를 검정하는 것과 같다. 따라서 귀무가설이 옳다고 가정하면, 검정통계량은 다음과 같다.

$$z = \frac{x - np}{\sqrt{np(1-p)}} = \frac{x - .5n}{\sqrt{n(.5)(.5)}} = \frac{x - .5n}{.5\sqrt{n}}$$

이항분포에 대한 정규분포에 의한 근사는 $np \geq 5$와 $n(1-p) \geq 5$일 때 타당하다. $p = .5$일 때, $np = n(.5) \geq 5$와 $n(1-p) = n(1-.5) = n(.5) \geq 5$라는 조건은 n이 10 이상이어야 한다는 것을 제시한다. 따라서 이것이 부호검정의 필요조건 중 하나이다. 그러나 표본크기가 작은 경우 통계적 추론의 질은 양호하지 못하다. 표본크기가 커야 한다. 다음의 예제들과 연습문제들에서 표본크기는 크다.

이와 같은 종류의 검정에서 짝진 차이가 0인 짝진 관측치를 제거하는 것이 일반적인 관행이다. 따라서 n은 표본에 있는 0이 아닌 차이의 수이다.

예제 19.4

DATA Xm19-04

두 중형차의 안락도 비교

두 자동차 중 어느 것이 더 안락한지 결정하기 위한 실험에서 25명이 뒷좌석에 앉아서 한 번은 비싼 유럽차를 타보고 한 번은 중형 미국차를 타 보았다. 25명 각각에게 다음과 같이 5점 기준으로 승차감을 평가하도록 요청하였다.

1 = 매우 안락하지 않다.
2 = 상당히 안락하지 않다.
3 = 안락하지도 않고 안락하지 않은 것도 아니다.
4 = 상당히 안락하다.
5 = 매우 안락하다.

응답결과가 다음과 같이 제시되었다. 이 데이터로부터 5%의 유의수준에서 유럽차가 미국차보다 더 안락한 것으로 인지된다고 결론내릴 수 있는가?

응답자	안락도 등급	
	유럽차	미국차
1	3	4
2	2	1
3	5	4
4	3	2
5	2	1
6	5	3
7	2	3
8	4	2
9	4	2
10	2	2
11	2	1
12	3	4
13	2	1
14	3	4
15	2	1
16	4	3
17	5	4
18	2	3
19	5	4
20	3	1
21	4	2
22	3	3
23	3	4
24	5	2
25	5	3

해답 **선택**

문제의 목적은 서열데이터의 두 모집단을 비교하는 것이다. 동일한 25명이 두 자동차를 모두 승차하였기 때문에 실험계획법은 짝진실험이다. 다음과 같이 설정된 가설에 대하여 부호검정이 적용된다.

H_0: 두 모집단의 위치는 동일하다.
H_1: 모집단 1의 위치(유럽차에 대한 안락도 평가)는 모집단 2의 위치(미국차에 대한 안락도 평가)의 오른쪽에 있다.

계산

직접계산

5%의 유의수준에서 기각역은 다음과 같이 설정된다.

$$z > z_\alpha = z_{.05} = 1.645$$

검정통계량의 값을 계산하기 위해 짝진 차이를 계산하고 양의 차이를 가진 수, 음의 차이를 가진 수, 0의 차이를 가진 수를 세어본다. 짝진 차이는 다음과 같다.

−1 1 1 1 1 2 −1 2 2 0 1 −1 1
−1 1 1 1 −1 1 2 2 0 −1 3 2

양의 차이를 가진 수가 17개이고, 음의 차이를 가진 수가 6개이며 0의 차이를 가진 수는 2개이다. 따라서 $x=17$이고 $n=23$이다. 검정통계량의 값은 다음과 같이 계산된다.

$$z=\frac{x-.5n}{.5\sqrt{n}}=\frac{17-.5(23)}{.5\sqrt{23}}=2.29$$

검정통계량은 정규분포를 따르기 때문에 검정의 p-값은 다음과 같이 계산될 수 있다.

p-값$=P(Z>2.29)=1-.9890=.0110$

EXCEL Data Analysis Plus

Excel Workbook

	A	B	C	D	E	F
1	**Sign Test**					
2			**Binomial Probability**		**Normal Approximation**	
3	**Positive Differences**	17	**Test Statistic X**	**17**	**z Stat**	**2.29**
4	**Negative Differences**	6	**P(X>= x) one-tail**	**0.0173**	**P(Z<=z) one-tail**	**0.0110**
5	**Total**	**23**	**P(X>= x) two-tail**	**0.0347**	**z Critical one-tail**	**1.6449**
6	**Alpha**	0.05			**P(Z<=z) two-tail**	**0.0218**
7					**z Critical two-tail**	**1.9600**

지시사항

1. 두 열에 데이터를 입력하거나 <Xm19-04>를 불러들여라.
2. 짝진 차이를 계산하라.
3. IF 함수를 사용하면서 양의 차이 수와 음의 차이 수를 구하라.
   짝진 차이가 열 D에 있다고 가정하면서, 셀 E2과 셀 F2에 다음과 같이 입력하라.

   =IF(D2>0,1,0)

   =IF(F2<0,1,0)

   이것을 끌어내려 열 E와 열 F를 채워라. 열 E는 짝진 차이가 양일 때 1을 부여하고 짝진 차이가 양이 아닐 때 0을 부여한다. 열 F는 짝진 차이가 음일 때 1을 부여하고 짝진 차이가 음이 아닐 때 0을 부여한다.
4. 열 E와 열 F의 합을 구하라. 이 결과가 양의 차이 수와 음의 차이 수이다.
5. 검정통계량과 p-값을 계산하기 위해, Nonparametric Techniques workbook을 열고

Sign Test를 선택하라. 양의 차이 수, 음의 차이 수, 표본크기, α의 값을 입력하라.

컴퓨터를 사용하는 경우, 정확한 이항분포를 사용하여 p-값을 계산하는 것을 권장한다. 검정이 (오른쪽 꼬리) 단측검정이기 때문에 p-값$=P(X \geq 17)$이다. X는 n=23이고 p=.5인 이항확률변수이다. 엑셀의 **BINOM.DIST** 함수를 사용하여 다음과 같이 p-값을 구한다.

$$p\text{-값} = P(X \geq 17) = 1 - P(X \leq 16) = 1 - .9827 = .0173$$

해석 직접 계산한 검정의 p-값은 0.110이다. Excel의 BINOM.DIST함수를 사용하여 계산한 검정의 p-값은 .0173이다. 어느 경우이든, 사람들은 유럽차가 미국차보다 더 안락한 승차감을 제공하는 것으로 인지한다고 추론할 수 있는 충분한 증거가 존재한다.

19.2c 필요조건의 확인

제19.1절에서 지적한 것처럼 부호 검정에서 모집단들이 모습과 분산에서 동일하여야 한다는 조건이 요구된다. 유럽차의 안락도 평가에 대한 히스토그램(그림 19.7)은 평가 등급이 2와 5 사이에서 일양분포를 따른다는 점을 제시한다. 미국차의 안락도 평가에 대한 히스토그램(그림 19.8)은 평가 등급이 1과 4 사이에서 일양분포를 따른다는 점을 제시한다. 따라서 유럽차의 안락도 평가와 미국차의 안락도 평가는 동일한 분포 모습을 가지고 있으나 분포의 위치가 다르다. 다른 필요조건은 표본크기가 10보다 커야 한다는 것이다. 표본크기는 23으로 필요조건을 충족시키고 있다.

그림 19.7 예제 19.4에서 유럽차의 안락도 평가에 대한 히스토그램

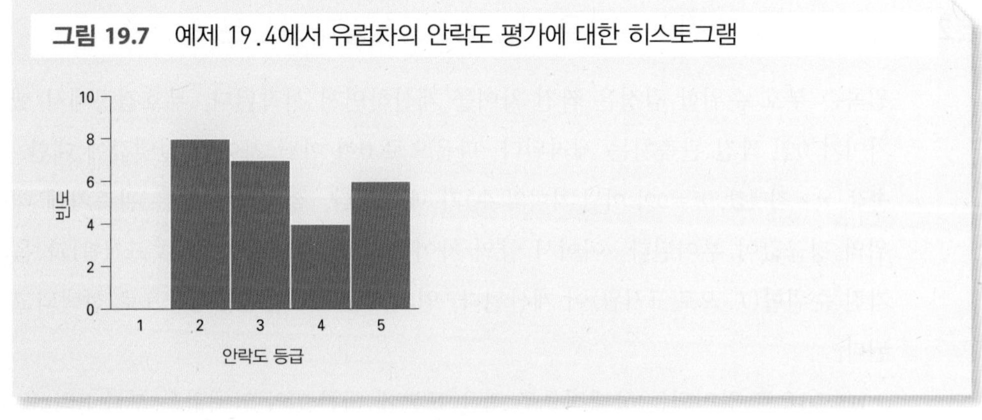

그림 19.8 예제 19.4에서 미국차의 안락도 평가에 대한 히스토그램

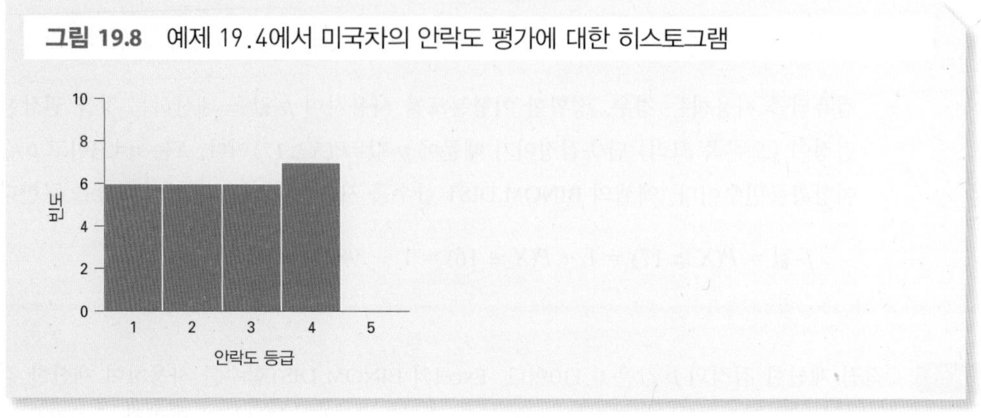

19.2d 윌콕슨 부호 순위합 검정

윌콕슨 부호 순위합 검정(Wilcoxon signed rank sum test)은 다음과 같은 상황에서 사용된다.

1. 문제의 목적은 두 모집단을 비교하는 것이다.
2. 데이터는 구간데이터이나 정규분포를 따르지 않는다.
3. 표본은 짝진표본이다.

윌콕슨 부호 순위합 검정은 μ_D에 대한 t 검정에 상응하는 비모수 기법이다. 데이터가 구간데이터이기 때문에 윌콕슨 부호 순위합 검정은 μ_D에 대한 검정이라고도 말할 수 있다. 그러나 다른 비모수 기법들과 일관성을 가지면서 혼란을 피하기 위해, 제19.1절에서 했던 것과 동일한 방식으로 검정하여야 할 가설들이 설정된다.

19.2e 윌콕슨 부호 순위합 검정을 위한 검정통계량과 표본분포

윌콕슨 부호 순위합 검정은 짝진 차이를 계산하면서 시작된다. 부호검정에서 했던 것처럼 차이가 0인 짝진 관측치는 제거된다. 다음으로 0이 아닌 차이의 절댓값에 대한 순위(1=최솟값, n=최댓값, n=0이 아닌 차이의 수)가 매겨진다. 절댓값이 같은 관측치에 대하여는 순위의 평균값이 부여된다. 이어서 양의 차이를 가진 순위합(T^+으로 표시됨)과 음의 차이를 가진 순위합(T^-으로 표시됨)이 계산된다. 임의로 T^+가 검정통계량으로 선택되고 T로 표시된다.

$n \leq 30$으로 정의되는 상대적으로 적은 표본에 대한 T의 임계값은 부록 B의 표 10(표 19.4로 복제되었음)으로부터 결정될 수 있다. 이 표에는 표본크기가 6~30인 경우 윌콕슨 부호 순위합 검정을 위한 T_L의 값과 T_U의 값이 정리되어 있다. 표 19.4(a)에 있는 T_L의 값과 T_U

의 값은

$$P(T \le T_L) = P(T \ge T_U) = .025$$

가 성립되는 값이다. 표 19.4(b)에 있는 T_L의 값과 T_U의 값은

$$P(T \le T_L) = P(T \ge T_U) = .05$$

가 성립되는 값이다. 표 19.4(a)는 $\alpha = .05$인 양측검정 또는 $\alpha = .025$인 단측검정에서 사용된다. 표 19.4(b)는 $\alpha = .10$인 양측검정 또는 $\alpha = .05$인 단측검정에서 사용된다.

표본크기가 상대적으로 큰 경우($n > 30$인 경우) T는 근사적으로 평균이

$$E(T) = \frac{n(n+1)}{4}$$

이고, 표준편차가

$$\sigma_T = \sqrt{\frac{n(n+1)(2n+1)}{24}}$$

인 정규분포를 따른다. 따라서 표준화된 검정통계량은 다음과 같다.

$$z = \frac{T - E(T)}{\sigma_T}$$

표 19-4 윌콕슨 부호 순위합 검정을 위한 임계값

	(a) $\alpha = .025$ 단측 $\alpha = .05$ 양측		(b) $\alpha = .05$ 단측 $\alpha = .10$ 양측	
n	T_L	T_U	T_L	T_U
6	1	20	2	19
7	2	26	4	24
8	4	32	6	30
9	6	39	8	37
10	8	47	11	44
11	11	55	14	52
12	14	64	17	61

(계속)

표 19-4 윌콕슨 부호 순위합 검정을 위한 임계값 (계속)

13	17	74	21	70
14	21	84	26	79
15	25	95	30	90
16	30	106	36	100
17	35	118	41	112
18	40	131	47	124
19	46	144	54	136
20	52	158	60	150
21	59	172	68	163
22	66	187	75	178
23	73	203	83	193
24	81	219	92	208
25	90	235	101	224
26	98	253	110	241
27	107	271	120	258
28	117	289	130	276
29	127	308	141	294
30	137	328	152	313

예제 19.5

DATA Xm19-05

신축근무시간제도하에서의 출근시간과 고정근무시간제도하에서의 출근시간 비교

도로와 고속도로의 교통체증 때문에 근로자들이 직장에 출퇴근하는 어려움을 겪으면서 기업들은 연간 상당한 비용을 지불한다. 여러 가지 제안들이 이와 같은 상황을 개선시키기 위해 제시되었으며 이 중의 하나가 근로자들이 근무조 전체시간을 일한다면 자기 자신의 근무시간을 결정할 수 있도록 하는 *신축근무시간*(flextime)제도이다. 근로자들은 러시아워 교통을 피하기 위해 도착시간과 출발시간을 선택할 수 있다. 이와 같은 프로그램을 조사하기 위해 설계된 한 예비실험에서 한 대형 회사의 인사관리 담당자는 근로자들이 오전 8시부터 일하기 위해 출근하는 데 걸리는 시간과 신축근무시간제도 하에서 출근하는 데 걸리는 시간을 비교하기 원하였다. 임의표본으로 32명의 근로자가 선택되었다. 임의표본에 속한 근로자들은 어느 한 주 중 수요일에 오전 8시부터 일하기 위해 출근하는 데 걸리는 시간을 기록하였다. 다음 주의 수요일에 동일한 근로자들이 그들이 선택하는 시간대에 일하기 위해 출근하는 데 걸리는 시간이 기록되었다. 이와 같은 데이터가 다음의 표에 정리되어 있다. 5%의 유의수준에서 신축근무시간제도하에서 걸리는 출근시간은 오전 8시부터 일하기 위해 걸리는 출근시간과 다르다고 결론내릴 수 있는가?

근로자	출근하는 데 걸리는 시간	
	오전 8시 도착	신축근무시간제도
1	34	31
2	35	31
3	43	44
4	46	44
5	16	15
6	26	28
7	68	63
8	38	39
9	61	63
10	52	54
11	68	65
12	13	12
13	69	71
14	18	13
15	53	55
16	18	19
17	41	38
18	25	23
19	17	14
20	26	21
21	44	40
22	30	33
23	19	18
24	48	51
25	29	33
26	24	21
27	51	50
28	40	38
29	26	22
30	20	19
31	19	21
32	42	38

해답 **선택**

문제의 목적은 두 모집단을 비교하는 것이다. 데이터는 구간데이터이고 짝진실험으로부터 생성되었다. 짝진 차이가 정규분포를 따르면 μ_D에 대한 t 검정이 적용되어야 한다. 짝진 차이가 정규분포를 따르는지 판단하기 위해 짝진 차이를 계산하고 Excel을 이용하여 짝진 차이의 히스토그램을 그렸다. 그림 19.9는 이와 같은 히스토그램을 그린 것이다. 분명히 짝진 차이의 정규분포조건은 충족되지 않는다. 이것은 윌콕슨 부호 순위합 검정이 사용되어야 한다는 것을 제시한다.

그림 19.9 예제 19.5를 위한 짝진 차이의 히스토그램

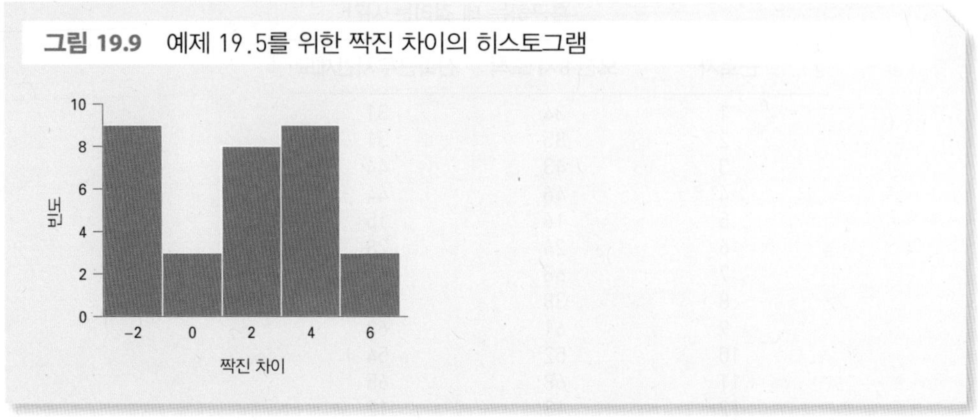

두 그룹이 출근하는 데 걸리는 시간이 다른지 알기 원하기 때문에 다음과 같이 설정된 가설들에 대한 양측검정이 수행된다.

H_0: 두 모집단의 위치는 동일하다.

H_1: 모집단 1의 위치(현재의 고정근무시간제도 하에서 출근하는 데 걸리는 시간)는 모집단 2의 위치(신축근무시간제도 하에서 출근하는 데 걸리는 시간)와 다르다.

계산

직접계산

각 근로자에 대하여 오전 8시에 도착하기 위해 걸리는 출근시간과 신축근무시간제도 하에서 걸리는 출근시간의 차이가 계산된다.

	출근하는 데 걸리는 시간					
근로자	오전 8시 도착	신축근무시간제도	차이	|차이|	순위	|순위|
1	34	31	3	3	21.0	
2	35	31	4	4	27.0	
3	43	44	−1	1		4.5
4	46	44	2	2	13.0	
5	16	15	1	1	4.5	
6	26	28	−2	2		13.0
7	68	63	5	5	31.0	
8	38	39	−1	1		4.5
9	61	63	−2	2		13.0
10	52	54	−2	2		13.0
11	68	65	3	3	21.0	
12	13	12	1	1	4.5	
13	69	71	−2	2		13.0
14	18	13	5	5	31.0	
15	53	55	−2	2		13.0

16	18	19	−1	1		4.5
17	41	38	3	3	21.0	
18	25	23	2	2	13.0	
19	17	14	3	3	21.0	
20	26	21	5	5	31.0	
21	44	40	4	4	27.0	
22	30	33	−3	3		21.0
23	19	18	1	1	4.5	
24	48	51	−3	3		21.0
25	29	33	−4	4		27.0
26	24	21	3	3	21.0	
27	51	50	1	1	4.5	
28	40	38	2	2	13.0	
29	26	22	4	4	27.0	
30	20	19	1	1	4.5	
31	19	21	−2	2		13.0
32	42	38	4	4	27.0	
					$T^+=367.5$	$T^-=160.5$

차이와 차이의 절댓값이 계산되었다. 차이의 절댓값에 대한 순위가 정해진다. (차이의 값이 0인 관측치는 차이의 절댓값에 대한 순위가 정해지기 전에 제거된다.) 절댓값이 동일한 경우는 실제로 정해졌어야 하는 순위들의 평균이 부여된다. 양의 차이의 순위합과 음의 차이의 순위합은 각각 $T^+=367.5$와 $T^-=160.5$이다. 검정통계량은 다음과 같이 계산된다.

$$z=\frac{T-E(T)}{\sigma_T}$$

$$T=T^+=367.5$$

$$E(T)=\frac{n(n+1)}{4}=\frac{32(33)}{4}=264$$

$$\sigma_T=\sqrt{\frac{n(n+1)(2n+1)}{24}}=\sqrt{\frac{32(33)(65)}{24}}=53.48$$

따라서

$$z=\frac{T-E(T)}{\sigma_T}=\frac{367.5-264}{53.48}=1.9353$$

이다. 기각역은 다음과 같이 설정된다.

$z<-z_{\alpha/2}=-z_{.025}=-1.96$ 또는 $z>z_{\alpha/2}=z_{.025}=1.96$

p-값은 $2P(Z>1.9353)=2\times.02647=.0529$ (엑셀함수=NORM.S.DIST 이용)

Do It Yourself Excel

Excel Workbook

	A	B	C	D
1	**Wilcoxon Signed Rank Sum Test**			
2				
3	**Sample Size**	32	**Z Stat**	**1.9353**
4	**Test Statistic T**	367.5	**P(Z<=z) one-tail**	**0.0265**
5	**Expected Value**	**264.00**	**z Critical one-tail**	**1.6449**
6	**Standard Deviation**	**53.48**	**P(Z<=z) two-tail**	**0.0529**
7	**Alpha**	0.05	**z Critical two-tail**	**1.9600**

지시사항

1. 두 열에 데이터를 입력하거나 <Xm19-05>를 불러들여라.
2. 짝진 차이를 계산하라. 짝진 차이가 0인 행들은 제거하라. 짝진 차이의 절댓값을 계산하라.
3. 짝진 차이의 절댓값이 열 D에 저장되어있다고 가정하면서, 셀 E2에 다음과 같이 입력하라.

   =RANK.AVG(D2,D$2:D$33,1)

   이것을 끌어내려 열 E를 채워라.
4. 임의의 비어있는 셀에 다음과 같이 입력하라.

   =SUMIF(C2:C33,"<0",E2:E33)

   열 C에 해당되는 값이 음인 경우 열 E에 순위합이 계산된다. 짝진 차이가 양인 경우, 다음과 같이 입력하라.

   =SUMIF(C2:C33,">0",E2:E33)

5. 검정통계량과 p-값을 계산하기 위해, **Nonparametric Techniques** workbook을 열고 **Wilcoxon Signed Rank Sum Test**를 선택하라. 표본크기(0이 아닌 짝진 차이의 수), 검정통계량 $T=T^+$, α의 값을 입력하라.

해석 검정통계량의 값은 z=1.9353이고 검정의 p-값=.0529이다. 신축근무시간제도 하에서 걸리는 출근시간은 현재의 고정근무시간제도 하에서 걸리는 출근시간과 다르다고 추론할 수 있는 충분한 증거가 존재하지 않는다.

연습문제

19.17 짝진실험에서 음의 차이를 가진 수가 30개이고, 0의 차이를 가진 수가 5개이며 양의 차이를 가진 수가 15개인 경우 두 모집단의 위치가 다른지 결정하기 위한 부호검정을 수행하라. (5%의 유의수준을 사용하라.)

19.18 짝진실험에서 양의 차이를 가진 수가 28개이고, 0의 차이를 가진 수가 7개이며 음의 차이를 가진 수가 41개라고 하자. 10%의 유의수준에서 모집단 1의 위치가 모집단 2의 위치의 왼쪽에 있다고 추론할 수 있는가?

19.19 짝진실험으로부터 다음과 같은 결과가 만들어졌다.

양의 차이를 가진 수: 18개
0의 차이를 가진 수: 0개
음의 차이를 가진 수: 12개

5%의 유의수준에서 모집단 1의 위치는 모집단 2의 위치의 오른쪽에 있다고 추론할 수 있는가?

19.20 <Xr19-20> 다음의 데이터를 사용하여 모집단 1의 위치가 모집단 2의 위치의 오른쪽에 있는지 결정하기 위한 부호검정을 수행하라. (α =.05를 사용하라.)

짝	1	2	3	4	5	6	7	8	9	10	11	12	13	14	15	16
표본 1	5	3	4	2	3	4	3	5	4	3	4	5	4	5	3	2
표본 2	3	2	4	3	3	1	3	4	2	5	1	2	2	3	1	2

19.21 짝진실험으로부터 다음과 같은 통계량들이 주어진 경우, 5%의 유의수준에서 두 모집단의 위치가 다르다고 추론할 수 있는지 결정하기 위한 윌콕슨 부호 순위합 검정을 수행하라.

$$T^{+}=660 \quad T^{-}=880 \quad n=55$$

19.22 짝진실험으로부터 다음과 같은 통계량들이 구해졌다. 모집단 1의 위치가 모집단 2의 위치의 오른쪽에 있는지 결정하기 위한 윌콕슨 부호 순위합 검정을 수행하라. (α=.01을 사용하라.)

$$T^{+}=3,457 \quad T^{-}=2,429 \quad n=108$$

19.23 다음의 짝진표본에 대하여 두 모집단의 위치가 다른지 결정하기 위한 윌콕슨 부호 순위합 검정을 수행하라. (α=.10을 사용하라.)

짝	1	2	3	4	5	6
표본 1	9	12	13	8	7	10
표본 2	5	10	11	9	3	9

19.24 <Xr19-24> 데이터가 다음과 같이 주어진 경우 모집단 1의 위치가 모집단 2의 위치와 다른지 결정하기 위한 윌콕슨 부호 순위합 검정을 수행하라. (α=.05를 사용하라.)

짝	1	2	3	4	5	6	7	8	9	10	11	12
표본 1	18.2	14.1	24.5	11.9	9.5	12.1	10.9	16.7	19.6	8.4	21.7	23.4
표본 2	18.2	14.1	23.6	12.1	9.5	11.3	9.7	17.6	19.4	8.1	21.9	21.6

연습문제 19.25~19.39를 풀기 위해서는 컴퓨터와 소프트웨어를 사용하여야 한다. 다른 지시가 없는 한 5%의 유의수준을 사용하라.

19.25 a. <Xr19-25a> 새로운 맥주의 시음시험에서 100명이 새로운 맥주와 시장의 선두 브랜드 맥주에 대하여 평가하였다. 가능한 등급평가는 불량, 보통, 양호, 매우 양호, 우수이다. 새로운 맥주와 선두 브랜드 맥주에 대한 등급평가가 1-2-3-4-5의 코드시스템을 사용하여 기록되었다. 새로운 맥주가 시장의 선두 브랜드 맥주보다 더 높게 등급평가된다고 추론할 수 있는가?

b. <Xr19-25b> 응답에 대하여 3=불량, 8=보통, 22=양호, 37=매우 양호, 55=우수로 새롭게 코드가 재부여되었다. 새로운 맥주가 시장의 선두 브랜드 맥주보다 더 높게 등급평가된다고 추론할 수 있는가?

c. 왜 a와 b의 답은 동일한가?

19.26 a. <Xr19-26a> 임의표본으로 추출된 50명에게 다음과 같은 응답을 사용하면서 두 브랜드의 아이스크림을 평가하도록 요청하였다.

맛있다
무난하다
나쁘지 않다
엉망이다

응답은 각각 4, 3, 2, 1의 코드로 기록되었다. 브랜드 A가 브랜드 B보다 선호된다고 추론할 수 있는가?

b. <Xr19-26b> 응답에 대하여 28−25−16−3의 코드가 재부여되었다. 브랜드 A가 브랜드 B보다 선호된다고 추론할 수 있는가?

c. a와 b의 답을 비교하라. 두 답은 동일한가? 그 이유를 설명하라.

19.27 <Xr19-27> 예제 19.4를 참조하라. 응답에 대하여 다음과 같은 방식으로 코드가 재부여되었다.

6=매우 안락하지 않다.
24=상당히 안락하지 않다.
28=안락하지도 않고 안락하지 않은 것도 아니다.
53=상당히 안락하다.
95=매우 안락하다.

a. 이 데이터로부터 유럽차가 미국차보다 더 안락하다고 인지된다고 결론내릴 수 있는가?

b. 당신의 답을 예제 19.4에서 얻은 답과 비교하라. 왜 분석결과들이 동일한지 설명하라.

19.28 <Xr19-28> **a.** 짝진실험으로부터의 데이터가 기록되었다. 모집단들의 위치가 다른지 결정하기 위한 부호검정을 수행하라.

b. 윌콕슨 부호 순위합 검정을 사용하여 a를 반복하라.

c. 왜 a와 b의 답이 다른가?

19.29 <Xr19-29> **a.** 짝진실험으로부터의 데이터가 기록되었다. 모집단들의 위치가 다른지 결정하기 위한 부호검정을 수행하라.

b. 윌콕슨 부호 순위합 검정을 사용하여 a를 반복하라.

c. 왜 a와 b의 답이 다른가?

19.30 <Xr19-30> 한 제약회사의 연구원들은 최근에 새로운 무처방 수면제를 개발하였다. 그들은 사람들이 이 수면제를 복용한 후에 잠드는 데 걸리는 시간을 측정함으로써 이 약의 효과를 시험하기로 결정하였다. 예비분석에 의하면 잠드는 데 걸리는 시간은 사람마다 상당히 다르다. 따라서 그들은 다음과 같은 방식으로 실험을 하였다. 정기적으로 불면증에 시달리는 100명의 자원자로 구성된 임의표본이 선택되었다. 각 사람에게 새롭게 개발된 약과 위약이 주어졌다. (위약은 약품이 전혀 포함되지 않은 약이다.) 참여자들에게 하루 저녁에 한 가지 약을 복용하고 일주일 후 저녁에 두 번째 약을 복용하도록 요청하였다. (그들은 복용하는 약이 위약인지 새롭게 개발된 약인지 알지 못하고 복용하는 약의 순서도 임의적이다.) 각 참여자에게 잠드는 시간을 측정하는 장치가 설치되었다. 새롭게 개발된 약의 효과가 있다고 결론내릴 수 있는가? (이 연습문제는 데이터를 제외하고 연습문제 13.100과 동일하다.)

19.31 <Xr19-31> 연습문제 19.10에서 언급된 가사일에 대한 연구가 약간의 변화를 가지고 반복된다고 하자. 수정된 실험에서 60명의 여성에

게 5년 전과 금년에 그들이 일주일에 몇 시간의 가사일을 하는지 물었다. 1%의 유의수준에서 여성들이 5년 전보다 가사 일을 하는 데 더 적은 시간을 보낸다고 결론내릴 수 있는가?

19.32 <Xr19-32> 1970년대 동안 에너지 부족이 심각한 상황에 직면하면서 정부들은 소비자들이 에너지 소비를 감소시키도록 설득하기 위한 방법들을 적극적으로 찾았다. 여러 가지 노력들 중의 하나로 다양한 광고활동이 시작되었다. 효과적인 광고메시지를 설계하는 방법에 대한 투입요소를 찾기 위해 여론조사가 이루어졌고 이 여론조사에서 사람들에게 가솔린과 전기의 부족에 관하여 얼마나 우려하고 있는지 물었다. 이와 같은 질문들에 대하여 4가지의 가능한 응답이 있었다.

전혀 우려하지 않는다(1)
너무 지나치게 우려하지 않는다(2)
어느 정도 우려한다(3)
매우 우려한다(4)

150명에 대하여 여론조사가 실시되었다. 이 데이터는 가솔린 부족에 관한 우려가 전기부족에 관한 우려보다 더 심각하다고 추론할 수 있는 충분한 증거를 제공하는가?

19.33 <Xr19-33> 한 자물쇠수리공은 새로운 열쇠 절단 기계를 선택하는 과정에 있다. 만일 고려하는 두 기계 간에 열쇠 절단속도의 차이가 존재한다면, 그는 더 빠른 기계를 구매할 것이다. 만일 두 기계 간에 열쇠 절단속도의 차이가 없다면, 그는 더 싼 기계를 구매할 것이다. 가장 일반적으로 사용되는 35개의 열쇠 각각을 절단하는 데 필요한 시간(초 기준)이 기록되었다. 그는 어떻게 해야 하는가?

19.34 <Xr19-34> 플로리다주에 있는 한 대형 스포츠 용품 가게는 한 부서를 위한 공간을 증가시키기 위한 리노베이션을 계획하고 있다. 이 가게의 경영자는 어느 부서의 공간을 증가시킬 것인지에 관한 선택을 테니스용품부서 또는 수영용품부서로 압축하였다. 이 경영자는 테니스용품부서는 가게의 전체적인 이미지를 개선시킨다고 믿기 때문에 테니스용품부서를 확장하기 원한다. 그러나 이 경영자는 수영용품부서가 더 높은 총매출을 올릴 수 있으면 수영용품부서를 선택하기로 결정하였다. 그녀는 과거 32주 동안 두 부서의 주간 총매출 데이터를 수집하였다. 어느 부서가 확장되어야 하는가?

19.35 <Xr19-35> 아이스크림의 브랜드 이름은 아이스크림에 대한 소비자의 인지도에 영향을 미치는가? 한 주요 낙농회사의 마케팅 담당자는 이와 같은 질문을 깊이 생각하였다. 그녀는 임의로 선택된 60명에게 다른 두 접시에 담겨져 있는 동일한 맛의 아이스크림을 맛보도록 요청하기로 결정하였다. 접시들에는 정확히 동일한 아이스크림이 담겨져 있으나 이름만은 다르게 표시되었다. 한 아이스크림에는 제조업자가 유럽의 회사이고 아이스크림이 매우 고급스럽다는 것을 제시하는 이름이 부여되었다. 다른 아이스크림에는 제조업자가 국내 회사이고 아이스크림이 비싸지 않다는 것을 제시하는 이름이 부여되었다. 맛을 보는 사람들에게 각 아이스크림을 5점 기준(1=불량, 2=보통, 3=양호, 4=매우 양호, 5=우수)으로 평가하도록 요청하였다. 응답의 결과로부터 이 마케팅 담당자는 10%의 유의수준에서 유럽 브랜드가 더 선호된다고 결론내릴 수 있는가?

19.36 <Xr19-36> 아동들은 성인들보다 통증을 덜 느끼는가? University of Alberta와 University of Saskatchewan의 간호학 교수들은 이와 같은 질문에 관하여 연구하였다. 한 예비연구에서 50명의 8세 아동과 그들의 어머니에게 그들

의 손에 중간 정도의 고통스러운 압박을 가하였다고 하자. 각각에게 통증의 수준을 매우 심각함(1), 심각함(2), 보통임(3), 약함(4)으로 평가하도록 요청하였다. 이에 대한 데이터가 괄호 안의 코드를 사용하면서 기록되었다. 1%의 유의수준에서 아동들이 성인들보다 통증을 덜 느낀다고 결론내릴 수 있는가?

19.37 <Xr19-37> 성별이 MBA 졸업생의 연봉제안에 영향을 미치는지 결정하기 위한 연구에서 45쌍의 학생이 선택되었다. 각 쌍은 거의 동일한 GPA, 수강과목, 연령, 직장경력을 가지고 있는 남학생과 여학생으로 구성되었다. 졸업 시에 각 학생에게 제안된 최고 연봉이 기록되었다. 연봉제안이 남성과 여성 간에 차이가 있다고 결론내릴 수 있는 충분한 증거가 존재하는가? (이 연습문제는 데이터를 제외하고 연습문제 13.105와 동일하다.)

19.38 <Xr19-38> 대학과 전문대학의 입학허가 담당 직원들은 서로 다른 고등학교의 학점을 비교하는 문제에 직면한다. 이와 같은 학점으로부터 더 많은 정보를 얻기 위한 해석 방법을 개발하기 위해 한 대형 주립대학의 한 입학허가 담당직원은 다음과 같은 실험을 수행하였다. 이 대학에서 첫 번째 연도를 방금 마친 동일지역 고등학교(고등학교 1) 출신의 학생 100명에 대한 기록이 선택되었다. 각 학생들은 이 대학에서 첫 번째 연도를 방금 마친 다른 지역 고등학교(고등학교 2) 출신의 학생과 고등학교 마지막 연도의 GPA를 기준으로 짝지어졌다. 각 짝진 쌍에 대하여 이 대학에서 얻은 첫 번째 연도의 평균학점(4=A, 3=B, 2=C, 1=D, 0=F)이 기록되었다. 이와 같은 결과로부터 동일한 고등학교 평균학점을 가지고 있는 두 학생(고등학교 1 출신의 학생과 고등학교 2 출신의 학생)을 비교하면서 입학허가의 선호가 고등학교 1 출신의 학생에게 부여되어야 한다고 결론내릴 수 있는가?

19.39 <Xr19-39> 일부 영화사들은 영화의 홈 비디오 버전에 명백한 성적 장면들을 추가함으로써 영화의 매력과 수익성을 증가시킬 수 있다고 믿는다. 한 영화사의 임원은 이와 같은 믿음을 검정하기로 결정하였다. 그녀는 PG-13의 등급 판정을 받았던 40개 영화에 대한 연구를 수행하였다. 각 영화의 버전은 등급판정을 R로 변화시키는 장면을 추가하여 만들어졌다. 영화의 두 가지 버전이 비디오 임대 가게로 배포되었다. 40쌍의 영화 각각에 대하여 일주일의 기간 동안 한 대도시에서 임대된 비디오의 총 수가 기록되었다.

a. 이 데이터는 이 영화사 임원의 믿음을 지지하는 충분한 증거를 제공하는가?

b. 한 영화사의 분석가로서 통계분석을 자세히 설명하는 보고서를 작성하라.

19.3 크러스칼-월리스 검정과 프리드만 검정

이 절에서는 두 개 이상의 모집단을 비교하기 위한 두 가지 통계기법이 소개된다. 첫 번째 검정은 **크러스칼-월리스 검정**(Kruskal-Wallis test)이다. 크러스칼-월리스 검정은 다음과 같은 특성을 가진 문제들에 적용된다.

1. 문제의 목적은 두 개 이상의 모집단을 비교하는 것이다.
2. 데이터는 서열데이터 또는 구간데이터이나 정규분포를 따르지 않는다.
3. 표본들은 독립이다.

데이터가 구간데이터이고 정규분포를 따를 때 두 개 이상의 모집단 간 평균 차이가 존재하는지 결정하기 위해 제14장에서 제시된 분산분석 F 검정이 사용된다. 데이터가 정규분포를 따르지 않을 때 데이터는 서열데이터인 것처럼 취급되고 크러스칼-월리스 검정이 사용된다.

두 번째 검정은 **프리드만 검정**(Friedman Test)이다. 프리드만 검정은 다음과 같은 특성을 가진 문제들에 적용된다.

1. 문제의 목적이 두 개 이상의 모집단을 비교하는 것이다.
2. 데이터는 서열데이터 또는 구간데이터이지만 정규분포를 따르지 않는다.
3. 데이터는 랜덤화 블럭실험으로부터 생성된다.

프리드만 검정의 대응되는 모수검정은 데이터가 구간데이터이고 정규분포를 따를 때 사용되는 랜덤화블럭 이원분산분석이다.

19.3a 가설설정

크러스칼-월리스 검정과 프리드만 검정을 위한 귀무가설과 대립가설은 분산분석에서 설정한 것과 유사하다. 그러나 데이터가 서열데이터이거나 서열데이터로 취급되기 때문에 모평균 대신에 모집단 위치에 대한 검정이 이루어진다. 크러스칼-월리스 검정과 프리드만 검정의 모든 적용에서 귀무가설과 대립가설은 다음과 같이 설정된다.

H_0: 모든 k개 모집단의 위치가 동일하다.
H_1: 적어도 두 개 모집단의 위치가 다르다.

여기서 k는 비교되는 모집단의 수를 나타낸다.

19.3b 크러스칼-월리스 검정

검정통계량 검정통계량은 윌콕슨 순위합 검정통계량을 계산하는 방법과 매우 유사한 방법으로 계산된다. 첫 단계는 모든 관측치들의 순위를 정하는 것이다. 앞에서 한 것처럼, 1 = 최소 관측치이고 n = 최대 관측치이며 $n = n_1 + n_2 + . . . + n_k$이다. 관측치들의 값이 동일하면 평균 순위가 사용된다.

만일 귀무가설이 옳으면, 순위들이 k개의 표본들 간에 고르게 분포되어야 한다. 귀무가설이 옳은지는 순위합들(T_1, T_2, . . . , T_k로 표시된다)을 비교함으로써 판단된다. 마지막 단계에서 H로 표시되는 검정통계량이 계산된다.

크러스칼-월리스 검정을 위한 검정통계량

$$H = \left[\frac{12}{n(n+1)}\sum_{j=1}^{k}\frac{T_j^2}{n_j}\right] - 3(n+1)$$

이 공식으로부터 살펴보기는 불가능하지만 순위합들이 유사하면 검정통계량의 값은 작아진다. 따라서 H의 작은 값은 귀무가설을 지지한다. 이와 반대로 순위합들 간에 상당한 차이가 존재하면, 검정통계량은 커진다. H의 값을 판단하기 위해서는 검정통계량 H의 표본분포를 알아야 한다.

표본분포 검정통계량의 표본분포는 윌콕슨 순위합 검정의 표본분포를 도출하는 것과 동일한 방법으로 도출될 수 있다. 즉, 모든 가능한 순위조합들과 각 조합의 확률을 정리함으로써 표본분포가 도출될 수 있다. 이어서 임계값의 표가 결정될 수 있다. 그러나 이와 같은 작업은 소규모 표본크기에 대해서만 필요한 과정이다. 표본크기가 5 이상인 경우, 검정통계량 H는 근사적으로 자유도가 $k-1$인 카이제곱분포를 따른다. 제8.4절에서 카이제곱분포가 소개되었던 것을 기억하라.

기각역과 p-값 앞에서 지적한 것처럼 H의 큰 값은 모집단들의 위치가 다르다는 것과 관련되어 있다. 따라서 H가 충분히 크면 귀무가설이 기각된다. 기각역과 p-값은 각각 $H > \chi^2_{\alpha,k-1}$과 $P(\chi^2 > H)$와 같이 설정된다. 그림 19.10은 검정통계량 H의 표본분포와 p-값을 그린 것이다.

그림 19.10 검정통계량 H의 표본분포

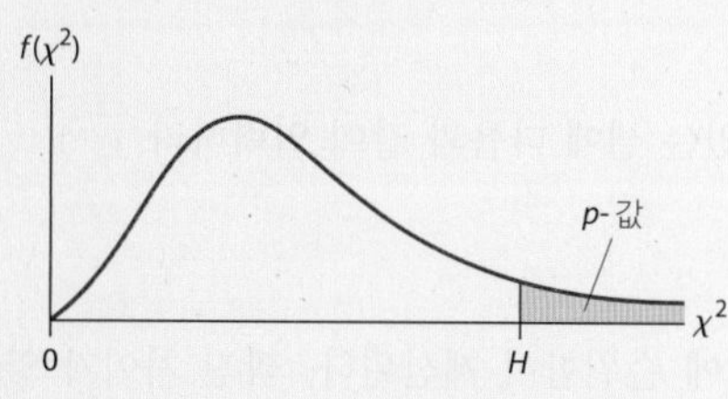

General Social Survey

해답 민주당지지자, 무소속지지자, 공화당지지자 간에 주당 신문을 읽는 시간이 다른가?

선택

문제의 목적은 3개의 모집단(민주당지지자, 무소속지지자, 공화당지지자)을 비교하는 것이다. 데이터는 서열데이터이고 표본들은 독립표본들이다. 이러한 요소들은 크러스칼-월리스 검정을 사용하는 것을 정당화하기에 충분하다. 귀무가설과 대립가설은 다음과 같다.

H_0: 모든 3개 모집단의 위치는 동일하다.
H_1: 적어도 두 개 모집단의 위치는 다르다.

계산

Do It Yourself Excel

Excel Workbook

	A	B	C	D	E	F	G
1	**Kruskal - Wallis Test**						
2			**Rank Sum**	**Rank Sum Squared**	**Rank Sum Squared/sample size**		
3	**Sample**	n_j	T_j	T_j^2	T_j^2/n_j	**H**	**p-value**
4	**1**	484	319,323.5	101,967,497,652.3	210,676,648.0	31.86	0.00000
5	**2**	652	524,959.5	275,582,476,640.3	422,672,510.2		
6	**3**	351	262,045.0	68,667,582,025.0	195,634,136.8		
13	**Total**	**1487**			**828,983,295.0**		

지시사항

겹쳐 쌓은 데이터

1. 한 열에 변수 (NEWS)와 다른 열에 정당 변수 (PARTYID3)를 입력하라.
2. 결측 데이터를 나타내는 비어있는 모든 행을 제거하라.
3. **RANK.AVG**를 사용하여 순위를 계산하라. 열 A에 PARTYID3 데이터가 있고 열 B에 NEWS 데이터가 있으면, 셀 C2에 다음과 같이 입력하라.

=RANK.AVG(B2,$B$2:$B$1488,1)

이것을 끌어내려 열 C를 채워라.

4. 순위합을 계산하기 위해, 임의의 비어있는 셀에 다음과 같이 입력하라.

=SUMIF(C2:C33,"<0",E2:E33)

열 C에 해당되는 값이 음인 경우 열 E에 순위합이 계산된다. 짝진 차이가 양인 경우, 다 음과 같이 입력하라.

=SUMIF(A1:A1488,"1",C1:C1488)

이 함수는 열 A의 해당되는 값이 코드 1인 경우 열 C에 합계를 계산한다. 코드 2와 코드 3에 대해 같은 작업을 반복하라.

5. 표본크기를 결정하라. 이 예제의 경우, 다음과 같은 통계량들이 계산된다.

표본	표본크기	순위합
1	484	319,323.5
2	652	524,959.5
3	351	262,045

6. 검정통계량과 값을 계산하기 위해, **Nonparametric Techniques** workbook을 열고 **Kruskal-Wallis Test**를 선택하라. 표본크기와 순위합의 값들을 입력하라.

해석

5%의 유의수준에서 민주당지지자, 무소속지지자, 공화당지지자 간 주당 신문을 읽는 빈도가 다르다고 추론할 수 있는 충분한 증거가 존재한다.

겹쳐 쌓지 않은 데이터를 위한 Excel 지시사항

1. 데이터가 겹쳐 쌓지 않은 방식으로 정리되어 있으면, 인접한 열들에 데이터를 입력하거나 불러들여라.
2. **RANK.AVG**를 사용하여 순위를 계산하라. 예를 들면, 데이터 세트가 열 A, 열 B, 열 C에 각각 15개, 20개, 12개 관측치을 가지고 있다고 하자. 셀 D1에 다음과 같이 입력하라.

   =RANK.AVG(A1,$A$1:$C$20,1)

   이것을 끌어내려 열들과 행들을 채워라. 열 A, 열 B, 열 C의 관측치 순위가 각각 열 D, 열 E, 열 F에 정리된다. 순위합들을 계산하고 **Nonparametric Techniques** workbook을 열고 **Kruskal-Wallis Test**를 이용하라.

19.3c 크러스칼-월리스 검정과 윌콕슨 순위합 검정

크러스칼-월리스 검정은 두 모집단 간의 차이를 검정하기 위해 사용될 수 있다. 크러스칼-월리스 검정은 윌콕슨 순위합 양측검정과 동일한 결과를 제공한다. 그러나 크러스칼-월리스 검정은 차이가 존재하는지만을 결정할 수 있다. 예를 들면, 한 모집단이 다른 모집단의 오른쪽에 있는지 결정하기 위해서는 윌콕슨 순위합 검정이 적용되어야 한다.

19.3d 프리드만 검정

검정통계량 검정통계량을 계산하기 위해 먼저 각 블럭 안에 있는 각 관측치의 순위를 정한다. 순위는 1=최소 관측치, k=최대 관측치, 순위가 같은 경우에는 평균 순위로 결정된다. 이어서 T_1, T_2, . . . , T_k로 표시되는 순위합들이 계산된다. 검정통계량은 다음과 같이 정의된다. (b=블럭의 수)

프리드만 검정을 위한 검정통계량

$$F_r = \left[\frac{12}{b(k)(k+1)}\sum_{j=1}^{k} T_j^2\right] - 3b(k+1)$$

표본분포 프리드만 검정을 위한 검정통계량은 k 또는 b가 5 이상이면 자유도가 $k-1$인 카이제곱분포를 따른다. 크러스칼-월리스의 경우처럼 검정통계량의 값이 클 때 귀무가설이 기각된다. 따라서 기각역과 p-값은 각각 $F_r > \chi^2_{\alpha,k-1}$과 $P(\chi^2 > F_r)$로 설정된다. 그림 19.11은 프리드만 검정을 위한 검정통계량의 표본분포와 p-값을 그린 것이다.

그림 19.11 F_r의 표본분포

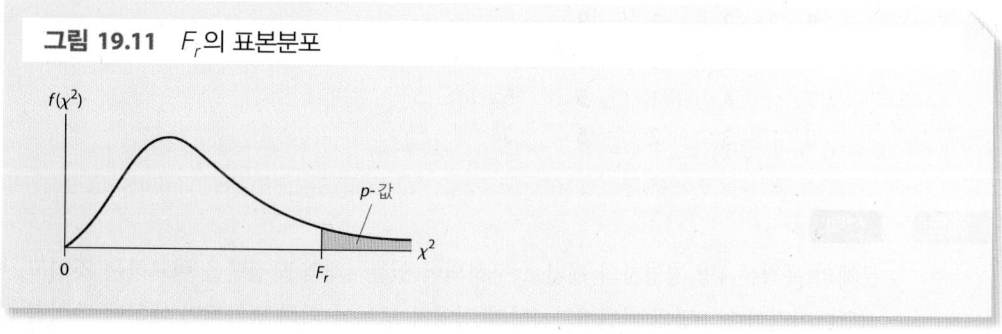

프리드만 검정은 모든 다른 비모수 검정들처럼 비교되는 모집단들의 모습과 분산이 동일하다는 조건을 요구한다.

예제 19.6 취업지원자에 대한 경영자들의 평가 비교

DATA Xm19-06

한 회계법인의 인사 담당자는 최근 고용한 직원들의 자질에 관하여 고위 경영자들로부터 불평을 들었다. 모든 새로운 회계사들은 4명의 경영자가 후보자를 면담하고 학교의 성적증명서, 직장경력, 인적성을 포함하는 여러 가지 측면에 대하여 후보자를 평가하는 과정을 통하여 고용된다. 이어서 각 경영자는 결과를 요약하고 후보자에 대하여 평가한다. 후보자에 대한 평가는 다음과 같은 5가지 가능성으로 정리된다.

1. 후보자가 지원자들 중에서 상위 5%에 속한다.
2. 후보자가 지원자들 중에서 상위 10%에 속하나 상위 5%에는 속하지 않는다.
3. 후보자가 지원자들 중에서 상위 25%에 속하나 상위 10%에는 속하지 않는다.
4. 후보자가 지원자들 중에서 상위 50%에 속하나 상위 25%에는 속하지 않는다.
5. 후보자가 지원자들 중에서 하위 50%에 속한다.

이와 같은 평가들이 최종의사결정에서 통합된다. 인사 담당자는 채용직원의 자질에 관한 문제는 평가시스템에 의해 발생된 것이라고 믿는다. 그러나 그는 후보자에 대하여 인터뷰를 수행하는 경영자들의 평가가 일반적으로 일치하는가 불일치하는가를 알아야 할 필요가 있다. 후보자에 대한 평가가 경영자들 간에 차이가 존재하는지 검정하기 위해 그는 8명의 지원자에 대한 평가결과를 임의표본으로 추출하였다. 이에 대한 결과가 다음과 같이 정리되어 있다. 이 데이터로부터 인사 담당자는 어떤 결론을 도출할 수 있는가? 5%의 유의수준을 사용하라.

	경영자			
지원자	**1**	**2**	**3**	**4**
1	2	1	2	2
2	4	2	3	2
3	2	2	2	3
4	3	1	3	2
5	3	2	3	5
6	2	2	3	4
7	4	1	5	5
8	3	2	5	3

해답 **선택**

문제의 목적은 4명 경영자의 평가로 구성되어 있는 4개의 모집단을 비교하는 것이고, 데이터는 서열데이터이다. 8명의 지원자가 4명의 경영자 모두에 의해 평가되기 때문에 주어진 실험은 랜덤화 블럭계획법이다. (처리는 경영자이고 블럭은 지원자이다.) 적정한 통계기법은 프리드만 검정이다. 귀무가설과 대립가설은 다음과 같이 설정된다.

H_0: 4개 모집단 모두의 위치는 동일하다.

H_1: 적어도 두 모집단의 위치는 다르다.

계산

직접계산

기각역은 $F_r > \chi^2_{\alpha,k-1} = \chi^2_{.05,3} = 7.81$이다. 다음의 표는 순위가 어떻게 부여되는지와 순위합이 어떻게 계산되는지 보여준다. 순위는 행(블럭)별로 부여되고 순위합은 열(처리)별로 합하여 계산된다는 점에 주목하라.

	경영자			
지원자	1(순위)	2(순위)	3(순위)	4(순위)
1	2 (3)	1 (1)	2 (3)	2 (3)
2	4 (4)	2 (1.5)	3 (3)	2 (1.5)
3	2 (2)	2 (2)	2 (2)	3 (4)
4	3 (3.5)	1 (1)	3 (3.5)	2 (2)
5	3 (2.5)	2 (1)	3 (2.5)	5 (4)
6	2 (1.5)	2 (1.5)	3 (3)	4 (4)
7	4 (2)	1 (1)	5 (3.5)	5 (3.5)
8	3 (2.5)	2 (1)	5 (4)	3 (2.5)
	$T_1=21$	$T_2=10$	$T_3=24.5$	$T_4=24.5$

검정통계량의 값은 다음과 같이 계산된다.

$$F_r = \left[\frac{12}{b(k)(k+1)}\sum_{j=1}^{k} T_j^2\right] - 3b(k+1)$$

$$= \left[\frac{12}{(8)(4)(5)}(21^2 + 10^2 + 24.5^2 + 24.5^2\right] - 3(8)(5)$$

$$= 10.61$$

Do It Yourself Excel

	A	B	C	D	E	F	G	H
1	Manager 1	Manager 2	Manager 3	Manager 4	Manager 1	Manager 2	Manager 3	Manager 4
2	2	1	2	2	3	1	3	3
3	4	2	3	2	4	1.5	3	1.5
4	2	2	2	3	2	2	2	4
5	3	1	3	2	3.5	1	3.5	2
6	3	2	3	5	2.5	1	2.5	4
7	2	2	3	4	1.5	1.5	3	4
8	4	1	5	5	2	1	3.5	3.5
9	3	2	5	3	2.5	1	4	2.5
10				Rank Sums	21	10	24.5	24.5

Excel Workbook

	A	B	C	D	E	F	G
1	**Friedman Test**						
2				**Rank Sums**	**Rank Sum Squared**		
3			**Samples**	**T_j**	**T_j^2**	**Fr**	**p-value**
4	**Number of samples**	4	**1**	21	**441**	**10.61**	**0.0140**
5	**Number of blocks**	8	**2**	10	**100**		
6			**3**	24.5	**600.25**		
7			**4**	24.5	**600.25**		
13		**Total**			**1741.5**		

지시사항

1. 두 열들에 데이터를 입력하거나 <Xm19-06>을 불러들여라.
2. 결측 데이터를 나타내는 비어있는 모든 행을 제거하라.
3. RANK.AVG를 사용하여 각 행의 순위를 계산하라. 셀 F2에 다음과 같이 입력하라.

   =RANK.AVG(B2,$B2:$E2,1)

   이것을 끌어내려 행 2를 채워라. 나머지 행들에 대해 같은 작업을 반복하라.
4. 각 표본의 열 합계(순위합)를 계산하라.
5. 검정통계량과 *p*-값을 계산하기 위해, Nonparametric Techniques workbook을 열고 Friedman Test를 선택하라. 표본 수 *k*, 블록 수, 순위합의 값들을 입력하라.

해석 검정통계량의 값은 F_r=10.61이고 검정의 *p*-값=.0140이다. 5%의 유의수준에서 경영자들의 평가가 다르다는 충분한 증거가 존재하는 것으로 보인다.

19.3e 프리드만 검정과 부호검정

프리드만 검정과 부호검정 간의 관계는 크러스칼-월리스 검정과 윌콕슨 순위합 검정 간의 관계와 같다. 즉, 두 모집단이 다른지 결정하기 위해 프리드만 검정이 사용될 수 있다. 이것으로부터 도출되는 결론은 부호검정으로부터 도출되는 결론과 같다. 그러나 프리드만 검정은 모집단들 간에 차이가 존재하는지만을 결정하기 위해 사용될 수 있다. 한 모집단이 다른 모집단의 오른쪽에 있는지 결정하기 원하면, 부호검정이 사용되어야 한다.

연습문제

19.40 다음의 통계량들을 사용하면서 크러스칼-월리스 검정을 수행하라. 5%의 유의수준을 사용하라.

$T_1=984$ $n_1=23$
$T_2=1,502$ $n_2=36$
$T_3=1,430$ $n_3=29$

19.41 다음의 통계량들을 사용하면서 모집단들의 위치가 다른지 결정하기 위한 크러스칼-월리스 검정을 1%의 유의수준에서 수행하라.

$T_1=1,207$ $n_1=25$
$T_2=1,088$ $n_2=25$
$T_3=1,310$ $n_3=25$
$T_4=1,445$ $n_4=25$

19.42 크러스칼-월리스 검정을 적용하라. 다음의 통계량들을 사용하면서 모집단들의 위치가 다르다고 추론할 수 있는 충분한 통계적 증거가 존재하는지 10%의 유의수준에서 검정하라.

$T_1=3,741$ $n_1=47$
$T_2=1,610$ $n_2=29$
$T_3=4,945$ $n_3=67$

19.43 <Xr19-43> 다음의 데이터를 사용하면서 5%의 유의수준에서 모집단들의 위치가 다른지 결정하기 위한 크러스칼-월리스 검정을 수행하라. ($\alpha=.05$를 사용하라.)

표본 1	27	33	18	29	41	52	75
표본 2	37	12	17	22	30		
표본 3	19	12	33	41	28	18	

19.44 <Xr19-44> 다음의 데이터가 주어진 경우 크러스칼-월리스 검정을 사용하면서 5%의 유의수준에서 적어도 두 모집단이 다르다고 추론할 수 있는 충분한 증거가 존재하는지 결정하라. ($\alpha=.05$를 사용하라.)

표본 1	25	15	20	22	23
표본 2	19	21	23	22	28
표본 3	27	25	22	29	28

연습문제 19.45를 풀기 위해서는 컴퓨터와 소프트웨어를 사용하여야 한다.

19.45 **a.** <Xr19-45a> 각각 50명으로 구성된 4개의 임의표본에 속한 각 사람에게 사용의 편의성을 기준으로 4개의 다른 컴퓨터 프린터를 평가하도록 요청하였다. 응답은 다음과 같은 4가지 중의 하나로 정리되었다.

사용하기 매우 쉽다
사용하기 쉽다
사용하기 어렵다
사용하기 매우 어렵다

응답은 4-3-2-1 시스템을 사용하면서 코드로 처리되었다. 이 데이터는 5%의 유의수준에서 4개의 프린터 간에 평가의 차이가 존재한다고 추론할 수 있는 충분한 증거를 제공하는가?

b. <Xr19-45b> 응답에 대하여 25-22-5-2 시스템을 사용하면서 코드가 재부여되었다. 이 데이터는 5%의 유의수준에서 4개의 프린터 간에 평가의 차이가 존재한다고 추론할 수 있는 충분한 증거를 제공하는가?

c. 왜 a와 b의 결과는 동일한가?

19.46 <Xr19-46> 적어도 두 모집단의 위치가 다르다고 결론내릴 수 있는지 결정하기 위해 다음의 표에 있는 데이터를 사용하여 프리드만 검정을 수행하라. ($\alpha=.10$을 사용하라.)

블럭	처리 1	2	3	4
1	10	12	15	9
2	8	10	11	6
3	13	14	16	11
4	9	9	12	13
5	7	8	14	10

19.47 <Xr19-47> 다음의 데이터는 블럭실험으로부터 생성되었다. 적어도 두 모집단의 위치가 다른지 결정하기 위해 프리드만 검정을 수행하라. (α=.05를 사용하라.)

블럭	처리 1	2	3
1	7.3	6.9	8.4
2	8.2	7.0	7.3
3	5.7	6.0	8.1
4	6.1	6.5	9.1
5	5.9	6.1	8.0

연습문제 19.48~19.64를 풀기 위해서는 컴퓨터와 소프트웨어를 사용하여야 한다. 5%의 유의수준을 사용하라.

19.48 a. <Xr19-48a> 임의표본으로 추출된 30명에게 4개의 프리미엄 커피 브랜드 각각을 평가하도록 요청하였다. 평가등급은 다음과 같다.

우수
양호
보통
불량

응답에 대하여 1~4의 수치 중 하나가 각각 부여되었다. 4개의 커피 브랜드에 대한 평가들 간에 차이가 존재한다고 추론할 수 있는가?

b. <Xr19-48b> 코드가 각각 12, 31, 66, 72였다고 하자. 4개의 커피 브랜드에 대한 평가들 간에 차이가 존재한다고 추론할 수 있는가?

c. a와 b의 답을 비교하라. 왜 두 답은 동일한가?

19.49 a. <Xr19-49> 예제 19.6을 참조하라. 수치가 퍼센트 범위의 중간점이 되도록 응답에 대하여 코드가 다음과 같이 재부여되었다고 하자.

97.5=후보자가 지원자들 중에서 상위 5%에 속한다.
92.5=후보자가 지원자들 중에서 상위 10%에 속하나 상위 5%에는 속하지 않는다.
82.5=후보자가 지원자들 중에서 상위 25%에 속하나 상위 10%에는 속하지 않는다.
62.5=후보자가 지원자들 중에서 상위 50%에 속하나 상위 25%에는 속하지 않는다.
25 =후보자가 지원자들 중에서 하위 50%에 속한다.

4명의 경영자가 부여한 평가들 간에 차이가 존재한다고 결론내릴 수 있는가?

b. a의 답과 예제 19.6에서 얻은 답을 비교하라. 두 답이 동일한가? 그 이유를 설명하라.

19.50 <Xr19-50> 통계학을 가르치는 3가지 방법 간에 차이가 존재하는지 결정하기 위해 한 경영통계학 교수는 그의 과목에서 3개의 섹션 각각을 다른 방법을 사용하여 가르쳤다. 첫 번째 섹션에서 그는 강의하는 방식으로 가르쳤다. 두 번째 섹션에서 그는 사례분석 방법으로 가르쳤다. 세 번째 섹션에서 그는 컴퓨터 소프트웨어를 주로 사용하였다. 학기 말에 각 학생에게 7점 기준(1=형편없음, 2=불량, 3=보통, 4=평균, 5=양호, 6=매우 양호, 7=우수)으로 과목을 평가하도록 요청하였다. 이 교수는 각 섹션으로부터 25개의 평가표를 임의로 선

택하였다. 3가지 강의 방법 중 적어도 두 가지 방법 간에 학생만족도의 차이가 존재한다는 증거가 존재하는가?

19.51 <Xr19-51> MBA 프로그램의 지원자는 GMAT (Graduate Management Admission Test) 시험을 보아야 한다. GMAT를 준비하는 데 도움을 주는 회사들이 있다. 이와 같은 회사들의 도움이 작동하는지와 작동한다면 어느 과목을 지원하는 것이 가장 좋은지 결정하기 위해서 한 실험이 수행되었다. 수백 명의 MBA 지원자들을 대상으로 서베이가 실시되었으며 각 지원자에게 GMAT 점수와 GMAT 준비과목을 수강했다면 어느 과목인지 보고하도록 요청하였다. 응답은 과목 A, 과목 B, 과목 C, 준비과목 수강하지 않음 중의 하나였다. 이 데이터로부터 4그룹 간에 GMAT 점수의 차이가 존재한다고 추론할 수 있는가?

19.52 <Xr19-52> 10명의 심판관은 4개의 다른 오렌지 주스 브랜드의 품질을 시험하도록 요청받았다. 심판관들은 5점 기준(1=나쁨, 2=불량, 3=평균, 4=양호, 5=우수)을 사용하면서 점수를 부여하였다. 이에 대한 결과는 다음과 같이 나타났다. 4개의 오렌지 주스 브랜드 간에 품질의 차이가 존재한다고 결론내릴 수 있는가?

	오렌지 주스 브랜드			
심판관	1	2	3	4
1	3	5	4	3
2	2	3	5	4
3	4	4	3	4
4	3	4	5	2
5	2	4	4	3
6	4	5	5	3
7	3	3	4	4
8	2	3	3	3
9	4	3	5	4
10	2	4	5	3

19.53 <Xr19-53> 한 전자제품소매점 체인의 경영자는 새로운 가게의 입지에 대하여 결정하려 하고 있다. 철저한 분석을 한 후에 선택범위가 3개의 입지로 압축되었다. 의사결정에 있어서 하나의 중요한 요인은 각 입지를 통과하는 사람들의 수이다. 하루에 각 입지를 통과하는 사람의 수가 30일 동안 조사되었다.

a. 입지들이 다른지 결정하기 위해 어떤 기법들이 고려되어야 하는가? 필요조건들은 무엇인가? 당신은 하나의 기법을 어떻게 선택하는가?

b. 경영자는 각 입지를 통과하는 사람의 수가 정규분포를 따르지 않으면 3개 입지를 각각 통과하는 사람의 수에 차이가 존재한다고 결론내릴 수 있는가?

19.54 <Xr19-54> 최근에 미국 우정청에 대한 신뢰의 부족 때문에 많은 회사들은 그들의 모든 편지를 민간 신속배달회사를 통하여 보내게 되었다. 한 대기업은 3개의 신속배달회사 중에서 전속배달회사로 활동할 회사를 선택하는 과정에 있다. 이에 관한 의사결정을 돕기 위해 한 실험이 수행되었다. 한 도시의 어느 한 지점으로 하루 중 12회의 다른 시간에 3개의 신속배달회사 각각을 사용하여 편지들이 보내졌다. 편지의 배달을 위해 걸리는 시간(분 기준)이 기록되었다. 3개의 신속배달회사 간에 편지의 배달시간에 차이가 존재한다고 결론내릴 수 있는가? (이 연습문제는 데이터를 제외하고 연습문제 14.43과 동일하다.)

19.55 <Xr19-55> 한 인력회사의 경영자는 자기 회사의 광고프로그램을 검토하는 과정에 있다. 현재 이 회사는 컴퓨터 프로그래머, 비서, 응접요원을 포함하여 매우 다양한 구직 상황을 3개의 지역신문 각각에 광고한다. 이 경영자는 구직에 관한 문의의 수에서 3개의 신문 간에 차이가 존재한다고 결정할 수 있으면 한 개의 신

문만을 사용하기로 결정하였다. 다음과 같은 실험이 수행되었다. 일주일(6일) 동안 6개의 구직 상황이 3개의 신문 각각에 광고되었다. 구직에 관한 문의의 수가 기록되었고 이에 대한 결과가 다음의 표와 같이 정리되었다.

구직 광고	신문 1	신문 2	신문 3
응접요원	14	17	12
시스템분석가	8	9	6
비서	25	20	23
컴퓨터프로그래머	12	15	10
법률비서	7	10	5
사무실 관리자	5	9	4

a. 의사결정을 하는 데 있어서 어떤 기법들이 고려되어야 하는가? 필요조건들은 무엇인가? 필요조건들이 충족되는지 어떻게 결정하는가?

b. 데이터가 정규분포를 따르지 않는다고 가정하면, 잠재 종업원을 끌어들이는 신문들의 능력 간에 차이가 존재한다고 결론내릴 수 있는가?

19.56 <Xr19-56> 전국적인 또는 지역적인 기준이 존재하지 않기 때문에 대학입학허가위원회가 서로 다른 고등학교 졸업생들을 비교하는 것은 어려운 일이다. 대학행정 담당자들은 학점 기준이 낮은 고등학교에서 평균이 80%인 학생은 학점 기준이 높은 고등학교에서 평균이 70%인 학생과 동등할 수 있다는 것을 알았다. 좀 더 공정하게 지원자들을 비교하기 위해 한 예비연구가 수행되었다. 전년도에 입학허가되었던 4개의 지역 고등학교 출신 학생들로 구성된 4개의 임의표본이 추출되었다. 모든 학생들은 70%~80%의 평균을 가지고 경영학 프로그램에 입학하였다. 이 대학에서 첫 번째 연도에 취득한 그들의 평균 학점이 계산되었다. 이 대학의 입학허가 담당자는 4개 고등학교 간에 학점 기준의 차이가 존재한다고 결론내릴 수 있는가? (이 연습문제는 데이터를 제외하고 연습문제 14.9와 동일하다.)

19.57 <Xr19-57> 많은 북미인들은 심장마비를 발생시킬 수 있는 높은 수준의 콜레스테롤 때문에 고통을 겪는다. (280 이상의) 매우 높은 수준의 콜레스테롤을 가지고 있는 사람들에 대하여 의사들은 콜레스테롤 수준을 감소시키는 약을 처방한다. 최근에 한 제약회사는 콜레스테롤 수준을 감소시키는 4가지 약을 개발하였다. 4가지 약의 효능에 차이가 있는지 결정하기 위해 한 실험이 수행되었다. 이 제약회사는 콜레스테롤 수준이 280 이상인 4명의 남성으로 구성된 25개의 그룹을 선택하였다. 각 그룹에 속한 남성들은 연령과 체중에 의해 선정되었다. 4가지의 약이 2개월 동안 복용되었고 콜레스테롤 수준의 감소크기가 기록되었다. 이 데이터로부터 이 제약회사는 4가지의 새로운 약 간에 차이가 존재한다고 결론내릴 수 있는가? (이 연습문제는 데이터를 제외하고 예제 14.3과 동일하다.)

19.58 <Xr19-58> 한 유명한 소프트드링크 회사는 100년 전에 처음 도입된 이후 동일한 비법을 사용하고 있다. 그러나 시장점유율이 하락하는 것에 대응하여 이 회사의 사장은 비법의 변화를 고려하고 있다. 그는 두 가지의 대안 비법을 개발하였다. 한 예비연구에서 그는 20명에게 원래의 비법과 두 가지의 새로운 비법으로 만든 제품을 맛보도록 요청하였다. 그는 각 사람에게 5점 기준(1=엉망, 2=불량, 3=보통, 4=양호, 5=뛰어남)으로 자기 회사 제품의 맛을 평가하도록 요청하였다. 이 회사의 사장은 제품들의 평가 간에 유의한 차이가 존재하지 않으면 비법을 변화시키지 않기로 결정하였다. 3개 비법의 평가에 차이가 존재한다고 결론내릴 수 있는가?

19.59 <Xr19-59> 패스트푸드 레스토랑의 경영자는 고객들이 식품의 질, 서비스, 레스토랑의 청결상태에 대하여 어떻게 평가하는지에 대하여 매우 큰 관심을 가지고 있다. 고객들에게 고객의견카드를 채울 기회가 주어졌다. 한 프랜차이즈는 고객들이 3개의 시간대(오후 4시~자정, 자정~오전 8시, 오전 8시~오후 4시)에 대하여 어떻게 평가하는지 비교하기 원한다고 하자. 한 예비연구에서 각 시간대별로 100개의 고객의견카드가 임의로 선택되었다. 서비스의 속도와 관련된 질문에 대한 응답은 4=우수, 3=양호, 2=보통, 1=불량의 코드를 사용하여 기록되었다. 이 데이터는 5%의 유의수준에서 고객들이 3개의 시간대 간에 서비스의 속도가 다르다고 인식한다고 추론할 수 있는 충분한 증거를 제공하는가?

19.60 <Xr19-60> 한 소비자 테스트서비스 기관은 4개 배수촉진제 브랜드의 효과를 비교하고 있다. 각 제품을 50개의 막힌 싱크에 대하여 사용하고 배수가 막히지 않게 될 때까지 걸리는 시간을 측정하는 실험이 수행되었다. 기록된 시간은 분 단위로 측정되었다.

a. 4개 배수촉진제 브랜드 간에 차이가 존재하는지 결정하기 위해 적용될 수 있는 기법들은 무엇인가? 필요조건들은 무엇인가? 당신의 결론은 무엇인가?

b. 만일 통계분석이 측정된 시간이 정규분포를 따르지 않는다는 것을 보여주면, 소비자 테스트서비스 기관은 4개 배수촉진제 브랜드가 작동하는 속도 간에 차이가 존재한다고 결론내릴 수 있는가?

19.61 <Xr19-61> 지난 대통령 선거기간 동안 Gallup은 임의표본으로 추출된 30명의 등록된 민주당원을 대상으로 1월에, 다른 30명의 등록된 민주당원을 대상으로 2월에, 또 다른 30명의 등록된 민주당원을 대상으로 3월에 서베이를 실시하였다. 90명 민주당원 모두에게 " 당신의 주에서 민주당이 대통령 선거에서 승리할 가능성을 평가하도록" 요청하였다. 응답의 내용과 코드는 높은 가능성(4), 양호한 가능성(3), 보통의 가능성(2), 낮은 가능성(1)이었다. 이 데이터로부터 민주당이 대통령 선거에서 승리할 가능성에 대한 민주당원의 평가는 3개월의 기간 동안 변화했다고 추론할 수 있는가?

19.62 <Xr19-62> 다수의 광고를 만들고 임의표본으로 추출된 잠재고객들에게 여러 가지 차원에서 광고를 평가하도록 요청하는 것이 광고업계의 일반적인 관행이다. 한 광고회사가 새로운 아침식사용 시리얼을 위한 4개의 광고를 개발하여 임의표본으로 추출된 400명의 고객에게 각 광고의 신뢰성을 평가하도록 요청하였다고 하자. 100명의 고객은 광고 1을 보았고 다른 100명의 고객은 광고 2를 보았다. 또 다른 100명의 고객은 광고 3을 보았으며 나머지 100명의 고객은 광고 4를 보았다. 평가는 매우 믿을 만하다(4), 상당히 믿을 만하다(3), 어느 정도 믿을 만하다(2), 전혀 믿을 수 없다(1) 중의 하나로 이루어졌다. 이 회사의 경영진은 4개의 광고 간에 신뢰성의 차이가 존재한다고 결론내릴 수 있는가?

19.63 <Xr19-63> 대학생들은 4년의 기간 동안 학년이 올라감에 따라 그들의 대학 팀을 더 지원하게 되는가? 이 질문에 대답하기 위해 학생들이 임의표본으로 추출되었다. 각 학생에게 학년(1학년, 2학년, 3학년, 4학년)과 대학의 풋볼팀인 Hawks를 얼마나 지원하는지 물었다. 후자의 질문에 대한 응답은 다음 중의 하나로 정리되었다.

매우 열광적으로 Hawks를 지원한다.
전심으로 Hawks를 지원한다.

Hawks를 지원하지만 열정적으로는 아니다.
전혀 Hawks를 지원하지 않는다.

응답은 4-3-2-1 시스템을 사용하여 코드로 기록되었다. 학생들의 4개 학년수준 간에 Hawks를 지원하는 데 차이가 존재한다고 결론내릴 수 있는가?

19.64 <Xr19-64> 한 학생이 새로운 스캐너를 구매하려고 서로 다른 스캐너의 사용자들을 대상으로 실시한 한 서베이의 결과를 보고한 웹 사이트를 방문하였다. 5개의 브랜드를 대상으로 사용의 편의도를 기준으로 평가한 133개의 응답이 정리되어 있었다. 서베이의 응답은 다음과 같이 정리되었다.

매우 쉽다
쉽다
쉽지 않다
어렵다
매우 어렵다

각 응답에 대하여 1부터 5까지의 수치 중 하나가 부여되었다. 인지된 사용 편의도가 5개의 스캐너 브랜드 간에 차이가 존재한다고 추론할 수 있는가?

19.4 스피어만 순위상관계수

제16.4절에서는 두 구간변수 간에 선형관계의 증거가 존재하는지 결정할 수 있도록 해주는 상관계수에 대한 검정이 소개되었다. ρ에 대한 t 검정을 위한 필요조건은 두 변수가 이변량 정규분포를 따라야 한다는 것이다. 그러나 많은 경우에 한 변수 또는 두 변수 모두가 서열변수이거나 두 변수가 모두 구간변수이지만 정규분포의 조건을 충족시키지 못할 수 있다. 이와 같은 경우에 비모수 기법인 **스피어만 순위상관계수**(Spearman rank correlation coefficient)를 사용하여 두 변수 간의 관계가 존재하는지 결정하는 검정이 수행된다.

스피어만 순위상관계수는 앞에서 소개된 모든 비모수 기법들과 같이 먼저 데이터의 순위를 정하면서 계산된다. 이어서 순위들의 **피어슨 상관계수**(Pearson correlation coefficient)가 계산된다. 모집단 스피어만 상관계수는 ρ_s로 표시되고 이 값을 추정하기 위해 사용되는 표본통계량은 r_s로 표시된다.

표본 스피어만 순위상관계수

$$r_s = \frac{s_{ab}}{s_a s_b}$$

a와 b는 각각 x와 y의 순위들이다. s_{ab}는 순위들의 공분산이고 s_a와 s_b는 순위들의 표준편차이다.

두 변수 간의 관계가 존재하는지 결정하기 위한 검정을 수행할 수 있다. 검정하여야 하는 귀무가설과 대립가설은 다음과 같이 설정된다.

$H_0: \rho_S = 0$

$H_1: \rho_S \neq 0$

(물론 단측검정도 수행될 수 있다.) 검정통계량은 r_s이다. 귀무가설을 기각하기에 충분할 만큼 r_s의 값이 큰지 결정하기 위해 단측검정을 위한 검정통계량의 임계값을 정리한 부록 B의 표 11을 참조하라. 양측검정을 수행하기 위해서는 α의 값이 두배가 되어야 한다. 부록 B의 표 11은 $\alpha = .01$, .025, .05와 $n = 5 \sim 30$인 경우에 해당되는 임계값을 정리한 것이다. n이 30보다 클 때, r_s는 근사적으로 평균이 0이고 표준편차가 $1/\sqrt{n-1}$인 정규분포를 따른다. 따라서 $n > 30$인 경우 검정통계량은 박스 안에 제시된 것과 같다.

$n > 30$일 때 $\rho_s = 0$을 검정하기 위한 검정통계량

$$z = \frac{r_s - 0}{1/\sqrt{n-1}} = r_s\sqrt{n-1}$$

$r_s\sqrt{n-1}$은 표준정규분포를 따른다.

표 19.5 스피어만 순위상관계수의 임계값

α의 값은 $H_0: \rho_s = 0$에 대한 단측검정을 위한 유의수준이다. 양측검정을 위한 유의수준은 2α이다.

n	$\alpha = .05$	$\alpha = .025$	$\alpha = .01$
5	.900	—	—
6	.829	.886	.943
7	.714	.786	.893
8	.643	.738	.833
9	.600	.683	.783
10	.564	.648	.745
11	.523	.623	.736
12	.497	.591	.703
13	.475	.566	.673
14	.457	.545	.646

(계속)

표 19.5 스피어만 순위상관계수의 임계값 (계속)

15	.441	.525	.623
16	.425	.507	.601
17	.412	.490	.582
18	.399	.476	.564
19	.388	.462	.549
20	.377	.450	.534
21	.368	.438	.521
22	.359	.428	.508
23	.351	.418	.496
24	.343	.409	.485
25	.336	.400	.475
26	.329	.392	.465
27	.323	.385	.456
28	.317	.377	.448
29	.311	.370	.440
30	.305	.364	.432

예제 19.7

DATA Xm19-07

적성검사점수와 성과평가의 관계에 대한 검정

한 기업의 생산운영관리자는 생산라인 근로자들을 고용하기 전의 적성검사점수와 근무를 시작한 후 3개월 후에 근로자들이 받는 성과평가 간의 관계를 조사하기 원한다. 이와 같은 연구결과로부터 이 기업은 추천서를 포함하여 확보된 다른 직장에서의 근무경력정보와 비교하여 상대적으로 적성검사에 얼마만큼의 가중치를 부여하여야 하는지 결정할 수 있다. 적성검사성적은 0부터 100까지의 범위를 가진다. 근로자의 성과평가는 다음과 같이 이루어진다.

1 = 종업원은 상당한 정도 평균 이하의 성과를 내었다.
2 = 종업원은 약간 평균 이하의 성과를 내었다.
3 = 종업원은 평균 수준의 성과를 내었다.
4 = 종업원은 약간 평균 이상의 성과를 내었다.
5 = 종업원은 상당한 정도 평균 이상의 성과를 내었다.

임의표본으로 추출된 40명의 생산직 근로자들은 다음에 정리된 결과를 가지고 있었다. 이 기업의 생산관리자는 5%의 유의수준에서 적성검사점수는 성과평가와 상관관계를 가지고 있다고 추론할 수 있는가?

근로자	적성검사점수	성과평가	근로자	적성검사점수	성과평가
1	59	3	21	52	3
2	47	2	22	62	5
3	58	4	23	54	2
4	66	3	24	50	3
5	77	2	25	57	1
6	57	4	26	59	5
7	62	3	27	66	4
8	68	3	28	84	5
9	69	5	29	56	2
10	36	1	30	61	1
11	48	3	31	53	4
12	65	3	32	76	3
13	51	2	33	42	4
14	61	3	34	59	4
15	40	3	35	58	2
16	67	4	36	66	4
17	60	2	37	58	2
18	56	3	38	53	1
19	76	3	39	63	5
20	71	2	40	85	3

해답 **선택**

문제의 목적은 두 변수 간의 관계를 분석하는 것이다. 적성검사점수는 구간데이터이나 성과평가는 서열데이터이다. 적성검사점수를 마치 서열데이터인 것처럼 취급하면서 스피어만 순위상관계수가 계산된다. 주어진 질문에 답하기 위해 귀무가설과 대립가설은 다음과 같이 설정된다.

$H_0: \rho_s = 0$

$H_1: \rho_s \neq 0$

계산

직접계산

동순위의 경우에 평균 순위를 부여하면서 각 변수에 대한 순위가 정해진다. 원래의 데이터와 각 변수의 순위는 다음과 같다.

근로자	적성검사점수	순위 *a*	성과평가	순위 *b*
1	59	20	3	20.5
2	47	4	2	9
3	58	17	4	31.5
4	66	30	3	20.5
5	77	38	2	9
6	57	14.5	4	31.5
7	62	25.5	3	20.5
8	68	33	3	20.5
9	69	34	5	38
10	36	1	1	2.5
11	48	5	3	20.5
12	65	28	3	20.5
13	51	7	2	9
14	61	23.5	3	20.5
15	40	2	3	20.5
16	67	32	4	31.5
17	60	22	2	9
18	56	12.5	3	20.5
19	76	36	3	20.5
20	71	35	2	9
21	52	8	3	20.5
22	62	25.5	5	38
23	54	11	2	9
24	50	6	3	20.5
25	57	14.5	1	2.5
26	59	20	5	38
27	66	30	4	31.5
28	84	39	5	38
29	56	12.5	2	9
30	61	23.5	1	2.5
31	53	9.5	4	31.5
32	76	37	3	20.5
33	42	3	4	31.5
34	59	20	4	31.5
35	58	17	2	9
36	66	30	4	31.5

근로자	적성검사점수	순위 a	성과평가	순위 b
37	58	17	2	9
38	53	9.5	1	2.5
39	63	27	5	38
40	85	40	3	20.5

먼저 다음과 같은 합의 값들이 계산된다.

$$\sum a_i b_i = 18{,}319$$
$$\sum a_i = \sum b_i = 820$$
$$\sum a_i^2 = 22{,}131.5$$
$$\sum b_i^2 = 21{,}795.5$$

간편계산공식을 사용하면서 순위들 간의 표본공분산이 다음과 같이 계산된다.

$$s_{ab} = \frac{1}{n-1}\left[\sum a_i b_i - \frac{\sum a_i \sum b_i}{n}\right] = \frac{1}{40-1}\left[18{,}319 - \frac{(820)(820)}{40}\right] = 38.69$$

순위들의 표본분산은 다음과 같이 계산된다.

$$s_a^2 = \frac{1}{n-1}\left[\sum a_i^2 - \frac{\left(\sum a_i\right)^2}{n}\right] = \frac{1}{40-1}\left[22{,}131.5 - \frac{(820)^2}{40}\right] = 136.45$$

$$s_b^2 = \frac{1}{n-1}\left[\sum b_i^2 - \frac{\left(\sum ab_i\right)^2}{n}\right] = \frac{1}{40-1}\left[21{,}795.5 - \frac{(820)^2}{40}\right] = 127.83$$

순위들의 표본표준편차는 다음과 같다.

$$s_a = \sqrt{s_a^2} = \sqrt{136.45} = 11.68$$
$$s_b = \sqrt{s_b^2} = \sqrt{127.83} = 11.31$$

따라서 표본 스피어만 순위상관계수는 다음과 같이 계산된다.

$$r_s = \frac{s_{ab}}{s_a s_b} = \frac{38.69}{(11.68)(11.31)} = .2929$$

검정통계량의 값과 p-값은 다음과 같다.

$$z = r_s\sqrt{n-1} = .2929\sqrt{40-1} = 1.8292$$

p-값 $= 2P(Z > 1.8292) = 2 \times .33685 = .06737$ (엑셀함수 = NORM.S.DIST 이용)

Do It Yourself Excel

Excel Workbook

	A	B	C	D
1	**Spearman Rank Correlation Test**			
2				
3	**Spearman Rank Correlation Coefficient**	0.2930	**Z Stat**	**1.8292**
4	**Sample Size**	40	**P(Z<=z) one-tail**	**0.0336**
5	**Alpha**	0.05	**z Critical one-tail**	**1.6449**
6			**P(Z<=z) two-tail**	**0.0674**
7			**z Critical two-tail**	**1.9600**

지시사항

1. 인접한 열들에 데이터를 입력하거나 <Xm19-07>을 불러들여라.
2. RANK.AVG를 사용하여 데이터를 순위로 전환하라. 이 예제에서 데이터가 열 B와 열 C에 정리되어 있다고 가정하면서 다음과 같이 입력하라.

   =RANK.AVG(B2,B$2:B$41,1)

   이것을 끌어내려 열 D를 채워라. 이러한 작업을 반복하면서 열 C에 정리되어 있는 데이터 의 순위를 열 E에 저장하라.
3. 순위상관계수를 계산하라. 임의의 비어 있는 셀에 다음과 같이 입력하라.

   =CORREL(D2:D41, E2:E41)

4. Nonparametric Techniques workbook을 열고 Spearman Rank Correlation Test를 선택하라.
5. 스피어만 순위상관계수, 표본크기, α의 값 (0.05)을 입력하라.

해석 검정통계량의 값은 z=1.8292이고 검정의 p-값=.0674이다. 5%의 유의수준에서 적성검사점수와 성과평가가 관련되어 있다는 충분한 증거가 존재하지 않는다.

연습문제

19.65 다음과 같은 가설을 검정하라.

$H_0: \rho_s = 0$

$H_1: \rho_s \neq 0$

$n = 50 \quad r_s = .23 \quad \alpha = .05$

19.66 $r_s = .15$와 $n = 12$인 경우 두 서열변수 간에 양의 상관관계가 존재한다고 5%의 유의수준에서 추론할 수 있는 충분한 증거가 존재하는가?

19.67 <Xr19-67> 한 통계학과 학생이 7명의 1년차 경제학과 학생에게 필수과목인 수학 과목과 경제학 과목의 학점을 보고하도록 요청하였다. 이에 대한 결과(1=F, 2=D, 3=C, 4=B, 5=A)는 다음과 같다.

수학	4	2	5	4	2	2	1
경제학	5	2	3	5	3	3	2

스피어만 순위상관계수를 계산하고 두 과목의 학점 간에 상관관계가 존재한다고 추론할 수 있는지 검정하라. ($\alpha = .05$를 사용하라.)

19.68 <Xr19-68> 30분간 진행되는 텔레비전 프로그램에서 방영되는 광고의 수는 시청자들이 이 프로그램을 평가하는 데 영향을 주는가? 한 예비연구에서 8명에게 시츄에이션 코미디를 시청하고 이 쇼를 평가하도록(1=매우 나쁨, 2=나쁨, 3=보통, 4=양호, 5=매우 양호) 요청하였다. 각 사람에게 30초 광고의 수를 다르게 보여주었다. 이에 대한 데이터가 다음과 같이 정리되어 있다. 스피어만 순위상관계수를 계산하고 광고 수와 텔레비전 프로그램의 평가 간에 상관관계가 존재하는지 10%의 유의수준에서 결정하기 위한 검정을 수행하라.

광고의 수	1	2	3	4	5	6	7	8
프로그램의 평가	4	5	3	3	3	2	3	1

19.69 <Xr19-69> 13주 동안 두 주식의 주간 수익률이 기록되었고 다음과 같이 정리되어 있다. 수익률이 정규분포를 따르지 않는다고 가정하면서 두 주식의 주간 수익률이 상관관계를 가지고 있다고 5%의 유의수준에서 추론할 수 있는가?

주식 1	−7	−4	−7	−3	2	−10	−10
주식 2	6	6	−4	9	3	−3	7

주식 1	5	1	−4	2	6	−13
주식 2	−3	4	7	9	5	−7

19.70 <Xr19-70> 한 엔지니어링 회사의 관리 담당자는 제도공(draftsman)의 작업경험이 작업의 질에 영향을 미치는지 알기 원한다. 이 담당자는 임의로 24명의 제도공을 선택하였고 그들의 작업경험년수와 그들의 상사에 의해 평가되는 작업의 질에 대한 평가(5=우수, 4=매우 양호, 3=평균, 2=보통, 1=불량)를 기록하였다. 이에 대한 데이터가 다음과 같이 정리되어 있다. 이 데이터로부터 작업경험년수가 작업의 질을 결정하는 요인이라고 추론할 수 있는가? ($\alpha = .05$를 사용하라.)

제도공	작업경험	평가	제도공	작업경험	평가
1	1	1	13	8	2
2	17	4	14	20	5
3	20	4	15	21	3
4	9	5	16	19	2
5	2	2	17	1	1
6	13	4	18	22	3
7	9	3	19	20	4
8	23	5	20	11	3
9	7	2	21	18	5
10	10	5	22	14	4
11	12	5	23	21	3
12	24	2	24	21	1

다음의 연습문제들을 풀기 위해서는 컴퓨터와 소프트웨어를 사용하여야 한다. 5%의 유의수준을 사용하라.

19.71 <Xm16-02> 예제 16.2를 참조하라. 만일 필요조건이 충족되지 않으면, 주행거리와 가격이 관련되어 있는지 결정하기 위한 더 적정한 검정을 수행하라.

19.72 <Xr19-72> 대학과 전문대학에서 대부분 과목의 강의가 종료되는 시점에 강의평가가 이루어진다. 일부 교수들은 학생들이 평가항목들을 채우는 방식이 해당되는 과목에서 얼마나 잘 했는지에 의해 결정된다고 믿는다. 이와 같은 믿음을 검정하기 위해 강의평가의 임의표본이 선택되었다. 두 가지의 질문과 답변이 기록되었다. 질문과 답은 각각 다음과 같다.

a. 당신은 이 과목을 어떻게 평가하는가?

1. 불량 2.보통 3. 양호 4. 매우 양호 5. 우수

b. 당신은 이 과목에서 어떤 학점을 기대하는가?

1. F 2. D 3. C 4. B 5. A

일부 교수들의 믿음이 옳다고 결론내릴 수 있는 충분한 증거가 존재하는가?

19.73 <Xr19-73> 많은 사람들은 가슴앓이로 고통을 받는다. 그러나 이와 같은 문제는 나이가 들면서 더 증가할 수 있는 것으로 보인다. 한 제약회사에서 일하는 한 연구원은 연령과 가슴앓이의 정도가 서로 관련되어 있는지 알기 원하였다. 325명의 성인이 임의표본으로 추출되었다. 각 사람에게 자기의 연령을 말하고 가슴앓이의 심각성을 평가(1=낮은 정도, 2=중간 정도, 3=높은 정도, 4=매우 높은 정도)하도록 요청하였다. 이 데이터는 연령이 많은 사람일수록 더 심각한 가슴앓이를 겪는다는 충분한 증거를 제공하는가?

19.74 <Xr16-06> 연습문제 16.6에서 수행된 검정의 필요조건이 충족되지 않는다고 가정하라. 주어진 데이터로부터 광고시간이 길수록 기억력 시험점수가 높다고 결론내릴 수 있는가?

19.75 <Xr16-08> 연습문제 16.8에서 정규분포의 조건이 충족되지 않는다고 가정하라. 콘도미니엄의 가격과 층수가 상관관계를 가지는지 결정하기 위한 검정을 수행하라.

19.76 <Xr19-76> 담배를 끊은 많은 사람들은 체중증가를 경험한다. 많은 사람들은 담배를 끊은 후에 음식의 맛이 좋아졌기 때문이라고 설명한다. 흡연과 입맛의 관계를 조사하기 위해 한 연구원은 임의로 280명의 흡연자를 표본으로 추출하였다. 그들에게 하루에 평균적으로 몇 개의 담배를 피우는지 물었다. 이에 더하여 각자에게 바닐라 아이스크림을 맛보고 평가하도록 요청하였다. 이에 대한 응답은 5=우수, 4=매우 양호, 3=양호, 2=보통, 1=불량 중의 하나이다. 이 연구원은 담배를 많이 피울수록 미각이 덜하다고 추론할 수 있는가?

19.77 <Xr19-77> 스포츠를 대상으로 하는 도박은 미국과 캐나다에서 큰 비즈니스이다. 한 텔레비전 임원은 프로풋볼을 대상으로 거는 금액이 시청자가 프로풋볼을 즐기는 정도에 영향을 미치는지 알기 원한다. 정기적으로 일요일 오후에 프로풋볼을 시청하면서 경기결과를 대상으로 돈을 거는 200명의 남성이 임의표본으로 추출되었다. 그들에게 시청했던 게임에 건 금액을 보고하고 경기를 즐기는 정도를 평가(1=즐기지 않음, 2=어느 정도 즐김, 3=적정히 즐김, 4=매우 즐김)하도록 요청하였다. 이 데이터는 시청자는 거는 금액이 클수록 게임을 더 즐긴다고 결론내릴 수 있는 충분한 증거를 제공하는가?

요약

비모수통계검정(nonparametric statistical test)은 데이터가 서열데이터 또는 구간데이터이지만 정규분포를 따르지 않는 경우의 문제에 적용된다. **윌콕슨 순위합 검정**(Wilcoxon rank sum test)은 데이터가 독립표본들로부터 생성될 때 서열데이터 또는 구간데이터로 구성된 두 모집단을 비교하기 위해 사용된다. **부호검정**(sign test)은 짝진실험으로부터 생성된 서열데이터로 구성된 두 모집단을 비교하기 위해 사용된다. **윌콕슨 부호 순위합 검정**(Wilcoxon signed rank sum test)은 짝진실험으로부터 생성되고 정규분포를 따르지 않는 구간데이터로 구성된 두 모집단을 비교하기 위해 사용된다. 문제의 목적이 독립표본들로부터 생성되고 정규분포를 따르지 않는 서열데이터 또는 구간데이터로 구성된 두 개 이상의 모집단들을 비교하는 경우에는 **크러스칼-월리스 검정**(Kruskal-Wallis test)이 사용된다. **프리드만 검정**(Friedman test)은 표본들이 블럭화되어 있을 때 크러스칼-월리스 검정 대신에 사용된다. 두 변수가 관련되어 있는지 결정하기 위해 **스피어만 순위상관계수**(Spearman rank correlation coefficient)에 대한 검정이 사용된다.

주요 용어

부호검정(sign test)
비모수 기법(nonparametric techniques)
스피어만 순위상관계수(Spearman rank correlation coefficient)
윌콕슨 부호 순위합 검정(Wilcoxon signed rank sum test)
윌콕슨 순위합 검정(Wilcoxon rank sum test)
크러스칼-월리스 검정(Kruskal-Wallis test)
프리드만 검정(Friedman test)

주요 기호

기호	발음	의미
T_i	*T*-sub-*i* or *T*-*i*	표본 *i* (*i*=1, 2, . . . , *k*)의 순위합
T^+	*T*-plus	양의 차이에 대한 순위합
T^-	*T*-minus	음의 차이에 대한 순위합
σ_T	sigma-sub-*T* or sigma-*T*	*T*의 표본분포의 표준편차
ρ_s	Rho-sub-*s* or rho-*s*	스피어만 순위상관계수

주요공식

윌콕슨 순위합 검정통계량

$$T = T^+$$

$$E(T) = \frac{n_1(n_1 + n_2 + 1)}{2}$$

$$\sigma_T = \sqrt{\frac{n_1 n_2(n_1 + n_2 + 1)}{12}}$$

$$z = \frac{T - E(T)}{\sigma_T}$$

부호검정통계량

x = 양의 차이 개수

$$z = \frac{x - .5n}{.5\sqrt{n}}$$

윌콕슨 부호 순위합 검정통계량

$$T = T^+$$

$$E(T) = \frac{n(n+1)}{4}$$

$$\sigma_T = \sqrt{\frac{n(n+1)(2n+1)}{24}}$$

$$z = \frac{T - E(T)}{\sigma_T}$$

크러스칼-월리스 검정통계량

$$H = \left[\frac{12}{n(n+1)}\sum_{j=1}^{k}\frac{T_j^2}{n_j}\right] - 3(n+1)$$

프리드만 검정통계량

$$F_r = \left[\frac{12}{b(k)(k+1)}\sum_{j=1}^{k}T_j^2\right] - 3b(k+1)$$

스피어만 순위상관계수

$$r_s = \frac{s_{ab}}{s_a s_b}$$

스피어만 순위상관계수 검정통계량(n >30인 경우)

$$z = r_s\sqrt{n-1}$$

연습문제

다음의 연습문제들을 풀기 위해서는 컴퓨터와 소프트웨어를 사용하여야 한다. 5%의 유의수준을 사용하라.

19.78 <Xr19-78> 교육과 소득은 관련되어 있는가? 이 질문에 대답하기 위해 임의표본이 추출되었다. 각 사람에게 다음의 교육관련 항목 중 어디에 속하는지 물었다.

1. 고등학교 미만
2. 고등학교 졸업
3. 전문대학 또는 대학 중퇴
4. 대학 졸업
5. 대학원 졸업

이에 추가하여 응답자들에게 다음과 같은 연간 소득 그룹 중 어디에 속하는지 물었다.

1. 25,000달러 미만
2. 25,000달러 이상 40,000달러 미만
3. 40,000달러 이상 60,000달러 미만
4. 60,000달러 이상 100,000달러까지
5. 100,000달러 초과

교육을 많이 받을수록 소득도 더 높은지 결정하기 위한 검정을 수행하라.

19.79 <Xr19-79> 두 가지 강의 방법 중 어느 것이 더 좋은 것으로 인지되는지 결정하기 위한 연구에서 동일한 교수가 마케팅 입문 과목의 두 섹션을 다른 방법으로 가르쳤다. 강의가 종료되는 시점에 각 학생은 이 과목에 대한 강의 평가(1=매우 지루함, 2=어느 정도 지루함, 3=약간 지루함, 4=지루하지도 않고 재미있지도 않음, 5=약간 재미있음, 6=어느 정도 재미있음, 7=매우 재미있음)를 하였다. 두 강의 방법에 대한 평가가 다르다고 결론내릴 수 있는가?

19.80 <Xr19-80> 한 대형 카펫 제조회사의 연구원들은 현재의 염색과정에서 자주 발생되는 줄무늬를 감소시키기 위해 새로운 염색과정을 실험하고 있다. 이 실험에서 15장의 카펫이 새로운 과정을 사용하여 염색되었고 다른 15장의 카펫이 현재의 방법을 사용하여 염색되었다.

각 카펫은 줄무늬의 정도에 따라 5점 기준으로 평가(5=극심하게 줄무늬가 많음, 4=매우 줄무늬가 많음, 3=보통 정도의 줄무늬가 있음, 2=약간의 줄무늬가 있음, 1=전혀 줄무늬가 없음)되었다. 새로운 염색 방법이 더 좋다고 추론할 수 있는 충분한 증거가 존재하는가?

19.81 <Xr19-81> 학생신문의 편집인은 신문의 레이아웃을 전면적으로 개편하고 있는 중에 있다. 그는 사용되는 인쇄활자체를 변화시키는 것도 고려하고 있다. 이에 관한 의사결정을 돕기 위해 그는 20명에게 각 면이 다른 활자체로 인쇄된 4면의 신문을 읽도록 요청하는 실험을 수행하였다. 만일 각 면의 독서속도가 다르면, 가장 빠르게 읽을 수 있는 활자체가 사용될 것이다. 그러나 각 면의 독서속도 간에 차이가 존재한다고 결론내릴 수 있는 충분한 증거가 존재하지 않으면 현재의 활자체가 계속해서 사용될 것이다. 주어진 신문의 각 면을 완전히 읽는 데 걸리는 시간(초 기준)이 기록되었다. 신문 한 면을 완전히 읽는 데 걸리는 시간은 정규분포를 따르지 않는다고 결정되었다. 편집인은 어떤 조치를 취하여야 하는지 결정하라. (이 연습문제는 데이터가 정규분포를 따르지 않는다는 점을 제외하고 연습문제 14.63과 동일하다.)

19.82 <Xr19-82> 제약회사들의 잠재적인 대규모 수익원은 모발성장약 분야이다. 한 대형 제약회사에서 일하는 대표 화학자는 두 가지 새로운 약 중에서 어느 약이 대머리를 가지고 있는 남성들의 모발 성장에 더 효과가 있는지 결정하는 실험을 수행하고 있다. 총 30쌍의 남성이 추출되었다. 각 쌍은 대머리의 정도를 기준으로 짝지어졌다. 각 쌍에서 한 사람은 약 A를 사용하였고 다른 한 사람은 약 B를 사용하였다. 10주가 경과한 후에 남성들의 모발성장 정도가 조사되었고 새로운 모발성장 정도가 다음과 같은 기준으로 평가되었다.

0=전혀 성장하지 않았다.
1=약간 성장하였다.
2=보통 정도 성장하였다.

이 데이터는 약 B가 더 효과적이라는 충분한 증거를 제공하는가?

19.83 <Xr19-83> 새로운 모발의 성장 정도를 정확하게 측정하는 장치가 개발되었고 연습문제 19.82에서 설명된 실험에서 사용되었다. 실험에 참여한 30쌍 남성의 새로운 모발성장률이 기록되었다. 이 데이터로부터 대표 화학자는 약 B가 더 효과적이라고 결론내릴 수 있는가?

19.84 <Xr19-84> 한 출판사의 인쇄부서는 3가지 종류의 책 제본방식 간에 견고성의 차이가 존재하는지 결정하기 원한다. 각 제본방식으로 제본된 25권의 책이 선택되었고 계속해서 책을 펴고 덮는 기계에 넣었다. 페이지들이 제본된 상태로부터 분리되는 때까지 책을 열고 덮는 횟수가 기록되었다.

a. 책 제본방식 간에 견고성의 차이가 존재하는지 결정하기 위해 어떤 기법들이 사용되어야 하는가? 필요조건들은 무엇인가? 당신은 어느 기법이 사용되어야 하는지 어떻게 결정하는가?

b. 책을 열고 덮는 횟수가 정규분포를 따르지 않는 경우 책 제본방식 간에 견고성의 차이가 존재하는지 결정하기 위한 검정을 수행하라.

19.85 <Xr19-85> 최근에 소비자들은 특히 아동용 제품들의 안전문제에 더 많은 관심을 가지게 되었다. 아동용 잠옷을 만드는 한 회사는 불연성을 가지는 소재를 찾고 있다. 새로운 섬유와 현재 사용되는 섬유를 비교하는 실험에서 각 종류의 50장 섬유조각을 불에 노출시켰고 섬유가 불타버릴 때까지 걸리는 시간(초 기준)이 기록되었다. 새로운 소재가 현재 사용하는 소재보다 훨씬 더 비싸기 때문에 이 회사는 새로운 소재가 더 좋다는 것이 증명될 수 있어야

만 새로운 소재를 사용할 것이다. 주어진 데이터에 기초하여 이 회사는 어떻게 해야 하는가?

19.86 <Xr19-86> Samuel's는 패밀리 레스토랑 체인이다. 많은 다른 서비스회사들처럼, Samuel's는 고객의 의견을 알아보기 위해 정기적으로 고객들에 대한 서베이를 실시한다. 이 서베이에 포함되어 있는 질문들 중 두 가지 질문은 다음과 같다.

- 당신은 Samuel's에 방문하였을 때 이 레스토랑의 서비스속도가 느리다(1), 보통이다(2), 빠르다(3)는 것을 발견하였는가?
- 당신은 어느 요일에 Samuel's를 방문하였는가?

임의표본으로 추출된 269명 고객의 응답이 기록되었다. 경영자는 요일들 간에 서비스속도에 대한 고객의 인지도가 다르다고 추론할 수 있는가?

19.87 <Xr19-87> 한 광고회사는 최근에 한 자동차 딜러회사를 위해 만든 두 가지 광고의 상대적 효과를 결정하기 원한다. 이와 같은 광고의 한 가지 중요한 특성은 광고의 신뢰성이다. 이와 같은 광고의 측면을 판단하기 위해 60명이 임의로 선택되었다. 각 사람은 두 가지 광고 모두를 보았고 두 가지 광고에 대하여 5점 기준으로 평가(1=믿을 수 없음, 2=어느 정도 믿을 수 있음, 3=보통 정도 믿을 수 있음, 4=상당한 정도 믿을 수 있음, 5=매우 믿을 수 있음)하였다. 이 데이터는 두 가지 광고 간에 신뢰성의 차이가 존재한다고 추론할 수 있는 충분한 증거를 제공하는가?

19.88 <Xr19-88> 매릴랜드주의 Bethesda에 있는 미국국립노화연구소(U.S. National Institute of Aging)에 있는 연구원들은 청력상실에 대하여 연구하고 있다. 그들은 남성들이 여성들보다 소음수준이 과다한 직장에서 더 많이 일하였기 때문에 남성들이 늙어가면서 같은 연령대의 여성들보다 더 빠르게 청력을 상실할 것이라는 가설을 설정하였다. 그들의 믿음을 검정하기 위해 연구원들은 45세, 46세, 47세, . . . , 78세, 79세, 80세에 해당되는 한 명의 남성과 한 명의 여성을 임의로 선택하였고 각 사람의 청력상실률을 측정하였다. 이 데이터로부터 어떤 결론이 도출될 수 있는가?

19.89 <Xr19-89> 금년에 실시된 한 갤럽 여론조사에서 200명에게 "당신은 가장 많이 읽는 신문이 뉴스를 잘 보도하고 있다고 느끼는가?" 물었다. 10년 전에 다른 200명에게도 동일한 질문을 하였었다. 가능한 응답은 다음과 같다.

3=잘하고 있다.
2=보통 정도 하고 있다.
1=잘하지 못하고 있다.

이 데이터는 사람들이 현재보다 10년 전에 신문들이 뉴스를 더 잘 보도하였다고 인지하고 있다고 추론할 수 있는 충분한 증거를 제공하는가?

19.90 <Xr19-90> 많은 MBA 프로그램에서 지원자들에게 추천서를 보내도록 요구하는 것은 일반적인 관행이다. 일부 대학들은 추천자가 다음과 같은 항목들을 사용하여 지원자를 평가하는 자기 자신의 양식을 가지고 있다.

1. 후보자는 지원자들 중 하위 50%에 속한다.
2. 후보자는 지원자들 중 상위 50%에 속하나 상위 25%에 속하지 않는다.
3. 후보자는 지원자들 중 상위 25%에 속하나 상위 10%에 속하지 않는다.
4. 후보자는 지원자들 중 상위 10%에 속하나 상위 5%에 속하지 않는다.
5. 후보자는 지원자들 중 상위 5%에 속한다.

그러나 다음과 같은 질문이 제기된다. 추천자의 평가가 MBA 프로그램에서 지원자가 얼마나 성과를 내는가와 관련되어 있는가? 이 질문에 대답하기 위해 최근에 졸업한 MBA 출신들이 임의표본으로 추출되었다. 그들 각자에 대하여 추천자의 평가와 MBA GPA가 기록되었다. 이 데이터는 추천자의 평가와 MBA GPA가 관련되어 있다고 추론할 수 있는 충분한 증거를 제시하는가?

19.91 <Xr19-91> 사업차 여행하는 여성들의 수가 증가한다는 것은 호텔 업계에서 여성들이 주요한 고객이 된다는 것을 의미한다. 많은 호텔 체인들은 더 많은 여성들을 끌어들이기 위한 변화를 시도하고 있다. 이와 같은 변화를 해나가는 데 도움을 얻기 위해 한 호텔 체인은 사업차 여행하는 남성과 여성 간에 주요한 차이가 존재하는지 결정하기 위한 연구를 진행시켰다. 100명의 남성 임원과 100명의 여성 임원에게 다양한 문제들에 대하여 질문하였으며 이와 같은 질문 중의 하나로 지난 12개월 동안 사업차 여행한 횟수를 물었다. 이 데이터는 사업차 여행하는 여성과 남성 간에 연간 여행횟수가 차이난다고 결론내릴 수 있는 충분한 증거를 제공하는가?

19.92 <Xr19-92> 어려운 중간시험이 학생들의 교수평가에 미치는 효과를 조사하기 위해 한 통계학 교수는 자기 과목을 수강하는 학생들이 중간시험 이전에 자기의 강의를 평가하도록 하였다. 질문들은 다양한 측면에 대한 의견을 물었지만 마지막 질문이 가장 중요한 것으로 여겨진다. 마지막 질문은 "당신은 교수의 강의전반에 대하여 어떻게 평가하는가?"이다. 가능한 응답은 1=불량, 2=보통, 3=양호, 4=우수이다. 어려운 중간시험을 치른 후에 동일한 강의평가가 다시 실시되었다. 강의를 수강하는 40명 학생 각각이 부여한 중간시험 이전과 이후의 평가점수들이 기록되었다. 이 데이터로부터 이 통계학 교수는 어려운 중간시험의 결과는 학생들의 의견을 부정적으로 만드는 데 영향을 미친다고 결론내릴 수 있는가?

19.93 <Xr19-93> 온타리오주에 있는 Stratford의 건전한 금융상황은 매년 여름에 개최하는 셰익스피어 축제에 매우 크게 의존하고 있다. 수천 명의 사람들이 한 개 이상의 셰익스피어 연극을 관람하고 호텔, 레스토랑, 선물가게에서 돈을 사용하기 위해 Stratford를 방문한다. 따라서 방문객 수가 미래에 감소할 것이라는 징후는 우려의 원인이다. 2년 전에 100명의 방문객을 대상으로 실시한 서베이에서 앞으로 2년 내에 다시 방문할 가능성이 얼마나 되느냐를 물었다. 금년에 이와 같은 서베이가 다른 100명의 방문객을 대상으로 실시되었다. 앞으로 2년 이내에 재방문할 가능성은 다음과 같이 측정되었다.

4=매우 가능성이 높다.
3=어느 정도 가능성이 있다.
2=어느 정도 가능성이 없다.
1=매우 가능성이 없다.

Stratford 시민들은 두 서베이의 결과에 대해서 우려해야 하는지 결정하기 위해 당신이 필요하다고 여기는 통계기법을 사용하여 검정하라.

19.94 <Xr19-94> 과학자들은 아동들의 혈액, 뼈, 피부에 있는 납의 효과를 오랜 기간 동안 연구하고 있다. 납은 지력을 감퇴시키고 다양한 문제들을 발생시킬 수 있는 것으로 알려져 있다. University of Pittsburgh Medical Center의 정신과의사인 Herman Needleman 박사에 의해 수행된 한 연구는 이와 같은 문제들의 일부를 조사하였다. Pittsburgh에 있는 공립학교에 다니는 200명의 소년이 연구를 위해 동원되었다. 각 소년은 뼛속에 들어 있는 납의 수준이 높은 그룹과 낮은 그룹으로 구분되었다. 각 소년은 공격성(aggression)을 기준으로 선생님들에 의해 4점 기준으로 평가(1=낮은 수준, 2=보통 수준, 3=높은 수준, 4=매우 높은 수준)되었다. 뼛속에 들어 있는 납의 수준이 높

은 소년들이 납의 수준이 낮은 소년들보다 더 공격적이라고 추론할 수 있는 충분한 증거가 존재하는가?

19.95 <Xr19-95> 성별이 강의평가에 어떻게 영향을 미치는가? 과거 10년 동안 다수의 연구원들이 이와 같은 질문에 대하여 연구하였다. 한 연구에서 동일한 학과에 소속되어 있고 유사한 교육배경을 가지고 있는 다수의 여성교수들과 남성교수들이 선택되었다. 100명의 여학생이 임의표본으로 추출되었다. 각 학생은 한 명의 여성교수와 한 명의 남성교수에 대하여 평가하였다. 100명의 남학생이 임의표본으로 추출되었고 각 학생도 한 명의 여성교수와 한 명의 남성교수에 대하여 평가하였다. 평가는 4점 기준(1=불량, 2=보통, 3=양호, 4=우수)으로 이루어졌다. 평가결과는 다음과 같은 방식으로 기록되었다.

열 1=여학생
열 2=여성교수에 대한 평가
열 3=남성교수에 대한 평가
열 4=남학생
열 5=여성교수에 대한 평가
열 6=남성교수에 대한 평가

a. 여학생은 남성교수보다 여성교수를 더 높게 평가한다고 추론할 수 있는가?
b. 남학생은 여성교수보다 남성교수를 더 높게 평가한다고 추론할 수 있는가?

19.96 <Xr19-96> 사람이 가지고 태어나는 특성들이 그의 생애에서 중요한 역할을 한다는 것은 불행한 삶의 현실이다. 예를 들면, 인종은 북미인 삶의 거의 모든 측면에서 중요한 요인이다. 키와 체중도 친구, 선생, 고용주, 고객이 당신을 어떻게 취급할 것인지 결정한다. 이제 이와 같은 리스트에 신체적인 매력이 추가될 수 있다. 최근의 한 연구는 한 유명한 미국 법과대학원 졸업생들의 경력을 추적하였다. 일단의 독립적인 평가자들이 졸업생들의 졸업년도 사진을 조사하여 그들의 외모를 매력적이지 못함, 매력적이지도 않고 매력이 없는 것도 아님, 매력적임으로 평가하였다. 졸업한 지 5년 후에 연간 소득이 1,000달러 기준으로 기록되었다. 그들의 연간 소득은 정규분포를 따르지 않는다고 가정하면서 변호사들의 소득은 신체적인 매력에 의해 영향을 받는다고 추론할 수 있는가?

19.97 <Xr19-97> CNN 뉴스보도에 의하면, 풀타임 근로자의 9%는 컴퓨터를 사용하면서 자택근무를 한다. 이것은 그들이 고용주의 사무실에서 일하지 않으나 그 대신 컴퓨터와 모뎀을 사용하면서 자택에서 그들의 일을 수행한다는 것을 의미한다. 이와 같은 근로자들이 자택근무를 하지 않는 근로자들보다 더 만족스러워하는지 조사하기 위해 한 연구가 수행되었다. 자택근무 근로자들과 사무실 근무 근로자들이 임의표본으로 추출되었다. 각 근로자에게 현재의 고용형태에 대하여 얼마나 만족하는지 물어보았다. 응답은 1=매우 불만족, 2=어느 정도 불만족, 3=어느 정도 만족, 4=매우 만족 중의 하나로 이루어졌다. 당신은 이 데이터로부터 어떤 결론을 도출할 수 있는가?

19.98 <Xr19-98> 알코올은 판단에 어떻게 영향을 미치는가? 이에 관한 약간의 통찰을 제공하기 위해 한 실험이 수행되었다. 한 Ohio club의 고객들이 임의표본으로 선택되었다. 각자에게 같은 시간에 클럽에 있었던 반대의 성별을 가진 고객들의 매력을 평가하도록 요청하였다. 매력평가는 5점 기준(1=매우 매력적이지 못함, 2=매력적이 못함, 3=매력적이지도 않고 매력이 없는 것도 아님, 4=매력적임, 5=매우 매력적임)으로 이루어졌다. 이와 같은 서베이는 클럽의 문을 닫기 3시간 전과 다시 한번 다른 그룹의 응답자들을 사용하면서 클럽의 문을 닫기 직전에 수행되었다. 클럽의 문을 닫기

직전의 매력평가가 클럽의 문을 닫기 3시간 전의 매력평가보다 더 높다고 결론내릴 수 있는가? 만일 그렇다면, 이것은 알코올이 판단에 미치는 효과에 관하여 무엇을 시사하는가?

19.99 <Xr19-99> 당신은 운동에 중독될 수 있는가? University of Wisconsin at Madison에서 수행된 한 연구에서 일반적으로 매일 체력을 소진하기까지 열성적으로 운동하는 사람들이 임의표본으로 추출되었다. 그들 각자는 자신의 분위기 상태를 5점 기준(5=매우 편안하고 행복함, 4=어느 정도 편안하고 행복함, 3=중립적인 감정상태, 2=긴장하고 걱정함, 1=매우 긴장하고 걱정함)으로 평가하는 질문에 답하였다. 이어서 그들에게 앞으로 3일 동안 일체의 운동을 하지 말도록 지시하였다. 더욱이 그들에게 가능한 한 몸을 움직이지 말도록 요청하였다. 매일 그들의 분위기 상태가 동일한 질문에 의해 측정되었다. 열 1은 응답자를 식별하는 코드를 저장하고 열 2~5는 실험이 시작되기 직전 일과 실험이 이루어진 3일 동안의 평가를 각각 저장하고 있다.

a. 사람들은 신체적 활동을 하지 않은 날에 운동한 날보다 덜 행복해 한다고 추론할 수 있는가?

b. 이 데이터는 3일차 날까지 분위기가 개선된다는 것을 제시하는가?

c. 당신의 분석결과로부터 두 가지의 가능한 결론을 도출하라.

사례분석 19.1 자동차 서비스센터에 대한 고객의 평가

DATA C19-01

많은 소매점들은 그들의 고객들이 구매 또는 서비스에 대하여 만족하는지와 다시 방문할 것인지 알아보기 위해 정기적으로 그들의 고객들을 대상으로 서베이를 실시한다. 한 하드웨어 가게와 자동차 서비스센터 체인도 이와 같이 정기적으로 고객들을 대상으로 서베이를 실시한다. 자동차 서비스센터는 자동차의 수리가 끝나는 시점에 고객들에게 다음과 같은 양식을 채우도록 요청한다.

Dmitry Kalinovsky/Shutterstock.com

당신이 생각한 것을 말해 주십시오.

당신은 만족합니까?	매우 양호	양호	보통	불량
1. 수행한 작업의 질				
2. 가격의 적정성				
3. 작업과 보증에 대한 설명				
4. 인수과정				

5. 미래에 다시 방문할 것인가? YES NO

134개의 응답지가 임의표본으로 추출되었다. 질문 1～질문 4에 대한 응답은 1=불량, 2=보통, 3=양호, 4=매우 양호의 코드를 사용하면서 각각 열 A～열 D에 저장되어 있다. 질문 5에 대한 응답(2=예, 1=아니오)은 열 E에 저장되어 있다. 열 F에는 긍정적인 코멘트인 경우에 1, 부정적인 코멘트인 경우 2, 노코멘트인 경우 3으로 저장되어 있다.

a. 다시 방문할 것이라고 말한 사람들은 다시 방문하지 않을 것이라고 말한 사람보다 각 질문에 더 높게 평가한다고 추론할 수 있는가?

b. 긍정적인 코멘트를 한 사람들, 부정적인 코멘트를 한 사람들, 코멘트를 하지 않은 사람들 간에는 각 질문에 대한 평가가 다르다고 추론할 수 있는 충분한 증거가 존재하는가?

c. 이 회사의 경영진에게 당신의 분석결과를 설명하는 프리젠테이션을 준비하라.

20

Nuno Andre/Shutterstock.com

시계열 분석과 예측

Time-Series Analysis and Forecasting

이 장의 구성

20.1 시계열의 성분
20.2 평활 기법
20.3 추세와 계절효과
20.4 시계열 예측방법
20.5 시계열 예측모형

주택신축건수의 예측

☞ (896페이지에 모범답안이 제시되어 있다.)

DATA Xm20-00

2017년 말에 미국의 북동부에 있는 한 주요 주택건설회사는 2018년의 주택신축건수를 예측하기 원하였다. 이러한 정보는 주택수요, 노동력 확보, 건축자재가격을 포함하여 다양한 변수들을 결정하는 데 매우 유용하다. 정확한 예측모형을 개발하기 위해, 한 이코노미스트는 직전 28분기(2011~2017)의 주택신축건수(1,000건)에 대한 데이터를 수집하였다. 2018년 4개 분기의 주택신축건수를 예측하라.

(자료: Federal Reserve Bank of St. Louis.)

iStockPhoto/stocknroll

서론

시간이 흐름에 따라 순차적인 순서로 측정되는 변수를 **시계열**(time series)이라고 한다. 제 3장에서 시계열을 소개하고 선 그래프를 사용하여 시계열을 나타내는 방법을 보였다. 이 장의 목표는 시계열을 분석하여 시계열의 미래값을 예측할 수 있게 해주는 데이터의 패턴을 알아내는 것이다. 경영경제 분야에는 시계열을 적용하는 수많은 예들이 있다.

1. 정부는 이자율, 실업률, 생계비 증가율의 미래값을 알기 원한다.
2. 주택산업을 분석하는 이코노미스트들은 모기지 이자율, 주택수요, 건축자재비용을 예측해야 한다.
3. 많은 기업들은 자사 제품의 수요와 시장 점유율을 예측하기 원한다.
4. 대학과 전문대학은 종종 중등교육기관으로부터 입학을 위해 지원할 학생 수를 예측하기 원한다.

일반적으로 기업과 정부의 의사결정자들이 **예측**(forecasting)을 사용한다. 이 장에서는 과거 시계열 데이터를 사용하여 매출액 또는 실업률과 같은 변수의 미래값을 예측하는 시계열 예측에 초점을 맞춘다. 예측은 이러한 영역의 의사결정에 매우 중요한 요소이기 때문에 이 장 전체가 기업의 모든 기능적 영역에서 일하는 경제학자와 경영자 모두에게 적용되는 도구이다.

예를 들면, 생산운영관리자가 종합생산계획을 세우는 출발선은 자신의 회사 제품에 대한 수요를 예측하는 것이다. 이러한 예측은 (국내총생산, 처분가능소득, 주택신축건수와 같은) 거시경제변수들에 대한 경제학자들의 예측과 미래의 고객 니즈에 대한 마케팅 담당자의 내부 예측을 활용한다. 이러한 매출 예측은 생산계획에 매우 중요할 뿐만 아니라 차입과 같은 미래의 재무 니즈에 대한 계획을 지원하기 위해 회계/재무 담당자가 작성하는 정확한 재무제표 예측의 핵심 사항이다. 이와 마찬가지로, 인사부서에서 기업의 성장전망에 대한 예측은 미래의 근로자 충원계획을 세우는 데 매우 유용하다.

많은 예측방법들이 있다. 일부 방법들은 종속변수와 하나 이상의 독립변수들 간 관계를 분석하는 모형을 개발하는 데 기반을 두고 있다. 이러한 방법들 중 일부는 회귀분석을 다룬 장들(제16장, 제17장, 제18장)에서 제시되었다. 이 장에서 논의하는 예측방법들은 모두 다음 절에서 논의되는 시계열에 기반을 두고 있다. 제20.2절과 제20.3절에서는 어떤 시계열 성분들이 존재하는지 알아내고 측정하는 방법이 논의된다. 이러한 정보를 파악한 후에 예측 도구가 개발될 수 있다. 이 장에서는 이러한 주제의 기본적인 측면만 다룰 것이다. 이 장의 목적은 당신에게 예측의 개념을 제시하고 일부의 간단한 예측방법을 소개하는 것이다. 보다 더 복잡한 예측방법들은 이 교재의 수준을 넘어서기 때문에 다루지 않는다.

20.1 시계열의 성분

시계열은 다음의 박스에 제시되어 있는 4개의 성분들로 구성되어 있다.

시계열의 성분

1. 장기추세
2. 주기변동
3. 계절변동
4. 임의변동

추세(trend)는 시계열에서 장기적으로 나타나는 비교적 부드러운 패턴이나 방향을 말한다. 이러한 추세가 나타나는 기간은 1년 이상이다. 예를 들면, 미국의 인구는 1952년의 1억 5,600만 명에서 2020년의 3억 3,000만 명에 이르기까지 비교적 지속적인 증가 추세를 나타내었다. (이 데이터는 Ch20:\Fig20-01에 저장되어 있다.) 그림 20.1은 미국 인구의 증가를 나타내는 선 그래프를 보여준다.

그림 20.1 미국의 인구(100만 명), 1952~2020

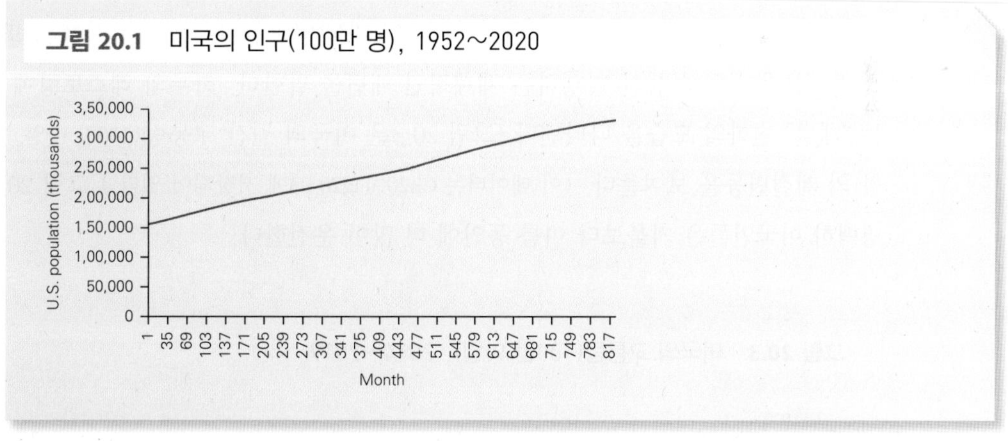

시계열의 추세는 항상 선형인 것은 아니다. 예를 들면, 그림 20.2는 미국의 연간 소매서적매출액(10억 달러)의 변화 추이를 보여준다. 당신이 보는 것처럼, 연간 소매서적매출액은 1992년부터 2008년까지 증가하였으나 그 이후에 감소하였다(이 데이터는 Ch20:\Fig20-02에 저장되어 있다.).

그림 20.2 미국의 연간 소매서적매출액(10억 달러), 1992~2017

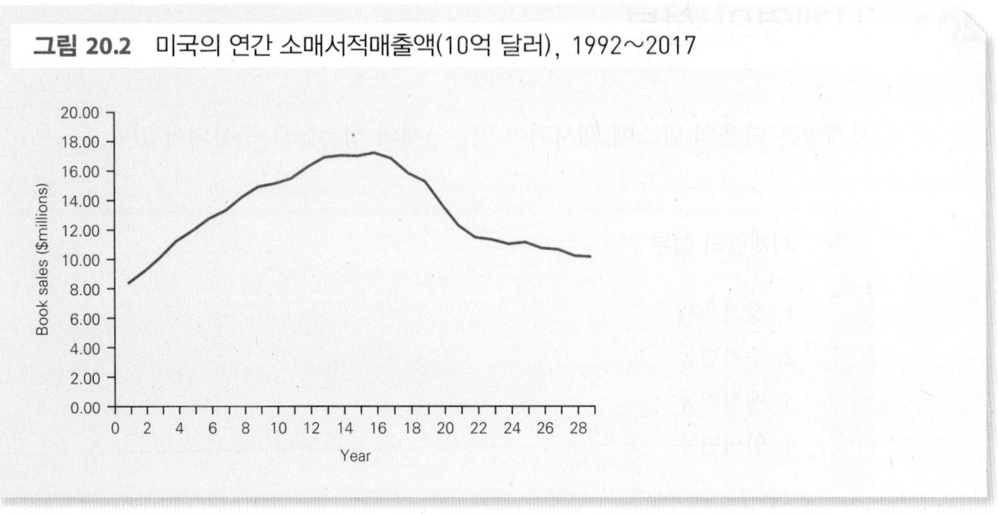

주기변동(cyclical variation)은 일반적으로 수년 동안에 나타나는 장기추세의 파동 패턴이고 주기 효과를 발생시킨다. 정의상 주기변동은 1년 이상의 기간을 가진다. 예를 들면, 경기침체와 인플레이션 기간을 나타내는 경기변동, 장기 제품 수요 사이클, 통화와 금융 부문의 사이클이 주기변동에 해당된다. 그러나 일관되고 예측 가능한 주기적 패턴은 매우 보기 힘들다. 실용적인 목적을 위해 이러한 유형의 변동은 무시한다.

계절변동(seasonal variation)은 단기적이고 반복적인 캘린더 기간 동안에 발생하는 변동을 말하고 정의상 1년 미만의 기간을 가진다. **계절변동**이라는 용어는 사계절 또는 한 달, 한 주, 심지어 하루 동안 발생하는 체계적인 패턴을 말한다. 하루의 레스토랑에 대한 수요는 "계절" 변화의 모습을 나타낸다. 그림 20.3은 미국의 월간 교통량(100만 마일, 1=2014년 1월)의 계절변동을 보여준다. (이 데이터는 Ch20:\Fig20-03에 저장되어 있다.) 그림 20.3을 보면, 명백히 미국인들은 겨울보다 여름 동안에 더 많이 운전한다.

그림 20.3 미국의 교통량(100만 마일), 2014~2019

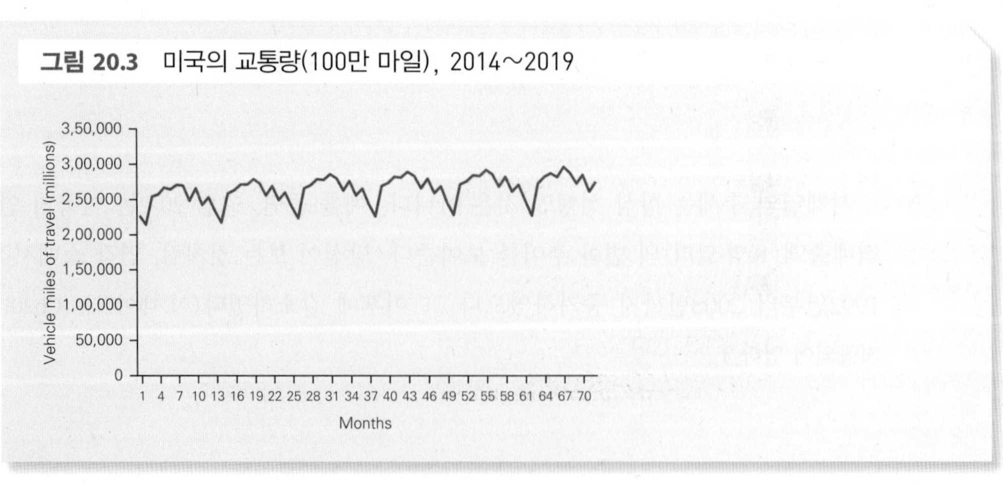

임의변동(random variation)은 다른 성분들에 의해 유발되지 않는 시계열의 불규칙적이고 예측 불가능한 변화 때문에 발생한다. 임의변동은 예측 가능한 다른 성분의 존재를 숨기는 경향이 있다. 임의변동은 거의 모든 시계열에 존재하기 때문에, 이 장의 목표 중 하나는 통계전문가가 다른 성분들을 설명하고 측정할 수 있도록 임의변동을 감소시키는 방법을 소개하는 것이다. 이를 통해 시계열을 정확하게 예측할 수 있을 것으로 기대된다.

20.2 평활 기법

시계열에 어떤 성분이 실제로 존재하는지 결정할 수 있으면, 더 양호한 예측을 할 수 있을 것이다. 불행하게도, 임의변동의 존재가 종종 다른 시계열의 성분을 식별하는 일을 어렵게 만든다. 임의변동을 감소시키는 가장 간단한 방법 중 하나는 시계열을 평활하게 만드는 것이다. 이 절에서는 이러한 두 가지 방법, 즉 **이동평균**(moving average)과 **지수평활**(exponential smoothing)이 소개된다.

20.2a 이동평균

특정 기간의 **이동평균**은 해당 기간의 값과 그에 가까운 기간의 값의 산술 평균이다. 예를 들면, 임의 기간에 대한 3기간 이동평균을 계산하기 위해 해당 기간, 이전 기간, 다음 기간의 시계열 값들의 평균을 구한다. 첫 번째 기간과 마지막 기간을 제외한 모든 기간에 대한 3기간 이동평균이 계산된다. 5기간 이동평균을 계산하기 위해 해당 기간, 이전 두 기간, 다음 두 기간의 값들의 평균을 구한다. 이동평균을 계산하기 위한 임의의 기간 수를 선택할 수 있다.

DATA Xm20-1

가솔린 판매량, PART 1

5개의 독립적인 주유소를 가진 경영자는 미래 가솔린 판매량을 예측하기 위해 과거 4년 동안 분기별 가솔린 판매량(1,000갤런)을 기록하였다. 이 데이터가 아래에 정리되어 있다. 3분기 이동평균과 5분기 이동평균을 계산하라. 원래 시계열, 3분기 이동평균, 5분기 이동평균의 그래프를 그려라.

기간	연도	분기	가솔린 판매량(1,000갤런)
1	1	1	39
2		2	37
3		3	61

기간	연도	분기	가솔린 판매량(1,000갤런)
4		4	58
5	2	1	18
6		2	56
7		3	82
8		4	27
9	3	1	41
10		2	69
11		3	49
12		4	66
13	4	1	54
14		2	42
15		3	90
16		4	66

해답 계산

직접계산

첫 번째 3분기 이동평균을 계산하기 위해, 기간 1, 2, 3의 가솔린 판매량을 합하고 평균을 구한다. 따라서 첫 번째 3분기 이동평균은 다음과 같다.

$$\frac{39 + 37 + 61}{3} = \frac{137}{3} = 45.7$$

두 번째 3분기 이동평균은 기간 1의 판매량(39)를 제외시키고, 기간 4의 판매량(58)을 포함시킨 후에 새로운 평균을 구한다. 따라서 두 번째 3분기 이동평균은 다음과 같다.

$$\frac{37 + 61 + 58}{3} = \frac{156}{3} = 52.0$$

이러한 과정은 아래의 표에서 보는 것처럼 계속된다. 이와 유사한 계산을 사용하여 (아래의 표에 제시되어 있는) 5분기 이동평균을 구한다.

기간	가솔린 판매량	3분기 이동평균	5분기 이동평균
1	39	–	–
2	37	45.7	–
3	61	52.0	42.6
4	58	45.7	46.0
5	18	44.0	55.0
6	56	52.0	48.2
7	82	55.0	44.8
8	27	50.0	55.0
9	41	45.7	53.6

기간	가솔린 판매량	3분기 이동평균	5분기 이동평균
10	69	53.0	50.4
11	49	61.3	55.8
12	66	56.3	56.0
13	54	54.0	60.2
14	42	62.0	63.6
15	90	66.0	–
16	66	–	–

이렇게 구한 이동평균은 평균을 구하는 값들의 중심에 위치시킨다는 점에 주목하라. 이것이 이동평균을 구할 때 홀수의 기간 수 사용을 선호하는 이유이다. 이 절의 나중 부분에서 짝수의 기간 수를 다루는 방법이 논의된다.

그림 20.4는 가솔린 판매량 시계열의 선 그래프를 보여주고 그림 20.5는 3분기 이동평균 시계열과 5분기 이동평균 시계열을 보여준다.

그림 20.4 분기별 가솔린 판매량

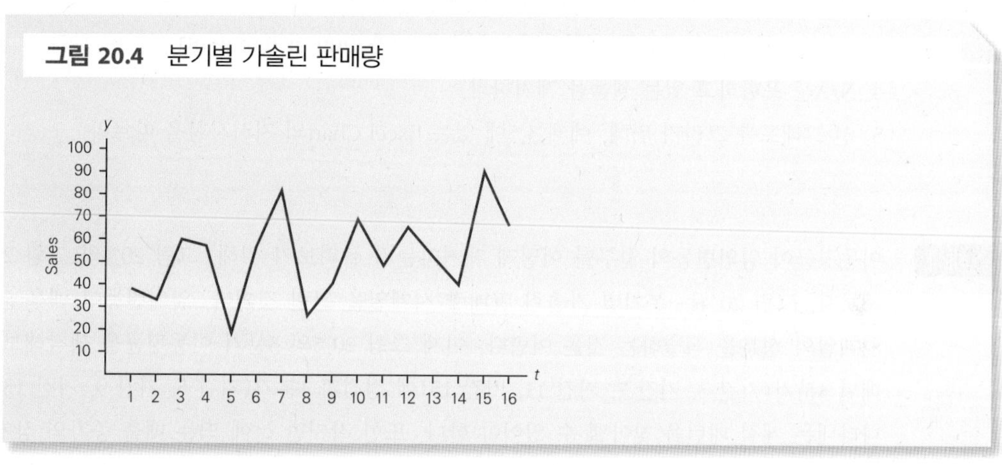

그림 20.5 분기별 가솔린 판매량, 3분기 이동평균과 5분기 이동평균

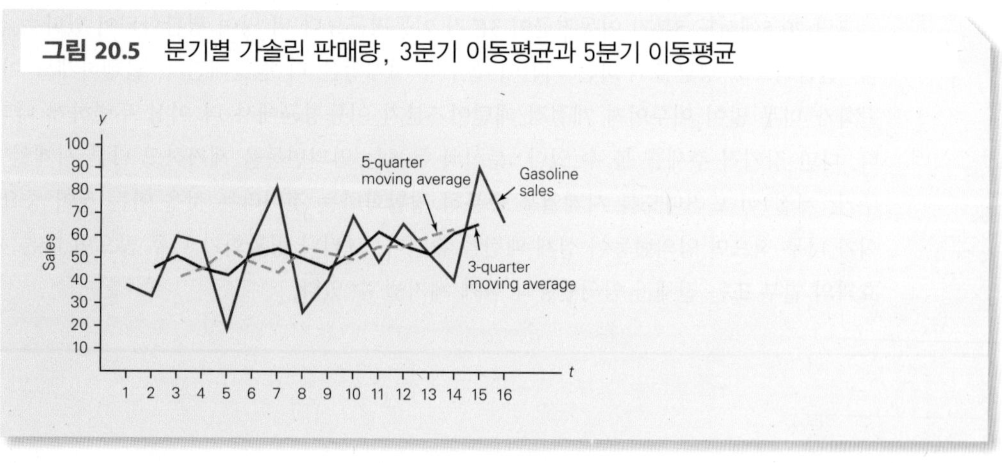

EXCEL Data Analysis

	A	B
1	Gas Sales	Moving Average
2	39	
3	37	45.7
4	61	52.0
5	58	45.7
6	18	44.0
7	56	52.0
8	82	55.0
9	27	50.0
10	41	45.7
11	69	53.0
12	49	61.3
13	66	56.3
14	54	54.0
15	42	62.0
16	90	66.0
17	66	

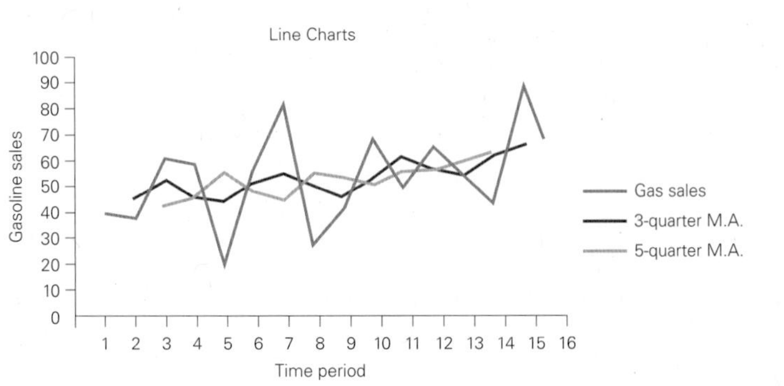

지시사항

1. 한 열에 데이터를 입력하거나 <Xm20-1>을 불러들여라.
2. **Data, Data Analysis, Moving Average**를 클릭하라.
3. **Input Range** (A1:A17)를 설정하라. 기의 수 (3)와 **Output Range** (B1)를 설정하라.
4. N/A를 포함하고 있는 셀들을 제거하라.
5. 선 그래프를 그리기 위해, 예제 3.5에 있는 Excel Chart의 지시사항을 따르라.

해석 이동평균이 임의변동의 일부를 어떻게 제거하는지 살펴보기 위해, 그림 20.4와 그림 20.5를 검토해보자. 그림 20.4는 분기별 가솔린 판매량 시계열을 그린 것이다. 임의변동이 매우 크기 때문에 시계열의 성분을 식별하는 것은 어렵다. 이제 그림 20.5의 3분기 이동평균을 생각해보자. 당신은 매년 3분기(기간 3, 기간 7, 기간 11, 기간 15)에 정점과 1분기(기간 5, 기간 9, 기간 13)에 저점을 나타내는 계절 패턴을 찾아낼 수 있어야 한다. 또한 작지만 눈에 띄는 매출 증가의 장기추세도 존재한다.

그림 20.5에서도 5분기 이동평균이 3분기 이동평균보다 더 많이 평활화되어 있다는 점을 주목하라. 일반적으로 평균을 구하는 기간이 길수록 시계열은 더 평활해진다. 불행하게도 이 경우에 평활화가 너무 많이 이루어져 계절적 패턴이 5분기 이동평균에서 더 이상 뚜렷하게 나타나지 않는다. 다만 장기적 추세를 볼 수 있다. 분석의 목표는 임의변동을 제거하고 다른 시계열 성분(추세, 주기, 계절)이 드러나도록 시계열을 충분히 평활화하는 것이라는 것을 아는 것이 중요하다. 평활화가 너무 적으면 임의변동이 실제 패턴을 숨긴다. 그러나 평활화가 너무 많으면 다른 시계열 성분 효과의 일부 또는 전체가 임의변동과 함께 제거될 수 있다.

20.2b 중심이동평균

이동평균을 계산하기 위해 짝수의 기간 수를 사용하는 것은 그래프나 표에서 이동평균을 어디에 위치시켜야 하는지에 대한 문제를 제기한다. 예를 들면, 다음과 같은 시계열의 4기간 이동평균을 계산한다고 하자.

기간	시계열
1	15
2	27
3	20
4	14
5	25
6	11

첫 번째 이동평균은 다음과 같이 계산된다.

$$\frac{15 + 27 + 20 + 14}{4} = 19.0$$

그러나 이 값은 기간 1, 기간 2, 기간 3, 기간 4의 평균이기 때문에 이 값은 기간 2와 기간 3 사이에 위치시켜야 한다. 다음의 이동평균은 다음과 같이 계산된다.

$$\frac{27 + 20 + 14 + 25}{4} = 21.5$$

이 값은 기간 3과 기간 4 사이에 위치시켜야 한다. 기간 4와 기간 5의 사이에 위치시켜야 하는 이동평균은

$$\frac{20 + 14 + 25 + 11}{4} = 17.5$$

이다.

그래프를 그리는 데 어려움을 발생시키는 것을 포함하여 이동평균을 기간들 사이에 위치시키는 것에 따른 몇 가지 문제가 야기된다. 이동평균을 중심에 위치시키는 것이 이러한 문제를 교정시켜준다. 4기간 이동평균 시계열을 대상으로 2기간 이동평균을 계산한다. 따라서 기간 3의 중심이동평균은

$$\frac{19.0 + 21.5}{2} = 20.25$$

이다. 기간 4의 중심이동평균은

$$\frac{21.5 + 17.5}{2} = 19.50$$

이다. 아래의 표는 이러한 결과를 정리한 것이다.

기간	시계열	4기간 이동평균	4기간 중심이동평균
1	15	—	—
2	27	19.0	—
3	20	21.5	20.25
4	14	17.5	19.50
5	25	—	—
6	11		—

20.2c 지수평활

시계열을 평활화하는 이동평균방법의 2가지 단점이 있다. 첫째, 처음 기간들과 마지막 기간들의 이동평균이 구해지지 않는다. 시계열의 관측치 수가 적으면, 이렇게 구해지지 않는 이동평균 값들이 중요한 정보 손실을 발생시킬 수 있다. 둘째, 이동평균은 직전 시계열 값들 대부분을 고려하지 않는다. 예를 들면, 예제 20.1에서 설명한 5분기 이동평균에서 분기 4의 값은 분기 2, 분기 3, 분기 4, 분기 5, 분기 6의 값을 반영하나 분기 1의 값에 의해 영향을 받지 않는다. 이러한 2가지 문제가 **지수평활**(exponential smoothing)에 의해 해결된다.

지수평활 시계열

$$S_t = wy_t + (1-w)S_{t-1}, \quad t \geq 2$$

S_t=기간 t의 지수평활 시계열
y_t=기간 t의 시계열
S_{t-1}=기간 $t-1$의 지수평활 시계열
w=평활 상수, $0 \leq w \leq 1$

$S_1 = y_1$로 설정하면서 시작하도록 하자. 이에 따라,

$$\begin{aligned} S_2 &= wy_2 + (1-w)S_1 \\ &= wy_2 + (1-w)y_1 \\ S_3 &= wy_3 + (1-w)S_2 \\ &= wy_3 + (1-w)[wy_2 + (1-w)y_1] \\ &= wy_3 + w(1-w)y_2 + (1-w)^2 y_1 \end{aligned}$$

일반적으로 다음과 같은 식이 구해진다.

$$S_t = wy_t + w(1-w)y_{t-1} + w(1-w)^2 y_{t-2} + \cdots + (1-w)^{t-1} y_1$$

이 공식은 기간 t의 평활 시계열은 시계열의 모든 직전 관측치들에 의해 결정된다는 것을 말해준다.

평활 상수 w는 어느 정도의 평활화가 요구되는지에 기초하여 선택된다. 작은 w의 값은 상당한 평활화를 발생시키고 큰 w의 값은 평활화를 거의 발생시키지 않는다. 그림 20.6은 시계열과 $w=.1$과 $w=.5$인 두 개의 지수평활 시계열을 그린 것이다.

그림 20.6 시계열과 두 개의 지수평활 시계열

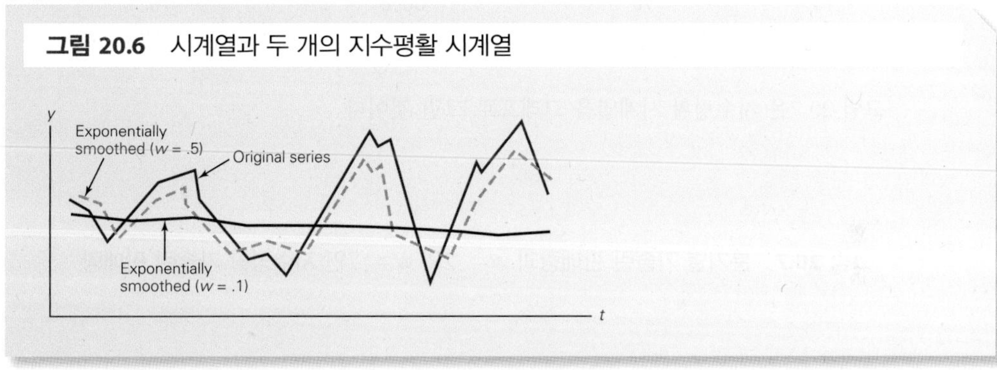

예제 20.2 가솔린 판매량, PART 2

예제 20.1의 데이터에 $w=.2$와 $w=.7$인 지수평활기법을 적용하고 그 결과를 그래프로 그려라.

해답 계산

직접계산

지수평활 시계열은 다음과 같은 공식을 이용하여 계산된다.

$$S_t = wy_t + (1-w)S_{t-1}$$

$w=.2$와 $w=.7$인 시계열이 다음과 표에 정리되어 있다.

기간	가솔린 판매량	$w=.2$인 지수평활 시계열	$w=.7$인 지수평활 시계열
1	39	39.0	39.0
2	37	38.6	37.6
3	61	43.1	54.0
4	58	46.1	56.8
5	18	40.5	29.6
6	56	43.6	48.1
7	82	51.2	71.8
8	27	46.4	40.4
9	41	45.3	40.8
10	69	50.1	60.6
11	49	49.8	52.5
12	66	53.1	61.9
13	54	53.3	56.4
14	42	51.0	46.3
15	90	58.8	76.9
16	66	60.2	69.3

그림 20.7은 지수평활 시계열을 그래프로 그린 것이다.

그림 20.7 분기별 가솔린 판매량과 $w=.2$와 $w=.7$인 지수평활 가솔린 판매량

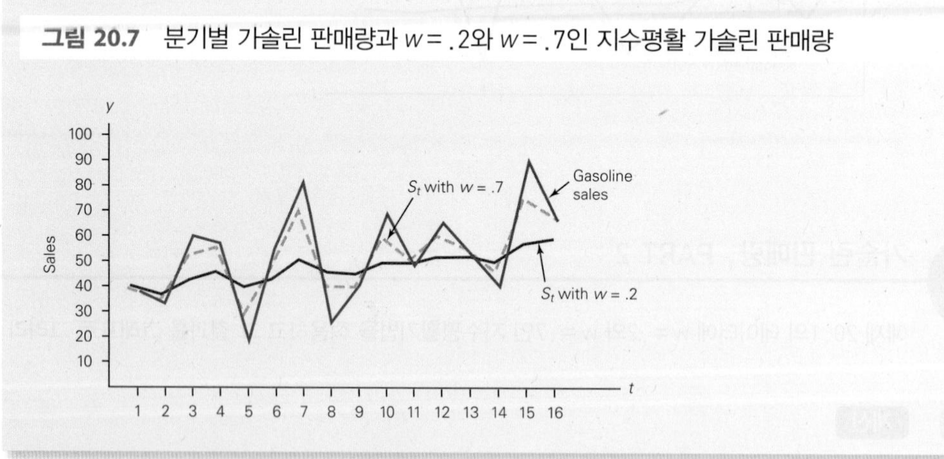

EXCEL Data Analysis

	A	B	C
1	Gas Sales	Damping factor = .8	Damping factor = .3
2	39	39.0	39.0
3	37	38.6	37.6
4	61	43.1	54.0
5	58	46.1	56.8
6	18	40.5	29.6
7	56	43.6	48.1
8	82	51.2	71.8
9	27	46.4	40.4
10	41	45.3	40.8
11	69	50.1	60.6
12	49	49.8	52.5
13	66	53.1	61.9
14	54	53.3	56.4
15	42	51.0	46.3
16	90	58.8	76.9
17	66	60.2	69.3

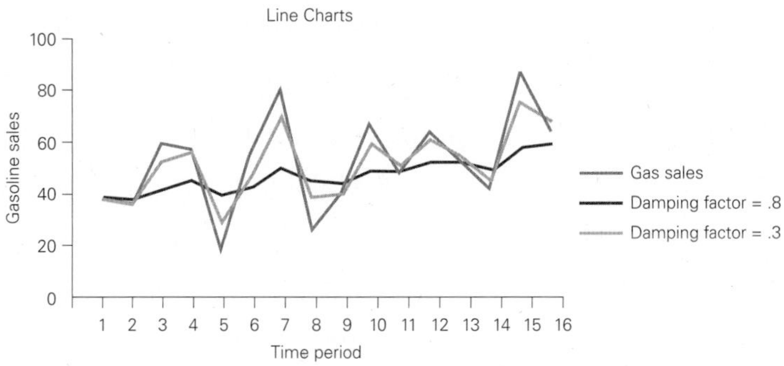

지시사항

1. 한 열에 데이터를 입력하거나 <Xm20-01>을 불러들여라.
2. **Data, Data Analysis, Exponential Smoothing**을 클릭하라.
3. **Input Range** (A1:A17)을 설정하라. **Damping factor** $(1-w)$ (.8)을 입력하라. **Output Range** (B1)을 설정하라. 두 번째 지수평활 시계열을 계산하기 위해 **Damping factor** $(1-w)$ (.3)을 입력하고 **Output Range** (C1)을 설정하라.

해석 그림 20.7은 원래 시계열과 지수평활 시계열의 그래프를 보여준다. 당신이 보는 것처럼, $w=.7$은 너무 적은 평활화 시계열을 발생시키는 반면 $w=.2$은 너무 많은 평활화 시계열을 발생시킨다. 두 지수평활 시계열에서, 이동평균을 사용하여 탐지되는 계절 패턴을 식별하는 것은 어렵다. w의 다른 값(예를 들면, $w=.5$)이 보다 더 만족스러운 결과를 발생시킬 수 있다.

이동평균과 지수평활은 다른 시계열 성분의 존재를 발견하기 위해 임의변동을 제거하는 비교적 대략적인 방법이다. 다음 절에서 시계열 성분들을 보다 더 정확하게 측정하는 방법이 논의된다.

연습문제

20.1 <Xr20-01> 다음의 시계열을 이용하여 3기간 이동평균을 계산하라.

기간	시계열	기간	시계열
1	48	7	43
2	41	8	52
3	37	9	60
4	32	10	48
5	36	11	41
6	31	12	30

20.2 연습문제 20.1의 시계열을 이용하여 5기간 이동평균을 계산하라.

20.3 연습문제 20.1과 연습문제 20.2를 참조하라. 원래 시계열과 두 개의 이동평균 시계열을 그래프로 그려라.

20.4 <Xr20-04> 다음의 시계열을 이용하여 3기간 이동평균을 계산하라.

기간	시계열	기간	시계열
1	16	7	24
2	22	8	29
3	19	9	21
4	24	10	23
5	30	11	19
6	26	12	15

20.5 연습문제 20.4의 시계열을 이용하여 5기간 이동평균을 계산하라.

20.6 연습문제 20.4와 연습문제 20.5를 참조하라. 원래 시계열과 두 개의 이동평균 시계열을 그래프로 그려라.

20.7 <Xr20-07> 다음의 시계열에서 시계열 성분들을 탐지하기 위해 $w=.1$인 지수평활을 적용하라.

기간	1	2	3	4	5
시계열	12	18	16	24	17
기간	6	7	8	9	10
시계열	16	25	21	23	14

20.8 $w=.8$인 경우 연습문제 20.7을 반복하라.

20.9 연습문제 20.7과 연습문제 20.8을 참조하라. 원래 시계열과 두 개의 지수평활 시계열을 그래프로 그려라. 시계열에서 추세 성분이 나타나는가?

20.10 <Xr20-10> 다음의 시계열에서 시계열 성분들을 탐지하기 위해 $w=.1$인 지수평활을 적용하라.

기간	1	2	3	4	5
시계열	38	43	42	45	46
기간	6	7	8	9	10
시계열	48	50	49	46	45

20.11 $w=.8$인 경우 연습문제 20.10을 반복하라.

20.12 연습문제 20.10과 연습문제 20.11을 참조하라. 원래 시계열과 두 개의 지수평활 시계열을 그래프로 그려라. 시계열에서 추세 성분이 나타나는가?

20.13 <Xr20-13> 한 중소기업의 일일 매출액이 다음과 같이 기록되었다.

	주			
요일	1	2	3	4
Monday	43	51	40	64
Tuesday	45	41	57	58
Wednesday	22	37	30	33
Thursday	25	22	33	38
Friday	31	25	37	25

a. 3일 이동평균을 계산하라.

b. 원래 시계열과 3일 이동평균 시계열을 하나의 그래프 상에 그려라.

c. 계절 패턴이 나타나는가?

20.14 연습문제 20.13을 참조하라. 5일 이동평균을 계산하고 같은 그래프 상에 그려라. 이것이 연습문제 20.13의 c에 대해 답하는 데 도움이 되는가?

20.15 <Xr20-15> 한 백화점 체인의 2017~2020년 동안 분기별 매출액이 다음과 같이 기록되었다.

	연도			
분기	2017	2018	2019	2020
1	18	33	25	41
2	22	20	36	33
3	27	38	44	52
4	31	26	29	45

a. 4분기 중심이동평균을 계산하라.

b. 원래 시계열과 4분기 중심이동평균 시계열을 그래프로 그려라.

c. 당신은 시계열 평활화에 대해 어떤 결론을 내릴 수 있는가?

20.16 $w = .4$인 지수평활을 사용하면서 연습문제 20.15를 반복하라.

20.17 $w = .8$인 지수평활을 사용하면서 연습문제 20.15를 반복하라.

20.3 추세와 계절효과

전 절에서 시계열의 평활화가 어떤 시계열 성분이 존재하는지에 대한 보다 명료한 모습을 어떻게 제공해줄 수 있는지 설명하였다. 그러나 예측을 위해서는 시계열 성분들을 보다 더 정확하게 측정할 필요가 있다.

20.3a 추세분석

추세는 선형 또는 비선형일 수 있으며 실제로 수많은 함수 형태를 가질 수 있다. 장기추세를 측정하는 가장 쉬운 방법은 회귀분석을 사용하는 것이다. 여기서 독립변수는 시간이다. 장기추세가 근사적으로 선형이라고 여겨지면, 제16장에서 소개한 다음과 같은 선형회귀모형이 사용된다.

$$y = \beta_0 + \beta_1 t + \varepsilon$$

추세가 비선형이라고 여겨지면, 제18장에서 설명한 다항식 회귀모형 중 하나가 사용될 수 있다. 예를 들면, 이차식 모형은 다음과 같이 정형화될 수 있다.

$$y = \beta_0 + \beta_{t-1}t + \beta_2 t^2 + \varepsilon$$

대부분의 현실적 적용에서, 선형모형이 사용된다. 이 절의 후반부에서 장기추세가 어떻게 측정되고 적용되는지 살펴볼 것이다.

20.3b 계절분석

계절변동은 일 년 내에서 또는 월간, 주간, 일간과 같은 더 짧은 기간 내에서 발생할 수 있다. 계절효과를 측정하기 위해서 계절들이 서로 다른 정도를 평가하는 계절지수가 계산된다. 계절지수를 계산하기 위해 필요한 한 가지 필요조건은 시계열이 다수의 계절이 지나는 동안 변수를 관측할 수 있을 만큼 충분히 길어야 한다. 예를 들면, 계절들이 일 년의 분기들로 정의되는 경우, 적어도 4년 동안 시계열을 관측해야 할 필요가 있다. **계절지수**(seasonal indexes)는 다음과 같은 방식으로 계산된다.

20.3c 계절지수의 계산 과정

1. 회귀분석을 통해 계절변동과 임의변동의 효과를 제거한다. 다음과 같은 표본회귀식을 사용하여 $\hat{y}_t$을 계산한다.

   $$\hat{y}_t = b_0 + b_1 t$$

2. 각 기간의 $y_t/\hat{y}_t$을 계산한다. 이 비율은 추세변동의 대부분을 제거한다.

3. 각 계절에 대해, 단계 2에서 계산된 비율들의 평균을 계산한다. 이 과정은 임의변동의 전부는 아니지만 대부분을 제거하고 계절성의 척도를 제공한다.

4. 모든 계절들의 평균이 (필요하다면) 1이 되도록 단계 3의 평균들을 조정한다.

예제 20.3

호텔의 분기별 점유율

관광산업은 계절변동의 영향을 받는다. 대부분의 리조트에서 봄과 여름 시즌은 "성수기"로 여겨진다. 가을과 (크리스마스와 신년을 제외하고) 겨울은 "비수기"이다. 버뮤다에 있는 한 호텔은 과거 5년 동안 각 분기의 점유율을 기록하였다. 이 데이터가 아래에 정리되어 있다. 계절지수를 계산하여 계절변동을 측정하라.

연도	분기	점유율
2016	1	.561
	2	.702
	3	.800
	4	.568
2017	1	.575
	2	.738
	3	.868
	4	.605
2018	1	.594
	2	.738
	3	.729
	4	.600
2019	1	.622
	2	.708
	3	.806
	4	.632
2020	1	.665
	2	.835
	3	.873
	4	.670

해답 계산

직접계산

y=점유율과 t=시간(1, 2, …, 20)을 가지고 회귀분석을 수행한다. 회귀식은 다음과 같이 구해진다.

$$\hat{y} = .639368 + .005246t$$

각 t시점의 $y_t/\hat{y}_t$을 계산한다. 다음 단계에서 각 분기에 해당되는 이러한 비율들의 평균을 계산한다. 이어서 이러한 평균 비율들을 합이 (필요하다면) 4.0이 되도록 조정하여 계절지수를 계산한다. 이 예제에서 이러한 조정이 필요하지 않다.

연도	분기	t	y_t	$\hat{y}$= .639368+ .005246t	비율 $y_t/\hat{y}_t$
2016	1	1	.561	.645	.870
	2	2	.702	.650	1.080
	3	3	.800	.655	1.221
	4	4	.568	.660	.860
2017	1	5	.575	.666	.864
	2	6	.738	.671	1.100
	3	7	.868	.676	1.284
	4	8	.605	.681	.888

연도	분기	t	y_t	$\hat{y} = .639368 + .005246t$	비율 $y_t/\hat{y}_t$
2018	1	9	.594	.687	.865
	2	10	.738	.692	1.067
	3	11	.729	.697	1.046
	4	12	.600	.702	.854
2019	1	13	.622	.708	.879
	2	14	.708	.713	.993
	3	15	.806	.718	1.122
	4	16	.632	.723	.874
2020	1	17	.665	.729	.913
	2	18	.835	.734	1.138
	3	19	.873	.739	1.181
	4	20	.670	.744	.900

	분기			
연도	1	2	3	4
2016	.870	1.080	1.221	.860
2017	.864	1.100	1.284	.888
2018	.865	1.067	1.046	.854
2019	.879	.993	1.122	.874
2020	.913	1.138	1.181	.900
평균	.878	1.076	1.171	.875
지수	.878	1.076	1.171	.875

해석 계절지수는 평균적으로 1분기와 4분기의 점유율은 연평균 점유율보다 낮고 2분기와 3분기의 점유율을 연평균보다 높다는 것을 말해준다. 1분기의 점유율은 연평균 점유율보다 12.2%(100%−87.8%) 낮다. 2분기와 3분기의 점유율은 각각 연평균 점유율보다 7.6%와 17.1% 높다. 4분기의 점유율은 연평균 점유율보다 12.5% 낮다.

그림 20.8은 시계열과 회귀추세선을 그래프로 그린 것이다.

그림 20.8 예제 20.3의 시계열과 추세

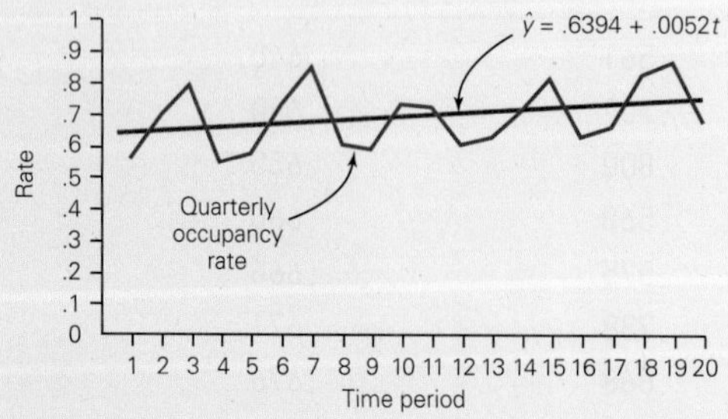

20.3d 시계열의 계절성 제거

계절지수의 한 가지 적용은 시계열에서 계절변동을 제거하는 것이다. 이러한 과정은 **계절성 제거**(deseasonalizing)라고 부르고 그 결과는 **계절조정 시계열**(seasonally adjusted time series)이라고 부른다. 이러한 과정은 통계전문가가 계절들 간 시계열을 더 쉽게 비교할 수 있게 해준다. 예를 들면, 실업률은 계절에 따라 변동한다. 일반적으로 실업률은 겨울에 상승하고 봄과 여름에 하락한다. 계절조정 실업률은 경제학자들이 직전 계절에 비해 실업률이 상승하였는지 하락하였는지 결정할 수 있게 해준다. 이 과정은 쉽다. 단순히 시계열을 계절지수로 나눈다. 이것을 예시하기 위해 예제 20.3의 점유율에 포함되어 있는 계절성을 제거해보도록 하자. 그 결과는 다음과 같다.

연도	분기	점유율 y_t	계절지수	계절조정 점유율
2016	1	.561	.878	.639
	2	.702	1.076	.652
	3	.800	1.171	.683
	4	.568	.875	.649
2017	1	.575	.878	.655
	2	.738	1.076	.686
	3	.868	1.171	.741
	4	.605	.875	.691
2018	1	.594	.878	.677
	2	.738	1.076	.686
	3	.729	1.171	.623
	4	.600	.875	.686
2019	1	.622	.878	.708
	2	.708	1.076	.658
	3	.806	1.171	.688
	4	.632	.875	.722
2020	1	.665	.878	.757
	2	.835	1.076	.776
	3	.873	1.171	.746
	4	.670	.875	.766

계절성을 제거함으로써 언제 점유율이 "실제로" 증가했는지 하락했는지 알 수 있다. 계절조정 점유율을 사용하여 통계전문가는 점유율의 변화를 발생시킨 요인들을 검토할 수 있다. 5년 기간 동안 점유율이 증가했다는 것을 쉽게 알 수 있다.

다음 절에서는 계절지수를 가지고 예측하는 방법을 논의한다.

연습문제

20.18 <Xr20-18> 다음의 시계열을 그래프로 그려라. 선형모형과 비선형모형 중 어느 것이 데이터를 더 양호하게 적합시키는가?

기간	1	2	3	4	5	6	7	8
시계열	.5	.6	1.3	2.7	4.1	6.9	10.8	19.2

20.19 <Xr20-19> 다음의 시계열을 그래프로 그려라. 추세모형들 중 어느 것이 데이터를 더 양호하게 적합시키는 것으로 보이는가?

기간	1	2	3	4	5
시계열	55	57	53	49	47
기간	6	7	8	9	10
시계열	39	41	33	28	20

20.20 연습문제 20.18을 참조하라. 회귀분석을 사용하여 선형추세와 비선형추세를 계산하라. 어떤 추세선이 데이터를 더 양호하게 적합시키는가?

20.21 연습문제 20.19를 참조하라. 회귀분석을 사용하여 선형추세와 비선형추세를 계산하라. 어떤 추세선이 데이터를 더 양호하게 적합시키는가?

20.22 <Xr20-22> 다음의 시계열에 대해 계절지수를 계산하라. 회귀식은 다음과 같다.

$$\hat{y} = 16.8 + .366t \ \ (t = 1, 2, \ldots, 20)$$

	주			
요일	1	2	3	4
Monday	12	11	14	17
Tuesday	18	17	16	21
Wednesday	16	19	16	20
Thursday	25	24	28	24
Friday	31	27	25	32

20.23 <Xr20-23> 다음의 시계열에 대해 계절지수를 계산하라. 회귀식은 다음과 같다.

$$\hat{y} = 47.7 - 1.06t \ \ (t = 1, 2, \ldots, 20)$$

	연도				
분기	1	2	3	4	5
1	55	41	43	36	50
2	44	38	39	32	25
3	46	37	39	30	24
4	39	30	35	25	22

20.24 <Xr20-24> 한 대형 소프트드링크 제조업체의 분기별 수익(100만 달러)이 2017년~2020년 동안 기록되었다. 이 데이터는 다음과 같다. 이 시계열에 대해 계절지수를 계산하라. 회귀식은 다음과 같다.

$$\hat{y} = 61.75 + 1.18t \ \ (t = 1, 2, \ldots, 16)$$

	연도			
분기	2017	2018	2019	2020
1	52	57	60	66
2	67	75	77	82
3	85	90	94	98
4	54	61	63	67

다음의 연습문제들을 풀기 위해서는 컴퓨터와 소프트웨어를 사용해야 한다.

20.25 <Xr20-25> 미국은 하계올림픽에서 매우 좋은 성적을 올린다. 그러나 미국은 동계올림픽에서 그만큼 좋은 성적을 올리고 있는가? 다음의 데이터는 1924년부터 시작된 각 동계올림픽에서 미국이 얻은 총 메달 수이다.

연도	1924	1928	1932	1936	1948	1952	1956
메달 수	4	6	12	4	9	11	7
연도	1960	1964	1968	1972	1976	1980	1984
메달 수	10	7	7	8	10	12	8
연도	1988	1992	1994	1998	2002	2006	2010
메달 수	6	11	13	13	34	25	37
연도	2014	2018					
메달 수	28	23					

a. 시계열을 그래프로 그려라.

b. 회귀분석을 사용하여 추세를 결정하라.

20.26 <Xr20-26> 1993년 이후 재산범죄건수는 감소하는 추세이다. 이러한 추세의 정도를 측정하기 위해 연간 재산범죄건수가 기록되었다.

a. 이 데이터를 그래프로 그려라.

b. 회귀분석을 사용하여 추세를 결정하라.

20.27 <Xr20-27> 케이블 텔레비전 구독자 수는 과거 5년 동안 증가하였다. 한 케이블 텔레비전 회사의 마케팅 담당자는 과거 24분기 동안 구독자 수를 기록하였다.

a. 이 데이터를 그래프로 그려라.

b. 계절지수를 계산하라.

20.28 <Xr20-28> 한 피자가게의 소유주는 하루에 판매하는 피자 수를 예측하기 원한다. 과거 4주 동안 하루에 판매되는 피자 수가 기록되었다. 계절지수를 계산하라.

20.29 <Xr20-29> 한 스키장비 제조업체는 외상매출금을 검토하고 있다. 외상매출금은 겨울에 증가하고 여름에 감소하는 계절 패턴이 있는 것으로 보인다. 분기별 외상매출금(100만 달러)이 기록되었다. 계절지수를 계산하라.

20.4 시계열 예측방법

통계전문가들이 다양한 예측모형들을 사용할 수 있다. 그중 하나를 선택하는 데 있어서 고려해야 하는 요인은 시계열을 구성하는 성분의 유형이다. 이러한 상황에서도 예측모형을 선택하기 위한 몇 가지 방법이 있다. 어느 모형을 적용하여야 할 것인지 결정하는 한 가지 방법은 가장 예측 정확도가 높은 모형을 선택하는 것이다. 예측 정확도를 측정하기 위해 가장 일반적으로 사용되는 척도는 **평균절대편차**(mean absolute deviation, MAD)와 **예측오차제곱합**(sum of squares for forecast errors, SSE)이다.

평균절대편차(MAD)

$$\text{MAD} = \frac{\sum_{i=1}^{n} |y_t - F_t|}{n}$$

y_t=t시점의 시계열 실제값

F_t=t시점의 시계열 예측값

n=t의 수

예측오차제곱합(SSE)

$$\text{SSE} = \sum_{i=1}^{n}(y_t - F_t)^2$$

MAD는 실제값과 예측값 간 차이의 절대값들을 평균한 것이다. SSE는 실제값과 예측값 간 차이를 제곱하여 합한 것이다. 예측 정확도를 측정하기 위해 어느 척도를 사용하여야 하는가는 상황에 따라 다르다. 큰 예측오차를 피하는 것이 중요하면, SSE가 사용되어야 한다. 그 이유는 SSE가 MAD보다 큰 예측오차에 대해 더 크게 벌과금을 지불하게 하기 때문이다. 그렇지 않으면 MAD가 사용된다.

시계열의 관측치 중 일부를 사용하여 다수의 경쟁예측모형을 개발하고 나머지 기간에 대해 예측하는 것이 가장 좋을 수 있다. 이어서 예측값을 사용하여 MAD 또는 SSE를 계산한다. 예를 들면, 월별 관측치가 5년인 경우, 처음 4년의 월별 관측치를 사용하여 예측모형을 개발한 다음 이 모형을 이용하여 5년차의 월별 예측값을 구한다. 5년차의 월별 실제차를 알고 있기 때문에 MAD 또는 SSE를 사용하여 가장 정확한 예측을 할 수 있는 방법을 선택할 수 있다.

예제 20.4 예측모형의 비교

1976년부터 2016년까지의 연간 데이터가 3개의 서로 다른 예측모형을 개발하기 위해 사용되었다. 각 모형은 2017년, 2018년, 2019년, 2020년의 시계열을 예측하기 위해 사용되었다. 2017년, 2018년, 2019년, 2020년의 시계열 예측값과 실제값은 아래에 정리되어 있다. MAD와 SSE를 사용하여 어느 모형이 예측을 가장 잘 하는지 결정하라.

연도	시계열 실제값	모형 1	모형 2	모형 3
2017	129	136	118	130
2018	142	148	141	146
2019	156	150	158	170
2020	183	175	163	180

해답 모형 1의 경우,

$$\text{MAD} = \frac{|129-136| + |142-148| + |156-150| + |183-175|}{4}$$
$$= \frac{7+6+6+8}{4} = 6.75$$

$$\text{SSE} = (129-136)^2 + (142-148)^2 + (156-150)^2 + (183-175)^2$$
$$= 49 + 36 + 36 + 64 = 185$$

모형 2의 경우,

$$\text{MAD} = \frac{|129-118| + |142-141| + |156-158| + |183-163|}{4}$$
$$= \frac{11+1+2+20}{4} = 8.5$$

$$\text{SSE} = (129-118)^2 + (142-141)^2 + (156-158)^2 + (183-163)^2$$
$$= 121 + 1 + 4 + 400 = 526$$

모형 3의 경우,

$$\text{MAD} = \frac{|129-130| + |142-146| + |156-170| + |183-180|}{4}$$
$$= \frac{1+4+14+3}{4} = 5.5$$

$$\text{SSE} = (129-130)^2 + (142-146)^2 + (156-170)^2 + (183-180)^2$$
$$= 1 + 16 + 196 + 9 = 222$$

모형 2는 예측 정확도를 어떻게 측정하든 모형 1과 모형 3보다 열등하다. MAD를 사용하는 것이 가장 좋지만 SSE를 사용하는 것이 가장 정확하다. MAD를 사용하면, 모형 3이 가장 좋지만, SSE를 사용하면, 모형 1이 가장 좋다. 모형 1과 모형 3 사이의 선택은 일관되게 어느 정도 정확한 예측값을 제공해주는 모형을 선호하는지(모형 1) 또는 예측값이 대부분 실제값에 매우 가까우나 일부의 시점에 실제값을 크게 벗어나는 모형을 선호하는지(모형 3)의 기준에 의해 이루어져야 한다.

연습문제

20.30 시계열의 실제값과 예측값이 다음과 같이 정리되어있다. MAD와 SSE를 계산하라.

기간	1	2	3	4	5
예측값	173	186	192	211	223
실제값	166	179	195	214	220

20.31 두 개의 예측모형이 시계열의 미래값을 예측하기 위해 사용되었다. 예측값과 실제값이 다음과 같이 정리되어 있다. 각 모형의 MAD와 SSE를 계산하고 어느 모형이 더 정확하게 예측하는지 결정하라.

기간	1	2	3	4
예측값(모형 1)	7.5	6.3	5.4	8.2
예측값(모형 2)	6.3	6.7	7.1	7.5
실제값	6.0	6.6	7.3	9.4

20.32 다음과 같은 예측값과 실제값을 사용하여 MAD와 SSE를 계산하라.

기간	1	2	3	4	5
예측값	63	72	86	71	60
실제값	57	60	70	75	70

20.33 3가지 예측모형이 시계열의 값을 예측하기 위해 사용되었다. 예측값과 실제값이 다음과 같이 정리되어 있다. 각 모형의 MAD와 SSE를 계산하고 어느 모형이 가장 정확하게 예측하는지 결정하라.

기간	1	2	3	4	5
예측값(모형 1)	21	27	29	31	35
예측값(모형 2)	22	24	26	28	30
예측값(모형 3)	17	20	25	31	39
실제값	19	24	28	32	38

20.5 시계열 예측모형

통계전문가들이 이용할 수 있는 다양한 예측 기법들이 많이 있다. 그러나 많은 기법들이 이 책의 수준을 넘어선다. 이 절에서는 3가지 예측모형을 소개한다. 제12장부터 제19장까지 정확한 통계적 추론기법을 선택하는 방법과 유사하게, 예측모형의 선택은 시계열의 성분에 따라 달라진다.

20.5a 지수평활을 이용한 예측

시계열이 점진적인 추세를 보여주거나 아무런 추세를 보여주지 않고 계절변동의 증거가 없으면, 지수평활이 예측방법으로 효과적일 수 있다. t가 가장 최근 시점을 나타내고 지수평활 시계열값 S_t를 계산한다고 하자. 이 값이 $t+1$ 시점의 예측값이다. 즉

$$F_{t+1} = S_t$$

이다.

미래의 시점 $t+2$ 또는 $t+3$의 예측값을 $F_{t+2}=S_t$ 또는 $F_{t+3}=S_t$와 같이 예측할 수 있다.

미래의 시점이 1기간보다 커질수록 예측 정확도는 급속하게 감소한다. 그러나 주기변동이나 계절변동이 없는 시계열인 경우에는 지수평활방법을 사용하여 다음 기간을 비교적 정확하게 예측할 수 있다.

20.5b 계절지수를 이용한 예측

시계열이 계절변동과 장기추세로 구성되어 있으면, 예측하기 위해 계절지수와 회귀식을 사용할 수 있다.

추세와 계절성 예측

t시점의 예측은 다음과 같이 이루어진다.

$$F_t = [b_0 + b_1 t] \times SI_t$$

F_t=t시점의 예측값
$b_0+b_1 t$=회귀식
SI_t=t시점의 계절지수

예제 20.5 호텔 점유율의 예측

예제 20.3에서 다음 연도의 호텔 점유율을 예측하라.

해답 계절지수를 계산하는 과정해서 추세선이 추정되었다. 추세선은 $\hat{y} = .639+.00525t$이다. $t=21$, 22, 23, 24에 대해 예측 추세값을 다음과 같이 계산한다.

분기	t	$\hat{y} = .639 + .00525t$
1	21	.639 + .00525(21) = .749
2	22	.639 + .00525(22) = .755
3	23	.639 + .00525(23) = .760
4	24	.639 + .00525(24) = .765

이제 예측 추세값과 예제 20.3에서 계산된 계절지수를 곱한다. 계절별 예측값은 다음과 같이 계산된다.

분기	t	예측 추세값 $\hat{y}_t$	계절지수	예측값 $F_t=\hat{y}_t \times SI_t$
1	21	.749	.878	.749× .878=.658
2	22	.755	1.076	.755×1.076=.812
3	23	.760	1.171	.760×1.171=.890
4	24	.765	.875	.765× .875=.670

해석 다음 연도의 분기별 호텔 점유율은 .658, .812, .890, .670으로 예측된다.

20.5c 자기회귀모형

제17장에서 오차변수들이 서로 독립이 아닐 때 발생되는 자기상관에 대해 논의하였다. 강한 자기상관의 존재는 회귀모형이 잘못 정형화되었다는 것을 제시하고 이것은 일반적으로 회귀모형이 개선되지 않으면 데이터를 적정하게 적합하지 못한다는 것을 의미한다. 그러나 자기상관은 예측기법을 개발할 수 있는 기회를 제공한다. 시계열에서 명백한 추세나 계절성이 없고 연속적인 오차변수들 간에 상관관계가 있으면, **자기회귀모형**(autoregressive model)이 가장 효율적인 모형일 수 있다.

자기회귀예측모형

$$y_t = \beta_0 + \beta_1 y_{t-1} + \varepsilon$$

자기회귀모형은 시계열의 연속적인 값들이 상관관계를 가진다는 것을 규정한다. 일반적인 방법으로 회귀계수들을 추정한다. 추정된 회귀식은 다음과 같다.

$$\hat{y}_t = b_0 + b_1 y_{t-1}$$

예제 20.6

Scotiabank 주가의 예측

DATA Xm20-06

주가를 예측하기 위한 비교적 간단한 방법은 자기회귀모형을 사용하는 것이다. 2017년부터 2019년까지 토론토주식거래소(Tronto Stock Exchange)에 상장되어 있는 Scotiabank의 월초에 (배당과 주식분할에 대해 조정된) 월간 조정종가가 기록되었다. 다음의 표는 처음 3개월과 마지막 3개월의 월간 조정종가를 정리한 것이다.

연도	월	조정종가
2017	January	64.02
	February	63.43
	March	64.05
2019	October	70.14
	November	69.58
	December	68.11

해답 독립변수로 2016년 12월부터 2019년 11월까지의 월간 종가를 사용하고 종속변수로 2017년 1월부터 2019년 12월까지의 월간 종가를 사용한다. 파일 Xm20-06은 자기회귀모형을 추정하기 위해 필요한 포맷으로 데이터를 저장하고 있다.

EXCEL Data Analysis

	A	B	C	D	E
16		*Coefficients*	*Standard Error*	*t Stat*	*P-value*
17	Intercept	28.83	8.78	3.29	0.0024
18	Scotiabank	0.565	0.133	4.23	0.0002

해석 회귀식은 다음과 같다.

$$\hat{y}_t = 28.83 + .565y_{t-1}$$

Scotiabank의 마지막 주가(2019년 12월)는 68.11이기 때문에, 2020년 1월의 주가는

$$\begin{aligned}\hat{y}_{37} &= 28.83 + .565y_{36} \\ &= 28.83 + .565(68.11) = 67.31\end{aligned}$$

로 예측된다. 2020년 1월의 실제 주가는 67.11이었다. 분명히 이것은 매우 정확한 예측값이다.

20.5d 자기회귀모형은 언제 사용되어야 하는가

자기회귀모형은 변수가 안정적일 때 가장 잘 작동한다. 캐나다 은행들은 매우 보수적인 경향을 가지고 있기 때문에 Scotiabank가 선택되었다. 또한 안정적인 기간인 2017년~2019년 기간이 선택되었다.

비교하기 위해, 자기회귀모형을 사용하여 2021년 1월 Amazon의 조정종가를 예측하였다. 예측값은 3,289.03이었고 실제값은 3,120.83이었다. 이것은 불량한 예측이다. Amazon 주가는 매우 크게 변동하고 모든 경제지표들이 크게 변화하였던 팬데믹이 발생한 연도인 2020년이 선택된 기간에 포함되었다.

해답 주택신축건수의 예측

iStockPhoto/stocknroll

데이터를 예비적으로 검토해보면 7년의 기간 동안 작은 증가 추세가 존재한다. 더욱이 주택신축건수는 분기별로 변화하고 이것은 미국 북동부에서 가을과 겨울에 건축활동이 감소하기 때문에 놀라운 일이 아니다. 이러한 시계열 성분의 존재는 선형추세와 계절지수를 추정하여야 한다는 것을 제시한다. 주택신축건수를 종속변수로 사용하고 분기를 독립변수로 사용하여 Excel을 이용하여 회귀모형을 추정하면 다음과 같은 회귀식이 구해진다.

$$\hat{y} = 10.1 + .217t \qquad (t = 1, 2, \ldots, 28)$$

계절지수는 다음과 같이 계산된다.

분기	계절지수
1	.7345
2	1.1493
3	1.1213
4	.9961

회귀식이 선형추세에 기초하여 주택신축건수를 예측하기 위해 사용된다.

$$\hat{y} = 10.1 + .217t \qquad (t = 29, 30, 31, 32)$$

이 수치를 계절지수와 곱하여 다음과 같은 예측값이 구해진다.

기간	분기	$\hat{y} = 10.1 + .217t$	계절지수	예측값
29	1	16.39	.7345	12.0
30	2	16.61	1.1493	19.1
31	3	16.83	1.1213	18.9
32	4	17.04	.9961	17.0

다음의 표는 2018년 동안 분기별 주택신축건수의 예측값과 실제값을 보여준다.

기간	분기	예측값	실제값
29	1	12.0	11.6
30	2	19.1	18.7
31	3	18.9	18.1
32	4	17.0	16.1

오차의 크기는 MAD와 SSE에 의해 측정되었다. 그 값들은 다음과 같다.

MAD = .619
SSE = 1.707

그림 20.9는 실제 시계열(분기 1부터 분기 28까지)과 예측값(분기 29부터 분기 32까지)을 그린 것이다.

그림 20.9 주택신축건수의 시계열, 추세, 예측값

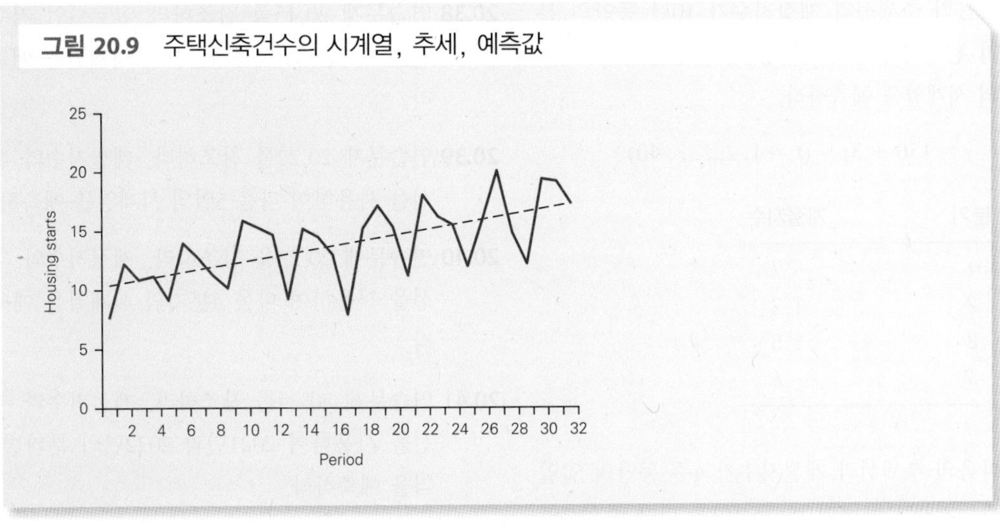

예측담당자 주의사항!

이 예측모형은 변수의 과거 데이터를 어느 정도 반영하는 변수의 미래값에 의존한다. 시스템에 갑작스러운 충격이 가해질 경우 일반적으로 큰 예측 오류가 발생한다. 2020년 팬데믹의 영향을 살펴보기 위해, 그림 20.3에 2020년 데이터를 포함시켰다. 그림 20.10은 2014년부터 2020년까지 월간 교통량을 보여준다.

그림 20.10 미국의 교통량(100만 마일), 2014~2020

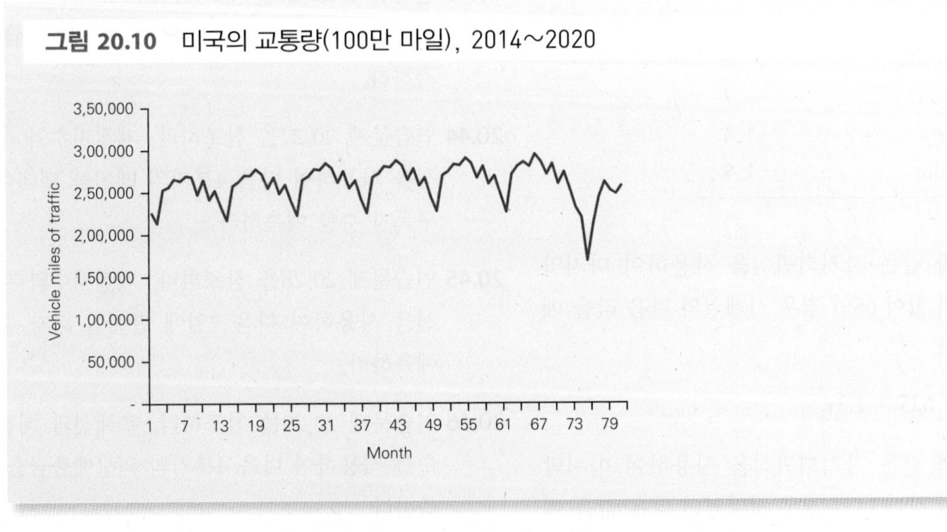

연습문제

20.34 다음의 추세선과 계절지수가 10년 동안의 분기 관측치를 사용하여 계산되었다. 다음 연도의 시계열을 예측하라.

$\hat{y} = 150 + 3t \quad (t = 1, 2, \ldots, 40)$

분기	계절지수
1	.7
2	1.2
3	1.5
4	.6

20.35 다음의 추세선과 계절지수가 4주 동안의 일일 관측치를 사용하여 계산되었다. 다음 주의 7일 시계열을 예측하라.

$\hat{y} = 150 + 3t \quad (t = 1, 2, \ldots, 40)$

요일	계절지수
Sunday	1.5
Monday	.4
Tuesday	.5
Wednesday	.6
Thursday	.7
Friday	1.4
Saturday	1.9

20.36 다음과 같은 자기회귀식을 사용하여 마지막 시점의 값이 65인 경우 시계열의 다음 값을 예측하라.

$\hat{y} = 625 - 1.3y_{t-1}$

20.37 다음과 같은 자기회귀식을 사용하여 마지막 시점의 값이 11인 경우 시계열의 다음 값을 예측하라.

$\hat{y} = 155 + 21y_{t-1}$

20.38 연습문제 20.15를 참조하라. w=.4인 지수평활을 적용하고 다음 4분기의 시계열을 예측하라.

20.39 연습문제 20.22를 참조하라. 계절지수와 추세선을 사용하여 다음 5일의 시계열을 예측하라.

20.40 연습문제 20.23을 참조하라. 계절지수와 추세선을 사용하여 다음 4분기의 시계열을 예측하라.

20.41 연습문제 20.24를 참조하라. 계절지수와 추세선을 사용하여 2021년과 2022년의 분기별 수익을 예측하라.

20.42 연습문제 20.25를 참조하라. 다음의 방법을 사용하면서 2022년 동계 올림픽에서 미국이 획득할 메달 수를 예측하라.

a. 자기회귀예측모형

b. w=.5인 지수평활방법

20.43 연습문제 20.26을 참조하라. 자기회귀모형을 사용하면서 2018년 미국의 재산범죄건수를 예측하라.

20.44 연습문제 20.27을 참조하라. 계절지수와 추세선을 사용하여 다음 4분기의 케이블 텔레비전 구독자 수를 예측하라.

20.45 연습문제 20.28을 참조하라. 계절지수와 추세선을 사용하여 다음 7일에 판매될 피자 수를 예측하라.

20.46 연습문제 20.29를 참조하라. 추세선과 계절지수를 적용하여 다음 4분기의 외상매출금을 예측하라.

연습문제 20.47~20.51에서 다음의 데이터를 사용하라.

<Xr20-47> 한 아이스크림 체인의 과거 5년 동안 분기별 매출액(100만 달러)는 다음과 같다.

	연도				
분기	2016	2017	2018	2019	2020
1	16	14	17	18	21
2	25	27	31	29	30
3	31	32	40	45	52
4	24	23	27	24	32

20.47 시계열을 그래프로 그려라.

20.48 이 문제에서 왜 지수평활이 예측수단으로 추천되지 않는지 논의하라.

20.49 회귀분석을 사용하여 추세선을 추정하라.

20.50 계절지수를 계산하라.

20.51 계절지수와 추세선을 사용하여 다음 4분기의 매출액을 예측하라.

20.52 <Xr20-52> 미국 북동부 지역의 주택신축건수(1,000건)가 2004년부터 2009년까지 기록되었다.

a. 2004년~2008년 데이터를 사용하여 계절지수를 계산하라.

b. 계절지수와 회귀분석을 사용하여 2009년의 주택신축건수를 예측하라.

c. SSE와 MAD를 계산하여 예측이 얼마나 잘 이루어졌는지 측정하라.

요약

이 장에서는 시계열과 시계열을 추세, 계절변동, 임의변동으로 분해하는 것을 논의하였다. 이동평균과 지수평활이 추세와 계절성을 탐지하는 것을 용이하게 하기 위해 일부의 임의변동을 제거하기 위해 사용되었다. 장기추세는 회귀분석을 이용하여 측정되었다. 계절변동은 계절지수를 계산하여 측정되었다. 이 장에서는 3가지 예측기법, 즉 지수평활을 이용한 예측, 계절지수를 이용한 예측, 자기회귀모형을 이용한 예측이 설명되었다.

주요 용어

계절조정 시계열(seasonally adjusted time series)
계절지수(seasonal indexes)
시계열(time series)
예측(forecasting)
예측오차제곱합(sum of squares for forecast errors, SSE)
이동평균(moving average)
임의변동(random variation)
자기회귀모형(autoregressive model)
주기변동(cyclical variation)
지수평활(exponential smoothing)
추세(trend)
평균절대편차(mean absolute deviation, MAD)

주요 기호

기호	의미
y_t	시계열
S_t	지수평활 시계열
w	평활상수
F_t	예측값 시계열

주요공식

지수평활

$$S_t = wy_t + (1 - w)S_{t-1}$$

평균절대편차

$$\text{MAD} = \frac{\sum_{i=1}^{n} |y_t - F_t|}{n}$$

예측오차제곱합

$$\text{SSE} = \sum_{i=1}^{n} (y_t - F_t)^2$$

추세와 계절성 예측

$$F_t = [b_0 + b_1 t] \times SI_t$$

자기회귀모형

$$y_t = \beta_0 + \beta_1 y_{t-1} + \varepsilon$$

Mike Kemp/Rubberball/Getty Images

21 의사결정분석

Decision Analysis

이 장의 구성

21.1 의사결정문제

21.2 추가적인 정보의 획득, 활용 및 평가

합격샘플링(acceptance sampling)

☞ (917페이지에 모범답안이 제시되어 있다.)

한 공장이 컴퓨터에 사용되는 중요한 소형부품을 생산한다. 이 공장은 1,000개 단위로 이 부품을 제조한다. 제조 공정은 상대적으로 첨단인 기술을 사용하기 때문에 상당한 비율의 불량품을 생산한다. 실제로 생산운영관리자는 제조 단위당 불량률은 15% 또는 35%라는 것을 관측했다. 지난해에 제조 단위들의 60%는 15%의 불량률을 가지고 있었고 나머지 제조 단위들의 40%는 35%의 불량률을 가지고 있었다. 이 회사의 현재 정책은 생산된 부품 모두를 고객에게 보내고, 모든 불량품을 교체해주며 추가적인 비용을 지불하는 것이다. 불량품을 교환해주는 총비용은 단위당 10달러이다. 이렇게 높은 비용 때문에, 이 회사의 경영자는 모든 부품을 검사하고 출하 전에 불량품을 교체하는 것을 고려하고 있다. 검사 비용은 단위당 2달러이고 교체비용은 단위당 50센트이다. 각 단위는 5달러에 판매된다.

Image Source/Getty Images

a. 지난해의 생산 경험에 기초하여 판단할 때, 이 회사는 100% 검사 계획을 채택해야 하는가?

b. 100% 검사를 결정하기 전에 제조단위당 표본크기 2의 표본을 추출하여 검사해 볼 가치가 있는가?

서론

앞의 장들에서는 모수와 모집단 특성에 관한 의사결정을 하기 위해 데이터를 요약하는 기법들을 논의했다. 이 장이 초점을 맞추고 있는 것은 의사결정에 관한 것이기는 하지만 이 장에서 다루는 문제의 유형은 몇 가지 측면에서 다르다. 첫째, 가설검정 기법은 모수에 관한 가설을 기각할 것인지 기각하지 않을 것인지 결론짓는다. 의사결정분석에서는 다수의 가능한 의사결정 대안들 중에서 하나의 대안을 선택하는 문제가 다루어진다. 둘째, 가설검정의 의사결정은 통계적 증거에 기초한다. 의사결정분석에서는 데이터가 존재하지 않거나 데이터가 존재하더라도 의사결정이 부분적으로만 데이터에 의존한다. 셋째, 가설검정에서 비용(과 이익)은 유의수준의 선택이나 p-값의 해석을 통해 간접적으로만 고려된다. 의사결정분석은 직접적으로 이익과 손실을 고려한다. 이러한 주요한 차이점들 때문에, 의사결정분석을 이해하기 위해 필요한 것은 이 책의 앞부분에서 다루어진 확률(베이즈 법칙 포함)과 기대치뿐이다.

21.1 의사결정문제

당신은 의사결정분석에 필요한 모든 개념과 용어가 이 책에서 이미 소개되었을 것이라고 생각할 것이다. 불행하게도 의사결정분석은 통계적 추론과 매우 다르기 때문에, 몇 가지의 용어들이 정의되어야 한다. 이러한 용어들이 예제 21.1에서 소개된다.

예제 21.1 투자의사결정

한 투자자가 1년 동안 100만 달러를 투자하기 원한다. 수많은 가능성을 분석하고 배제시킨 후에 그의 선택이 3가지 대안 중 하나로 좁혀졌다. 이러한 대안은 **활동**(act)이라고 부르고 a_i로 표시된다.

a_1: 3%의 이자를 지급하는 보증수익증권(guaranteed income certificate, GIC)에 투자한다.
a_2: 2%의 이표를 지급하는 채권에 투자한다.
a_3: 잘 분산된 주식 포트폴리오에 투자한다.

마지막 2가지 활동과 관련된 보수(payoff)는 수많은 요인들에 의존하고 그중에서 이자율이 가장 중요하다. 3가지의 가능한 **자연상태**(state of nature)가 존재한다. 가능한 자연상태는 s_j로 표시된다.

s_1: 이자율이 상승한다.
s_2: 이자율이 변하지 않는다.
s_3: 이자율이 하락한다.

추가적인 분석을 수행한 후에 활동과 자연상태의 각 조합에 대한 이익이 결정된다. 물론, 어떠한 자연 상태가 발생되느냐와 관계없이 보증수익증권의 보수는 30,000달러이다. 각 투자 대안의 이익이 **보수표**(payoff table)라고 부르는 표 21.1에 요약되어 있다. 예를 들면, 의사결정이 a_2이고 자연상태가 s_1일 때, 투자자는 15,000달러의 손실을 보게 될 것이고 이것이 보수표에 −15,000달러로 표시되어 있다.

표 21.1 예제 21.1의 보수표

자연상태	a_1(GIC)	a_2(BOND)	a_3(STOCKS)
s_1(이자율이 상승한다)	$30,000	−$15,000	$40,000
s_2(이자율이 변하지 않는다)	30,000	20,000	27,500
s_3(이자율이 하락한다)	30,000	60,000	15,000

한 활동의 결과를 나타내는 다른 방법은 활동과 자연상태의 각 조합과 관련된 기회손실을 측정하는 것이다. **기회손실**(opportunity loss)은 한 활동으로부터 발생되는 이익과 최선의 의사결정이 이루어지는 경우에 얻을 수 있는 이익 간의 차이이다. 예를 들면, 표 21.1의 첫 행을 생각해보자. 만일 s_1이 발생되는 자연상태이고 투자자가 활동 a_1을 선택하면, 이익은 30,000달러이다. 그러나 활동 a_3을 선택했다면, 이익은 40,000달러가 될 것이다. 투자자가 얻을 수 있었을 이익(40,000달러)과 실제로 얻은 이익(30,000달러) 간의 차이가 기회손실이다. 따라서 s_1이 자연상태인 경우, 활동 a_1의 기회손실은 10,000달러이다. 활동 a_2의 기회손실은 40,000달러와 −15,000달러의 차이인 55,000달러이다. 최선의 대안이 선택될 때 기회손실은 존재하지 않기 때문에 활동 a_3의 기회손실은 0이다. 이와 유사한 방법으로, 예제 21.1과 관련된 나머지 기회손실을 계산할 수 있다(표 21.2 참조). 음의 기회손실이 존재하지 않는다는 점에 주목하라.

표 21.2 예제 21.1의 기회손실표

자연상태	a_1(GIC)	a_2(BOND)	a_3(STOCKS)
s_1(이자율이 상승한다)	$10,000	$55,000	0
s_2(이자율이 변하지 않는다)	0	10,000	2,500
s_3(이자율이 하락한다)	30,000	0	45,000

의사결정나무

간단한 대안 선택과 관련된 대부분의 문제는 보수표(또는 기회손실표)를 사용하여 쉽게 해결될 수 있다. 그러나 다른 상황들에서는 의사결정자는 일련의 활동을 순차적으로 선택해야만 한다. 제21.2절에서 이러한 상황의 한 가지 유형이 소개된다. 이러한 경우에 보수표는 최선의 대안을 결정하는 데 충분하지 않다. 그 대신 **의사결정나무**(decision tree)를 사용해야 한다.

제6장에서 확률나무(probability tree)가 확률을 계산하는 데 유용한 도구라는 것을 살펴보았다. 확률나무에서 모든 나뭇가지는 사건들의 발생 단계를 나타낸다. 그러나 의사결정나무에서 나뭇가지는 활동과 사건(자연상태)을 나타낸다. 의사결정나무에서 활동과 사건은 다음과 같이 구별된다. 정사각형 노드(square node, 절점 또는 마디라고도 부름)는 의사결정이 이루어져야 하는 점을 나타낸다. 하나의 자연상태가 발생하는 점은 원형 노드(round node)로 표시된다. 그림 21.1은 예제 21.1과 관련된 의사결정나무를 그린 것이다.

그림 21.1 예제 21.1의 의사결정나무

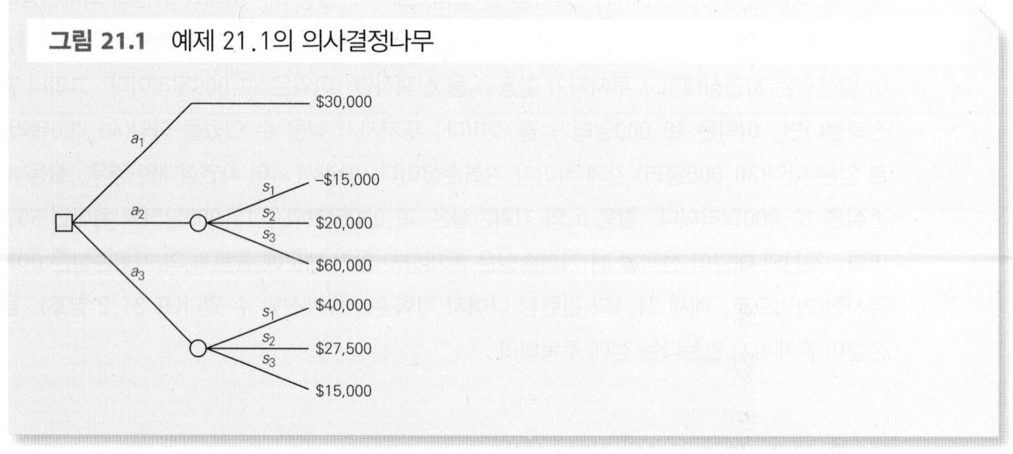

의사결정나무는 정사각형 노드에서 시작된다. 즉 a_1, a_2, a_3 중 하나를 선택하면서 시작된다. 정사각형 노드로부터 뻗어 나가는 나뭇가지들은 대안들을 나타낸다. 나뭇가지 a_2와 a_3의 끝에서 자연상태가 발생하는 점을 나타내는 원형 노드에 도달한다. 자연상태는 s_1, s_2, s_3를 나타내는 나뭇가지로 그려져 있다. 이자율에 어떠한 일이 발생하든지에 관계없이 활동 a_1의 보수는 30,000달러로 고정되어 있기 때문에 나뭇가지 a_1의 끝에는 자연상태가 없다.

나뭇가지의 끝에 보수가 제시되어 있다(이와는 달리 보수 대신에 기회손실이 제시될 수도 있다). 물론 이 수치들은 표 21.1에 제시된 수치들과 같다.

지금까지 우리가 한 일은 문제를 설정한 것이다. 의사결정을 위한 어떠한 시도도 이루어지지 않았다. 많은 현실 문제에서 보수표 또는 의사결정나무를 결정하는 것 그 자체가 엄청나게 어려운 일일 수 있다. 그러나 많은 경영자들은 이 일이 종종 의사결정을 하는 데 있어서 매우 유용하다는 것을 알고 있다.

기대화폐가치에 의한 의사결정

많은 의사결정 문제에서 자연상태에 대하여 확률을 부여할 수 있다. 예를 들어, 만일 의사결정 문제가 포커게임에서 인사이드 스트레이트(inside straight)를 만들기 위해 카드를 뽑을 것인지 결정하는 것이라면, 성공확률은 간단한 확률 법칙을 사용하여 쉽게 결정될 수 있다. 만일 과거에 자주 고장난 기계를 교체할 것인지 결정해야만 한다면, 고장의 상대빈도에 기초하여 확률을 부여할 수 있다. 그러나 많은 다른 경우들에서는 공식적인 확률 법칙과 기법이 적용될 수 없다. 예제 21.1에서 이자율의 상승과 하락에 대한 과거의 상대빈도가 투자자가 다음 해 동안 이자율의 움직임에 대하여 확률을 부여하는 데 도움을 주기에는 불충분하다. 이러한 경우에 확률은 주관적으로 부여되어야 한다. 달리 말하면, 확률의 결정이 의사결정자의 경험, 지식, 추측에 기초하여 이루어져야 한다.

예제 21.1에서, 만일 투자자가 많은 경제변수들에 관한 지식을 약간 가지고 있다면, 그는 다음 해에 이자율에 어떤 일이 발생할 것인지에 대해 합리적인 추측을 할 수 있을 것이다. 예를 들어, 투자자가 미래의 이자율이 현재와 같을 가능성이 가장 크고 나머지 2가지 상태 중에서는 이자율이 상승하기보다는 하락할 가능성이 더 크다고 믿는다고 하자. 이 경우, 투자자는 다음과 같이 자연상태의 발생확률을 추측할 수 있다.

$$P(s_1) = .2,\ P(s_2) = .5,\ \ P(s_3) = .3$$

이러한 확률은 주관적으로 부여된 것이기 때문에, 다른 의사결정자는 완전히 다른 확률 값을 부여할 수 있다. 실제로 만일 이런 일이 발생하지 않는다면, 모든 사람이 매입자(이에 따라 매도자가 없을 것이다)이거나 매도자(이에 따라 매입자가 없을 것이다)이기 때문에 주식 또는 어떤 다른 증권의 매입자와 매도자가 동시에 존재하지 않을 것이다.

자연상태의 확률을 결정한 후에, **기대화폐가치에 의한 의사결정**(expected monetary value decision)에 관한 논의가 이루어질 수 있다. 이제 각 의사결정에 어떤 일이 발생할 것인지 계산할 수 있다. 일반적으로 각 의사결정의 결과는 화폐단위로 측정되기 때문에 각 활동의 **기대화폐가치**(expected monetary value, EMV)가 계산될 수 있다. 제7장에서 기대치가 확률변수의 값과 그 값에 해당되는 확률을 곱하고 구한 값들을 합하여 계산된 것을 기억하라. 따라서 예제 21.1의 경우, 대안 a_1의 기대화폐가치는 다음과 같이 계산된다.

$$EMV(a_1) = .2(30,000) + .5(30,000) + .3(30,000) = 30,000\text{달러}$$

다른 대안들의 기대화폐가치도 같은 방법으로 구해진다.

$$EMV(a_2) = .2(-15,000) + .5(20,000) + .3(60,000) = 25,000\text{달러}$$
$$EMV(a_3) = .2(40,000) + .5(27,500) + .3(15,000) = 26,250\text{달러}$$

기대화폐가치가 가장 큰 대안 a_1이 선택된다. a_1의 기대화폐가치를 EMV^*로 표시하면 $EMV^* = 30,000$달러이다.

일반적으로 기대화폐가치가 가능한 보수를 나타내는 것은 아니다. 예를 들어, 활동 a_2의 기대화폐가치는 25,000달러이나 보수표에 의하면 a_2를 선택할 때의 가능한 보수들은 −15,000달러, 20,000달러, 60,000달러이다. 물론, 활동 a_1의 기대화폐가치(30,000달러)는 활동 a_1의 유일한 보수이기 때문에 가능한 보수이다.

기대화폐가치는 무엇을 의미하는가? 만일 정확히 같은 보수와 확률을 가지고 주어진 투자가 무한히 많이 이루어진다면, 기대화폐가치는 이러한 투자의 평균 보수이다. 즉, 만일 활동 a_2에 대한 투자가 무한히 많이 반복적으로 이루어진다면, 이러한 투자의 20%는 15,000달러의 손실을 발생시킬 것이고 이러한 투자의 50%는 20,000달러의 이익을 발생시킬 것이며 이러한 투자의 30%는 60,000달러의 이익을 발생시킬 것이다. 따라서 이러한 투자의 평균 보수는 기대화폐가치인 25,000달러이다. 만일 활동 a_3이 선택되면, 장기적으로 활동 a_3의 평균 보수는 26,250달러가 된다.

여기서 하나의 중요한 문제가 얼마나 많은 투자가 이루어지는가라는 질문에 의해 제기된다. 그 대답은 한 번이다. 투자자가 매년 동일한 유형의 투자를 하더라도, 자연상태의 보수와 확률은 의심할 여지 없이 매년 바뀐다. 따라서 한 번의 투자가 이루어질 때 기대화폐가치는 동일한 유형의 투자를 무한히 많이 한다는 가정에 기초하여 결정된다는 문제에 직면하게 된다. 이러한 분명한 모순은 2가지 방식으로 합리화될 수 있다. 첫째, 기대치 결정은 의사결정 과정에서 가장 중요한 2가지 요소인 보수와 확률을 결합할 수 있는 유일한 방법이다. 2가지 요소가 알려져 있을 때, 투자자가 어느 한 요소를 무시한다는 것은 생각할 수 없는 일이다. (보수에만 의존하여 의사결정을 하는 과정이 존재한다. 그러나 이러한 과정은 확률에 관한 정보가 없다고 가정한다. 이것은 주어진 예제에 해당되지 않는다.) 둘째, 전형적인 의사결정자는 생애 동안 수많은 의사결정을 한다. 기대치에 의한 의사결정 방법을 사용함으로써 의사결정자는 적어도 다른 사람만큼 좋은 성과를 얻는다. 따라서 해석의 문제가 있음에도 불구하고 기대화폐가치에 의한 의사결정 방법이 사용될 수 있다.

기대기회손실에 의한 의사결정

또한 각 활동의 **기대기회손실**(expected opportunity loss, EOL)이 계산될 수 있다. 기회손실표(표 21.2)로부터, 각 활동의 기대기회손실이 다음과 같이 계산될 수 있다.

$$\text{EOL}(a_1) = .2(10,000) + .5(0) + .3(30,000) = 11,000\text{달러}$$
$$\text{EOL}(a_2) = .2(55,000) + .5(10,000) + .3(0) = 16,000\text{달러}$$
$$\text{EOL}(a_3) = .2(0) + .5(2,500) + .3(45,000) = 14,750\text{달러}$$

기대손실을 최소화하기 원하면, 가장 작은 기대기회손실을 발생시키는 활동인 a_1이 선택된다. 최소의 기대기회손실을 EOL^*라고 표시하자. EMV에 의한 의사결정 결과는 EOL에 의한 의사결정 결과와 동일하다. 이것은 우연의 일치가 아니다. 기회손실표는 보수표로부터 만들어졌다.

의사결정나무의 롤백 기법

그림 21.2는 예제 21.1의 의사결정나무를 상태의 확률과 함께 나타낸 것이다. EMV에 의한 의사결정 과정은 **롤백 기법**(rollback technique)이라고 부른다. 이 과정은 다음과 같이 작동한다. 나뭇가지의 끝(오른쪽)으로부터 시작하면서 각 원형 노드에서 기대화폐가치를 계산한다. 그림 21.2의 각 원형 노드 위에 제시된 수치는 기대화폐가치를 나타낸다.

각 정사각형 노드에서, 가장 큰 EMV를 가지고 있는 나뭇가지를 선택하는 의사결정이 이루어진다. 주어진 예에는 하나의 정사각형 노드만이 존재한다. 이 경우 최적 의사결정은 물론 활동 a_1이다.

그림 21.2 예제 21.1의 롤백 기법 적용

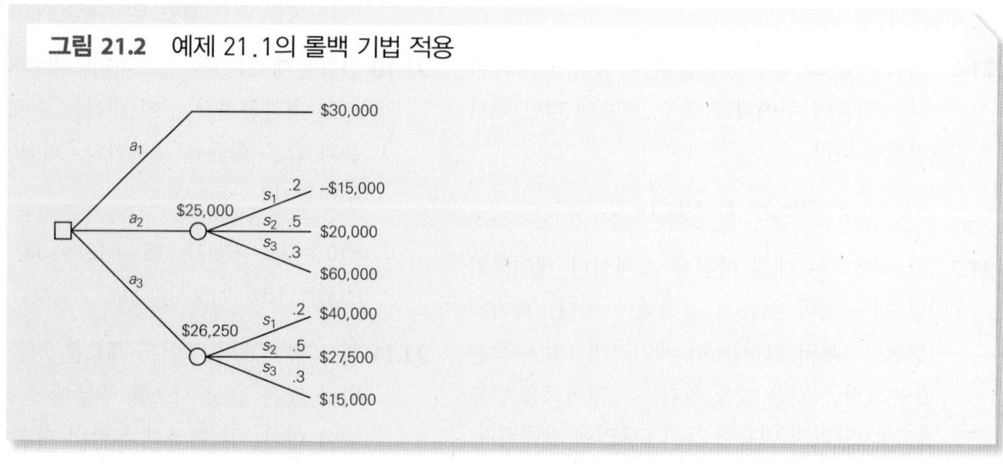

연습문제

21.1 다음과 같은 보수표로부터 기회손실표를 작성하라

	a_1	a_2
s_1	55	26
s_2	43	38
s_3	29	43
s_4	15	51

21.2 연습문제 21.1의 의사결정나무를 그려라.

21.3 연습문제 21.1의 자연상태에 대하여 다음과 같은 확률이 부여되는 경우, EMV에 의한 의사결정을 하라.

$P(s_1)=.4 \quad P(s_2)=.1 \quad P(s_3)=.3 \quad P(s_4)=.2$

21.4 다음과 같은 보수표가 주어진 경우, 의사결정나무를 그려라.

	a_1	a_2	a_3
s_1	20	5	−1
s_2	8	5	4
s_3	−10	5	10

21.5 연습문제 21.4를 참조하라. 기회손실표를 작성하라.

21.6 연습문제 21.5의 자연상태에 대하여 다음과 같은 확률이 부여되는 경우, EOL에 의한 의사결정을 하라.

$P(s_1)=.2 \quad P(s_2)=.6 \quad P(s_3)=.2$

21.7 한 제빵사는 매일 아침에 스페셜티 케이크를 몇 개 구워야 하는지 결정해야 한다. 과거의 경험으로부터 그녀는 이 케이크의 1일 수요는 0~3개라는 것을 알고 있다. 각 케이크를 만드는 데 3달러의 비용이 들고 8달러에 판매된다. 팔리지 않은 케이크는 그날의 영업 종료시점에 쓰레기통에 버려진다.

a. 이 제빵사가 몇 개의 스페셜티 케이크를 구워야 하는지 결정하는 데 도움을 주기 위한 보수표를 작성하라.

b. 기회손실표를 작성하라.

c. 의사결정나무를 그려라.

21.8 연습문제 21.7을 참조하라. 수요의 각 수치가 실현될 확률은 모든 가능한 수요에 대하여 같다고 가정하라.

a. EMV에 의한 의사결정을 하라.

b. EOL에 의한 의사결정을 하라.

21.9 버펄로(Buffalo)에 있는 한 대형 쇼핑센터의 경영자는 주차장 관리를 위해서 눈 청소 서비스 구매에 관한 의사결정을 하는 과정에 있다. 2가지 서비스가 이용 가능하다. 화이트 크리스마스(White Christmas Company)사는 겨울시즌 내내 40,000달러의 단일 요금으로 모든 눈을 청소한다. 웨플로웸(Weplowem Company)사는 각 눈 청소 서비스당 18,000달러를 부과한다. 겨울시즌당 눈이 내리는 수는 0에서 4번 사이라고 가정하면서, 이 경영자가 의사결정하는 것을 돕기 위한 보수표를 작성하라.

21.10 연습문제 21.9를 참조하라. 경영자는 주관적으로 평가하면서 눈이 내리는 수에 대하여 다음과 같은 확률을 부여한다. 최적 의사결정은 무엇인가?

$P(0)=.05 \quad P(1)=.15 \quad P(2)=.30 \quad P(3)=.40$
$P(4)=.10$

21.11 한 의류가게의 주인은 새로운 시즌을 위해 얼마나 많은 남성 셔츠를 주문해야 하는지 결정해야 한다. 한 특정한 유형의 셔츠의 경우, 그녀는 100개 단위로 주문해야 한다. 만일 그녀

가 100개 셔츠를 주문하면, 그녀의 비용은 셔츠당 10달러이다. 만일 그녀가 200개 셔츠를 주문하면, 그녀의 비용은 셔츠당 9달러이다. 만일 그녀가 300개 이상 주문하면, 그녀의 비용은 셔츠당 8.50달러이다. 그녀의 셔츠 판매가격은 12달러이나 시즌 종료시점에 판매되지 않은 셔츠는 "1/2 가격 시즌 종료 세일"에서 판매된다. 분석을 간단하게 하기 위해서, 그녀는 이러한 유형의 셔츠에 대한 수요는 100개, 150개, 200개, 250개가 될 것이라고 가정한다. 물론, 그녀는 그녀가 재고로 가지고 있는 것보다 더 많이 판매할 수 없다. 또한 그녀는 재고를 가지고 있지 않아서 고객이 원하는 셔츠를 구매할 수 없는 경우 신용의 손실에 따른 어려움을 겪지 않을 것이라고 가정한다. 이에 더하여, 그녀는 시즌 전체를 위해서 오늘 주문을 해야만 한다. 그녀는 이러한 유형의 셔츠에 대한 수요가 어떻게 변화하는지 관찰하기 위해 기다릴 수 없다.

a. 이 의류가게의 주인이 얼마나 많은 셔츠를 주문해야 할 것인지 결정하는 데 도움이 되는 보수표를 작성하라.

b. 기회손실표를 작성하라.

c. 의사결정나무를 그려라.

21.12 연습문제 21.11을 참조하라. 의류가게의 주인은 다음과 같은 확률을 부여했다.

$P(\text{Demand}=100)=.20$, $P(\text{Demand}=150)=.25$
$P(\text{Demand}=200)=.40$, $P(\text{Demand}=250)=.15$

EMV에 의한 의사결정을 하라.

21.13 한 빌딩 건축업자는 칙-오-피(Chick-oh-pee)의 스키 리조트에 몇 채의 오두막집을 건설해야 하는지 결정해야 한다. 그는 각 오두막집을 26,000달러의 비용으로 건설하고 33,000달러에 판매한다. 10개월 후에 판매되지 않은 모든 오두막집은 지역 투자자에게 20,000달러에 판매된다. 이 건축업자는 오두막집에 대한 수요는 평균이 .5인 포아송 분포를 따른다고 믿는다. 그는 .01보다 작은 확률은 0으로 간주될 수 있다고 가정한다. 이러한 의사결정 문제를 위한 보수표와 기회손실표를 작성하라.

21.14 한 전기회사는 새로운 발전소를 건설하는 과정에 있다. 건설되는 발전소의 규모에 관하여 약간의 불확실성이 존재한다. 만일 건설되는 발전소가 전력을 공급하게 되는 지역사회가 많은 기업체를 유치하고 있으면, 전력에 대한 수요는 높을 것이다. 만일 상업용 오피스들과 소매점들이 유치되고 있으면, 전력에 대한 수요는 중간 정도일 것이다. 만일 기업체나 상업용 가게들이 유치되고 있지 않으면, 전력에 대한 수요는 낮을 것이다. 이 전기회사는 소형 발전소, 중형 발전소나 대형 발전소를 건설할 수 있다. 그러나 만일 발전소가 너무 작으면, 이 전기회사는 추가 비용을 지불하게 된다. 모든 선택들의 총비용(100만 달러 기준)이 다음과 같은 표에 제시되어 있다.

	발전소 규모		
전기 수요	**소형**	**중형**	**대형**
낮음	220	300	350
중간	330	320	350
높음	440	390	350

다음과 같은 확률이 전기에 대한 수요에 대하여 부여된다.

전기 수요	P(Demand)
낮음	.15
중간	.55
높음	.30

a. 최대 기대화폐가치를 가지는 활동을 결정하라. (**주의:** 표에 있는 모든 수치는 비용이다.)

b. 기회손실표를 작성하라.

c. 각 의사결정의 기대기회손실을 계산하고 최적 의사결정을 하라.

21.15 한 소매업자가 버섯 부셀당 2달러에 구매해서 5달러에 판매한다. 버섯의 품질은 버섯이 판매되는 첫날 이후에 떨어지기 시작한다. 따라서 버섯을 부셀당 5달러에 판매하기 위해서 그는 첫날에 버섯을 판매해야 한다. 첫날에 판매되지 않은 버섯은 이러한 버섯을 구매하는 한 도매업자에게 다음과 같은 가격으로 판매될 수 있다.

구매량(부셀)	1	2	3	4 이상
부셀당 가격	2.00달러	1.75달러	1.50달러	1.25달러

과거의 버섯에 대한 1일 수요를 90일간 관측한 결과는 다음과 같은 정보를 제공한다.

1일 수요(부셀)	10	11	12	13
관측일 수	9	18	36	27

a. 이 소매업자가 몇 부셀의 버섯을 구매해야 하는지 결정하기 위해 사용할 수 있는 보수표를 작성하라.

b. 이 소매업자가 이윤을 극대화하기 위해 구매해야 하는 최적 부셀 수를 구하라.

21.16 한 전자제품회사가 새로운 형태의 컴팩트 디스크 플레이어 출시를 고려하고 있다. 약간의 시장분석을 한 후에, 이 회사의 사장은 2년 이내에 신제품은 5%, 10%나 15%의 시장점유율을 가질 것이라고 결론짓는다. 그녀는 이러한 사건들의 확률을 주관적으로 각각 0.15, 0.45, 0.40으로 평가한다. 신제품의 시장점유율이 5%이면 2,800만 달러의 손실이 발생할 것이다. 시장점유율이 10%인 경우, 200만 달러의 이윤이 발생할 것이고 시장점유율이 15%인 경우, 800만 달러의 이윤이 발생할 것이다. 만일 이 회사가 새로운 컴팩트 디스크 플레이어를 생산하지 않기로 결정하면, 이윤이나 손실이 발생하지 않을 것이다. 기대치에 의한 의사결정방법에 의하면, 이 회사는 어떻게 해야 하는가?

21.2 추가적인 정보의 획득, 활용 및 평가

이 절에서는 의사결정 과정에 추가적인 정보를 포함시키는 방법이 논의된다. 일반적으로 추가적인 정보는 가치가 있으나 비용도 수반한다. 즉, 컨설턴트, 서베이, 기타 실험으로부터 유용한 정보를 획득할 수 있으나 일반적으로 이러한 정보를 확보하는 데 비용이 지불되어야 한다. 완전정보의 가치를 결정함으로써 의사결정자가 어떤 정보에 대하여 기꺼이 지불하고자 하는 최대가격을 계산할 수 있다. 먼저 **완전정보 기대보수**(expected payoff with perfect information, EPPI)를 계산해보자.

만일 사전에 어떤 자연상태가 발생할 것이라는 것을 안다면, 분명히 이에 따른 의사결정이 이루어질 것이다. 예를 들어, 만일 예제 21.1의 투자자가 투자가 이루어지기 전에 이자율이 어떻게 될 것인지 안다면, 그는 그러한 상황에 맞는 최선의 활동을 선택할 것이다. 표 21.1에서 보는 것처럼, 만일 그가 s_1이 발생할 것이라고 안다면, 그는 활동 a_3을 선택할 것이다. 만일 s_2가 확실히 발생할 것이라면 그는 a_1을 선택할 것이고, 만일 s_3이 확실히 발생할 것이라면 그는 a_2를 선택할 것이다. 따라서 장기적으로 완전정보 기대보수는 다음과 같이 구해진다.

$$\text{EPPI} = .2(40,000) + .5(30,000) + .3(60,000) = 41,000\text{달러}$$

EPPI는 각 자연상태의 확률과 그 상태와 관련된 최대 보수를 곱한 값들을 합하여 계산된다는 점에 주목하라.

그러나 이 수치는 투자자가 완전정보에 대하여 기꺼이 지불할 용의가 있는 최대 금액을 나타내는 것은 아니다. 투자자는 완전정보가 없는 상황에서 EMV*=30,000달러의 기대이익을 얻을 수 있기 때문에, **완전정보 기대가치**(expected value of perfect information, EVPI)는 EPPI로부터 EMV*를 빼서 구해진다.

$$\text{EVPI} = \text{EPPI} - \text{EMV}^* = 41,000 - 30,000 = 11,000\text{달러}$$

이것은 만일 완전정보가 이용 가능하다면, 투자자가 그 정보를 획득하기 위해서 11,000달러까지 기꺼이 지불할 용의가 있다는 것을 의미한다.

당신은 완전정보 기대가치(EVPI)는 최소 기대기회손실(EOL^*)과 같다는 것을 눈치챘을 수 있다. 이것은 또한 우연의 일치가 아니다. 이것은 항상 성립한다. 이제부터 기회손실표가 결정되어 있다면, 여러분은 EVPI를 알기 위해서 EOL^*을 계산하기만 하면 된다.

21.2a 추가적인 정보를 활용한 의사결정

계속적으로 살펴보고 있는 주어진 예에서 투자자가 자신의 의사결정 능력을 개선시키기 원한다고 하자. 그는 5,000달러의 수수료를 받고 앞으로 12개월 동안 경제 상황을 분석하고 이자율의 움직임을 예측해주는 투자경영컨설턴트(Investment Management Consultants, IMC)를 알고 있다. (100만 달러의 투자금을 가지고 있는) 투자자는 매우 영리해서 IMC가 과거에 얼마나 성공적이었는지 나타내는 척도를 요구한다. IMC는 오랫동안 이자율을 예측했기 때문에 그에게 표 21.3에 제시되어 있는 것과 같은 [**우도확률**(likelihood probability)이라고 부르는] 다양한 조건부 확률을 제공한다. 표 21.3은 다음과 같은 기호를 사용한다.

I_1: IMC는 이자율이 상승할 것이라고 예측한다.

I_2: IMC는 이자율이 변하지 않을 것이라고 예측한다.

I_3: IMC는 이자율이 하락할 것이라고 예측한다.

표 21.3 우도확률 $P(I_1|s_j)$

	I_1(PREDICT s_1)	I_2(PREDICT s_2)	I_3(PREDICT s_3)
s_1	$P(I_1\|s_1) = .60$	$P(I_2\|s_1) = .30$	$P(I_3\|s_1) = .10$
s_2	$P(I_1\|s_2) = .10$	$P(I_2\|s_2) = .80$	$P(I_3\|s_2) = .10$
s_3	$P(I_1\|s_3) = .10$	$P(I_2\|s_3) = .20$	$P(I_3\|s_3) = .70$

I_1는 **실험결과**(experimental outcome)라고 부르고 추가적인 정보가 획득되는 과정은 **실험**(experiment)이라고 부른다.

표 21.3의 첫 줄을 살펴보자. s_1이 과거에 실제로 발생했을 때, IMC는 정확하게 s_1을 예측한 것은 60%였고 s_2를 예측한 것은 30%였으며 s_3를 예측한 것은 10%였다. 두 번째 줄은 s_2가 실제로 발생했을 때 I_1, I_2, I_3의 조건부 확률을 제시하고 있다. 세 번째 줄은 s_3가 실제로 발생했을 때 I_1, I_2, I_3의 조건부 확률을 보여주고 있다.

이제 다음과 같은 질문이 제기된다. 투자자는 IMC가 제공하는 예측을 어떻게 사용할 것인가? 한 가지 방법은 단순히 IMC 예측이 실제로 발생할 것이라고 가정하고 그것에 따른 활동을 선택하는 것이다. 이러한 방법에는 몇 가지 단점이 있다. 이러한 단점 중 가장 중요한 것은 투자자가 주어진 문제에 대하여 가지고 있는 (주관적 확률 형태의) 지식 일체를 무시하게 된다는 것이다. 그 대신 투자자는 자연상태의 확률에 대한 그의 처음 평가를 수정하기 위해 IMC가 제공하는 정보를 사용해야 한다. 컨설턴트의 예측을 투자자의 주관적 확률에 통합시키기 위해서는 제6.4절에서 소개된 베이즈 법칙(Bayes's Law)이 사용되어야 한다. 주어진 예의 상황에서 베이즈 법칙을 복습해보도록 하자.

투자자는 IMC에게 5,000달러의 수수료를 지불하고 IMC는 s_1이 발생할 것이라고 예측한다고 하자. I_1이 실험 결과인 상황에서 자연상태의 확률에 대한 투자자의 추정치를 수정하기 원한다. 즉 $P(s_1|I_1)$, $P(s_2|I_1)$, $P(s_3|I_1)$을 구하기 원한다. 논의를 더 진행하기 전에, 약간의 용어를 정리하도록 하자.

제6.4절로부터 $P(s_1)$, $P(s_2)$, $P(s_3)$은 추가적인 정보를 획득하기 전에 결정되어 있기 때문에 **사전확률**(prior probability)이라고 부른다는 것을 기억하라. 주어진 예에서 사전확률은 투자자의 경험에 기초하여 구해진다. 우리가 계산하기 원하는 확률, 즉 $P(s_1|I_1)$, $P(s_2|I_1)$, $P(s_3|I_1)$은 **사후확률**(posterior probability) 또는 **수정확률**(revised probability)이라고 부른다.

이제 먼저 확률나무를 사용하고 이어서 간단한 방법을 적용하면서 사후확률을 계산하도록 하자. 그림 21.3은 확률나무를 그린 것이다. 사전확률과 이어서 우도확률이 제시되어 있는 나뭇가지를 가지고 논의를 시작하도록 하자.

그림 21.3 사후확률을 계산하기 위한 확률나무

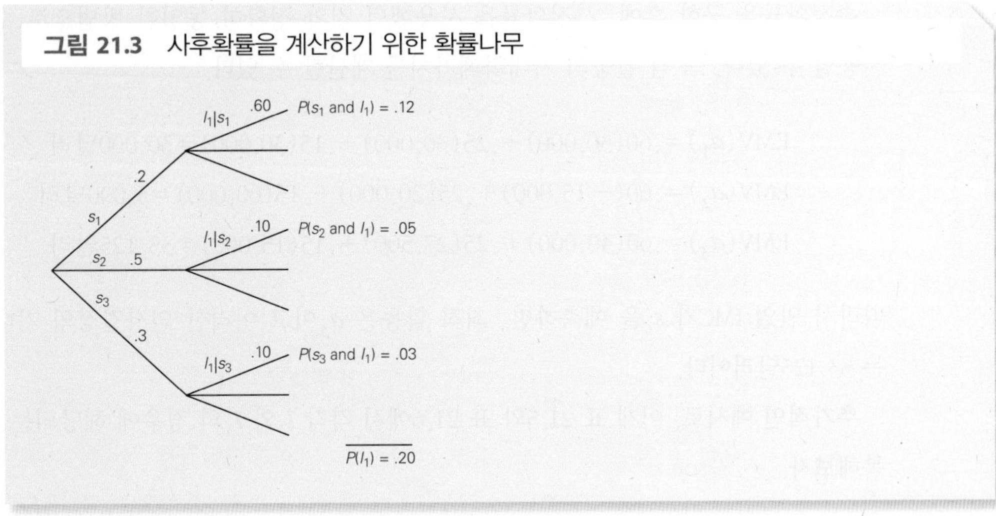

I_1이 실험결과라고 가정하고 있기 때문에 $P(I_1|s_1)$, $P(I_1|s_2)$, $P(I_1|s_3)$만 확률나무에 표시되어 있다는 점에 주목하라. 이제 조건부 확률은 다음과 같이 정의된다는 것을 기억하라.

$$P(A|B) = \frac{P(A \text{ and } B)}{P(B)}$$

각 나뭇가지의 끝에, 결합확률 $P(s_j \text{ and } I_1)$이 표시되어 있다. 결합확률 $P(s_j \text{ and } I_1)$, $j =$ 1, 2, 3을 합하여 $P(I_1)$가 계산된다. 마지막으로 조건부 확률의 정의에 의해 사후확률이 다음과 같이 계산된다.

$$P(s_j|I_1) = \frac{P(s_j \text{ and } I_1)}{P(I_1)}$$

표 21.4는 확률나무 없이 확률나무와 정확히 동일한 계산을 보여준다. 따라서 예를 들어, 처음에 s_3의 확률은 0.3이었으나 I_1이 주어진 경우 s_3의 수정확률은 이제 0.15가 된다.

표 21.4 I_1의 사후확률

s_j	$P(s_j)$	$P(I_1 \mid s_j)$	$P(s_j$ and $I_1)$	$P(s_j \mid I_1)$
s_1	.2	.60	(.2)(.60) = .12	.12/.20 = .60
s_2	.5	.10	(.5)(.10) = .05	.05/.20 = .25
s_3	.3	.10	(.3)(.10) = .03	.03/.20 = .15
			$P(I_1) = .20$	

수정확률을 구한 후에, 사전확률을 사용했던 것과 정확히 동일한 방법으로 수정확률을 사용할 수 있다. 즉 각 활동의 기대화폐가치를 계산할 수 있다.

$$\text{EMV}(a_1) = .60(30{,}000) + .25(30{,}000) + .15(30{,}000) = 30{,}000\text{달러}$$
$$\text{EMV}(a_2) = .60(-15{,}000) + .25(20{,}000) + .15(60{,}000) = 5{,}000\text{달러}$$
$$\text{EMV}(a_3) = .60(40{,}000) + .25(27{,}500) + .15(15{,}000) = 33{,}125\text{달러}$$

따라서 만일 IMC가 s_1을 예측하면, 최적 활동은 a_3이고 이러한 의사결정의 기대화폐가치는 33,125달러이다.

추가적인 예시로, 이제 표 21.5와 표 21.6에서 각각 I_2와 I_3의 경우에 해당되는 과정을 반복해보자.

표 21.5 I_2의 사후확률

s_j	$P(s_j)$	$P(I_2 \mid s_j)$	$P(s_j \text{ and } I_2)$	$P(s_j \mid I_2)$
s_1	.2	.30	(.2)(.30) = .06	.06/.52 = .115
s_2	.5	.80	(.5)(.80) = .40	.40/.52 = .770
s_3	.3	.20	(.3)(.20) = .06	.06/.52 = .115
			$P(I_2) = .52$	

표 21.5에 정리되어 있는 I_2의 사후확률을 보수표에 적용하면, 다음과 같은 결과가 구해진다.

$$\text{EMV}(a_1) = .115(30{,}000) + .770(30{,}000) + .115(30{,}000) = 30{,}000\text{달러}$$
$$\text{EMV}(a_2) = .115(-15{,}000) + .770(20{,}000) + .115(60{,}000) = 20{,}575\text{달러}$$
$$\text{EMV}(a_3) = .115(40{,}000) + .770(27{,}500) + .115(15{,}000) = 27{,}500\text{달러}$$

표 21.6 I_3의 사후확률

s_j	$P(s_j)$	$P(I_3 \mid s_j)$	$P(s_j \text{ and } I_3)$	$P(s_j \mid I_3)$
s_1	.2	.10	(.2)(.10) = .02	.02/.28 = .071
s_2	.5	.10	(.5)(.10) = .05	.05/.28 = .179
s_3	.3	.70	(.3)(.70) = .21	.21/.28 = .750
			$P(I_3) = .28$	

따라서 만일 IMC가 s_2을 예측하면, 최적 활동은 a_1이고 이러한 의사결정의 기대화폐가치는 30,000달러이다.

표 21.6에 제시된 I_3의 사후확률을 사용하면, 기대화폐가치는 다음과 같이 구해진다.

$$\text{EMV}(a_1) = .071(30{,}000) + .179(30{,}000) + .750(30{,}000) = 30{,}000\text{달러}$$
$$\text{EMV}(a_2) = .071(-15{,}000) + .179(20{,}000) + .750(60{,}000) = 47{,}515\text{달러}$$
$$\text{EMV}(a_3) = .071(40{,}000) + .179(27{,}500) + .750(15{,}000) = 19{,}013\text{달러}$$

만일 IMC가 s_3가 발생할 것이라고 예측하면, 최적 활동은 a_2이고 이 경우 화폐기대가치는 47,515달러이다.

이제 다음과 같은 사실을 알게 된다.

만일 IMC가 s_1을 예측하면, 최적 활동은 a_3이다.
만일 IMC가 s_2를 예측하면, 최적 활동은 a_1이다.
만일 IMC가 s_3를 예측하면, 최적 활동은 a_2이다.

따라서, IMC가 자신의 예측을 하기도 전에 투자자는 3가지 가능한 IMC 예측 각각에 대하여 어느 활동이 최적인지 안다. 물론, 이와 관련된 모든 계산은 IMC에게 5,000달러의 수수료를 지불하기 전에 구해질 수 있다. 이것은 매우 중요한 계산을 할 수 있게 해준다. 방금 설명한 계산을 수행함으로써 투자자는 IMC의 예측을 구매할 것인지, 즉 IMC 예측의 가치가 그 정보의 비용보다 큰지 결정할 수 있다. 이러한 결정은 **사전사후분석**(preposterior analysis)이라고 부른다.

21.2b 사전사후분석

사전사후분석의 목적은 예측의 가치가 정보의 비용보다 큰지 또는 작은지 결정하는 것이다. **사후**(posterior)라는 용어는 확률의 수정을 의미하고 **사전**(pre)이라는 용어는 이러한 계산이 예측을 구매하기 위한 수수료를 지불하기 전에 이루어진다는 것을 의미한다.

먼저 추가적인 정보사용의 기대화폐가치를 구해보자. 정보사용의 기대화폐가치는 EMV′로 표시되고 다음과 같은 분석에 기초하여 구해진다.

만일 IMC가 s_1을 예측하면, 최적 활동은 a_3이고 기대보수는 33,125달러이다.
만일 IMC가 s_2를 예측하면, 최적 활동은 a_1이고 기대보수는 30,000달러이다.
만일 IMC가 s_3를 예측하면, 최적 활동은 a_2이고 기대보수는 47,515달러이다.

사후확률을 계산하는 과정에서 얻게 되는 유용한 부산물은 I_1, I_2, I_3의 확률, 즉

$$P(I_1) = .20, \quad P(I_2) = .52, \quad P(I_3) = .28$$

이다.(이러한 확률들의 합은 1이라는 점을 주목하라.) 이제 투자자가 무한히 많이 IMC의 자문을 구한다고 상상해보자. (이것은 기대치 결정을 위한 기반이다.) I_1, I_2, I_3의 확률은 다음과 같은 분포를 제시한다. 무한히 많이 IMC의 자문을 구할 때, IMC가 s_1를 예측하는 경우가 20%이고 이 경우 화폐기대가치는 33,125달러이고, IMC가 s_2를 예측하는 경우가 52%이고

그림 21.4 예제 21.1의 완전한 의사결정나무

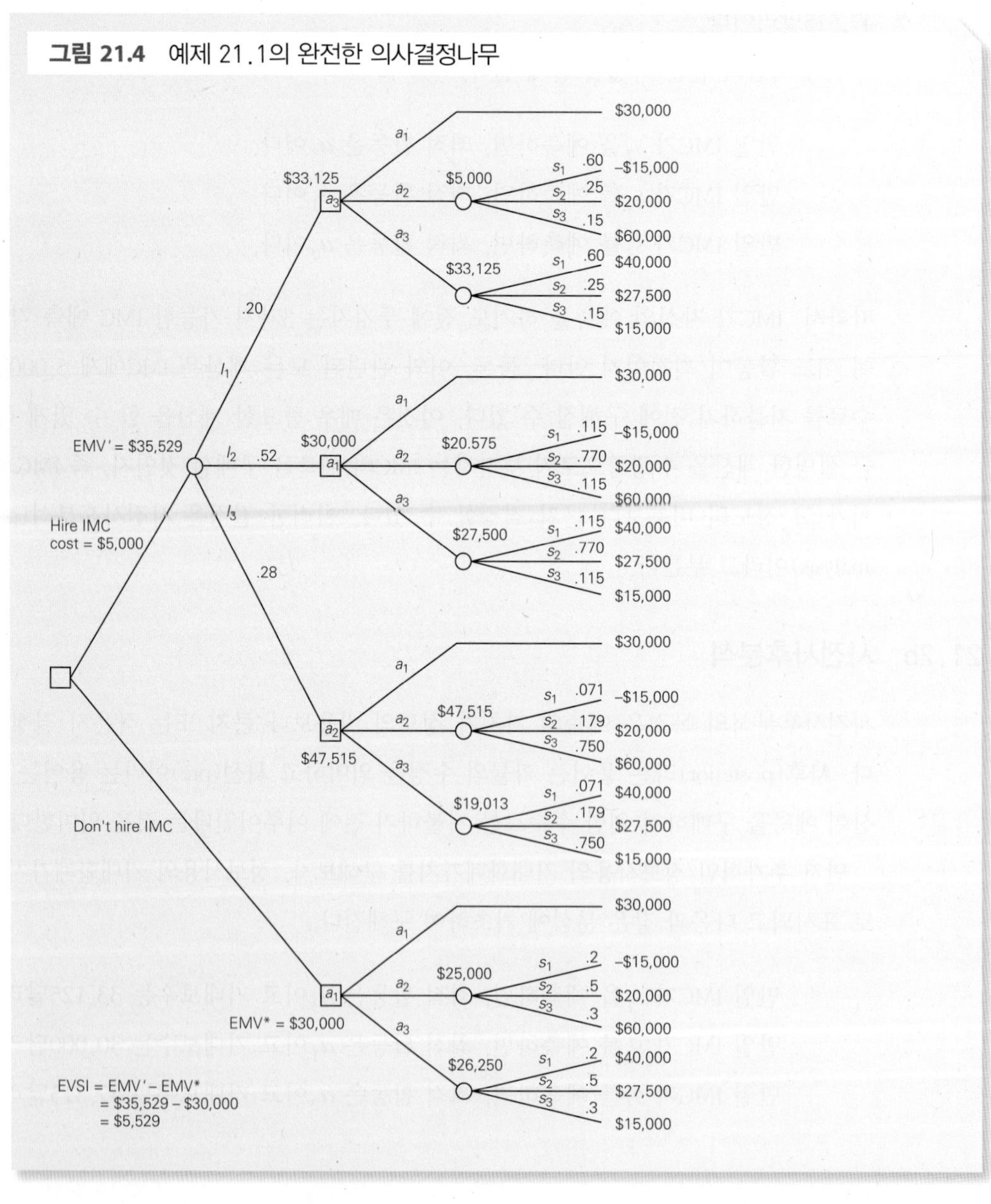

이 경우 화폐기대가치는 30,000달러이며 IMC가 s_3를 예측하는 경우가 28%이고 이 경우 화폐기대가치는 47,515달러이다.

추가정보의 기대화폐가치는 $P(I_1)$, $P(I_2)$, $P(I_3)$을 가중치로 사용하여 구해지는 가중평균 기대화폐가치이다. 따라서

$$\text{EMV}' = .20(33,125) + .52(30,000) + .28(47,515) = 35,529\text{달러}$$

IMC 예측의 가치는 추가정보가 있는 경우의 기대화폐가치(EMV′)와 추가정보가 없는 경우의 기대화폐가치(EMV*)의 차이이다. 이 차이는 **표본정보 기대가치**(expected value of sample information)라고 부르고 EVSI로 표시된다. 따라서

$$\text{EVSI} = \text{EMV}' - \text{EMV}^* = \$35,529 - 30,000 = 5,529\text{달러}$$

IMC의 예측을 사용함으로써 투자자는 장기적으로 평균 5,529달러의 추가적인 이익을 얻을 수 있다. IMC의 예측을 사용하는 비용이 5,000달러이기 때문에, 투자자는 IMC의 예측을 구매하도록 자문받는다.

만일 이 문제를 다시 검토한다면, 당신은 투자자가 2가지 의사결정을 해야 한다는 것을 알게 될 것이다. 첫 번째 의사결정은 IMC의 예측을 구매할 것인지이고 두 번째 의사결정은 어느 유형의 투자를 할 것인가이다. 의사결정나무는 이 문제와 관련된 활동과 자연상태를 나타내는 데 매우 유용하다. 그림 21.4는 완전한 의사결정나무를 그린 것이다.

해답 합격샘플링(acceptance sampling)

Image Source/Getty Images

a. 2가지 대안은 다음과 같다.

a_1 : 검사를 하지 않는다(현재 정책).
a_2 : 100% 검수한다.

2가지 자연상태는 다음과 같다.

s_1 : 제조 단위는 15%의 불량품을 포함하고 있다.
s_2 : 제조 단위는 35%의 불량품을 포함하고 있다.

지난해의 실제 기록에 의하면,

$P(s_1) = .60$, $P(s_2) = .40$

보수표는 표 21.7에 정리되어 있다.

표 21.7 보수표

	a_1		a_2
s_1	$5(1,000) - .15(1,000)(10) = \$3,500$	s_1	$5(1,000) - [(1,000)(2) + .15(1,000)(.50)] = \$2,925$
s_2	$5(1,000) - .35(1,000)(10) = \$1,500$	s_2	$5(1,000) - [(1,000)(2) + .35(1,000)(.50)] = \$2,825$

기대화폐가치는 다음과 같다.

$\text{EMV}(a_1) = .60(3,500) + .40(1,500) = 2,700$달러

$\text{EMV}(a_2) = .60(2,925) + .40(2,825) = 2,885$달러

최적 활동은 a_2이고 $\text{EMV}^* = 2,885$달러이다.

b. 제안된 표본검사 비용은 4달러이다. (검사 비용은 단위당 2달러이다.) 표본검사를 해야 하는지 결정하기 위해서 표본정보 기대가치를 계산할 필요가 있다. 즉 사전사후분석을 수행할 필요가 있다.

사전사후분석의 첫 단계는 우도확률을 계산하는 것이다. 3가지의 가능한 표본검사 결과가 존재한다.

I_0: 표본에 불량품이 없다.

I_1: 표본에 불량품이 1개 있다.

I_2: 표본에 불량품이 2개 있다.

표본검사 과정은 이항실험이기 때문에, 우도확률은 이항분포를 사용하면서 계산되고 표 21.8에 정리되어 있다.

표 21.8 우도확률표

	$P(I_0 \mid s_j)$	$P(I_1 \mid s_j)$	$P(I_2 \mid s_j)$
$s_1(p = .15)$	$P(I_0 \mid s_1) = (.85)^2 = .7225$	$P(I_1 \mid s_1) = 2(.15)(.85) = .2550$	$P(I_2 \mid s_1) = (.15)2 = .0225$
$s_2(p = .35)$	$P(I_0 \mid s_2) = (.65)^2 = .4225$	$P(I_1 \mid s_2) = 2(.35)(.65) = .4550$	$P(I_2 \mid s_2) = (.35)2 = .1225$

만일 I_0가 표본검사 결과이면, 사후확률은 표 21.9에 제시된 것과 같이 계산된다.

표 21.9 I_0의 사후확률

s_j	$P(s_j)$	$P(I_0 \mid s_j)$	$P(s_j \text{ and } I_0)$	$P(s_j \mid I_0)$
s_1	.60	.7225	$(.60)(.7225) = .4335$	$.4335/.6025 = .720$
s_2	.40	.4225	$(.40)(.4225) = .1690$	$.1690/.6025 = .280$
			$P(I_0) = .6025$	

표본검사 결과가 I_0인 경우의 기대화폐가치는 다음과 같다.

$$\text{EMV}(a_1) = .720(3,500) + .280(1,500) = 2,940\text{달러}$$
$$\text{EMV}(a_2) = .720(2,925) + .280(2,825) = 2,897\text{달러}$$

따라서 최적 활동은 a_1이다.

만일 I_1이 표본검사 결과이면, 사후확률은 표 21.10에 제시된 것과 같이 계산된다.

표 21.10 I_1의 사후확률

s_j	$P(s_j)$	$P(I_1 \mid s_j)$	$P(s_j \text{ and } I_1)$	$P(s_j \mid I_1)$
s_1	.60	.2550	(.60)(.2550) = .1530	.1530/.3350 = .457
s_2	.40	.4550	(.40)(.4550) = .1820	.1820/.3350 = .543
			$P(I_1)$ = .3350	

표본검사 결과가 I_1인 경우의 기대화폐가치는 다음과 같다.

$$\text{EMV}(a_1) = .457(3,500) + .543(1,500) = 2,414\text{달러}$$
$$\text{EMV}(a_2) = .457(2,925) + .543(2,825) = 2,871\text{달러}$$

따라서 최적 활동은 a_2이다.

만일 I_2가 표본검사 결과이면, 사후확률은 표 21.11에 제시된 것과 같이 계산된다.

표 21.11 I_2의 사후확률

s_j	$P(s_j)$	$P(I_2 \mid s_j)$	$P(s_j \text{ and } I_2)$	$P(s_j \mid I_2)$
s_1	.60	.0225	(.60)(.0225) = .0135	.0135/.0625 = .216
s_2	.40	.1225	(.40)(.1225) = .0490	.0490/.0625 = .784
			$P(I_2)$ = .0625	

표본검사 결과가 I_2인 경우의 기대화폐가치는 다음과 같다.

$$\text{EMV}(a_1) = .216(3,500) + .784(1,500) = 1,932\text{달러}$$
$$\text{EMV}(a_2) = .216(2,925) + .784(2,825) = 2,847\text{달러}$$

따라서 최적 활동은 a_2이다.

이제 이러한 결과들을 표 21.12와 같이 정리할 수 있다.

표 21.12 최적 활동의 요약

표본검사 결과	확률	최적 활동	기대화폐가치 ($)
I_0	.6025	a_1	2,940
I_1	.3350	a_2	2,871
I_2	.0625	a_2	2,847

추가 정보의 기대화폐가치는 다음과 같다.

$$\text{EMV}' = .6025(2,940) + .3350(2,871) + .0625(2,847) = 2,911\text{달러}$$

표본정보 기대가치는 다음과 같다.

$$\text{EVSI} = \text{EMV}' - \text{EMV}^* = 2,911 - 2,885 = 26\text{달러}$$

표본정보 기대가치는 26달러이고 표본검사 비용은 4달러이기 때문에, 이 회사는 100% 검사를 할 것인지 결정하기 전에 표본크기 2인 표본을 검사해야 한다. 최적의 의사결정 과정은 다음과 같다.

1. 표본크기 2인 표본을 추출한다.
2. 만일 표본에 불량품이 없으면, 검사를 하지 않는 현재 정책을 계속 고수한다. 만일 표본에 1개 또는 2개 불량품이 있으면, 제조 단위 모두를 검사한다.

21.2c 베이지안 통계학

제10장~제19장에서는 미지의 모수에 관한 추론에 대한 논의가 이루어졌다. 제10장에서 신뢰구간추정치를 해석할 때, 모수는 확률변수가 아니기 때문에 모수에 대하여 확률적 진술을 할 수 없다는 점을 지적했다. 그러나 베이지안 통계학(Bayesian statistics)은 모수는 확률변수라고 규정하고 다양한 확률분포를 가정한다. 샘플링 검사의 예는 이러한 개념을 예시해준다. 이 예에서 모수는 1,000개의 제품으로 구성되어 있는 제조단위에 있는 불량품의 비율 p이다. 이러한 모수가 단지 2개의 값, 즉 15%와 35%만 가진다고 가정하고 있기 때문에 주어진 예는 비현실적인 경우이다. 상대빈도 방법을 사용하면서 사전확률이 부여되었다. 즉 과거의 기록에 기초하여, $P(p=15\%)=0.60$과 $P(p=35\%)=0.40$이 구해졌다.

이 문제를 보다 현실적인 경우가 되게 위해서는 p를 이산확률변수가 아닌 연속확률변수로 규정하는 것이다. 달리 말하면, p는 0과 100% 사이의 어느 값도 될 수 있다. 과거 기록에 기초하여 p의 확률밀도함수가 부여될 수 있다. 보수는 p의 선형함수로 나타낼 수 있다. 이어서 미적분을 사용하면서 최적의 의사결정을 할 수 있다. 또한 표본크기 2의 검사결과에 기초하여 사전확률을 수정할 수 있다. 이 기법은 약간의 미적분을 요구하나 그 개념은 이 장에서 논의된 것과 같다. 이 책의 추론 부분의 내용과 다소 일치하는 베이지안 통계학의 영역이 있다는 점에 주목해야 한다. 이러한 내용에 흥미를 가진 독자는 이 주제를 전적으로 다루는 과목으로부터 베이지안 통계학에 대해 더 많이 배울 수 있을 것이다.

연습문제

21.17 다음과 같은 보수표와 확률을 사용하면서 EPPI, EMV*, EVPI를 구하라.

	a_1	a_2	a_3
s_1	60	110	75
s_2	40	110	150
s_3	220	120	85
s_4	250	120	130

$P(s_1) = .10$ $P(s_2) = .25$ $P(s_3) = .50$ $P(s_4) = .15$

21.18 연습문제 21.17과 관련하여, 기회손실표를 작성하고 EOL*를 계산하라. EOL* =EVPI가 성립하는지 확인하라.

21.19 다음과 같은 보수표와 확률을 사용하면서 EVPI를 구하라.

	a_1	a_2	a_3	a_3
s_1	65	20	45	30
s_2	70	110	80	95

$P(s_1) = .5$ $P(s_2) = .5$

21.20 확률을 다음과 같이 바꾸면서, 연습문제 21.19를 다시 풀어라.

a. $P(s_1) = .75$ $P(s_2) = .25$
b. $P(s_1) = .95$ $P(s_2) = .05$

21.21 연습문제 21.19와 연습문제 21.20으로부터 확률이 EVPI에 미치는 효과에 대하여 어떤 결론을 내릴 수 있는가?

21.22 사전확률과 우도확률이 다음과 같이 주어진 경우, 사후확률을 구하라.

사전확률

$P(s_1) = .25$ $P(s_2) = .40$ $P(s_3) = .35$

우도확률

	I_1	I_2	I_3	I_4
s_1	.40	.30	.20	.10
s_2	.25	.25	.25	.25
s_3	0	.30	.40	.30

21.23 사전확률과 우도확률이 다음과 같이 주어진 경우, 사후확률을 구하라.

사전확률

$P(s_1) = .5$ $P(s_2) = .5$

우도확률

	I_1	I_2
s_1	.98	.02
s_2	.05	.95

21.24 다음과 같은 보수표와 연습문제 21.23에서 계산된 사전확률과 사후확률을 사용하면서 다음의 질문에 답하라.

a. 각 실험결과에 해당되는 최적 활동
b. 표본정보 기대가치(EVSI)

보수표

	a_1	a_2	a_3
s_1	10	18	23
s_2	22	19	15

21.25 보수표, 사전확률, 우도확률이 다음과 같이 주어진 경우, 표본정보 기대가치(EVSI)를 구하라.

보수표

	a_1	a_2
s_1	60	90
s_2	90	90
s_3	150	90

사전확률

$P(s_1)=\frac{1}{3}$ $P(s_2)=\frac{1}{3}$ $P(s_3)=\frac{1}{3}$

우도확률

	I_1	I_2
s_1	.7	.3
s_2	.5	.5
s_3	.2	.8

21.26 사전확률이 다음과 같이 주어진 경우, 연습문제 21.25를 풀어라.

$P(s_1)=.5$ $P(s_2)=.4$ $P(s_3)=.1$

21.27 사전확률이 다음과 같이 주어진 경우, 연습문제 21.25를 풀어라.

$P(s_1)=.90$ $P(s_2)=.05$ $P(s_3)=.05$

21.28 연습문제 21.25~21.27로부터 사전확률이 EVSI에 미치는 효과에 대하여 어떤 결론을 내릴 수 있는가?

21.29 한 스포츠 용품점의 주인은 100,000달러에 50,000개의 축구공을 구매할 수 있는 기회를 가지고 있다. 그는 한 잡지에 메일 주문 광고를 함으로써 구매한 축구공 일부 또는 모두를 판매할 수 있다고 믿는다. 각 축구공은 6달러에 판매될 것이다. 광고 비용은 25,000달러이고 축구공당 배송비용은 1달러이다. 그는 수요 분포가 다음과 같다고 믿는다.

수요	P(수요)
10,000	.2
30,000	.5
50,000	.3

이 주인이 수요에 관한 추가적인 정보를 위해 지불해야 하는 최대 가격은 얼마인가?

21.30 연습문제 21.16의 전자제품 제조업자가 시장 점유율에 관한 완전정보에 대해 기꺼이 지불할 용의가 있는 최대 가격은 얼마인가?

21.31 연습문제 21.16의 전자제품 제조업자가 자신의 의사결정 능력을 개선하기 위해서 컴팩 디스크 플레이어의 잠재적 구매자에 대한 서베이를 수행한다. 그녀는 25명의 개인에게 제품을 설명하고 그들 중 3명이 제품을 구매할 것이라고 말한다. 사전확률과 함께 이러한 추가적인 정보를 사용하면서, 제품이 생산되어야 하는지 결정하라.

21.32 현재 중년 청취자를 대상으로 방송하는 한 라디오 방송국은 록-앤-롤(rock-and-roll) 음악으로 바꾸어 방송할 것을 고려하고 있다. 광고 수입과 기회비용을 분석한 후에, 이 라디오 방송국의 주인은 시장점유율이 1% 증가하는 경우 수입은 연간 100,000달러 증가한다고 결론짓고 있다. 연간 고정운영비는 700,000달러이다. 이 라디오 방송국의 주인은 방송 프로그램을 변화시키는 경우 이 라디오 방송국은 각각 0.4, 0.4, 0.2의 확률을 가지고 각각 5%, 10%, 20%의 시장점유율을 가질 것이라고 믿는다. 현재 연간 이윤은 285,000달러이다.

a. 보수표를 작성하라.
b. 최적 활동을 결정하라.
c. 이 라디오 방송국의 주인이 시장점유율에 관한 추가적인 정보를 획득하기 위해서 기꺼이 지불할 용의가 있는 최대 가격은 얼마인가?

21.33 북미에 쓰레기 위기, 즉 쓰레기가 너무 많고 이를 버릴 장소가 없는 상황이 존재한다. 따라서 리사이클링(자원 재활용)이 매우 인기 있게 되었다. 한 대도시에 있는 한 폐기물 관리회사가 신문용지, 알루미늄 캔, 플라스틱 용기의 재활용 사업을 시작하려 한다. 그러나 리사이클링에 기꺼이 참여하는 가구의 비율이 충분히 큰 경우에만 자원 재활용 사업이 이윤을 발생시킬 수 있다. 이 도시에서 100만 가구가 잠재적인 재활용 참여자이다. 약간의 분석을 수행한 후에, 이러한 재활용 프로그램에 참여하는 1,000가구당 이윤에 대한 기여는 500달러라고 결정되었다. 또한 고정비용은 연간 55,000달러라고 분석되었다. 50,000가구, 100,000가구, 300,000가구가 각각 0.5, 0.3, 0.1의 확률을 가지고 참여할 것이라고 여겨진다. 25가구를 대상으로 재활용 프로그램에 참여할 것인지 묻는 예비 서베이가 수행되었다. 25개 가구 중에서 3가구만이 긍정적으로 응답한다고 하자. 이러한 정보를 의사결정 과정에 포함시키면서, 이 폐기물 관리회사가 자원 재활용 사업을 진행해야 하는지 결정하라.

21.34 100가구 중 12가구가 긍정적으로 응답하는 경우, 연습문제 21.33을 다시 풀어라.

21.35 연습문제 21.14에서 한 컨설턴트가 신도시에서 필요한 전기량을 예측한다고 하자. 전기회사가 그녀를 고용하도록 하기 위해서, 그녀는 다음과 같은 우도확률을 제시한다. 이 컨설턴트가 제시하는 표본정보의 기대가치를 결정하기 위한 사전사후분석을 수행하라.

	I_1	I_2	I_3
s_1	.5	.3	.2
s_2	.3	.6	.1
s_3	.2	.2	.6

21.36 연습문제 21.32에서 방송 프로그램이 록-앤-롤 음악으로 바뀌는 경우에 라디오 청취자들이 방송 프로그램을 그대로 청취할 것인지 결정하기 위한 서베이를 수행하는 것이 가능하다고 하자. 표본크기 2인 서베이의 가치는 얼마인가?

21.37 연습문제 21.32에서 25명의 라디오 청취자로 구성된 임의 표본에 대한 서베이에 의하면 그 중에서 2명이 방송국의 정기적인 청취자가 될 것이라고 응답하였다. 최적 의사결정은 무엇인가?

21.38 한 자동차 배터리 회사의 사장은 3가지 새로운 배터리 중에서 어느 배터리를 생산할 것인지 결정해야만 한다. 각 배터리의 고정비용과 변동비용이 다음의 표에 제시되어 있다.

배터리	고정비용(달러)	변동비용(단위당 달러)
1	900,000	20
2	1,150,000	17
3	1,400,000	15

이 회사의 사장은 배터리 수요는 각각 0.3, 0.3, 0.4의 확률을 가지고 50,000개, 100,000개, 150,000개라고 믿는다. 배터리의 판매가격은 40달러가 될 것이다.

a. 보수표를 작성하라.
b. 기회손실표를 작성하라.
c. 각 활동의 기대화폐가치를 구하고 최적 활동을 선택하라.
d. 이 회사의 사장이 수요에 관한 추가적인 정보에 대하여 기꺼이 지불할 용의가 있는 최대 가격은 얼마인가?

21.39 신뢰성은 종종 광고활동에서 가장 유효한 특성이다. 한 특정한 광고의 경우에 현재 수행되고 있는 서베이 대상 사람들 중에서 32%가

이 광고가 주장하는 것을 믿고 있다고 하자. 한 마케팅 담당자는 이 광고가 주장하는 것을 믿는 사람들의 비율이 1% 증가하는 경우, 연간 매출액은 100만 달러 증가할 것이라고 믿는다. 이 광고가 주장하는 것을 믿는 사람들의 비율이 1% 감소하는 경우, 연간 매출액은 100만 달러 감소할 것이다. 이 마케팅 담당자는 광고 방법의 변화가 광고의 신뢰성에 영향을 미칠 수 있다고 믿는다. 이 광고가 주장하는 것을 믿는 사람들의 잠재적인 비율 변화의 확률분포가 다음과 같이 정리되어 있다.

비율 변화	확률
−2	.1
−1	.1
0	.2
+1	.3
+2	.3

만일 각 매출액 달러당 이윤 기여는 10센트이고 광고를 변경하는 데 드는 비용이 58,000달러이면, 광고를 변경해야 하는가?

21.40 연습문제 21.39에서 광고를 믿는 사람들의 비율을 결정하기 위한 서베이를 수행하는 것이 가능하다고 하자. 표본크기 1의 표본 가치는 얼마인가?

21.41 연습문제 21.39에서 표본크기 5인 표본에서 단지 1인만이 새로운 광고를 믿는다고 제시한다고 하자. 이러한 추가적인 정보를 고려하는 경우, 마케팅 담당자는 어떻게 해야 하는가?

21.42 맥스 더 부키(Max the Bookie)는 그의 새로운 마권 영업소에 설치할 전화 대수를 결정하고자 한다. 강력한 경찰 활동 때문에, 그는 일단 그의 영업소를 개설하면 전화 대수를 증가시키거나 감소시킬 수 없다. 그는 가능한 선택 대안을 3가지로 좁혔다. 그는 25대, 50대, 100대의 전화를 설치할 수 있다. 1년(경찰이 그의 영업소를 폐쇄하기 전에 그가 영업활동을 할 수 있는 통상적인 시간) 동안 그의 이윤은 그가 받는 평균 전화 수에 의존한다. 약간의 검토를 한 후에 그는 1분당 그가 받은 평균 전화 수는 0.5, 1.0, 1.5이고 각각의 확률은 0.50, 0.25, 0.25라고 결론짓는다. 맥스는 다음과 같은 보수표를 작성한다.

보수표

	25번 전화 (달러)	50번 전화 (달러)	100번 전화 (달러)
$s_1(\mu=.5)$	50,000	30,000	20,000
$s_2(\mu=1.0)$	50,000	60,000	40,000
$s_3(\mu=1.5)$	50,000	60,000	80,000

(2년 동안 경영대학에 다닌) 맥스의 조수인 레프티(Lefty)는 맥스가 한 경쟁자의 유사한 영업소를 관찰함으로써 더 많은 정보를 얻을 수 있다고 지적한다. 그러나 그는 단지 10분 동안만 관찰할 수 있고 그렇게 하는 데 4,000달러의 비용을 지불해야 한다. 맥스는 전화 수가 8번보다 적으면 적은 수, 8번 이상 17번 미만이면 중간 수, 17번 이상이면 큰 수로 분류하기로 결정한다. 또한 맥스는 이러한 실험이 진행되면, 그는 전화 수를 적은 수, 중간 수, 큰 수로 기록하기로 결정한다. 맥스를 돕기 위해 표본이 사용되어야 하는지 결정하기 위한 사전사후분석을 수행하라. 결론적으로 최적 전략은 무엇인지 결정하라.

21.43 메가벅 컴퓨터 컴퍼니(Megabuck Computer Company)는 2개의 신제품 출시를 고려하고 있다. 첫 번째 제품은 모델 101로 특히 8세와 16세 사이에 속하는 아동을 위해 디자인된 소형 컴퓨터이다. 두 번째 제품은 모델 202로 경영자에게 적합한 중형 컴퓨터이다. 생산 규모의 제한 때문에, 메가벅사는 두 제품 중 하나

만 생산하기로 결정했다.

각 모델의 수익성은 실제로 해당 컴퓨터를 구매할 시장 점유율에 의존한다. 모델 101의 경우 시장 규모는 1,000만 개로 추정되는 반면, 모델 202의 경우 시장 규모는 300만 개로 추정된다.

상세한 분석을 수행한 후에, 메가벅사의 경영자는 모델 101의 구매자 비율은 5%, 10%, 15%라고 결론지었다. 각 이윤은 다음과 같이 제시된다.

모델 101을 구매하는 구매자 비율	순이윤(100만 달러)
5	20
10	100
15	210

한 지역 대학에 재직하고 있는 한 확률 전문가는 모델 101을 구매하는 구매자 비율의 확률을 각각 $P(5\%)=.2$, $P(10\%)=.4$, $P(15\%)=.4$로 추정했다.

모델 202에 대한 유사한 분석 결과을 통해 다음과 같은 표가 작성되었다.

모델 202를 구매하는 구매자 비율	순이윤(100만 달러)
30	70
40	100
50	150

이 확률 전문가는 모델 202를 구매하는 비율의 확률을 각각 $P(30\%)=.1$, $P(40\%)=.4$, $P(50\%)=.5$로 추정했다.

a. 이러한 정보에 기초하여, 기대이윤을 극대화하기 위해 메가벅사는 어느 모델을 생산해야 하는가?

b. 더 좋은 의사결정을 하기 위해서, 메가벅사는 모델 101의 잠재적 구매자 10명과 모델 202의 잠재적 구매자 20명을 표본으로 추출했다. 모델 101을 구매하기 원하는 10명 중 1명과 모델 202를 구매하기 위한 20명 중 9명이 모델 202를 구매할 것이라고 분석되었다. 이러한 정보가 주어진 경우, 사전확률을 수정하고 어느 모델이 생산되어야 하는지 결정하라.

21.44 한 영화사는 아틸라 더 헌(Attila the Hun)의 생애에 관한 뮤지컬 코미디 영화를 방금 완성했다. 이 영화는 섹스 장면이나 폭력 장면이 없다는 점이 다른 영화와 다르기 때문에, 이 영화사는 이 영화를 배급하는 방법에 대하여 확신하지 못하고 있다. 이 영화사 경영자는 이 영화를 북미 관객에게 개봉할 것인지 유럽 영화배급업자에게 이 영화를 판매하여 1,200만 달러의 이윤을 실현할 것인지 결정해야 한다. 만일 이 영화가 북미에서 개봉된다면, 이 영화사의 이윤은 우수, 양호, 적정으로 분류되는 성공 수준에 의해 결정된다. 성공 수준에 따른 보수표와 사전확률이 다음의 표와 같이 제시되어 있다.

성공수준	보수(100만 달러)	사전확률
우수	33	.5
양호	12	.3
적정	−15	.2

다른 가능성은 북미 관객들로 구성된 임의 표본에 이 영화를 개봉하고 이 영화사가 의사결정을 하는 데 도움을 얻기 위해 그들의 판단을 사용하는 것이다. 이러한 판단은 "격찬적 평가(rave review)", "미온적 반응(lukewarm response)", "부정적 반응(poor response)"으로 분류된다. 표본조사의 비용은 100,000달러이다. 표본추출과정은 과거에 수차례 사용되었다. 관객의 판단과 영화의 성공수준에 따른 우도확률이 다음의 표에 제시되어 있다. 이 영화사의 경영자가 어떻게 해야 하는지 결정하기 위한 사전사후분석을 수행하라.

	판단		
성공수준	격찬적 평가	미온적 반응	부정적 반응
우수	.8	.1	.1
양호	.5	.3	.2
적정	.4	.3	.3

요약

의사결정분석의 목적은 일련의 대안 활동들 중에서 최적 활동을 선택하는 것이다. 최대 기대화폐가치나 최소 기대기회손실을 가지고 있는 활동이 최적 활동으로 정의된다. 기대치는 자연상태에 대한 사전확률이 부여된 후에 계산된다. 활동, 자연상태와 이에 따른 결과는 보수표, 기회손실표, 의사결정나무로 제시될 수 있다. 또한 추가적인 정보가 의사결정분석에 포함될 수 있는 방법이 논의되었다. 이 방법은 사후확률을 구하기 위해서 사전확률과 우도확률을 결합한다. 사전사후분석을 사용하여 실험결과를 비용을 지불하고 획득할 것인지 결정할 수 있다. 이러한 결정은 표본정보 기대가치와 표본검사비용에 기초하여 이루어진다.

주요 용어

기대기회손실(expected opportunity loss, EOL)
기대화폐가치(expected monetary value, EMV)
기회손실(opportunity loss)
롤백 기법(rollback technique)
보수표(payoff table)
사전사후분석(preposterior analysis)
사전확률(prior probability)
사후확률(posterior probability)
자연상태(state of nature)
수정확률(revised probability)
실험(experiment)
실험결과(experimental outcome)
완전정보 기대가치(expected value of perfect information, EVPI)
완전정보 기대보수(expected payoff with perfect information, EPPI)
우도확률(likelihood probability)
표본정보 기대가치(expected value of sample information)
활동(act)

주요 기호

기호	의미
a_i	활동
s_j	자연상태
I_i	실험결과
$P(s_j)$	사전확률
$P(I_i \mid s_j)$	우도확률
$P(s_j \text{ and } I_i)$	결합확률
$P(s_j \mid I_i)$	사후확률

Chapter 10

10.38 $\bar{x} = 252.38$
10.39 $\bar{x} = 1{,}810.16$
10.40 $\bar{x} = 12.10$
10.41 $\bar{x} = 10.21$
10.42 $\bar{x} = .510$
10.43 $\bar{x} = 26.81$
10.44 $\bar{x} = 19.28$
10.45 $\bar{x} = 15.00$
10.46 $\bar{x} = 585{,}063$
10.47 $\bar{x} = 109.6, n = 200$
10.48 $\bar{x} = 227.48, n = 300$
10.49 $\bar{x} = 27.19$

Chapter 11

11.43 $\bar{x} = 5{,}065$
11.44 $\bar{x} = 48{,}415$
11.45 $\bar{x} = 569$
11.46 $\bar{x} = 32.02, n = 50$
11.47 $\bar{x} = -1.20$
11.48 $\bar{x} = 55.8$
11.49 $\bar{x} = 5.04$
11.50 $\bar{x} = 19.39$
11.51 $\bar{x} = 105.7$
11.52 $\bar{x} = 4.84$
11.53 $\bar{x} = 5.64$
11.54 $\bar{x} = 29.92$
11.55 $\bar{x} = 231.56$
11.56 $\bar{x} = 10.44, n = 174$
11.57 $\bar{x} = 29.51, n = 277$
11.58 $\bar{x} = 126{,}837, n = 410$
11.59 $\bar{x} = 12{,}770, n = 105$

Chapter 12

12.31 $\bar{x} = 7.15, s = 1.65, n = 200$
12.32 $\bar{x} = 4.66, s = 2.37, n_1 = 240$
12.33 $\bar{x} = 20.53, s = 6.00, n = 250$
12.34 $\bar{x} = 15{,}137, s = 5{,}263, n = 306$
12.35 $\bar{x} = 59.04, s = 20.63, n = 122$
12.36 $\bar{x} = 15.77, s = 4.26, n = 94$
12.37 $\bar{x} = 44.14, s = 7.88, n = 475$
12.38 $\bar{x} = 2{,}828, s = 739, n = 315$
12.39 $\bar{x} = 13.94, s = 2.16, n = 212$
12.40 $\bar{x} = 15.27, s = 5.72, n = 116$
12.41 $\bar{x} = 997.3, s = 9.98, n = 50$
12.42 $\bar{x} = 89.27, s = 17.30, n = 85$
12.43 $\bar{x} = 15.02, s = 8.31, n = 83$
12.44 $\bar{x} = 96{,}100, s = 34{,}468, n = 473$
12.45 $\bar{x} = 1{,}125, s = 317.7, n = 364$
12.46 $\bar{x} = 27{,}852, s = 9{,}252, n = 347$
12.47 $\bar{x} = 354.6, s = 90.32, n = 681$
12.48 $\bar{x} = 25{,}228, s = 5{,}544, n = 184$
12.56 $s^2 = 270.58, n = 25$
12.57 $s^2 = 22.56, n = 245$
12.58 $s^2 = 4.725, n = 90$
12.59 $s^2 = 174.47, n = 100$
12.60 $s^2 = 19.68, n = 25$
12.82 $n(1) = 51, n(2) = 291, n(3) = 70, n(4) = 301, n(5) = 261$
12.83 $n(1) = 28, n(2) = 174, n(3) = 135, n(4) = 67, n(5) = 51, n(6) = 107$
12.84 $n(0) = 466, n(1) = 55$
12.85 $n(1) = 479, n(2) = 187, n(3) = 201$
12.86 $n(0) = 92, n(1) = 28$
12.87 $n(1) = 603, n(2) = 905$
12.88 $n(0) = 92, n(1) = 334$
12.89 $n(0) = 205, n(1) = 369$
12.90 $n(0) = 365, n(1) = 116$
12.91 $n(1) = 81, n(2) = 47, n(3) = 167, n(4) = 146, n(5) = 34$
12.92 $n(1) = 63, n(2) = 125, n(3) = 45, n(4) = 87$
12.93 $n(1) = 418, n(2) = 536, n(3) = 882$
12.94 $n(0) = 290, n(1) = 35$
12.95 $n(1) = 72, n(2) = 77, n(3) = 37, n(4) = 50, n(5) = 176$
12.96 $n(1) = 289, n(2) = 51$

Chapter 13

13.17 Tastee: $\bar{x}_1 = 36.93, s_1 = 4.23, n_1 = 15$; Competitor: $\bar{x}_2 = 31.36, s_2 = 3.35, n_2 = 25$
13.18 Oat bran: $\bar{x}_1 = 10.01, s_1 = 4.43, n_1 = 120$; Other: $\bar{x}_2 = 9.12, s_2 = 4.45, n_2 = 120$
13.19 Two years ago: $\bar{x}_1 = 59.81, s_1 = 7.02, n_1 = 125$; This year: $\bar{x}_2 = 57.40, s_2 = 6.99, n_2 = 159$
13.20 Male: $\bar{x}_1 = 10.23, s_1 = 2.87, n_1 = 100$; Female: $\bar{x}_2 = 9.66, s_2 = 2.90, n_2 = 100$
13.21 A: $\bar{x}_1 = 115.50, s_1 = 21.69, n_1 = 30$; B: $\bar{x}_2 = 110.20, s_2 = 21.93, n_2 = 30$
13.22 Gen X: $\bar{x}_1 = 1491, s_1 = 515, n_1 = 223$; Millennial: $\bar{x}_2 = 1064, s_2 = 184, n_2 = 241$
13.23 Job tenure: 2011: $\bar{x}_1 = 60.97, s_1 = 19.70, n_1 = 97$; Job tenure 2021 $\bar{x}_2 = 60.48, s_2 = 19.13, n_2 = 101$
13.24 A: $\bar{x}_1 = 70.42, s_1 = 20.54, n_1 = 24$; B: $\bar{x}_2 = 56.44, s_2 = 9.03, n_2 = 16$
13.25 Successful: $\bar{x}_1 = 5.02, s_1 = 1.39, n_1 = 200$; Unsuccessful: $\bar{x}_2 = 7.80, s_2 = 3.09, n_2 = 200$
13.26 Phone: $\bar{x}_1 = .646, s_1 = .045, n_1 = 125$; Not: $\bar{x}_2 = .601, s_2 = .053, n_2 = 145$
13.27 Chitchat: $\bar{x}_1 = .654, s_1 = .048, n_1 = 95$; Politics: $\bar{x}_2 = .662, s_2 = .045, n_2 = 90$
13.28 Planner: $\bar{x}_1 = 6.18, s_1 = 1.59, n_1 = 64$; Broker: $\bar{x}_2 = 5.94, s_2 = 1.61, n_2 = 81$
13.29 With book: $\bar{x}_1 = 63.71, s_1 = 5.90, n_1 = 173$; W/O book: $\bar{x}_2 = 66.80, s_2 = 6.85, n_2 = 202$
13.30 Wendy's: $\bar{x}_1 = 149.85, s_1 = 21.82, n_1 = 213$; McDonalds: $\bar{x}_2 = 154.43, s_2 = 23.64, n_2 = 202$
13.31 Men: $\bar{x}_1 = 488.4, s_1 = 19.62, n_1 = 124$; Women: $\bar{x}_2 = 498.1, s_2 = 21.93, n_2 = 187$
13.32 Applied: $\bar{x}_1 = 130.9, s_1 = 31.99, n_1 = 100$; Contacted: $\bar{x}_2 = 126.1, s_2 = 26.00, n_2 = 100$
13.33 New: $\bar{x}_1 = 73.6, s_1 = 15.60, n_1 = 20$; Current: $\bar{x}_2 = 69.2, s_2 = 15.06, n_2 = 20$
13.34 Fixed: $\bar{x}_1 = 60{,}245, s_1 = 10{,}506, n_1 = 90$; Commission: $\bar{x}_2 = 63{,}563, s_2 = 10{,}755, n_2 = 90$
13.35 Accident: $\bar{x}_1 = 634.0, s_1 = 49.45, n_1 = 93$; No accident: $\bar{x}_2 = 661.9, s_2 = 52.69, n_2 = 338$
13.36 Cork: $\bar{x}_1 = 14.20, s_1 = 2.84, n_1 = 130$; Metal: $\bar{x}_2 = 11.27, s_2 = 4.42, n_2 = 130$
13.37 Before: $\bar{x}_1 = 496.9, s_1 = 73.78, n_1 = 335$; After: $\bar{x}_2 = 511.3, s_2 = 69.06, n_2 = 288$

13.50 D = X [This year] − X [5 years ago]: $\bar{x}_D = 12.40$, $s_D = 99.14$, $n_D = 150$

13.51 D = X [Waiter] − X [Waitress]: $\bar{x}_D = -1.16$, $s_D = 2.22$, $n_D = 50$

13.52 D = X [This year] − X [Last year]: $\bar{x}_D = 19.75$, $s_D = 30.63$, $n_D = 40$

13.53 D = X [Insulated] − X [Uninsulated]: $\bar{x}_D = -57.4$, $s_D = 13.14$, $n_D = 15$

13.54 D = X [Men] − X [Women]: $\bar{x}_D = -42.94$, $s_D = 317.2$, $n_D = 45$

13.55 D = X [Last year] − X [Year before]: $\bar{x}_D = -183.3$, $s_D = 1{,}569$, $n_D = 170$

13.56 D = X [This year] − X [Last year]: $\bar{x}_D = .0422$, $s_D = .1633$, $n_D = 38$

13.57 D = X [Company 1] − X [Company 2]: $\bar{x}_D = 520.9$, $s_D = 1{,}855$ $n_D = 55$

13.58 D = X [New] − X [Current]: $\bar{x}_D = 4.55$, $s_D = 7.22$, $n_D = 20$

13.60 D = X [Finance] − X [Marketing]: $\bar{x}_D = 4{,}587$, $s_D = 22{,}851$, $n_D = 25$

13.68 Week 1: $s_1^2 = 19.38$, $n_1 = 100$; Week 2: $s_2^2 = 12.70$, $n_2 = 100$

13.69 Brand A 1: $s_1^2 = 41{,}309$, $n_1 = 100$; Brand B 2: $s_2^2 = 19{,}850$, $n_2 = 100$

13.70 Portfolio 1: $s_1^2 = .0261$, $n_1 = 52$; Portfolio 2: $s_2^2 = .0875$, $n_2 = 52$

13.71 Teller 1: $s_1^2 = 3.35$, $n_1 = 100$; Teller 2: $s_2^2 = 10.95$, $n_2 = 100$

13.86 Lexus: $n_1(0) = 33$, $n_1(1) = 317$; Acura: $n_2(0) = 33$, $n_2(1) = 261$

13.87 This year: $n_1(0) = 306$, $n_1(1) = 171$; 10 years ago: $n_2(0) = 304$, $n_2(1) = 158$

13.88 Canada: $n_1(1) = 230$, $n_1(2) = 215$; U.S.: $n_2(1) = 165$, $n_2(2) = 275$

13.89 Machine A: $n_1(0) = 189$, $n_1(1) = 11$; Machine B: $n_2(0) = 178$, $n_2(1) = 22$

13.90 Umpire A: $n_1(1) = 849$, $n_1(2) = 119$; Umpire B: $n_2(1) = 718$, $n_2(2) = 168$

13.91 Umpire A: $n_1(1) = 44$, $n_1(2) = 278$; Umpire B: $n_2(1) = 46$, $n_2(2) = 272$

13.92 18–24: $n_1(1) = 191$, $n_1(2) = 74$; 25–49: $n_2(1) = 230$, $n_2(2) = 196$; 50–64: $n_3(1) = 176$, $n_3(2) = 243$; 65+: $n_4(1) = 195$, $n_4(2) = 347$

13.93 This year: $n_1(0) = 205$, $n_1(1) = 773$; 5 years ago: $n_2(0) = 125$, $n_2(1) = 851$

13.94 Health: $n_1(0) = 199$, $n_1(1) = 32$; Not: $n_2(0) = 563$, $n_2(1) = 56$

13.95 Segment 1: $n_1(0) = 95$, $n_1(1) = 68$; Segment 2: $n_2(0) = 34$, $n_2(1) = 20$; Segment 3: $n_3(0) = 13$, $n_3(1) = 10$; Segment 4: $n_4(0) = 79$, $n_4(1) = 29$

13.96 Source 1: $n_1(0) = 344$, $n_1(1) = 38$; Source 2: $n_2(0) = 275$, $n_2(1) = 41$

Chapter 14

14.9

Sample	$\bar{x}_j$	s_j^2	n_j
1	68.83	52.28	20
2	65.08	37.38	26
3	62.01	63.46	16
4	64.64	56.88	19

14.10

Sample	$\bar{x}_j$	s_j^2	n_j
1	90.17	991.5	30
2	95.77	900.9	30
3	106.83	928.7	30
4	111.17	1,023	30

14.11

Sample	$\bar{x}_j$	s_j^2	n_j
1	196.8	914.0	41
2	207.8	861.1	73
3	223.4	1,195	86
4	232.7	1,080	79

14.12

Sample	$\bar{x}_j$	s_j^2	n_j
1	164.6	1,164	25
2	185.6	1,720	25
3	154.8	1,114	25
4	182.6	1,658	25
5	178.9	841.8	25

14.13

Sample	$\bar{x}_j$	s_j^2	n_j
1	1,328	367,419	36
2	1,254	375,354	43
3	1,633	506,689	77
4	1,286	421,996	44

14.14

Sample	$\bar{x}_j$	s_j^2	n_j
1	587.3	90,379	36
2	550.6	34,031	43
3	470.1	42,649	77
4	501.0	39,138	44

14.15

Sample	$\bar{x}_j$	s_j^2	n_j
1	584.7	5,521	47
2	551.2	8,178	42
3	613.3	4,899	50

14.16

Sample	x_j	s_j^2	n_j
1	551.5	2,742	20
2	576.8	2,641	20
3	559.5	3,129	20

14.17

Sample	x_j	s_j^2	n_j
1	5.81	6.22	100
2	5.30	4.05	100
3	5.33	3.90	100

14.18

Sample	$_j$	s_j^2	n_j
1	74.1	250.0	30
2	75.7	184.2	30
3	78.5	233.4	30
4	81.3	242.9	30

14.19 a.

Sample	x_j	s_j^2	n_j
1	31.30	28.34	63
2	34.42	23.20	81
3	37.38	31.16	40
4	39.93	72.03	111

b.

Sample	x_j	s_j^2	n_j
1	37.22	39.82	63
2	38.91	40.85	81
3	41.48	61.38	40
4	41.75	46.59	111

c.

Sample	$_j$	s_j^2	n_j
1	11.75	3.93	63
2	12.41	3.39	81
3	11.73	4.26	40
4	11.89	4.30	111

14.20

Sample	x_j	s_j^2	n_j
1	153.6	654.3	20
2	151.5	924.1	20
3	133.3	626.8	20

14.21

Sample	x_j	s_j^2	n_j
1	18.54	178.0	61
2	19.34	171.4	83
3	20.29	297.5	91

14.22

Sample	x_j	s_j^2	n_j
1	353.2	8,683	26
2	514.2	16,459	73
3	621.2	9,705	57
4	515.3	11,486	53

14.23

Sample	x_j	s_j^2	n_j
1	20.50	2.04	100
2	20.10	2.16	100
3	20.00	2.42	100
4	19.70	2.47	100
5	18.75	1.95	100

14.30

Sample	x_j	s_j^2	n_j
1	61.60	80.49	10
2	57.30	70.46	10
3	61.80	22.18	10
4	51.80	75.29	10

14.32

Sample	x_j	s_j^2	n_j
1	53.17	194.6	30
2	49.37	152.6	30
3	44.33	129.9	30

14.34

Sample	x_j	s_j^2	n_j
1	2,299	624,133	26
2	3,245	1,079,157	73
3	4,229	1,865,492	57
4	3,223	1,008,041	53

Chapter 15

15.7

Cell	1	2	3	4	5
Frequency	28	17	19	17	19

15.8

Cell	1	2	3	4
Frequency	41	107	66	19

15.9

Cell	1	2	3	4	5	6
Frequency	114	92	84	101	107	102

15.10

Cell	1	2	3	4	5
Frequency	11	32	62	29	16

15.11

Cell	1	2	3	4	5
Frequency	8	4	3	8	2

15.12

Cell	1	2	3	4
Frequency	159	28	47	16

15.13

Cell	1	2	3	4
Frequency	36	58	74	29

15.14

Cell	1	2	3
Frequency	408	571	221

15.15

Cell	1	2	3	4
Frequency	9	123	149	39

15.16

Cell	1	2	3	4	5
Frequency	36	26	24	14	15

15.17

Cell	1	2	3	4
Frequency	248	108	47	109

15.18

Cell	1	2	3	4
Frequency	63	125	45	87

15.28

Occupation/ Newspaper	1	2	3	4
1	27	18	38	37
2	29	43	21	15
3	33	51	22	20

15.29

Side effect/Drug	1	2
1	19	17
2	23	18
3	14	16
4	194	199

15.30

Own/Generation	1	2	3
0	147	106	90
1	20	24	32

15.31

Smoker/ Education	1	2	3	4
1	34	251	159	16
2	23	212	248	57

15.32

Heartburn/ Source	1	2	3	4	5	6
1	60	65	73	67	57	47
2	23	19	26	11	16	21
3	13	14	9	10	9	10
4	25	28	24	7	14	10

15.33

University/ Degree	1	2	3	4
1	44	11	34	11
2	52	14	27	7
3	31	27	18	24
4	40	12	42	6

15.34

Approach/ Degree	1	2	3	4
1	51	8	5	11
2	24	14	12	8
3	26	9	19	8

15.35

Golf ball/Gender	1	2
1	53	74
2	42	36
3	67	38
4	38	52

Chapter 16

16.6 Lengths: $\bar{x} = 38.00$, $s_x^2 = 193.90$, Test: $\bar{y} = 13.80$, $s_y^2 = 47.96$, $s_{xy} = 51.86$, $n = 60$

16.7 Population: $\bar{x} = 2{,}339{,}626$, $s_x^2 = 5{,}994{,}336{,}071{,}650$, Property tax: $\bar{y} = 3{,}058$, $s_y^2 = 1{,}186{,}973$, $s_{xy} = 880{,}267{,}351$, $n = 582$

16.8 Floors: $\bar{x} = 15.54$, $s_x^2 = 60.50$, Price: $\bar{y} = 255{,}308$, $s_y^2 = 920{,}281{,}250$, $s_{xy} = 98{,}842$, $n = 50$

16.9 Age: $\bar{x} = 45.49$, $s_x^2 = 107.51$, Time: $\bar{y} = 11.55$, $s_y^2 = 42.54$, $s_{xy} = 9.67$, $n = 229$

16.10 Distance: $\bar{x} = 4.88$, $s_x^2 = 4.27$, Percent: $\bar{y} = 49.22$, $s_y^2 = 243.94$, $s_{xy} = 22.83$, $n = 85$

16.11 Size: $\bar{x} = 53.93$, $s_x^2 = 688.2$, Price: $\bar{y} = 6{,}465$, $s_y^2 = 11{,}918{,}489$, $s_{xy} = 30{,}945$, $n = 40$

16.12 Income: $\bar{x} = 59.42$, $s_x^2 = 115.2$, Food: $\bar{y} = 270.3$, $s_y^2 = 1{,}797$, $s_{xy} = 225.7$, $n = 150$

16.13 Vacancy: $\bar{x} = 11.33$, $s_x^2 = 35.47$, Rent: $\bar{y} = 17.20$, $s_y^2 = 11.24$, $s_{xy} = -10.78$, $n = 30$

16.14 Hours: $\bar{x} = 1{,}199$, $s_x^2 = 59{,}153$, Price: $\bar{y} = 28{,}168$, $s_y^2 = 3{,}532{,}606$, $s_{xy} = -67{,}788$, $n = 60$

16.15 Cigarettes: $\bar{x} = 37.64$, $s_x^2 = 108.3$, Days: $\bar{y} = 14.43$, $s_y^2 = 19.80$, $s_{xy} = 20.55$, $n = 231$

16.16 Population size: $\bar{x} = 1{,}945{,}695$, $s_x^2 = 4{,}855{,}243{,}217{,}430$, After-tax Income: $\bar{y} = 46{,}630$, $s_y^2 = 128{,}400{,}520$, $s_{xy} = 5{,}034{,}634{,}039$, $n = 292$

16.17 Occupants: $\bar{x} = 4.75$, $s_x^2 = 4.84$, Electricity: $\bar{y} = 762.6$, $s_y^2 = 56{,}725$, $s_{xy} = 310.0$, $n = 200$

16.18 Height: $\bar{x} = 68.95$, $s_x^2 = 9.97$, Income: $\bar{y} = 59.59$, $s_y^2 = 71.95$, $s_{xy} = 6.020$, $n = 250$

16.19 Age: $\bar{x} = 37.28$, $s_x^2 = 55.11$, Employment: $\bar{y} = 26.28$, $s_y^2 = 4.00$, $s_{xy} = -6.44$, $n = 80$

부록 B 확률계산과 가설검정을 위한 표

표 1 이항확률

$P(X \le k) = \sum_{x=0}^{k} p(x)$. (소수점 넷째자리까지 반올림)

$n = 5$

	p														
k	0.01	0.05	0.10	0.20	0.25	0.30	0.40	0.50	0.60	0.70	0.75	0.80	0.90	0.95	0.99
0	0.9510	0.7738	0.5905	0.3277	0.2373	0.1681	0.0778	0.0313	0.0102	0.0024	0.0010	0.0003	0.0000	0.0000	0.0000
1	0.9990	0.9774	0.9185	0.7373	0.6328	0.5282	0.3370	0.1875	0.0870	0.0308	0.0156	0.0067	0.0005	0.0000	0.0000
2	1.0000	0.9988	0.9914	0.9421	0.8965	0.8369	0.6826	0.5000	0.3174	0.1631	0.1035	0.0579	0.0086	0.0012	0.0000
3	1.0000	1.0000	0.9995	0.9933	0.9844	0.9692	0.9130	0.8125	0.6630	0.4718	0.3672	0.2627	0.0815	0.0226	0.0010
4	1.0000	1.0000	1.0000	0.9997	0.9990	0.9976	0.9898	0.9688	0.9222	0.8319	0.7627	0.6723	0.4095	0.2262	0.0490

$n = 6$

	p														
k	0.01	0.05	0.10	0.20	0.25	0.30	0.40	0.50	0.60	0.70	0.75	0.80	0.90	0.95	0.99
0	0.9415	0.7351	0.5314	0.2621	0.1780	0.1176	0.0467	0.0156	0.0041	0.0007	0.0002	0.0001	0.0000	0.0000	0.0000
1	0.9985	0.9672	0.8857	0.6554	0.5339	0.4202	0.2333	0.1094	0.0410	0.0109	0.0046	0.0016	0.0001	0.0000	0.0000
2	1.0000	0.9978	0.9842	0.9011	0.8306	0.7443	0.5443	0.3438	0.1792	0.0705	0.0376	0.0170	0.0013	0.0001	0.0000
3	1.0000	0.9999	0.9987	0.9830	0.9624	0.9295	0.8208	0.6563	0.4557	0.2557	0.1694	0.0989	0.0159	0.0022	0.0000
4	1.0000	1.0000	0.9999	0.9984	0.9954	0.9891	0.9590	0.8906	0.7667	0.5798	0.4661	0.3446	0.1143	0.0328	0.0015
5	1.0000	1.0000	1.0000	0.9999	0.9998	0.9993	0.9959	0.9844	0.9533	0.8824	0.8220	0.7379	0.4686	0.2649	0.0585

$n = 7$

	p														
k	0.01	0.05	0.10	0.20	0.25	0.30	0.40	0.50	0.60	0.70	0.75	0.80	0.90	0.95	0.99
0	0.9321	0.6983	0.4783	0.2097	0.1335	0.0824	0.0280	0.0078	0.0016	0.0002	0.0001	0.0000	0.0000	0.0000	0.0000
1	0.9980	0.9556	0.8503	0.5767	0.4449	0.3294	0.1586	0.0625	0.0188	0.0038	0.0013	0.0004	0.0000	0.0000	0.0000
2	1.0000	0.9962	0.9743	0.8520	0.7564	0.6471	0.4199	0.2266	0.0963	0.0288	0.0129	0.0047	0.0002	0.0000	0.0000
3	1.0000	0.9998	0.9973	0.9667	0.9294	0.8740	0.7102	0.5000	0.2898	0.1260	0.0706	0.0333	0.0027	0.0002	0.0000
4	1.0000	1.0000	0.9998	0.9953	0.9871	0.9712	0.9037	0.7734	0.5801	0.3529	0.2436	0.1480	0.0257	0.0038	0.0000
5	1.0000	1.0000	1.0000	0.9996	0.9987	0.9962	0.9812	0.9375	0.8414	0.6706	0.5551	0.4233	0.1497	0.0444	0.0020
6	1.0000	1.0000	1.0000	1.0000	0.9999	0.9998	0.9984	0.9922	0.9720	0.9176	0.8665	0.7903	0.5217	0.3017	0.0679

표 1 (계속)

$n = 8$

k	0.01	0.05	0.10	0.20	0.25	0.30	0.40	0.50	0.60	0.70	0.75	0.80	0.90	0.95	0.99
0	0.9227	0.6634	0.4305	0.1678	0.1001	0.0576	0.0168	0.0039	0.0007	0.0001	0.0000	0.0000	0.0000	0.0000	0.0000
1	0.9973	0.9428	0.8131	0.5033	0.3671	0.2553	0.1064	0.0352	0.0085	0.0013	0.0004	0.0001	0.0000	0.0000	0.0000
2	0.9999	0.9942	0.9619	0.7969	0.6785	0.5518	0.3154	0.1445	0.0498	0.0113	0.0042	0.0012	0.0000	0.0000	0.0000
3	1.0000	0.9996	0.9950	0.9437	0.8862	0.8059	0.5941	0.3633	0.1737	0.0580	0.0273	0.0104	0.0004	0.0000	0.0000
4	1.0000	1.0000	0.9996	0.9896	0.9727	0.9420	0.8263	0.6367	0.4059	0.1941	0.1138	0.0563	0.0050	0.0004	0.0000
5	1.0000	1.0000	1.0000	0.9988	0.9958	0.9887	0.9502	0.8555	0.6846	0.4482	0.3215	0.2031	0.0381	0.0058	0.0001
6	1.0000	1.0000	1.0000	0.9999	0.9996	0.9987	0.9915	0.9648	0.8936	0.7447	0.6329	0.4967	0.1869	0.0572	0.0027
7	1.0000	1.0000	1.0000	1.0000	1.0000	0.9999	0.9993	0.9961	0.9832	0.9424	0.8999	0.8322	0.5695	0.3366	0.0773

$n = 9$

k	0.01	0.05	0.10	0.20	0.25	0.30	0.40	0.50	0.60	0.70	0.75	0.80	0.90	0.95	0.99
0	0.9135	0.6302	0.3874	0.1342	0.0751	0.0404	0.0101	0.0020	0.0003	0.0000	0.0000	0.0000	0.0000	0.0000	0.0000
1	0.9966	0.9288	0.7748	0.4362	0.3003	0.1960	0.0705	0.0195	0.0038	0.0004	0.0001	0.0000	0.0000	0.0000	0.0000
2	0.9999	0.9916	0.9470	0.7382	0.6007	0.4628	0.2318	0.0898	0.0250	0.0043	0.0013	0.0003	0.0000	0.0000	0.0000
3	1.0000	0.9994	0.9917	0.9144	0.8343	0.7297	0.4826	0.2539	0.0994	0.0253	0.0100	0.0031	0.0001	0.0000	0.0000
4	1.0000	1.0000	0.9991	0.9804	0.9511	0.9012	0.7334	0.5000	0.2666	0.0988	0.0489	0.0196	0.0009	0.0000	0.0000
5	1.0000	1.0000	0.9999	0.9969	0.9900	0.9747	0.9006	0.7461	0.5174	0.2703	0.1657	0.0856	0.0083	0.0006	0.0000
6	1.0000	1.0000	1.0000	0.9997	0.9987	0.9957	0.9750	0.9102	0.7682	0.5372	0.3993	0.2618	0.0530	0.0084	0.0001
7	1.0000	1.0000	1.0000	1.0000	0.9999	0.9996	0.9962	0.9805	0.9295	0.8040	0.6997	0.5638	0.2252	0.0712	0.0034
8	1.0000	1.0000	1.0000	1.0000	1.0000	1.0000	0.9997	0.9980	0.9899	0.9596	0.9249	0.8658	0.6126	0.3698	0.0865

표 1 (계속)

$n = 10$

	p														
k	**0.01**	**0.05**	**0.10**	**0.20**	**0.25**	**0.30**	**0.40**	**0.50**	**0.60**	**0.70**	**0.75**	**0.80**	**0.90**	**0.95**	**0.99**
0	0.9044	0.5987	0.3487	0.1074	0.0563	0.0282	0.0060	0.0010	0.0001	0.0000	0.0000	0.0000	0.0000	0.0000	0.0000
1	0.9957	0.9139	0.7361	0.3758	0.2440	0.1493	0.0464	0.0107	0.0017	0.0001	0.0000	0.0000	0.0000	0.0000	0.0000
2	0.9999	0.9885	0.9298	0.6778	0.5256	0.3828	0.1673	0.0547	0.0123	0.0016	0.0004	0.0001	0.0000	0.0000	0.0000
3	1.0000	0.9990	0.9872	0.8791	0.7759	0.6496	0.3823	0.1719	0.0548	0.0106	0.0035	0.0009	0.0000	0.0000	0.0000
4	1.0000	0.9999	0.9984	0.9672	0.9219	0.8497	0.6331	0.3770	0.1662	0.0473	0.0197	0.0064	0.0001	0.0000	0.0000
5	1.0000	1.0000	0.9999	0.9936	0.9803	0.9527	0.8338	0.6230	0.3669	0.1503	0.0781	0.0328	0.0016	0.0001	0.0000
6	1.0000	1.0000	1.0000	0.9991	0.9965	0.9894	0.9452	0.8281	0.6177	0.3504	0.2241	0.1209	0.0128	0.0010	0.0000
7	1.0000	1.0000	1.0000	0.9999	0.9996	0.9984	0.9877	0.9453	0.8327	0.6172	0.4744	0.3222	0.0702	0.0115	0.0001
8	1.0000	1.0000	1.0000	1.0000	1.0000	0.9999	0.9983	0.9893	0.9536	0.8507	0.7560	0.6242	0.2639	0.0861	0.0043
9	1.0000	1.0000	1.0000	1.0000	1.0000	1.0000	0.9999	0.9990	0.9940	0.9718	0.9437	0.8926	0.6513	0.4013	0.0956

$n = 15$

	p														
k	**0.01**	**0.05**	**0.10**	**0.20**	**0.25**	**0.30**	**0.40**	**0.50**	**0.60**	**0.70**	**0.75**	**0.80**	**0.90**	**0.95**	**0.99**
0	0.8601	0.4633	0.2059	0.0352	0.0134	0.0047	0.0005	0.0000	0.0000	0.0000	0.0000	0.0000	0.0000	0.0000	0.0000
1	0.9904	0.8290	0.5490	0.1671	0.0802	0.0353	0.0052	0.0005	0.0000	0.0000	0.0000	0.0000	0.0000	0.0000	0.0000
2	0.9996	0.9638	0.8159	0.3980	0.2361	0.1268	0.0271	0.0037	0.0003	0.0000	0.0000	0.0000	0.0000	0.0000	0.0000
3	1.0000	0.9945	0.9444	0.6482	0.4613	0.2969	0.0905	0.0176	0.0019	0.0001	0.0000	0.0000	0.0000	0.0000	0.0000
4	1.0000	0.9994	0.9873	0.8358	0.6865	0.5155	0.2173	0.0592	0.0093	0.0007	0.0001	0.0000	0.0000	0.0000	0.0000
5	1.0000	0.9999	0.9978	0.9389	0.8516	0.7216	0.4032	0.1509	0.0338	0.0037	0.0008	0.0001	0.0000	0.0000	0.0000
6	1.0000	1.0000	0.9997	0.9819	0.9434	0.8689	0.6098	0.3036	0.0950	0.0152	0.0042	0.0008	0.0000	0.0000	0.0000
7	1.0000	1.0000	1.0000	0.9958	0.9827	0.9500	0.7869	0.5000	0.2131	0.0500	0.0173	0.0042	0.0000	0.0000	0.0000
8	1.0000	1.0000	1.0000	0.9992	0.9958	0.9848	0.9050	0.6964	0.3902	0.1311	0.0566	0.0181	0.0003	0.0000	0.0000
9	1.0000	1.0000	1.0000	0.9999	0.9992	0.9963	0.9662	0.8491	0.5968	0.2784	0.1484	0.0611	0.0022	0.0001	0.0000
10	1.0000	1.0000	1.0000	1.0000	0.9999	0.9993	0.9907	0.9408	0.7827	0.4845	0.3135	0.1642	0.0127	0.0006	0.0000
11	1.0000	1.0000	1.0000	1.0000	1.0000	0.9999	0.9981	0.9824	0.9095	0.7031	0.5387	0.3518	0.0556	0.0055	0.0000
12	1.0000	1.0000	1.0000	1.0000	1.0000	1.0000	0.9997	0.9963	0.9729	0.8732	0.7639	0.6020	0.1841	0.0362	0.0004
13	1.0000	1.0000	1.0000	1.0000	1.0000	1.0000	1.0000	0.9995	0.9948	0.9647	0.9198	0.8329	0.4510	0.1710	0.0096
14	1.0000	1.0000	1.0000	1.0000	1.0000	1.0000	1.0000	1.0000	0.9995	0.9953	0.9866	0.9648	0.7941	0.5367	0.1399

표 1 (계속)

$n = 20$

	p														
k	**0.01**	**0.05**	**0.10**	**0.20**	**0.25**	**0.30**	**0.40**	**0.50**	**0.60**	**0.70**	**0.75**	**0.80**	**0.90**	**0.95**	**0.99**
0	0.8179	0.3585	0.1216	0.0115	0.0032	0.0008	0.0000	0.0000	0.0000	0.0000	0.0000	0.0000	0.0000	0.0000	0.0000
1	0.9831	0.7358	0.3917	0.0692	0.0243	0.0076	0.0005	0.0000	0.0000	0.0000	0.0000	0.0000	0.0000	0.0000	0.0000
2	0.9990	0.9245	0.6769	0.2061	0.0913	0.0355	0.0036	0.0002	0.0000	0.0000	0.0000	0.0000	0.0000	0.0000	0.0000
3	1.0000	0.9841	0.8670	0.4114	0.2252	0.1071	0.0160	0.0013	0.0000	0.0000	0.0000	0.0000	0.0000	0.0000	0.0000
4	1.0000	0.9974	0.9568	0.6296	0.4148	0.2375	0.0510	0.0059	0.0003	0.0000	0.0000	0.0000	0.0000	0.0000	0.0000
5	1.0000	0.9997	0.9887	0.8042	0.6172	0.4164	0.1256	0.0207	0.0016	0.0000	0.0000	0.0000	0.0000	0.0000	0.0000
6	1.0000	1.0000	0.9976	0.9133	0.7858	0.6080	0.2500	0.0577	0.0065	0.0003	0.0000	0.0000	0.0000	0.0000	0.0000
7	1.0000	1.0000	0.9996	0.9679	0.8982	0.7723	0.4159	0.1316	0.0210	0.0013	0.0002	0.0000	0.0000	0.0000	0.0000
8	1.0000	1.0000	0.9999	0.9900	0.9591	0.8867	0.5956	0.2517	0.0565	0.0051	0.0009	0.0001	0.0000	0.0000	0.0000
9	1.0000	1.0000	1.0000	0.9974	0.9861	0.9520	0.7553	0.4119	0.1275	0.0171	0.0039	0.0006	0.0000	0.0000	0.0000
10	1.0000	1.0000	1.0000	0.9994	0.9961	0.9829	0.8725	0.5881	0.2447	0.0480	0.0139	0.0026	0.0000	0.0000	0.0000
11	1.0000	1.0000	1.0000	0.9999	0.9991	0.9949	0.9435	0.7483	0.4044	0.1133	0.0409	0.0100	0.0001	0.0000	0.0000
12	1.0000	1.0000	1.0000	1.0000	0.9998	0.9987	0.9790	0.8684	0.5841	0.2277	0.1018	0.0321	0.0004	0.0000	0.0000
13	1.0000	1.0000	1.0000	1.0000	1.0000	0.9997	0.9935	0.9423	0.7500	0.3920	0.2142	0.0867	0.0024	0.0000	0.0000
14	1.0000	1.0000	1.0000	1.0000	1.0000	1.0000	0.9984	0.9793	0.8744	0.5836	0.3828	0.1958	0.0113	0.0003	0.0000
15	1.0000	1.0000	1.0000	1.0000	1.0000	1.0000	0.9997	0.9941	0.9490	0.7625	0.5852	0.3704	0.0432	0.0026	0.0000
16	1.0000	1.0000	1.0000	1.0000	1.0000	1.0000	1.0000	0.9987	0.9840	0.8929	0.7748	0.5886	0.1330	0.0159	0.0000
17	1.0000	1.0000	1.0000	1.0000	1.0000	1.0000	1.0000	0.9998	0.9964	0.9645	0.9087	0.7939	0.3231	0.0755	0.0010
18	1.0000	1.0000	1.0000	1.0000	1.0000	1.0000	1.0000	1.0000	0.9995	0.9924	0.9757	0.9308	0.6083	0.2642	0.0169
19	1.0000	1.0000	1.0000	1.0000	1.0000	1.0000	1.0000	1.0000	1.0000	0.9992	0.9968	0.9885	0.8784	0.6415	0.1821

표 1 (계속)

$n = 25$

	p														
k	**0.01**	**0.05**	**0.10**	**0.20**	**0.25**	**0.30**	**0.40**	**0.50**	**0.60**	**0.70**	**0.75**	**0.80**	**0.90**	**0.95**	**0.99**
0	0.7778	0.2774	0.0718	0.0038	0.0008	0.0001	0.0000	0.0000	0.0000	0.0000	0.0000	0.0000	0.0000	0.0000	0.0000
1	0.9742	0.6424	0.2712	0.0274	0.0070	0.0016	0.0001	0.0000	0.0000	0.0000	0.0000	0.0000	0.0000	0.0000	0.0000
2	0.9980	0.8729	0.5371	0.0982	0.0321	0.0090	0.0004	0.0000	0.0000	0.0000	0.0000	0.0000	0.0000	0.0000	0.0000
3	0.9999	0.9659	0.7636	0.2340	0.0962	0.0332	0.0024	0.0001	0.0000	0.0000	0.0000	0.0000	0.0000	0.0000	0.0000
4	1.0000	0.9928	0.9020	0.4207	0.2137	0.0905	0.0095	0.0005	0.0000	0.0000	0.0000	0.0000	0.0000	0.0000	0.0000
5	1.0000	0.9988	0.9666	0.6167	0.3783	0.1935	0.0294	0.0020	0.0001	0.0000	0.0000	0.0000	0.0000	0.0000	0.0000
6	1.0000	0.9998	0.9905	0.7800	0.5611	0.3407	0.0736	0.0073	0.0003	0.0000	0.0000	0.0000	0.0000	0.0000	0.0000
7	1.0000	1.0000	0.9977	0.8909	0.7265	0.5118	0.1536	0.0216	0.0012	0.0000	0.0000	0.0000	0.0000	0.0000	0.0000
8	1.0000	1.0000	0.9995	0.9532	0.8506	0.6769	0.2735	0.0539	0.0043	0.0001	0.0000	0.0000	0.0000	0.0000	0.0000
9	1.0000	1.0000	0.9999	0.9827	0.9287	0.8106	0.4246	0.1148	0.0132	0.0005	0.0000	0.0000	0.0000	0.0000	0.0000
10	1.0000	1.0000	1.0000	0.9944	0.9703	0.9022	0.5858	0.2122	0.0344	0.0018	0.0002	0.0000	0.0000	0.0000	0.0000
11	1.0000	1.0000	1.0000	0.9985	0.9893	0.9558	0.7323	0.3450	0.0778	0.0060	0.0009	0.0001	0.0000	0.0000	0.0000
12	1.0000	1.0000	1.0000	0.9996	0.9966	0.9825	0.8462	0.5000	0.1538	0.0175	0.0034	0.0004	0.0000	0.0000	0.0000
13	1.0000	1.0000	1.0000	0.9999	0.9991	0.9940	0.9222	0.6550	0.2677	0.0442	0.0107	0.0015	0.0000	0.0000	0.0000
14	1.0000	1.0000	1.0000	1.0000	0.9998	0.9982	0.9656	0.7878	0.4142	0.0978	0.0297	0.0056	0.0000	0.0000	0.0000
15	1.0000	1.0000	1.0000	1.0000	1.0000	0.9995	0.9868	0.8852	0.5754	0.1894	0.0713	0.0173	0.0001	0.0000	0.0000
16	1.0000	1.0000	1.0000	1.0000	1.0000	0.9999	0.9957	0.9461	0.7265	0.3231	0.1494	0.0468	0.0005	0.0000	0.0000
17	1.0000	1.0000	1.0000	1.0000	1.0000	1.0000	0.9988	0.9784	0.8464	0.4882	0.2735	0.1091	0.0023	0.0000	0.0000
18	1.0000	1.0000	1.0000	1.0000	1.0000	1.0000	0.9997	0.9927	0.9264	0.6593	0.4389	0.2200	0.0095	0.0002	0.0000
19	1.0000	1.0000	1.0000	1.0000	1.0000	1.0000	0.9999	0.9980	0.9706	0.8065	0.6217	0.3833	0.0334	0.0012	0.0000
20	1.0000	1.0000	1.0000	1.0000	1.0000	1.0000	1.0000	0.9995	0.9905	0.9095	0.7863	0.5793	0.0980	0.0072	0.0000
21	1.0000	1.0000	1.0000	1.0000	1.0000	1.0000	1.0000	0.9999	0.9976	0.9668	0.9038	0.7660	0.2364	0.0341	0.0001
22	1.0000	1.0000	1.0000	1.0000	1.0000	1.0000	1.0000	1.0000	0.9996	0.9910	0.9679	0.9018	0.4629	0.1271	0.0020
23	1.0000	1.0000	1.0000	1.0000	1.0000	1.0000	1.0000	1.0000	0.9999	0.9984	0.9930	0.9726	0.7288	0.3576	0.0258
24	1.0000	1.0000	1.0000	1.0000	1.0000	1.0000	1.0000	1.0000	1.0000	0.9999	0.9992	0.9962	0.9282	0.7226	0.2222

표 2 포아송확률

$P(X \le k) = \sum_{x=0}^{k} p(x)$. (소수점 넷째자리까지 반올림)

	μ															
k	**0.10**	**0.20**	**0.30**	**0.40**	**0.50**	**1.0**	**1.5**	**2.0**	**2.5**	**3.0**	**3.5**	**4.0**	**4.5**	**5.0**	**5.5**	**6.0**
0	0.9048	0.8187	0.7408	0.6703	0.6065	0.3679	0.2231	0.1353	0.0821	0.0498	0.0302	0.0183	0.0111	0.0067	0.0041	0.0025
1	0.9953	0.9825	0.9631	0.9384	0.9098	0.7358	0.5578	0.4060	0.2873	0.1991	0.1359	0.0916	0.0611	0.0404	0.0266	0.0174
2	0.9998	0.9989	0.9964	0.9921	0.9856	0.9197	0.8088	0.6767	0.5438	0.4232	0.3208	0.2381	0.1736	0.1247	0.0884	0.0620
3	1.0000	0.9999	0.9997	0.9992	0.9982	0.9810	0.9344	0.8571	0.7576	0.6472	0.5366	0.4335	0.3423	0.2650	0.2017	0.1512
4		1.0000	1.0000	0.9999	0.9998	0.9963	0.9814	0.9473	0.8912	0.8153	0.7254	0.6288	0.5321	0.4405	0.3575	0.2851
5				1.0000	1.0000	0.9994	0.9955	0.9834	0.9580	0.9161	0.8576	0.7851	0.7029	0.6160	0.5289	0.4457
6						0.9999	0.9991	0.9955	0.9858	0.9665	0.9347	0.8893	0.8311	0.7622	0.6860	0.6063
7						1.0000	0.9998	0.9989	0.9958	0.9881	0.9733	0.9489	0.9134	0.8666	0.8095	0.7440
8							1.0000	0.9998	0.9989	0.9962	0.9901	0.9786	0.9597	0.9319	0.8944	0.8472
9								1.0000	0.9997	0.9989	0.9967	0.9919	0.9829	0.9682	0.9462	0.9161
10									0.9999	0.9997	0.9990	0.9972	0.9933	0.9863	0.9747	0.9574
11									1.0000	0.9999	0.9997	0.9991	0.9976	0.9945	0.9890	0.9799
12										1.0000	0.9999	0.9997	0.9992	0.9980	0.9955	0.9912
13											1.0000	0.9999	0.9997	0.9993	0.9983	0.9964
14												1.0000	0.9999	0.9998	0.9994	0.9986
15													1.0000	0.9999	0.9998	0.9995
16														1.0000	0.9999	0.9998
17															1.0000	0.9999
18																1.0000
19																
20																

표 2 (계속)

	μ												
k	**6.50**	**7.00**	**7.50**	**8.00**	**8.50**	**9.00**	**9.50**	**10**	**11**	**12**	**13**	**14**	**15**
0	0.0015	0.0009	0.0006	0.0003	0.0002	0.0001	0.0001	0.0000	0.0000	0.0000	0.0000	0.0000	0.0000
1	0.0113	0.0073	0.0047	0.0030	0.0019	0.0012	0.0008	0.0005	0.0002	0.0001	0.0000	0.0000	0.0000
2	0.0430	0.0296	0.0203	0.0138	0.0093	0.0062	0.0042	0.0028	0.0012	0.0005	0.0002	0.0001	0.0000
3	0.1118	0.0818	0.0591	0.0424	0.0301	0.0212	0.0149	0.0103	0.0049	0.0023	0.0011	0.0005	0.0002
4	0.2237	0.1730	0.1321	0.0996	0.0744	0.0550	0.0403	0.0293	0.0151	0.0076	0.0037	0.0018	0.0009
5	0.3690	0.3007	0.2414	0.1912	0.1496	0.1157	0.0885	0.0671	0.0375	0.0203	0.0107	0.0055	0.0028
6	0.5265	0.4497	0.3782	0.3134	0.2562	0.2068	0.1649	0.1301	0.0786	0.0458	0.0259	0.0142	0.0076
7	0.6728	0.5987	0.5246	0.4530	0.3856	0.3239	0.2687	0.2202	0.1432	0.0895	0.0540	0.0316	0.0180
8	0.7916	0.7291	0.6620	0.5925	0.5231	0.4557	0.3918	0.3328	0.2320	0.1550	0.0998	0.0621	0.0374
9	0.8774	0.8305	0.7764	0.7166	0.6530	0.5874	0.5218	0.4579	0.3405	0.2424	0.1658	0.1094	0.0699
10	0.9332	0.9015	0.8622	0.8159	0.7634	0.7060	0.6453	0.5830	0.4599	0.3472	0.2517	0.1757	0.1185
11	0.9661	0.9467	0.9208	0.8881	0.8487	0.8030	0.7520	0.6968	0.5793	0.4616	0.3532	0.2600	0.1848
12	0.9840	0.9730	0.9573	0.9362	0.9091	0.8758	0.8364	0.7916	0.6887	0.5760	0.4631	0.3585	0.2676
13	0.9929	0.9872	0.9784	0.9658	0.9486	0.9261	0.8981	0.8645	0.7813	0.6815	0.5730	0.4644	0.3632
14	0.9970	0.9943	0.9897	0.9827	0.9726	0.9585	0.9400	0.9165	0.8540	0.7720	0.6751	0.5704	0.4657
15	0.9988	0.9976	0.9954	0.9918	0.9862	0.9780	0.9665	0.9513	0.9074	0.8444	0.7636	0.6694	0.5681
16	0.9996	0.9990	0.9980	0.9963	0.9934	0.9889	0.9823	0.9730	0.9441	0.8987	0.8355	0.7559	0.6641
17	0.9998	0.9996	0.9992	0.9984	0.9970	0.9947	0.9911	0.9857	0.9678	0.9370	0.8905	0.8272	0.7489
18	0.9999	0.9999	0.9997	0.9993	0.9987	0.9976	0.9957	0.9928	0.9823	0.9626	0.9302	0.8826	0.8195
19	1.0000	1.0000	0.9999	0.9997	0.9995	0.9989	0.9980	0.9965	0.9907	0.9787	0.9573	0.9235	0.8752
20			1.0000	0.9999	0.9998	0.9996	0.9991	0.9984	0.9953	0.9884	0.9750	0.9521	0.9170
21				1.0000	0.9999	0.9998	0.9996	0.9993	0.9977	0.9939	0.9859	0.9712	0.9469
22					1.0000	0.9999	0.9999	0.9997	0.9990	0.9970	0.9924	0.9833	0.9673
23						1.0000	0.9999	0.9999	0.9995	0.9985	0.9960	0.9907	0.9805
24							1.0000	1.0000	0.9998	0.9993	0.9980	0.9950	0.9888
25									0.9999	0.9997	0.9990	0.9974	0.9938
26									1.0000	0.9999	0.9995	0.9987	0.9967
27										0.9999	0.9998	0.9994	0.9983
28										1.0000	0.9999	0.9997	0.9991
29											1.0000	0.9999	0.9996
30												0.9999	0.9998
31												1.0000	0.9999
32													1.0000

표 3 누적표준정규확률

$P(-\infty < Z < z)$

Z	0.00	0.01	0.02	0.03	0.04	0.05	0.06	0.07	0.08	0.09
−3.0	0.0013	0.0013	0.0013	0.0012	0.0012	0.0011	0.0011	0.0011	0.0010	0.0010
−2.9	0.0019	0.0018	0.0018	0.0017	0.0016	0.0016	0.0015	0.0015	0.0014	0.0014
−2.8	0.0026	0.0025	0.0024	0.0023	0.0023	0.0022	0.0021	0.0021	0.0020	0.0019
−2.7	0.0035	0.0034	0.0033	0.0032	0.0031	0.0030	0.0029	0.0028	0.0027	0.0026
−2.6	0.0047	0.0045	0.0044	0.0043	0.0041	0.0040	0.0039	0.0038	0.0037	0.0036
−2.5	0.0062	0.0060	0.0059	0.0057	0.0055	0.0054	0.0052	0.0051	0.0049	0.0048
−2.4	0.0082	0.0080	0.0078	0.0075	0.0073	0.0071	0.0069	0.0068	0.0066	0.0064
−2.3	0.0107	0.0104	0.0102	0.0099	0.0096	0.0094	0.0091	0.0089	0.0087	0.0084
−2.2	0.0139	0.0136	0.0132	0.0129	0.0125	0.0122	0.0119	0.0116	0.0113	0.0110
−2.1	0.0179	0.0174	0.0170	0.0166	0.0162	0.0158	0.0154	0.0150	0.0146	0.0143
−2.0	0.0228	0.0222	0.0217	0.0212	0.0207	0.0202	0.0197	0.0192	0.0188	0.0183
−1.9	0.0287	0.0281	0.0274	0.0268	0.0262	0.0256	0.0250	0.0244	0.0239	0.0233
−1.8	0.0359	0.0351	0.0344	0.0336	0.0329	0.0322	0.0314	0.0307	0.0301	0.0294
−1.7	0.0446	0.0436	0.0427	0.0418	0.0409	0.0401	0.0392	0.0384	0.0375	0.0367
−1.6	0.0548	0.0537	0.0526	0.0516	0.0505	0.0495	0.0485	0.0475	0.0465	0.0455
−1.5	0.0668	0.0655	0.0643	0.0630	0.0618	0.0606	0.0594	0.0582	0.0571	0.0559
−1.4	0.0808	0.0793	0.0778	0.0764	0.0749	0.0735	0.0721	0.0708	0.0694	0.0681
−1.3	0.0968	0.0951	0.0934	0.0918	0.0901	0.0885	0.0869	0.0853	0.0838	0.0823
−1.2	0.1151	0.1131	0.1112	0.1093	0.1075	0.1056	0.1038	0.1020	0.1003	0.0985
−1.1	0.1357	0.1335	0.1314	0.1292	0.1271	0.1251	0.1230	0.1210	0.1190	0.1170
−1.0	0.1587	0.1562	0.1539	0.1515	0.1492	0.1469	0.1446	0.1423	0.1401	0.1379
−0.9	0.1841	0.1814	0.1788	0.1762	0.1736	0.1711	0.1685	0.1660	0.1635	0.1611
−0.8	0.2119	0.2090	0.2061	0.2033	0.2005	0.1977	0.1949	0.1922	0.1894	0.1867
−0.7	0.2420	0.2389	0.2358	0.2327	0.2296	0.2266	0.2236	0.2206	0.2177	0.2148
−0.6	0.2743	0.2709	0.2676	0.2643	0.2611	0.2578	0.2546	0.2514	0.2483	0.2451
−0.5	0.3085	0.3050	0.3015	0.2981	0.2946	0.2912	0.2877	0.2843	0.2810	0.2776
−0.4	0.3446	0.3409	0.3372	0.3336	0.3300	0.3264	0.3228	0.3192	0.3156	0.3121
−0.3	0.3821	0.3783	0.3745	0.3707	0.3669	0.3632	0.3594	0.3557	0.3520	0.3483
−0.2	0.4207	0.4168	0.4129	0.4090	0.4052	0.4013	0.3974	0.3936	0.3897	0.3859
−0.1	0.4602	0.4562	0.4522	0.4483	0.4443	0.4404	0.4364	0.4325	0.4286	0.4247
−0.0	0.5000	0.4960	0.4920	0.4880	0.4840	0.4801	0.4761	0.4721	0.4681	0.4641

표 3 (계속)

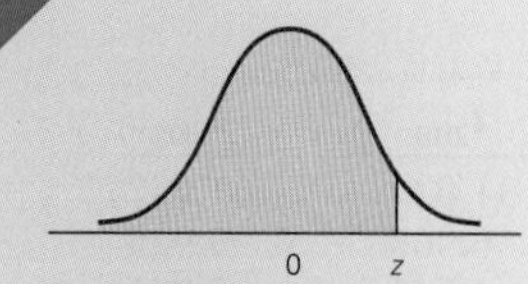

$P(-\infty < Z < z)$

Z	0.00	0.01	0.02	0.03	0.04	0.05	0.06	0.07	0.08	0.09
0.0	0.5000	0.5040	0.5080	0.5120	0.5160	0.5199	0.5239	0.5279	0.5319	0.5359
0.1	0.5398	0.5438	0.5478	0.5517	0.5557	0.5596	0.5636	0.5675	0.5714	0.5753
0.2	0.5793	0.5832	0.5871	0.5910	0.5948	0.5987	0.6026	0.6064	0.6103	0.6141
0.3	0.6179	0.6217	0.6255	0.6293	0.6331	0.6368	0.6406	0.6443	0.6480	0.6517
0.4	0.6554	0.6591	0.6628	0.6664	0.6700	0.6736	0.6772	0.6808	0.6844	0.6879
0.5	0.6915	0.6950	0.6985	0.7019	0.7054	0.7088	0.7123	0.7157	0.7190	0.7224
0.6	0.7257	0.7291	0.7324	0.7357	0.7389	0.7422	0.7454	0.7486	0.7517	0.7549
0.7	0.7580	0.7611	0.7642	0.7673	0.7704	0.7734	0.7764	0.7794	0.7823	0.7852
0.8	0.7881	0.7910	0.7939	0.7967	0.7995	0.8023	0.8051	0.8078	0.8106	0.8133
0.9	0.8159	0.8186	0.8212	0.8238	0.8264	0.8289	0.8315	0.8340	0.8365	0.8389
1.0	0.8413	0.8438	0.8461	0.8485	0.8508	0.8531	0.8554	0.8577	0.8599	0.8621
1.1	0.8643	0.8665	0.8686	0.8708	0.8729	0.8749	0.8770	0.8790	0.8810	0.8830
1.2	0.8849	0.8869	0.8888	0.8907	0.8925	0.8944	0.8962	0.8980	0.8997	0.9015
1.3	0.9032	0.9049	0.9066	0.9082	0.9099	0.9115	0.9131	0.9147	0.9162	0.9177
1.4	0.9192	0.9207	0.9222	0.9236	0.9251	0.9265	0.9279	0.9292	0.9306	0.9319
1.5	0.9332	0.9345	0.9357	0.9370	0.9382	0.9394	0.9406	0.9418	0.9429	0.9441
1.6	0.9452	0.9463	0.9474	0.9484	0.9495	0.9505	0.9515	0.9525	0.9535	0.9545
1.7	0.9554	0.9564	0.9573	0.9582	0.9591	0.9599	0.9608	0.9616	0.9625	0.9633
1.8	0.9641	0.9649	0.9656	0.9664	0.9671	0.9678	0.9686	0.9693	0.9699	0.9706
1.9	0.9713	0.9719	0.9726	0.9732	0.9738	0.9744	0.9750	0.9756	0.9761	0.9767
2.0	0.9772	0.9778	0.9783	0.9788	0.9793	0.9798	0.9803	0.9808	0.9812	0.9817
2.1	0.9821	0.9826	0.9830	0.9834	0.9838	0.9842	0.9846	0.9850	0.9854	0.9857
2.2	0.9861	0.9864	0.9868	0.9871	0.9875	0.9878	0.9881	0.9884	0.9887	0.9890
2.3	0.9893	0.9896	0.9898	0.9901	0.9904	0.9906	0.9909	0.9911	0.9913	0.9916
2.4	0.9918	0.9920	0.9922	0.9925	0.9927	0.9929	0.9931	0.9932	0.9934	0.9936
2.5	0.9938	0.9940	0.9941	0.9943	0.9945	0.9946	0.9948	0.9949	0.9951	0.9952
2.6	0.9953	0.9955	0.9956	0.9957	0.9959	0.9960	0.9961	0.9962	0.9963	0.9964
2.7	0.9965	0.9966	0.9967	0.9968	0.9969	0.9970	0.9971	0.9972	0.9973	0.9974
2.8	0.9974	0.9975	0.9976	0.9977	0.9977	0.9978	0.9979	0.9979	0.9980	0.9981
2.9	0.9981	0.9982	0.9982	0.9983	0.9984	0.9984	0.9985	0.9985	0.9986	0.9986
3.0	0.9987	0.9987	0.9987	0.9988	0.9988	0.9989	0.9989	0.9989	0.9990	0.9990

표 4 Student t 분포의 임계값

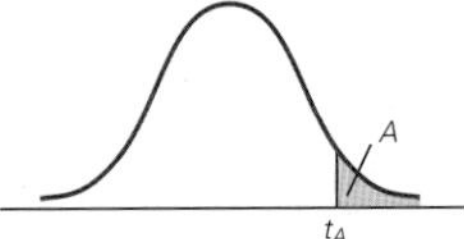

자유도	$t_{.100}$	$t_{.050}$	$t_{.025}$	$t_{.010}$	$t_{.005}$
1	3.078	6.314	12.706	31.821	63.657
2	1.886	2.920	4.303	6.965	9.925
3	1.638	2.353	3.182	4.541	5.841
4	1.533	2.132	2.776	3.747	4.604
5	1.476	2.015	2.571	3.365	4.032
6	1.440	1.943	2.447	3.143	3.707
7	1.415	1.895	2.365	2.998	3.499
8	1.397	1.860	2.306	2.896	3.355
9	1.383	1.833	2.262	2.821	3.250
10	1.372	1.812	2.228	2.764	3.169
11	1.363	1.796	2.201	2.718	3.106
12	1.356	1.782	2.179	2.681	3.055
13	1.350	1.771	2.160	2.650	3.012
14	1.345	1.761	2.145	2.624	2.977
15	1.341	1.753	2.131	2.602	2.947
16	1.337	1.746	2.120	2.583	2.921
17	1.333	1.740	2.110	2.567	2.898
18	1.330	1.734	2.101	2.552	2.878
19	1.328	1.729	2.093	2.539	2.861
20	1.325	1.725	2.086	2.528	2.845
21	1.323	1.721	2.080	2.518	2.831
22	1.321	1.717	2.074	2.508	2.819
23	1.319	1.714	2.069	2.500	2.807
24	1.318	1.711	2.064	2.492	2.797
25	1.316	1.708	2.060	2.485	2.787
26	1.315	1.706	2.056	2.479	2.779
27	1.314	1.703	2.052	2.473	2.771
28	1.313	1.701	2.048	2.467	2.763
29	1.311	1.699	2.045	2.462	2.756
30	1.310	1.697	2.042	2.457	2.750
35	1.306	1.690	2.030	2.438	2.724
40	1.303	1.684	2.021	2.423	2.704
45	1.301	1.679	2.014	2.412	2.690
50	1.299	1.676	2.009	2.403	2.678
55	1.297	1.673	2.004	2.396	2.668
60	1.296	1.671	2.000	2.390	2.660
65	1.295	1.669	1.997	2.385	2.654
70	1.294	1.667	1.994	2.381	2.648
75	1.293	1.665	1.992	2.377	2.643
80	1.292	1.664	1.990	2.374	2.639
85	1.292	1.663	1.988	2.371	2.635
90	1.291	1.662	1.987	2.368	2.632
95	1.291	1.661	1.985	2.366	2.629
100	1.290	1.660	1.984	2.364	2.626
110	1.289	1.659	1.982	2.361	2.621
120	1.289	1.658	1.980	2.358	2.617
130	1.288	1.657	1.978	2.355	2.614
140	1.288	1.656	1.977	2.353	2.611
150	1.287	1.655	1.976	2.351	2.609
160	1.287	1.654	1.975	2.350	2.607
170	1.287	1.654	1.974	2.348	2.605
180	1.286	1.653	1.973	2.347	2.603
190	1.286	1.653	1.973	2.346	2.602
200	1.286	1.653	1.972	2.345	2.601
∞	1.282	1.645	1.960	2.326	2.576

표 5 χ^2 분포의 임계값

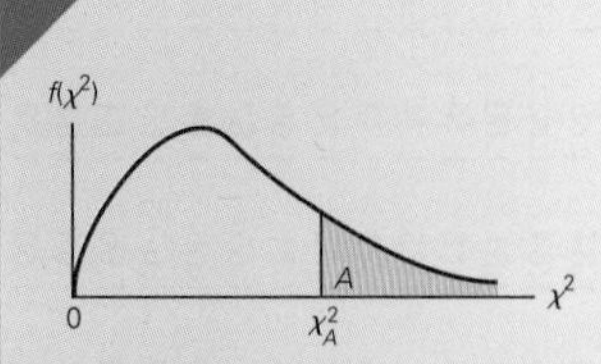

자유도	$\chi^2_{.995}$	$\chi^2_{.990}$	$\chi^2_{.975}$	$\chi^2_{.950}$	$\chi^2_{.900}$	$\chi^2_{.100}$	$\chi^2_{.050}$	$\chi^2_{.025}$	$\chi^2_{.010}$	$\chi^2_{.005}$
1	0.000039	0.000157	0.000982	0.00393	0.0158	2.71	3.84	5.02	6.63	7.88
2	0.0100	0.0201	0.0506	0.103	0.211	4.61	5.99	7.38	9.21	10.6
3	0.072	0.115	0.216	0.352	0.584	6.25	7.81	9.35	11.3	12.8
4	0.207	0.297	0.484	0.711	1.06	7.78	9.49	11.1	13.3	14.9
5	0.412	0.554	0.831	1.15	1.61	9.24	11.1	12.8	15.1	16.7
6	0.676	0.872	1.24	1.64	2.20	10.6	12.6	14.4	16.8	18.5
7	0.989	1.24	1.69	2.17	2.83	12.0	14.1	16.0	18.5	20.3
8	1.34	1.65	2.18	2.73	3.49	13.4	15.5	17.5	20.1	22.0
9	1.73	2.09	2.70	3.33	4.17	14.7	16.9	19.0	21.7	23.6
10	2.16	2.56	3.25	3.94	4.87	16.0	18.3	20.5	23.2	25.2
11	2.60	3.05	3.82	4.57	5.58	17.3	19.7	21.9	24.7	26.8
12	3.07	3.57	4.40	5.23	6.30	18.5	21.0	23.3	26.2	28.3
13	3.57	4.11	5.01	5.89	7.04	19.8	22.4	24.7	27.7	29.8
14	4.07	4.66	5.63	6.57	7.79	21.1	23.7	26.1	29.1	31.3
15	4.60	5.23	6.26	7.26	8.55	22.3	25.0	27.5	30.6	32.8
16	5.14	5.81	6.91	7.96	9.31	23.5	26.3	28.8	32.0	34.3
17	5.70	6.41	7.56	8.67	10.1	24.8	27.6	30.2	33.4	35.7
18	6.26	7.01	8.23	9.39	10.9	26.0	28.9	31.5	34.8	37.2
19	6.84	7.63	8.91	10.1	11.7	27.2	30.1	32.9	36.2	38.6
20	7.43	8.26	9.59	10.9	12.4	28.4	31.4	34.2	37.6	40.0
21	8.03	8.90	10.3	11.6	13.2	29.6	32.7	35.5	38.9	41.4
22	8.64	9.54	11.0	12.3	14.0	30.8	33.9	36.8	40.3	42.8
23	9.26	10.2	11.7	13.1	14.8	32.0	35.2	38.1	41.6	44.2
24	9.89	10.9	12.4	13.8	15.7	33.2	36.4	39.4	43.0	45.6
25	10.5	11.5	13.1	14.6	16.5	34.4	37.7	40.6	44.3	46.9
26	11.2	12.2	13.8	15.4	17.3	35.6	38.9	41.9	45.6	48.3
27	11.8	12.9	14.6	16.2	18.1	36.7	40.1	43.2	47.0	49.6
28	12.5	13.6	15.3	16.9	18.9	37.9	41.3	44.5	48.3	51.0
29	13.1	14.3	16.0	17.7	19.8	39.1	42.6	45.7	49.6	52.3
30	13.8	15.0	16.8	18.5	20.6	40.3	43.8	47.0	50.9	53.7
40	20.7	22.2	24.4	26.5	29.1	51.8	55.8	59.3	63.7	66.8
50	28.0	29.7	32.4	34.8	37.7	63.2	67.5	71.4	76.2	79.5
60	35.5	37.5	40.5	43.2	46.5	74.4	79.1	83.3	88.4	92.0
70	43.3	45.4	48.8	51.7	55.3	85.5	90.5	95.0	100	104
80	51.2	53.5	57.2	60.4	64.3	96.6	102	107	112	116
90	59.2	61.8	65.6	69.1	73.3	108	113	118	124	128
100	67.3	70.1	74.2	77.9	82.4	118	124	130	136	140

표 6(a) *F*-분포의 임계값: A = .05

ν_2 \ ν_1 (분모의 자유도 \ 분자의 자유도)	1	2	3	4	5	6	7	8	9	10	11	12	13	14	15	16	17	18	19	20
1	161	199	216	225	230	234	237	239	241	242	243	244	245	245	246	246	247	247	248	248
2	18.5	19.0	19.2	19.2	19.3	19.3	19.4	19.4	19.4	19.4	19.4	19.4	19.4	19.4	19.4	19.4	19.4	19.4	19.4	19.4
3	10.1	9.55	9.28	9.12	9.01	8.94	8.89	8.85	8.81	8.79	8.76	8.74	8.73	8.71	8.70	8.69	8.68	8.67	8.67	8.66
4	7.71	6.94	6.59	6.39	6.26	6.16	6.09	6.04	6.00	5.96	5.94	5.91	5.89	5.87	5.86	5.84	5.83	5.82	5.81	5.80
5	6.61	5.79	5.41	5.19	5.05	4.95	4.88	4.82	4.77	4.74	4.70	4.68	4.66	4.64	4.62	4.60	4.59	4.58	4.57	4.56
6	5.99	5.14	4.76	4.53	4.39	4.28	4.21	4.15	4.10	4.06	4.03	4.00	3.98	3.96	3.94	3.92	3.91	3.90	3.88	3.87
7	5.59	4.74	4.35	4.12	3.97	3.87	3.79	3.73	3.68	3.64	3.60	3.57	3.55	3.53	3.51	3.49	3.48	3.47	3.46	3.44
8	5.32	4.46	4.07	3.84	3.69	3.58	3.50	3.44	3.39	3.35	3.31	3.28	3.26	3.24	3.22	3.20	3.19	3.17	3.16	3.15
9	5.12	4.26	3.86	3.63	3.48	3.37	3.29	3.23	3.18	3.14	3.10	3.07	3.05	3.03	3.01	2.99	2.97	2.96	2.95	2.94
10	4.96	4.10	3.71	3.48	3.33	3.22	3.14	3.07	3.02	2.98	2.94	2.91	2.89	2.86	2.85	2.83	2.81	2.80	2.79	2.77
11	4.84	3.98	3.59	3.36	3.20	3.09	3.01	2.95	2.90	2.85	2.82	2.79	2.76	2.74	2.72	2.70	2.69	2.67	2.66	2.65
12	4.75	3.89	3.49	3.26	3.11	3.00	2.91	2.85	2.80	2.75	2.72	2.69	2.66	2.64	2.62	2.60	2.58	2.57	2.56	2.54
13	4.67	3.81	3.41	3.18	3.03	2.92	2.83	2.77	2.71	2.67	2.63	2.60	2.58	2.55	2.53	2.51	2.50	2.48	2.47	2.46
14	4.60	3.74	3.34	3.11	2.96	2.85	2.76	2.70	2.65	2.60	2.57	2.53	2.51	2.48	2.46	2.44	2.43	2.41	2.40	2.39
15	4.54	3.68	3.29	3.06	2.90	2.79	2.71	2.64	2.59	2.54	2.51	2.48	2.45	2.42	2.40	2.38	2.37	2.35	2.34	2.33
16	4.49	3.63	3.24	3.01	2.85	2.74	2.66	2.59	2.54	2.49	2.46	2.42	2.40	2.37	2.35	2.33	2.32	2.30	2.29	2.28
17	4.45	3.59	3.20	2.96	2.81	2.70	2.61	2.55	2.49	2.45	2.41	2.38	2.35	2.33	2.31	2.29	2.27	2.26	2.24	2.23
18	4.41	3.55	3.16	2.93	2.77	2.66	2.58	2.51	2.46	2.41	2.37	2.34	2.31	2.29	2.27	2.25	2.23	2.22	2.20	2.19
19	4.38	3.52	3.13	2.90	2.74	2.63	2.54	2.48	2.42	2.38	2.34	2.31	2.28	2.26	2.23	2.21	2.20	2.18	2.17	2.16
20	4.35	3.49	3.10	2.87	2.71	2.60	2.51	2.45	2.39	2.35	2.31	2.28	2.25	2.22	2.20	2.18	2.17	2.15	2.14	2.12
22	4.30	3.44	3.05	2.82	2.66	2.55	2.46	2.40	2.34	2.30	2.26	2.23	2.20	2.17	2.15	2.13	2.11	2.10	2.08	2.07
24	4.26	3.40	3.01	2.78	2.62	2.51	2.42	2.36	2.30	2.25	2.22	2.18	2.15	2.13	2.11	2.09	2.07	2.05	2.04	2.03
26	4.23	3.37	2.98	2.74	2.59	2.47	2.39	2.32	2.27	2.22	2.18	2.15	2.12	2.09	2.07	2.05	2.03	2.02	2.00	1.99
28	4.20	3.34	2.95	2.71	2.56	2.45	2.36	2.29	2.24	2.19	2.15	2.12	2.09	2.06	2.04	2.02	2.00	1.99	1.97	1.96
30	4.17	3.32	2.92	2.69	2.53	2.42	2.33	2.27	2.21	2.16	2.13	2.09	2.06	2.04	2.01	1.99	1.98	1.96	1.95	1.93
35	4.12	3.27	2.87	2.64	2.49	2.37	2.29	2.22	2.16	2.11	2.07	2.04	2.01	1.99	1.96	1.94	1.92	1.91	1.89	1.88
40	4.08	3.23	2.84	2.61	2.45	2.34	2.25	2.18	2.12	2.08	2.04	2.00	1.97	1.95	1.92	1.90	1.89	1.87	1.85	1.84
45	4.06	3.20	2.81	2.58	2.42	2.31	2.22	2.15	2.10	2.05	2.01	1.97	1.94	1.92	1.89	1.87	1.86	1.84	1.82	1.81
50	4.03	3.18	2.79	2.56	2.40	2.29	2.20	2.13	2.07	2.03	1.99	1.95	1.92	1.89	1.87	1.85	1.83	1.81	1.80	1.78
60	4.00	3.15	2.76	2.53	2.37	2.25	2.17	2.10	2.04	1.99	1.95	1.92	1.89	1.86	1.84	1.82	1.80	1.78	1.76	1.75
70	3.98	3.13	2.74	2.50	2.35	2.23	2.14	2.07	2.02	1.97	1.93	1.89	1.86	1.84	1.81	1.79	1.77	1.75	1.74	1.72
80	3.96	3.11	2.72	2.49	2.33	2.21	2.13	2.06	2.00	1.95	1.91	1.88	1.84	1.82	1.79	1.77	1.75	1.73	1.72	1.70
90	3.95	3.10	2.71	2.47	2.32	2.20	2.11	2.04	1.99	1.94	1.90	1.86	1.83	1.80	1.78	1.76	1.74	1.72	1.70	1.69
100	3.94	3.09	2.70	2.46	2.31	2.19	2.10	2.03	1.97	1.93	1.89	1.85	1.82	1.79	1.77	1.75	1.73	1.71	1.69	1.68
120	3.92	3.07	2.68	2.45	2.29	2.18	2.09	2.02	1.96	1.91	1.87	1.83	1.80	1.78	1.75	1.73	1.71	1.69	1.67	1.66
140	3.91	3.06	2.67	2.44	2.28	2.16	2.08	2.01	1.95	1.90	1.86	1.82	1.79	1.76	1.74	1.72	1.70	1.68	1.66	1.65
160	3.90	3.05	2.66	2.43	2.27	2.16	2.07	2.00	1.94	1.89	1.85	1.81	1.78	1.75	1.73	1.71	1.69	1.67	1.65	1.64
180	3.89	3.05	2.65	2.42	2.26	2.15	2.06	1.99	1.93	1.88	1.84	1.81	1.77	1.75	1.72	1.70	1.68	1.66	1.64	1.63
200	3.89	3.04	2.65	2.42	2.26	2.14	2.06	1.98	1.93	1.88	1.84	1.80	1.77	1.74	1.72	1.69	1.67	1.66	1.64	1.62
∞	3.84	3.00	2.61	2.37	2.21	2.10	2.01	1.94	1.88	1.83	1.79	1.75	1.72	1.69	1.67	1.64	1.62	1.60	1.59	1.57

ν_2 \ ν_1 (분모의 자유도 \ 분자의 자유도)	22	24	26	28	30	35	40	45	50	60	70	80	90	100	120	140	160	180	200	∞
1	249	249	249	250	250	251	251	251	252	252	252	253	253	253	253	253	254	254	254	254
2	19.5	19.5	19.5	19.5	19.5	19.5	19.5	19.5	19.5	19.5	19.5	19.5	19.5	19.5	19.5	19.5	19.5	19.5	19.5	19.5
3	8.65	8.64	8.63	8.62	8.62	8.60	8.59	8.59	8.58	8.57	8.57	8.56	8.56	8.55	8.55	8.55	8.54	8.54	8.54	8.53
4	5.79	5.77	5.76	5.75	5.75	5.73	5.72	5.71	5.70	5.69	5.68	5.67	5.67	5.66	5.66	5.65	5.65	5.65	5.65	5.63
5	4.54	4.53	4.52	4.50	4.50	4.48	4.46	4.45	4.44	4.43	4.42	4.41	4.41	4.41	4.40	4.39	4.39	4.39	4.39	4.37
6	3.86	3.84	3.83	3.82	3.81	3.79	3.77	3.76	3.75	3.74	3.73	3.72	3.72	3.71	3.70	3.70	3.70	3.69	3.69	3.67
7	3.43	3.41	3.40	3.39	3.38	3.36	3.34	3.33	3.32	3.30	3.29	3.29	3.28	3.27	3.27	3.26	3.26	3.25	3.25	3.23
8	3.13	3.12	3.10	3.09	3.08	3.06	3.04	3.03	3.02	3.01	2.99	2.99	2.98	2.97	2.97	2.96	2.96	2.95	2.95	2.93
9	2.92	2.90	2.89	2.87	2.86	2.84	2.83	2.81	2.80	2.79	2.78	2.77	2.76	2.76	2.75	2.74	2.74	2.73	2.73	2.71
10	2.75	2.74	2.72	2.71	2.70	2.68	2.66	2.65	2.64	2.62	2.61	2.60	2.59	2.59	2.58	2.57	2.57	2.57	2.56	2.54
11	2.63	2.61	2.59	2.58	2.57	2.55	2.53	2.52	2.51	2.49	2.48	2.47	2.46	2.46	2.45	2.44	2.44	2.43	2.43	2.41
12	2.52	2.51	2.49	2.48	2.47	2.44	2.43	2.41	2.40	2.38	2.37	2.36	2.36	2.35	2.34	2.33	2.33	2.33	2.32	2.30
13	2.44	2.42	2.41	2.39	2.38	2.36	2.34	2.33	2.31	2.30	2.28	2.27	2.27	2.26	2.25	2.25	2.24	2.24	2.23	2.21
14	2.37	2.35	2.33	2.32	2.31	2.28	2.27	2.25	2.24	2.22	2.21	2.20	2.19	2.19	2.18	2.17	2.17	2.16	2.16	2.13
15	2.31	2.29	2.27	2.26	2.25	2.22	2.20	2.19	2.18	2.16	2.15	2.14	2.13	2.12	2.11	2.11	2.10	2.10	2.10	2.07
16	2.25	2.24	2.22	2.21	2.19	2.17	2.15	2.14	2.12	2.11	2.09	2.08	2.07	2.07	2.06	2.05	2.05	2.04	2.04	2.01
17	2.21	2.19	2.17	2.16	2.15	2.12	2.10	2.09	2.08	2.06	2.05	2.03	2.03	2.02	2.01	2.00	2.00	1.99	1.99	1.96
18	2.17	2.15	2.13	2.12	2.11	2.08	2.06	2.05	2.04	2.02	2.00	1.99	1.98	1.98	1.97	1.96	1.96	1.95	1.95	1.92
19	2.13	2.11	2.10	2.08	2.07	2.05	2.03	2.01	2.00	1.98	1.97	1.96	1.95	1.94	1.93	1.92	1.92	1.91	1.91	1.88
20	2.10	2.08	2.07	2.05	2.04	2.01	1.99	1.98	1.97	1.95	1.93	1.92	1.91	1.91	1.90	1.89	1.88	1.88	1.88	1.84
22	2.05	2.03	2.01	2.00	1.98	1.96	1.94	1.92	1.91	1.89	1.88	1.86	1.86	1.85	1.84	1.83	1.82	1.82	1.82	1.78
24	2.00	1.98	1.97	1.95	1.94	1.91	1.89	1.88	1.86	1.84	1.83	1.82	1.81	1.80	1.79	1.78	1.78	1.77	1.77	1.73
26	1.97	1.95	1.93	1.91	1.90	1.87	1.85	1.84	1.82	1.80	1.79	1.78	1.77	1.76	1.75	1.74	1.73	1.73	1.73	1.69
28	1.93	1.91	1.90	1.88	1.87	1.84	1.82	1.80	1.79	1.77	1.75	1.74	1.73	1.73	1.71	1.71	1.70	1.69	1.69	1.65
30	1.91	1.89	1.87	1.85	1.84	1.81	1.79	1.77	1.76	1.74	1.72	1.71	1.70	1.70	1.68	1.68	1.67	1.66	1.66	1.62
35	1.85	1.83	1.82	1.80	1.79	1.76	1.74	1.72	1.70	1.68	1.66	1.65	1.64	1.63	1.62	1.61	1.61	1.60	1.60	1.56
40	1.81	1.79	1.77	1.76	1.74	1.72	1.69	1.67	1.66	1.64	1.62	1.61	1.60	1.59	1.58	1.57	1.56	1.55	1.55	1.51
45	1.78	1.76	1.74	1.73	1.71	1.68	1.66	1.64	1.63	1.60	1.59	1.57	1.56	1.55	1.54	1.53	1.52	1.52	1.51	1.47
50	1.76	1.74	1.72	1.70	1.69	1.66	1.63	1.61	1.60	1.58	1.56	1.54	1.53	1.52	1.51	1.50	1.49	1.49	1.48	1.44
60	1.72	1.70	1.68	1.66	1.65	1.62	1.59	1.57	1.56	1.53	1.52	1.50	1.49	1.48	1.47	1.46	1.45	1.44	1.44	1.39
70	1.70	1.67	1.65	1.64	1.62	1.59	1.57	1.55	1.53	1.50	1.49	1.47	1.46	1.45	1.44	1.42	1.42	1.41	1.40	1.35
80	1.68	1.65	1.63	1.62	1.60	1.57	1.54	1.52	1.51	1.48	1.46	1.45	1.44	1.43	1.41	1.40	1.39	1.38	1.38	1.33
90	1.66	1.64	1.62	1.60	1.59	1.55	1.53	1.51	1.49	1.46	1.44	1.43	1.42	1.41	1.39	1.38	1.37	1.36	1.36	1.30
100	1.65	1.63	1.61	1.59	1.57	1.54	1.52	1.49	1.48	1.45	1.43	1.41	1.40	1.39	1.38	1.36	1.35	1.35	1.34	1.28
120	1.63	1.61	1.59	1.57	1.55	1.52	1.50	1.47	1.46	1.43	1.41	1.39	1.38	1.37	1.35	1.34	1.33	1.32	1.32	1.26
140	1.62	1.60	1.57	1.56	1.54	1.51	1.48	1.46	1.44	1.41	1.39	1.38	1.36	1.35	1.33	1.32	1.31	1.30	1.30	1.23
160	1.61	1.59	1.57	1.55	1.53	1.50	1.47	1.45	1.43	1.40	1.38	1.36	1.35	1.34	1.32	1.31	1.30	1.29	1.28	1.22
180	1.60	1.58	1.56	1.54	1.52	1.49	1.46	1.44	1.42	1.39	1.37	1.35	1.34	1.33	1.31	1.30	1.29	1.28	1.27	1.20
200	1.60	1.57	1.55	1.53	1.52	1.48	1.46	1.43	1.41	1.39	1.36	1.35	1.33	1.32	1.30	1.29	1.28	1.27	1.26	1.19
∞	1.54	1.52	1.50	1.48	1.46	1.42	1.40	1.37	1.35	1.32	1.29	1.28	1.26	1.25	1.22	1.21	1.19	1.18	1.17	1.00

표 6(b) *F*-분포의 임계값: A = .025

ν_2 \ ν_1	1	2	3	4	5	6	7	8	9	10	11	12	13	14	15	16	17	18	19	20
	분자의 자유도																			
1	648	799	864	900	922	937	948	957	963	969	973	977	980	983	985	987	989	990	992	993
2	38.5	39.0	39.2	39.2	39.3	39.3	39.4	39.4	39.4	39.4	39.4	39.4	39.4	39.4	39.4	39.4	39.4	39.4	39.4	39.4
3	17.4	16.0	15.4	15.1	14.9	14.7	14.6	14.5	14.5	14.4	14.4	14.3	14.3	14.3	14.3	14.2	14.2	14.2	14.2	14.2
4	12.2	10.6	10.0	9.60	9.36	9.20	9.07	8.98	8.90	8.84	8.79	8.75	8.71	8.68	8.66	8.63	8.61	8.59	8.58	8.56
5	10.0	8.43	7.76	7.39	7.15	6.98	6.85	6.76	6.68	6.62	6.57	6.52	6.49	6.46	6.43	6.40	6.38	6.36	6.34	6.33
6	8.81	7.26	6.60	6.23	5.99	5.82	5.70	5.60	5.52	5.46	5.41	5.37	5.33	5.30	5.27	5.24	5.22	5.20	5.18	5.17
7	8.07	6.54	5.89	5.52	5.29	5.12	4.99	4.90	4.82	4.76	4.71	4.67	4.63	4.60	4.57	4.54	4.52	4.50	4.48	4.47
8	7.57	6.06	5.42	5.05	4.82	4.65	4.53	4.43	4.36	4.30	4.24	4.20	4.16	4.13	4.10	4.08	4.05	4.03	4.02	4.00
9	7.21	5.71	5.08	4.72	4.48	4.32	4.20	4.10	4.03	3.96	3.91	3.87	3.83	3.80	3.77	3.74	3.72	3.70	3.68	3.67
10	6.94	5.46	4.83	4.47	4.24	4.07	3.95	3.85	3.78	3.72	3.66	3.62	3.58	3.55	3.52	3.50	3.47	3.45	3.44	3.42
11	6.72	5.26	4.63	4.28	4.04	3.88	3.76	3.66	3.59	3.53	3.47	3.43	3.39	3.36	3.33	3.30	3.28	3.26	3.24	3.23
12	6.55	5.10	4.47	4.12	3.89	3.73	3.61	3.51	3.44	3.37	3.32	3.28	3.24	3.21	3.18	3.15	3.13	3.11	3.09	3.07
13	6.41	4.97	4.35	4.00	3.77	3.60	3.48	3.39	3.31	3.25	3.20	3.15	3.12	3.08	3.05	3.03	3.00	2.98	2.96	2.95
14	6.30	4.86	4.24	3.89	3.66	3.50	3.38	3.29	3.21	3.15	3.09	3.05	3.01	2.98	2.95	2.92	2.90	2.88	2.86	2.84
15	6.20	4.77	4.15	3.80	3.58	3.41	3.29	3.20	3.12	3.06	3.01	2.96	2.92	2.89	2.86	2.84	2.81	2.79	2.77	2.76
16	6.12	4.69	4.08	3.73	3.50	3.34	3.22	3.12	3.05	2.99	2.93	2.89	2.85	2.82	2.79	2.76	2.74	2.72	2.70	2.68
17	6.04	4.62	4.01	3.66	3.44	3.28	3.16	3.06	2.98	2.92	2.87	2.82	2.79	2.75	2.72	2.70	2.67	2.65	2.63	2.62
18	5.98	4.56	3.95	3.61	3.38	3.22	3.10	3.01	2.93	2.87	2.81	2.77	2.73	2.70	2.67	2.64	2.62	2.60	2.58	2.56
19	5.92	4.51	3.90	3.56	3.33	3.17	3.05	2.96	2.88	2.82	2.76	2.72	2.68	2.65	2.62	2.59	2.57	2.55	2.53	2.51
20	5.87	4.46	3.86	3.51	3.29	3.13	3.01	2.91	2.84	2.77	2.72	2.68	2.64	2.60	2.57	2.55	2.52	2.50	2.48	2.46
22	5.79	4.38	3.78	3.44	3.22	3.05	2.93	2.84	2.76	2.70	2.65	2.60	2.56	2.53	2.50	2.47	2.45	2.43	2.41	2.39
24	5.72	4.32	3.72	3.38	3.15	2.99	2.87	2.78	2.70	2.64	2.59	2.54	2.50	2.47	2.44	2.41	2.39	2.36	2.35	2.33
26	5.66	4.27	3.67	3.33	3.10	2.94	2.82	2.73	2.65	2.59	2.54	2.49	2.45	2.42	2.39	2.36	2.34	2.31	2.29	2.28
28	5.61	4.22	3.63	3.29	3.06	2.90	2.78	2.69	2.61	2.55	2.49	2.45	2.41	2.37	2.34	2.32	2.29	2.27	2.25	2.23
30	5.57	4.18	3.59	3.25	3.03	2.87	2.75	2.65	2.57	2.51	2.46	2.41	2.37	2.34	2.31	2.28	2.26	2.23	2.21	2.20
35	5.48	4.11	3.52	3.18	2.96	2.80	2.68	2.58	2.50	2.44	2.39	2.34	2.30	2.27	2.23	2.21	2.18	2.16	2.14	2.12
40	5.42	4.05	3.46	3.13	2.90	2.74	2.62	2.53	2.45	2.39	2.33	2.29	2.25	2.21	2.18	2.15	2.13	2.11	2.09	2.07
45	5.38	4.01	3.42	3.09	2.86	2.70	2.58	2.49	2.41	2.35	2.29	2.25	2.21	2.17	2.14	2.11	2.09	2.07	2.04	2.03
50	5.34	3.97	3.39	3.05	2.83	2.67	2.55	2.46	2.38	2.32	2.26	2.22	2.18	2.14	2.11	2.08	2.06	2.03	2.01	1.99
60	5.29	3.93	3.34	3.01	2.79	2.63	2.51	2.41	2.33	2.27	2.22	2.17	2.13	2.09	2.06	2.03	2.01	1.98	1.96	1.94
70	5.25	3.89	3.31	2.97	2.75	2.59	2.47	2.38	2.30	2.24	2.18	2.14	2.10	2.06	2.03	2.00	1.97	1.95	1.93	1.91
80	5.22	3.86	3.28	2.95	2.73	2.57	2.45	2.35	2.28	2.21	2.16	2.11	2.07	2.03	2.00	1.97	1.95	1.92	1.90	1.88
90	5.20	3.84	3.26	2.93	2.71	2.55	2.43	2.34	2.26	2.19	2.14	2.09	2.05	2.02	1.98	1.95	1.93	1.91	1.88	1.86
100	5.18	3.83	3.25	2.92	2.70	2.54	2.42	2.32	2.24	2.18	2.12	2.08	2.04	2.00	1.97	1.94	1.91	1.89	1.87	1.85
120	5.15	3.80	3.23	2.89	2.67	2.52	2.39	2.30	2.22	2.16	2.10	2.05	2.01	1.98	1.94	1.92	1.89	1.87	1.84	1.82
140	5.13	3.79	3.21	2.88	2.66	2.50	2.38	2.28	2.21	2.14	2.09	2.04	2.00	1.96	1.93	1.90	1.87	1.85	1.83	1.81
160	5.12	3.78	3.20	2.87	2.65	2.49	2.37	2.27	2.19	2.13	2.07	2.03	1.99	1.95	1.92	1.89	1.86	1.84	1.82	1.80
180	5.11	3.77	3.19	2.86	2.64	2.48	2.36	2.26	2.19	2.12	2.07	2.02	1.98	1.94	1.91	1.88	1.85	1.83	1.81	1.79
200	5.10	3.76	3.18	2.85	2.63	2.47	2.35	2.26	2.18	2.11	2.06	2.01	1.97	1.93	1.90	1.87	1.84	1.82	1.80	1.78
∞	5.03	3.69	3.12	2.79	2.57	2.41	2.29	2.19	2.11	2.05	1.99	1.95	1.90	1.87	1.83	1.80	1.78	1.75	1.73	1.71

(행: 분모의 자유도)

ν_2 (분모의 자유도) \ ν_1 (분자의 자유도)	22	24	26	28	30	35	40	45	50	60	70	80	90	100	120	140	160	180	200	∞
1	995	997	999	1000	1001	1004	1006	1007	1008	1010	1011	1012	1013	1013	1014	1015	1015	1015	1016	1018
2	39.5	39.5	39.5	39.5	39.5	39.5	39.5	39.5	39.5	39.5	39.5	39.5	39.5	39.5	39.5	39.5	39.5	39.5	39.5	39.5
3	14.1	14.1	14.1	14.1	14.1	14.1	14.0	14.0	14.0	14.0	14.0	14.0	14.0	14.0	13.9	13.9	13.9	13.9	13.9	13.9
4	8.53	8.51	8.49	8.48	8.46	8.43	8.41	8.39	8.38	8.36	8.35	8.33	8.33	8.32	8.31	8.30	8.30	8.29	8.29	8.26
5	6.30	6.28	6.26	6.24	6.23	6.20	6.18	6.16	6.14	6.12	6.11	6.10	6.09	6.08	6.07	6.06	6.06	6.05	6.05	6.02
6	5.14	5.12	5.10	5.08	5.07	5.04	5.01	4.99	4.98	4.96	4.94	4.93	4.92	4.92	4.90	4.90	4.89	4.89	4.88	4.85
7	4.44	4.41	4.39	4.38	4.36	4.33	4.31	4.29	4.28	4.25	4.24	4.23	4.22	4.21	4.20	4.19	4.18	4.18	4.18	4.14
8	3.97	3.95	3.93	3.91	3.89	3.86	3.84	3.82	3.81	3.78	3.77	3.76	3.75	3.74	3.73	3.72	3.71	3.71	3.70	3.67
9	3.64	3.61	3.59	3.58	3.56	3.53	3.51	3.49	3.47	3.45	3.43	3.42	3.41	3.40	3.39	3.38	3.38	3.37	3.37	3.33
10	3.39	3.37	3.34	3.33	3.31	3.28	3.26	3.24	3.22	3.20	3.18	3.17	3.16	3.15	3.14	3.13	3.13	3.12	3.12	3.08
11	3.20	3.17	3.15	3.13	3.12	3.09	3.06	3.04	3.03	3.00	2.99	2.97	2.96	2.96	2.94	2.94	2.93	2.92	2.92	2.88
12	3.04	3.02	3.00	2.98	2.96	2.93	2.91	2.89	2.87	2.85	2.83	2.82	2.81	2.80	2.79	2.78	2.77	2.77	2.76	2.73
13	2.92	2.89	2.87	2.85	2.84	2.80	2.78	2.76	2.74	2.72	2.70	2.69	2.68	2.67	2.66	2.65	2.64	2.64	2.63	2.60
14	2.81	2.79	2.77	2.75	2.73	2.70	2.67	2.65	2.64	2.61	2.60	2.58	2.57	2.56	2.55	2.54	2.54	2.53	2.53	2.49
15	2.73	2.70	2.68	2.66	2.64	2.61	2.59	2.56	2.55	2.52	2.51	2.49	2.48	2.47	2.46	2.45	2.44	2.44	2.44	2.40
16	2.65	2.63	2.60	2.58	2.57	2.53	2.51	2.49	2.47	2.45	2.43	2.42	2.40	2.40	2.38	2.37	2.37	2.36	2.36	2.32
17	2.59	2.56	2.54	2.52	2.50	2.47	2.44	2.42	2.41	2.38	2.36	2.35	2.34	2.33	2.32	2.31	2.30	2.29	2.29	2.25
18	2.53	2.50	2.48	2.46	2.44	2.41	2.38	2.36	2.35	2.32	2.30	2.29	2.28	2.27	2.26	2.25	2.24	2.23	2.23	2.19
19	2.48	2.45	2.43	2.41	2.39	2.36	2.33	2.31	2.30	2.27	2.25	2.24	2.23	2.22	2.20	2.19	2.19	2.18	2.18	2.13
20	2.43	2.41	2.39	2.37	2.35	2.31	2.29	2.27	2.25	2.22	2.20	2.19	2.18	2.17	2.16	2.15	2.14	2.13	2.13	2.09
22	2.36	2.33	2.31	2.29	2.27	2.24	2.21	2.19	2.17	2.14	2.13	2.11	2.10	2.09	2.08	2.07	2.06	2.05	2.05	2.00
24	2.30	2.27	2.25	2.23	2.21	2.17	2.15	2.12	2.11	2.08	2.06	2.05	2.03	2.02	2.01	2.00	1.99	1.99	1.98	1.94
26	2.24	2.22	2.19	2.17	2.16	2.12	2.09	2.07	2.05	2.03	2.01	1.99	1.98	1.97	1.95	1.94	1.94	1.93	1.92	1.88
28	2.20	2.17	2.15	2.13	2.11	2.08	2.05	2.03	2.01	1.98	1.96	1.94	1.93	1.92	1.91	1.90	1.89	1.88	1.88	1.83
30	2.16	2.14	2.11	2.09	2.07	2.04	2.01	1.99	1.97	1.94	1.92	1.90	1.89	1.88	1.87	1.86	1.85	1.84	1.84	1.79
35	2.09	2.06	2.04	2.02	2.00	1.96	1.93	1.91	1.89	1.86	1.84	1.82	1.81	1.80	1.79	1.77	1.77	1.76	1.75	1.70
40	2.03	2.01	1.98	1.96	1.94	1.90	1.88	1.85	1.83	1.80	1.78	1.76	1.75	1.74	1.72	1.71	1.70	1.70	1.69	1.64
45	1.99	1.96	1.94	1.92	1.90	1.86	1.83	1.81	1.79	1.76	1.74	1.72	1.70	1.69	1.68	1.66	1.66	1.65	1.64	1.59
50	1.96	1.93	1.91	1.89	1.87	1.83	1.80	1.77	1.75	1.72	1.70	1.68	1.67	1.66	1.64	1.63	1.62	1.61	1.60	1.55
60	1.91	1.88	1.86	1.83	1.82	1.78	1.74	1.72	1.70	1.67	1.64	1.63	1.61	1.60	1.58	1.57	1.56	1.55	1.54	1.48
70	1.88	1.85	1.82	1.80	1.78	1.74	1.71	1.68	1.66	1.63	1.60	1.59	1.57	1.56	1.54	1.53	1.52	1.51	1.50	1.44
80	1.85	1.82	1.79	1.77	1.75	1.71	1.68	1.65	1.63	1.60	1.57	1.55	1.54	1.53	1.51	1.49	1.48	1.47	1.47	1.40
90	1.83	1.80	1.77	1.75	1.73	1.69	1.66	1.63	1.61	1.58	1.55	1.53	1.52	1.50	1.48	1.47	1.46	1.45	1.44	1.37
100	1.81	1.78	1.76	1.74	1.71	1.67	1.64	1.61	1.59	1.56	1.53	1.51	1.50	1.48	1.46	1.45	1.44	1.43	1.42	1.35
120	1.79	1.76	1.73	1.71	1.69	1.65	1.61	1.59	1.56	1.53	1.50	1.48	1.47	1.45	1.43	1.42	1.41	1.40	1.39	1.31
140	1.77	1.74	1.72	1.69	1.67	1.63	1.60	1.57	1.55	1.51	1.48	1.46	1.45	1.43	1.41	1.39	1.38	1.37	1.36	1.28
160	1.76	1.73	1.70	1.68	1.66	1.62	1.58	1.55	1.53	1.50	1.47	1.45	1.43	1.42	1.39	1.38	1.36	1.35	1.35	1.26
180	1.75	1.72	1.69	1.67	1.65	1.61	1.57	1.54	1.52	1.48	1.46	1.43	1.42	1.40	1.38	1.36	1.35	1.34	1.33	1.25
200	1.74	1.71	1.68	1.66	1.64	1.60	1.56	1.53	1.51	1.47	1.45	1.42	1.41	1.39	1.37	1.35	1.34	1.33	1.32	1.23
∞	1.67	1.64	1.61	1.59	1.57	1.52	1.49	1.46	1.43	1.39	1.36	1.33	1.31	1.30	1.27	1.25	1.23	1.22	1.21	1.00

표 6(c) *F*-분포의 임계값: A = .01

ν_2 \ ν_1 (분자의 자유도)	1	2	3	4	5	6	7	8	9	10	11	12	13	14	15	16	17	18	19	20
1	4052	4999	5403	5625	5764	5859	5928	5981	6022	6056	6083	6106	6126	6143	6157	6170	6181	6192	6201	6209
2	98.5	99.0	99.2	99.2	99.3	99.3	99.4	99.4	99.4	99.4	99.4	99.4	99.4	99.4	99.4	99.4	99.4	99.4	99.4	99.4
3	34.1	30.8	29.5	28.7	28.2	27.9	27.7	27.5	27.3	27.2	27.1	27.1	27.0	26.9	26.9	26.8	26.8	26.8	26.7	26.7
4	21.2	18.0	16.7	16.0	15.5	15.2	15.0	14.8	14.7	14.5	14.5	14.4	14.3	14.2	14.2	14.2	14.1	14.1	14.0	14.0
5	16.3	13.3	12.1	11.4	11.0	10.7	10.5	10.3	10.2	10.1	9.96	9.89	9.82	9.77	9.72	9.68	9.64	9.61	9.58	9.55
6	13.7	10.9	9.78	9.15	8.75	8.47	8.26	8.10	7.98	7.87	7.79	7.72	7.66	7.60	7.56	7.52	7.48	7.45	7.42	7.40
7	12.2	9.55	8.45	7.85	7.46	7.19	6.99	6.84	6.72	6.62	6.54	6.47	6.41	6.36	6.31	6.28	6.24	6.21	6.18	6.16
8	11.3	8.65	7.59	7.01	6.63	6.37	6.18	6.03	5.91	5.81	5.73	5.67	5.61	5.56	5.52	5.48	5.44	5.41	5.38	5.36
9	10.6	8.02	6.99	6.42	6.06	5.80	5.61	5.47	5.35	5.26	5.18	5.11	5.05	5.01	4.96	4.92	4.89	4.86	4.83	4.81
10	10.0	7.56	6.55	5.99	5.64	5.39	5.20	5.06	4.94	4.85	4.77	4.71	4.65	4.60	4.56	4.52	4.49	4.46	4.43	4.41
11	9.65	7.21	6.22	5.67	5.32	5.07	4.89	4.74	4.63	4.54	4.46	4.40	4.34	4.29	4.25	4.21	4.18	4.15	4.12	4.10
12	9.33	6.93	5.95	5.41	5.06	4.82	4.64	4.50	4.39	4.30	4.22	4.16	4.10	4.05	4.01	3.97	3.94	3.91	3.88	3.86
13	9.07	6.70	5.74	5.21	4.86	4.62	4.44	4.30	4.19	4.10	4.02	3.96	3.91	3.86	3.82	3.78	3.75	3.72	3.69	3.66
14	8.86	6.51	5.56	5.04	4.69	4.46	4.28	4.14	4.03	3.94	3.86	3.80	3.75	3.70	3.66	3.62	3.59	3.56	3.53	3.51
15	8.68	6.36	5.42	4.89	4.56	4.32	4.14	4.00	3.89	3.80	3.73	3.67	3.61	3.56	3.52	3.49	3.45	3.42	3.40	3.37
16	8.53	6.23	5.29	4.77	4.44	4.20	4.03	3.89	3.78	3.69	3.62	3.55	3.50	3.45	3.41	3.37	3.34	3.31	3.28	3.26
17	8.40	6.11	5.18	4.67	4.34	4.10	3.93	3.79	3.68	3.59	3.52	3.46	3.40	3.35	3.31	3.27	3.24	3.21	3.19	3.16
18	8.29	6.01	5.09	4.58	4.25	4.01	3.84	3.71	3.60	3.51	3.43	3.37	3.32	3.27	3.23	3.19	3.16	3.13	3.10	3.08
19	8.18	5.93	5.01	4.50	4.17	3.94	3.77	3.63	3.52	3.43	3.36	3.30	3.24	3.19	3.15	3.12	3.08	3.05	3.03	3.00
20	8.10	5.85	4.94	4.43	4.10	3.87	3.70	3.56	3.46	3.37	3.29	3.23	3.18	3.13	3.09	3.05	3.02	2.99	2.96	2.94
22	7.95	5.72	4.82	4.31	3.99	3.76	3.59	3.45	3.35	3.26	3.18	3.12	3.07	3.02	2.98	2.94	2.91	2.88	2.85	2.83
24	7.82	5.61	4.72	4.22	3.90	3.67	3.50	3.36	3.26	3.17	3.09	3.03	2.98	2.93	2.89	2.85	2.82	2.79	2.76	2.74
26	7.72	5.53	4.64	4.14	3.82	3.59	3.42	3.29	3.18	3.09	3.02	2.96	2.90	2.86	2.81	2.78	2.75	2.72	2.69	2.66
28	7.64	5.45	4.57	4.07	3.75	3.53	3.36	3.23	3.12	3.03	2.96	2.90	2.84	2.79	2.75	2.72	2.68	2.65	2.63	2.60
30	7.56	5.39	4.51	4.02	3.70	3.47	3.30	3.17	3.07	2.98	2.91	2.84	2.79	2.74	2.70	2.66	2.63	2.60	2.57	2.55
35	7.42	5.27	4.40	3.91	3.59	3.37	3.20	3.07	2.96	2.88	2.80	2.74	2.69	2.64	2.60	2.56	2.53	2.50	2.47	2.44
40	7.31	5.18	4.31	3.83	3.51	3.29	3.12	2.99	2.89	2.80	2.73	2.66	2.61	2.56	2.52	2.48	2.45	2.42	2.39	2.37
45	7.23	5.11	4.25	3.77	3.45	3.23	3.07	2.94	2.83	2.74	2.67	2.61	2.55	2.51	2.46	2.43	2.39	2.36	2.34	2.31
50	7.17	5.06	4.20	3.72	3.41	3.19	3.02	2.89	2.78	2.70	2.63	2.56	2.51	2.46	2.42	2.38	2.35	2.32	2.29	2.27
60	7.08	4.98	4.13	3.65	3.34	3.12	2.95	2.82	2.72	2.63	2.56	2.50	2.44	2.39	2.35	2.31	2.28	2.25	2.22	2.20
70	7.01	4.92	4.07	3.60	3.29	3.07	2.91	2.78	2.67	2.59	2.51	2.45	2.40	2.35	2.31	2.27	2.23	2.20	2.18	2.15
80	6.96	4.88	4.04	3.56	3.26	3.04	2.87	2.74	2.64	2.55	2.48	2.42	2.36	2.31	2.27	2.23	2.20	2.17	2.14	2.12
90	6.93	4.85	4.01	3.53	3.23	3.01	2.84	2.72	2.61	2.52	2.45	2.39	2.33	2.29	2.24	2.21	2.17	2.14	2.11	2.09
100	6.90	4.82	3.98	3.51	3.21	2.99	2.82	2.69	2.59	2.50	2.43	2.37	2.31	2.27	2.22	2.19	2.15	2.12	2.09	2.07
120	6.85	4.79	3.95	3.48	3.17	2.96	2.79	2.66	2.56	2.47	2.40	2.34	2.28	2.23	2.19	2.15	2.12	2.09	2.06	2.03
140	6.82	4.76	3.92	3.46	3.15	2.93	2.77	2.64	2.54	2.45	2.38	2.31	2.26	2.21	2.17	2.13	2.10	2.07	2.04	2.01
160	6.80	4.74	3.91	3.44	3.13	2.92	2.75	2.62	2.52	2.43	2.36	2.30	2.24	2.20	2.15	2.11	2.08	2.05	2.02	1.99
180	6.78	4.73	3.89	3.43	3.12	2.90	2.74	2.61	2.51	2.42	2.35	2.28	2.23	2.18	2.14	2.10	2.07	2.04	2.01	1.98
200	6.76	4.71	3.88	3.41	3.11	2.89	2.73	2.60	2.50	2.41	2.34	2.27	2.22	2.17	2.13	2.09	2.06	2.03	2.00	1.97
∞	6.64	4.61	3.78	3.32	3.02	2.80	2.64	2.51	2.41	2.32	2.25	2.19	2.13	2.08	2.04	2.00	1.97	1.94	1.91	1.88

(ν_2: 분모의 자유도)

분모의 자유도 ν_2 \ 분자의 자유도 ν_1	22	24	26	28	30	35	40	45	50	60	70	80	90	100	120	140	160	180	200	∞
1	6223	6235	6245	6253	6261	6276	6287	6296	6303	6313	6321	6326	6331	6334	6339	6343	6346	6348	6350	6366
2	99.5	99.5	99.5	99.5	99.5	99.5	99.5	99.5	99.5	99.5	99.5	99.5	99.5	99.5	99.5	99.5	99.5	99.5	99.5	99.5
3	26.6	26.6	26.6	26.5	26.5	26.5	26.4	26.4	26.4	26.3	26.3	26.3	26.3	26.2	26.2	26.2	26.2	26.2	26.2	26.1
4	14.0	13.9	13.9	13.9	13.8	13.8	13.7	13.7	13.7	13.7	13.6	13.6	13.6	13.6	13.6	13.5	13.5	13.5	13.5	13.5
5	9.51	9.47	9.43	9.40	9.38	9.33	9.29	9.26	9.24	9.20	9.18	9.16	9.14	9.13	9.11	9.10	9.09	9.08	9.08	9.02
6	7.35	7.31	7.28	7.25	7.23	7.18	7.14	7.11	7.09	7.06	7.03	7.01	7.00	6.99	6.97	6.96	6.95	6.94	6.93	6.88
7	6.11	6.07	6.04	6.02	5.99	5.94	5.91	5.88	5.86	5.82	5.80	5.78	5.77	5.75	5.74	5.72	5.72	5.71	5.70	5.65
8	5.32	5.28	5.25	5.22	5.20	5.15	5.12	5.09	5.07	5.03	5.01	4.99	4.97	4.96	4.95	4.93	4.92	4.92	4.91	4.86
9	4.77	4.73	4.70	4.67	4.65	4.60	4.57	4.54	4.52	4.48	4.46	4.44	4.43	4.41	4.40	4.39	4.38	4.37	4.36	4.31
10	4.36	4.33	4.30	4.27	4.25	4.20	4.17	4.14	4.12	4.08	4.06	4.04	4.03	4.01	4.00	3.98	3.97	3.97	3.96	3.91
11	4.06	4.02	3.99	3.96	3.94	3.89	3.86	3.83	3.81	3.78	3.75	3.73	3.72	3.71	3.69	3.68	3.67	3.66	3.66	3.60
12	3.82	3.78	3.75	3.72	3.70	3.65	3.62	3.59	3.57	3.54	3.51	3.49	3.48	3.47	3.45	3.44	3.43	3.42	3.41	3.36
13	3.62	3.59	3.56	3.53	3.51	3.46	3.43	3.40	3.38	3.34	3.32	3.30	3.28	3.27	3.25	3.24	3.23	3.23	3.22	3.17
14	3.46	3.43	3.40	3.37	3.35	3.30	3.27	3.24	3.22	3.18	3.16	3.14	3.12	3.11	3.09	3.08	3.07	3.06	3.06	3.01
15	3.33	3.29	3.26	3.24	3.21	3.17	3.13	3.10	3.08	3.05	3.02	3.00	2.99	2.98	2.96	2.95	2.94	2.93	2.92	2.87
16	3.22	3.18	3.15	3.12	3.10	3.05	3.02	2.99	2.97	2.93	2.91	2.89	2.87	2.86	2.84	2.83	2.82	2.81	2.81	2.75
17	3.12	3.08	3.05	3.03	3.00	2.96	2.92	2.89	2.87	2.83	2.81	2.79	2.78	2.76	2.75	2.73	2.72	2.72	2.71	2.65
18	3.03	3.00	2.97	2.94	2.92	2.87	2.84	2.81	2.78	2.75	2.72	2.70	2.69	2.68	2.66	2.65	2.64	2.63	2.62	2.57
19	2.96	2.92	2.89	2.87	2.84	2.80	2.76	2.73	2.71	2.67	2.65	2.63	2.61	2.60	2.58	2.57	2.56	2.55	2.55	2.49
20	2.90	2.86	2.83	2.80	2.78	2.73	2.69	2.67	2.64	2.61	2.58	2.56	2.55	2.54	2.52	2.50	2.49	2.49	2.48	2.42
22	2.78	2.75	2.72	2.69	2.67	2.62	2.58	2.55	2.53	2.50	2.47	2.45	2.43	2.42	2.40	2.39	2.38	2.37	2.36	2.31
24	2.70	2.66	2.63	2.60	2.58	2.53	2.49	2.46	2.44	2.40	2.38	2.36	2.34	2.33	2.31	2.30	2.29	2.28	2.27	2.21
26	2.62	2.58	2.55	2.53	2.50	2.45	2.42	2.39	2.36	2.33	2.30	2.28	2.26	2.25	2.23	2.22	2.21	2.20	2.19	2.13
28	2.56	2.52	2.49	2.46	2.44	2.39	2.35	2.32	2.30	2.26	2.24	2.22	2.20	2.19	2.17	2.15	2.14	2.13	2.13	2.07
30	2.51	2.47	2.44	2.41	2.39	2.34	2.30	2.27	2.25	2.21	2.18	2.16	2.14	2.13	2.11	2.10	2.09	2.08	2.07	2.01
35	2.40	2.36	2.33	2.30	2.28	2.23	2.19	2.16	2.14	2.10	2.07	2.05	2.03	2.02	2.00	1.98	1.97	1.96	1.96	1.89
40	2.33	2.29	2.26	2.23	2.20	2.15	2.11	2.08	2.06	2.02	1.99	1.97	1.95	1.94	1.92	1.90	1.89	1.88	1.87	1.81
45	2.27	2.23	2.20	2.17	2.14	2.09	2.05	2.02	2.00	1.96	1.93	1.91	1.89	1.88	1.85	1.84	1.83	1.82	1.81	1.74
50	2.22	2.18	2.15	2.12	2.10	2.05	2.01	1.97	1.95	1.91	1.88	1.86	1.84	1.82	1.80	1.79	1.77	1.76	1.76	1.68
60	2.15	2.12	2.08	2.05	2.03	1.98	1.94	1.90	1.88	1.84	1.81	1.78	1.76	1.75	1.73	1.71	1.70	1.69	1.68	1.60
70	2.11	2.07	2.03	2.01	1.98	1.93	1.89	1.85	1.83	1.78	1.75	1.73	1.71	1.70	1.67	1.65	1.64	1.63	1.62	1.54
80	2.07	2.03	2.00	1.97	1.94	1.89	1.85	1.82	1.79	1.75	1.71	1.69	1.67	1.65	1.63	1.61	1.60	1.59	1.58	1.50
90	2.04	2.00	1.97	1.94	1.92	1.86	1.82	1.79	1.76	1.72	1.68	1.66	1.64	1.62	1.60	1.58	1.57	1.55	1.55	1.46
100	2.02	1.98	1.95	1.92	1.89	1.84	1.80	1.76	1.74	1.69	1.66	1.63	1.61	1.60	1.57	1.55	1.54	1.53	1.52	1.43
120	1.99	1.95	1.92	1.89	1.86	1.81	1.76	1.73	1.70	1.66	1.62	1.60	1.58	1.56	1.53	1.51	1.50	1.49	1.48	1.38
140	1.97	1.93	1.89	1.86	1.84	1.78	1.74	1.70	1.67	1.63	1.60	1.57	1.55	1.53	1.50	1.48	1.47	1.46	1.45	1.35
160	1.95	1.91	1.88	1.85	1.82	1.76	1.72	1.68	1.66	1.61	1.58	1.55	1.53	1.51	1.48	1.46	1.45	1.43	1.42	1.32
180	1.94	1.90	1.86	1.83	1.81	1.75	1.71	1.67	1.64	1.60	1.56	1.53	1.51	1.49	1.47	1.45	1.43	1.42	1.41	1.30
200	1.93	1.89	1.85	1.82	1.79	1.74	1.69	1.66	1.63	1.58	1.55	1.52	1.50	1.48	1.45	1.43	1.42	1.40	1.39	1.28
∞	1.83	1.79	1.76	1.73	1.70	1.64	1.59	1.56	1.53	1.48	1.44	1.41	1.38	1.36	1.33	1.30	1.28	1.26	1.25	1.00

표 6(d) *F*-분포의 임계값: A = .005

분모의 자유도 ν_2 \ ν_1	분자의 자유도																			
	1	**2**	**3**	**4**	**5**	**6**	**7**	**8**	**9**	**10**	**11**	**12**	**13**	**14**	**15**	**16**	**17**	**18**	**19**	**20**
1	16211	19999	21615	22500	23056	23437	23715	23925	24091	24224	24334	24426	24505	24572	24630	24681	24727	24767	24803	24836
2	199	199	199	199	199	199	199	199	199	199	199	199	199	199	199	199	199	199	199	199
3	55.6	49.8	47.5	46.2	45.4	44.8	44.4	44.1	43.9	43.7	43.5	43.4	43.3	43.2	43.1	43.0	42.9	42.9	42.8	42.8
4	31.3	26.3	24.3	23.2	22.5	22.0	21.6	21.4	21.1	21.0	20.8	20.7	20.6	20.5	20.4	20.4	20.3	20.3	20.2	20.2
5	22.8	18.3	16.5	15.6	14.9	14.5	14.2	14.0	13.8	13.6	13.5	13.4	13.3	13.2	13.1	13.1	13.0	13.0	12.9	12.9
6	18.6	14.5	12.9	12.0	11.5	11.1	10.8	10.6	10.4	10.3	10.1	10.0	9.95	9.88	9.81	9.76	9.71	9.66	9.62	9.59
7	16.2	12.4	10.9	10.1	9.52	9.16	8.89	8.68	8.51	8.38	8.27	8.18	8.10	8.03	7.97	7.91	7.87	7.83	7.79	7.75
8	14.7	11.0	9.60	8.81	8.30	7.95	7.69	7.50	7.34	7.21	7.10	7.01	6.94	6.87	6.81	6.76	6.72	6.68	6.64	6.61
9	13.6	10.1	8.72	7.96	7.47	7.13	6.88	6.69	6.54	6.42	6.31	6.23	6.15	6.09	6.03	5.98	5.94	5.90	5.86	5.83
10	12.8	9.43	8.08	7.34	6.87	6.54	6.30	6.12	5.97	5.85	5.75	5.66	5.59	5.53	5.47	5.42	5.38	5.34	5.31	5.27
11	12.2	8.91	7.60	6.88	6.42	6.10	5.86	5.68	5.54	5.42	5.32	5.24	5.16	5.10	5.05	5.00	4.96	4.92	4.89	4.86
12	11.8	8.51	7.23	6.52	6.07	5.76	5.52	5.35	5.20	5.09	4.99	4.91	4.84	4.77	4.72	4.67	4.63	4.59	4.56	4.53
13	11.4	8.19	6.93	6.23	5.79	5.48	5.25	5.08	4.94	4.82	4.72	4.64	4.57	4.51	4.46	4.41	4.37	4.33	4.30	4.27
14	11.1	7.92	6.68	6.00	5.56	5.26	5.03	4.86	4.72	4.60	4.51	4.43	4.36	4.30	4.25	4.20	4.16	4.12	4.09	4.06
15	10.8	7.70	6.48	5.80	5.37	5.07	4.85	4.67	4.54	4.42	4.33	4.25	4.18	4.12	4.07	4.02	3.98	3.95	3.91	3.88
16	10.6	7.51	6.30	5.64	5.21	4.91	4.69	4.52	4.38	4.27	4.18	4.10	4.03	3.97	3.92	3.87	3.83	3.80	3.76	3.73
17	10.4	7.35	6.16	5.50	5.07	4.78	4.56	4.39	4.25	4.14	4.05	3.97	3.90	3.84	3.79	3.75	3.71	3.67	3.64	3.61
18	10.2	7.21	6.03	5.37	4.96	4.66	4.44	4.28	4.14	4.03	3.94	3.86	3.79	3.73	3.68	3.64	3.60	3.56	3.53	3.50
19	10.1	7.09	5.92	5.27	4.85	4.56	4.34	4.18	4.04	3.93	3.84	3.76	3.70	3.64	3.59	3.54	3.50	3.46	3.43	3.40
20	9.94	6.99	5.82	5.17	4.76	4.47	4.26	4.09	3.96	3.85	3.76	3.68	3.61	3.55	3.50	3.46	3.42	3.38	3.35	3.32
22	9.73	6.81	5.65	5.02	4.61	4.32	4.11	3.94	3.81	3.70	3.61	3.54	3.47	3.41	3.36	3.31	3.27	3.24	3.21	3.18
24	9.55	6.66	5.52	4.89	4.49	4.20	3.99	3.83	3.69	3.59	3.50	3.42	3.35	3.30	3.25	3.20	3.16	3.12	3.09	3.06
26	9.41	6.54	5.41	4.79	4.38	4.10	3.89	3.73	3.60	3.49	3.40	3.33	3.26	3.20	3.15	3.11	3.07	3.03	3.00	2.97
28	9.28	6.44	5.32	4.70	4.30	4.02	3.81	3.65	3.52	3.41	3.32	3.25	3.18	3.12	3.07	3.03	2.99	2.95	2.92	2.89
30	9.18	6.35	5.24	4.62	4.23	3.95	3.74	3.58	3.45	3.34	3.25	3.18	3.11	3.06	3.01	2.96	2.92	2.89	2.85	2.82
35	8.98	6.19	5.09	4.48	4.09	3.81	3.61	3.45	3.32	3.21	3.12	3.05	2.98	2.93	2.88	2.83	2.79	2.76	2.72	2.69
40	8.83	6.07	4.98	4.37	3.99	3.71	3.51	3.35	3.22	3.12	3.03	2.95	2.89	2.83	2.78	2.74	2.70	2.66	2.63	2.60
45	8.71	5.97	4.89	4.29	3.91	3.64	3.43	3.28	3.15	3.04	2.96	2.88	2.82	2.76	2.71	2.66	2.62	2.59	2.56	2.53
50	8.63	5.90	4.83	4.23	3.85	3.58	3.38	3.22	3.09	2.99	2.90	2.82	2.76	2.70	2.65	2.61	2.57	2.53	2.50	2.47
60	8.49	5.79	4.73	4.14	3.76	3.49	3.29	3.13	3.01	2.90	2.82	2.74	2.68	2.62	2.57	2.53	2.49	2.45	2.42	2.39
70	8.40	5.72	4.66	4.08	3.70	3.43	3.23	3.08	2.95	2.85	2.76	2.68	2.62	2.56	2.51	2.47	2.43	2.39	2.36	2.33
80	8.33	5.67	4.61	4.03	3.65	3.39	3.19	3.03	2.91	2.80	2.72	2.64	2.58	2.52	2.47	2.43	2.39	2.35	2.32	2.29
90	8.28	5.62	4.57	3.99	3.62	3.35	3.15	3.00	2.87	2.77	2.68	2.61	2.54	2.49	2.44	2.39	2.35	2.32	2.28	2.25
100	8.24	5.59	4.54	3.96	3.59	3.33	3.13	2.97	2.85	2.74	2.66	2.58	2.52	2.46	2.41	2.37	2.33	2.29	2.26	2.23
120	8.18	5.54	4.50	3.92	3.55	3.28	3.09	2.93	2.81	2.71	2.62	2.54	2.48	2.42	2.37	2.33	2.29	2.25	2.22	2.19
140	8.14	5.50	4.47	3.89	3.52	3.26	3.06	2.91	2.78	2.68	2.59	2.52	2.45	2.40	2.35	2.30	2.26	2.22	2.19	2.16
160	8.10	5.48	4.44	3.87	3.50	3.24	3.04	2.88	2.76	2.66	2.57	2.50	2.43	2.38	2.33	2.28	2.24	2.20	2.17	2.14
180	8.08	5.46	4.42	3.85	3.48	3.22	3.02	2.87	2.74	2.64	2.56	2.48	2.42	2.36	2.31	2.26	2.22	2.19	2.15	2.12
200	8.06	5.44	4.41	3.84	3.47	3.21	3.01	2.86	2.73	2.63	2.54	2.47	2.40	2.35	2.30	2.25	2.21	2.18	2.14	2.11
∞	7.88	5.30	4.28	3.72	3.35	3.09	2.90	2.75	2.62	2.52	2.43	2.36	2.30	2.24	2.19	2.14	2.10	2.07	2.03	2.00

ν_2 (분모의 자유도) \ ν_1 (분자의 자유도)	22	24	26	28	30	35	40	45	50	60	70	80	90	100	120	140	160	180	200	∞
1	24892	24940	24980	25014	25044	25103	25148	25183	25211	25253	25283	25306	25323	25337	25359	25374	25385	25394	25401	25464
2	199	199	199	199	199	199	199	199	199	199	199	199	199	199	199	199	199	199	199	199
3	42.7	42.6	42.6	42.5	42.5	42.4	42.3	42.3	42.2	42.1	42.1	42.1	42.0	42.0	42.0	42.0	41.9	41.9	41.9	41.8
4	20.1	20.0	20.0	19.9	19.9	19.8	19.8	19.7	19.7	19.6	19.6	19.5	19.5	19.5	19.5	19.4	19.4	19.4	19.4	19.3
5	12.8	12.8	12.7	12.7	12.7	12.6	12.5	12.5	12.5	12.4	12.4	12.3	12.3	12.3	12.3	12.3	12.2	12.2	12.2	12.1
6	9.53	9.47	9.43	9.39	9.36	9.29	9.24	9.20	9.17	9.12	9.09	9.06	9.04	9.03	9.00	8.98	8.97	8.96	8.95	8.88
7	7.69	7.64	7.60	7.57	7.53	7.47	7.42	7.38	7.35	7.31	7.28	7.25	7.23	7.22	7.19	7.18	7.16	7.15	7.15	7.08
8	6.55	6.50	6.46	6.43	6.40	6.33	6.29	6.25	6.22	6.18	6.15	6.12	6.10	6.09	6.06	6.05	6.04	6.03	6.02	5.95
9	5.78	5.73	5.69	5.65	5.62	5.56	5.52	5.48	5.45	5.41	5.38	5.36	5.34	5.32	5.30	5.28	5.27	5.26	5.26	5.19
10	5.22	5.17	5.13	5.10	5.07	5.01	4.97	4.93	4.90	4.86	4.83	4.80	4.79	4.77	4.75	4.73	4.72	4.71	4.71	4.64
11	4.80	4.76	4.72	4.68	4.65	4.60	4.55	4.52	4.49	4.45	4.41	4.39	4.37	4.36	4.34	4.32	4.31	4.30	4.29	4.23
12	4.48	4.43	4.39	4.36	4.33	4.27	4.23	4.19	4.17	4.12	4.09	4.07	4.05	4.04	4.01	4.00	3.99	3.98	3.97	3.91
13	4.22	4.17	4.13	4.10	4.07	4.01	3.97	3.94	3.91	3.87	3.84	3.81	3.79	3.78	3.76	3.74	3.73	3.72	3.71	3.65
14	4.01	3.96	3.92	3.89	3.86	3.80	3.76	3.73	3.70	3.66	3.62	3.60	3.58	3.57	3.55	3.53	3.52	3.51	3.50	3.44
15	3.83	3.79	3.75	3.72	3.69	3.63	3.58	3.55	3.52	3.48	3.45	3.43	3.41	3.39	3.37	3.36	3.34	3.34	3.33	3.26
16	3.68	3.64	3.60	3.57	3.54	3.48	3.44	3.40	3.37	3.33	3.30	3.28	3.26	3.25	3.22	3.21	3.20	3.19	3.18	3.11
17	3.56	3.51	3.47	3.44	3.41	3.35	3.31	3.28	3.25	3.21	3.18	3.15	3.13	3.12	3.10	3.08	3.07	3.06	3.05	2.99
18	3.45	3.40	3.36	3.33	3.30	3.25	3.20	3.17	3.14	3.10	3.07	3.04	3.02	3.01	2.99	2.97	2.96	2.95	2.94	2.87
19	3.35	3.31	3.27	3.24	3.21	3.15	3.11	3.07	3.04	3.00	2.97	2.95	2.93	2.91	2.89	2.87	2.86	2.85	2.85	2.78
20	3.27	3.22	3.18	3.15	3.12	3.07	3.02	2.99	2.96	2.92	2.88	2.86	2.84	2.83	2.81	2.79	2.78	2.77	2.76	2.69
22	3.12	3.08	3.04	3.01	2.98	2.92	2.88	2.84	2.82	2.77	2.74	2.72	2.70	2.69	2.66	2.65	2.63	2.62	2.62	2.55
24	3.01	2.97	2.93	2.90	2.87	2.81	2.77	2.73	2.70	2.66	2.63	2.60	2.58	2.57	2.55	2.53	2.52	2.51	2.50	2.43
26	2.92	2.87	2.84	2.80	2.77	2.72	2.67	2.64	2.61	2.56	2.53	2.51	2.49	2.47	2.45	2.43	2.42	2.41	2.40	2.33
28	2.84	2.79	2.76	2.72	2.69	2.64	2.59	2.56	2.53	2.48	2.45	2.43	2.41	2.39	2.37	2.35	2.34	2.33	2.32	2.25
30	2.77	2.73	2.69	2.66	2.63	2.57	2.52	2.49	2.46	2.42	2.38	2.36	2.34	2.32	2.30	2.28	2.27	2.26	2.25	2.18
35	2.64	2.60	2.56	2.53	2.50	2.44	2.39	2.36	2.33	2.28	2.25	2.22	2.20	2.19	2.16	2.15	2.13	2.12	2.11	2.04
40	2.55	2.50	2.46	2.43	2.40	2.34	2.30	2.26	2.23	2.18	2.15	2.12	2.10	2.09	2.06	2.05	2.03	2.02	2.01	1.93
45	2.47	2.43	2.39	2.36	2.33	2.27	2.22	2.19	2.16	2.11	2.08	2.05	2.03	2.01	1.99	1.97	1.95	1.94	1.93	1.85
50	2.42	2.37	2.33	2.30	2.27	2.21	2.16	2.13	2.10	2.05	2.02	1.99	1.97	1.95	1.93	1.91	1.89	1.88	1.87	1.79
60	2.33	2.29	2.25	2.22	2.19	2.13	2.08	2.04	2.01	1.96	1.93	1.90	1.88	1.86	1.83	1.81	1.80	1.79	1.78	1.69
70	2.28	2.23	2.19	2.16	2.13	2.07	2.02	1.98	1.95	1.90	1.86	1.84	1.81	1.80	1.77	1.75	1.73	1.72	1.71	1.62
80	2.23	2.19	2.15	2.11	2.08	2.02	1.97	1.94	1.90	1.85	1.82	1.79	1.77	1.75	1.72	1.70	1.68	1.67	1.66	1.57
90	2.20	2.15	2.12	2.08	2.05	1.99	1.94	1.90	1.87	1.82	1.78	1.75	1.73	1.71	1.68	1.66	1.64	1.63	1.62	1.52
100	2.17	2.13	2.09	2.05	2.02	1.96	1.91	1.87	1.84	1.79	1.75	1.72	1.70	1.68	1.65	1.63	1.61	1.60	1.59	1.49
120	2.13	2.09	2.05	2.01	1.98	1.92	1.87	1.83	1.80	1.75	1.71	1.68	1.66	1.64	1.61	1.58	1.57	1.55	1.54	1.43
140	2.11	2.06	2.02	1.99	1.96	1.89	1.84	1.80	1.77	1.72	1.68	1.65	1.62	1.60	1.57	1.55	1.53	1.52	1.51	1.39
160	2.09	2.04	2.00	1.97	1.93	1.87	1.82	1.78	1.75	1.69	1.65	1.62	1.60	1.58	1.55	1.52	1.51	1.49	1.48	1.36
180	2.07	2.02	1.98	1.95	1.92	1.85	1.80	1.76	1.73	1.68	1.64	1.61	1.58	1.56	1.53	1.50	1.49	1.47	1.46	1.34
200	2.06	2.01	1.97	1.94	1.91	1.84	1.79	1.75	1.71	1.66	1.62	1.59	1.56	1.54	1.51	1.49	1.47	1.45	1.44	1.32
∞	1.95	1.90	1.86	1.82	1.79	1.72	1.67	1.63	1.59	1.54	1.49	1.46	1.43	1.40	1.37	1.34	1.31	1.30	1.28	1.00

표 7(a) 스튜던트화 범위의 임계값, $\alpha = .05$

ν	k																		
	2	**3**	**4**	**5**	**6**	**7**	**8**	**9**	**10**	**11**	**12**	**13**	**14**	**15**	**16**	**17**	**18**	**19**	**20**
1	18.0	27.0	32.8	37.1	40.4	43.1	45.4	47.4	49.1	50.6	52.0	53.2	54.3	55.4	56.3	57.2	58.0	58.8	59.6
2	6.08	8.33	9.80	10.9	11.7	12.4	13.0	13.5	14.0	14.4	14.7	15.1	15.4	15.7	15.9	16.1	16.4	16.6	16.8
3	4.50	5.91	6.82	7.50	8.04	8.48	8.85	9.18	9.46	9.72	9.95	10.2	10.3	10.5	10.7	10.8	11.0	11.1	11.2
4	3.93	5.04	5.76	6.29	6.71	7.05	7.35	7.60	7.83	8.03	8.21	8.37	8.52	8.66	8.79	8.91	9.03	9.13	9.23
5	3.64	4.60	5.22	5.67	6.03	6.33	6.58	6.80	6.99	7.17	7.32	7.47	7.60	7.72	7.83	7.93	8.03	8.12	8.21
6	3.46	4.34	4.90	5.30	5.63	5.90	6.12	6.32	6.49	6.65	6.79	6.92	7.03	7.14	7.24	7.34	7.43	7.51	7.59
7	3.34	4.16	4.68	5.06	5.36	5.61	5.82	6.00	6.16	6.30	6.43	6.55	6.66	6.76	6.85	6.94	7.02	7.10	7.17
8	3.26	4.04	4.53	4.89	5.17	5.40	5.60	5.77	5.92	6.05	6.18	6.29	6.39	6.48	6.57	6.65	6.73	6.80	6.87
9	3.20	3.95	4.41	4.76	5.02	5.24	5.43	5.59	5.74	5.87	5.98	6.09	6.19	6.28	6.36	6.44	6.51	6.58	6.64
10	3.15	3.88	4.33	4.65	4.91	5.12	5.30	5.46	5.60	5.72	5.83	5.93	6.03	6.11	6.19	6.27	6.34	6.40	6.47
11	3.11	3.82	4.26	4.57	4.82	5.03	5.20	5.35	5.49	5.61	5.71	5.81	5.90	5.98	6.06	6.13	6.20	6.27	6.33
12	3.08	3.77	4.20	4.51	4.75	4.95	5.12	5.27	5.39	5.51	5.61	5.71	5.80	5.88	5.95	6.02	6.09	6.15	6.21
13	3.06	3.73	4.15	4.45	4.69	4.88	5.05	5.19	5.32	5.43	5.53	5.63	5.71	5.79	5.86	5.93	5.99	6.05	6.11
14	3.03	3.70	4.11	4.41	4.64	4.83	4.99	5.13	5.25	5.36	5.46	5.55	5.64	5.71	5.79	5.85	5.91	5.97	6.03
15	3.01	3.67	4.08	4.37	4.59	4.78	4.94	5.08	5.20	5.31	5.40	5.49	5.57	5.65	5.72	5.78	5.85	5.90	5.96
16	3.00	3.65	4.05	4.33	4.56	4.74	4.90	5.03	5.15	5.26	5.35	5.44	5.52	5.59	5.66	5.73	5.79	5.84	5.90
17	2.98	3.63	4.02	4.30	4.52	4.70	4.86	4.99	5.11	5.21	5.31	5.39	5.47	5.54	5.61	5.67	5.73	5.79	5.84
18	2.97	3.61	4.00	4.28	4.49	4.67	4.82	4.96	5.07	5.17	5.27	5.35	5.43	5.50	5.57	5.63	5.69	5.74	5.79
19	2.96	3.59	3.98	4.25	4.47	4.65	4.79	4.92	5.04	5.14	5.23	5.31	5.39	5.46	5.53	5.59	5.65	5.70	5.75
20	2.95	3.58	3.96	4.23	4.45	4.62	4.77	4.90	5.01	5.11	5.20	5.28	5.36	5.43	5.49	5.55	5.61	5.66	5.71
24	2.92	3.53	3.90	4.17	4.37	4.54	4.68	4.81	4.92	5.01	5.10	5.18	5.25	5.32	5.38	5.44	5.49	5.55	5.59
30	2.89	3.49	3.85	4.10	4.30	4.46	4.60	4.72	4.82	4.92	5.00	5.08	5.15	5.21	5.27	5.33	5.38	5.43	5.47
40	2.86	3.44	3.79	4.04	4.23	4.39	4.52	4.63	4.73	4.82	4.90	4.98	5.04	5.11	5.16	5.22	5.27	5.31	5.36
60	2.83	3.40	3.74	3.98	4.16	4.31	4.44	4.55	4.65	4.73	4.81	4.88	4.94	5.00	5.06	5.11	5.15	5.20	5.24
120	2.80	3.36	3.68	3.92	4.10	4.24	4.36	4.47	4.56	4.64	4.71	4.78	4.84	4.90	4.95	5.00	5.04	5.09	5.13
∞	2.77	3.31	3.63	3.86	4.03	4.17	4.29	4.39	4.47	4.55	4.62	4.68	4.74	4.80	4.85	4.89	4.93	4.97	5.01

표 7(b) 스튜던트화 범위의 임계값, $\alpha = .01$

ν	k = 2	3	4	5	6	7	8	9	10	11	12	13	14	15	16	17	18	19	20
1	90.0	135	164	186	202	216	227	237	246	253	260	266	272	277	282	286	290	294	298
2	14.0	19.0	22.3	24.7	26.6	28.2	29.5	30.7	31.7	32.6	33.4	34.1	34.8	35.4	36.0	36.5	37.0	37.5	37.9
3	8.26	10.6	12.2	13.3	14.2	15.0	15.6	16.2	16.7	17.1	17.5	17.9	18.2	18.5	18.8	19.1	19.3	19.5	19.8
4	6.51	8.12	9.17	9.96	10.6	11.1	11.5	11.9	12.3	12.6	12.8	13.1	13.3	13.5	13.7	13.9	14.1	14.2	14.4
5	5.70	6.97	7.80	8.42	8.91	9.32	9.67	9.97	10.2	10.5	10.7	10.9	11.1	11.2	11.4	11.6	11.7	11.8	11.9
6	5.24	6.33	7.03	7.56	7.97	8.32	8.61	8.87	9.10	9.30	9.49	9.65	9.81	9.95	10.1	10.2	10.3	10.4	10.5
7	4.95	5.92	6.54	7.01	7.37	7.68	7.94	8.17	8.37	8.55	8.71	8.86	9.00	9.12	9.24	9.35	9.46	9.55	9.65
8	4.74	5.63	6.20	6.63	6.96	7.24	7.47	7.68	7.87	8.03	8.18	8.31	8.44	8.55	8.66	8.76	8.85	8.94	9.03
9	4.60	5.43	5.96	6.35	6.66	6.91	7.13	7.32	7.49	7.65	7.78	7.91	8.03	8.13	8.23	8.32	8.41	8.49	8.57
10	4.48	5.27	5.77	6.14	6.43	6.67	6.87	7.05	7.21	7.36	7.48	7.60	7.71	7.81	7.91	7.99	8.07	8.15	8.22
11	4.39	5.14	5.62	5.97	6.25	6.48	6.67	6.84	6.99	7.13	7.25	7.36	7.46	7.56	7.65	7.73	7.81	7.88	7.95
12	4.32	5.04	5.50	5.84	6.10	6.32	6.51	6.67	6.81	6.94	7.06	7.17	7.26	7.36	7.44	7.52	7.59	7.66	7.73
13	4.26	4.96	5.40	5.73	5.98	6.19	6.37	6.53	6.67	6.79	6.90	7.01	7.10	7.19	7.27	7.34	7.42	7.48	7.55
14	4.21	4.89	5.32	5.63	5.88	6.08	6.26	6.41	6.54	6.66	6.77	6.87	6.96	7.05	7.12	7.20	7.27	7.33	7.39
15	4.17	4.83	5.25	5.56	5.80	5.99	6.16	6.31	6.44	6.55	6.66	6.76	6.84	6.93	7.00	7.07	7.14	7.20	7.26
16	4.13	4.78	5.19	5.49	5.72	5.92	6.08	6.22	6.35	6.46	6.56	6.66	6.74	6.82	6.90	6.97	7.03	7.09	7.15
17	4.10	4.74	5.14	5.43	5.66	5.85	6.01	6.15	6.27	6.38	6.48	6.57	6.66	6.73	6.80	6.87	6.94	7.00	7.05
18	4.07	4.70	5.09	5.38	5.60	5.79	5.94	6.08	6.20	6.31	6.41	6.50	6.58	6.65	6.72	6.79	6.85	6.91	6.96
19	4.05	4.67	5.05	5.33	5.55	5.73	5.89	6.02	6.14	6.25	6.34	6.43	6.51	6.58	6.65	6.72	6.78	6.84	6.89
20	4.02	4.64	5.02	5.29	5.51	5.69	5.84	5.97	6.09	6.19	6.29	6.37	6.45	6.52	6.59	6.65	6.71	6.76	6.82
24	3.96	4.54	4.91	5.17	5.37	5.54	5.69	5.81	5.92	6.02	6.11	6.19	6.26	6.33	6.39	6.45	6.51	6.56	6.61
30	3.89	4.45	4.80	5.05	5.24	5.40	5.54	5.65	5.76	5.85	5.93	6.01	6.08	6.14	6.20	6.26	6.31	6.36	6.41
40	3.82	4.37	4.70	4.93	5.11	5.27	5.39	5.50	5.60	5.69	5.77	5.84	5.90	5.96	6.02	6.07	6.12	6.17	6.21
60	3.76	4.28	4.60	4.82	4.99	5.13	5.25	5.36	5.45	5.53	5.60	5.67	5.73	5.79	5.84	5.89	5.93	5.98	6.02
120	3.70	4.20	4.50	4.71	4.87	5.01	5.12	5.21	5.30	5.38	5.44	5.51	5.56	5.61	5.66	5.71	5.75	5.79	5.83
∞	3.64	4.12	4.40	4.60	4.76	4.88	4.99	5.08	5.16	5.23	5.29	5.35	5.40	5.45	5.49	5.54	5.57	5.61	5.65

자료: From E. S. Pearson and H. O. Hartley, *Biometrika Tables for Statisticians,* 1: 176–77. Reproduced by permission of the Biometrika Trustees.

표 8(a) 더빈-왓슨 통계량의 임계값, $\alpha = .05$

	$k = 1$		$k = 2$		$k = 3$		$k = 4$		$k = 5$	
n	d_L	d_U	d_L	d_U	d_L	d_U	d_L	d_U	d_L	d_U
15	1.08	1.36	.95	1.54	.82	1.75	.69	1.97	.56	2.21
16	1.10	1.37	.98	1.54	.86	1.73	.74	1.93	.62	2.15
17	1.13	1.38	1.02	1.54	.90	1.71	.78	1.90	.67	2.10
18	1.16	1.39	1.05	1.53	.93	1.69	.82	1.87	.71	2.06
19	1.18	1.40	1.08	1.53	.97	1.68	.86	1.85	.75	2.02
20	1.20	1.41	1.10	1.54	1.00	1.68	.90	1.83	.79	1.99
21	1.22	1.42	1.13	1.54	1.03	1.67	.93	1.81	.83	1.96
22	1.24	1.43	1.15	1.54	1.05	1.66	.96	1.80	.86	1.94
23	1.26	1.44	1.17	1.54	1.08	1.66	.99	1.79	.90	1.92
24	1.27	1.45	1.19	1.55	1.10	1.66	1.01	1.78	.93	1.90
25	1.29	1.45	1.21	1.55	1.12	1.66	1.04	1.77	.95	1.89
26	1.30	1.46	1.22	1.55	1.14	1.65	1.06	1.76	.98	1.88
27	1.32	1.47	1.24	1.56	1.16	1.65	1.08	1.76	1.01	1.86
28	1.33	1.48	1.26	1.56	1.18	1.65	1.10	1.75	1.03	1.85
29	1.34	1.48	1.27	1.56	1.20	1.65	1.12	1.74	1.05	1.84
30	1.35	1.49	1.28	1.57	1.21	1.65	1.14	1.74	1.07	1.83
31	1.36	1.50	1.30	1.57	1.23	1.65	1.16	1.74	1.09	1.83
32	1.37	1.50	1.31	1.57	1.24	1.65	1.18	1.73	1.11	1.82
33	1.38	1.51	1.32	1.58	1.26	1.65	1.19	1.73	1.13	1.81
34	1.39	1.51	1.33	1.58	1.27	1.65	1.21	1.73	1.15	1.81
35	1.40	1.52	1.34	1.58	1.28	1.65	1.22	1.73	1.16	1.80
36	1.41	1.52	1.35	1.59	1.29	1.65	1.24	1.73	1.18	1.80
37	1.42	1.53	1.36	1.59	1.31	1.66	1.25	1.72	1.19	1.80
38	1.43	1.54	1.37	1.59	1.32	1.66	1.26	1.72	1.21	1.79
39	1.43	1.54	1.38	1.60	1.33	1.66	1.27	1.72	1.22	1.79
40	1.44	1.54	1.39	1.60	1.34	1.66	1.29	1.72	1.23	1.79
45	1.48	1.57	1.43	1.62	1.38	1.67	1.34	1.72	1.29	1.78
50	1.50	1.59	1.46	1.63	1.42	1.67	1.38	1.72	1.34	1.77
55	1.53	1.60	1.49	1.64	1.45	1.68	1.41	1.72	1.38	1.77
60	1.55	1.62	1.51	1.65	1.48	1.69	1.44	1.73	1.41	1.77
65	1.57	1.63	1.54	1.66	1.50	1.70	1.47	1.73	1.44	1.77
70	1.58	1.64	1.55	1.67	1.52	1.70	1.49	1.74	1.46	1.77
75	1.60	1.65	1.57	1.68	1.54	1.71	1.51	1.74	1.49	1.77
80	1.61	1.66	1.59	1.69	1.56	1.72	1.53	1.74	1.51	1.77
85	1.62	1.67	1.60	1.70	1.57	1.72	1.55	1.75	1.52	1.77
90	1.63	1.68	1.61	1.70	1.59	1.73	1.57	1.75	1.54	1.78
95	1.64	1.69	1.62	1.71	1.60	1.73	1.58	1.75	1.56	1.78
100	1.65	1.69	1.63	1.72	1.61	1.74	1.59	1.76	1.57	1.78

자료: From J. Durbin and G. S. Watson, "Testing for Serial Correlation in Least Squares Regression, II," *Biometrika* 30 (1951): 159–78. Reproduced by permission of the Biometrika Trustees.

표 8(b) 더빈–왓슨 통계량의 임계값, $\alpha = .01$

n	k = 1		k = 2		k = 3		k = 4		k = 5	
	d_L	d_U	d_L	d_U	d_L	d_U	d_L	d_U	d_L	d_U
15	.81	1.07	.70	1.25	.59	1.46	.49	1.70	.39	1.96
16	.84	1.09	.74	1.25	.63	1.44	.53	1.66	.44	1.90
17	.87	1.10	.77	1.25	.67	1.43	.57	1.63	.48	1.85
18	.90	1.12	.80	1.26	.71	1.42	.61	1.60	.52	1.80
19	.93	1.13	.83	1.26	.74	1.41	.65	1.58	.56	1.77
20	.95	1.15	.86	1.27	.77	1.41	.68	1.57	.60	1.74
21	.97	1.16	.89	1.27	.80	1.41	.72	1.55	.63	1.71
22	1.00	1.17	.91	1.28	.83	1.40	.75	1.54	.66	1.69
23	1.02	1.19	.94	1.29	.86	1.40	.77	1.53	.70	1.67
24	1.04	1.20	.96	1.30	.88	1.41	.80	1.53	.72	1.66
25	1.05	1.21	.98	1.30	.90	1.41	.83	1.52	.75	1.65
26	1.07	1.22	1.00	1.31	.93	1.41	.85	1.52	.78	1.64
27	1.09	1.23	1.02	1.32	.95	1.41	.88	1.51	.81	1.63
28	1.10	1.24	1.04	1.32	.97	1.41	.90	1.51	.83	1.62
29	1.12	1.25	1.05	1.33	.99	1.42	.92	1.51	.85	1.61
30	1.13	1.26	1.07	1.34	1.01	1.42	.94	1.51	.88	1.61
31	1.15	1.27	1.08	1.34	1.02	1.42	.96	1.51	.90	1.60
32	1.16	1.28	1.10	1.35	1.04	1.43	.98	1.51	.92	1.60
33	1.17	1.29	1.11	1.36	1.05	1.43	1.00	1.51	.94	1.59
34	1.18	1.30	1.13	1.36	1.07	1.43	1.01	1.51	.95	1.59
35	1.19	1.31	1.14	1.37	1.08	1.44	1.03	1.51	.97	1.59
36	1.21	1.32	1.15	1.38	1.10	1.44	1.04	1.51	.99	1.59
37	1.22	1.32	1.16	1.38	1.11	1.45	1.06	1.51	1.00	1.59
38	1.23	1.33	1.18	1.39	1.12	1.45	1.07	1.52	1.02	1.58
39	1.24	1.34	1.19	1.39	1.14	1.45	1.09	1.52	1.03	1.58
40	1.25	1.34	1.20	1.40	1.15	1.46	1.10	1.52	1.05	1.58
45	1.29	1.38	1.24	1.42	1.20	1.48	1.16	1.53	1.11	1.58
50	1.32	1.40	1.28	1.45	1.24	1.49	1.20	1.54	1.16	1.59
55	1.36	1.43	1.32	1.47	1.28	1.51	1.25	1.55	1.21	1.59
60	1.38	1.45	1.35	1.48	1.32	1.52	1.28	1.56	1.25	1.60
65	1.41	1.47	1.38	1.50	1.35	1.53	1.31	1.57	1.28	1.61
70	1.43	1.49	1.40	1.52	1.37	1.55	1.34	1.58	1.31	1.61
75	1.45	1.50	1.42	1.53	1.39	1.56	1.37	1.59	1.34	1.62
80	1.47	1.52	1.44	1.54	1.42	1.57	1.39	1.60	1.36	1.62
85	1.48	1.53	1.46	1.55	1.43	1.58	1.41	1.60	1.39	1.63
90	1.50	1.54	1.47	1.56	1.45	1.59	1.43	1.61	1.41	1.64
95	1.51	1.55	1.49	1.57	1.47	1.60	1.45	1.62	1.42	1.64
100	1.52	1.56	1.50	1.58	1.48	1.60	1.46	1.63	1.44	1.65

자료: From J. Durbin and G. S. Watson, "Testing for Serial Correlation in Least Squares Regression, II," *Biometrika* 30 (1951): 159–78. Reproduced by permission of the Biometrika Trustees.

표 9 윌콕슨 순위합 검정의 임계값

(a) $\alpha = .025$ 단측; $\alpha = .05$ 양측

n_2 \ n_1	3		4		5		6		7		8		9		10	
	T_L	T_U	T_L	T_U	T_L	T_U	T_L	T_U	T_L	T_U	T_L	T_U	T_L	T_U	T_L	T_U
4	6	18	11	25	17	33	23	43	31	53	40	64	50	76	61	89
5	6	11	12	28	18	37	25	47	33	58	42	70	52	83	64	96
6	7	23	12	32	19	41	26	52	35	63	44	76	55	89	66	104
7	7	26	13	35	20	45	28	56	37	68	47	81	58	95	70	110
8	8	28	14	38	21	49	29	61	39	63	49	87	60	102	73	117
9	8	31	15	41	22	53	31	65	41	78	51	93	63	108	76	124
10	9	33	16	44	24	56	32	70	43	83	54	98	66	114	79	131

(b) $\alpha = .05$ 단측; $\alpha = .10$ 양측

n_2 \ n_1	3		4		5		6		7		8		9		10	
	T_L	T_U	T_L	T_U	T_L	T_U	T_L	T_U	T_L	T_U	T_L	T_U	T_L	T_U	T_L	T_U
3	6	15	11	21	16	29	23	37	31	46	39	57	49	68	60	80
4	7	17	12	24	18	32	25	41	33	51	42	62	52	74	63	87
5	7	20	13	27	19	37	26	46	35	56	45	67	55	80	66	94
6	8	22	14	30	20	40	28	50	37	61	47	73	57	87	69	101
7	9	24	15	33	22	43	30	54	39	66	49	79	60	93	73	107
8	9	27	16	36	24	46	32	58	41	71	52	84	63	99	76	114
9	10	29	17	39	25	50	33	63	43	76	54	90	66	105	79	121
10	11	31	18	42	26	54	35	67	46	80	57	95	69	111	83	127

자료: From F. Wilcoxon and R. A. Wilcox, "Some Rapid Approximate Statistical Procedures" (1964), p. 28. Reproduced with the permission of American Cyanamid Company.

표 10 윌콕슨 부호 순위합 검정의 임계값

	(a) α = .025 단측; α = .05 양측		(b) α = .05 단측; α = .10 양측	
n	T_L	T_U	T_L	T_U
6	1	20	2	19
7	2	26	4	24
8	4	32	6	30
9	6	39	8	37
10	8	47	11	44
11	11	55	14	52
12	14	64	17	61
13	17	74	21	70
14	21	84	26	79
15	25	95	30	90
16	30	106	36	100
17	35	118	41	112
18	40	131	47	124
19	46	144	54	136
20	52	158	60	150
21	59	172	68	163
22	66	187	75	178
23	73	203	83	193
24	81	219	92	208
25	90	235	101	224
26	98	253	110	241
27	107	271	120	258
28	117	289	130	276
29	127	308	141	294
30	137	328	152	313

자료: From F. Wilcoxon and R. A. Wilcox, "Some Rapid Approximate Statistical Procedures" (1964), p. 28. Reproduced with the permission of American Cyanamid Company.

표 11 스피어만 순위 상관계수의 임계값

α값은 $H_0: \rho_s = 0$에 대한 단측검정을 위한 유의 수준이다.
양측 검정의 유의 수준은 2α이다.

n	$\alpha = .05$	$\alpha = .025$	$\alpha = .01$
5	.900	—	—
6	.829	.886	.943
7	.714	.786	.893
8	.643	.738	.833
9	.600	.683	.783
10	.564	.648	.745
11	.523	.623	.736
12	.497	.591	.703
13	.475	.566	.673
14	.457	.545	.646
15	.441	.525	.623
16	.425	.507	.601
17	.412	.490	.582
18	.399	.476	.564
19	.388	.462	.549
20	.377	.450	.534
21	.368	.438	.521
22	.359	.428	.508
23	.351	.418	.496
24	.343	.409	.485
25	.336	.400	.475
26	.329	.392	.465
27	.323	.385	.456
28	.317	.377	.448
29	.311	.370	.440
30	.305	.364	.432

자료: From E. G. Olds, "Distribution of Sums of Squares of Rank Differences for Small Samples," *Annals of Mathematical Statistics* 9 (1938). Reproduced with the permission of the Institute of Mathematical Statistics.

ㄱ

가설검정(hypothesis testing) *362, 392*
강건성(robustness) *446*
강하게 유의하다(strongly significant) *405*
거짓 양성(false-positive) *197*
거짓 음성(false-negative) *197*
검사특성곡선(operating characteristic (OC) curve) *426*
검정의 p-값(p-value of a test) *402*
검정통계량(test statistic) *396, 401*
결정계수(coefficient of determination) *111, 114, 122, 694, 701*
결합확률(joint probability) *167*
경험법칙(empirical rule) *101*
계급(class) *53*
계열상관(serial correlation) *723*
계절조정 시계열(seasonally adjusted time series) *887*
계절지수(seasonal indexes) *884*
고전적 방법(classical approach) *162*
고정효과 분산분석(fixed-effect analysis of variance) *604*
곱셈법칙(multiplication rule) *183*
공분산(covariance) *111*
관측데이터(observational data) *142, 522*
관측빈도(observed frequency) *644*
교사건(intersection) *167*
교차분류표(cross-classification table) *40, 650*
구간데이터(interval data) *18*
구간추정량(interval estimator) *363*
군집표본(cluster sample) *154*
귀무가설(null hypothesis) *392*
기각역(rejection region) *398, 399*
기대기회손실(expected opportunity loss, EOL) *907*
기대빈도(expected frequency) *644*
기대치(expected value) *224*
기대화폐가치(expected monetary value, EMV) *905*
기술통계학(descriptive statistics) *2*
기하평균(geometric mean) *93*
기회손실(opportunity loss) *903*

ㄴ

누적확률(cumulative probability) *257*

ㄷ

다인자실험(multifactor experiment) *603*
다중공선성(multicollinearity) *739, 748, 758*
다중비교검정(multiple comparisons) *594*
다중선형회귀모형(multiple linear regression model) *736*
다항식 회귀모형(polynomial model) *774*
다항실험(multinomial experiment) *642*
단봉 히스토그램(unimodal histogram) *58*
단순선형회귀모형(simple linear regression model) *679*
단순임의표본(simple random sample) *149*
단측검정(one-tail test) *410, 664*
단측신뢰구간추정량(one-sided confidence interval estimator) *414*

대립가설(alternative hypothesis) *392*
대칭(symmetric) *57*
더미변수(dummy variable) *786*
더빈 – 왓슨 검정(Durbin-Watson test) *761*
덧셈법칙(addition rule) *185*
데이터(data) *17, 18*
데이텀(datum) *18*
독립변수(independent variable) *72, 676*
독립사건(independent events) *172*
동분산(homoscedasticity) *722*
동분산 검정통계량(equal-variance test statistic) *499*
동분산 신뢰구간추정량(equal-variance confidence interval estimator) *499*

ㄹ

랜덤화블럭계획법(randomized block design) *604*
롤백 기법(rollback technique) *907*

ㅁ

막대그래프(bar chart) *24, 27*
매우 유의하다(highly significant) *405*
모수(parameter) *6*
모집단(population) *6, 16*
목표 모집단(target population) *147*
무응답오차(nonresponse error) *157*

ㅂ

반복(replicate) *617*
반복측정계획법(repeated measures design) *604*
반응(response) *575*
반응변수(response variable) *575*
반응표면(response surface) *737*
백분위수(percentile) *106*
범위(range) *3, 96*
범주데이터(nominal data) *18*
베르누이 과정(Bernoulli process) *253*
베이즈의 법칙(Bayes' Law) *195*
변동계수(coefficient of variation) *103*
변동성 척도(measure of variability) *3, 96*
변수(variable) *17*
보수표(payoff table) *903*
본페로니 조정(Bonferroni adjustment) *597*
부호검정(sign test) *806, 823*
분모의 자유도(denominator degrees of freedom) *541*
분산(variance) *96*
분산분석(analysis of variance) *536, 574*
분자의 자유도(numerator degrees of freedom) *541*
분포자유 통계학(distribution-free statistics) *804*
분할표(contingency table) *642, 651, 653*
분할표 카이제곱검정(chi-squared test of a contingency table) *650*
불편추정량(unbiased estimator) *364, 595*
블럭제곱합(sum of squares for blocks, SSB) *605*
비모수 기법(nonparametric techniques) *804*
비표본추출오차(nonsampling error) *156, 157*
빈도분포(frequency distribution) *24*

ㅅ

사건(event) *163*
사분위수(quartile) *106*
사분위수간 범위(interquartile range) *109*
사전사후분석(preposterior analysis) *915*
사전확률(prior probability) *195, 912*
사후확률(posterior probability) *195, 912*
산포도(scatter diagram) *71, 687*
상관계수(coefficient of correlation) *111, 113*
상대빈도 방법(relative frequency approach) *162*
상대빈도분포(relative frequency distribution) *24*
상대적 효율성(relative efficiency) *365*
상호작용(interaction) *617, 778*
생략된 범주(omitted category) *787*
서베이(survey) *143*
서열데이터(ordinal data) *18*
선 그래프(line chart) *66*
선택편의(selection bias) *157*

선형관계(linear relationship) 74
수정확률(revised probability) 195, 912
수준(level) 575
스피어만 순위상관계수(Spearman rank correlation coefficient) 710, 806, 852
시계열(time series) 870
시계열 데이터(time-series data) 66, 723
신뢰상한(upper confidence limit, UCL) 368
신뢰수준(confidence level) 7, 368
신뢰하한(lower confidence limit, LCL) 368
실험(experiment) 912
실험결과(experimental outcome) 912
실험단위(experimental unit) 575
실험데이터(experimental data) 143, 522

ㅇ

양봉 히스토그램(bimodal histogram) 58
양의 비대칭(positively skewed) 58
양의 선형관계(positive linear relationship) 75
양측검정(two-tail test) 410, 663
여사건(complement) 182
여사건법칙(complement rule) 182
연구가설(research hypothesis) 392
연속성 교정계수(continuity correction factor) 351
연속확률변수(continuous random variable) 220
예측(forecasting) 870
예측구간(prediction interval) 713
예측변수(predictor variable) 774
예측오차제곱합(sum of squares for forecast errors, SSE) 889
오차변수(error variable) 678
오차제곱합(sum of squares for error, SSE) 577, 683, 694, 703
오차평균제곱(mean square for error) 579
완전랜덤화계획법(completely randomized design) 582
완전인자실험(complete factorial experiment) 617
완전정보 기대가치(expected value of perfect information, EVPI) 911
완전정보 기대보수(expected payoff with perfect information, EPPI) 910
우도확률(likelihood probability) 195, 911
윌콕슨 부호 순위합 검정(Wilcoxon signed rank sum test) 536, 806, 823, 828
윌콕슨 순위합 검정(Wilcoxon rank sum test) 512, 806
유의수준(significance level) 7, 393
유한모집단 교정계수(finite population correction factor) 338
음의 비대칭(negatively skewed) 58
음의 선형관계(negative linear relationship) 75
응답률(response rate) 144
이동평균(moving average) 873
이변량(bivariate) 40
이변량 확률분포(bivariate distribution) 233
이분산(heteroscedasticity) 722
이분산 검정통계량(unequal-variance test statistic) 500
이분산 신뢰구간추정량(unequal-variance confidence interval estimator) 500
이산확률변수(discrete random variable) 220
이상치(outlier) 725
이원분산분석(two-way analysis of variance) 604
이항분포(binomial distribution) 252
이항분포의 정규분포에 의한 근사(normal approximation of the binomial distribution) 352
이항실험(binomial experiment) 252, 253, 642
이항확률변수(binomial random variable) 253
인자(factor) 575, 603
인자실험(factorial experiment) 615
일변량(univariate) 39
일양확률분포(uniform probability distribution) 283
일원분산분석(one-way analysis of variance) 574
일차식 선형모형(first-order linear model) 679

일치성(consistency) 364
임의변동(random variation) 873
임의효과 분산분석(random-effect analysis of variance) 604

ㅈ

자기상관(autocorrelation) 723
자기선택표본(self-selected sample) 147
자기회귀모형(autoregressive model) 894
자연상태(state of nature) 902
자유도(degrees of freedom) 314, 448
자유도 조정 결정계수(coefficient of determination adjusted for degrees of freedom) 704, 741
잔차(residuals) 721
점추정량(point estimator) 362
정규분포(normal distribution) 288
정규확률변수(normal random variable) 288
제1계 자기상관(first-order autocorrelation) 724, 761
제1종 오류(Type I error) 393, 584
제2종 오류(Type II error) 393
조건부 확률(conditional probability) 171
종속변수(dependent variable) 72, 676
주관적 방법(subjective approach) 163
주기변동(cyclical variation) 872
중심극한정리(central limit theorem) 336
중심위치의 척도(measure of central location) 2, 86
중앙값(median) 21, 88, 805
지수분포(exponential distribution) 280, 308
지수평활(exponential smoothing) 873
지시변수(indicator variable) 774, 786
직사각형확률분포(rectangular probability distribution) 283
짝진실험(matched pairs experiment) 496, 526, 529, 581, 603

ㅊ

차수(order) 774
처리간변동(between-treatments variation) 576
처리내변동[within-treatments variation) 577
처리제곱합(sum of squares for treatments) 576
처리평균(treatment mean) 574
처리평균제곱(mean square for treatments) 578
체비세프의 정리(Chebysheff's Theorem) 102
총변동(total variation) 581
총제곱합(total sum of squares, TSS) 581
최빈값(mode) 58, 89, 90
최빈계급(modal class) 58
최소유의차(least significant difference, LSD) 596
최소자승법(least squares method) 74, 117, 680
추론통계학(inferential statistics) 4
추세(trend) 871
추정오차(error of estimation) 384
추정오차의 허용크기(bound on the error of estimation) 385
추정치(estimate) 147, 362
추정치의 표준오차(standard error of estimate) 694, 695
출구조사(exit polls) 5
층화임의표본(stratified random sample) 152

ㅋ

카이제곱분포(chi-squared distribution) 319, 356
카이제곱 적합도 검정(chi-squared goodness-of-fit test) 643
카이제곱통계량(chi-squared statistic) 457
카테고리데이터(categorical data) 18
크러스칼-월리스 검정(Kruskal-Wallis test) 806, 839

ㅌ

통계량(statistic) 7
통계적으로 유의하다(statistically significant) 401
통계적으로 유의하지 않다(not statistically significant) 405
통계적 추론(statistical inference) 7, 362

통합모비율추정량(pooled proportion estimator) *549*
통합분산추정량(pooled variance estimator) *498, 595*
투키의 다중비교검정(Tukey's multiple comparison method) *598*

ㅍ

파이차트(pie chart) *24, 27*
평균(mean) *87*
평균절대편차(mean absolute deviation, MAD) *98, 889*
평균제곱(mean squares) *578, 743*
포아송분포(Poisson distribution) *263*
포아송실험(Poisson experiment) *264*
포아송확률변수(Poisson random variable) *263, 264*
표본(sample) *7, 17*
표본공간(sample space) *161*
표본분산의 표본분포(sampling distribution of the sample variance) *356*
표본분포(sampling distribution) *332*
표본비율의 표본분포(sampling distribution of the sample proportion) *352*
표본비율의 표준오차(standard error of the sample proportion) *353*
표본정보 기대가치(expected value of sample information) *917*
표본추출 모집단(sampled population) *147*
표본추출오차(sampling error) *156*
표본평균의 표본분포(sampling distribution of the sample mean) *336*
표본평균의 표준오차(standard error of the sample mean) *336*
표준정규확률변수(standard normal random variable) *290*
표준편차(standard deviation) *96, 100*
표준화 검정통계량(standardized test statistic) *400, 401*
프리드만 검정(Friedman test) *806*
피어슨 상관계수(Pearson coefficient of correlation) *706*

ㅎ

한계확률(marginal probability) *169*
합사건(union) *168, 173*
확률밀도함수(probability density function) *280, 282*
확률변수(random variable) *219*
확률분포(probability distribution) *220*
확률실험(random experiment) *160*
확률적 모형(probabilistic model) *678*
확정적 모형(deterministic model) *678*
활동(act) *902*
회귀분석(regression analysis) *80, 676*
횡단면 데이터(cross-sectional data) *66*
히스토그램(histogram) *52, 54, 55*

기타

ANOVA 표(ANOVA table) *580*
F 분포(F distribution) *323*
Student t 분포(Student t distribution) *314, 439*
t-통계량(t-statistic) *438*
y의 기대치에 대한 신뢰구간 추정량(confidence interval estimator of the expected value of y) *713*

저자 소개

Gerald Keller

Gerald Keller는 현재 캐나다 Wilfrid Laurier University 경영경제학부(School of Business and Economics) 명예교수로 재직하고 있다. 그는 Sir George William University를 졸업하고 University of Windsor로부터 통계학 박사학위(Ph.D. in Statistics)를 취득하였다. 그는 Wilfrid Laurier University에서 통계학, 경영과학, 운영관리를 가르치고 있으며 University of Windsor, University of Toronto, McMaster University, Beijing Institute of Science and Technology, University of Miami에서도 가르쳤다. Gerald Keller의 관심분야는 재고모형, 의사결정분석, 예측, 신용평점모형이며 그는 *Decision Sciences*, *OMEGA*, *INFOR*, *IIE Transactions*, *Economics Letters*, *Archives of Surgery*에 다수의 논문을 게재하였다.

역자 소개

이상규(李相圭)

서울대학교 경제학과에서 경제학 학사학위를 취득한 후 미국 University of Illinois at Urbana-Champaign에서 경제학 석사 및 경제학 박사(Financial Econometrics)학위를 취득하였다. 현재 경희대학교 경영대학 경영학과 명예교수로 재직하고 있다. 주요 관심분야는 금융기관경영, 금융산업조직, 통화와 금융, 금융경제, 계량경제 등이며 *Review of Economic Studies*, *Journal of Business and Economic Statistics*, *Indian Journal of Statistics* 등 국제 학술지와 금융연구, 재무연구, 경영학연구, 경제분석, 리스크관리연구, 금융안정연구 등 국내 학술지에 다수의 논문을 게재하였다.